AF238163

ACCESO GRATIS *a la Lectura en la Nube*

Para visualizar el libro electrónico en la nube de lectura envíe junto a su nombre y apellidos una fotografía del código de barras situado en la contraportada del libro y otra del ticket de compra a la dirección:

ebooktirant@tirant.com

En un máximo de 72 horas laborales le enviaremos el código de acceso con las instrucciones

NUEVOS RETOS DEL DERECHO DE DAÑOS EN IBEROAMÉRICA

NUEVOS RETOS DEL DERECHO DE DAÑOS EN IBEROAMÉRICA

I Congreso Iberoamericano de
Responsabilidad Civil

MARÍA JOSÉ SANTOS,
JESÚS R. MERCADER y PEDRO DEL OLMO
(DIRECTORES)

LORENA ARYSMENDI y FELIPE OYARZUN
(COORDINADORES)

tirant lo blanch

Valencia, 2020

© **MARIA JOSE SANTOS, JESÚS R. MERCADER Y PEDRO DEL OLMO**
(Directores)

LORENA ARYSMENDI Y FELIPE OYARZUN
(Coordinadores)

© **TIRANT LO BLANCH**
EDITA: TIRANT LO BLANCH
C/ Artes Gráficas, 14 - 46010 - Valencia
TELFS.: 96/361 00 48 - 50
FAX: 96/369 41 51
Email:tlb@tirant.com www.tirant.com
Librería virtual: www.tirant.es
DEPÓSITO LEGAL: V-1576-2020   ISBN: 978-84-1355-412-9

ÍNDICE

VI. LA RESPONSABILIDAD MÉDICA

VIII. RESPONSABILIDAD CONTRACTUAL

PRESENTACIÓN

María José Santos
Catedrática de Derecho civil

Jesús R. Mercader
Catedrático de Derecho del Trabajo

Pedro del Olmo
Profesor titular de Derecho civil

El libro que el lector tiene en sus manos reúne las ponencias y comunicaciones presentadas en el I Congreso Iberoamericano de Responsabilidad civil que tuvo lugar en el Campus de Puerta de Toledo de la Universidad Carlos III los días 28 y 29 de octubre de 2019.

La idea de organizar este congreso surgió en Chile, en la Universidad de Talca, donde, a raíz de otro congreso de responsabilidad civil en el que participaron expertos de distintas nacionalidades, se creó el Grupo Iberoamericano de Derecho de daños. Dicho Grupo, además de ser un foro de encuentro y debate entre juristas iberoamericanos tiene como finalidad última la elaboración unas líneas o principios generales de Derecho de daños en el ámbito Iberoamericano. De ahí que, como primera actividad, se pensara en organizar un Congreso dirigido a reunir a especialistas de España, Portugal e Iberoamérica, con el fin de analizar temas relevantes del Derecho de daños desde la perspectiva de los diferentes ordenamientos, y en los idiomas español y portugués.

El lugar elegido fue la Universidad Carlos III donde se imparte un Máster Oficial de Responsabilidad Civil. La Universidad Carlos III de Madrid ha acometido la puesta en marcha de un Máster Universitario en Responsabilidad Civil con el objetivo de dotar de adecuada cobertura, desde una perspectiva práctica e investigadora, a un ámbito jurídico de extraordinaria importancia. Desde la perspectiva interdisciplinar que proporciona el Derecho Civil, Mercantil, Laboral e Internacional Privado y, de manera global, el resto de áreas jurídicas, el Máster posee un doble perfil: profesional, que conlleva la realización de prácticas en empresas, y académico o de investigación, que permite acceder directamente al Doctorado. El mismo se nutre en buena medida de estudiantes de Latinoamericanos.

El congreso, que se desarrolló a lo largo de dos días, se estructuró en distintos paneles, unos sobre problemas actuales del derecho de daños, como las diferencias entre la responsabilidad extracontractual y el enriquecimiento injusto o la responsabilidad en el seno de las relaciones familiares, y otros sobre la adaptación de los tradicionales presupuestos de la responsabilidad civil (daño, relación causal y criterio de imputación) a los retos que surgen en esta sociedad permanentemente cambiante. También se celebraron, simultáneamente, diversas mesas redondas sobre temas específicos como la responsabilidad civil y las nuevas tecnologías, la indemnización derivada de accidentes de trabajo, o la aplicación del nuevo baremo de valoración de daños y perjuicios.

Aunque en esta obra no se incluyen todas las intervenciones de los participantes en las mesas redondas mencionadas con anterioridad, el contenido de los trabajos aquí reunidos coincide, con las debidas adaptaciones para su publicación, con las ponencias y comunicaciones presentadas en los distintos paneles en que se estructuró el congreso, que se han ordenado, no obstante, de distinto modo. Así, la obra se ha dividido en ocho capítulos, en los que se abordan, respectivamente, temas relacionados con el daño, la relación causal y el criterio de imputación de la responsabilidad, para analizar a continuación las fronteras entre la responsabilidad extracontractual y el enriquecimiento injustificado;

la responsabilidad civil en las relaciones familiares; la responsabilidad médica; la responsabilidad civil y las nuevas tecnologías y finalizar con algunas cuestiones sobre responsabilidad contractual.

Antes de terminar esta presentación hay que señalar que, para la realización del evento, se contó con la ayuda de tres proyectos de investigación (DER2016-77695-P, DER2017-85594-C2-1-P y RTI2018-094547-B-C21) y la colaboración del Departamento de Derecho privado y el Departamento de Derecho Social e Internacional Privado de la UC3M, así como del Instituto de Derecho y Economía de esta misma Universidad. Pero, en particular, hemos de manifestar nuestro agradecimiento a la Asociación de Abogados de víctimas de responsabilidad civil (ANAVA-RC), que nos ofreció su inestimable apoyo en la organización de este congreso

Por último, solo resta por decir que esperamos que esta obra sea de utilidad para académicos, profesionales y, en general operadores jurídicos, que deban enfrentarse a los numerosos retos que, para el Derecho de daños, presenta la realidad actual.

I. EL DAÑO EN LA RESPONSABILIDAD CIVIL: NUEVAS PERSPECTIVAS

1. DE NUEVO SOBRE EL LLAMADO DAÑO MORAL. ALGUNOS APUNTES PARA LA REFLEXIÓN

Eugenio Llamas Pombo

Catedrático de Derecho Civil, Universidad de Salamanca

SUMARIO: I. CONCEPTO. II. ABUSO DEL DAÑO MORAL: DEL CONCEPTO COMODÍN AL ESCÁNDALO. III. VALORACIÓN. IV. ALGUNOS CRITERIOS LEGALES PARA LA VALORACIÓN DEL DAÑO MORAL 1. Configuración en el baremo de la Ley 30/1995. 2. Tratamiento en el Baremo vigente V. REFLEXIÓN FINAL.

RESUMEN

El trabajo cuestiona el tradicional concepto negativo o "por exclusión" de daño moral, para pasar a denominarlo "daño a la persona", y configurarlo de manera articulada, integrado por varias partidas heterogéneas y diferenciadas, que afectan a intereses distintos entre sí. Critica el abuso jurisprudencial de la figura del daño moral y lo diferencia adecuadamente de otras instituciones. Todo ello para resolver dos grandes cuestiones, para las que se ofrecen algunos criterios y soluciones: a) dónde comienza el daño resarcible y b) cómo valorar su compensación indemnizatoria.

PALABRAS CLAVE

Daño moral. *Pretium doloris*. Daño extrapatrimonial. Daños punitivos. Restitución del enriquecimiento injusto. Cuantificación del daño.

ABSTRACT

This article questions the traditional negative or "by exclusion" concept of moral damages, which the author suggests to designate "personal damages". These are structured in an articulated way and composed by various heterogeneous and differentiated items which affect distinct interests. The abusive use of the concept of moral damage in case law is criticised, and this non-pecuniary loss is differentiated from other legal institutions. The goal of the article is to address two main issues, for which various criteria and solutions are offered: a) when does the damage become compensable? and b) how to value the indemnifying compensation?

KEYWORDS

Moral damage. Pretium doloris. Pain and suffering. Nonpecuniary damages. Punitive damages. Restitution of unjust enrichment. Quantification of damages.

I. CONCEPTO

Hace muchos años que venimos criticando la clásica definición negativa o por exclusión del daño moral, acuñada por PACCHIONI, DE CUPIS o, en España, ALVAREZ VIGARAY[1]: *perjuicio que ni implica una pérdida de dinero, ni falta de ganancia, que no entraña ninguna consecuencia pecuniaria ni disminución del patrimonio de la víctima.* En esa misma línea, el artículo 10:301 de los Principios Europeos de la Responsabilidad Civil sigue hablando de "daño no patrimonial", sin definirlo.

---

1   ÁLVAREZ VIGARAY, "La responsabilidad por daño moral", *ADC* 1966, pág. 81.

Y ello no es admisible. Por mucho que en nuestro ordenamiento el artículo 1902 del CC proclame la obligación de indemnizar "cualquier daño" en general (a diferencia de Alemania e Italia, donde el daño "no patrimonial" sólo se indemniza en los casos especialmente previstos en la ley), ello no nos exime de la necesidad de precisar *qué es* el daño moral, y no conformarnos con decir *lo que no es*. Y ello porque para dilucidar si se deben indemnizar (o no) todos los daños morales, o lo que es igual, para precisar el límite de resarcibilidad del daño moral, primero habrá que saber qué son los daños morales. En ausencia de fuentes romanas, se admite comúnmente que el daño moral ingresa en el Derecho europeo por vía consuetudinaria[2], para dar cabida, junto al interés patrimonial, a la indemnización del dolor (*schmerzensgeld*)[3], a la reparación de los daños morales mediante una indemnización en metálico[4].

El principal problema es que bajo la noción de *daño moral* se comprende una multiplicidad de perjuicios y fenómenos absolutamente heterogéneos, como hace años observara SCOGNAMIGLIO[5]. El error parte de empeñarse en hacer una clasificación *de los daños* (material, moral, extrapatrimonial...)[6], cuando lo correcto es clasificar los *intereses lesionados* por cada daño y no "los derechos lesionados", como se ha pretendido, pues ello obliga a equiparar daño con "lesión del derecho subjetivo", lo

2   ROTONDI, M., *Dalla lex Aquilia all'articolo 1161 del Codice Civile*, Ricerce storico-dogmatiche, 1917.

3   WINDSCHEID, B., *Diritto delle Pandette*, trad. it. Fadda-Bensa, vol. II, Torino, 1904, § 257, pág. 764.

4   FISCHER, *Los daños civiles y su reparación*, Biblioteca de la revista de derecho privado, Madrid, 1928, págs. 3 y 221.

5   SCOGNAMIGLIO, R., "Il risarcimento del danno in forma specifica", en *Scritti giuridici* (Vol. I), Milán, 1996, pág. 505.

6   GARCÍA LÓPEZ, *Responsabilidad civil por daño moral. Doctrina y jurisprudencia*, Barcelona, 1990.

que no es admisible, como acertadamente han explicado Pantaleón[7] y su maestro Díez-Picazo[8].

Por eso, desde algunos trabajos anteriores vengo distinguiendo entre: a) Daño al patrimonio; b) Daño a la persona, a sus sentimientos (volviendo a la vieja consideración de Windscheid, del *pretium doloris*), que recogieron tempranamente las SSTS 28 febrero 1959 y 7 febrero 1962, y hoy otras muchas recientes: el daño moral como *el sufrimiento, la pena, el malestar y el disgusto". "El sufrimiento psíquico o espiritual"[9]. Pain and suffering,* lo denomina la doctrina inglesa. O como dice la STS 8 abril 2016 (naufragio del Costa Concordia), *la zozobra, ansiedad y angustia y enorme estrés".* Otra cosa es, primero, que haya que probar ese dolor, esa pena (lo que en algunos casos puede resultar difícil) o, por el contrario, pueda directamente presumirse en determinados casos (como hace la LO 1/1982); y segundo, determinar a partir de qué "nivel" de desagrado podemos considerarlo resarcible y no una mera sensación de poca relevancia.

La doctrina más depurada en la materia[10] se refiere a dos grandes tipos de daño a la persona:

> 1º) Por una parte, el daño que resulta de una agresión a la integridad física de la persona, el llamado *perjuicio corporal, il danno biológico* italiano, que incluye a su vez:

> a) el *pretium doloris*, derivado del dolor físico o efecto psicológico de la agresión;

---

7   Pantaleón, "Comentario al artículo 1902", *Comentario del Código Civil*, II, Ministerio de Justicia, Madrid, 1991, pág. 1972.

8   Díez-Picazo y Ponce de León, L., *El escándalo del daño moral*, Thomson-Civitas, Pamplona, 2008, págs. 80 y ss.

9   SSTS 13 abril 2012 y 10 julio 2012, entre otras muchísimas.

10   Le Tourneau-Cadiet, *Droit de la Responsabilité*, Paris, 1996, pág. 772.

b) el *pretium pulcritudinis* o perjuicio estético, producido en la "armonía física" o apariencia de la víctima;

c) el *perjuicio sexual*, inherente a la imposibilidad total o parcial de mantener relaciones íntimas normales y procrear; y

d) el *daño a la vida de relación*, como privación de la posibilidad de llevar a cabo actividades especiales (deportivas, culturales, etc.) en las que se hubiera alcanzado un cierto nivel.

2°) Por otra, el daño moral en sentido estricto, o *daño moral puro*, que es el irrogado al ser humano en sus valores más íntimos y personales, en la profundidad de la *psiqué*: daño que afecta directa y contundentemente al espíritu a los derechos de la personalidad[11]. Dentro de esta categoría se incluiría el "daño no patrimonial" al que se refiere el Código italiano, y que DE CUPIS identifica con los padecimientos del ánimo como la aflicción, la amargura, el ansia, la preocupación[12]. La muerte de un hijo causa un daño *per se*, que afecta exclusivamente al ámbito estrictamente moral, espiritual de la víctima. Son los padecimientos emocionales, psíquicos[13], el *emotional distress* de la doctrina inglesa.

En este daño moral puro, se plantea crudamente la cuestión de si el daño moral requiere conocimiento y conciencia del mismo, problema de enormes consecuencias prácticas: La víctima de un accidente que permanece en coma o estado vigil, ¿padece daño moral? Y, en consecuencia, si después fallece, ¿transmite a sus

---

11   Esta noción de daño moral como lesión de los derechos de la personalidad es la que formulé en su día en *La responsabilidad civil del médico,* Trivium, Madrid, 1988, pág. 233.

12   DE CUPIS, *El daño. Teoría general de la responsabilidad civil,* trad. esp. de la 2ª ed. italiana de Martínez Sarrión, Bosch, Barcelona, 1975, pág. 30.

13   GÓMEZ LIGÜERRE, "Concepto de daño moral", *El daño moral y su cuantificación,* 2ª ed. Bosch, 2017, pág. 39.

herederos el derecho a la indemnización de ese daño? En nuestra opinión, una adecuada inteligencia del concepto de daño puro conduce inevitablemente a considerar que no se puede sufrir mayor perjuicio que el estar privado de conciencia, es difícil imaginar una mayor agresión a la dignidad de la persona y al libre desarrollo de la personalidad. Y, en consecuencia, nos parece evidente la existencia de dicho daño moral en el supuesto de personas privadas de conciencia.

II. ABUSO DEL DAÑO MORAL: DEL CONCEPTO COMODÍN AL ESCÁNDALO

Bajo el epígrafe "trivialización y confusión", denunciaba hace pocos años el profesor Díez-Picazo que con demasiada frecuencia se utiliza el daño moral como un "concepto comodín" (uno de tantos, junto al artículo 1124 CC y otros), que lo mismo vale para un roto que para un descosido. Son las que yo denomino "aspirinas" del Derecho Civil, que valen para curar todos los males. Y se ha deformado el concepto hasta un punto verdaderamente escandaloso, pues *"falto de los necesarios empalmes, el concepto jurisprudencial, si es que se le puede llamar así, se mueve en el vacío y sólo genera una variante de lo que Weber llamaba 'justicia del cadí', que puede responder a vagos o si se quiere, intuitivos, ideales de justicia, pero que, careciendo de ayer y de mañana, sólo se le puede calificar como arbitrariedad"*[14]. Y tiene toda la razón; veamos algunos abusos.

---

14   Díez-Picazo, *El escándalo...*, cit., pág. 15, citando la "estridente e insólita" sentencia de la Sala Primera del TS de 23 enero 2004, por la que se condenó a cada uno de los magistrados del TC a pagar al demandante, por vía de indemnización, una suma de 500 euros cada uno de ellos, que hemos tenido oportunidad de comentar en nuestro trabajo "Contra los daños punitivos", en *Culpa y responsabilidad*, dir. Prats Albentosa-Tomás Martínez, Thomson Reuters, Pamplona, 2017, págs.672 y ss., y a la que nos referimos más adelante.

1°) A menudo se esconden unos daños punitivos bajo la apariencia de una indemnización por daño moral. Es decir, no se reputa explícitamente el carácter punitivo de una parte de la "indemnización", pero ésta se calcula más sobre la base del reproche de la conducta del responsable que sobre la verdadera entidad del daño padecido por la víctima. Son los que he llamado **"daños punitivos escondidos"**. Es lo que sucede en el denominado *"Caso Preysler"*, en que se ventilaba una indemnización de daños y perjuicios por lesión al honor y la intimidad que reclamaba la señora de dicho apellido, conocidísima en la "vida social" española, a una empleada de hogar que, tras ser despedida por aquélla, había revelado a una revista "del corazón" determinadas intimidades de su antigua empleadora. La STS 31 diciembre 1996 desestimó la demanda, pues la Sala consideró que no se trataba de revelaciones particularmente ofensivas, sino de "una propalación de chismes de escasa entidad, que en algún caso pudieran servir como base para resolver el contrato laboral de empleo del hogar, pero nunca para estimarlos como un atentado grave y perjudicial a la intimidad de una persona". Dicha sentencia, sin embargo, fue anulada luego por el Tribunal Constitucional en STC 115/2000, de 5 mayo 2000, por considerar que existía intromisión ilegítima en el derecho a la intimidad personal y familiar de la demandante. Y por eso, el Tribunal Supremo, en nueva STS 20 julio 2000, se limitó a condenar a la demandada al pago de una indemnización de 25.000 pesetas (equivalentes a 150 euros), cantidad que la demandante consideró ignominiosa para su posición social y económica, por lo que formuló nuevo recurso de amparo, que fue conferido por la STC 186/2001, de 17 noviembre 2001, que declara la nulidad de la segunda sentencia del TS y establece directamente una indemnización a favor de la Sra. Preysler por importe de 10 millones de pesetas, equivalentes a 60.000 euros. Niega el Tribunal Constitucional que la indemnización por daño moral pueda quedar reducida a "un acto ritual o meramente simbólico". ¿Esconde la cifra unos daños punitivos? Es evidente que sí, cuando *los fundamentos jurídicos de la sentencia efectúan una valoración que conecta la indemnización con la gravedad atentatoria de los datos revelado*s. O, en otras palabras, cuando se atiende más a la reprochabilidad de la conducta dañadora que a la entidad del daño soportado.

2°) También se suele reputar como daño moral el supuestamente resarcido en todos aquellos casos en los que se concede a la víctima una suma de dinero equivalente al lucro que obtuvo el responsable del daño merced a su causación: la expropiación de los beneficios obtenidos con la infracción. Sin embargo, ello constituye más bien una **restitución del enriquecimiento injustificado**, que una indemnización, ya se considere ésta compensatoria, ya punitiva.

Ciertamente, en ocasiones, determinadas leyes (la de Protección civil del honor, la intimidad personal y familiar, y la propia imagen, la de Propiedad Intelectual, la de Patentes, y otras) y algunas sentencias[15], contemplan como forma de reparación del daño, la entrega a quien lo padeció de los beneficios que obtuvo el "responsable" a consecuencia de su causación. El problema radica en si lo que se debe dar al demandante es el valor de sus pérdidas o quebrantos, o si se le debe dar el beneficio indebidamente obtenido por el demandado; o dicho de otro modo, si el beneficio del demandado debe incluirse como un factor indemnizatorio de los daños y perjuicios.

La cuestión ha sido estudiada con agudeza y profusión de ejemplos jurisprudenciales por DÍEZ-PICAZO[16]. Y sintéticamente acla-

---

15   A partir de la STS 1 marzo 1954 (R. 711).

16   DÍEZ-PICAZO, L., "Indemnización de daños y restitución de enriquecimientos", La responsabilidad civil y su problemática actual, coord.. Juan Antonio More-

ra que la acción de resarcimiento resarce el daño sufrido, y la acción de enriquecimiento determina la restitución del beneficio recibido. Ni que decir tiene que uno y otro caso son distintos, porque el daño puede arrojar una suma y el beneficio otra. Además, en nuestro Derecho, la acciones de indemnización se fundan en la culpa o negligencia del agente y necesitan que ésta se pruebe o presuma, mientras que las de enriquecimiento funcionan objetivamente y basta que se haya producido el tránsito no justificado de un valor patrimonial desde un patrimonio a otro[17].

Sucede aquí lo que frecuentemente acaece en relación con la naturaleza de los derechos protegidos, pues como señala el mencionado maestro, "en términos generales no se ha discutido nunca que en el ámbito de aplicación de la *condictio* se encuentran los llamados doctrinalmente "derechos absolutos": la propiedad, los derechos reales sobre cosas ajenas, los derechos de propiedad intelectual e industrial y los derechos sobre propiedades especiales. Ello significa que, a través de la *condictio*, se trata de asegurar lo que se ha llamado un "monopolio de explotación", que, el otorgamiento del derecho atribuye al titular"[18].

Existen, es verdad, supuestos en que ese enriquecimiento del dañador guarda una correlatividad más o menos importante con la pérdida padecida por la víctima: puede afirmarse (relativamente)

---

no, Dykinson, Madrid, 2007, págs. 237 y ss. Para el tema, es fundamental la obra de Del Olmo, P. y Basozábal, X. (dir.), Enriquecimiento injustificado en la encrucijada: historia, derecho comparado y propuestas de modernización, Thomson Reuters Aranzadi, Cizur Menor, 2017. Específicamente sobre la subsidiariedad de la acción de enriquecimiento sin causa, vid. Orozco Muñoz, M., El enriquecimiento injustificado, Thomson Reuters Aranzadi, Cizur Menor, 2015, págs. 339 y ss.; y recientemente, Basozábal Arrue, X., "La subsidiariedad de la acción de enriquecimiento injustificado: pautas para salir de un atolladero", en Revista de Derecho Civil, vol. VI, nº 2, abril-junio 2019, págs. 99 y ss.

17   Díez-Picazo, *op. ult. cit.*, pág. 249.
18   *Idem*, pág. 252.

que los discos que vende en el *top-manta* el pirata discográfico, y los beneficios que con ello obtiene, son cedés que deja de vender la productora titular del *copyright*, y beneficios que ésta deja de obtener. Y por tanto, es razonable que la indemnización incluya una partida que contemple de tales beneficios. Pero nadie negará que eso no es "restitución del enriquecimiento" sino un supuesto de lucro cesante "mondo y lirondo". Nunca de daño moral.

Sólo acaso, en algunos supuestos de lesión del honor, la intimidad y la propia imagen, tal vez pueda aproximarse el beneficio injustificado del transgresor a una suerte de daño moral de la víctima, que ve cómo otra persona se enriquece a costa de su intimidad o de su imagen, con el consiguiente disgusto y pesadumbre.

3º) La indemnización del daño moral como **reintegración al patrimonio del titular del contenido de un derecho subjetivo lesionado**, cuando para esa función ya hay otras instituciones *ad hoc* que lo hacen mucho mejor. Recordemos el Caso Mazón Costa, abogado que dirige escrito al TC pidiendo convocatoria de oposiciones para cubrir plazas de letrados. El TC no le contesta y Mazón interpone dos recursos contencioso-administrativos por violación de la LOTC, que son desestimados por la Sala 3ª TS. Seguidamente, interpone Recurso de Amparo en el que pide la sustitución de todos los miembros del TC por otros que garantizaran un examen imparcial de la cuestión, y el reconocimiento de su derecho. El Pleno inadmitió "por cuanto el recurso no se dirige al Tribunal Constitucional sino a otro hipotético que lo sustituya". Mazón formula demanda ante la Sala 1ª del TS instando la responsabilidad civil de los magistrados, solicitando indemnización solidaria de 11.000 euros. La STS de 23 enero 2004 estima la demanda y condena a cada uno de los magistrados del TC a pagar al demandante una suma de 500 euros cada uno de ellos por daño moral, "por privarle antijurídi-

camente de un derecho tan esencial como es el amparo constitucional". ¿Es eso un sufrimiento psicofísico, un *pretium doloris*? En
absoluto. Como dice el voto particular del magistrado Sr. Marín
Castán, el daño no puede consistir en una denegación de justicia,
por más que se hable de *non liquet*. Hay que distinguir la existencia de situaciones que el titular de un derecho no está obligado a
soportar, que aconsejarán acudir a los medios de protección de
los derechos (que, por otra parte, no exigen la producción de un
daño) de la existencia de daños que deben ser reparados[19].

4°) La pérdida de oportunidad como daño moral: Es el
caso de los pleitos por responsabilidad civil del abogado, donde
se reputa la pérdida de oportunidad como daño moral "por privación del derecho al recurso" (SSTS 14 mayo 1999 y 8 abril
2003). Sin embargo, en el caso del abogado eso ni se parece al
daño moral, sino que se trata más bien de un "daño patrimonial
incierto".

5°) Un sinfín de supuestos de uso-comodín: contracep-
ción fallida, ocultación de filiación de hijos extramatrimoniales
fruto del adulterio, asiento ocupado en la plaza de toros, lunas de
miel en aeropuertos y otros muchos que han merecido la atención y el estupor de la doctrina[20].

III. VALORACIÓN

Es evidente que cuando el interés lesionado por el daño tiene carácter
patrimonial, su resarcimiento indemnizatorio consistirá en el equivalen-

---

19   Gómez Ligüerre, *op. cit.*, pág. 65.
20   Puede encontrarse un buen catálogo en mis *Reflexiones sobre derecho de daños. Casos y opiniones*, La Ley, Madrid, 2010.

te pecuniario, pues el problema puede perfectamente reconducirse al de la patrimonialidad de la prestación obligatoria. No es éste, obviamente el lugar adecuado para examinar tan polémica cuestión. Sin embargo, en aquellos casos en los que el interés lesionado tenga carácter extrapatrimonial, y por tanto, en todos los supuestos del denominado daño moral o daño a la persona, lo que en general se viene admitiendo por la mayoría de nuestra doctrina[21], y comparto, es que por definición ello hará imposible la prestación de un "equivalente pecuniario". Sencillamente, por definición, no puede hablarse del equivalente "pecuniario" de algo que, por hipótesis, es extrapatrimonial y, por tanto, no pecuniario. En estos supuestos, la denominada cuantificación del daño no se produce por referencia a ningún equivalente, ni obedece a ninguna relación de equivalencia, sino que queda al arbitrio de los jueces y tribunales[22]. Y por tanto, existirá *indemnización*, pero no por equivalente, sino de carácter compensatorio, a la que podíamos denominar "compensación satisfactiva"[23].

---

21   No falta quien sostiene que "en la obligación en sentido técnico se da siempre, al menos como posibilidad tenida necesariamente en cuenta (posibilidad actuante), la prestación subsidiaria en valor abstracto (dinero), y ha de existir un procedimiento para la valuación (cobertura concreta), o si el valor no fuese directamente cuantificable, para una compensación equitativa (cobertura abstracta). Es un error ver en esta prestación subsidiaria tan sólo una sanción, es decir, una especie de pena" (Espinar Lafuente, "Resolución e indemnización en las obligaciones recíprocas", en *Estudios de Derecho civil en honor del Prof. Castán Tobeñas,* vol. II, Ed. Univ. Navarra, Pamplona, 1969, pág. 126).

22   Qué cierta es la reflexión de la STS (Sala 2ª) 4 octubre 1994 (LL 19951625), aunque no deja de ser llamativa la contraposición entre daño físico y moral: "el daño moral, a diferencia del físico, no es mensurable bajo los patrones de día de lesión o de valor de la restitución o reparación concreta. Difícil es ponderar la correcta valoración del sufrimiento, la pena, angustia, las vivencias desagradables e incluso el trauma psíquico, más aún traducir a una categoría diferente la de la reparación económica de los daños morales y ello queda en definitiva a la prudencia de los tribunales, dentro de los límites de las pretensiones resarcitivas producidas en la causa".

23   Así se denomina y argumenta en mi trabajo "Formas de reparación del daño", en *Sobre la responsabilidad civil y su valoración,* coord. Javier López García de la Serrana y Pedro Torrecillas Jiménez, Sepin, Madrid, 2009, págs. 15 a 82. Publicado también en *Revista Práctica Derecho de Daños,* nº 80.

El gran problema representa es el de la valoración o evaluación económica de los daños y perjuicios, o dicho de otro modo, cómo establecer de manera justa y equitativa esa necesaria conexión entre [interés lesionado] – [*quantum* indemnizatorio], pues la indemnización, por definición, exige reconducir y traducir a un *quantum* los daños sufridos, bajo la luz del siempre deseable principio de reparación integral del daño[24]. En definitiva, la valoración del daño es una función fundamentalmente jurisdiccional[25], que se encuentra sometida en todo caso a un importante margen de discrecionalidad. Ello no quiere decir que esa valoración se pueda efectuar de manera caprichosa o arbitraria, sino que debe venir siempre sometida a determinados criterios imperativos[26], a saber:

a) La obligación de fundamentar la cuantificación, que no necesariamente se debe traducir como "desglosar" las partidas que integran la indemnización, sino justificar los motivos que llevan a la convicción de tal o cual cifra, con referencia a los aspectos concretos de la víctima, a las particularidades del daño en ese caso o, incluso, a criterios comparativos en casos similares[27].

b) Sujeción a los criterios legales, tanto por referencia al artículo 1106 del CC, como a los preceptos de otras leyes que establecen bases indemnizatorias para daños concretos, como la Ley de Propiedad Intelectual, la Ley de Patentes o la Ley Orgánica de protección civil del honor, la intimidad personal y familiar y la propia imagen, etc.

---

24   Vicente Domingo, E., "El daño", en *Tratado de responsabilidad civil*, dir. Reglero Campos, F., 2ª ed. Aranzadi, 2003, pág. 280.

25   Jourdain, P., *Les principes de la responsabilité civile*, 6ª ed., Dalloz, París, 2003, pág. 144.

26   López Mesa y Trigo Represas, *Tratado de la responsabilidad civil. Cuantificación del daño*, La Ley, Buenos Aires, 2006, págs. 25 y ss.

27   STS 5 noviembre 2001.

Por lo demás, tiene mucha razón Ricardo DE ÁNGEL cuando afirma que "el problema de la valoración del daño... en el Derecho español está muy lejos de lo que puede considerarse una situación satisfactoria. Todavía más, no faltan elementos de juicio para sostener que se trata de una materia que, si no por el caos, sí se encuentra dominada por la falta de armonía, por la inseguridad y en no pocos casos por la sorpresa"[28].

Por eso, en algunos ordenamientos, como el alemán, se utilizan tablas judiciales de valoración del daño moral, de carácter orientativo. Y en otros, como en algunos de los EEUU, es establecen unos límites legales máximos de indemnización del daño moral: 400.000 USD por víctima en Minnesota, Alabama o Idaho, 875.000 USD por víctima y accidente en New Hampshire, etc., por *emotional distress*.

IV. ALGUNOS CRITERIOS LEGALES PARA LA VALORACIÓN DEL DAÑO MORAL

1. Configuración en el baremo de la Ley 30/1995

Es evidente que la muerte o las lesiones corporales derivadas de accidente de circulación determina siempre un daño moral, que se añade a las consecuencias patrimoniales que puede comportar.

En una fórmula absolutamente original, el Baremo de la Ley 30/1995 consideró que "la cuantía de la indemnización por daños morales es igual para todas las víctimas" y la indemnización establecida en el baremo para los daños patrimoniales ya incorpora la debida por daño

---

28   DE ÁNGEL YAGÜEZ, *Tratado de Responsabilidad Civil*, 3ª ed., Madrid, 1993, pág. 719, remozando un anterior trabajo titulado "La reparación de daños personales en el Derecho español, con referencia al Derecho comparado", *RES*, 1989, págs. 47 y ss. En tal manifestación, se está refiriendo al problema del daño corporal, pero lo considero perfectamente aplicable a la valoración de toda clase de daños.

moral. Ello ya fue objeto de una de las 10 cuestiones de inconstitucionalidad que resolvió la STC 181/2000 de 29 junio, que lo declaró constitucional en ese punto.

Sin embargo, a tenor de aquel modelo, que mezclaba en una única cifra el resarcimiento del lucro cesante y el del daño moral, resultaba evidente que quebraba de manera grave el principio de igualdad, al establecerse una cifra única y omnicomprensiva para el daño moral y el lucro cesante: al "rico" se le pagaba de manera insuficiente el lucro cesante y se dejaba sin resarcimiento el daño moral; al "pobre" se le sobreindemnizaba el daño moral.

2. Tratamiento en el Baremo vigente

Tal deficiencia ha venido a corregirse en el nuevo Baremo de cálculo de indemnizaciones por muerte y lesiones en accidente de tráfico, tras la reforma del Texto Refundido de la Ley sobre RC y seguro en la circulación de vehículos a motor (R.D.Legislativo 8/2004, de 20 septiembre), mediante Ley 35/2015, de 22 de septiembre. Y ello en virtud del denominado "principio de vertebración", que conduce a contemplar por separado, daño patrimonial (emergente y lucro cesante) y daño moral, que denomina "perjuicio personal". La estructura o vertebración general del sistema es la siguiente:

a) Se regulan por separado, en tres secciones distintas, las indemnizaciones por causa de muerte, por secuelas y por lesiones temporales, que se plasman, respectivamente, en las tablas 1, 2 y 3.

b) En cada uno de esos tres grupos se distingue, a su vez, entre el *«perjuicio personal básico»* (tablas 1.A, 2.A y 3.A), los *«perjuicios particulares»* (tablas 1.B, 2.B y 3.B) y el llamado *«perjuicio patrimonial»* (tablas 1.C, 2.C y 3.C), que a su vez distingue entre daño emergente y lucro cesante.

Y en relación con el daño personal, a diferencia del sistema anterior, que configuraba los perjudicados en grupos excluyentes, el modelo vigente:

a) Configura los perjudicados en cinco categorías autónomas y considera que sufren siempre un perjuicio resarcible y de la misma cuantía con independencia de que concurran o no con otras categorías de perjudicados.

b) La condición de perjudicado tabular se completa con la noción de perjudicado funcional o por analogía, que incluye a aquellas personas que de hecho y de forma continuada, ejercen las funciones que por incumplimiento o inexistencia no ejerce la persona perteneciente a una categoría concreta o que asumen su posición.

c) Se restringe el alcance de la condición de perjudicado tabular, quien puede dejar de serlo cuando concurran circunstancias que indiquen la desafección familiar o la inexistencia de toda relación personal o afectiva que «supongan la inexistencia del perjuicio a resarcir».

d) Este sistema uniforme, en el que cada perjudicado obtiene de modo autónomo la indemnización correspondiente a su categoría, se particulariza mediante el reconocimiento de un conjunto de «perjuicios particulares», en especial los de «perjudicado único» o de «víctima única», que se refieren a la situación personal del perjudicado o a la especial repercusión que en él tiene la situación de la víctima.

La Sentencia del TS (Sala 1ª) de 8 de abril de 2016, cuyo ponente es el Excmo. Sr. D. Fernando Pantaleón Prieto, viene a aportar un criterio interpretativo novedoso y muy relevante en relación con el sistema legal de valoración de los daños causados a las personas en accidentes de circulación. Como sintéticamente ya se ha señalado[29], "supone reconocer por vez primera en la jurisprudencia interpretadora del Baremo que el daño moral no ligado a un daño corporal constituye un concepto indemnizatorio «extratabular» —al margen del Baremo— de tal forma que, una vez acreditada o no discutida su existencia en el caso concreto, podrá ser resarcido separadamente. Se trata de los daños causados con motivo del vuelco y naufragio del Costa Concordia. Aunque quedan fuera del ámbito de aplicación imperativo del denominado Baremo, éste se aplica como criterio orientador del juez en el ejercicio de esa labor valorativa (nunca analogía).

La *quaestio iuris* que aquí nos interesa resulta clara: además de la indemnización que, con arreglo a Baremo, corresponde a las víctimas del accidente, que comprende el resarcimiento del daño moral derivado de las lesiones sufridas, ¿es admisible *otra* indemnización reparatoria de los daños morales no corporales, o no ligados al daño psicofísico, consistente en "la zozobra, ansiedad y angustia y enorme estrés vividos durante la noche del 13 enero 2012 en aguas italianas"? Nos dice la sentencia que «la utilización de las reglas del Baremo como criterios orientadores, es decir, para cuantificar las indemnizaciones por los perjuicios causados a las personas como consecuencia del daño corporal no ocasionado por un hecho de la circulación, no excluye la indemnización por separado de los daños morales que no sean consecuencia del referido daño corporal; requisito, este último, que elimina por hipótesis la posibilidad de una doble indemnización por el mismo daño moral».

Pero vayamos un poco más allá. Junto al mencionado principio de vertebración, el nuevo Sistema se acoge explícitamente al denominado principio de objetividad: todos los daños corporales derivados de un hecho de la circulación deben ser indemnizados conforme a las reglas y

---

29   José Carlos López Martínez, "Aplicación del baremo de tráfico como criterio orientador e indemnización por separado del daño moral extracorporal", Diario La Ley, 16-22 mayo 2016.

límites establecidos en el sistema, por lo que no pueden fijarse indemnizaciones por conceptos o importes distintos de los previstos en él. Así se desprende del artículo 32 de la LRCSCVM, si bien los "perjuicios relevantes", ocasionados por circunstancias singulares y no contemplados conforme a las reglas y límites del sistema, se indemnizan como *perjuicios excepcionales*, los cuales se indemnizan, con criterios de proporcionalidad, con un límite máximo de incremento del 25% de la indemnización por perjuicio personal básico (artículos 77 y 112).

Sin embargo, nada impide pensar que, aun dentro del ámbito de la circulación de vehículos de motor, pueden existir daños morales que exceden totalmente del ámbito de "la muerte, las secuelas y las lesiones corporales" que con arreglo al artículo 34 de la propia Ley reguladora del Sistema, son los daños objeto de valoración por el mismo. Por ejemplo, y utilizando la misma expresión de la sentencia aquí examinada, "la zozobra, angustia, preocupación, estrés" derivados de circunstancias totalmente ajenas a la muerte y las lesiones: en su agudo comentario ya citado, LÓPEZ MARTÍNEZ sugiere el supuesto en que la víctima se ve en la tesitura de permanecer varias horas junto a un familiar herido, sin poder hacer nada por él, o en que se viera imposibilitada de salir de un vehículo volcado, por la noche, quedando durante horas expuesta a la acción de animales salvajes, etc.

Queda fuera de toda duda que tales perjuicios encajan perfectamente dentro del concepto de "perjuicios excepcionales" que contempla el propio Baremo, que se encuentran, sin embargo, limitados al mencionado incremento del 25% de la indemnización por perjuicio personal básico. Lo que tal vez pueda llevar a pensar que se trata, en todo caso, de daños extratabulares, o sea, no contemplados en el Sistema de Valoración que se ciñe a la muerte, secuelas e incapacidad temporal. Y no resulta descabellado señalar para los daños extratabulares, la correspondiente indemnización extratabular. ¿...O sí?

4.3. El premio de afección de los bienes y derechos expropiados se calcula en el artículo 47 de la LEF en un porcentaje del 5% sobre el justiprecio. Dicho valor de afección, que se interpreta extensivamente por la jurisprudencia, se define mediante contornos subjetivos asociados al trauma psicológico y los daños psíquicos y morales (STS, Sala 3ª, 1 febrero 1978) o el trauma psíquico por la privación de la explotación de un bien (STS 2 marzo 1993)[30].

4.4. Artículo 9.3 L.O. 5 mayo 1982 de protección civil del honor, intimidad y propia imagen, tras presumir la existencia de perjuicio cuando hay intromisión, dice que el daño moral "se valorará atendiendo a las circunstancias del caso (¿?) y a la gravedad de la lesión efectivamente producida, para lo que se tendrá en cuenta, en su caso, la difusión o audiencia del medio a través del que se haya producido y el beneficio obtenido".

Con independencia de que a partir de dicha presunción legal deduce la jurisprudencia (STS 18 noviembre 2002) que ha de rechazarse la indemnización simbólica (*dollar one indemnity*), a referencia a "las circunstancias del caso" y a "la gravedad de la lesión", entra dentro del campo de las verdades de Perogrullo. ¿Qué otro criterio puede atenderse a la hora de establecer la indemnización de un daño? Mayor interés tienen los otros dos criterios apuntados por la norma. La difusión o audiencia sí parece guardar una estrecha relación con el alcance del daño, cuando de honor, intimidad e imagen estamos hablando. No así el beneficio obtenido, que es cosa totalmente distinta, como hemos tenido oportunidad de explicar más arriba; salvo en contadas ocasiones, eso será más bien restitución del enriquecimiento que indemnización de daño moral.

---

30   Martín del Peso, R., "El daño moral: determinación y cuantía algunos aspectos de su problemática jurisprudencial" (*sic.*), en *Derecho de daños 2913*, dir. Mariano Herrador, Aranzadi, Cizur Menor, 2013, pág. 303.

V. REFLEXIÓN FINAL

Las dificultades que encontramos para la valoración del daño a la persona no son sino el reflejo de que nos encontramos ante un problema mucho más grave, que no es otro que la misma definición del concepto o conceptos del llamado moral. Mientras no asumamos plenamente que ese concepto comprende una multiplicidad de perjuicios heterogéneos, que afectan a intereses diferentes entre sí, no seremos capaces de resolver las dos grandes cuestiones: a) dónde comienza el daño resarcible y b) cómo valorar su compensación indemnizatoria.

Y creemos que la solución a tal laberinto pasa por las siguientes recomendaciones:

1º) Aplicar el concepto articulado del daño, es decir, deslindar con claridad los distintos intereses en juego, que hemos clasificado al inicio de estas breves páginas: el perjuicio corporal, debidamente diseccionado en sus distintas manifestaciones, y el daño moral puro.

2º) Despreciar como no indemnizable la lesión de intereses que no presenten una relevancia significativa.

3º) Valorar separadamente cada una de las partidas que sí resulten merecedoras de una compensación: *meritevolezza*, lo llaman los italianos.

Una distopía para la reflexión: profetizaba Alterini hace algunos años una política legislativa del futuro en cuyo destino cada uno estará precisado a cuidar de sí mismo, a estimar cuánto vale su vida, su salud, sus bienes y a proveer por su cuenta exclusiva algún mecanismo para que alguien (que no sea quien los causó) se haga cargo de los daños. Quienes estén en situación de hacerlo, nos decía, tomarán una póliza de seguro por accidentes personales (*first-party insurance*): si llegan a sufrir daños, el problema pasará a sus aseguradoras que pagarán los siniestros con arreglo al forfait contratado, y luego arreglarán cuentas con quienes los causaron, o con las aseguradoras de éstos (*third-party insurance*)[31]. Frente a tal profecía economicista, prescribo con Ivonne Lambert-Faivré otro mundo jurídico en el que "cuando la justicia conmutativa de la responsabilidad es impotente para reparar la fatalidad de la desgracia, la justicia distributiva de la solidaridad debe tomar el relevo"[32].

---

31   ALTERINI, A.A., *La limitación cuantitativa de la responsabilidad civil*, Abeledo-Perrot, Buenos Aires, 1989, pág. 125, con citas de Jourdain y Tullock.

32   LAMBERT-FAIVRÉ, I., "L'evolution de la responsabilité civile d'une dette de responsabilité à une créanse d'indemnisation", en *Revue Trimestrielle de Droit Civil*, 1987.I, pág. 19.

2. LAS QUIMERAS DEL SISTEMA DE REPARACION DE LOS DAÑOS DERIVADOS DEL ACCIDENTE DE TRABAJO

Jesús R. Mercader Uguina
Catedrático de Derecho del Trabajo y de la Seguridad Social
Universidad Carlos III de Madrid

SUMARIO: I. LA QUIMERA DE LA REPARACIÓN INTEGRA DE LOS DAÑOS: TRES VÍAS DE REPARACIÓN CON TRES LÓGICAS (APARENTEMENTE) DIFERENCIADAS. II. LAS PRESTACIONES DE LA SEGURIDAD SOCIAL: ENTRE LO RAZONABLE Y LO ÓPTIMO. III. LA QUIMERA DEL RECARGO DE PRESTACIONES. IV. LAS "QUIMERAS" DE LA REPARACIÓN ÍNTEGRA E INDEMNIZACIÓN CIVIL "ADICIONAL" POR ACCIDENTE DE TRABAJO. V. ¿"QUIMERAS" O "QUIMERA"?, PLURAL Y SINGULAR DE UN SUSTANTIVO.

RESUMEN

Este trabajo reflexiona sobre las vías de reparación del daño derivado de accidente laboral, su naturaleza jurídica y la compatibilidad entre ellas.

ABSTRACT

This work reflects on the ways to compensate the damage derived from the occupational accident, its legal nature and the compatibility between them.

I. LA QUIMERA DE LA REPARACIÓN INTEGRA DE LOS DAÑOS: TRES VÍAS DE REPARACIÓN CON TRES LÓGICAS (APARENTEMENTE) DIFERENCIADAS

No existe una suma capaz de indemnizar a una persona muerta o un lesionado grave. El valor reparador de la indemnización para la víctima que ha sufrido graves lesiones o, en el caso más extremo, ha muerto, suele ser bastante bajo o nulo: "la vida no tiene precio". Afirmar, por ello, que la vida humana tiene un valor infinito es respetable, pero no parece que sea, precisamente, la opinión de la sociedad al respecto. Si así fuera, estaría justificada cualquier inversión que la sociedad realizara para reducir la probabilidad de un accidente mortal, por pequeña que fuera esta reducción: gastos en infraestructuras, seguridad vial, sanidad, etc... Si estas inversiones no se llevan a cabo tiene que ser, implícitamente, porque se considera que la vida humana tiene un valor finito y este valor, multiplicado por la probabilidad de salvar una vida adicional, no justifica el coste económico que conllevarían esas actuaciones. La anterior solución puede parecer cruda, pero da la impresión de que éste es el tipo de sociedad en la que vivimos[1].

En el caso de las contingencias derivadas del desarrollo de una actividad profesional la anterior conclusión resulta, si cabe, mucho más descarnada. La necesidad de arriesgar la vida por la necesidad de obtener una retribución que permita mantener a las personas una vida digna, hace más reprochable, si cabe, que esa inversión no se lleve a cabo por aquél para quien se presta la actividad. Que los empresarios obtengan beneficios económicos, precisamente, sobre la base de que los trabajadores pongan en juego su propia existencia, ha exigido poner en juego mecanismos reparadores que buscan alcanzar el principio de reparación íntegra del daño. Esto es, que las cuantías económicas que indemnicen los daños sufridos logren su íntegra compensación para proporcionar al

---

1   Hace años me ocupé más ampliamente de estos temas en *Indemnizaciones derivadas del accidente de trabajo. Seguridad Social y Derecho de daños,* Madrid, La Ley-Actualidad, 2001.

perjudicado la plena indemnidad por el acto dañoso: la quimera de la reparación íntegra del daño. Una quimera, en fin, porque en tanto que tal, se propone a la imaginación, como posible o verdadero, algo que no puede serlo en la realidad[2]. Y ello dado que la vida es solo una y la integridad de la persona una vez alterada de manera esencial por un accidente transforma de forma tan radical aquélla que difícilmente puede hablarse de una vuelta al estado vivencial previo al siniestro. En definitiva, o no hay vida, o la que queda no es la misma.

Comprender y compartir el dolor de alguien nace más de la sensibilidad espontánea que de la lógica, la sensibilidad hacia los problemas del prójimo es un estado del alma. Pero la mera compasión, la generosidad, no son suficientes. No sorprende por ello que Beveridge, el arquitecto de la Seguridad Social moderna, repudiara la caridad organizada cuando decía: "Desconfío abiertamente del poder salvador de la cultura, las misiones y los meros sentimientos". Por ello, el ordenamiento jurídico ha tratado de buscar mecanismos reparadores que, no por conocidos y exhaustivamente analizados por la doctrina, deben dejar de ser objeto de análisis y permanente reflexión[3]. Todo ello, desde la no verbalizada

---

2   Recordemos que el Diccionario de Real Academia Española de la Lengua otorga a la palabra *"quimera"* hasta tres distintas acepciones: (1) Monstruo imaginario que según la fábula vomitaba llamas y tenía cabeza de león, vientre de cabra y cola de dragón. (2) Aquello que se propone a la imaginación como posible o verdadero, no siéndolo. (3) Pendencia, riña o contienda.

3   Con carácter monográfico y desde una perspectiva global se han ocupado del tema M. LUQUE PARRA, *La responsabilidad civil de empresario en materia de seguridad y salud laboral*, Madrid, CES, 2002; G. DIEZ-PICAZO GIMENEZ, *Los riesgos laborales. Doctrina y jurisprudencia civil*, Madrid, Civitas, 2007; J. A. FERNANDEZ AVILES, *El accidente de trabajo en el Sistema de Seguridad Social*, Barcelona, Atelier, 2007; J. LLORENS ESPADA, *La reparación del daño derivado del accidente de trabajo*, Albacete, Bomarzo, 2016. Son absolutamente imprescindibles los trabajos de A. DESDENTADO BONETE, A. DE LA PUEBLA, *En busca de la reparación integral: las medidas complementarias de protección del accidente de trabajo a través de la responsabilidad civil del empresario y del recargo de prestaciones*, en B. GONZALO GONZÁLEZ y M. NOGUEIRA GUASTAVINO (Coord.), *Cien años de Seguridad Social. A propósito de la Ley de Accidentes de Trabajo de 30 de enero de 1900*, Madrid, UNED/Fraternidad, 2000, pp. 639 a 664. A. DESDENTADO BONETE y A.

premisa, de que a la hora de construir el edificio reparador en este ámbito es inevitable que las emociones aparezcan y que se considere que ninguna medida es suficiente para paliar el sufrimiento de las personas con las que convivimos.

La responsabilidad empresarial en materia de Seguridad Social cuando la misma deriva de accidente de trabajo ha mostrado una acentuada severidad y un severo compromiso, resultado de la no explicitada pero latente idea en los diversos períodos históricos de su formación de que el mejor modo de incentivar y promocionar el adecuado cumplimiento de la legislación era el establecimiento de un sistema de sanciones tan estricto que conminase a sus eventuales transgresores a su recto e incuestionado cumplimiento. Carga elevada de coactividad o reino del terror, lo cierto es que el género responsabilidad empresarial surge de diversas fuentes que dan origen a distintas especies (penal, civil, administrativa, etc...) y que se ordenan bajo el principio de acumulación, lo que tiene para el empresario transgresor un extraordinario poder aflictivo potencial pero, en la práctica, una eficacia reducida.

Pero a la sanción por el actuar antisocial debe añadirse la justa reparación daño producido. Ese objetivo ha transitado en nuestra legislación por distintos modelos. Inicialmente, la respuesta se asentó en el principio de inmunidad que partía de que quien percibe las indemnizaciones previstas en el sistema legal de responsabilidad objetiva por accidente de trabajo no puede ejercitar la acción civil para la reparación del daño. A ello se añadía, un complemento indispensable: el recargo de las indemnizaciones legales. Las indemnizaciones establecidas en los seguros frente a los accidentes laborales (privados, primero, luego públicos) cubrían la responsabilidad objetiva del empresario pero si además se acreditaba la culpa del empresario en el accidente, por haber incumplido

NOGUEIRA GUASTAVINO, *Las transformaciones del accidente de trabajo entre la Ley y la jurisprudencia (1900-2000): revisión crítica y propuesta de reforma*, Revista del Ministerio de Trabajo e Inmigración, 2000, n° 24, pp. 31-68.

la normativa en materia de seguridad e higiene laboral, se aplicaba un recargo adicional. Este modelo se abandona y desde mediados del siglo pasado nuestro sistema rompe con el principio de inmunidad e instaura un triple sistema de reparación que se integra por: las prestaciones de Seguridad Social por accidente de trabajo; el recargo de esas prestaciones, que responde a una responsabilidad específica por culpa del empresario y una la responsabilidad civil adicional, que debería cubrir la diferencia entre el daño reparado por las prestaciones de la Seguridad Social y el daño total producido por el accidente.

En la actualidad y de manera resumida, las prestaciones de la Seguridad Social, funcionan con un sistema de valoración legal de los daños centrada en los daños patrimoniales, exceso de gastos asistencia sanitaria y lucro cesante por pérdida o reducción de la capacidad de ganancia, y presta escasa atención a los restantes daños. La cobertura de este sistema es además limitada. La segunda vía, el recargo de prestaciones, no tiene un sistema propio de valoración de daños y funciona como un incremento automático de una parte de las prestaciones de la Seguridad Social, ponderando sólo la concurrencia en el accidente de una infracción de las medidas de seguridad imputable al empresario. La tercera vía la indemnización civil adicional carece de una regulación específica para la valoración del daño y se rige por los criterios generales de reparación íntegra, prueba del daño y discrecionalidad judicial en la valoración de los daños no patrimoniales. La dificultad de esta valoración en los daños no patrimoniales ha llevado a los tribunales laborales a recurrir a fórmulas objetivadas, como los baremos utilizados para los accidentes de circulación, su cuantificación.

No está demás repasar con detalle este estado de cosas y hacer balance de estos tres pilares que conforman el trípode de la tutela resarcitoria frente a los accidentes de trabajo en nuestro país. Aunque cualquier trabajo científico debe ser deductivo, lo cierto es que la experiencia de los autores en esta materia, les puede permitir adelantar que ese camino nos llevará a un balance con más luces que sombras.

II. LAS PRESTACIONES DE LA SEGURIDAD SOCIAL: ENTRE LO RAZONABLE Y LO ÓPTIMO

La primera pieza del sistema de reparación del daño derivado del accidente de trabajo, la clave de bóveda sobre la que se asientan y de la que parten las restantes, es la idea de que el desarrollo de una actividad laboral conlleva la existencia de unos riesgos objetivos que pueden actualizarse en siniestros y ello con independencia de cualquier culpa o negligencia del actuar empresarial. Inevitable consecuencia es la necesidad de que el empresario se asegure frente a dicho riesgo de manera obligatoria.

Mucho se ha escrito y debatido sobre la real naturaleza de este peculiar seguro pero existe cierto consenso, en el hecho de que en el sistema español de Seguridad Social la protección de los accidentes se establece con una técnica próxima a la de aseguramiento privado, organizándose la cobertura a partir de la distinción entre contingencias determinantes [las reguladas en los arts. 155 a 160 del Real Decreto Legislativo 8/2015, de 30 de octubre, por el que se aprueba el texto refundido de la Ley General de la Seguridad Social (en adelante, "LGSS")], situaciones protegidas y prestaciones (art. 42 LGSS), en forma análoga a la que, en el marco del seguro se asocia a la distinción entre el riesgo, el daño derivado de la actualización de éste y la reaparición, de forma que mientras en relación con las contingencias derivadas de riesgos comunes lo que la Seguridad Social asegura o garantiza son unas concretas prestaciones, en relación con los accidentes de trabajo lo que se hace es asegurar la responsabilidad empresarial derivada del accidente desde que éste se produce.

Dicha cobertura parte de un acto empresarial de establecimiento de la cobertura (la afiliación y el alta) de aceptación forzosa para la gestora o la Mutua colaboradora y del abono de unas cotizaciones correspondiente. La afiliación es el acto constitutivo de la relación aseguradora o acto mediante el que se reconoce a una persona la condición de asegurado. Las altas y las bajas reconocen las alteraciones que sufre dicha relación. A través del cumplimiento de estas exigencias, el empresario asegura su riesgo quedando exonerado de cualquier responsabilidad derivada. Solo si existen incumplimientos empresariales en las referidas obligaciones éste deberá asumir directamente la responsabilidad objetiva por los daños que sufra el trabajador. Por su parte, éste se encuentra cubierto de forma real y plena frente a cualquier contingencia profesional derivada de su actuar en la esfera empresarial.

Es importante tener presente que la tutela del riesgo profesional posee una tutela reforzada, privilegiada se ha llegado a decir, en relación con las contingencias de origen no profesional. Conviene recordar, en este punto, que el concepto de accidente de trabajo que manejan, tanto doctrina, como jurisprudencia, posee un carácter expansivo y que dicha calificación repercute de manera trascendente en la relación de Seguridad Social sobre distintos aspectos que, en esencia, son los siguientes[4]:
En primer lugar, atenuando los requisitos para acceder a las prestaciones, ya que no se exige período de carencia, operando el principio de automaticidad de las prestaciones, y presumiéndose el alta del pleno derecho aunque el empleador haya incumplido con tales obligaciones (art. 165.4 y 166.4 LGSS). En segundo término, mejorando las bases de cotización, al incluir en las mismas las horas extraordinarias (art. 147.2 e) LGSS). Y, en fin, estableciéndose unas reglas especiales de financiación y aseguramiento, ya que, en las contingencias profesionales, el empresario asume la totalidad de la cotización a la Seguridad Social (art. 141.3 LGSS) (cotización unitaria y no bipartita), no cabe el fraccionamiento o aplazamiento (art. 23.2 LGSS) y es obligatorio el aseguramiento eligiendo entre la Mutua Colaboradora con la Seguridad Social o el INSS (art. 83.1 LGSS). Además, la cotización por las contingencias

---

4   Un amplio análisis de las especiales del accidente de trabajo desde la perspectiva de las prestaciones de Seguridad Social, C. ARAGÓN GÓMEZ, *La prestación contributiva de Seguridad Social*, Pamplona, Aranzadi, 2013.

de accidentes de trabajo y enfermedades profesionales se efectuará con sujeción a primas, que podrán ser diferentes para las distintas actividades, industrias y tareas y se prevé la reducción o el aumento de las primas según las empresas se hayan distinguido o no en la eficacia del cumplimiento de las normativa de seguridad y salud en el trabajo (art. 146.3 LGSS).

El carácter objetivo de la responsabilidad se aprecia no sólo en la objetivación de la causa que la fundamenta, sino también en los términos en los que ésta se concreta, de tal manera que el trabajador tiene derecho exclusivamente a lo que la ley le reconozca, es decir, a las prestaciones de Seguridad Social legalmente establecidas en relación con la situación y contingencias sobrevenidas. Se trata de una responsabilidad tasada o tarifada. En resumen, por muchas facilidades que se tengan para acceder a las prestaciones de Seguridad Social, las prestaciones son las que son y cubren las necesidades que cubren.

La compensación de las pérdidas de la capacidad de ganancia se materializa a través de prestaciones económicas, continuando vigente a los efectos del cálculo de la base reguladora el art. 60 del Decreto de 22 de junio de 1956 por el que se aprueba el texto refundido de la legislación de accidentes del trabajo y Reglamento para su aplicación, por lo que la base reguladora de las pensiones derivadas de contingencias profesionales se calcula sobre los salarios reales abonados al trabajador. De forma que el módulo de referencia no es la base de cotización, sino la retribución efectivamente percibida por el beneficiario; criterio de cálculo que privilegia, sin duda, los riesgos profesionales con respecto a los comunes. Los porcentajes de las prestaciones son variables en función de las distintas situaciones protegidas, que son las que delimitan el daño indemnizable.

Igualmente, se establecen prestaciones especiales para las contingencias profesionales, tales como las indemnizaciones por lesiones permanentes no invalidantes. Conviene que nos detengamos en este punto porque en él comienza la aparición de la peculiar red de baremos que coexiste en nuestra normativa. Y es que la LGSS regula en sus arts. 201 a 203 las indemnizaciones procedentes de las lesiones permanentes no incapacitantes sufridas por los trabajadores, es decir, aquellas lesiones, mutilaciones y deformidades definitivas, causadas por accidentes de trabajo o enfermedades profesionales, que no llegan a constituir una incapacidad permanente pero suponen una disminución o alteración de la integridad física del trabajador. Tales indemnizaciones se encuentran fijadas a través del baremo regulado en la añeja Orden Ministerial de 15 de abril de 1969, cuyo contenido está recogido básicamente en la LGSS pero que desarrolla el proceso para su aplicación y en su Anexo recoge lo más importante: la tabla con las cuantías actualizadas que únicamente se ha materializado en un par de ocasiones, la última por la Orden ESS/66/2013, de 28 de enero.

Las prestaciones de Seguridad Social por accidente de trabajo "se centran en la cobertura del daño patrimonial, pero se extienden también, aunque de forma bastante restringida, a las limitaciones funcionales no determinantes de una reducción de la capacidad de ganancia"[5]. La cobertura del daño emergente por gastos de asistencia sanitaria y de rehabilitación es amplia, aunque queda fuera de las facultades de elección del accidentado. La asistencia debe prestarse de la forma «más completa» y comprende el tratamiento médico y quirúrgico, el suministro y renovación de aparatos de prótesis". En relación con estas últimas surge la duda. Hasta donde debe alcanzar el grado de protección social: ¿Se deben establecer prestaciones razonables u óptimas?

Este debate se ha planteado recientemente. Ejemplo de ello es la STS 10 de octubre de 2019 (Rº 3494/2017), que reconoce el derecho de un

---

5   Como señala A. DESDENTADO BONETE, *El daño y su valoración en los accidentes de trabajo*, Revista del Ministerio de Trabajo e Inmigración, 2009, nº 79, p. 80

trabajador que sufrió la amputación de su mano derecha a que se le implante una prótesis mioeléctrica de última generación y no la meramente convencional que está prevista para los supuestos de asistencia sanitaria ordinaria. El artículo 42.1.a) LGSS señala que, dentro de la acción protectora de la Seguridad Social, se encuentra la asistencia sanitaria en los casos *«de enfermedad común o profesional y de accidente, sea o no de trabajo»* En el fondo de la cuestión estaba la aplicación del principio de "reparación íntegra" de las secuelas de un accidente laboral. El problema derivaba de una situación de tránsito normativo que daba lugar a que se produjera una equiparación entre los accidentes laborales y accidentes ajenos al mundo laboral. El Tribunal Supremo entiende que el principio básico de "reparación íntegra" de las secuelas del accidente laboral (porque así lo requiere el Convenio n° 17 de la Organización Internacional del Trabajo), constituye un principio implícito en la responsabilidad empresarial en materia de accidentes laborales. Una solución que *«no equivale, ni ahora ni antes, a la ausencia de límites o a la proclamación de un deber de gasto incontrolado sino sujeto a las posibilidades razonables, pero sin las restricciones del catálogo de prestaciones sanitarias en contingencia común»*. Un criterio que, a juicio del Tribunal Supremo se justifica, en última instancia, por la "diversa financiación de la asistencia sanitaria en función de la contingencia que la desencadena (a cargo de la Mutua o entidad aseguradora, a cargo del Sistema Público de Salud)" y "la propia responsabilidad empresarial en estos casos (proclamada desde la Ley de 30 de enero de 1900 como objetiva y automática)". Todo ello, remite al juicio de optimización y no de razonabilidad.

Cómo no compartir una solución tutelar como la que sirve de base a la sentencia. Ahora bien, surgen dudas en la respuesta. La primera es la de si ésta hubiera sido la misma si el coste de lo óptimo (49.000 euros) no hubiera recaído sobre una Mutua. ¿Puede el sistema de Seguridad Social afrontar, como regla general, la tutela óptima de cada situación sin que eso lleve consigo un *"deber de gasto incontrolado"?*. ¿Ha hecho números el Tribunal Supremo para cuantificar los efectos que tendría la generalización de esta respuesta? Pero el modelo de Seguridad Social se encuentra fuertemente vinculado con la realidad económica de cada momento por lo que la extensión de las prestaciones no es tarea fácil.

Las necesidades sociales pueden crecer pero los fondos son limitados por lo que las prestaciones son adecuadas y, podríamos incluso decir, que razonables pero en ningún caso alcanzan el carácter de óptimas. Por expresarlo de otro modo, no consiguen alcanzar el ideal de reparación integral. De acuerdo a la interpretación llevada a cabo por el Tribunal Constitucional, la obligación de los poderes públicos de garantizar prestaciones sociales suficientes ante situaciones de necesidad debe determinarse teniendo en cuenta las circunstancias económicas y las disponibilidades del momento (STC 65/1987 y STC 38/1995), pues se trata de administrar medios económicos limitados para un gran número de necesidades sociales (STC 137/1987). Si ello es así, debemos descartar lo óptimo y, por extensión, la conceptualmente atractiva idea de la "reparación integra". El nivel y condiciones de las prestaciones deben partir del siempre doloroso principio de realidad.

III. LA QUIMERA DEL RECARGO DE PRESTACIONES

Pero veamos, si las prestaciones de Seguridad Social logran alcanzar la "restitutio in integrum" ¿existen otros mecanismos que permiten aproximarse a ese resultado? En esta reflexión caminamos por el difícil y pantanoso territorio de a quién corresponde asumir los costes de estas situaciones: ¿Sociedad o empresa?

Un viejo compañero histórico en el viaje prestacional ha sido el recargo de prestaciones. Establece el art. 164 LGSS que: *"Todas las prestaciones económicas que tengan su causa en accidente de trabajo o enfermedad profesional se aumentarán, según la gravedad de la falta, de un 30 a un 50 por ciento, cuando la lesión se produzca por equipos de trabajo o en instalaciones, centros o lugares de*

trabajo que carezcan de los medios de protección reglamentarios, los tengan inutiliza-
dos o en malas condiciones, o cuando no se hayan observado las medidas generales o
particulares de seguridad y salud en el trabajo, o las de adecuación personal a cada
trabajo, habida cuenta de sus características y de la edad, sexo y demás condiciones
del trabajador"[6].

El recargo de prestaciones (de indemnizaciones en sus orígenes) nació como complemento culpabilista de la férrea responsabilidad objetiva. Nacido en la época en la que reinaba el principio de inmunidad el recargo era una "pena pecuniaria impuesta a la negligencia patronal" y resultaba una forma de compensar el límite de la responsabilidad tasada. Se trataba de una mejora de la responsabilidad objetiva, en los casos de culpa empresarial, cuya procedencia venía sobradamente justificada por la escasa cuantía de las indemnizaciones tasadas y por la ausencia de un sistema de protección social adecuado. Por ello, se le calificó como

---

6   La bibliografía sobre este tema es descomunal una simple búsqueda en Dialnet lo pone de manifiesto. Monográficamente, inició la andadura J.L. MONEREO PEREZ, *El recargo de prestaciones por incumplimiento de medidas de seguridad e higiene en el trabajo*, Madrid, Civitas, 1992 y a él siguieron los estudios de M.A. PURCA-LLA BONILLA, *El recargo de prestaciones por incumplimiento de normas de seguridad y salud laboral: análisis crítico de su configuración jurídico-positiva*, Granada, Comares, 2000. A.V. SEMPERE, R. MARTIN, *El recargo de prestaciones*, Pamplona, Aranzadi, 2001; M. CARDENAL CARRO, F. J. HIERRO HIERRO, *El recargo de prestaciones: criterios determinantes en la fijación del porcentaje aplicable*, Albacete, Bomarzo, 2005; J. ROMERO RÓDENAS, *El recargo de prestaciones en la doctrina judicial*, Albacete, Bomarzo, 2010. Son obligada referencia en esta materia, A. DESDENTADO BONETE, *El recargo de prestaciones de la Seguridad Social y su aseguramiento. Contribución a un debate*, Revista de Derecho Social, 2003, nº 21, pp. 11-28. A. DESDENTADO BONETE, A. DE LA PUEBLA, *La responsabilidad del empresario por los accidentes de trabajo y el recargo de prestaciones por infracción de normas de seguridad: Algunas reflexiones sobre las últimas aportaciones de la Jurisprudencia*, Tribuna social, 2001, nº 125, pp. 13-27. Para un análisis desde la perspectiva administrativa, me permito remitir a J.R. MERCADER UGUINA, *Los procedimientos administrativos en materia de Seguridad Social*, Pamplona, Aranzadi, 2017. Y, para la perspectiva procesal, a P. MENENDEZ SEBASTIAN, *El recargo de prestaciones y su compleja convivencia procesal con las responsabilidades penales y administrativas derivadas de accidente de trabajo*, Revista del Ministerio de Empleo y Seguridad Social, 2018, pp. 483-516.

una especie de indemnización punitiva adicional (recargo de indemnizaciones) a la meramente compensatoria cuyo importe acrecentaba los derechos del beneficiario lesionado, o los de sus familiares en caso de muerte. La falta de medidas de seguridad se configuraba, así, como una "culpa específica". Pero dicho sistema voló por los aires cuando lo hizo el principio de inmunidad.

Desaparecida la inmunidad el recargo de prestaciones se vio obligado a convivir con la indemnización de daños y perjuicios y, por ello, condenado a buscar su identidad. En ese resultado influyó el hecho de que poco a poco esa responsabilidad por culpa se transformase en una cuasiobjetiva por infracción o violación cualificada de normas de prevención: incumplida la medida de seguridad, se integra el supuesto de hecho de la norma, lo cual autoriza a que se dispare el mecanismo resarcitorio.

Así lo ha venido reconociendo la jurisprudencia que, de forma expresa ha señalado que "la exigencia de culpa ha sido flexibilizada por la jurisprudencia que debatiéndose entre las exigencias de un principio de culpa y del principio de responsabilidad objetiva, ha llegado a configurar una responsabilidad cuasi objetiva, pues, aunque no ha abandonado la exigencia de un actuar culposo del sujeto, ha ido reduciendo la importancia de ese obrar en el nacimiento de esa responsabilidad bien mediante la aplicación de la teoría de riesgo, bien por el procedimiento de exigir la máxima diligencia y cuidado para evitar los daños, bien invirtiendo las normas que regulan la carga de la prueba".

La clave de este cambio radica en la forma de abordar el problema de la apreciación y valoración de la culpa. En que debe tenerse en cuenta que, como la carga de la prueba, conforme al art. 217 de la Ley de Enjuiciamiento Civil (en adelante, "LEC"), gravita sobre el empresario, será éste quien deba probar que obró con la diligencia debida, que adoptó todas las medidas de seguridad reglamentarias y las demás previsibles en atención a las circunstancias y que el hecho causante del daño no le era imputable. Estas ideas dieron lugar a la STS de 30 de junio de 2010 (R° 4123/2008), dictada en Sala General. En ella, sobre la base de que el empresario es deudor de seguridad, se concluye que estamos ante un supuesto de responsabilidad contractual, lo que conlleva, conforme al art. 217 LEC y al 1183 del Código Civil , que sea el empresario quien deba probar que actuó con toda la diligencias que le era exigible, quedando exento de responsabilidad, como en esta sentencia, se dice "cuando el resultado lesivo se hubiese producido por fuerza mayor o caso fortuito, por negligencia exclusiva no previsible del propio trabajador o por culpa exclusiva de terceros no evitable por el empresario [argumentando los arts. 1.105 CC y 15.4 LPR], pero en todo estos casos es al empresario a quien le corresponde acreditar la concurrencia de esa posible causa de exoneración, en tanto que él es el titular de la deuda de seguridad y habida cuenta de los términos cuasiobjetivos en que la misma está concebida legalmente".

Esta doctrina fue recogida por la Ley 36/2011 de 10 de octubre, Ley Reguladora de la Jurisdicción Social (en adelante, "LJS"), cuyo art. 96.2 establece: "En los procesos sobre responsabilidades derivadas de accidentes de trabajo y enfermedades profesionales corresponderá a los deudores de seguridad y a los concurrentes en la producción del resultado lesivo probar la adopción de las medidas necesarias para prevenir o evitar el riesgo, así como cualquier factor excluyente o minorador de su responsabilidad. No podrá apreciarse como elemento exonerador de la responsabilidad la culpa no temeraria del trabajador ni la que responda al ejercicio habitual del trabajo o a la confianza que éste inspira".

La normativa en materia de prevención de riesgo se orienta, igualmente, en la referida dirección. El art. 14.2 LPRL obliga al empresario a garantizar la seguridad y salud de sus empleados en el trabajo y a realizar toda la actividad preventiva necesaria debe ser interpretado a la luz de los artículos 4.2, 12 a) y 16, entre otros del Convenio 155 de la OIT, de 22 de junio de 1981, precisan que deben tomarse medidas "razonables y factibles". Igualmente, el art. 5 de la Directiva 89/391/CEE obliga a la adopción de las medidas que sean razonables y factibles y que permiten a los estados excluir y minorar la responsabilidad de los empresarios por hechos y circunstancias que les sean ajenas o sean anormales e imprevisible o que no se hubieran podido evitar a pesar de la diligencia empleada. La STJUE, de 14 de junio de 2007, da por buena la norma contenida en e art. 2 de la Ley del Reino Unido que obliga a garantizar la seguridad de los trabajadores en la medida en que sea razonable y viable.

En este sentido es importante la STS 28 de febrero de 2019 (R° 149/2019), La sentencia es clara y tajante cuando sostiene que el recargo requiere del incumplimiento de una medida preventiva concreta[7]. Con ello se ponen en tela de juicio, por ejemplo, las afirmaciones contenidas en la STS 14 de septiembre de 2016 (R° 846/15), en la que se decía que no cabe confundir el "incumplimiento" al que se refiere el art. 164 LGSS y la "infracción" de la LISOS, en el sentido de que la infracción supone el incumplimiento de las obligaciones legalmente impuestas, para lo que resulta necesaria la tipicidad de la conducta en coherencia con su carácter sancionador, mientras que el incumplimiento no exige la sujeción a esas reglas punitivas, «bastando para el recargo con que exista un incumplimiento empresarial en materia de obligaciones de seguridad».

Pero la importancia de la STS 28 de febrero de 2019 (R° 149/2019), se refuerza si tenemos en cuenta que la misma viene a construir un criterio de responsabilidad "cuasi objetiva reforzada" cuando del recargo de prestaciones se trata. Para ello, parte el referido pronunciamiento de que "la responsabilidad civil por los actos de los empleados que tiene su origen en el artículo 1.903 CC y que supone la obligación de repa-

---

7   J. GARCIA MURCIA, P. MENENDEZ SEBASTIAN, *Recargo de prestaciones: exigencias de infracción concreta de las normas preventivas y de culpa por parte de la empresa*, Revista de Jurisprudencia Laboral. Número 2/2019.

rar los daños causados culposamente por los auxiliares (empleados) del empresario para realizar su actividad, también llamada responsabilidad vicaria (…)". A lo que añade que "si ello es así, la llamada "culpa in vigilando" podrá justificar la reclamación de una indemnización por los daños y perjuicios causados y así como la condena al pago de la misma. Pero una cosa es la responsabilidad civil por el acto de un empleado y otra diferente la responsabilidad penal y la administrativa por la comisión de infracciones penales o administrativas, cuya sanción requiere la culpa del infractor, cual sucede con el recargo de prestaciones que tiene naturaleza sancionadora, lo que obliga a interpretar esa responsabilidad de forma estricta (STC 81/1995), esto es exigiendo la culpa de la empresa de forma más rigurosa que cuando responde civilmente por actos de sus empleados".

En el caso, dado que el siniestro acaeció cuando se sustituía una torre de un tendido eléctrico la pregunta es si era razonable y factible que el empresario (persona jurídica) estuviese allí controlando la operación, al igual que en otros lugares donde se estuvieran realizando actividades peligrosas o bastaba con haber enviado a realizar esa misión a personal formado y suficientemente cualificado con un jefe de servicio igualmente cualificado y con un protocolo de actuación conocido por todos. La respuesta es que, dice la STS 28 de febrero de 2019 (R° 149/2019), "no es razonable y factible esta exigencia, solución apuntada y seguida por la sentencia recurrida, porque sería diabólico exigir al titular de la empresa el don de la ubicuidad para estar presente en todos los lugares en que se desarrollan actividades de peligro".

Convertido el recargo de prestaciones en otro instrumento imprescindible en la mecánica para conseguir la restitutio in integrum, el mismo ha tenido que adaptarse a los más diversos escenarios y adaptar su organismo a los más plurales entornos. Adaptando el lema de Darwin según el cual "las especies que sobreviven no son las más fuertes ni las más inteligentes, sino aquellas que se adaptan mejor al cambio", esta institución se ha visto obligada a pagar un alto precio al verse convertida en *"monstruo legal de tres cabezas"*. Una quimera, ahora en la primera acepción del término (monstruo imaginario que vomitaba llamas y tenía cabeza de león, vientre de cabra y cola de dragón), por ser al propio tiempo sanción, indemnización y prestación social: *"Sanción porque necesita como requisito ineludible de un incumplimiento empresarial, indemnización al tener como finalidad reparar un daño causado al trabajador afectado y, prestación de Seguridad de Social al no ser sino una prestación de tal índole"*. Esta naturaleza trina aparece y desaparece según los casos en el debate judicial. Por ello, esa pregunta frecuente en la práctica, ¿pero, realmente, qué es el recargo?, tiene una compleja y, como veremos, imprevisible respuesta.

En unos casos, los Tribunales asientan sus razonamientos en su naturaleza sancionadora para como hemos visto, reforzar las exigencias de culpa, justificar su plena compatibilidad con las indemnizaciones derivadas de responsabilidad civil, como fue el caso de la STS de 2 de octubre de 2000 (RJ 9673) y, por qué no, para subrayar, más si cabe, la clara e inequívoca afirmación del art. 164.2 LGSS de acuerdo con la cual la responsabilidad en el pago del recargo no es asegurable. En otras ocasiones su naturaleza indemnizatoria justifica su transmisión a todos cuanto la circunden incluidos las empresas principales por daños sufridos por trabajadores de las empresas contratistas y subcontratistas. Un efecto que por mágico que pueda parecer alcanza los supuestos sucesorios y ello aunque el trabajador causante de las prestaciones nunca hubiese prestado servicios en la misma. Y ello porque como afirmara la STS de 13 de octubre de 2015 (R° 2166/2014), "una vez que se haya constatado ese incumplimiento de las medidas de prevención, así como la aparición de la contingencia generadora de la correspondiente prestación, aunque la sucesión se hubiese producido con posterioridad al reconocimiento de la prestación de Seguridad Social, sobre la que incide el recargo". Solo un supuesto tan terrible como el de los daños masivos producidos por el amianto puede justificar tal razonamiento. O, en fin, se hace que el recargo se convierta en una prestación cuando lo que se pretende es garantizar su tutela y proyección en el tiempo. Y es que, en este caso, como dejó sentado entre otras la STS de 9 de febrero de 2006 (Rº 4100/04), el plazo de prescripción de cinco años es el mismo que el legalmente establecido para las prestaciones aplicándose todas las garantías asociadas establecidas en el art. 43 LGSS, de modo que la retroactividad de tres meses anteriores a la solicitud de la prestación es también aplicable al recargo por falta de medidas de seguridad (como confirmó la STS de 11 de mayo de 2018, Rº 3012/2016).

Así las cosas y pese a su permanente expansión, es recurrente en la doctrina la idea de eliminar el recargo de prestaciones. Se dice que es disfuncional, obsoleto, ineficiente, etc… incluso en determinadas ocasiones, puede también actuar como una indemnización punitiva (*punitive damages*) cuando su aplicación lleva a una indemnización total superior al daño reparado que no tiene ya una función reparadora, sino aflictiva y redistributiva. Pero ¿no es ese incontenible deseo de dar la respuesta óptima a las necesidades sociales la que aboca también a ese resultado? Y es que, los juristas absortos en la búsqueda de su naturaleza o, más aún de su "ontología", como dice la STS 15 de septiembre de 2016 (Rº 3272/2015), hemos perdido de vista su verdadera función y finalidad. El recargo de prestaciones es trino pero es sobre todo es uno. Pues esta institución es, sobre todo y por encima de todo, un instrumento para incrementar la reparación la cuantía de la reparación que reciben los trabajadores que sufren accidentes de trabajo. No obstante, a salvo de singulares pronunciamientos como el citado, la cada vez más consolidad idea de la existencia de un principio "in dubio pro recargo" posee más peso.

La resultante de todo ello: una verdadera y propia prestación "adicional" del sistema de Seguridad Social. Y ello, por cuanto el recargo repercute únicamente en beneficio del trabajador accidentado o paciente de la enfermedad profesional incrementando sus prestaciones de Seguridad Social y, por ende, la cuantía de la reparación. Y que, además, tan solo difiere de las prestaciones "típicas" en su carácter no tasado en la medida en que su cuantía puede ser modulada atendiendo a diversos factores dentro de los límites marcados y teniendo en cuenta la gravedad de la falta (no del accidente) quedando a discreción del juzgador su graduación que ha manejado criterios como el tipo de infracción cometida, consecuencias producidas, intencionalidad, posibilidades de evitar el resultado, imprudencia del trabajador, etc. para modular su alcance.

IV. LAS "QUIMERAS" DE LA REPARACIÓN ÍNTEGRA E INDEMNIZACIÓN CIVIL "ADICIONAL" POR ACCIDENTE DE TRABAJO

En materia de responsabilidad por accidente de trabajo, el Derecho de la mayor parte de los países europeos ha seguido una evolución paralela: la indemnización de los accidentes de trabajo y las enfermedades profesionales ha sido sustraída al imperio de la responsabilidad individual y absorbida por la Seguridad Social. En nuestro país no ocurre así. La compatibilidad entre el régimen indemnizatorio de la LGSS y otras fuentes reguladoras de daños y responsabilidades no sólo es afirmada sin dudas por la jurisprudencia, sino que se deriva hoy en día con toda claridad del texto del art. 168.3 LGSS, que viene a disponer que, *"Cuando la prestación haya tenido como origen supuestos de hecho que impliquen responsabilidad criminal o civil de alguna persona, incluido el empresario, la prestación será hecha efectiva, cumplidas las demás condiciones, por la entidad gestora, servicio común o mutua colaboradora con la Seguridad Social, en su caso, sin perjuicio de aquellas responsabilidades. En estos casos, el trabajador o sus derechohabientes podrán exigir las indemnizaciones procedentes de los presuntos responsables criminal o civilmente"*.

Y es que el trabajador, o sus familiares en caso de muerte, puedan reclamar una indemnización adicional a las cantidades percibidas en concepto de prestaciones de Seguridad Social y de mejoras voluntarias de su acción protectora. En ese supuesto la jurisprudencia social afirma que los perjudicados tienen derecho a la reparación plena por las consecuencias dañosas que afectan no sólo al ámbito laboral y a las mermas de tal naturaleza, sino a múltiples aspectos o facetas de su vida personal, familiar o social[8].

Este terreno fue y es motivo también permanente de quimeras (entendida la noción, ahora, en su sentido de pendencia, riña o contienda). Y es que convertida la indemnización por daños y perjuicios en otro instrumento para conformar el engranaje que busca alcanzar una tutela resarcitoria íntegra, el debate sobre su naturaleza y orden jurisdiccional competente para dilucidar los conflictos fue motivo de agria y descarna pendencia durante muchos años entre el orden social y el civil. Una contienda allanada por la LJS, como expresa su Exposición de Motivos, al establecer la competencia de la jurisdicción social "para enjuiciar conjuntamente a todos los sujetos que hayan concurrido en la producción del daño sufrido por el trabajador en el marco laboral o en conexión directa con el mismo, creándose un ámbito unitario de tutela jurisdiccional para el resarcimiento integral del daño causado". Una contienda de la que aún queda rescoldos. Así lo pone de manifiesto que la Sala de lo Civil se reserve la competencia para conocer de la responsabilidad de la empresa por daños sufridos por las esposas de los trabajadores, incluido el fallecimiento de una de ellas por el riesgo de la exposición al amianto al lavar las ropas de sus maridos. Entiende la STS 3 de diciembre de 2015 (JUR 2015, 308408) que, en este caso: "no se trata de analizar si Uralita S.A cumplió o no con la normativa laboral en materia de prevención de riesgos por la manipulación de asbesto o amianto, lo que es propio de la jurisdicción social, sino si aquélla actuó

---

8   Con carácter monográfico se han ocupado del tema, B. GUTIERREZ-SO-LAR CALVO, *Culpa y riesgo en la responsabilidad civil por accidentes de trabajo*, Madrid, Civitas, 2004; G. DIEZ-PICAZO GIMENEZ, *Los riesgos laborales. Doctrina y jurisprudencia civil*, Madrid, Civitas, 2007; M. CORREA CARRASCO, *Accidente de trabajo, responsabilidad empresarial y aseguramiento*, Albacete, Bomarzo, 2008; A. GINES i FABRELLAS, *Instrumentos de compensación del daño derivado del accidente de trabajo y enfermedad profesional*, Madrid, La Ley, 2012.

frente a terceros ajenos a esta relación con la diligencia exigible una vez que a partir de los años cuarenta va teniendo un mayor conocimiento del riesgo que, en general, suponía la exposición al polvo de amianto, incluso para terceros ajenos a la relación laboral".

Los debates también se abren también en otros terrenos. Por un lado, al de los límites de la flexibilización de la exigencia de culpa. Y es que si bien para la indemnización por daños y perjuicios es preciso cierto grado de culpa, pues no cabe la responsabilidad objetiva pura (por el carácter desmotivador que ello tendría respecto del cumplimiento de las obligaciones preventivas), lo cierto es que "dicha culpa puede sustentarse en el mero incumplimiento del deber de vigilancia, que es tanto como decir que basta para su reconocimiento el incumplimiento del genérico deber de protección que el empresario asume respecto de sus trabajadores con la suscripción del contrato" concreta[9]. Una idea que se extrae de la STS 28 de febrero de 2019 (Rº 149/2019), que incorpora una suerte de escala de durezas en la ya de por sí resbaladiza categoría de la "responsabilidad cuasi objetiva".

Y es que la referencia al art. 1903.4 CC se hace oportuna para medir al tacto esta idea. El citado precepto establece una responsabilidad directa de la empresa por los actos de los empleados ya sea «in eligendo» ya «in vigilando» de la que no le exonera más que la demostración de que ha procedido con la diligencia de un buen empresario lo que ha venido asociando dicho régimen de responsabilidad a los de responsabilidad "cuasi-objetiva" u "objetiva". Así lo reflejaba, por ejemplo, la STS (Civil) 19 de junio de 2000 [RJ 2000\5291], al señalar que la aplicación del referido precepto "ha sugerido diversas interpretaciones caracterizadas por una evolución hacia posturas que, sin aceptar la responsabilidad objetiva pura, tienden a un marcado matiz objetivo. [...]

---

9   J. GARCIA MURCIA, P. MENENDEZ SEBASTIAN, *Recargo de prestaciones: exigencias de infracción concreta de las normas preventivas y de culpa por parte de la empresa*, Revista de Jurisprudencia Laboral. Número 2/2019.

con una impronta objetivista (no en el sentido técnico, sino en el de menor dificultad para declarar la responsabilidad) cuando se admite la presunción de culpa, o se atribuye la carga probatoria al empresario, las teorías objetivadoras ponen el acento de la responsabilidad empresarial en la doctrina de la prolongación de la actividad del empresario en el empleado (teoría de la representatividad u orgánica), o en la creación del riesgo, bien en la perspectiva de que quien aprovecha el beneficio, lucro o utilidad de la actividad peligrosa debe sufrir la indemnización del quebranto padecido por el tercero *(cuius commoda eius incommoda; ubi emolumentum, ibi onus)*, o bien desde la óptica de la absorción del riesgo (el riesgo del factor humano se engloba en el riesgo de la empresa)".

Esta idea se ha materializado en la STS 4 de mayo de 2015 (Rº 1281/2014) que es buena muestra de este nivel mínimo de "cuasi objetivación" que, aunque no se quiera admitir, está más cerca de la responsabilidad objetiva que de la derivada de culpa, incluso, leve. En ella, la Sala de lo Social declara que los codemandados –Empresa de Trabajo Temporal y empresa usuaria- no han acreditado "haber agotado toda diligencia exigible, más allá -incluso- de las exigencias reglamentarias" para impedir el accidente. En este sentido, afirma que no ha bastado con la formación teórica y práctica que la empresa de trabajo temporal impartió a la trabajadora y extiende la responsabilidad a la empresa usuaria por no agotar tampoco toda la diligencia exigible en el uso de la máquina, que aunque formalmente pareciera idónea, no se detiene automáticamente cuando se atasca y que permite introducir, aunque sea por lugar inadecuado, hasta un brazo de la trabajadora sin detenerse". La reparación íntegra se consigue, pues, por tres vías que marcan fronteras borrosas de identificación. Una, las prestaciones de Seguridad Social, asentada en una idea de plena responsabilidad objetiva; otra, el recargo de prestaciones, que opera sobre la idea de una "cuasi objetividad reforzada" próxima a la idea de culpabilidad administrativa y, otra en fin, la indemnización por daños y perjuicios, que se fundamenta en una idea francamente debilitada de la "cuasi objetividad". Tres vías o caminos que actúan de forma conjunta en la incesante búsqueda de la reparación integral.

La legislación especial de Seguridad Social no monopoliza, pues, todos sus posibles efectos reparadores y permite la concurrencia de otras normas sobre responsabilidad y, en particular, las del Código Civil, en cuanto no sean incompatibles con aquella legislación especial. La plena compatibilidad entre prestaciones de la Seguridad Social e indemnización de daños y perjuicios, y entre éstas y el recargo de prestaciones se encuentra más que asentada en nuestro modelo. Un modelo que apostó hace años por la suplementariedad y que encuentra su fundamento sociológico en un prejuicio según el cual las prestaciones económicas previstas legalmente para los supucstos de accidente de trabajo o enfermedad profesional resultan, dado el tipo de daño producido, insuficientes. A ello se añade la idea de que no hay razones que justifiquen que el daño moral, absolutamente típico en cuantas actividades afectan a la vida e integridad física de terceros, no se incluya en la compensación económica que se obtiene a través de las prestaciones de la Seguridad Social dado que éstas, en cuanto que responden a la lógica de la responsabilidad objetiva, sólo alcanzan al daño normal, abstractamente previsible, que deriva del accidente de trabajo.

El principal problema con el que se ha encontrado este modelo es el de la efectiva valoración del daño. El incumplimiento por el poder ejecutivo del mandato impuesto por la DF 5ª LJS («En el plazo de seis meses a partir de la entrada en vigor de esta Ley, el Gobierno adoptará las medidas necesarias para aprobar un sistema de valoración de daños derivados de accidentes de trabajo y de enfermedades profesionales, mediante un sistema específico de baremo de indemnizaciones actualizables anualmente, para la compensación objetiva de dichos daños en tanto las víctimas o sus beneficiarios no acrediten daños superiores») ha contribuido a ese resultado[10].

---

10   C. MOLINA NAVARRETE, *Nueva indemnización por daño profesional: mejoras y lími-*

Ante la ausencia de un sistema específico de valoración de daños derivados de accidentes de trabajo y de enfermedades profesionales, los perjudicados y los órganos jurisdiccionales del orden social sigan acudiendo
con un proclamado carácter orientativo que en la práctica deviene en
exclusivo, al sistema legal de tasación de los daños a las personas con
motivo de la circulación, conocido como baremo. El mismo se encuentra establecido en texto refundido de la Ley sobre Responsabilidad Civil
y Seguro en la Circulación de Vehículos a Motor, aprobado por el Real
Decreto Legislativo 8/2004, de 29 de octubre (en adelante LRCSC-
VM), en la versión de la Ley 35/2015 (en adelante, TRLRCS). Igualmente, debe tenerse en cuenta la Resolución de 30 de marzo de 2020
de la Dirección General de Seguros y Fondos de Pensiones, por la que
se hacen públicas las cuantías de las indemnizaciones actualizadas del
sistema para valoración de los daños y perjuicios causados a las personas en accidentes de circulación.

Resumidamente, el recurso al baremo ofrece varios puntos de interés,
como se ocupó de recordar, entre otras, la STS de 17 de julio de 2007
(Rº 4367/2005: (i) Da satisfacción al principio de seguridad jurídica
que establece el artículo 9-3 de la Constitución, pues establece un mecanismo de valoración que conduce a resultados muy parecidos en situaciones similares.(ii) Facilita la aplicación de un criterio unitario en la
fijación de indemnizaciones con el que se da cumplimiento al principio
de igualdad del artículo 14 de la Constitución.(iii) Agiliza los pagos de
los siniestros y disminuye los conflictos judiciales, pues, al ser previsible
el pronunciamiento judicial, se evitarán muchos procesos. (iv) Da una
respuesta a la valoración de los daños morales que, normalmente, está
sujeta al subjetivismo más absoluto. La cuantificación del daño corporal
y más aún la del moral siempre es difícil y subjetiva, pues, las pruebas
practicadas en el proceso permiten evidenciar la realidad del daño, pero
no evidencian, normalmente, con toda seguridad la equivalencia eco-

---

tes al nuevo baremo, Albacerte, Bomarzo, 2016.

nómica que deba atribuirse al mismo para su completo resarcimiento, actividad que ya requiere la celebración de un juicio de valor.

La consulta de las bases de datos de sentencias laborales muestra que no sólo es absolutamente excepcional que los demandantes reclamen indemnizaciones diferentes o superiores a las del baremo, sino que en ciertos casos la solicitada es inferior a la que resultaría del mero juego del sistema legal y de los criterios aplicativos fijados por la jurisprudencia social. Por ello, la reforma del baremo circulatorio llevada a cabo por la Ley 35/2015, en la medida en que amplia y mejora sustancialmente el anterior, principalmente por la plena incorporación del principio de vertebración del daño y la mejora del tratamiento de los daños patrimoniales, ha sido vista como "una oportunidad extraordinaria para asimilar adecuadamente su contenido y, desde esa premisa, poderlo transponer de manera adecuada al marco laboral a efectos de garantizar la reparación íntegra de los perjuicios efectivamente padecidos por los asalariados y sus parientes, objetivo cuya consecución es la verdadera función de la responsabilidad civil en ese espacio"[11].

El recurso al baremo es optativo para el juez social, que puede aplicarlo o no. Así, como recuerda la STS de 12 de septiembre de 2017 (Rº 1855/2015), esta utilización se revela como orientadora, "Respecto de los accidentes de trabajo no existen criterios legales para la valoración del daño, siendo la única regla la de la razonabilidad y proporcionalidad, que queda en manos de la interpretación y aplicación por parte del juez. Por ello hay que admitir la utilización de diversos criterios y, entre ellos, el del Baremo establecido por la DA 8ª de la Ley 30/1995, que hoy se contiene en el RDLey 8/2004, de 29 de octubre, por el que se aprueba el Texto Refundido de la Ley sobre Responsabilidad Civil y Seguro en la circulación de vehículos a motor, cuya utilización creciente en la práctica judicial es claramente constatable".

---

11   E. PALOMO BALDA, Cálculo de la indemnización por accidente de trabajo según el nuevo baremo, Madrid, Francis Lefebvre, 2016

Tiene además un carácter orientador no vinculante en la medida que los órganos judiciales del orden social podrán apartarse razonadamente de estos criterios, incrementado incluso los niveles de reparación previstos en el baremo (SSTS 17 de julio de 2007, R° 4367/2005 y 513/2006, 23 de junio de 2014, R° 1257/2013), lo que por lo demás se estima adecuado a las particularidades de la indemnización adicional de los accidentes de trabajo, que opera en el marco de la responsabilidad por culpa y dentro de obligaciones cualificadas de seguridad.

La Sala Social TS utiliza la regla de la compatibilidad relativa de las diferentes partidas, en aras de la satisfacción de los referidos principios de proporcionalidad y prohibición del enriquecimiento injusto, por lo que los importes homogéneos recibidos por diferentes vías exigen coordinarse entre ellos mediante la técnica del descuento: a un mismo hecho, el accidente, y a un mismo daño a indemnizar, le correspondería también una misma reparación, aunque se concrete a través de diferentes cuantías procedentes de las distintas acciones emprendidas.

Del mismo deberán descontarse las prestaciones de Seguridad Social. Tal y como estableciera la STS 17 de julio de 2007, R° 4367/2005 y 14 de julio de 2009 (R° 3576/2008) deberá establecerse un sistema de descuento de conceptos homogéneos. Señala el citado pronunciamiento que si el daño tiene distintos componentes las lesiones físicas, las psíquicas, los daños morales en toda su extensión, el daño económico emergente y lucro cesante y todos ellos deben ser indemnizados, la compensación entre las diversas vías de reparación «debe hacerse entre conceptos homogéneos para una justa y equitativa reparación del daño real» (por ejemplo, no deducción entre IT e IP o entre IP y muerte). Por ello, no cabrá compensar la cuantía indemnizatoria que se haya reconocido por lucro cesante o daño emergente en una vía de reparación con lo reconocido en otra por conceptos diferentes por ejemplo, por daño moral. El descuento de las mejoras voluntarias: sigue el mismo criterio que el de las prestaciones de la Seguridad Social (STS 12 de septiembre de 2017, R° 1855/2015).

Una de las más complejas problemáticas que deben afrontarse en litigios sobre reclamaciones por indemnizaciones por responsabilidad civil derivadas de accidentes de trabajo "se centran el cómputo de los intereses devengados por el trabajador siniestrado desde la fecha del accidente o, en su caso, desde el momento en que concreta el derecho al percibo de la compensación económica por los daños sufridos hasta que se materializa el momento del pago de ésta"[12].

Durante estos períodos se devengan, por un lado, intereses moratorios (arts. 1.108 CC, SSTS 30 de enero de 2008, R° 414/2007 y 4 de mayo de 2016, R° 2401/2014), que lo hacen automáticamente, por imponerlo así la defensa de los legítimos intereses del acreedor, manteniéndose, dentro de un criterio flexibilizador, como regla general -supuestos exorbitantes aparte- la de que las deudas en favor del trabajador generan intereses a favor de éstos desde la interpelación judicial, entendida como la fecha de presentación de papeleta de conciliación contra ante el SMAC. Por otro se devengan intereses procesales. El art. 576 LEC conlleva la aplicación del interés legal del dinero más dos puntos a partir de la fecha de la sentencia. Ahora bien, la norma general de dicho precepto procesal cede en el caso de que la se imponga la obligación de indemnizar a la compañía aseguradora del riesgo de responsabilidad civil.

Precisamente, por ello, uno de los puntos más debatidos en las resoluciones dictadas en materia de responsabilidad civil por daños derivados de accidentes de trabajo es el referente a la interpretación que haya de darse al art. 20 de la Ley 50/1980, de 8 de octubre, de Contrato de Seguro (en adelante, "LCS"), en el eventual recargo a la aseguradora del veinte por ciento anual sobre la suma indemnizatoria desde la

---

12   Sobre este complejo tema véanse el clarificador estudio de J. GONZÁLEZ CALVET, *El devengo de intereses en el pago de la Indemnización por responsabilidad civil derivada de accidente de trabajo,* Revista de Derecho Social, 2017, n° 79, pp. 165-184.

fecha del accidente hasta su pago. Con independencia de la modalidad de contrato de seguro, producido el siniestro objeto de cobertura, nace la obligación de la compañía aseguradora de indemnizar el daño producido o el capital garantizado, dentro de los límites de la cobertura aseguradora. Cuando la compañía aseguradora incumple su obligación de indemnizar y el plazo nace una responsabilidad por mora, prevista legalmente en el apartado tercero del art. 20 de la LCS, teniendo el asegurado, el tomador, el tercer perjudicado o beneficiario no sólo la facultad de exigirle el pago de la indemnización derivada del siniestro, sino también el derecho a solicitarle una indemnización por morosidad en concepto de intereses.

V. ¿"QUIMERAS" O "QUIMERA"?, PLURAL Y SINGULAR DE UN SUSTANTIVO

Recientemente ha sido noticia en todo el mundo la publicación de un equipo de científicos, que ha conseguido obtener quimeras de cerdo y mono, con el fin de dar los primeros pasos para desarrollar en un futuro órganos que puedan trasplantarse sin rechazo a seres humanos. Las quimeras son organismos que cuentan con células compuestas por dos constituciones genéticas diferentes. No hace falta poner de manifiesto las dudas jurídicas y éticas que plantean este tipo de criaturas: ¿monos desarrollando cerebros humanos?

Probablemente el sistema de responsabilidad por accidente de trabajo es también un modelo quimérico en que se suman instrumentos normativos procedentes de lógicas no coincidentes y cuya articulación en un solo organismo jurídico produce dudas e incertidumbres de muy diverso tipo. Con sus "quimeras" sustantivas y procesales convivimos desde hace años y han sido, a lo largo de este período, múltiples y muy fundadas las soluciones propuestas para resolverlas pero ninguna ha sido escuchada. Y ello porque no se trata de dar interpretaciones y buscar

adaptaciones de un sistema arcaico, sino de apuntar hacia uno enteramente nuevo. El objetivo sería, por ello, unificar las lógicas cruzadas
que, a modo de diversos estratos, se han ido superponiendo a lo largo de
la historia en la construcción del modelo resarcitorio de los daños derivados del accidente de trabajo, de huir del fetichismo legal y de aceptar
la ineficacia de un sistema que convierte en pura fantasía la unión entre
Derecho y realidad. Probablemente así conseguiríamos que la "quimera" de la reparación integral del daño dejara de serlo.

3. LOS REQUISITOS DEL DAÑO POR PÉRDIDA DE OPORTUNIDAD Y SU APLICACIÓN AL CONTEXTO DEL DIAGNÓSTICO GENÉTICO PREIMPLANTACIONAL ERRÓNEO

Andrea Macía Morillo

Profesora Contratada Doctora de Derecho civil. Universidad Autónoma de Madrid.

SUMARIO: I. INTRODUCCIÓN. II. POTENCIALES DAÑOS POR PÉRDIDA DE OPORTUNIDAD EN EL CONTEXTO DEL ERROR EN EL DGP. 1. Supuestos de falso positivo. 2. Supuestos de falso negativo. III. EXAMEN DE LOS REQUISITOS DEL DAÑO POR PÉRDIDA DE OPORTUNIDAD Y APLICACIÓN AL CONTEXTO DEL DGP. 1. Existencia de un evento favorable situado al final de la cadena de potenciales acontecimientos. 2. Grado de probabilidad de que el evento favorable se materializase. 3. Incertidumbre respecto de que el evento favorable se fuera a materializar. 4. Pérdida definitiva de la oportunidad de materialización del evento favorable. IV. CONCLUSIÓN.

RESUMEN

La doctrina del daño por pérdida de oportunidad se aplica en nuestro ordenamiento para afirmar la indemnización del daño que le supone a un sujeto el haberse visto privado de la posibilidad de alcanzar un evento futuro e incierto, cuya materialización se ha visto impedida de forma definitiva por el comportamiento del agente. Ante los riesgos de una aplicación excesivamente amplia de esta figura, aquí se propone la elaboración de cuatro requisitos o elementos necesarios para definir el daño por pérdida de la oportunidad indemnizable y se muestra su aplicación práctica a raíz del estudio de cinco casos de potencial responsabilidad por el error en el diagnóstico genético preimplantacional.

PALABRAS CLAVE

Pérdida de la oportunidad, diagnóstico genético preimplantacional, falso positivo, falso negativo.

ABSTRACT

The damages for loss of chance´s doctrine is applied in our legal system to affirm the compensation of damages suffered by an individual who has been deprived of the possibility of reaching a future and uncertain event, whose materialization has been permanently prevented by the behavior of the agent. In view of the risks of an overly broad application of this theory, this paper proposes the elaboration of four requisites or elements that should be considered necessary to define and compensate the damages due to the loss of chance. Their practical application is shown by the example of five cases of potential liability in the context of preimplantation genetic diagnosis.

KEYWORDS

Loss of chance, preimplantation genetic diagnosis, false positive, false negative.

I. INTRODUCCIÓN

Desde hace ya varios años, la doctrina del daño por pérdida de oportunidad se ha consolidado en nuestro ordenamiento[1] como una vía que se ofrece a la víctima que ha visto frustradas las expectativas que tenía de alcanzar un determinado resultado beneficioso, cuando éste se planteaba como incierto, pero posible, y cuando se puede acreditar que la posibilidad de alcanzarlo ha quedado definitivamente excluida por el comportamiento del agente[2]. Aunque aplicable a muchos ámbitos de la vida, uno de los campos en los que tal figura ha tenido mayor uso ha sido la responsabilidad médica, generalmente bajo la perspectiva de la llamada *perte d'une chance de guérison* o *de survie* y asociada a la ausencia, al error o al retraso en el diagnóstico del paciente. No en vano, este ámbito es muy proclive a que se presenten situaciones en las que el comportamiento de un sujeto –el médico– puede incidir de manera directa en las expectativas que tiene el paciente de alcanzar un resultado beneficioso pero incierto: la curación o la mejora de su salud[3]. Por este motivo, cuando tal resultado no se consigue, el paciente tiende a volverse contra el médico, buscando una indemnización que palie al menos en parte su frustración por la pérdida de las expectativas que tenía.

Esto, sin embargo, no significa que aceptemos que se pueda aplicar la figura de la pérdida de oportunidad a todo fracaso de un acto o tratamiento médico. La existencia de esta teoría no debe suponer, pues, una

---

1   La consolidación se ha producido sobre todo por vía jurisprudencial, aunque, según MARTÍNEZ RODRÍGUEZ, "La doctrina de la pérdida de oportunidad en la responsabilidad sanitaria", en LLAMAS POMBO (Dir.), *Estudios sobre responsabilidad sanitaria*, La Ley, Madrid, 2014, págs. 210, 211 y 228 n. 32, la doctrina también ha contribuido de forma importante.

2   Para una definición, ver MEDINA ALCOZ, *La teoría de la pérdida de oportunidad. Estudio doctrinal y jurisprudencial de Derecho de daños público y privado*, Thomson-Civitas, Madrid, 2007, pág. 94.

3   Así lo aprecian también MARTÍNEZ RODRÍGUEZ, *ob. cit.*, pág. 210 o VICANDI MARTÍNEZ, "La pérdida de oportunidad en la responsabilidad civil sanitaria, ¿se puede cuantificar lo incuantificable?", DS, 2015, vol. 25, n° 2, pág. 20.

garantía de indemnización para cualquier víctima de unas supuestas expectativas frustradas. Más bien, por el contrario, debemos tomar su aplicación como una excepción y reservarla solo para los supuestos en que concurran ciertos requisitos que pueden y deben exigirse a la propia figura del daño por pérdida de oportunidad y que actúan como límite razonable a la indemnizabilidad de las expectativas frustradas. No hemos de olvidar, de hecho, que esta teoría se suele admitir por nuestros autores únicamente bajo la consideración de su subsidiariedad[4], y, por ello, hemos de subrayar el convencimiento de que solo las expectativas frustradas cualificadas con tales requisitos se deben estimar suficientes como para ser objeto de reparación por medio de la responsabilidad civil; las demás, deberán ser rechazadas, salvo que se reconduzcan a otra categoría de daño[5].

---

4   De hecho, como señalan ASENSI PALLARÉS y CID-LUNA CLARES, "La evolución de la doctrina de la pérdida de oportunidad en responsabilidad médica", *Revista CESCO de Derecho de Consumo*, n° 8, 2013, pág. 234, la doctrina suele ser partidaria de aplicarla solo cuando se reúnen los criterios fijados para limitar su ámbito. Así, GASCÓN ABELLÁN, "Oportunidad perdida, responsabilidad, causalidad, probabilidad. (A propósito de algunas tesis de Luis Medina Alcoz), *Teoría y Derecho*, 2009, n° 6, pág. 197 o VICANDI MARTÍNEZ, *ob. cit.*, pág. 18. Entre la jurisprudencia, igualmente la acogida es en algunos casos reticente (ASÚA GONZÁLEZ, *Pérdida de oportunidad en la responsabilidad sanitaria*, Thomson-Aranzadi, Navarra, 2008, pág. 15).

5   Como es sabido (ASÚA GONZÁLEZ, *ob. cit.*, págs. 77-86), esta doctrina se ha utilizado tanto para la identificación del daño en contextos de expectativas frustradas, como para suplir o completar el elemento de la relación de causalidad; incluso, en algunas ocasiones se aplica como sustitutiva del criterio de culpa (ASENSI PALLARÉS y CID-LUNA CLARES, *ob. cit.*, págs. 229 y 236-237). Pese a que la primera interpretación es la mayoritaria y la más aceptada en el panorama comparado (ASÚA GONZÁLEZ, *ob. cit.*, págs. 78, 84 y 86), la segunda parece ser la más frecuente en el contexto de la responsabilidad médica (ver la propia ASÚA GONZÁLEZ, *ob. cit.*, pág. 84, así como GASCÓN ABELLÁN, *ob. cit.*, págs. 192-202; ASENSI PALLARÉS y CID-LUNA CLARES, ob. cit., págs. 228-239 o MARTÍNEZ RODRÍGUEZ, *ob. cit.*, págs. 215-219). Con todo, a nuestro juicio, la utilidad de esta figura no se plantea a nivel de causalidad, sino de modificación del evento identificado como dañoso: en vez del evento futuro con el que la causalidad resulta incierta, la teoría identifica como daño la oportunidad perdida, con la que la causalidad es cierta. El grado de probabilidad de la incertidumbre se utiliza entonces como parámetro para medir la

Como muestra de lo dicho y ejemplo paradigmático de la conveniencia de reafirmar unos límites a la aplicación de esta doctrina, vamos a utilizar aquí el contexto del diagnóstico genético preimplantacional (en adelante, DGP), campo éste alejado del clásico de la pérdida de la oportunidad de curación, pero en el que es fácil identificar una potencial responsabilidad médica y la posibilidad de que un error en el proceso de evaluación de los embriones objeto de examen origine un panorama desventajoso para diversos sujetos en el que la figura del daño por pérdida de la oportunidad pueda aparecer intuitivamente o *a priori* como posiblemente aplicable para identificar el perjuicio sufrido, por las subsiguientes expectativas frustradas que se generan. Pese a ello, como vamos a ver, la diferencia entre este tipo de diagnóstico y el tradicional relacionado con el estado de salud del paciente obliga a replantear con mayor atención esa primera aproximación intuitiva de aplicación de la doctrina de la pérdida de la oportunidad a este campo, debiendo analizarse cuidadosamente si realmente concurren los presupuestos de la misma.

Comenzaremos para ello por identificar cinco posibles supuestos de error en el DGP en los que puede pretenderse la aplicación de esta figura, concretando posteriormente cuáles –si alguno– realmente debe entrar dentro de la misma, al hilo del análisis de sus requisitos.

---

indemnización, que debe ser calculada en proporción a las expectativas de éxito de la oportunidad que se perdió. Esto evita los problemas relativos a la incertidumbre causal, achacados como crítica a esta doctrina. Por ello, el enfoque que se va a seguir aquí se centrará en el daño y no en la causalidad. Con todo, como indica MARTÍNEZ RODRÍGUEZ, *ob. cit.*, pág. 241, en última instancia las consecuencias de una u otra interpretación acaban siendo las mismas, en la medida en que la indemnización se reduce. De hecho, la distinción no es tan nítida en algunos autores (v.gr., GALLARDO CASTILLO, *ob. cit.*, pág. 36 y 59 o VICANDI MARTÍNEZ, *ob. cit.*, págs. 17 y 18), que parecen mezclar ambos enfoques.

II. POTENCIALES DAÑOS POR PÉRDIDA
DE OPORTUNIDAD EN EL CONTEXTO
DEL ERROR EN EL DGP

Se engloba dentro del término de DGP todo examen con fines diagnósticos que se produce sobre embriones generados *in vitro*, de forma
previa a la implantación en el seno materno[6]. Se practica, por tanto, en
sede de reproducción asistida, con el objetivo de conocer la información
genética de los embriones analizados en los supuestos contemplados por
el artículo 12 de la Ley 14/2006, de 26 de mayo, sobre Técnicas de
Reproducción Humana Asistida (en adelante, LTRHA); esto es, para
identificar enfermedades monogénicas o anomalías cromosómicas estructurales y numéricas potencialmente presentes en los embriones, o
detectar la posible histocompatibilidad de un determinado embrión con
respecto de un tercero (el llamado DGP extensivo[7]). El diagnóstico, por
tanto, aparece como un instrumento que proporciona una valiosa información a partir de la cual, teóricamente, se pueden adoptar dos decisiones alternativas: someter al embrión a una terapia génica para modificar o erradicar la afección genética no deseada (art. 13 LTRHA) o
limitarse a seleccionar los embriones no afectados para su transferencia
al seno materno, con descarte de los identificados como afectados (art.
11 LTRHA). Actualmente, sin embargo, no está todavía muy avanzada
la terapia génica, por lo que el DGP suele conducir, *de facto*, la selección
embrionaria.

Así pues, hoy por hoy el ámbito de mayor aplicación de este diagnóstico
es aquel que permite a los usuarios de las técnicas de reproducción asis-

---

6   ROMEO CASABONA, *Los genes y sus leyes. El derecho ante el genoma humano*, Cá-
     tedra de Derecho y Genoma Humano-Editorial Comares, Bilbao-Granada,
     2002, pág. 95.

7   Adoptamos la terminología acuñada por ABELLÁN, "Diagnóstico genético
     embrionario y libertad reproductiva en la procreación asistida", *Rev. Der. Gen.
     Hum.*, nº 25, 2006, pág. 38.

tida adoptar decisiones sobre el ejercicio positivo o negativo de su autonomía procreativa. En concreto, sobre la información que obtienen, estos sujetos determinan si proceden o no a implantar los embriones fruto de la fecundación *in vitro*, decisión que viene en gran medida condicionada por el resultado del DGP y la información que les ofrece. Ahora bien, siendo el objetivo de los usuarios de las técnicas de reproducción asistida concebir un hijo sano –entendiendo aquí como tal el que no padece una determinada afección genética– o un hijo HLA-compatible con un tercero, el problema que se plantea –y en el que entra en juego el posible daño por pérdida de oportunidad– surge cuando se genera un error en el proceso del DGP y no es correcta la información que éste proporciona.

En concreto, este error puede ser de dos tipos: un falso negativo (se identifica como sano un embrión que realmente es portador de la afección genética o se identifica indebidamente como histocompatible con el tercero potencial beneficiario del DGP extensivo) o un falso positivo (se identifica erróneamente como portador de la afección genética un embrión que realmente está sano o se lo identifica indebidamente como no histocompatible). Veamos en cada caso cuál es la trascendencia de este error y cómo enlaza con el posible daño por pérdida de oportunidad[8].

1. Supuestos de falso positivo

En el contexto en el que se practica un DGP, donde la usuaria de las técnicas de reproducción asistida se ha sometido a un proceso largo, anímicamente erosionante, además de lesivo para su integridad física –o cuando menos molesto– y económicamente costoso, el hecho de re-

---

8   Un análisis completo de la responsabilidad en ambos contextos, respectivamente, en MACÍA MORILLO, *Diagnóstico genético preimplantacional y responsabilidad médica por falsos negativos*, Reus, Madrid, 2018 y "El problema de la responsabilidad por falsos positivos en el diagnóstico genético preimplantacional", *Rev. Der. Gen. Hum.*, 2018, nº 49, págs. 101-162.

cibir un resultado positivo (esto es, la información de que todos los embriones fruto de la fecundación *in vitro* están afectados por la afección genética que se busca erradicar o de que ninguno es histocompatible con el tercero) tiene como consecuencia casi ineludible el descarte de esos embriones para fines reproductivos. De hecho, esta consecuencia es completamente ineludible si tales embriones se identifican como portadores de la enfermedad, pues el artículo 12.1.a LTRHA solo contempla la trasferencia al útero materno de los "no afectos", excluyendo *ex lege* la implantación de los embriones afectos. En este panorama, si posteriormente llega a descubrirse el error del DGP, se genera un contexto en el que se manifiestan las expectativas frustradas de dos sujetos diferentes: los usuarios de las técnicas de reproducción asistida y el tercero potencial beneficiario de un DGP extensivo:

> CASO 1. Para los usuarios, la información errónea recibida o bien frustra sus expectativas de concebir un niño y, con ello de realizar su proyecto reproductivo, o bien –en el DGP extensivo– pone fin a sus aspiraciones de concebir al hijo que podría potencialmente salvar al tercero beneficiario (generalmente, otro hijo anterior). Pierden, por tanto, la oportunidad de obtener un resultado beneficioso: la concepción del hijo deseado o la curación del ya nacido[9].

> CASO 2. Para el tercero, la información errónea y subsiguiente descarte del embrión le priva de su oportunidad de curación o de mejora de sus condiciones de vida. No en vano, la selección por medio del DGP extensivo pretendía darle la oportunidad de ver sanada su dolencia por medio de un trasplante de células madre procedentes de la sangre del cordón umbilical del nuevo niño

---

9   De hecho, la pérdida de la oportunidad se ha utilizado a veces para el supuesto análogo de destrucción de embriones crioconservados. Ver NEGRO, "Nota di commento: Note sul danno da perdita di embrioni", *N. Giur. Civ. Com.*, 2013, n° 12, págs. 1094-1095.

concebido por medio de técnicas de reproducción asistida. En la medida en que el falso positivo derive en la no implantación e inutilización para fines reproductivos del embrión que le habría permitido acceder a la terapia curativa, ese tercero pierde su oportunidad de curación.

2. Supuestos de falso negativo

El efecto potencial de un falso negativo en el DGP –normal o extensivo– es justamente el contrario al anterior. Proporcionada a los usuarios la información errónea del perfecto estado de salud del embrión o de la HLA-compatibilidad con el tercero, la consecuencia más probable –con probabilidad rayana en la certeza, de hecho– es que éstos procedan a solicitar la implantación de dicho embrión. A fin de cuentas, precisamente se han sometido a ese procedimiento largo, lesivo y costoso con el objetivo de encontrar un embrión que reúna las características que parecen haberse identificado a través del DGP erróneo. Por ello, el descubrimiento del error plantea de nuevo un escenario en el que se puede apelar a la figura del daño por pérdida de oportunidad para tratar de compensar por la frustración de las expectativas de sus protagonistas:

CASO 3. En primer lugar, nos encontramos de nuevo con los usuarios de las técnicas de reproducción asistida. Éstos han visto cercenadas sus expectativas de que el niño concebido no padeciera una determinada afección genética o que fuera histocompatible con un tercero, por lo que podrían tratar de argumentar que el error del DGP les privó de la oportunidad de evitar ese evento no deseado y negativo: la enfermedad genética del niño o su condición de no HLA-compatible.

CASO 4. En segundo lugar, en la medida que el embrión falsamente diagnosticado sea implantado puede surgir otro potencial damnificado: el niño que posteriormente nazca afectado por el defecto genético. Para éste, la articulación de la figura analizada podría concretarse en su pretensión de haber sido privado de la oportunidad de no nacer, que se asemeja a las acciones de *wrongful life* a las que luego nos referiremos.

CASO 5. Finalmente, puede plantearse la reclamación del tercero potencial beneficiario de un DGP extensivo. De hecho, al igual que en el supuesto del falso positivo, éste podría tratar de argumentar la pérdida de la oportunidad de curación, si la implantación del embrión no histocompatible ha hecho que desaparezcan sus opciones de curarse o de mejorar su situación por medio de la nueva concepción.

III. EXAMEN DE LOS REQUISITOS DE DAÑO POR PÉRDIDA DE OPORTUNIDAD Y APLICACIÓN AL CONTEXTO DEL DGP

Como apuntamos inicialmente, no toda privación de una expectativa debe ser valorada como pérdida de la oportunidad. Por el contrario, para la aplicación de esta teoría hemos de atender a una serie de elementos que deben cualificar la frustración de aspiraciones de los sujetos para seleccionar aquéllas que reúnen un perfil suficiente como para considerarlas susceptibles de indemnización. Ello permitirá identificar como potencialmente indemnizable un evento cuya caracterización como daño quede fuera de discusión, al tiempo que eludir las críticas que se han vertido sobre la arbitrariedad de esta figura a la hora de identificar un daño[10]. Así, pese a la aparente falta de interés al respecto

---

10   Una referencia a estas críticas puede encontrarse en VICANDI MARTÍNEZ, *ob. cit.*, págs. 17-18 y ASENSI PALLARÉS y CID-LUNA CLARES, *ob. cit.*, págs. 230-231 y 233. Gran parte de éstas, no obstante, se centran en torno al problema de la causalidad, por lo que deberían mitigarse si, como aquí, se utiliza la teoría como vía para identificar el daño. A ello apunta ASÚA GON-

por parte de nuestra doctrina[11] y de nuestra jurisprudencia[12] –que suelen limitarse a señalar la existencia de un elemento de certeza y otro de incertidumbre[13]–, nosotros afirmamos que es necesario y relevante un estudio sistemático de estos requisitos.

En este sentido, consideramos que son cuatro los elementos fundamentales de esta teoría, que determinan cuándo nos encontramos ante una verdadera *perte de la chance*. Vamos a ver a continuación cuáles son y cómo desarrollan su función limitadora cuando se aplican en concreto a los cinco supuestos identificados para el DGP.

1. Existencia de un evento favorable situado al final de la cadena de potenciales acontecimientos

El punto de partida de la aplicación de un daño por pérdida de la oportunidad se encuentra en la propia noción de "daño", pues no en vano nos encontramos en el contexto de la responsabilidad civil, donde este elemento es crucial. En el marco de la teoría que aquí analizamos, el perjuicio alegado se concreta en el hecho de que la víctima ha sido privada de la posibilidad de que continúe el curso causal que podía

---

ZÁLEZ, *ob. cit.*, pág. 21.

11 Como señala MARTÍNEZ RODRÍGUEZ, ob. cit., pág. 210, no existe todavía una doctrina consolidada que dé pautas del correcto manejo de esta teoría. Excepción a ello es su breve sistematización en MARTÍN CASALS, "Wrongful conception and wrongful birth cases in Spanish Law: two wrongs in search of a right", en MAGNUS/SPIER (Edits.), *European Tort Law. Liber amicorum for Helmut Koziol*, Peter Lang, Frankfurt-Berlín-Berna-Bruselas-Nueva York-Oxford-Viena, 2000, págs. 199-200, o el trabajo de GALLARDO CASTILLO, "Causalidad probabilística, incertidumbre causal y responsabilidad sanitaria: la doctrina de la pérdida de oportunidad", *Rev. Aragon. Adm. Púb.*, 2015, nº 45-46, págs. 39-43.

12 Según ASÚA GONZÁLEZ, *ob. cit.*, págs. 66-67, los tribunales aceptan o aplican esta teoría sin ninguna reflexión sobre su papel ni sobre las razones e implicaciones de su aceptación.

13 Por ejemplo YZQUIERDO TOLSADA, *ob. cit.*, pág. 153 o GALLARDO CASTILLO, *ob. cit.*, pág. 38.

llevar a un evento incierto[14]. Ahora bien, como resulta acorde con la lógica, solo se puede considerar dañosa dicha privación si el evento que se encontraba al final de la cadena de acontecimientos interrumpida por el agente era un evento favorable o beneficioso para la víctima, puesto que, de lo contrario, difícilmente podría considerarse perjudicial la interrupción del curso causal que impide que este acontecimiento se produzca. Debemos, por tanto, poder identificar una potencial ganancia o la evitación de una pérdida que perseguía la víctima y que se ha impedido por obra del comportamiento del agente[15].

Pues bien, si atendemos a este primer requisito, podemos excluir ya desde un principio la adscripción a la figura del daño por pérdida de la oportunidad del CASO 4 y poner seriamente en duda el sentido de incluir aquí el CASO 3.

Por lo que respecta al CASO 4, como ya hemos apuntado, la aplicación de la teoría de la pérdida de la oportunidad ha sido explorada por algunos autores como vía para identificar el daño objeto de responsabilidad por *wrongful life* en el contexto paralelo del falso negativo en el diagnóstico prenatal[16]. Sin embargo, lo cierto es que la calificación como "beneficioso" o "favorable" del evento futuro impedido en este supuesto –el no

---

14　En palabras de MARTÍNEZ RODRÍGUEZ, *ob. cit.*, pág. 221: "la actuación médica privó al paciente de determinadas expectativas (…), lo que en sí mismo genera un daño".

15　Paradigmáticamente, CHABAS, "La perte d´une chance en droit français", en *Développements récents du droit de la responsabilité civile. Colloque*, Schultness Polygraphischer Verlag, Zurich 1991, pág. 133, así como GALLARDO CASTILLO, *ob. cit.*, pág. 39 y VICANDI MARTÍNEZ, *ob. cit.*, pág. 10.

16　A ello apuntan, entre nuestros autores, MARTÍN CASALS, *ob. cit.*, págs. 201-202 y MARTÍN CASALS y SOLÉ FELIU, "Sentencia del Tribunal Supremo de 7 de junio de 2002", *CCJC*, 2002, mg. 1627, págs. 1115 y 1120, así como, entre la doctrina francesa, JOURDAIN, "Le préjudice résultant de la naissance d´un enfant atteint d´un handicap congénital", *RTDCiv*, 1996, nº 95, pág. 624; o MEMETEAU, "L´action de vie dommageable", *JCP*, 2000, nº 50, pág. 2278.

nacer– suscita serias dudas[17]. A fin de cuentas, la idea de que no nacer o no existir es una ganancia esperada o una pérdida que se buscaba evitar parece chocar con la propia idea de beneficio, sobre todo en atención al valor que se atribuye a la vida en nuestro ordenamiento[18], motivo por el que consideramos como muy dudoso que se cumplan aquí los presupuestos de esta teoría de identificación del daño[19].

Las objeciones al CASO 3 se mueven en un orden de ideas parecido. La reclamación de los usuarios de las técnicas de reproducción asistida en este caso residiría en que se les privó de la oportunidad de impedir la concepción de un hijo enfermo. Con ello, la aplicación de la teoría de la pérdida de la oportunidad implicaría identificar como beneficiosa la evitación del nacimiento de un hijo enfermo, lo que es igual que equiparar con un daño el nacimiento de tal hijo[20]. Sin embargo, este tipo de equiparaciones han sido largamente discutidas y han sufrido serias crí-

---

17 Ver MACÍA MORILLO, *La responsabilidad médica por los diagnósticos preconceptivos y prenatales. Las llamadas acciones de* wrongful birth y wrongful life, Tirant lo Blanch, Valencia, 2005, págs. 433-435.

18 Rechazando, de hecho, la aplicación de esta teoría a las acciones de *wrongful life,* TERRÉ, SIMLER y LEQUETTE, Droit civil. Les obligations, 7ª ed., Dalloz, París 1999, pág. 634.

19 Por si este argumento no es suficientemente convincente, debe añadirse a esto que la hipótesis planteada en este CASO 4 tampoco reúne el segundo de los requisitos de la teoría del daño por pérdida de oportunidad que veremos a continuación, puesto que el falso negativo no cambia la situación fáctica de base de afección de los embriones examinados, por lo que, de no haberse producido el error el niño no habría tenido la "oportunidad" de no nacer, sino la certeza absoluta. No en vano, el artículo 12.1.a) LTRHA excluye la trasferencia de los preembriones "afectos". Ver respecto de esta exclusión MACÍA MORILLO, *Diagnóstico...*, *ob. cit.*, págs. 404-407.

20 No se avanza nada aquí cambiando la formulación de la oportunidad perdida e identificándola con la posibilidad de haber concebido a un niño sano, ya que tal oportunidad, como veremos más extensamente en el siguiente punto en relación al CASO 5, realmente no existía en este caso concreto: con o sin error en la formulación del diagnóstico genético preimplantacional, lo cierto es que el embrión examinado estaba afectado por la enfermedad genética, por lo que carece de base fáctica la pretendida oportunidad de haber concebido un niño sano en esas condiciones.

ticas en el contexto de acciones de responsabilidad paralelas al contexto que aquí analizamos (*v. gr.*, *wrongful birth* y *wrongful conception*). Entre otros motivos, se ha señalado en su contra la cosificación que conllevan del hijo nacido y la consiguiente lesión a la dignidad de la persona, así como la posible estigmatización que generan para las personas enfermas[21]. Siendo ése, por tanto, el precedente, plantea al menos ciertas dudas de índole práctica –si no, además, jurídica[22]– proseguir por esta línea argumentativa y tratar de identificar como evento beneficioso el hecho de no haber podido evitar el nacimiento de un hijo enfermo[23].

2. Grado de probabilidad de que el evento favorable se materializase

La esencia de la teoría aquí analizada reside en la existencia de una cierta probabilidad de que el resultado beneficioso futuro se habría podido obtener[24], lo que supone establecer unos límites máximos y mínimos en la expectativa frustrada[25]. Esto lleva a excluir necesariamente la identificación como daño de hipótesis sin base fáctica o meras especulacio-

---

21   De hecho, estas acciones fueron rechazadas hasta que se pasó a identificar el daño en otros eventos asociados al mismo supuesto de hecho, aplicando la teoría de la separación (*Trennungslehre*). Ver MACÍA MORILLO, *La responsabilidad..., ob. cit.,* págs. 336-344.

22   Coincide con estas dudas MARTÍN CASALS, *ob. cit.,* pág. 200.

23   Téngase en cuenta, además, que partiendo en este CASO 3 de la base fáctica de la afección real del embrión objeto de diagnóstico, la consecución del pretendido evento favorable de "impedir el nacimiento de un niño enfermo" no se plantea realmente como "meramente probable" –tal como exige el segundo de los elementos de la teoría del daño por pérdida de oportunidad–, sino como cierta, de acuerdo con lo dispuesto en el artículo 12.1.a LTRHA. Ver igualmente al respecto la nota 19.

24   Concretamente, MARTÍNEZ RODRÍGUEZ, *ob. cit.,* pág. 242, se refiere a una "razonable certidumbre de la probabilidad del resultado" y GALLARDO CASTILLO, *ob. cit.,* pág. 58, afirma que se debe demostrar "que el perjudicado se encontraba en una situación fáctica idónea para obtener la situación de ventaja que se ha perdido".

25   Por todos, ASÚA GONZÁLEZ, *ob. cit.,* p. 86 y MEDINA ALCOZ, *ob. cit.,* pág. 88.

nes[26]; pero también –y de forma complementaria–, aquellos otros casos en que, de no ser por el comportamiento del agente, el evento favorable futuro se habría producido con plena seguridad[27]. Así, la propia idea de "oportunidad" requiere que la materialización del evento favorable no fuera una consecuencia segura del *iter* causal puesto en marcha, sino meramente probable. De lo contrario, el daño producido entraría más bien en el contexto del lucro cesante[28].

Más allá del debate que se suscita aquí en cuanto a la determinación del porcentaje de probabilidad que es necesario para admitir una verdadera pérdida de oportunidad[29], si aplicamos este elemento a los casos que aún no hemos descartado, constatamos su posible apreciación en los CASOS 1 y 2, pero no en el CASO 5.

Comenzando por los dos supuestos claros, en el CASO 1 hay que afirmar desde un principio que no era una mera especulación la posibilidad de que se materializase el evento favorable de cuya oportunidad se ha privado a los usuarios de las técnicas de reproducción asistida por razón

---

26   La doctrina requiere que esta oportunidad aparezca como "real" o "seria", descartando las probabilidades "efímeras". Ver, GALLARDO CASTILLO, *ob. cit.*, p. 36; MARTÍNEZ RODRÍGUEZ, *ob. cit.*, págs. 220 y 242; ASENSI PALLARÉS y CID-LUNA CLARES, *ob. cit.*, pág. 234; MARTÍN CASALS, *ob. cit.*, pág. 200 y MEDINA ALCOZ, *ob. cit.*, págs. 88-89. Igualmente, en la doctrina francesa, CHABAS, *ob. cit.*, pág. 141 y TERRÉ, SIMLER y LEQUETTE, *ob. cit.*, pág. 715.

27   A ello se refiere ASÚA GONZÁLEZ, *ob. cit.*, págs. 22-23, cuando señala que no procede hablar de pérdida de oportunidad cuando se considere cierta la relación de causalidad.

28   La diferencia entre la teoría analizada y el lucro cesante es desarrollada por GALLARDO CASTILLO, *ob. cit.*, págs. 60-61. Apunta también a ello, ASÚA GONZÁLEZ, *ob. cit.*, pág. 55.

29   Ver al respecto, ASENSI PALLARÉS y CID-LUNA CLARES, *ob. cit.*, págs. 234-236 o MARTÍNEZ RODRÍGUEZ, *ob. cit.*, págs. 217 y 241. Los primeros concluyen, no obstante, de forma razonable, que la aplicación estará justificada siempre que la probabilidad se encuentre entre un nivel mínimo de seriedad de la chance y otro máximo de certeza del hecho. MEDINA CRESPO, *ob. cit.*, págs. 316-317, por ejemplo, propone una horquilla de entre el 15 y el 80 %.

del falso positivo. Aunque ciertamente la concepción del hijo tras la implantación no está garantizada –lo que nos aleja de un contexto de plena garantía del resultado de la concepción–, las tasas de éxito de los procedimientos de reproducción asistida superan el 28%[30], lo que saca este potencial evento futuro del terreno de las hipótesis sin base fáctica.

Igualmente, por lo que respecta al CASO 2, el cumplimiento de este requisito es claro. No en vano, la práctica del DGP extensivo viene precedida y condicionada, *ex* artículo 12.2 LTRHA, por una autorización formal, previo informe de la Comisión Nacional de Reproducción Humana Asistida. Esto permite suponer y esperar –casi por principio– que tal autorización solo se conceda en los casos en que realmente se aprecie una posibilidad real de conseguir la curación perseguida con la terapia proyectada. Pero, al mismo tiempo, se trata de una mera opción de curación –no una seguridad o garantía–, ya que este resultado final depende de diversos procesos biológicos (el arraigo del embrión, la llegada a término del embarazo, el éxito del procedimiento médico realizado sobre el tercero sobre el material genético del niño nacido) cuyo control escapa todavía hoy de las posibilidades de la Medicina.

Frente a esto, en cambio, en el CASO 5 hay que negar totalmente la concurrencia del grado de probabilidad suficiente que aquí hemos identificado como requisito necesario para aplicar esta teoría, en la medida en que los hechos así lo muestran. De hecho, analizado el contexto del falso negativo, nos encontramos con que, realmente, la posibilidad de curación perseguida por el tercero carecía de todo grado de probabilidad en el escenario planteado. Y es que, en un contexto en el que partimos de que el DGP falso negativo identifica como histocompatibles los embriones que realmente no lo son, se impone una realidad incon-

---

30   ABELLÁN, "Los problemas médico-jurídicos relacionados con las técnicas de reproducción humana asistida", en IZQUIERDO/ZAMARRIEGO (Coords.), *Aspectos jurídicos en ginecología y obstetricia,* Sociedad Española de Ginecología y Obstetricia, Madrid, 2008, pág. 398.

testable: dijera lo que dijera el DGP, los embriones no eran HLA-compatibles con el tercero. Por tanto, la posibilidad de haber obtenido el resultado favorable –la curación– era en ese caso irreal: no se podía implantar un embrión compatible que condujera a la potencial curación del tercero, porque tal embrión no existía. Consiguientemente, la pretendida frustración de expectativas se basa en el CASO 5 en una hipótesis sin base fáctica alguna, lo que debería llevar a excluir la aplicación de la teoría del daño por pérdida de la oportunidad a este supuesto.

3. Incertidumbre respecto de que el evento favorable se fuera a materializar

Como tercer elemento necesario para identificar un daño por pérdida de la oportunidad, se debe requerir que dependiera en última instancia de la suerte o del azar la materialización del evento favorable futuro, cuya concreción fuera probable en un desarrollo normal del curso de los acontecimientos[31]. Se exige, pues, una incertidumbre sobre la posibilidad real de alcanzar el beneficio frustrado, de manera que no se sepa ni se pueda saber si, de no haber actuado el agente, se habría obtenido[32].

Esto excluye que se pueda entender que existe una verdadera pérdida de oportunidad en aquellos casos en los que la eventual obtención del evento futuro dependiera en realidad de la propia voluntad del sujeto y no de un evento o acontecimiento externo y ajeno al mismo, consideración ésta que ha llevado a un importante sector de la doctrina a negar la aplicación de esta teoría al supuesto paralelo de las acciones de *wrongful birth* en el ámbito del falso negativo en el diagnóstico prenatal[33]. No en

---

31   VICANDI MARTÍNEZ, ob. cit., págs. 11-12, de hecho, liga este elemento de suerte a la propia etimología del término *chance*.

32   Ver sobre este requisito, CHABAS, *ob. cit.*, págs. 131, 133 y 139 o YZQUIERDO TOLSADA, *ob. cit.*, p. 153; GALLARDO CASTILLO, *ob. cit.*, pág. 41 y MEDINA ALCOZ, *ob. cit.*, págs. 87-88.

33   En concreto, MARTÍN CASALS, *ob. cit.*, págs. 200-201; MARTÍN CASALS y SOLÉ FELIU, *ob. cit.*, págs. 1114-1115; MACÍA MORILLO, La responsabili-

vano, como pone de relieve especialmente MARTÍN CASALS, en esos casos la materialización del evento beneficioso (el haber podido practicar el aborto) realmente no habría dependido de la suerte o del azar, sino únicamente de la voluntad de la gestante[34], lo que impide hablar de un daño por pérdida de la oportunidad y nos adentra más bien en el campo de la privación de la opción de decidir y la lesión de la libre autodeterminación del sujeto.

Pues bien, esta misma argumentación nos permite plantear alguna duda para nuestro CASO 1. De hecho, en este contexto en el que se alega el daño por haber perdido la oportunidad de concebir un hijo, solo podremos aplicar esta teoría si aceptamos que se puede tener también en cuenta en contextos mixtos, donde la materialización del evento favorable dependiera en parte del azar y en parte de la propia decisión de la supuesta víctima. Tal aceptación, complicada en general, se dificulta aún más en la medida en que este segundo elemento volitivo aparezca como imprescindible para obtener el resultado perseguido. Y es que hemos de considerar que, en este CASO 1, el que se pudiera hacer realidad o no el evento favorable frustrado –la concepción del hijo– realmente depende, primeramente –y como condición *sine qua non*–, de la decisión que adopten los usuarios de las técnicas sobre si llevar a cabo o no la implantación; solo tras ésta entra en juego la incertidumbre derivada del devenir de los procesos biológicos y corporales y concretada en las probabilidades de arraigo del embrión implantado.

---

dad…, *ob. cit.*, págs. 366-367; ASENSI PALLARÉS y CID-LUNA CLARES, *ob. cit.*, pág. 238 o MARTÍNEZ RODRÍGUEZ, *ob. cit.*, págs. 224-225. En contra, sin embargo, NAVARRO MICHEL, "Sentencia de 21 de diciembre de 2005", CCJC, 2006, n° 72, mg. 1930, pág. 1651; ARCOS VIEIRA, Responsabilidad sanitaria por incumplimiento del deber de información al paciente, Thomson-Aranzadi, Cizur Menor (Navarra), 2007, pág. 78 y GALLARDO CASTILLO, *ob. cit.*, p. 45, mantienen la aplicación de la teoría, pero cambiando el enfoque, al referirse a la "pérdida de la oportunidad de decidir".

34 MARTÍN CASALS, *ob. cit.*, págs. 200-201.

No se puede ignorar este hecho y pretender que la decisión favorable a la implantación es un factor seguro en este contexto y que la única incertidumbre para alcanzar el resultado o evento favorable de la concepción es el incierto funcionamiento del cuerpo humano: la decisión sobre la implantación puede adoptarse en cualquier sentido (aunque ciertamente sea más probable en uno que en otro) y condiciona y limita la incertidumbre del resultado, que no solo depende, por tanto, de la suerte o del azar. Por tanto, la concurrencia de este tercer requisito queda en entredicho en el CASO 1 y lleva a replantearse si no será mejor buscar en este contexto la identificación de un daño que no ofrezca dudas similares[35].

4. Pérdida definitiva de la oportunidad de materialización del evento favorable

Como último requisito de aplicación de la figura del daño por pérdida de la oportunidad se suele aludir a la necesaria certeza de la pérdida. Así, como la propia denominación de la teoría apunta, solo se puede aludir a ésta cuando haya quedado ya frustrada de forma irremediable la posibilidad de obtener el evento futuro e incierto[36]. En otras palabras, si, pese a la actuación del agente, subsiste la posibilidad de alcanzar el tal beneficio (de manera que puede obtenerse en el futuro y su potencial materialización solo se ha puesto en riesgo), no hay razón para estimar aquí daño alguno[37].

---

35 Ver, de hecho, otras opciones en MACÍA MORILLO, "El problema...", *ob. cit.*, págs. 115-130.

36 En las contundentes palabras de MEDINA ALCOZ, *cit.*, pág. 95, se requiere "una chance inexorablemente sacrificada, una ocasión irremediablemente frustrada, una posibilidad que el agente dañoso, con su actuación, ha mutilado definitivamente, una oportunidad de la que la víctima gozaba inicialmente y que resulta cerrada irreversiblemente". Igualmente, ASÚA GONZÁLEZ, *ob. cit.*, p. 95.

37 Como señala GALLARDO CASTILLO, *ob. cit.*, pág. 40 n. 9, "este requisito es de pura lógica, pues si la situación no fuera irreversible (...), no estaríamos en

Dado que, llegados a este punto, el único de los supuestos inicialmente planteados que queda sin descartar plenamente o someter a serias
dudas es el CASO 2, surge la pregunta de si supera o no este último
obstáculo. La respuesta ha de ser afirmativa, aunque debe examinarse
la cuestión cuidadosamente.

En primer lugar, hemos de precisar que el supuesto concreto de este
CASO 2 –embriones erróneamente identificados como no HLA-compatibles, pero, por lo demás, sanos– parte de la hipótesis de que, tras el
falso positivo, los usuarios de las técnicas de reproducción asistida han
dado a estos embriones un destino que los inutiliza definitivamente para
la reproducción. Consiguientemente, partimos aquí de que, del elenco
de opciones que ofrece el artículo 11.4 LTRHA, estos sujetos han de
haberse decantado por el descarte y destrucción del embrión o por su
donación para fines de investigación; y no por su crioconservación o por
su donación para fines reproductivos. No en vano, en estos dos últimos
casos las oportunidades de curación del tercero no se habrán extinguido
definitivamente, sino que subsistirán, en la medida en que esos embriones pueden implantarse en un futuro, dando así continuidad al curso
causal de acontecimientos que puede conducir al resultado beneficioso
buscado. Por tanto, solo en este marco de descarte indebido de *todos*
los embriones histocompatibles con el tercero potencial beneficiario del
DGP extensivo es donde debemos plantearnos lo reversible o irreversible de la oportunidad perdida.

Para ello, en segundo lugar, la clave reside en delimitar cuál es el marco temporal en que debe constatarse la plena certeza de la pérdida de
oportunidad. Y es que, en una primera aproximación podríamos negar el carácter definitivo de la frustración de las expectativas del tercero, si considerásemos que, aunque no se haya obtenido un embrión

---

presencia de un perjuicio actual, cierto y efectivo, sino de un perjuicio eventual
e hipotético, que, como bien se sabe, no resultaría resarcible".

HLA-compatible tras el procedimiento fallido de reproducción asistida con error en el DGP, dicho embrión puede aún conseguirse en un futuro con otro procedimiento análogo. De hecho, más allá de los casos en los que tal procedimiento no es posible (*v. gr.*, la usuaria de las técnicas ya no puede concebir, por edad o por problemas físicos; el otro progenitor fallece y no se puede generar potencialmente otro embrión HLA-compatible, etc.); y, con bastante mayores dudas, donde éste no sea "exigible" (*v. gr.*, por el alto coste del procedimiento o por su excesiva injerencia en la integridad física de la usuaria de las técnicas)[38], subsiste científicamente la posibilidad de obtener en un futuro un embrión histocompatible con el tercero durante toda la vida fértil de la usuaria de técnicas de reproducción asistida, por lo que podríamos afirmar entonces que en todo ese tiempo se mantiene viva la oportunidad del tercero. Ahora bien, esta primera valoración debe matizarse, puesto que también podríamos valorar la noción de oportunidad "perdida" únicamente en el contexto del procedimiento llevado a cabo en el ciclo concreto de reproducción asistida (donde la oportunidad se frustró definitivamente), sin introducir en esta valoración un futuro hipotético y desarrollado a partir del momento de la frustración generada por el agente. De hecho, esta matización parece más adecuada, ya que lleva la valoración de la pérdida definitiva al caso concreto y no queda al albur de hipótesis no constatadas ni fáciles de constatar.

Por tanto, la valoración de la privación definitiva e irreversible de la oportunidad en el CASO 2 dependerá de que no exista ya la posibilidad de adoptar la decisión de implantar alguno de los embriones obtenidos en el ciclo en el que se produjo el DGP falso positivo; es decir, de que no se hayan identificado otros embriones como HLA-compatibles. De

---

38   Tales dudas derivan, fundamentalmente, de que en ese concepto de "exigibilidad" entra en juego directa o indirectamente la voluntad de los usuarios como criterio que contribuye a la indeterminación o inseguridad del resultado, lo cual, si no excluye de por sí el elemento de la suerte o azar que es presupuesto de la aplicación de esta teoría como hemos visto en el punto 3, al menos sí lo pone en entredicho.

subsistir tal opción, no habría una verdadera privación (habrá, si acaso, otro daño por la destrucción indebida de esos embriones realmente sanos e histocompatibles), pues la oportunidad no se habrá extinguido irreversiblemente dentro de ese ciclo[39].

IV. CONCLUSIÓN

El ejemplo de los cinco casos analizados de responsabilidad asociada al error en el DGP nos ha permitido mostrar el problema real de aplicar la figura del daño por pérdida de la oportunidad a situaciones concretas en las que los individuos ven frustradas sus aspiraciones de obtener beneficios futuros. Como se ha podido constatar, del total de 5 potenciales casos identificados para la aplicación de esta teoría, solo uno de ellos (el CASO 2) ha demostrado reunir con claridad los elementos propios de esta figura y encajar, por tanto, plenamente en la misma. Para el resto de los casos, la afirmación de una posible indemnización a las víctimas por una pérdida de oportunidad es muy dudosa o resulta directamente descartable, por lo que aplicar esta teoría a esos supuestos supondría extender demasiado sus límites, desdibujando las fronteras y funciones de la responsabilidad civil.

Por ello, más allá de cuál deba ser la respuesta jurídica que haya de darse –por ésta o por otras vías– a la pretensión de indemnización en los casos aquí expuestos, lo relevante de este breve estudio –y que, en definitiva, es la idea que subyace al mismo– reside en poner de relieve la importancia dogmática y práctica de identificar una serie de elementos o requisitos necesarios o propios de esta teoría del daño por pérdida de la oportunidad, como límite a su aplicación o invocación indiscriminada. Y es que, como ya hemos señalado, no toda privación de un evento

---

39   Igualmente, en MACÍA MORILLO, "El problema...", *ob. cit.,* págs. 135-142.

futuro debe ser considerada un daño por pérdida de la oportunidad, sino solo aquella que reúne los cuatro requisitos o elementos que hemos analizado. Para el resto, la posible indemnización deberá venir, en su caso, de la mano de la identificación de otro daño que reúna las características necesarias para ser admitido como daño jurídicamente indemnizable, pero no de esta doctrina. Solo así se podrá contribuir a ir acallando las críticas a la misma y potenciando su correcta aplicación.

4. RESPONSABILIDAD DE LA DIRECTORA DE UNA GUARDERÍA POR EL FALLECIMIENTO DE UN BEBÉ: EL DAÑO RESARCIBLE POR LA PÉRDIDA DE OPORTUNIDAD EN LA STS DE 19 DE FEBRERO DE 2019[1]

Carmen Sánchez Hernández
Profesora Titular de Derecho Civil. Facultad de Derecho. Universidad de Málaga.

SUMARIO: I. RESPONSABILIDAD CIVIL POR HECHO AJENO Y PÉRDIDA DE OPORTUNIDAD. II. EPICENTRO DEL CASO: "LA PÉRDIDA DE OPORTUNIDAD". III. LA INCERTIDUMBRE CAUSAL COMO LA BASE DEL PROBLEMA. IV. LOS NECESARIOS CRITERIOS PARA DETERMINAR LA CUANTÍA DE LA INDEMNIZACIÓN.

RESUMEN

La aplicación de la teoría de la pérdida de oportunidad, ante la falta de certeza en torno a que el bebé hubiera podido superar el episodio que

---

1   El presente trabajo se ha elaborado en el marco de los Proyectos de Investigación del Ministerio de Economía y Competitividad de referencia DER 2015-67512-P, "La influencia de la jurisprudencia del Tribunal Europeo de Derechos Humanos en las decisiones del Tribunal Constitucional" (prorrogado hasta finales de 2019) y PGC2018-097607-B-I00, el "Tribunal Europeo de Derechos Humanos, Unión Europea y Derecho interno" (DITEU, 31-12-2021), de los que soy investigadora principal.

le causó la muerte, aunque hubiera sido trasladado inmediatamente al hospital, reduce la cuantía de la indemnización al no constar como hecho probado el concreto grado de probabilidad. Se trata de un supuesto en el que la jurisprudencia huye de la certeza y se centra en el cálculo de probabilidades para fundamentar indemnizaciones parciales, cuestionando la responsabilidad civil del empresario por los actos de sus empleados dependientes.

PALABRAS CLAVE

Responsabilidad civil extracontractual, pérdida de oportunidad, daño resarcible.

ABSTRACT

The application of the theory of loss of opportunity, given the lack of certainty that the baby would have been able to overcome the episode that caused his death, even if he had been transferred immediately to hospital, reduces the amount of compensation as the concrete degree of probability is not recorded as a proven fact. This is a case in which case law flees from certainty and focuses on the calculation of probabilities to justify partial compensation, questioning the employer's civil liability for the actions of its dependent employees.

KEYWORDS

Extra-contractual civil liability, loss of opportunity, compensable damage.

I. RESPONSABILIDAD CIVIL POR HECHO AJENO Y PÉRDIDA DE OPORTUNIDAD

La reciente Sentencia del Tribunal Supremo 19 de febrero 2019[2], analiza el resarcimiento de la pérdida de oportunidad[3] ante la incertidumbre causal, cuando no hay certeza en torno a que el concreto comportamiento de un sujeto ha ocasionado el daño sufrido por la víctima[4]. El problema se circunscribe a la dificultad sobre el conocimiento y demostración de lo que hubiera ocurrido si el autor de la conducta cuestionada hubiera actuado de "forma correcta". Esto es, si reproduciendo el comportamiento omitido el resultado lesivo ocasionado se hubiera

---

2   RJ 2019/613. Sobre el particular, resultan de interés entre otras, STSJ de A Coruña 12-7-2017, Sala de lo Contencioso (Roj: STSJ GAL 5312/2017); STS 25-7-2010, Sala de lo Contencioso-Administrativo, Sección 6ª, (RJ 2010/5886); 2-1-2012, Sala de lo Contencioso-Administrativo, Sección 4ª, (RJ 2012/2); 9-10-2012, Sala de lo Contencioso-Administrativo, Sección 4ª, (RJ 2012/10198); 18-7-2016, Sala de lo Contencioso-Administrativo, Sección 4ª, (RJ 2016/3818); 28-4-2017, Sala de lo Contencioso-Administrativo, Sección 4ª, (RJ 2017/2392); 6-2-2018, Sala de lo Contencioso-Administrativo, Sección 5ª, (RJ 2018/385); 15-3- 2018, Sala de lo Contencioso-Administrativo, Sección 5ª, (RJ 2018/1507); 20-3-2018, Sala de lo Contencioso-Administrativo, Sección 5ª, (RJ 2018/1376). STJUE 7-3-2018, caso Giuseppa Santoro contra Comune di Valderice y Presidenza del Consiglio dei Ministri (TJCE 2018/45); STEDH 19-12-1990, caso Delta contra Francia (TEDH 1990/30); 9-4-1984, caso Goddi contra Italia (TEDH 1984/5); 12-2-1985, caso Collozza contra Italia (TEDH 1985/2); 28-5-2002, caso Kingsley contra Reino Unido (JUR 2002/205157).

3   Código Europeo de Contratos (art. 163) y el Proyecto de Principios del Derecho Europeo de la Responsabilidad Civil (art. 3:106).

4   La ausencia de consenso doctrinal en torno a su naturaleza jurídica ha impedido en cierta medida su expansión a un mayor número de supuestos, de ahí su circunscripción a determinadas tipologías conflictuales. El dilema sobre si trata de una construcción doctrinal relacionada con la facilidad probatoria o, por el contrario, su incidencia se centra en la causalidad, me lleva a posicionarme a favor de esta en la medida en que su misión no es facilitar la prueba. La teoría de la pérdida de oportunidad responde a una de las manifestaciones de la "nueva teoría general de la causalidad", que ha dejado de basarse en el "principio de la indivisibilidad causal". Cfr. REGLERO CAMPOS y MEDINA ALCOZ, en Tratado de Responsabilidad Civil, capítulo actualizado por Domínguez Martínez, Aranzadi, 2014, BIB 2014/135, pág. 60. Vid. STS 6-2-2018, Sala de lo Contencioso-Administrativo, Sección 5ª, (RJ 2018/385).

llegado a producir. Por lo tanto, aunque no es posible poder afirmar o negar con certeza que la conducta de un sujeto ha ocasionado el daño sufrido por la víctima, sí es factible dar por hecho que ha sido privado de una oportunidad real y seria de evitarlo[5]. En el supuesto no ha sido posible demostrar que la conducta omisiva fuera la causa de la muerte del bebé, sin embargo, sí es viable poder afirmar que esta le ha privado de la posibilidad de vivir, no se sabe bien en qué condiciones, pues el grado de probabilidad concreto no ha podido ser probado. Con ello, en principio, se debería facilitar la carga probatoria del demandante sobre la base de una causalidad aleatoria, la cual permite presumir que la directora de la Guardería, con su omisión, ha causado un daño, la oportunidad perdida, del cual debe responder. De este modo, no es establecida la conexión directa entre la conducta de la directora y la producción del daño, sino mediante un razonamiento a contrario[6], entre el hipotético comportamiento diligente que hubiera tenido que observar la Guardería e impedido la pérdida de oportunidad y la no producción del daño. El daño se constituye por la oportunidad de posible supervivencia perdida como consecuencia de la conducta omisiva del personal de la Guardería, atendiendo a la experiencia común y no por el daño final sufrido, con el cual resulta difícil de establecer un nexo de causalidad debido a la incerteza que lo rodea.

Los hechos fundamentales de la Sentencia son los que siguen: Dña. Amanda interpuso demanda de juicio ordinario frente a Dña. Fátima, Dña. Camino, el Jardín de Infancia y Allianz, reclamando a las tres primeras una indemnización de 135.617,80 euros y 60.000 euros a la aseguradora, en concepto de indemnización por los daños y perjuicios

---

5   ORIOL MIR, La responsabilidad de la Administración. Hacia un nuevo sistema, Ibedef, Buenos Aires, 2012, pág. 334.

6   Vid. al respecto, sobre responsabilidad médico-sanitaria, LUNA YERGA, "Oportunidades perdidas. La doctrina de la pérdida de oportunidad en la responsabilidad civil médico-sanitaria", *InDret*, mayo 2005, pág. 4; LLAMAS POMBO, "Las dudas sobre el daño por pérdida de oportunidad", *La Ley* 17997, 2012, págs. 1-2.

ocasionados como consecuencia del fallecimiento de su hijo de 7 meses en la Guardería, cuando se encontraba al cuidado de Dña. Fátima y Dña. Camino, ambas empleadas de la Guardería y, en concreto, Dña. Camino, su directora. La muerte se produjo mientras le suministraban la papilla por atragantamiento. La responsabilidad civil se atribuye a ambas empleadas pues se estima que no han actuado ajustándose a la diligencia exigible a las circunstancias del caso, siendo ejercitada acumuladamente la acción de responsabilidad extracontractual de los arts. 1902 y 1903.1 y 4 C.c. y la acción directa contra la aseguradora en base al art. 76 LCS. La aseguradora se allanó a la demanda por la suma de 60.000 euros, lo cual no supone un reconocimiento de la responsabilidad por parte de ninguno de los codemandados, defendiendo que se trataba de un caso fortuito. El resto de los demandados se oponen a la demanda.

En Primera Instancia la demanda es parcialmente estimada, siendo condenada Dña. Camino y la Guardería al abono de 135.617,80 euros de cuyo importe ya había percibido 60.000 euros de la aseguradora más los intereses legales de la suma líquida pendiente de pago 75.617,80 euros, incrementados dos puntos desde la fecha de la sentencia. También fue condenada solidariamente la aseguradora demandada al pago de 60.000 euros, objeto de allanamiento parcial y entregada a la actora junto con los intereses del art. 20 LCS. La cuidadora y empleada de la Guardería fue absuelta cuando era la que estaba alimentando al menor y condenada la directora, pues "siendo un riesgo previsible el que aconteció no cuidó de contratar personal especialista en primeros auxilios, ni llamó inmediatamente a urgencias médicas, ni de formar en los protocolos adecuados a las empleadas". Se estimó acreditado que la cuidadora que daba de comer al bebé realizó las maniobras de primeros auxilios con el fin de intentar su reanimación sin éxito y que al no existir reacción procedió a llamar a la directora y a otros empleados, quienes intentaron sin resultado la reanimación del bebé que no respiraba, procediendo a continuación a llamar al 061 y sin esperar a que llegara la UVI, lo trasladaron al hospital que se encontraba a 200 metros.

Recurrida la sentencia en apelación por Dña. Camino y la Guardería, el recurso fue estimado, desestimando la demanda contra los citados recurrentes y la aseguradora Allianz, la cual fue absuelta de todas las pretensiones. La sentencia se fundamenta en que las maniobras de primeros auxilios están indicadas solo en caso de atragantamiento de lactantes conscientes y el bebé se encontraba inconsciente. Igualmente, el médico del 061 declaró que tratándose de un lactante era "vital" su traslado, por tanto, lo que hicieron los empleados de la Guardería fue correcto. El tema objeto de debate se centra en, si atendiendo a las circunstancias, bebé inconsciente por atragantamiento, que no reacciona ante las inmediatas maniobras de las empleadas de la Guardería, debería haber sido trasladado inmediatamente al centro hospitalario que se encontraba a 200 metros, en vez de realizar las maniobras de primeros auxilios y llamado al 061.

El recurso de casación se basa en dos motivos fundamentales: 1º. La infracción por inaplicación del art. 1902 C.c. en relación con el art. 1104 C.c., estimando que, si bien el atragantamiento del menor fue un "accidente", era vital actuar rápido para evitar su muerte; 2º. La infracción del art. 1903.4 C.c. en conexión con la doctrina creada por la jurisprudencia del TS sobre la responsabilidad objetiva fundada en el riesgo y en la culpa *in vigilando o in eligendo*. El TS estima parcialmente el recurso interpuesto por la parte actora y fija la indemnización en 60.000 euros.

II. EPICENTRO DEL CASO: LA "PÉRDIDA DE OPORTUNIDAD"

La cuestión sobre si el traslado del bebé al centro hospitalario que se encontraba a 200 metros, era la opción más acertada y, por tanto, más efectiva, es lo que permite hablar de pérdida de oportunidad. Existe incertidumbre en torno a que esta fuera la decisión más acertada, si los encargados de la Guardería hubieran sabido o debieran conocer qué es lo que tendrían que haber hecho desde un primer momento. Al respecto, la Sala estima que, es preciso reprochar el ignorar este modo de proceder por la ausencia de protocolo, atendiendo al delicado cuidado que debe ser dispensado por parte de los profesionales de una Guardería a los menores, de tal forma que ante un episodio de esta naturaleza "el tiempo de reacción fuese un reflejo condicionado". En el caso, el centro hospitalario se encontraba a 200 metros, por lo que no existen dudas acerca de que esta era la opción más oportuna, de hecho, lo hicieron ante la angustia provocada por el tiempo trascurrido y la falta de reacción por parte del menor.

La aplicación de la teoría de la pérdida de oportunidad, ante la falta de certeza en torno a que el bebé hubiera podido superar el episodio que le causó la muerte, aunque hubiera sido trasladado inmediatamente al hospital, reduce la cuantía de la indemnización al no constar como hecho probado el concreto grado de probabilidad. El TS determina cómo la jurisprudencia moderna huye de la certeza y se centra en el cálculo de probabilidades para fundamentar indemnizaciones parciales, debiéndose calcular estas en función de la probabilidad de oportunidad perdida o ventaja frustrada y no en el daño real sufrido, el cual queda reservado para los casos de certeza absoluta de la causa.

No obstante, este planteamiento requiere a su juicio de una puntualización, pues en sede de causalidad física, se pueden distinguir tres franjas: a) Superior: cuando existe certeza causal y la reparación del daño sería íntegra; b) Inferior: que permite asegurar que el agente no causó el daño y las oportunidades perdidas no son serias, sino ilusorias; c) Central: en la que reside la teoría de la oportunidad perdida y en la que existirá una probabilidad causal seria que, sin alcanzar el nivel máximo, sí supera el mínimo.

Igualmente, en sede de probabilidad, el TS estima que, en algunos casos, ha entendido que la probabilidad de que la conducta evitase el daño era muy elevada y concede la totalidad de la indemnización, mientras que, en otros, limita la indemnización en razón de la probabilidad de que el daño se hubiera producido, igualmente, de haberse actuado.

La aplicación de la doctrina de la pérdida de oportunidad al caso, indica que la omisión del traslado inmediato del bebé al centro hospitalario sí supera el nivel mínimo de probabilidad causal, pues si el protocolo médico así lo prevé, es porque existe un mínimo de probabilidad de que el paciente pueda superar y conjurar el peligro de muerte. No obstante, es necesario descender a las circunstancias singulares y concretas de este bebé para, a partir de ellas, constatar si existía certeza total en torno a que, habiendo sido inmediatamente trasladado al centro hospitalario, hubiera superado el episodio y, en su caso, si sería con secuelas severas por anoxia, o por el contrario solo existía probabilidad, y en qué grado, de la franja central.

Ante esta situación, la Sala entiende que, al no constar como hecho probado el concreto grado de probabilidad, la indemnización queda fijada en 60.000€, que era la asegurada. Junto a Dña. Camino, empleada y directora, condenada a una indemnización de 60.000 euros, se condena solidariamente a la Guardería, por lo que responde al supuesto de hecho contemplado en el art. 1903.4 C.c.[7].

III. LA INCERTIDUMBRE CAUSAL COMO LA BASE DEL PROBLEMA

La doctrina de la pérdida de oportunidad se plantea como consecuencia de la incertidumbre en torno a uno de los presupuestos de la recla-

---

7   Vid. SÁNCHEZ HERNÁNDEZ, La relación de dependencia y el art. 1903.4º del Código Civil, *RdP*, nº 22, 2009, págs. 37-74.

mación indemnizatoria: la relación de causalidad[8]. Aunque referida a la pérdida de oportunidad en materia de responsabilidad sanitaria, como bien refiere ASÚA GONZÁLEZ[9], lo cual es aplicable al supuesto objeto de análisis[10], se trata de aquellos "casos en los que no puede establecerse si una determinada conducta ha provocado un daño, pero se da por bueno que, con el comportamiento debido, habría existido posibilidad de que el resultado lesivo no se hubiera producido". Para MEDINA ALCOZ[11], es la expresión española que se utiliza en el ámbito de la responsabilidad civil para hacer referencia al daño que sufre quien ve comprometida una posibilidad real de obtener un beneficio o evitar un menoscabo[12]. En términos similares, YZQUIERDO TOLSADA[13], estima que "hablar de pérdida de oportunidades implica, por contra y por definición, hablar de una situación en la que se da la aparentemente

---

8   ASÚA GONZÁLEZ, Pérdida de oportunidad en la Responsabilidad Sanitaria, Thonsom-Aranzadi, Navarra 2008, pág. 15.

9   Ídem, pág. 17.

10   Reconocido expresamente en la STS 19-02-2019 (RJ 2019/613), al considerar que "la llamada pérdida de oportunidad se ha consolidado en el derecho de daños y, en particular, en la responsabilidad civil de abogados, procuradores y médico sanitaria. Vamos a detenernos en esta última porque es la que más se complace con el supuesto enjuiciado…".

11   La teoría de la pérdida de oportunidad. Estudio doctrinal y jurisprudencial de derecho de daños público y privado, Thomson-Civitas, Navarra 2007, pág. 55.

12   Como ha especificado recientemente, en La responsabilidad proporcional como solución a la incertidumbre causal, Thomson-Reuters-Civitas, Navarra 2018, pág. 16, ha sido considerada como un régimen de responsabilidad "proporcional" que impide que la víctima quede sin reparación por ser posible que le causaran el daño y que impide al mismo tiempo que el agente pague la indemnización plena por ser posible que no lo generara. En contra, MARTÍN CASALS, en "Proportional liability in Spain: a bridge too far?, Uncertain Causation in Tort Law, Martín Casals y Papayannis (ed.), Cambridge University Press, Cambridge, 2016, págs. 43-66, quien se opone a la idea de que la doctrina de la pérdida de oportunidad encierra una regla de responsabilidad proporcional ante la incertidumbre causal.

13   "Comentario a la Sentencia de 10 de octubre de 1998", *Cuadernos Civitas de Jurisprudencia Civil,* nº 50, 1999, pág. 537; Sistema de Responsabilidad Civil Contractual y Extracontractual, Dykinson, Madrid 2002, pág. 153; Responsabilidad Civil Extracontractual, Dykinson, 2ª. Edic., Madrid 2016, págs. 184-186 y 623-629.

contradictoria confluencia de dos elementos: la certeza de que, si no se
hubiese producido el hecho dañoso, el perjudicado habría mantenido
la esperanza en el futuro de obtener una ganancia o evitar una pérdida
patrimonial; y la incertidumbre definitiva de lo que habría sucedido si
no se hubiera producido el evento"[14].

La incertidumbre en torno al resultado de haber sido observada la "conducta debida", puede ser a efectos indemnizatorios resuelta de una doble
forma: a) No siendo posible establecer la relación de causalidad, no existe responsabilidad civil ante la ausencia de uno de sus presupuestos, la
relación causa-efecto, por lo que el derecho a una posible indemnización
se desvanece; b) Existiendo dudas en torno a la existencia de la relación
de causalidad y atendiendo al nivel de seguridad admitido para su establecimiento, es posible que cuando se está por debajo del referido nivel,
sea tenida en cuenta la probabilidad a los efectos de proceder a la fijación
de una indemnización, obviamente de cuantía menor al daño realmente
sufrido, pero respecto del cual existen dudas en torno a su causa[15].

---

14   Sobre el particular, vid., GALLARDO CASTILLO, "Causalidad probabilísti-
       ca, incertidumbre causal y responsabilidad sanitaria: la doctrina de la pérdida
       de oportunidad", *RAAP*, nº 45-46, 2015, pág. 35; PREVOT, "El problema de la
       relación de causalidad en el derecho de la responsabilidad civil", *Revista Chilena
       de Derecho Privado*, nº 15, diciembre 2010, pág. 155; VICANDI MARTÍNEZ,
       "La pérdida de oportunidad en la responsabilidad civil sanitaria ¿se puede
       cuantificar lo incuantificable?, *Derecho y Salud*, Vol. 25º, nº 2, 2015, pág. 10; y
       XIOL RÍOS, "El daño moral y la pérdida de oportunidad", *Revista Jurídica de
       Cataluña*, Vol. 1º, nº 109, pág. 11.

15   La STS 20-3-2018, Sala de lo Contencioso-Administrativo, Sección 5ª, (RJ
       2018/1376), establece citando a otras sentencias sobre el particular que "la de-
       nominada pérdida de oportunidad se caracteriza por la incertidumbre acerca
       de que la actuación médica omitida pudiera haber evitado o mejorado el de-
       ficiente estado de salud del paciente, con la consecuente entrada en juego a la
       hora de valorar el daño así causado de dos elementos o sumandos de difícil
       concreción, como son el grado de probabilidad de que dicha actuación hubiera
       producido el efecto beneficioso, y el grado, entidad o alcance de este mismo".
       Vid. también, al respecto, STS 3-12-2012, Sala de lo Contencioso-Administra-
       tivo, Sección 4ª, (RJ 2013/582).

El daño final producido, la muerte del bebé y cuya relación de causalidad se cuestiona, es el resultado de una conducta con componentes omisivos. Cabe considerar que no se trata de una omisión pura, en la medida en que los empleados de la Guardería y la directora adoptan medidas para poder reanimar al bebé, todas fallidas e incardinadas en el desarrollo de una actividad, el cuidado del menor. La conducta omisiva también puede ser objeto de un juicio sobre la causalidad, aunque bien es cierto, como hace la propia Sentencia analizada, que se suele hablar de causalidad material o física[16], lo que podría apuntar a la existencia de causalidad solamente en sede de comisiones y no de omisiones[17]. Sin embargo, en los casos en los que existe un deber jurídico, como es el que nos ocupa, de evitar un resultado lesivo y la acción debida y omitida tenga capacidad para evitarlo, la responsabilidad[18] y, consecuente indemnización, deben ser establecidas[19]. Para REGLERO CAMPOS y MEDINA ALCOZ[20], cuando el hecho lesivo es la omisión de una conducta debida, la determinación de si hubo o no nexo causal obliga a figurarse el derrotero de los acontecimientos que habría tenido lugar de no faltar la acción positiva omitida. La supresión mental del hecho lesivo (método de eliminación) es, en realidad, la agregación mental de

---

16   STS 19-02-2019 (RJ 2019/613), F.J. 7º.2: "En sede de causalidad física se pueden distinguir tres franjas…".

17   ASÚA GONZÁLEZ, *ob. cit.*, pág. 26.

18   ASÚA GONZÁLEZ, *ob. cit.*, pág. 26.

19   REGLERO CAMPOS y MEDINA ALCOZ, ob. cit., pág. 23, reconocen que un buen número de sentencias recaídas en los últimos años han declarado la responsabilidad del demandado por conductas omisivas, particularmente cuando pesaba sobre él un deber de seguridad o custodia. Como puntualiza, GARCÍA-RIPOLL MONTIJANO, Ilicitud, culpa y estado de necesidad (Un estudio de responsabilidad extracontractual en los Códigos Penal y Civil), Dykinson, 2006, pág. 73, "la omisión sólo es relevante jurídicamente en tanto no se realiza una actividad impuesta por el ordenamiento; y obsérvese que el análisis de la relación causal no puede ser aquí, como en el caso de acción, mediante diagnosis, sino mediante un juicio hipotético probabilístico del daño que se habría evitado de haberse realizado la actividad incumplida".

20   *Ob. cit.*, pág. 34. MEDINA ALCOZ, La responsabilidad proporcional… cit., p. 24.

la conducta debida (método de sustitución). De este modo, admiten los autores, que la apreciación del nexo causal presupone la existencia de un deber jurídico del agente respecto de la víctima. Por ello, se dice que las causalidades omisivas no son causalidades físicas o naturales en sentido estricto, pues de esa calidad son sólo las acciones positivas.

La Sentencia se refiere a esta cuestión en los siguientes términos: "la omisión del traslado inmediato del bebé al centro hospitalario sí supera el nivel mínimo de probabilidad causal, pues (…), es lo que establece el protocolo. Si médicamente así se prevé, y basta con acudir a lo informado por los médicos forenses, es porque existe un mínimo de probabilidad de que el paciente pueda superar y conjugar el peligro de muerte. Ahora bien, dicho lo anterior, hay que descender a las circunstancias singulares y concretas de este bebé para, a partir de ellas, constatar si existía certeza total de que superase el episodio y, en su caso, si sería con secuelas severas por anoxia, de haber sido inmediatamente trasladado al centro hospitalario. O si por el contrario solo existía esa probabilidad, y en qué grado, de la franja central". No obstante, el TS estima que "al no constar como hecho probado el concreto grado de probabilidad" la indemnización queda fijada en 60.000 euros que era la cantidad asegurada. El TS para determinar si la conducta omitida (traslado urgente del bebé al centro hospitalario) tiene capacidad suficiente para producir el resultado lesivo (fallecimiento del bebé), realiza un juicio de causalidad añadiendo mentalmente el comportamiento omitido, lo que conduce a determinar si este se habría producido, es decir, si trasladando urgentemente al menor no hubiera fallecido. Si la respuesta hubiera sido negativa, es decir, no se habría producido la muerte, existe certeza aun tratándose de una conducta omisiva. Sin embargo, en el caso, el TS llega a la conclusión contraria, pues atendiendo a las circunstancias concretas en las que se encontraba el bebé solamente cabe hablar de una posible probabilidad de que el resultado hubiera sido otro y en qué grado, por lo que reduce la indemnización a la cantidad asegurada. Tampoco se ha producido una fijación cuantitativa del límite de probabilidad para la certeza, por lo que la cota de probabilidad resulta imprecisa.

Ante las circunstancias, queda claro que las dudas en torno a la causalidad no son despejadas por el hecho de mantener que de haber sido trasladado inmediatamente el bebé al centro hospitalario, que se encontraba a 200 metros, se hubiera podido evitar su muerte. El tema se centra en determinar qué probabilidad de éxito hubiera existido de haber realizado ese traslado. En este supuesto, producto de una conducta omisiva o con un alto componente omisivo, centrado en la ausencia de traslado urgente al centro hospitalario, la responsabilidad ha sido establecida no por el daño final, sino por la posibilidad de evitarlo, aun no existiendo certidumbre en torno a cuál hubiera sido el resultado de haberse actuado según lo debido, es decir, habiendo trasladado urgentemente al bebé al centro hospitalario. La falta de certeza constituye un obstáculo importante a los efectos de cuantificar la reparación del daño causado en la medida en que afecta a un presupuesto de la responsabilidad como es la causalidad.

IV. LOS NECESARIOS CRITERIOS PARA DETERMINAR LA CUANTÍA DE LA INDEMNIZACIÓN

El daño consistente en la pérdida de oportunidad sirve como elemento moderador de la cuantía indemnizatoria que corresponde al perjudicado, en el que su valoración atiende "al grado de probabilidad de que la actuación (…) omitida hubiese producido un efecto beneficioso (…) y el grado, entidad o alcance de este efecto"[21]. Habitualmente el importe de este daño se averigua determinando, en primer lugar, el daño total del riesgo que se ha materializado; y, en segundo lugar, a dicho importe se

---

21 STS 21-12-2015, Sala de lo Contencioso-Administrativo, Sección 4ª, (RJ 2016/55).

debe aplicar el porcentaje de probabilidades de que se materializase el riesgo[22], es decir, el resultado de proyectar el porcentaje calculado de probabilidad sobre el valor total del daño, que proporciona la medida exacta de la causalidad parcial que liga el hecho ilícito con el daño y el preciso alcance, tanto de la indemnización a que tiene derecho el perjudicado, como de la responsabilidad a que queda sujeto el agente posiblemente dañoso[23]. No obstante, el problema más importante al que se enfrenta la pérdida de oportunidad es la determinación de la cuantía de la indemnización[24], por lo que resulta de crucial importancia la fijación de los criterios en base a los cuales se procede a su cálculo.

En el caso concreto, la indemnización por pérdida de oportunidad debe ser modulada atendiendo a los factores y circunstancias concurrentes, como son: situación particular del bebé, posibilidad del menor de superar el episodio de atragantamiento si hubiera sido trasladado inmediatamente, posible relación de confianza entre la madre del niño y las empleadas de la Guardería, las secuelas con la que habría quedado el bebé en el supuesto de una vez trasladado de forma inmediata hubiera logrado superar la situación. En la Sentencia el quantum indemnizatorio es fijado, pero no se especifican claramente cuáles son los parámetros sobre los cuales se basa para determinarla. Solamente refiere que "al no constar como hecho probado concreto el grado de probabilidad, fijamos la indemnización en 60.000 euros, que era la

---

22   En este sentido, NAVARRO SIMÓN, "Incertidumbre causal y pérdida de oportunidad en la responsabilidad civil sanitaria por infracción del deber de información: Comentario a la Sentencia del Tribunal Supremo de 8 de abril de 2016", *Actualidad Jurídica Iberoamericana,* n° 8, febrero 2018, p. 324.

23   Cfr. REGLERO CAMPOS y MEDINA ALCOZ, *ob. cit.,* pág. 47.

24   Como bien ha expresado el TS en la Sentencia 6-2-2018, Sala de lo Contencioso-Administrativo, Sección 5ª, (RJ 2018/385), "La determinación es mucho más difícil cuando se trata de indemnizar los daños por esa probabilidad que comporta la pérdida de oportunidad que, adelantémoslo, nunca comporta una indemnización que comprenda la totalidad de los daños ocasionados, lo que genera la dificultad de que no pueden tomarse como criterios de valoración el cálculo que se hace en la demanda por el actor".

asegurada". Cabe reseñar que, desde mi punto de vista, ante el resultado dañoso el cálculo del importe de la indemnización a conceder a la recurrente, con independencia de entrar a valorar si la cuantía es correcta o no, carece de la determinación de los parámetros específicos utilizados para su fijación, se limita a hacer referencia a lo que podría ser considerado un cálculo aproximado de las probabilidades de éxito o fracaso de la pérdida de oportunidad, lo que pone de manifiesto las dificultades que esto supone en la práctica[25]. En mi opinión no existe una valoración real de cuáles han sido los perjuicios totales causados, el posible daño moral y la pérdida de oportunidades y expectativas que se han producido. Sí resulta de interés la aplicación de esta teoría al ámbito de la responsabilidad por hecho ajeno y, en concreto, a la responsabilidad del empresario por actos de sus empleados dependientes, condenando de forma solidaria al pago de 60.000 euros a Dña. Camino y a la Guardería.

La inexistencia de parámetros objetivos que permitan la imputación del daño en los casos de incertidumbre se pone de manifiesto nuevamente en este supuesto, siendo conveniente la fijación en cierta medida de los mismos con el fin de otorgar una mayor seguridad jurídica y, en consecuencia, una mayor tutela en materia de derecho de daños[26]. Sin embargo, este problema parece acompañar a los pronunciamientos jurisprudenciales en sede de pérdida de oportunidad. Prueba de ello, en relación a la pérdida de oportunidad procesal, es la Sentencia del Tribunal Supremo 13 julio 2017[27], la cual constata que "la motivación contenida en la sentencia no expresa ni razona de forma clara cuáles

---

25   Sobre el particular, en sede de responsabilidad civil del abogado, CRESPO MORA, "La responsabilidad civil del abogado en el derecho español: perspectiva jurisprudencial", *Revista de Derecho, Universidad del Norte,* nº 25, 2006, p. 276.

26   Como han exigido, ASENSI PALARÉS y CID-LUNA CLARES, "La evolución de la doctrina de la pérdida de oportunidad en responsabilidad médica", *Revista Cesco de Derecho de Consumo,* nº 8, 2013, pág. 239, "se hace necesario establecer umbrales mínimos de certeza para estimar responsabilidad".

27   Sala de lo Civil, Sección 1ª (RJ 2017/3959).

son las circunstancias por las que se fija a tanto alzado una determinada cantidad, y no otra, ni en que concepto se le indemniza, con una motivación indudablemente ambigua en la que se mezcla el daño moral, el patrimonial y la pérdida de oportunidad para conformar la sentencia del juzgado, que parece acudir al criterio de pérdida de oportunidad para indemnizar los daños y perjuicios por cumplimiento defectuoso del contrato en 12.000 euros, sin precisar que oportunidades se perdieron para cuantificar de esta forma y no de otra el daño resultante de la negligencia profesional (…); todo ello después de haber estimado la existencia de negligencia, el daño y la relación de causalidad entre uno y otro, lo que impide a esta Sala dar una respuesta adecuada al recurso". Establece que se anula la sentencia impugnada, reponiendo las actuaciones al momento inmediatamente anterior a dictar sentencia para que la Sala de apelación proceda a dictar sentencia debidamente fundamentada, fáctica y jurídicamente, en cuanto a la pretensión indemnizatoria suscitada, teniendo en cuenta lo que haya sido resuelto con carácter firme[28].

En el caso se fija una cantidad, pero no existe la más mínima motivación justificativa de la cantidad decretada. Por ello, cabe considerar, como ya ocurrió con la Sentencia del Tribunal Supremo 10 octubre 1998[29], que valorando la oportunidad "a ojo de buen cubero", la sentencia no incluye la más "mínima" reflexión acerca de la vara de medir que ha utilizado. Frente a la práctica de fijar indiscriminadamente una indemnización global y no fundamentada "se ha de tener en cuenta la correlación entre incertidumbre acerca del éxito y certeza del fracaso" y debe acudirse necesariamente a "criterios de razonabilidad estadística".

---

28   Sobre la referida Sentencia, GONZÁLEZ CARRASCO, "Pérdida de oportunidad procesal: motivación de la identificación y valoración del daño y del nexo causal", *Revista Cuadernos Civitas de Jurisprudencia Civil*, n °107, 2018, BIB 2018/10393, pp. 1-6.

29   Cfr. YZQUIERDO TOLSADA, "Comentario a la Sentencia… cit.", pág. 539.

En la indemnización por pérdida de oportunidad, atendiendo a la jurisprudencia se condena a: 1º. El pago íntegro de la indemnización en función de los daños sufridos por el reclamante (según el baremo)[30]; 2º. El daño es reparado atendiendo a la proporción de pérdida de oportunidad ocasionada (porcentaje de posibilidades); y 3º. Indemniza sin atender a unos criterios delimitados, a tanto alzado[31], siendo este el criterio indemnizatorio más utilizado sin atender a razonamientos claros y precisos[32].

Habitualmente en el tratamiento indemnizatorio por pérdida de oportunidad conviven jurídicamente los cálculos probabilísticos que lo aproximan a un daño patrimonial, la lesión económica que la pérdida de oportunidad provoca y la discrecionalidad judicial que preside la cuantificación del daño moral[33]. Como especifica MEDINA ALCOZ[34], el daño indemnizado sería, no el daño real o final de causalidad incierta, sino la posibilidad de evitarlo, configurado como un perjuicio *a se stante* de carácter económico o personal; un perjuicio cuya conexión causal y reparación total podrían, en consecuencia, afirmarse a partir de las cláusulas generales de responsabilidad. Se defiende la existencia de oportunidades como bienes de la realidad que valen necesariamente menos que el daño final; su pérdida se cuantifica moderando el valor del daño real y, más precisamente, multiplicándolo por el porcentaje de

---

30   Vid. STSJ de la Región de Murcia (Sala 3ª) 14 julio 2017 (La ley 111893/2017). Sobre la Sentencia referida, BOTANA GARCÍA, "Indemnizada la pérdida de oportunidad curativa", *La Ley* 15359/2017, págs. 1-2. STS 3-12-2012, Sala de lo Contencioso-Administrativo, Sección 4ª (RJ 2013/582).

31   ASÚA GONZÁLEZ, *ob. cit.*, págs. 90 y ss.

32   Sobre sus consecuencias en materia médico sanitaria, SARDINERO GARCÍA, Responsabilidad por pérdida de oportunidad asistencial en la medicina pública española, Tesis doctoral 2016, https://eprints.ucm.es/44392/1/T39193.pdf, pág. 71.

33   Cfr. DOMINGO MONFORTE, La pérdida de oportunidad. Tratamiento jurídico, https://www.domingomonforte.com/la-perdida-de-oportunidad-tratamiento-juridico/ , pág. 32

34   La responsabilidad proporcional.... *cit.*, págs. 89 y 90.

probabilidad causal. Tanto la existencia como la cuantificación de la supuesta oportunidad perdida dependerían del daño real de causalidad dudosa.

5. EL DAÑO NO PATRIMONIAL EN EL DERECHO ITALIANO. EVOLUCIÓN A TRAVÉS DE LA JURISPRUDENCIA DEL TRIBUNAL CONSTITUCIONAL Y DEL TRIBUNAL SUPREMO

Vincenzo Barba
Catedrático de Derecho Civil de la Universidad de Roma "La Sapienza"

RESUMEN

El trabajo pretende ilustrar la importante evolución que ha sufrido la disciplina del daño no patrimonial tanto por parte del Tribunal Constitucional como por parte de la Corte de Casación en el sistema jurídico italiano. El articulo pretende aclarar el camino que condujo desde la interpretación inicial hasta la actual, a través de una interpretación constitucional del art. 2059 c.c. Originalmente, el daño no patrimonial se refería solo al daño moral subjetivo (es decir, a la angustia de la víctima), solo era resarcible en los casos de responsabilidad extracontractual y solo en los casos en que el acto ilícito constituía, también, un delito. Hoy en día, el daño moral se refiere a cualquier prejuicio por el daño de intereses existenciales; es indemnizable tanto en casos de responsabilidad extracontractual como en casos de responsabilidad contractual; es reparable en cualquier caso en el que exista una violación de un interés constitucionalmente protegido. Finalmente, el A. propone una solución destinada a ampliar aún más la reparación del daño inmaterial sufrido por la persona humana en todos los casos en los que sea "injusto", afirmando que esta injusticia solo puede resultar en caso de violación del valor normativo fundamental del ordenamiento jurídico italiano, o sea, la persona y su dignidad.

PALABRAS CLAVE

Responsabilidad; contractual, deudor, acto ilícito, persona, daño, propiedad, daño biológico, daño existencial.

ABSTRACT

The work aims to illustrate the important evolution suffered by the discipline of non-pecuniary damage by the Constitutional Court and the Court of Cassation in the Italian legal system. The essay aims to clarify the path that led from the initial interpretation to the current, through a reading oriented to the constitution of the provision of the law of art. 2059 c.c. Originally, the non- pecuniary damage referred only to the subjective moral damage (that is to say, to the anguish of the victim), it was only compensable in the cases of extracontractual responsibility and only in the cases in which the illicit act constituted, also, a crime. Nowadays, moral damage refers to any prejudice for the damage of existential interests; it is compensable both in cases of non-contractual liability and in cases of contractual liability; it is repairable in any case in which there is a violation of a constitutionally protected interest. Finally, A. proposes a solution aimed at further expanding the compensation for the non-pecuniary damage suffered by the human person in all cases in which it is "unjust", and moves away from the relief that such injustice can only lead to the violation of the fundamental normative value of the Italian legal system.

KEYWORDS

Responsibility; contractual, debtor, person, damage, no-pecunuary, biological damage, existential damage.

I. EL DAÑO NO PATRIMONIAL: LA PRIMERA INTERPRETACIÓN DEL ART. 2059 C.C.

En la ley italiana, la reparación del daño no patrimonial está regulada por el art. 2059 del Código Civil, según el cual: "los daños no patrimoniales deben ser reparados solo en los casos que determine la ley".

Esta disposición se incluye en el capítulo dedicado a la responsabilidad civil por culpa o negligencia (artículos 2043-2059 del código civil), por lo que no hay duda de que la norma debería aplicarse en casos de responsabilidad extracontractual.

La responsabilidad por incumplimiento de la obligación, también llamada responsabilidad contractual, está, en cambio, regulada por los artículos 1218-1229 c.c., que, aun dictando una regulación bastante completa, no contienen ninguna regla con respecto a la reparación del daño no patrimonial.

Frente a este marco regulatorio, inmediatamente después de la aprobación del Código Civil en 1942, los problemas que la doctrina y la jurisprudencia debían resolver eran esencialmente los tres siguientes: a) qué era el daño no patrimonial; b) en qué casos este daño debe ser reparado; c) si la reparación por daños no patrimoniales debe ser admitida también en la responsabilidad contractual.

Las respuestas que inicialmente se dieron a estas tres preguntas fueron fuertemente influenciadas por el entorno cultural de esos años. De hecho, es necesario señalar que en ese momento las normas jurídicas se construyeron sustancialmente como reglas, existía una fuerte convicción de que el derecho coincidía con la ley y que la interpretación debía ser principalmente literal, de modo que los jueces fueran la boca de la ley. Por encima de todo, el Estatuto Albertino, que estaba en vigor, era una constitución breve, flexible y con pocas garantías, en la que el reconocimiento de los derechos simplemente servía para establecer el límite de intervención del poder político con respecto a las libertades reconocidas a los ciudadanos.

En este contexto histórico y cultural, las respuestas ofrecidas a estas tres preguntas iniciales fueron fuertemente estrictas.

Se dijo que el daño no patrimonial no es más que el daño moral subjetivo, o más bien la angustia sufrida por el sujeto que ha sufrido la lesión, es decir, la perturbación injusta del estado de ánimo, el estado de ansiedad transitoria generada por el ilícito en la persona lesionada[1].

---

1   V., Cass., 11 mayo 1962, n. 954, en *Riv. civ. prev.*, 1962; Cass., 5 abril 1963, n. 872, en *Foro it.*, 1963; Cass., 14 junio 1965, n. 1203, en *Riv. civ. prev.*, 1965; Cass. 4 enero 1967, n. 15, in *Foro it.*, 1967.

Se afirmaba que el daño no patrimonial era reparable, como lo establece claramente la ley, solo en los casos expresamente previstos por la ley. Dicho caso coincidía esencialmente con la hipótesis según la cual el hecho constituía también un delito, de conformidad con el art. 185 c.p. Se decía, por lo tanto, que el daño no patrimonial era reparable si y solo si el acto ilícito constituía, también, un delito[2].

Finalmente, se afirmaba que el daño no patrimonial era reparable solo en casos de responsabilidad extracontractual, mientras que no era indemnizable en caso de responsabilidad contractual. A partir de la idea de que el art. 2059 c.c. era excepcional, se concluyó que esta regla no podría aplicarse, a falta de una indicación expresa, también a la responsabilidad contractual, cuya disciplina no remitía a esta regla.

Esta lectura de dicha norma hoy en día está completamente superada y los resultados interpretativos, de los cuales tengo la intención de hacer una breve ilustración, dependieron de la modificación del ordenamiento jurídico, después de la aprobación de la Carta Constitucional italiana de 1948.

La constitución italiana de 1948 es una Carta escrita, rígida, larga y con muchas garantías, que no solo reconoce y hace jurídico los derechos fundamentales, sino que también establece mecanismos legales específicos para garantizar la protección de estos derechos del poder político y del legislador, comprometiéndose, incluso, a hacer todo lo necesario para dar la máxima implementación. Por lo tanto, encaja en las constituciones de las sociedades pluralistas, democráticas y contemporáneas, que son el resultado de un compromiso entre diferentes fuerzas políticas, asumen el pluralismo, aspiran a ser aplicadas a toda la sociedad y están diseñadas para durar en el tiempo.

---

2   Por todos, Bonilini Giovanni, *Il danno non patrimoniale*, Milano, Giuffrè, 1983.

La presencia de un catálogo de derechos fundamentales, el cambio radical del sistema de las fuentes del derecho, la plena conciencia del cambio radical en los principios y valores del ordenamiento jurídico han determinado, diría de manera inevitable, que los métodos y las técnicas de interpretación deberían cambiar radicalmente. Somos testigos de la llamada constitucionalización del derecho y es necesario llevar a cabo ese proyecto de sociedad que la nueva Constitución diseña y expresa.

El nuevo orden constitucional deja claro que el marco de principios y valores de referencia cambia radicalmente. En el sistema preconstitucional del Estatuto Albertino, el valor central y fundamental es sin duda el valor patrimonial y productivo. El código civil de 1942 encuentra su fuerza en el sistema productivista al punto que el corazón latente de ese código ya no es la propiedad entendida estáticamente (como lo fue en el Código Civil de 1865), sino la empresa en sí misma.

La Constitución italiana de 1948 revierte esa perspectiva. El valor central se convierte en la protección de la persona humana y su dignidad, y se afirma, sin duda, que las relaciones existenciales prevalecen sobre las patrimoniales.

El cambio radical de perspectiva, o, más precisamente, de los principios y valores fundamentales de nuestro ordenamiento jurídico, requiere una nueva lectura del código civil, de modo que su interpretación pueda ajustarse al nuevo orden de principios y valores. La disciplina sobre el daño no patrimonial constituye un prisma importante a través del cual es posible comprender cuán decisiva fue la interpretación constitucional y cómo el cambio en los principios y valores del nuevo orden constitucional ha permitido resultados interpretativos impensables.

II. EL CONCEPTO DE DAÑO NO PATRIMONIAL

1. El daño a la salud (1979)

El concepto de daño no patrimonial originalmente fue pensado como daño moral subjetivo. Aunque la regla del art. 2059 c.c. no contenía ningunas indicaciones específicas que pudiera justificar tal limitación, esta conclusión se llevó a cabo a través de la oposición de esa regla a la general contenida en el art. 2043[3] c.c. Se decía, de hecho, que la regla del art. 2043 c.c., en la parte en la que establecía que el autor del acto ilícito estaba obligado a compensar "el daño", se refería a cualquier daño patrimonial, mientras que la regla del art. 2059 c.c., en la parte en la que establecía la reparación del daño no patrimonial solo en los caos expresamente establecidos por la ley, se refería al daño moral subjetivo, es decir, al sufrimiento moral y a la angustia sufrida por la víctima.

Esta reconstrucción inicial se somete a una primera modificación en 1979, cuando el Tribunal Constitucional[4] está llamado a juzgar la legitimidad constitucional de la regla del 2043 c.c., en la parte en la que no parece permitir la reparación del daño a la salud. De hecho, se dice que el derecho a la salud, que está expresamente protegido por el art. 32 de la Constitución, no recibiría ninguna protección, ya que no podría ser compensado ni a través del art. 2043 c.c., que se ocupa únicamente del daño patrimonial (el daño a la salud no se caracterizaría por la economicidad del interés afectado), ni a través del art 2059 c.c., que no se refiere a cualquier daño no patrimonial, sino únicamente a los daños morales subjetivos, que no incluyen el derecho a la salud.

---

3   La regla del art. 2043 dice lo siguiente: "cualquier acto, que cause un daño injusto a otro obliga a la persona que lo cometió, interviniendo culpa o negligencia, a reparar el daño"

4   Corte cost., 26 julio 1979, n. 88, en *Leggi d'Italia.*

El Tribunal Constitucional, al rechazar la cuestión de legitimidad constitucional, admite que el derecho a la salud debe encontrar protección y de ahí empieza a rediseñar los límites del daño no patrimonial.

El Tribunal Constitucional afirma que la expresión "daño no patrimonial" contenida en el art. 2059 c.c. es amplia y general y, por lo tanto, puede referirse no solo al daño moral subjetivo, sino a cualquier prejuicio que se oponga, negativamente, al patrimonial. Por lo tanto, se deduce que el derecho a la salud puede ser reparado a través de la disposición del art. 2059 c.c., como daño no patrimonial.

Con esta primera sentencia, el Tribunal Constitucional, para garantizar la protección del derecho a la salud, inicia la reinterpretación del art. 2059 c.c., dejando claro que el daño no patrimonial no puede limitarse solo al daño moral subjetivo.

2. El daño biológico (1986)

La sentencia del Tribunal Constitucional de 1979, que también admitió la reparación del derecho a la salud a través de la norma del art. 2059 c.c., aclarando que el daño no patrimonial no debe considerarse limitado únicamente al daño moral subjetivo, plantea un problema en todos los casos en que el daño al derecho a la salud se produjo a través un acto que no fuera, también, un delito. Dado que el daño no pecuniario solo era resarcible en los casos admitidos por la ley (o sea cuando el acto ilícito era también un delito), se llegaba a la conclusión de que el daño a la salud no podría siempre reparase, sino solo en unos casos.

Por lo tanto, se solicita al Tribunal Constitucional para que compruebe la ilegitimidad constitucional del art 2059 c.c., en la parte en la que prevé la reparación del daño a la salud, protegido constitucionalmente, solo cuando el acto ilícito es un delito también.

La cuestión de la legitimidad fue particularmente insidiosa y se propuso, básicamente, declarar la ilegitimidad de la disposición del art. 2059 c.c., en la parte en que limitaba la indemnización del daño no patrimonial solo en los casos permitidos por la ley.

Si este límite hubiera caído, el derecho a la salud, como cualquier derecho protegido constitucionalmente, siempre habría sido reparable.

En 1986, aún no había llegado el momento de alcanzar esta solución o una solución similar, de modo que el Tribunal Constitucional, que también sentía la insuficiencia del sistema, se vio obligado a encontrar una solución diferente.

No deseando admitir una reparación por daños no patrimoniales más allá de los casos permitidos expresamente por la ley, pero deseando no dejar el derecho a la salud sin protección en los casos en que el acto ilícito no constituyera también un delito, el Tribunal sigue un camino bastante particular.

El Tribunal Constitucional dice que el daño biológico, o más bien el daño psicofísico del sujeto, debe considerarse un daño patrimonial[5]. Al ser un daño patrimonial, se deduce que tiene que ser reparados no por el art. 2059 c.c., sino por el art. 2043.c.c. De esta forma, el derecho a la salud, o, más bien, el daño biológico se vuelve compensable en cualquier hipótesis.

En particular, el Tribunal Constitucional afirma que el daño biológico debe distinguirse del daño patrimonial en sentido estricto y del daño moral subjetivo. El daño biológico es el evento del hecho que daña a la salud (daño-evento), mientras que el daño patrimonial y el daño moral sujetico pertenecen a la categoría del "daño-consecuencia" en el sentido estricto. A diferencia de las consecuencias morales o patrimoniales, que

---

5   Corte cost., 14 julio 1986, n. 184, en *Leggi d'Italia*.

también pueden faltar total o parcialmente, el daño biológico, como un evento interno del hecho perjudicial, debe necesariamente existir y probarse.

El reconocimiento del derecho a la salud, como derecho fundamental de la persona humana, implica el reconocimiento de que el art. 32 de la Constitución complementa el art. 2043 c.c., completando el precepto primario que admite la reparación del daño "injusto".

Tras haber afirmado este principio, el Tribunal Constitucional advierte a los jueces que sean rigurosos al evaluar ese daño. De hecho, es importante evitar duplicar o aumentar falsamente el daño reparable.

La sentencia de 1986, a pesar de que admite la reparación del daño biológico, afirmando que es un daño patrimonial que puede ser compensado a través del art. 2043 c.c., termina.

dando un pequeño paso atrás de la sentencia de 1979, porque vuelve a afirmar que el art. 2059 c.c. sirve solo para la reparación del daño moral subjetivo. Te todas formas se trata de una sentencia muy importante porque ofrece una interpretación constitucionalmente orientada del art. 2043 c.c. e porque afirma expresamente que la regla del art. 2043 c.c. debe ser interpretada conjuntamente con el art. 31 Cost.

3. El daño a la vida (1994)

Las normas sobre la reparación del daño en la responsabilidad extracontractual vuelven a la atención del Tribunal Constitucional en 1994, cuando se le pide que declare la inconstitucionalidad de las normas de los art. 2043 y 2059 c.c., en la parte en la que no permiten la reparación por la violación del derecho a la vida[6].

---

6   Corte cost., 27 octubre 1994, n. 372, en *Leggi d'Italia*.

En particular, se pidió al Tribunal Constitucional que verificara la ilegitimidad de las dos disposiciones en la parte en que no admiten ni el derecho a reparación por la violación del derecho a la vida, en caso de que la muerte fuera una consecuencia inmediata del acto ilícito, ni el derecho a la reparación por el daño moral sufrido por los familiares de la persona fallecida.

En este caso, el Tribunal no solo no rechaza la solicitud, sino que esencialmente mantiene el punto sobre las conclusiones a las que había llegado anteriormente.

Por un lado, confirma que el derecho a la salud y el derecho a la vida permiten su protección en los términos del art. 2043 c.c. Queda claro que, aunque es un evento de daño (cuya prueba de existencia está en *re ipsa*), todavía es necesario probar su medida, es decir, que la lesión ha producido una pérdida constituida por la disminución o privación de un valor personal, al que la compensación debe ser equitativamente proporcional. En el presente caso, el tribunal de primera instancia no había verificado si el perjuicio al derecho a la vida realmente había causado daño. Si este daño hubiera ocurrido realmente a la víctima, habría sido adquirido, después de la muerte del titular, por los herederos del dañado (en el caso concreto no había prueba del daño).

En este sentido, el Tribunal Constitucional, recordando una orientación muy antigua expresada por las Secciones Unidas de la Corte Casación[7], que ha sido confirmada en 2015[8], afirma, sin embargo, que en caso de muerte inmediata no surge ningún daño biológico, ya que este último asume que el sujeto sufra un deterioro psicofísico.

La Corte también excluye la inconstitucionalidad de la disposición del art. 2059 c.c. De hecho, afirma que el daño no patrimonial solo puede

---

7   Cass., 22 diciembre 1925, n. 3475, en *Leggi d'Italia*.
8   Cass., SS. UU., 22 julio 2015, n. 15350, en *Leggi d'Italia*.

ser compensado como un perjuicio realmente sufrido por la parte lesionada y no como un perjuicio sufrido por terceros, como resultado del acto perjudicial. Esto significa que los familiares de las víctimas no pueden, por definición, sufrir daños biológicos como mera consecuencia de la muerte de su familiar, y solo pueden adquirir el derecho a la reparación del daño biológico sufrido por la víctima, después de su muerte.

4. Apreciaciones sobre el daño biológico y sobre el daño existencial (2003)

En 2003, la Corte de Casación repiensa su propia anterior interpretación sobre el daño biológico y ofrece una interpretación constitucionalmente orientada de la regla del art. 2059 c.c., admitiendo que el daño no patrimonial puede ser reparado incluso fuera de los casos expresamente previstos, cuando existe una lesión de un interés de la persona constitucionalmente garantido[9].

La idea de que el daño biológico, entendido como daño-evento, debe considerarse como daño patrimonial servía, esencialmente, para permitir su reparación a través de la regla del art. 2043 c.c. y, por lo tanto, para permitir una reparación incluso fuera de los casos establecidos por el art. 2059 c.c. Una vez que se supera la idea estricta de que el daño no patrimonial es reparable solo cuando el acto ilícito constituye, también, un delito[10], la Corte de Casación puede volver a repensar el concepto de daño biológico y de daño existencial.

En 2003, la Casación, corrigiendo las pautas anteriores, establece, de hecho, que el daño biológico y el daño existencial deben considerarse, junto con el daño moral subjetivo, como hipótesis de daño no patrimonial, de modo que se permita su reparación conforme al art. 2059 c.c.

---

9   V. la sección: III.2.
10   V. la sección: III.2.

En el caso especifico, la Corte de Casación, más allá de este reordenamiento conceptual, se enfoca específicamente en el daño existencial, ofreciendo su reconstrucción. La Corte de Casación declara que, en el caso de asesinado, los miembros de la familia de la víctima sufren un daño a la intangibilidad de la esfera de afecto y solidaridad mutua dentro de la familia. El daño no patrimonial por asesinado de un miembro de la familia, que consiste en la pérdida de la relación parental, se coloca en el área del art. 2059 c.c. Obviamente, para que sea posible admitir una reparación, el daño debe ser una consecuencia inmediata y directa del acto ilícito. La Corte precisa que puede ser reparado también el daño que no es una consecuencia mediata e indirecta, cuando es el efecto normal del acto ilícito de acuerdo con el criterio de regularidad causal[11].

El daño biológico, entendido como una lesión de integridad psicofísica, médicamente comprobable, debe distinguirse, como se aclara en una sentencia de la Casación inmediatamente posterior, del daño existencial[12]. Este último debe entenderse como cualquier prejuicio (de naturaleza no meramente emocional, pero objetivamente verificable) provocado en la generación de ingresos del sujeto, lo que altera sus hábitos y sus propias estructuras relacionales, lo que lo induce a realizar diferentes elecciones de vida en lo que respecta a la expresión y la realización de su personalidad. A diferencia del daño biológico, que es médicamente comprobable, el daño existencial debe probarse ante los tribunales con todos los medios permitidos por la ley[13].

---

11   Sobre el nexo causal entre acto y evento perjudicial, Cass., SS.UU., 1 julio 2002, n. 9556, en *Leggi d'Italia*.

12   Para un primer reconocimiento del daño existencial., Corte Cost., 11 julio 2003, n. 233, en *Leggi d'Italia*. Más ampliamente, Cass., SS. UU., 24 marzo 2006, n. 6572, en *Leggi d'Italia*.

13   P. Perlingieri, *L'art. 2059 uno e bino: una interpretazione che non convince, in Rassegna di diritto civile*, 2003, p. 775.

5. El daño no patrimonial como categoría unitaria (2008)

El largo viaje en la reparación del daño no patrimonial recibe un importante arreglo en 2008, cuando la Corte de Casación[14], también con el fin de ordenar los resultados obtenidos, aclara que el daño no patrimonial se identifica con la lesión sufrida por la lesión de intereses no patrimoniales.

En esta perspectiva, no tiene sentido distinguir entre daño moral subjetivo, daño biológico y daño existencial, ya que el daño no patrimonial aparece como una categoría unitaria, no susceptible de subdivisiones en subcategorías.

La referencia a ciertos tipos de prejuicios, denominados de varias maneras (daño moral, daño biológico, daño por pérdida de la relación parental, daño existencial), responde a necesidades puramente descriptivas, pero no implica el reconocimiento de distintas categorías de daño.

Es deber del juez determinar la consistencia real del perjuicio, independientemente del nombre que se le haya dado, identificando qué repercusiones negativas se han producido en el valor de la persona y proporcionando su reparación completa. En esta tarea delicada, el juez debe evitar la duplicación, atribuir nombres diferentes a prejuicios idénticos,

---

14　Cass., SS. UU.,11 noviembre 2008, n. 26972, en *Leggi d'Italia*. Esta sentencia es idéntica a Cass., SS. UU.,11 noviembre 2008, n. 26973; Cass., SS. UU.,11 noviembre 2008, n. 26974; Cass., SS. UU.,11 noviembre 2008, n. 26975, en *Leggi d'Italia*. También son conocidos, como las sentencias de San Martino. Busnelli Francesco, *Le sezioni unite e il danno non patrimoniale, in Rivista di diritto civile*, 2009, vol. 1, p. 97; Cicero Cristiano, *Inadempimento contrattuale e danno non patrimoniale. Verso il tramonto del danno esistenziale, all'alba del nuovo danno morale, in Rivista giuridica sarda*, 2009, vol. 24, fasc. 1, p. 16-26; Landini Sara, *Le sezioni unite fanno il punto sul "danno non patrimoniale", in Danno e responsabilità*, 2009, vol. 1, p. 19; Bargelli Elena, *Danno non patrimoniale: la messa a punto delle sezioni unite, in La nuova giurisprudenza civile commentata*, 2009, vol. 25, fasc. 2, parte 1, p. 102; Bilotta Francesco, *I pregiudizi esistenziali: il cuore del danno non patrimoniale dopo le S.U.* del 2008, in La *responsabilità civile*, 2009, vol. 6, fasc. 1, p. 45-51.

y realizar una evaluación concreta y no abstracta del daño, dando acceso a todos los medios de prueba necesarios.

En esta perspectiva, la Corte declara que el daño no patrimonial debe evaluarse de manera unitaria y debe permitir una reparación adecuada del perjuicio sufrido por la persona por el perjuicio de los intereses existenciales. El juez debe tener en cuenta el sufrimiento moral en sí mismo (compensable cuando se adjunta la perturbación del alma y el dolor íntimo sufrido) de cualquier degeneración físico-psicológica. En cualquier caso, el daño no pecuniario debe ser probado, ya que no se puede dar ningún caso en el que el daño esté en *re ipsa*.

En esta perspectiva, es necesario excluir la reparación de los daños fútiles, o sea las hipótesis en las que el daño es insignificante, o, aunque objetivamente grave, es, sin embargo, según la conciencia social, insignificante o irrelevante para el nivel alcanzado. Por lo tanto, se deduce que la compensación por daños no patrimoniales se debe solo en el caso de que el daño al interés sea grave, en el sentido de que la infracción excede un umbral mínimo de tolerabilidad y la lesión es grave, en el sentido de que no consiste en meras molestias, o en la lesión de derechos completamente imaginarios (como el derecho a la felicidad). La lesión debe superar un cierto umbral de ofensiva, por lo que la lesión es tan grave que es digna de protección en un sistema que impone un grado mínimo de tolerancia.

En virtud de esta posición, se ha aclarado[15] que a los efectos de la reparación del daño no patrimonial, el juez debe primero identificar la situación subjetiva protegida a nivel constitucional (además de la salud, las relaciones familiares y parentales, el honor, la reputación, la libertad religiosa, el derecho de autodeterminación al tratamiento de salud, el derecho al medio ambiente, el derecho a la libre expresión del propio pensamiento, el derecho de defensa, el derecho de asociación etc.), proporcionando así

---

15   Cass., 14 noviembre 2017, n. 26805, en *Leggi d'Italia*.

un análisis y evaluación rigurosos tanto del aspecto interno del daño (sufrimiento moral) como de su impacto modificador en la vida cotidiana (el llamado daño existencial o, mejor dicho, el daño a la vida de relación), ya sea de la lesión, permanente o temporal a la integridad psicofísica de la víctima. Además del daño a la integridad psicofísica, el daño no patrimonial debe compensar los prejuicios sufridos tanto por el sufrimiento interno como por la dinámica relacional de una vida que cambia[16].

Así, quedan esculpidos ambos aspectos esenciales del sufrimiento: el dolor interior y la alteración significativa de la vida cotidiana. Estos son tipos de daños no patrimoniales que pueden ser reparados solo si se prueba, caso por caso, su existencia y su medida.

El daño no patrimonial, por lo tanto, tiene una naturaleza unitaria e integral. Unitaria con respecto a cualquier lesión de un interés o valor protegido constitucionalmente que no pueda evaluarse económicamente; integral con respecto a una reparación completa del daño, en el sentido que el juez debe tener en cuenta todas las consecuencias modificadoras de la situación anterior derivada del acto ilícito, evitando duplicaciones y realizando una evaluación concreta y atenta[17].

6. Daño no patrimonial y legislador

La regulación del daño no patrimonial también ha afectado al legislador italiano que en el llamado Código de seguros (Decreto Legislativo 7 de septiembre de 2005, n. 209) ha insertado la norma del art. 138, originalmente titulada "Daño biológico debido a lesiones no menores"

---

16   Cass., 17 enero 2018, n. 901, en Leggi d'Italia, con nota de Ponzanelli Giulio, *Giudici e legislatore liquidano le decisioni delle sezioni unite sul danno non patrimoniale*, in *Foro italiano*, 2018, vol. 143, fasc. 3, p. 923-928, y de Ziviz Patrizia, *Di che cosa parliamo quando parliamo di danno non patrimoniale*, in *Responsabilità civile e previdenza*, 2018, vol. 83, fasc. 3, p. 863-887.

17   Cass., 31 enero 2019, n. 2788, en *Leggi d'Italia*.

y la disposición del art. 139, originalmente titulada "Daño biológico debido a lesiones menores"[18].

De acuerdo con esta disciplina, para determinar el daño biológico sufrido por una víctima de un accidente como resultado de la circulación de vehículos motorizados y botes, se debería haber adoptado un baremo único para todo el territorio nacional para determinar el daño no patrimonial.

De acuerdo con la formulación inicial, el daño debía calcularse teniendo en cuenta el grado de deterioro de la integridad psicofísica, que debía ser acertado médicamente y basado en una puntuación de 1 a 100, teniendo en cuenta la edad de la victima. Finalmente, se previó que, en caso de que la lesión afectara específicos aspectos dinámicos-relacionales, el juez podría aumentar la cantidad del daño calculado.

Por lo tanto, el legislador de 2005, por un lado, exige adoptar un baremo para el cálculo del daño no patrimonial. Una experiencia en este sentido ya existía en Italia. El tribunal de Milán, para estandarizar todas sus decisiones había creado un baremo para evaluar el daño biológico. Esta experiencia, que nace por la iniciativa del Tribunal de Milán se había extendido a todo el territorio nacional, ya que la Corte de Casación en 2011[19] había sugerido que todos los tribunales italianos utilizaran este baremo.

Con el Código de seguros esta experiencia ya se vuelve en ley, dado que el legislador impone que se adopte un baremo para la determinación del daño biológico y que esa se utilice para determinar el daño biológico en caso de accidente de vehículos.

---

18   V. Castronovo Carlo, *Il danno non patrimoniale dal codice civile al codice delle assicurazioni, in Danno e responsabilità,* 2019, vol. 24, fasc. 1, p. 15-19.

19   Cass., 7 giugno 2011, n. 12408.

La regla del art. 139 del Código de Seguros se somete a la atención del Tribunal Constitucional tanto en 2011[20] como en 2014[21]. En ambas ocasiones, la regla resiste, ya que en el primer caso se afirma la inadmisibilidad manifiesta de la inconstitucionalidad por insuficiente descripción del hecho, mientras que en la segunda la pregunta es rechazada. Aunque la regla del art 139 no menciona expresamente el daño no patrimonial, esto no impide que sea reparable, especialmente si consideramos que, según la orientación de la Corte Casación, el daño moral cae dentro del daño biológico, como componentes del daño no patrimonial.

Las dos normas en cuestión se modificaron aún más en 2017. La enmienda se refería principalmente a los títulos de ambas disposiciones, en las que ya se sustituye la expresión "daño biológico" con la expresión "daño no patrimonial". Además, se establece que se puede aumentar la proporción correspondiente al daño biológico para tener en cuenta el daño moral.

La disposición legislativa, por lo tanto, se pone en continuidad con respecto a la jurisprudencia, puesto que se establece la reparación total del daño no patrimonial, con el entendimiento de que incluye, descriptivamente, tanto el daño a la integridad psicofísica como el dolor y el daño de relación, postulando la necesidad que cada componente del daño sea probada y que se eviten duplicaciones. El propósito que se indica claramente en la apertura del artículo es garantizar a la parte lesionada "la indemnización total por el daño no patrimonial sufrido realmente y racionalizar los costos asumidos por el sistema de seguros y los consumidores".

Esta es una medida muy importante, además porque también se aplica al daño por responsabilidad médica[22], en el cual, sin embargo, parece

---

20   Corte cost., 28 abril 2011, n. 157, en *Leggi d'Italia*.

21   Corte cost., 16 ottobre 2014, n. 235, en *Leggi d'Italia*.

22   V. art. 7 L. 8 marzo 2017, n. 24, recante "disposizioni in materia di sicurezza delle cure e della persona assistita, nonché in materia di responsabilità profes-

que la racionalidad de los gastos y la certeza del juicio han tomado ventaja sobre el principio de la reparación integral y efectiva del daño no patrimonial. En mi opinión, tal vez hubiera sido oportuno dejar al juez, sobre la base de una motivación adecuada, la posibilidad de apartarse del baremo, cuando su aplicación podría determinar consecuencias, en exceso o en defecto, en contra del principio de unidad y integralidad del daño no patrimonial.

III. LOS CASOS EN LOS QUE SE PERMITE LA REPARACIÓN DEL DAÑO NO PATRIMONIAL

1. Del delito en concreto al delito en abstracto (1982)

Según la lectura tradicional el daño no patrimonial puede ser reparado solo en los casos permitidos por la ley, especificando que el caso más significativo es el descrito en el art. 185 c.p., es decir, el caso en el que el acto ilícito constituye, también, un delito.

De acuerdo con la enseñanza clásica, para que el daño no patrimonial fuera reparable no solo era necesario que el acoto ilícito fuera, también, un delito, sino que la existencia del delito se verificara en concreto.

Sobre la base de esta interpretación inicial, se excluyó, por ejemplo, que fuera reparable el daño patrimonial causado por un acto ilícito que constituía, también, un delito, cometido por un menor de catorce años. Se dijo, de hecho, que, no siendo el menor de catorce años capaz según la ley penal, el hecho no constituía un delito en concreto (sino solo en abstracto) y, por lo tanto, no podía aplicarse la regla del art. 2059 c.c.[23]

---

sionale degli esercenti le professioni sanitarie".

23   Cass., 26 julio 1974, n. 2259, en *Leggi d'Italia*.

Del mismo modo, se excluyó la reparación del daño no patrimonial cuando, en el caso de un accidente de tráfico, la responsabilidad del conductor se afirmaba no sobre la base de la demostración de su culpabilidad, sino sobre la base de una presunción legal, es decir, de la regla del art. 2054 c.c., que plantea una presunción de culpa contra el conductor del vehículo[24].

Esta rigidez inicial se puede superar en 1982 cuando La Corte de casación, modificando su orientación anterior y con el propósito evidente de ampliar las hipótesis de reparación del daño no patrimonial, afirma que no es necesario que el acto ilícito integre realmente los extremos de un delito punible, debido a la concurrencia de todos los elementos relevantes según la ley penal, ya que es necesario y suficiente que el hecho en sí se puede considerar en abstracto como un delito y, por consiguiente, que el hecho sea adecuado para dañar el interés protegido por la ley penal[25]. En consecuencia, si el juez penal no ha comprobado (por imposibilidad o imposibilidad de procesar el delito[26] o porque el hecho no es punible en concreto) o no pudo determinar (por extinción del delito[27], o posterior *abolitio criminis*[28]) que el hecho constituye un delito, la evaluación debe ser realizada, *incider tantum*, por el juez civil.

Según esta interpretación, el daño no patrimonial se puede reparar incluso cuando el acto ilícito se puede configurar de manera abstracta como un delito, incluso si en concreto no lo sea o no sea punible. Por lo tanto, el daño no patrimonial se hace resarcible en el caso de homicidio culposo cometido por una persona que no es imputable de acuerdo con el derecho penal, porque es inferior a catorce años. De lo contrario, el

---

24   Cass., 16 marzo 1981, n. 1469, en *Leggi d'Italia*.

25   Cass., 6 diciembre 1982, n. 6651, en *Leggi d'Italia*.

26   Cass., 14 febrero 2000, n. 1643, en *Leggi d'Italia*.

27   Cass., 10 noviembre 1997, n. 11038, en *Leggi d'Italia*; Cass., 23 junio 1999, n. 6400, en *Leggi d'Italia*.

28   Cass., 19 febrero 1998, n. 1761, en *Leggi d'Italia*.

daño no patrimonial puede compensarse cuando el autor del acto ilícito que cometió el delito no ha sido condenado por una amnistía[29].

Aunque la nueva interpretación ha extendido las hipótesis según las cuales el daño moral, admitiendo que la ausencia de una sentencia penal no impide la evaluación del juez civil, sigue existiendo la idea de que la evaluación debe referirse a todos los elementos, subjetivos y objetivos, del delito[30]. No hay necesidad de un delito en concreto, sino en abstracto, en el sentido de que existan todos los elementos objetivos y objetivos. De hecho, se excluyó la reparación del daño no patrimonial cuando no había pruebas de todos los elementos constitutivos del delito y, especialmente, en el caso de que no se probara la culpa del autor del delito, porque estaba presumida por una regla[31].

Un giro significativo y definitivo en esta dirección se debe a una sentencia del Tribunal Constitucional de 2003[32], que haciendo propia una importante sentencia de la Corte de Casación del mismo año[33], supera esta resistencia y afirma que no hace falta un acertamiento en concreto del delito, siendo suficiente un simple acertamiento en abstracto, sino que no hace falta una prueba concreta del elemento subjetivo del delito cuando existe una regla que postula una presunción de culpa. El Tribunal Constitucional, por lo tanto, afirma que el art. 2059 c.c. debe interpretarse en el sentido de que el daño no patrimonial, como se re-

---

29   Cass., 19 agosto 1995, n. 8946, en *Leggi d'Italia*.

30   Cass., 15 marzo 2001, n. 3747, en *Leggi d'Italia*.

31   *Ex multis*, Cass., 21 enero 1985, n. 222, en *Leggi d'Italia*; Cass. 29 agosto 1987, n. 7121, en *Leggi d'Italia*; Cass. 11 febrero 1988, n. 1474, en *Leggi d'Italia*.; Cass. 3 diciembre 1993, n. 11999, en *Leggi d'Italia*; Cass. 28 agosto 1995, n. 9045, en *Leggi d'Italia*; Cass., 11 marzo 1998, n. 2674, en *Leggi d'Italia*.; Cass., 14 marzo 2002, n. 3728, en *Leggi d'Italia*.

32   Corte Cost., 11 julio 2003, n. 233, con nota de Navarretta Emanuela, *La Corte costituzionale e il danno alla persona in fieri*, in Il foro italiano, 2003, vol. 128, fasc. 9, parte 1, p. 2201-2205.

33   Cass., 31 mayo 2003, n. 8827, en *Leggi d'Italia*; Cass., 31 mayo 2003, n. 8828, en *Leggi d'Italia*.

fiere al tipo abstracto de delito, es resarcible incluso en el caso de que, en un procedimiento civil, la culpa del autor del delito se derive de una presunción legal sin ser probada.

2. Reparación en todos los casos en que exista una violación del derecho de la persona con garantía constitucional (2003)

El verdadero punto de inflexión lo logra la Corte de Casación en 2003, cuando a través de una interpretación del art. 2059 c.c. constitucionalmente orientada, extiende significativamente el área de aplicabilidad de la norma.

Antes de esta sentencia, la convicción era que el daño no patrimonial solo podía repararse en los casos expresamente previstos por la ley, con en el entendimiento de que el caso más significativo era el indicado en el art. 185 c.p. (cuando el acto constituya delito). Esta interpretación estrecha había determinado, a lo largo del tiempo, que nuestros tribunales, para ampliar las hipótesis de daño no patrimonial reparable, habían elaborado la teoría del daño biológico, como un daño-evento. Esta teoría tenía el propósito de admitir la reparación de un daño sustancialmente no patrimonial, fuera de los casos expresamente previstos por la ley.

En 2003, la perspectiva cambió radicalmente desde que la Corte de Casación[34], en lugar de expandir el concepto de daño no patrimonial, para incluir supuestos de hecho que, estrictamente hablando, deberían ser incluidos, decide expandir los casos en que es reparable el daño no patrimonial.

En particular, la Corte de Casación declara que, en el actual ordenamiento jurídico italiano, en el cual la Constitución asume una posición

---

34   Cass., 31 mayo 2003, n. 8827, en *Leggi d'Italia;* Cass., 31 mayo 2003, n. 8828, en *Leggi d'Italia.*

prominente, que establece como valor fundamental la protección de la persona humana, el daño no patrimonial debe entenderse como una categoría amplia, que incluye todas las hipótesis en las que es afectado un valor inherente a la persona. Desde aquí, la Corte de Casación declara que, independientemente del significado literal de la disposición del art. 2059 c.c., se debe concluir que el daño no patrimonial debe ser compensado no solo en los casos en que se contempla expresamente, sino también en todos los casos en que el acto ilícito causa una lesión de los derechos de una persona que gozan de garantía constitucional. Si, de hecho, el ordenamiento jurídico italiano reconoce como su valor fundamental y primario la protección de la persona humana y su dignidad, se deduce que sería inaceptable que el sistema siempre admita la protección del daño patrimonial, mientras que limite, fuertemente, la reparación del daño no patrimonial, es decir, la protección de los intereses no pecuniarios[35].

Según la Corte de Casación, la fórmula "daño no patrimonial" debe entenderse en su sentido más amplio de daño a los valores inherentes a la persona humana, con la consecuencia de que, en un ordenamiento jurídico como el italiano, basado en el valor de la persona, dicho daño debe ser reparado siempre que haya una injusta lesión de un interés inherente a la persona protegido constitucionalmente[36].

A pesar de esta importante apertura, sigue existiendo una diferencia entre el daño patrimonial, reparable *ex* art. 2043 c.c. y el daño no patrimonial reparable *ex* art. 2059 c.c. El primero se caracteriza por la atipicidad, ya que la injusticia del daño postula el daño de cualquier interés legalmente relevante; por otro lado, el daño no patrimonial sigue siendo

---

35 Tampieri Laura, *Il danno non patrimoniale. La lesione di valori costituzionalmente tutelati*, Padova, Cedam Wolters Kluwer, 2015.

36 Virgadamo Pietro, *Il sistema risarcitorio del danno non patrimoniale basato sull''ingiustizia conformata' e la parziale incostituzionalità dell'art. 2059 C.C.*, in *Danno e responsabilità*, 2015, vol. 20, fasc. 11, p. 989-995.

típicos, ya que solo puede repararse en los casos expresamente previstos por la ley, así como en el caso de lesión a un derecho de la persona protegida constitucionalmente.

IV. LA EXTENSIÓN DE LA REPARABILIDAD DEL DAÑO NO PATRIMONIAL TAMBIÉN A LA RESPONSABILIDAD CONTRACTUAL

1. De la acumulación de responsabilidades (contractual y extracontractual) a la extensión de la reparación del daño no patrimonial a la responsabilidad contractual (2008)

El daño no patrimonial resultante del incumplimiento de las obligaciones, según la opinión prevaleciente en la doctrina y la jurisprudencia, no se consideraba reparable.

El obstáculo se encontraba en la falta, en la disciplina de responsabilidad contractual, de una norma similar a la del art. 2059 c.c., dictada en materia de actos ilícitos.

Para sortear el obstáculo, en el caso de que además del incumplimiento de una obligación. se pudiera configurar una responsabilidad extracontractual, la jurisprudencia había elaborado la teoría de la acumulación de acciones, contractual y extracontractual[37].

Esta tesis, sin embargo, no resolvió adecuadamente la cuestión de la reparación del daño no patrimonial en la responsabilidad contractual, ya que devolvió la cuestión dentro de los estrechos límites del art. 2059 c.c., de modo que la reparación no solo era posible cuando el incumpli-

---

37   Cass., 19 marzo 1979, n. 1593, en *Leggi d'Italia;* Cass., 3 octubre 1996, n. 8656, en *Leggi d'Italia.*

miento de la obligación constituía, también, un acto ilícito, sino que dependía de la interpretación que la jurisprudencia ofrecía, poco a poco, de esa norma jurídica.

En 2008, después de que se había ampliado el ámbito de aplicación de la norma del art. 2059 c.c. [38] y después de que se había ofrecido una interpretación unitaria y global del daño no matrimonial[39], la Corte de Casación[40] amplía, aún más, el área de reparación del daño no patrimonial, asumiendo que dicho daño debe ser compensado, incluso en ausencia de una ley precisa, incluso en el caso de responsabilidad contractual[41].

La conciencia de que la protección de la persona es un valor fundamental de nuestro sistema legal y el principio del necesario reconocimiento de los derechos inviolables de la persona, nos obliga a admitir una reparación por el daño no patrimonial, incluso en el caso de responsabilidad contractual. Si el incumplimiento de la obligación determina, además de la violación de las obligaciones de importancia económica asumidas con el contrato, también la violación de un derecho inviolable de la persona, la protección de la persona impone de admitir la reparación de ese daño, sin recurrir al expediente de la acumulación de acciones.
Para establecer cuándo es posible proporcionar una indemnización por el daño no patrimonial en caso de responsabilidad contractual, es necesario determinar de manera concreta cuándo el contrato tiende también a la realización de intereses no patrimoniales, posiblemente protegidos como derechos inviolables de la persona.

Se destacan los contratos de protección, como los que se concluyen en el sector de la salud, para el cuidado de la salud de la persona, o en el sec-

---

38   V. paragrafo III.

39   V. paragrafo II e spec. II.5.

40   Cass. 11 noviembre 2008, n. 26972, en *Leggi d'Italia*.

41   Francisetti Brolin Matteo Maria, *Danno non patrimoniale e inadempimento*, Napoli, 2014

tor educativo, para la educación de un estudiante, en el cual el incumplimiento del deudor (médico, maestro) es susceptible de infringir los derechos inviolables de la persona. Sin considerar que existen contratos, en los cuales existen obligaciones legales específicas que imponen a una de las partes la protección y la realización de intereses no patrimoniales (piense en el contrato de trabajo).

A través de esta interpretación, se asume, por lo tanto, que en un ordenamiento jurídico contemporáneo los intereses no patrimoniales deben gozar de una protección reforzada, de modo que no sería posible admitir su reparación solo en el caso de la responsabilidad extracontractual, incluso si parece que esto debe deducirse de la letra de la ley, siendo esencial extender esta compensación también a la responsabilidad contractual.

V. CONCLUSION Y PERSPECTIVAS FUTURAS

La evolución que se ha registrado muestra, sin duda, que nuestros tribunales han demostrado sensibilidad cultural, reconociendo que el cambio radical de las fuentes de derecho ha llevado a un cambio radical en los principios y valores del ordenamiento jurídico. La afirmación de la centralidad de la persona humana, en el mutado sistema de fuentes, también impone un cambio en la teoría de la interpretación, que solo puede ser sistemática, axiológica y con fines aplicativos.

Es innegable que el camino recorrido por nuestra jurisprudencia ha sido muy importante. No creo, sin embargo, que el camino pueda, conscientemente, detenerse aquí.

Es necesario avanzar y superar la idea de la tipicidad del daño no patrimonial, que, incluso hoy en día, parece dominar las reconstrucciones conceptuales.

Aunque se haya ampliado significativamente el área de aplicación para la compensación del daño no patrimonial, este último siempre se considera típico, a diferencia del daño patrimonial que, en cambio, se considera atípico[42]. De hecho, se sigue afirmando que el daño patrimonial siempre puede ser compensado, siempre que sea injusto, mientras que el daño no patrimonial solo puede ser compensado en los casos permitidos por la ley (cuando hay una disposición que lo establezca expresamente y cuando hay la violación de un derecho de la persona constitucionalmente garantizada).

Creo que esta dicotomía debe ser superada, para afirmar la reparación del daño no patrimonial, de la misma manera que el daño patrimonial, o cuando se caracteriza como injusto.

Este resultado se puede lograr asumiendo que la regla del art. 2059 c.c. cuando se refiere a los solos «casos determinados por la ley», no puede referirse solo a las hipótesis expresamente disciplinadas, ni a las lesiones de intereses protegidos constitucionalmente, sino que debe referirse a todos los casos en los que se produzca un daño injusto. El ordenamiento jurídico en presencia de daños no patrimoniales "injustos" no puede tolerar una compresión de su compensación. Si efectivamente nuestro sistema jurídico se basa en el valor de la persona y en la dignidad humana, y si nuestro ordenamiento jurídico reconoce la supremacía de las situaciones existenciales sobre las patrimoniales, entonces es necesario reconocer la reparación de los daños no patrimoniales, siempre que sean injustos.

Este resultado no es difícil de lograr cuando nos damos cuenta de que nuestra Constitución no protege los derechos individuales de la persona, sino que considera la persona como el valor central y fundamental. Si la personalidad es el valor que el sistema jurídico reconoce y protege

---

42   Virgadamo Pietro, *Il sistema risarcitorio del danno non patrimoniale basato sull''ingiustizia conformata' e la parziale incostituzionalità dell'art. 2059 C.C.*, in *Danno e responsabilità*, 2015, vol. 20, fasc. 11, p. 989-995.

en virtud del principio de solidaridad y si este valor se implementa de forma dinámica y se convierte en una situación jurídica subjetiva compleja, caracterizada por el conjunto de derechos y deberes de la persona humana, entonces no hay protección de los derechos protegidos constitucionalmente, sino, más razonablemente, la protección de la persona humana en su complejidad.

Sobre la base de esta consideración, no creo que se pueda dudar de que la compensación por daños no patrimoniales debe admitirse, no en los casos en que exista una lesión de los derechos protegidos constitucionalmente de la persona, sino en todos los casos en que exista una lesión del valor de la persona humana. Esto significa que el daño no patrimonial debe ser compensado cada vez que sea injusto, porque toda forma de injusticia que toque a la persona daña el valor fundamental de nuestro ordenamiento jurídico[43].

De acuerdo con esta interpretación, el daño no patrimonial debe repararse siempre que haya una lesión del valor de la persona humana, es decir, cada vez que la persona haya sufrido un perjuicio injusto contra su interés existencial, ya que cada interés existencial de la persona es la proyección del valor de la persona y, por lo tanto, toda lesión de la proyección de la persona es una lesión, en sí misma, de aquel valor fundamental. De esta manera, me parece que el daño no patrimonial sufrido por una persona humana es reparable siempre y cuando sea injusto. En cambio, se pueden confirmar las limitaciones existentes para la compensación del daño no patrimonial sufrido por una persona no humana.

---

43   P. Perlingieri, *L'onnipresente art. 2059 c.c. e la "tipicità" del danno alla persona, in Rassegna di diritto civile*, 2009, p. 520 ss.

6. EL DAÑO MORAL A LAS PERSONAS JURÍDICAS EN LA JURISPRUDENCIA CHILENA[1]

Cristián Andrés Larrain Páez[2]
Profesor de Derecho Civil, Universidad de Concepción, Chile.

SUMARIO: I. PLANTEAMIENTO. II. EL ESTADO ACTUAL DE LA CUESTIÓN. III. REFLEXIÓN

RESUMEN

El artículo tiene como objetivo exponer, desde un punto de vista crítico, el estado actual de la cuestión en la jurisprudencia chilena, respecto a la procedencia de indemnizaciones por daño moral a las personas jurídicas.

PALABRAS CLAVE

Responsabilidad, persona jurídica, daño moral.

---

1   Este trabajo ha sido elaborado en el seno del Proyecto "Las fronteras del Derecho del enriquecimiento injustificado" (DER2017-85594-C2-1-P; IP Pedro del Olmo), financiado por la Agencia Estatal de Investigación dependiente del Ministerio de Economía, Industria y Competitividad (Gobierno de España)

2   Doctor en Derecho por la Universidad Carlos III de Madrid, Profesor de Derecho Civil, Universidad de Concepción, Chile (correo electrónico: clarrain@udec.cl).

ABSTRACT:

The article aims to show, from a critic perspective, how chilean courts currently solve cases in which companies and corporations claim compensation for non-pecuniary loss.

KEYWORDS

Liability, damages, corporation, non-pecuniary loss.

I. PLANTEAMIENTO

En general, la mayoría de los problemas que se relacionan con los daños morales, tienen contornos difusos, que honran la propia indefinición conceptual de esa "institución".[3]

Sólo a modo de ejemplo, se pueden señalar las dificultades prácticas que actualmente ha planteado la introducción de la posibilidad de demandar una indemnización por daño moral, cuando se vea afectado el interés colectivo o difuso de los consumidores, en la modificación a la ley chilena de Protección al Consumidor, del año 2018,[4] o, por señalar

---

3   Un buen ejemplo de lo confuso que puede ser el tratamiento que se le ha dado a esta clase de perjuicios, se puede ver expuesto en DÍEZ-PICAZO, L. *El escándalo del daño moral.* Thomson Civitas, Navarra, 2008, pág. 13 y sgtes.

4   El artículo 51 de la Ley 19.496, tras las modificaciones incorporadas por la Ley 21.081, contempla expresamente en las acciones en que se vea afectado el *"interés colectivo o difuso de los consumidores"*, las indemnizaciones podrán extenderse al daño moral, *"siempre que se haya afectado la integridad física o síquica o la dignidad de los consumidores"*, norma que ha generado dudas respecto a su aplicación práctica, por la amplitud de los conceptos involucrados.

otra, los inconvenientes que recurrentemente plantea para los tribunales la prueba y avaluación de esta clase de perjuicios.[5]

Y en ese contexto, las interrogantes que plantea la concesión de una indemnización por daños no patrimoniales, a una persona jurídica, no son menores, teniendo en cuenta que se trata de una institución que se originó directamente vinculada con los sentimientos y el dolor físico, para ir posteriormente ampliándose a otros aspectos como lesiones a intereses extrapatrimoniales,[6] luego a las consecuencias de dichas lesiones[7] (con lo complejo que resulta en la práctica disociar esas consecuencias, de aspectos subjetivos de la persona, al menos, en materia probatoria), e incluso –y aquí la cuestión parece aún más objetable- a vulneraciones a derechos de la personalidad,[8] teniendo en cuenta lo cuestionable que parece identificar la lesión a un derecho subjetivo, con un daño indemnizable.[9] Este proceso ha permitido, a una gran parte de la doctrina chilena[10] (al igual como ocurrió con parte de la literaru-

---

5   Al respecto, en la experiencia chilena un buen aporte lo constituye el "Baremo jurisprudencial estadístico sobre indemnización de daño moral" (no vinculante) desarrollado por la Corte Suprema, en colaboración con la Universidad de Concepción (puede revisarse en el vínculo: https://baremo.pjud.cl/BAREMOWEB/).

6   Para una exposición sobre las discusión relativa al concepto de daño moral, véase DOMÍNGUEZ, C., *El daño moral*, Editorial Jurídica de Chile, 2000, pág. 43 y ss; y GARCIA LOPEZ, R., *Responsabilidad Civil por Daño Moral. Doctrina y Jurisprudencia,* José María Bosch, Navarra, 1990, págs. 51-57.

7   Véase, por ejemplo, MARTIN CASALS, M.; SOLE FELIU, J., Comentario a Sentencia de 31 de octubre de 2002, en, *Cuadernos Civitas de Jurisprudencia Civil,* nº 61, 2003, p. 251.

8   En este sentido, por ejemplo, DE ANGEL YÁGÜEZ, R., *Tratado de Responsabilidad Civil,* Universidad de Deusto; Civitas, Madrid, 1993, pág. 675.

9   PANTALEÓN, F., "Comentarios al artículo 1.902", en Paz-Ares /Díez-Picazo/ Bercovitz, *Comentario del Código Civil,* Ministerio de Justicia, Madrid, 1993, págs. 1.994-1.995.

10   En este sentido, entre otros, ALESSANDRI, A., *De la Responsabilidad Extracontractual en el Derecho Civil Chileno,* Imprenta Universitaria, Santiago, 1943, pág. 475 y ss.; CORRAL, H., *Lecciones de Responsabilidad Civil Extracontractual,* Editorial Jurídica de Chile, Santiago, 2004, pág. 153-154; DÍEZ, J., *El daño extracontractual*

ra, en España)[11] a concluir que las personas jurídicas sí pueden sufrir daños morales, pero sin un razonamiento detenido que considere todos los aspectos del problema. La lógica ha sido, que si las personas jurídicas tienen derechos de la personalidad (particularmente, honor), y la vulneración a estos genera un daño moral, no habría obstáculos para concluir que una persona jurídica pueda sufrir esa clase de perjuicios.

II. EL ESTADO ACTUAL DE LA CUESTIÓN

En la jurisprudencia chilena,[12] por otra parte, si bien el resultado final hoy es más o menos similar, en un principio era el contrario.

---

ante la jurisprudencia. Comentarios, Facultad de Ciencias Jurídicas y Sociales. Fondo de Publicaciones, Universidad de Concepción, Concepción, 1995, p. 109; DOMÍNGUEZ, C. *El Daño Moral*, ob. cit., pág. 723 y sgtes; DOMÍNGUEZ B., R.; DOMÍNGUEZ Á., R. "Indemnización de perjuicios, daño moral, persona jurídica, relación de causalidad. Leyes reguladoras de la prueba. Documentos emanados de terceros. Comentario a Sentencia de la Corte de Apelaciones de Concepción de 2 de noviembre de 1989", en *Revista de Derecho de la Universidad de Concepción*, 1991, n° 190, pág. 150-151. En contra, pueden citarse BARRIENTOS, M, "Comentarios de jurisprudencia. Negación de daños morales a una persona jurídica en materia contractual", en *Revista chilena de derecho*. 2007, vol. 34, pág. 135-138; y BARROS, E., *Tratado de Responsabilidad Civil*, Editorial Jurídica de Chile, Santiago, 2006, pág. 297 y sgtes.

11   Véase RODRÍGUEZ GARCÍA, C., *Contingencias varias de Jurisprudencia y Honor*, Dykinson, Madrid, 1994, págs. 56 y 85 y sgtes.; VICENTE DOMINGO, E., *Los daños corporales. Tipología y valoración*, Bosch, Barcelona, 1994, p. 49; ALVAREZ VIGARAY, R. "La responsabilidad por daño moral, en, *Anuario de Derecho Civil*", vol. XIX, n° I, 1966, p. 83; GARCIA LOPEZ, R., Responsabilidad Civil... (ob. cit.) pág. 65; O´CALLAGHAN MUÑOZ, X., "El derecho al honor en la evolución jurídica posterior al Código Civil", en *Centenario del Código Civil (1889-1989)*, Vol. II, Centro de Estudios Ramón Areces, Madrid, 1990, p. 1.555.

12   En el Tribunal Supremo español, la primera sentencia favorable relevante sería la STS de fecha 31 de diciembre de 1991 (Sala 3ª, de lo Contencioso-Administrativo). Y si se entiende que la Ley 1/82 es aplicable a las personas jurídicas, el asunto pasa casi a ser irrelevante, existiendo una presunción de perjuicio del daño moral (a favor de aplicarles la Ley, entre otros, RODRIGUEZ GUITIÁN, A., *El derecho al honor de las personas jurídicas*, Montecorvo, Madrid, 1996, p. 116).

La evolución de la cuestión, pasa por separar las sentencias dictadas antes del año 2000, y las que se han ido dictando después, realizando una particular detención en una resolución de la Corte Suprema, del año 2008.

Desde el año 1999 hacia atrás,[13] y sin perjuicio de que sea posible encontrar, aisladamente, casos en sentido contrario, la tendencia apuntaba a rechazar por los tribunales, que las personas jurídicas fuesen sujetos pasivos de un daño extrapatrimonial. A esta conclusión se arribaba argumentando, esencialmente, que como las personas jurídicas eran entes ficticios, carecían de la posibilidad de sufrir dolor, y a que como el daño moral, conceptualmente, equivalía al sufrimiento y pesar psicofísico, menoscabo de carácter eminentemente subjetivo, no podía darse en personas jurídicas.

Luego, a partir del año 2000, los tribunales superiores comenzaron a prescindir de la exigencia de alteraciones psicofísicas para definir al daño moral, al menos cuando se trataba de demandas de responsabilidad presentadas por personas jurídicas, principalmente por vulneraciones al prestigio, causadas por la publicación errónea de morosidades en bases de datos abiertas al público (lo curioso en todo caso, es que en materia de protección de derechos fundamentales, los mismos tribunales se manifestaban contrarios a que las personas jurídicas fueran titulares del derecho al honor, tendencia que se mantuvo hasta el año 2015).[14]

---

13   Por ejemplo, lo resuelto en las Sentencias de la Corte de Apelaciones de Santiago, de fechas 9 y 16 de junio de 1999, respectivamente. En la primera, se revocó la resolución de primera instancia que había concedido una indemnización por daño moral a una sociedad comercial, por el embargo erróneo de un vehículo de su propiedad. Se había embargado, por error, un camión de su propiedad, lo que generó que la empresa quedase privada del vehículo durante un tiempo considerable. Y en la segunda, se confirmó la sentencia de primera instancia que había rechazado una demanda por daño moral, interpuesta por una sociedad de responsabilidad limitada, por los perjuicios causados por el protesto indebido de una letra de cambio, aceptada por la sociedad demandante.

14   En la Sentencia de la Corte Suprema de fecha 1 de diciembre de 2015 (rol 12.873-15), el Tribunal señaló expresamente que las personas jurídicas sí eran

En lo sucesivo, la situación entonces se resumía en que ocasionalmente se concedían indemnizaciones por daño moral a personas jurídicas (sin discriminar la clase de entidad que se tratase),[15] y en otras, se rechazaban, por falta de pruebas (faltando siempre claridad, respecto a qué es lo que se debía probar).

Y en este período, el hito más relevante se encuentra en la sentencia de la Corte Suprema, del 30 de junio del año 2008,[16] en la que, en el contexto de un juicio por incumplimiento de contrato de arrendamiento con opción de compra (la arrendataria restituyó el bien arrendado, con deterioros), el tribunal se detuvo a reflexionar sobre el problema, concluyendo que el daño moral no se restringía a los sufrimientos y pesares, sino que se extendía además a las consecuencias extrapatrimoniales que se podían derivar de lesiones a "atributos de la personalidad", tales como "el honor, la intimidad y la imagen". Y en ese contexto, en consideración a que lo que se protegería por la responsabilidad civil es "la persona", con prescindencia de los sentimientos que puedan generarle las lesiones aludidas, concluyó que no había inconvenientes en admitir que una persona jurídica pudiese sufrir daños morales (no obstante, y como dato anecdótico, en la sentencia se terminó rechazando la indemnización, por falta de pruebas).

---

titulares del derecho al honor, a propósito de una campaña de difamación a una sociedad comercial, cuyo giro era el de almacén de grandes superficies (y tras una tendencia contraria bastante marcada, según se puede observar, por ejemplo, en las sentencias citadas en LARRAIN, C., "Algunas cuestiones relevantes sobre el derecho al honor y la responsabilidad civil en particular, sobre el daño moral, el artículo 2331 del Código Civil, y la legitimación activa", en *Revista chilena de derecho privado*, N° 17, diciembre de 2011, págs. 171 y sgtes.).

15   Para dos acabadas exposiciones sobre las decisiones más relevantes sobre la materia, de los tribunales superiores (hasta el año 2013), pueden verse TAPIA, M., "Daño moral de las personas jurídicas en el Derecho chileno", en *Estudios de Derecho Civil VIII*, Legal Publishing, Santiago, 2013, págs. 621-640; y RÍOS, I.; SILVA, R., "Daño moral a las personas jurídicas ¿Qué ha dicho nuestra jurisprudencia?", en *Revista Estudios de la Justicia*, N° 18, 2013, págs. 111-133.

16   Rol 5857-06.

Desde esta sentencia a la fecha, la admisibilidad se ha mantenido,[17] prácticamente sin excepciones, con el agravante (según la opinión que se tenga), de que no se han aplicado criterios de distinción, ni controles probatorios especiales, derivando en que se trata a las personas jurídicas, para estos efectos, casi con los mismos parámetros que a las personas naturales. Y esto, es al menos cuestionable, porque distorsiona los fines de la responsabilidad civil, y las funciones que pueda cumplir la reparación de los daños morales, cuando esta se traduce en la entrega de una suma de dinero, a la parte demandante.

Lo anterior, porque puede ser plausible concluir que ante la afectación a un derecho de la personalidad (como el honor, por ejemplo), se le cause una alteración subjetiva a la víctima, cuando es persona física (y esto justificaría las presunciones legales –como la de la Ley 1/82 española- o la elasticidad probatoria con que los tribunales chilenos enfrentan esa clase de problemas),[18] pero, traspasar este razonamiento, sin preven-

---

17 Entre otras, por ejemplo, la Sentencia de la Corte Suprema de fecha 12 de julio de 2016 (rol 28.421-16), en la que se concedió una indemnización por daño moral a una persona jurídica, en un supuesto de competencia desleal; la Sentencia de la Corte de Apelaciones de Santiago, de fecha 13 de noviembre de 2018 (rol 11.198-17), por la difusión de información no veraz sobre la calidad y cumplimiento de normas sanitarias en la fabricación de un producto de la demandante, por un canal de televisión; y la Sentencia de la Corte Suprema de fecha 11 de diciembre de 2018 (rol 16.969-18), relativa a la inclusión errónea de la empresa demandante, en un fichero público de deudores morosos.

18 Véanse por ejemplo, los casos terminados en las Sentencias de la Corte Suprema de fechas 27 de agosto de 2009 (rol 3.215-2009) y 13 de julio de 2012 (rol 394-2010), en los cuales se habían concedido en ambas instancias, indemnizaciones por daño moral ante usos no autorizados de la imagen del demandante, sin prueba del perjuicio (con votos disidentes en segunda instancia, por esos motivos). La liviandad con que se enfrenta la prueba del daño moral en casos de fallecimiento de seres queridos, se justifica en que, dada la naturaleza de los hechos, se puede presumir judicialmente el perjuicio (por ser lo "normal"), como ocurre habitualmente (véase por ejemplo, la Sentencia de la Corte Suprema de fecha 26 de agosto de 2015 [rol 2.599-15], recaída en un juicio entablado por la cónyuge de un fallecido en un accidente de circulación), pero en los supuestos de vulneraciones a los derechos de la personalidad, la cuestión amerita una exigencia superior.

ciones, a las personas jurídicas, parece excesivo. La indemnización por daño moral termina siendo una pena privada encubierta, o una especie de sustitución de la indemnización por lucro cesante, cuando este no se ha podido acreditar.

Como una demostración de que actualmente los tribunales tratan prácticamente de la misma manera a las personas jurídicas que a las personas naturales, en lo que a indemnizaciones por daño moral se refiere, por sobre todo en casos de afectación al prestigio o al honor de la parte demandante, se puede citar una sentencia de la Corte Suprema del 22 de agosto de 2019,[19] en la que se rechazó, por 3 votos contra 2, un recurso de casación interpuesto contra una sentencia que había concedido una indemnización de perjuicios por daño moral, por 18 millones de pesos,[20] a una sociedad comercial de responsabilidad limitada, por los daños que le habría causado el haber sido incluida erróneamente por un banco, en un boletín público de deudores morosos.

Es difícil discutir las implicancias prácticas que genera para cualquier operador, el hecho de ser incluido en un boletín de esa naturaleza, ya que en general, suele implicar que lo deja privado del acceso a crédito, pero por otra parte, no se puede obviar que, técnicamente, esas consecuencias son más bien perjuicios de naturaleza patrimonial. Esto, considerando además, que en ese juicio se acreditó la inclusión errónea en el fichero, más no los daños (circunstancia que motivó los dos votos de disidencia en la Suprema, por el rechazo de la demanda).

Fuera de la hipótesis anterior, la admisibilidad casi indiscriminada de esta clase de perjuicios a personas jurídicas, ha conducido a que se llegue a casos en que se ha indemnizado por daños morales a sociedades comerciales cuyo giro es la concesión de autopistas (siendo el hecho da-

---

19   Rol 836-18.

20   Aproximadamente 21.000 euros.

ñoso, la clausura por ciertos días, de una plaza de peaje),[21] o a personas jurídicas sin finalidad lucrativa, por perjuicios sufridos directamente por sus miembros.[22]

Como un ejemplo llamativo de esta última hipótesis, destaca la sentencia que concedió 10 millones de pesos,[23] a una Congregación Religiosa, propietaria de un inmueble en el que funcionaba un colegio particular, en parte de sus dependencias.[24] El colegio era operado por una sociedad anónima, que había celebrado un contrato de arrendamiento con la congregación, sobre parte del inmueble, quedando el resto de la propiedad excluida, ya que en esta las religiosas tenían sus dormitorios, salas de reflexión, capilla, y otras instalaciones relativas a su culto. Ante el aviso de la arrendadora a la arrendataria, de su intención de no permitir la renovación del contrato por un nuevo período, en los hechos el gerente de la sociedad y uno de sus dependientes, entorpecieron e impidieron –violentamente- en varias ocasiones el acceso de las religiosas a las dependencias del colegio, a través de las cuales aquellas debían transitar, para poder llegar a la propiedad no arrendada (incluso, se impidió el acceso la noche de Navidad, quedando algunas religiosas afuera, y otras encerradas dentro, durante todo el fin de semana).

Con posterioridad, y tras recurrir al auxilio de tribunales, lograron recuperar la posesión del inmueble (en malas condiciones), y normalizar el tránsito hacia sus dependencias. En virtud de estos hechos, la con-

---

21   Sentencia de la Corte de Apelaciones de San Miguel, de 14 de junio de 2006 (rol 895-2002).

22   Que es lo que habría ocurrido en la Semtencia de la Corte Suprema de fecha 29 de enero de 2015 (rol 31.709-14), deducida por una sociedad comercial, en contra de una empresa de seguridad privada.

23   Más menos, 13 mil euros.

24   El fallo de primera instancia es de fecha 25 de junio de 2015 (rol C-3862-2012, del 2° Juzgado Civil de Viña del Mar), y la Sentencia de la Corte Suprema, es de fecha 22 de junio de 2017 (rol 7027-17), por el cual se declaró inadmisible el recurso de casación.

gregación presentó una demanda por responsabilidad extracontractual en contra de los sujetos que impidieron el acceso, reclamando daño patrimonial (lucro cesante) y daño moral. Al justificar la indemnización, el tribunal de segunda instancia hizo énfasis en que las personas jurídicas pueden sufrir daños morales, particularmente cuando se afecta alguno de sus atributos de la personalidad, o su "reconocimiento, fama o prestigio comercial", recalcando que en este caso no solo se dañó la "investidura religiosa" de la demandante, sino que su "imagen y honor" frente a la comunidad escolar y la ciudadanía, ya que los hechos fueron ampliamente difundidos por medios de comunicación.

III. REFLEXIÓN

La verdad es que, por mucho que se pueda comprender, y sentir empatía por las personas que sufrieron los hechos descritos en la demanda, en este caso resulta algo forzado reconducirlos a una indemnización de perjuicios por daño moral, a la entidad demandante. Primero, pareciera que los perjuicios los sufrieron directamente sus miembros (aunque en el caso de las religiosas, pudiera ser plausible entender que hay una suerte de "confusión" entre aquellas y la congregación), y segundo, parece dudoso vincular los hechos, a una afectación al prestigio o al honor de la demandante. Más bien pareciera haber una sanción civil a los demandados, que una indemnización de perjuicios (que es lo que suele quedar entre líneas, en la mayoría de las sentencias de esta clase).

En mi opinión, creo que la solución pasa por entender que sólo se puede reconocer un daño moral a una persona jurídica, excepcionalmente, en aquella situación en la que se le ha impedido a la entidad, el cumplimiento de sus fines.[25] Y en ese contexto, discriminando entre personas

---

25   Esta alternativa, es más específica que la que se ha planteado en doctrina, que entiende que el daño moral en las personas jurídicas se identifica con aque-

jurídicas con y sin finalidad lucrativa, negándoles a aquellas, de plano, la posibilidad de sufrir daños morales, en consideración a que su finalidad siempre se vincula con aspectos patrimoniales.

Si se impide el cumplimiento de los fines a una persona jurídica con finalidad lucrativa, los perjuicios derivados de ese evento debieran ser patrimoniales (específicamente, lucro cesante). En los casos en que se conceden daños morales a personas jurídicas con finalidad lucrativa, en estricto rigor, se están indemnizando daños patrimoniales, encubiertos en daños extrapatrimoniales (o derechamente, sancionando al demandado). Y en este mismo orden de cosas, incluso en hipótesis de daños morales a personas jurídicas sin finalidad lucrativa, debiera privilegiarse la reparación *in natura* (publicación de la sentencia, por ejemplo), ante la indemnización de perjuicios en dinero, en la medida que se concluya que esto pueda lograr un efecto real en la práctica (que reestablezca el prestigio de la demandante, por ejemplo).

Ahora, esto, no se ha planteado a nivel jurisprudencial en Chile, observándose que en la práctica, se trata a las personas jurídicas con el mismo rigor que a las personas físicas, incluso en materia probatoria, práctica que no se ve apropiada, y que finalmente contribuye a que en las sentencias, los resultados estén distorsionados por factores más bien emocionales, que técnicos.

---

llos casos en los que un hecho impide o dificulta la satisfacción de un interés, sin disminución de un patrimonio (GARCIA SERRANO, F., "El daño moral extracontractual en la jurisprudencia civil, en Anuario de Derecho Civil, vol. XXV, n° III, 1972, pág. 806, nota n° 31. En el mismo sentido RODRIGUEZ GUITIÁN, Alma María. El derecho al honor de las personas... [ob. cit.] p. 108 [agrega además, que ocurre cuando una persona jurídica pierde prestigio por una campaña difamatoria, siguiendo a ALVAREZ VIGARAY, R. La responsabilidad... p. 83]; y CRICENTI, G. Il danno non patrimoniale, Cedam, Padova, 1999, p. 337 [define al daño moral a la persona jurídica, como el daño en su reputación, que obstaculiza conseguir sus fines], o más bien cuando un hecho impide o dificulta la consecución de los fines de la persona jurídica, sin que implique una disminución patrimonial (esta parece ser la más apropiada). Respecto a la última limitación, no se interprete en el sentido de entender que si un hecho genera daños al patrimonio, ya no puede haber daño moral.

7. A INCIDÊNCIA E O CÁLCULO DA INDENIZAÇÃO PUNITIVA SOB O VIÉS PREVENTIVO[1]

Arthur Nogueira Feijó[2]
Juiz Federal Brasileiro

SUMÁRIO: I. INTRODUÇAO. II. PREMISSA DA INDENIZAÇÃO PUNITIVA. 1. Punição ou prevenção?. 2. A prevenção como critério de incidência de indenização punitiva. III. PARAMETROS DA INDE-NIZAÇÃO PUNITIVA. 1. O estado de neutralidade como pressuposto da indenização punitiva. 2. Uma forma de quantifição da indenização punitiva. IV. CONSIDERAÇÕES FINAIS.

RESUMO

Este texto assume postura essencialmente propositiva e constrói, com base na premissa da prevenção, uma ideia de parâmetros estruturantes para a hipótese de incidência e quantificação da indenização punitiva. O raciocínio desenvolvido não se apega à análise contextual de ordenamentos jurídicos específicos, nem se prende em examinar a compatibilidade ou juridicidade do teor punitivo com a responsabilidade civil. O

---

1   Este trabajo ha sido elaborado en el seno del Proyecto "Las fronteras del Derecho del enriquecimiento injustificado" (DER2017-85594-C2-1-P; IP Pedro del Olmo), financiado por la Agencia Estatal de Investigación dependiente del Ministerio de Economía, Industria y Competitividad (Gobierno de España)

2   Juiz Federal Brasileiro. Mestre em Ordem Jurídica e Constitucional pela Universidade Federal do Ceará. Especialista em Direito Civil pela Universidade Anhanguera-Uniderp.

foco em questão é: encontrar critérios que possam substanciar de forma lógica a aplicação da indenização punitiva, tornando o cometimento de ilícitos desvantajoso e, portanto, prevenindo a sua prática.

PALAVRAS-CHAVE

Indenização punitiva. Prevenção. Hipótese de incidência. Quantificação.

ABSTRACT

This text assumes an essentially propositive posture and develops, based on the premise of prevention, an idea of structuring parameters for the punitive damage's incidence hypothesis and quantification. The logic developed does not attach itself to a contextual analysis in specifics legal orders, nor does it focus on examining the compatibility or legality of the punitive content with the civil liability. The focus in question is to find criteria that can logically substantiate the punitive damage's application, making illicit committing disadvantageous and thus preventing its practice.

KEYWORDS

Punitive damages. Prevention. Incidence hypothesis. Quantification.

I. INTRODUÇÃO

Frequentemente, depara-se com discussões doutrinárias e jurisprudenciais sobre a necessidade/possibilidade de a responsabilidade civil, para além do escopo reparatório, assumir teor dissuasivo de condutas deletérias, valendo-se para tanto de critérios de quantificação da sanção indenizatória direcionados à figura do ofensor e não somente à extensão do dano sofrido.

Tais embates ganham notoriedade principalmente diante de condutas que, além de danosas para a vítima, são vantajosas para o ofensor, provocando um intrínseco incentivo econômico à violação de direitos[3].

Em resposta, vários caminhos de tutela jurídica são pensados, tais quais: invocação da construção jurisprudencial americana dos *punitive damages*; elastério dos critérios de quantificação da indenização para alcançar traços punitivos, tal como tem sido feito pela jurisprudência brasileira no que toca à liquidação da indenização por danos morais e danos morais coletivos[4]; desenvolvimento de teorias sobre as tipologias de dano, para abranger o aspecto preventivo, a exemplo da ideia de dano social[5], dentre outros.

Ocorre que, independentemente do rumo adotado, é imprescindível que sejam estabelecidas premissas básicas quanto à aplicabilidade e quantificação da sanção civil de caráter dissuasório. Eis o objetivo das presentes linhas: pensar sobre um modelo básico apto a nortear a hipótese de incidência e a liquidação do valor da indenização punitiva.

Salienta-se que não será colocado em debate se deve ou não a responsabilidade civil punir; igualmente, não será discutida a juridicidade do teor punitivo no corpo da responsabilidade civil. Por ordem de delimitação temática, a discussão aqui travada é restrita a preambular um

---

3   A exemplo, cita-se o *Ford Pinto Case (Grimshaw v. Ford Motor Co)*. Disponível em: < https://h2o.law.harvard.edu/cases/50 > Acesso em 22. Mai. 2019.

4   Vide: BRASIL. Superior Tribunal de Justiça. *REsp 1737412/SE*, Rel. Ministra NANCY ANDRIGHI, TERCEIRA TURMA, julgado em 05/02/2019, DJe 08/02/2019.

5   Sobre o assunto: AZEVEDO, Antônio Junqueira de. Por uma nova categoria de dano na responsabilidade civil: o dano social. *Revista Trimestral de Direito Civil – RTDC*, julho/setembro de 2004: 211-218.

modelo teórico de hipótese de incidência e de quantificação da indenização punitiva[6].

II. PREMISSA DA INDENIZAÇÃO PUNITIVA

1. Punição ou prevenção?

A hipótese de incidência da indenização punitiva depende da identificação de sua premissa básica, pois tal qualidade estabelece a vinculação teleológica do instituto, possibilitando a definição de seus contornos básicos, com ênfase na incidência e quantificação da sanção.

Em resposta à pergunta proposta, é salutar rememorar a conceituação básica de Miguel Reale ao estabelecer direta vinculação entre o Direito e a realização do bem comum[7], de forma que, pautando-se nessa lógica, não se pode conceber um instituto jurídico desprovido de uma finalidade direcionada à harmonização social, sob o plano de fundo constitucional norteado pela dignidade humana, que sofre quando se pensa em uma punição *per si* e desatenta a uma finalidade adequada.

Aplicando a ideia apresentada, a indenização punitiva não deve ser desencadeada simplesmente no escopo retributivo. Explica-se: a punição não

---

6   Por praticidade linguística, será adotada a nomenclatura indenização punitiva para denominar a sanção indenizatória permeada por fator punitivo, contudo, ressalva-se que este autor defende a não adoção de modelo indenizatório com caráter punitivo, mas sim de uma causa geral de multa civil para tanto, preservando a indenização como mecanismo essencialmente reparatório. Tal mérito não será agora enfrentado, mas pode ser conferido em: FEIJÓ, Arthur Nogueira. *Direito Civil Punitivo: Do Dano Moral Punitivo à Causa Geral de Multa Civil*. 1. ed. Curitiba: Juruá Editora, 2019. v. 1. 227p.

7   "Direito é a realização ordenada e garantida do bem comum como numa estrutura tridimensional bilateral atributiva [...]." (REALE, Miguel. Lições Preliminares de Direito. 21. ed. São Paulo: Saraiva, 1994, p. 67).

é capaz de justificar a sua própria existência sob uma ótica de harmonização social. Da punição não se tem liame de causalidade que implique direta e necessariamente em um imperativo de ordem e bem comum.

Até na seara do Direito Penal a pena tem evoluído da causa do castigo para alcançar a ideia de ressocialização, o que bem se nota no art. 5º, VI da Convenção Interamericana de Direitos Humanos[8].

Nesse ritmo, apesar de a punição parecer arraigada como uma das funções das sanções (inclusive na responsabilidade civil), é perceptível que a razão de punir não é a punição, mas sim o anseio em demonstrar maior repúdio jurídico a determinado ato, reprimindo-o e desincentivando a sua repetição, por meio de ferramenta que, embora de consequência punitiva, possui lastro na pedagogia.

É de relevo perceber que esse raciocínio se embasa nos direitos fundamentais, pois, sob o pálio do princípio da dignidade humana, não se admite sanção meramente voltada ao castigo. Na realidade, o que se encontra nos textos constitucionais, tal qual na Constituição Federal Brasileira de 1988[9], assim como na Constituição Espanhola de 197810, é comando garantidor do acesso à justiça e da efetividade da prestação jurisdicional, sendo plausível daí extrair o princípio da prevenção, e não da punição.

Enaltece-se, portanto, a função preventiva como verdadeiro intuito apto a solidificar a estrutura com a qual se deve erguer o instituto da sanção

---

8   CIDH. Art. 5º - Direito à integridade pessoal. 6. As penas privativas de liberdade devem ter por finalidade essencial a reforma e a readaptação social dos condenados. Disponível em: <https://www.cidh.oas.org/basicos/portugues/c. convencao_americana.htm>. Acesso em: 21 mai. 2019.

9   BRASIL. *CRFB/88*. Art. 5º, XXXV - a lei não excluirá da apreciação do Poder Judiciário lesão ou ameaça a direito.

10   ESPANHA. *Constituição Espanhola de 1978*. Art. 24. 1. Todas las personas tienen derecho a obtener la tutela efectiva de los jueces y tribunales en el ejercicio de sus derechos e intereses legítimos, sin que, en ningún caso, pueda producirse indefensión.

punitiva, de forma que, apesar de a palavra "punição" ser consagrada na linguagem predominante, a forma da expressão não deve ofuscar a essência dos valores subjacentes.

A respeito, é interessante mencionar a lição de Norberto Bobbio, em sua "Teoria da Norma Jurídica", ao trabalhar o conceito de sanção, vinculando-a à finalidade de impedir a erosão da lei em decorrência de ações a ela contrárias, veja-se:

> *Uma norma prescreve o que deve ser. Mas aquilo que deve ser não corresponde sempre ao que é. Se a ação real não corresponde à ação prescrita, afirma-se que a norma foi violada. É de natureza de toda prescrição ser violada, enquanto exprime não o que é, mas o que deve ser. [...] A sanção pode ser definida, por este ponto de vista, como o expediente através do qual se busca, em um sistema normativo, salvaguardar a lei da erosão das ações contrárias; é, portanto, uma consequência do fato de que um sistema normativo, diferentemente do que ocorre em um sistema científico, os princípios dominam os fatos, ao invés dos fatos os princípios.[11]*

No pensamento de Bobbio, fortifica-se a tese de que a sanção jurídica é funcionalizada em prol da manutenção do estado de ordem, logo não é adequado justificar uma sanção punitiva pela própria punição, sob pena de desvirtuamento da finalidade real consistente em prevenir ilícitos e preservar o sistema normativo.

Portanto, a sanção punitiva não deve possuir premissa e foco na punição, mas sim na prevenção, ao que seria mais correto denominá-la de sanção preventiva (indenização preventiva). Apesar da observação feita, utiliza-se indistintamente a expressão "indenização punitiva", o que se faz por praticidade linguística, ficando, contudo, a ressalva de que a pa-

---

11   BOBBIO, Norberto. *Teoria da Norma Jurídica*. São Paulo: Edipro, 2001. Tradução de: Fernando Pavan Baptista e Ariani Bueno Sudatti, p. 152, 153.

lavra "punitiva" tem direta referência com o consequente da sanção, e não com sua causa, que, em essência, especa-se na prevenção. Em linha similar, é o pensamento de Nelson Rosenvald:

> *A retribuição não é uma finalidade da sanção punitiva, mas a sua consequência lógica, ou seja, a reprovação de um comportamento como reação defensiva em face de quem golpeia situações jurídicas alheias. Retribui-se – simultaneamente pela imposição de um mal e uma advertência – como atestado de reprovação ao comportamento do agente por parte da ordem jurídica. Ora, se a própria função da pena fosse a de retribuir o ilícito, afirma Alf Ross, a consequência seria que do ponto de vista dos Estados sobejasse irrelevante o fato de que se cometessem poucos ou muitos homicídios, pois os que fossem praticados seriam punidos, 'a pena se converteria em um bilhete de ingresso: venha, assassine mesmo, basta que pague!'.*[12]

Enfatiza-se que não se está negando a existência de conotação punitiva na punição (o que seria de todo paradoxal), apenas afirma-se que ela não é a causa, mas sim a consequência de uma norma de cunho punitivo, de forma que a causa é, em verdade, o intuito de harmonização social, consubstanciado na preservação do interesse jurídico tutelado pela sanção. A norma jurídica não se satisfaz com a aplicação da sanção, mas sim com o respeito ao seu preceito primário, hipótese em que não é necessária a aplicação do preceito secundário: a sanção, no caso a sanção punitiva.

Em complemento, importa consignar a subjetividade com a qual pode ser visualizada a relação sancionatória. Nesse sentido, é interessante o raciocínio traçado por Francesco Carnelutti, segundo o qual a sanção atua mediante dois enfoques principais: a ordem de restituição e a ordem de pena[13].

---

12   ROSENVALD, Nelson. *As funções da responsabilidade civil: a reparação e a pena civil.* 2. ed. São Paulo: Atlas, 2014, p. 149.

13   CARNELUTTI, Francesco. **Teoria Geral do Direito.** São Paulo: Lejus, 2000, p. 114.

Explicando as noções anunciadas, Carnelutti esclarece que a ordem de restituição caracteriza a capacidade de a sanção devolver os fatos à forma anterior à desobediência de um preceito normativo. No tocante à ordem de pena, aduz que a sanção denuncia ao agente que pretende ofender a ordem jurídica uma desvantagem para fazer frente à vantagem que vislumbra ao infringir a norma[14].

Vertendo o raciocínio para a responsabilidade civil, pode-se afirmar que, sob a ótica do sujeito ofensor, tem-se uma ordem de pena ainda que a sanção seja, para o ofendido, um móvel de mero ressarcimento, tal qual a hipótese de indenização meramente reparatória.

Assim, pondera-se que qualquer sanção pecuniária civil, independentemente de ter sua causa originária lastreada em ordem de ressarcimento ou de prevenção, para o sujeito atingido pela sanção repercutirá em um potencial móvel de sofrimento, haja vista o ataque feito pelo Direito à esfera de interesses do sancionado, que é atingido em seu patrimônio até na hipótese de simplesmente indenizar o lesado.

2. A prevenção como critério de incidência da indenização punitiva

Percebe-se a utilidade na separação entre as razões de causa e consequência da sanção: a partir de tal diferença, é possível identificar o que realmente importa (causa) para fins de deflagração da indenização punitiva e, por outro ângulo, como essa causa se manifesta em termos fáticos (consequência), viabilizando, no cotejamento entre causa e efeito, a adequação da norma ao fim visado (harmonia social).

Sintetizando todo o exposto, é imprescindível perceber que:

---

14   *Ibidem, loc cit.*

i) a razão que determina a indenização punitiva é o intuito de prevenção;

ii) o intuito de prevenção manifestado na indenização punitiva repercute na esfera de interesses do ofensor de forma a promover, sob a ótica de sua subjetividade, uma consequência punitiva;

iii) até mesmo uma sanção impulsionada por escopo meramente reparatório, no sentir do ofensor, é traduzida em uma ordem de punição, pois ele sofre com a incidência da sanção, mesmo que de maneira ineficiente do ponto de vista de tornar a conduta economicamente desvantajosa.

Logo, considerando que a causa da indenização punitiva é o intuito de prevenção e que tanto ela quanto a indenização puramente reparatória repercutem subjetivamente no ofensor como um ataque a sua seara de interesses (provocando um efeito punitivo acessório às causas preventiva e reparatória), conclui-se que a existência e a dimensão da punição depende do grau de intensidade com o qual é necessário (se necessário for) majorar, sob o aspecto preventivo, o consequente punitivo já ofertado pela sanção reparatória.

Esclarecendo: no contexto de um ilícito civil capaz de desencadear indenização, antes de se pensar na aplicação de um fator punitivo, é necessário perquirir se a mera reparação é capaz de, por si só, ofertar ao ofensor desincentivo suficiente para tornar desinteressante a prática do ilícito.

Caso a sanção ressarcitória seja suficientemente punitiva ao ofensor, não haverá necessidade da indenização punitiva, afinal não se pune por punir; por outro lado, caso a sanção ressarcitória seja incapaz de conduzir ao estado de harmonia social, exsurge o contexto apto à punição. Feitas tais considerações, consagra-se, no intuito preventivo, o pilar com o qual se pensar os critérios de quantificação do fator punitivo.

Urge salientar que a causa de prevenir deve atuar tanto como fator decisivo para incidência da punição, como também para a determinação de sua intensidade. É dizer: a indenização punitiva deve ser quantificada em valor suficiente para efetivar a causa de prevenir e tão só, não merecendo ser majorada para além dessa linha de suficiência, pois, a partir de então, restaria esvaziado o intuito de prevenir, em ingresso na fronteira de um castigo desprovido de adequação teleológica.

Nas palavras de Francesco Carnelutti, a sanção punitiva deve atuar de maneira com a qual "o contra-estímulo seja de tal ordem que supere o estímulo, mas só na medida do necessário e não mais"[15]. Sendo assim, o intuito preventivo funciona como filtro da intensidade da sanção, para que a sua aplicação não provoque um mal maior do que aquele que almeja combater.

III. PARÂMETROS DA INDENIZAÇÃO PUNITIVA

1. O estado de neutralidade como pressuposto da indenização punitiva

Indo mais além, é imprescindível perceber que a eficácia preventiva da indenização punitiva depende de uma adequada concatenação de sanções jurídicas distintas, que, em certas hipóteses, somente juntas são capazes de efetivamente dissuadir o ofensor.

Explica-se: em havendo elevada vantagem na prática de um ilícito, a prevenção somente será plenamente eficaz quando as sanções jurídicas aplicáveis forem potentes o suficiente para eliminar a vantagem auferida pelo sujeito lesante. Afinal, partindo de uma análise econômica da

---

15   CARNELUTTI, Francesco. *Op. cit*, p. 122.

razão de agir do sujeito ofensor, enquanto houver vantagem na prática da ilicitude, não se consolidará a dissuasão.

Assim, no plano da prevenção, não basta que se aplique uma sanção punitiva para dissuadir, pois é necessário que se elimine o lucro indevido auferido pelo sujeito ofensor. Tal lucro, caso tenha havido dano, já poderá ser mitigado a partir da sanção indenizatória e, em havendo subsunção dos fatos aos ditames da sistemática de enriquecimento sem causa, é plausível que se determine a restituição do lucro que exceder a indenização.

Além da restituição em decorrência de enriquecimento sem causa, é viável imaginar a eliminação da vantagem do ofensor por outras formas. A exemplo, pode-se cogitar que, na hipótese de vantagem decorrente de uma cautela não tomada pelo sujeito lesante, imponha-se uma obrigação de fazer, que, nos seus custos, oferte ao ofensor a diminuição da vantagem auferida pela economia em não se acautelar.

Após a eliminação de toda a vantagem, o sujeito ofensor retorna ao patamar do *status quo ante* ao ilícito praticado, dessa forma se alcança uma estaca zero na qual a indiferença toma o lugar da vantagem anterior; a tal contexto se denomina "estado de neutralidade". Insta asseverar que o momento de instalação do ponto de indiferença merece acurada apreciação no caso concreto, a partir da equação dos custos e benefícios que envolvem a querela.

O estado de neutralidade é, portanto, o resultado obtido a partir do raciocínio em sopesar as vantagens decorrentes do ilícito e os reveses consequentes da aplicação do direito à espécie. Somente após alcançado o estado de neutralidade, a indenização punitiva poderá atuar de forma realmente dissuasória, levando o ilícito a ser menos vantajoso perante o padrão da juridicidade.

Destaca-se que, a partir do rompimento do ponto de neutralidade, o ofensor sofrerá prejuízo real, haja vista que sua condição estará em patamar inferior ao momento anterior à prática do ilícito. Nessa etapa, é imprescindível que a razão de proporcionalidade opere na melhor medida possível, com vistas a não causar demasiado prejuízo, nem insuficiente dissuasão, o que pode, em termos práticos, ser mensurado a partir da resiliência decorrente da capacidade econômica do sancionado.

O efeito dissuasório da indenização punitiva será, portanto, inversamente proporcional à capacidade econômica do ofensor, não se podendo descurar de tal critério na liquidação da sanção. Contudo, em sentido diverso:

> *[...] a law and economics recomenda afastar o critério da capacidade econômica do ofensor, por ser inútil para a obtenção da finalidade de dissuasão. Se o desencorajamento do potencial agente é dado por uma análise de custo / benefício, ele só agirá quando as vantagens derivadas de seu ilícito forem superiores aos custos que suportará. Esta relação custo / benefício em nada será alterada pela variação do patrimônio do ofensor.[16]*

Concorda-se somente parcialmente com a ideia de que a condição econômica do ofensor não pode ser contabilizada para efeito de dissuasão, pois, de fato, até que se encontre o estado de neutralidade, o porte econômico é realmente irrelevante. Contudo, a ordem preventiva, em casos de culpa grave ou dolo, não é satisfeita atingindo o "ponto zero", pois, assim, estar-se-ia tratando de forma idêntica o infrator e o obediente à lei, o que contraria o espírito de harmonização social e o princípio da isonomia. Eis, portanto, o exato âmbito de aplicação da indenização punitiva: desequilibrar a balança da indiferença, induzindo o sujeito ofensor a seguir o padrão da juridicidade.

---

16   ROSENVALD, Nelson. *Op.cit*, p. 251. Pondera-se que essa não é posição defendida pelo autor, que, no trecho transcrito, apenas expõe tal vertente de pensamento para contrastar com sua opinião de que a capacidade econômica deve ser um critério da sanção punitiva.

Logo, partindo do pressuposto de que a indenização punitiva está autorizada a ir além do patamar de neutralidade, ao assim fazer, é imperioso que se respeite a capacidade de resiliência do ofensor, no intuito de não provocar sanção demasiada, ou mesmo insuficiente. Por essa razão, conclui-se pela validação do porte econômico do sancionado para efeito de cálculo da sanção punitiva.

Prosseguindo, é imprescindível perceber a necessidade da correta distinção entre as ferramentas atuantes na esfera da tutela civil, para que não se confundam os institutos da indenização, restituição por enriquecimento sem causa e indenização punitiva. Cada um é dotado de peculiaridades, critérios de aplicação e quantificação próprios.

No modelo aqui proposto, a indenização se pauta no dano, tão somente; a restituição deve cuidar de eliminar, se houver, o restante da vantagem auferida pelo ofensor a custo dos direitos da vítima; à indenização punitiva resta a tarefa (se o caso for) de desequilibrar a balança da neutralidade, consolidando o processo de dissuasão, que pode já ter sido iniciado, ou mesmo consumado, por eventuais outras sanções aplicadas. Nesse aspecto, é interessante que, à primeira vista, a indenização punitiva e a sanção de restituição por enriquecimento sem causa, quando vislumbradas no contexto de um mesmo ilícito, soam atuar de forma idêntica, afinal, ambas se voltam a eliminar a vantagem indevidamente auferida, no entanto os institutos, no raciocínio aqui proposto, são inconfundíveis.

Na restituição por enriquecimento sem causa "não se cogita em ato culposo ou ilícito do agente, mas apenas no fato objetivo consubstanciado no enriquecimento à custa alheia, o que patenteia serem aqueles elementos prescindíveis na configuração do instituto"[17]. Vê-se, portanto,

---

17   NANNI, Giovanni Ettore. **Enriquecimento sem causa.** 2. ed. São Paulo: Saraiva, 2010, p. 215.

que, embora seja possível visualizar enriquecimento sem causa em face de ilícito, tal aspecto não está na base fundamental da sanção de restituição.

Conforme explica Pontes de Miranda, "O fundamento das relações jurídicas pessoais por enriquecimento injustificado está em exigência de justiça comutativa, que impõe a restituição daquilo que se recebeu de outrem, sem origem jurídica."[18]. Dessa forma, assim como a indenização possui fundamento na ideia de ressarcir (contudo, aos olhos do sujeito ofensor, gera sensação de repressão), na sanção de restituição a causa é a ideia de equidade, que, analogamente, soa como razão de dissuasão ao sancionado.

Eis a diferença entre a indenização punitiva e a restituição por enriquecimento sem causa: esta possui gatilho na razão de equidade, embora redunde em consequente de tom punitivo; distintamente, a indenização punitiva é causada pela necessidade de intensificar o enfoque preventivo em hipóteses de ilegalidade permeada por culpa grave ou dolo.

Dessa forma, a sanção de restituição não está autorizada a ter como causa o rompimento do estado de neutralidade, embora possa provocar esse efeito se concatenada com outras sanções; noutro ângulo, a indenização punitiva tem exatamente esse fato gerador, operando como força responsável por romper a neutralidade e tornar determinada prática desvantajosa, e não só economicamente indiferente.

Tem-se, portanto, que a prevenção, na órbita civil, depende de uma estratégica e completa tutela sancionatória, em que vários institutos devem ser chamados a atuar em conjunto, não bastando uma cega e desmensurada aplicação do fator punitivo autônomo, que, em verdade, mostra-se como uma ferramenta dentre várias disponíveis.

---

18   MIRANDA. Francisco Cavalcante Pondes de. *Tratado de Direito Privado*. 3. Ed. Rio de Janeiro: Borsoi, 1971, v.26, p. 120.

É cediço que a facilidade em teorizar a ideia em amanho não se encontra no mundo prático, pois há intensas dificuldades em manusear a infinidade de variáveis necessárias ao sopesamento de vantagens e aflitivos decorrentes do ilícito e da aplicação do direito. No entanto, tais dificuldades não devem ofuscar a tentativa de superá-las, em idealização de um modelo mais eficiente de tutela civil.

Nesse sentido, o imperativo de prevenção deve reger a proporcionalidade do processo de sopesamento indicado; assim, reafirma-se, caso se constate que o sujeito ofensor já está sendo submetido a sanções capazes de quebrar o estado de neutralidade em prol de um nível satisfatório de dissuasão, não subsistirá contexto propício à indenização punitiva, uma vez que já satisfeita a causa de prevenir. Por exemplo, pode-se imaginar caso no qual o prejuízo sofrido pela vítima é superior à vantagem obtida pelo ofensor. Em tal hipótese, a mera indenização já poderia ser, em tese, capaz de neutralizar a vantagem ilícita e ofertar desestímulo suficiente.

Indo mais além e considerando o pressuposto da causa de prevenir, é interessante uma concatenada atuação dos diversos ramos jurídicos (Direito Penal, Administrativo, Civil etc.) na seara das sanções punitivas, no intuito de otimizar a aferição do nível ideal de prevenção.

Assim, pode-se pensar em uma sistemática na qual a aplicação de uma pena de multa em decorrência do mesmo fato, em qualquer seara do Direito, seja levada em consideração pelos outros ramos, no escopo de servir como variável no processo sancionatório. Tal modelo não desprestigiaria a independência das instâncias, mas sim concatená-las-ia, em prol de um nível ideal de prevenção[19].

---

19 Aqui há aproximação do pensamento de Bruno Leonardo Câmara Carrá ao idealizar o que denomina "gestão conglobante do dano" (CARRÁ, Bruno Leonardo Câmara. **Responsabilidade civil sem dano:** *Limites epistêmicos a uma responsabilidade civil preventiva ou por simples conduta. S*ão Paulo: Atlas, 2015).

2. Uma forma de quantificação da indenização punitiva

Atentando ao substrato teórico até agora construído, propõe-se uma via alternativa para a quantificação da indenização punitiva. Em vez de se buscar uma dogmática de critérios em espécie, convida-se a imaginar um modelo de liquidação voltado à causa preventiva; assim, ao invés de se investir preocupação no escalonamento de uma infinidade de possíveis caracteres aplicáveis, eleva-se a causa da sanção como baliza máxima, criando um macrocritério denominado, por didática, como "adequação preventiva".

Assim, em cada caso, propõe-se uma individualizada análise do ilícito, no intuito de verificar:

    i) em que medida o ato praticado é vantajoso para o ofensor;

    ii) qual o alcance preventivo que outras sanções (que não a indenização punitiva) provocam no ofensor;

    iii) qual o saldo resultante da comparação entre os itens "i" e "ii".

Ao final de tal operação, em caso de o ofensor restar com saldo positivo ou em estado de neutralidade, tem-se por verificada a hipótese de incidência da indenização punitiva, cuja liquidação deve ser sensível a tornar, em medida de proporcionalidade, o ilícito desvantajoso diante do lícito: eis o critério da adequação preventiva.

A adequação preventiva, portanto, significa o resultado de um juízo de ponderação (entre custos e benefícios do ilícito) realizado no escopo de tornar o respeito ao ordenamento jurídico o caminho mais vantajoso. Assim, pautando-se na causa de prevenir, mensura-se a extensão da indenização punitiva, que deve ser larga o suficiente para adequar os pesos da balança de prós e contras em favor da juridicidade e tão só.

A expressão "tão só" deve ser enfatizada e relacionada com a razão de proporcionalidade. Estabelecido o nível adequado de prevenção, não mais haverá sentido em expandir o valor da sanção, sob pena de extravasar a causa preventiva e ingressar na órbita de um castigo sem propósito.

Dessa maneira, a adequação preventiva deve se aliar à lógica da proporcionalidade, com o intuito de equilibrar a ordem de retribuição manejada, para que não se cause sanção demasiadamente curta, nem se provoque mal maior do que o ilícito em combate. Por meio do critério da adequação preventiva, juntamente com a razão da proporcionalidade, tem-se, portanto, uma causa geral de liquidação que supera a pontuação de uma lista de critérios em espécie, haja vista sua maior abrangência.

Não se está aqui a defender a inaplicabilidade de critérios mais específicos, tais como a reprovabilidade da conduta do réu, o seu porte econômico, a reincidência, dentre vários outros possíveis; essas especificidades podem ser analisadas no momento da aplicação da sanção punitiva.

Ocorre que é no caso concreto que os critérios específicos surgirão, sempre como diretos consectários da ordem maior de adequação preventiva. Por esse motivo eventual tentativa de escalonar todos os critérios imagináveis para calcular o valor da sanção correria sério risco de se mostrar incompleta e desarrazoada. Em cada caso, por conseguinte, é que a adequação preventiva, por meio da lógica de proporcionalidade, ganhará contornos claros.

Em raciocínio simétrico, é preciso afirmar que qualquer critério específico que destoe de causalidade com a razão de prevenir não deverá ser adotado como influente no cálculo da indenização punitiva. Assim, ressalta-se a importância em separar as instâncias das sanções de restituição por enriquecimento sem causa e indenização reparatória da causa de adequação preventiva, pois somente esta deve reger a indenização punitiva.

Tudo isso coloca em evidência a excepcionalidade de aplicação da indenização punitiva, que somente encontra espaço em não sendo possível às demais ferramentas sancionatórias provocarem suficiente efeito dissuasivo.

IV. CONSIDERAÇÕES FINAIS

De maneira preambular, traçaram-se novos rumos a serem maturados no que toca à ideia de indenização punitiva, o que foi feito com o intuito de despertar a atenção para o assunto e proporcionar o desenvolvimento da matéria.

Salienta-se que esta proposta assumiu teor teórico introdutório de cunho abstrato e, em cada ordenamento jurídico, deverá encontrar específica conformidade e juridicidade. Nesse contexto, vários aspectos ganham destaque, tal qual o exame sobre a compatibilidade sistêmica e acerca da necessidade de prévia cominação legal como pressuposto de aplicação da indenização punitiva.

No entanto, para além de peculiaridades de ordenamentos jurídicos específicos, é relevante que seja desenvolvido um raciocínio base com maior grau de generalidade apto a envolver a ferramenta sancionatória em sua finalidade precípua, concatenando, entre causa e efeito, um mecanismo otimizado de tutela civil preventiva.

Nesse seguimento, compreendendo a teleologia máxima do Direito como voltada à pacificação e harmonização social, remata-se, em suma, com os seguintes pensamentos:

i) a indenização punitiva deve ter a prevenção como premissa, tanto no que envolve sua hipótese de incidência, quanto na forma de sua consequente liquidação;

ii) a indenização punitiva deve ser concatenada sob o viés preventivo com outras sanções civis e não civis, com destaque para a reparação, restituição de enriquecimento sem causa, obrigação de fazer e eventuais multas aplicadas;

iii) o efeito dissuasório causado na subjetividade do ofensor por sanções de essência não punitiva interfere na existência e liquidação da indenização punitiva;

vi) a análise econômica do ilícito é relevante para calcular os custos e benefícios dele decorrentes e elucidar o grau ideal de dissuasão necessário, a partir da noção de estado de neutralidade.

8. VALORACIÓN Y CUANTIFICACIÓN DEL DAÑO MORAL EN EL DERECHO ARGENTINO

Leonardo Marcellino

*Profesor Facultad de Derecho y Ciencias Sociales de la
Universidad Nacional de Córdoba, Argentina*

SUMARIO: I. INTRODUCCIÓN. II. VALORACIÓN DEL DAÑO MORAL. III. CUANTIFICACIÓN DEL DAÑO EXTRAPATRIMONIAL. IV. TEORÍA DE LAS SATISFACCIONES SUSTITUTIVAS Y COMPENSATORIAS. V. CONCLUSIÓN. VI. BIBLIOGRAFIA.

RESUMEN

En la presente comunicación se exponen una distinción conceptual entre dos operaciones vinculadas al daño moral como es su valoración y cuantificación. También se explican brevemente los sistemas de cuantificación del daño extra patrimonial que han sido utilizados en la Argentina en los últimos años, los cuales se muestran como insuficientes en la actualidad para lograr una justificación razonable suficiente de la decisión del Tribunal y la nueva propuesta superadora que en este sentido plantea el Código Civil y Comercial con la llamada teoría de las satisfacciones sustitutivas y compensatorias.

PALABRAS CLAVE

Daño Moral- Valoración - Cuantificación

ABSTRACT

In the present communication, a conceptual distinction is exposed between two operations linked to moral damage, such as its assessment
and quantification. It also briefly explains the systems of quantification
of the extra-patrimonial damage that have been used in Argentina in
recent years, which are currently insufficient to achieve a reasonable
justification for the Court's decision and the new proposal to overcome
it. in this sense it raises the Civil and Commercial Code with the so-called theory of substitute and compensatory satisfactions.

KEYWORDS

Moral Damage - Valuation - Quantification

I. INTRODUCCIÓN

Felizmente en la actualidad, se encuentra fuera de toda discusión que
el derecho a la reparación de la víctima comprende junto al daño patrimonial, de otro rubro indemnizatorio independiente que es el llamado
"daño moral o extrapatrimonial".

Cuando un individuo es perjudicado en su faz patrimonial, el Derecho
procura reponerlo a la situación más próxima anterior al evento dañoso
(art. 1740 C.C.C.N.) mediante una reparación que procura compensar
o recomponer su patrimonio mediante la reposición del bien afectado o
de su respectivo valor económico.

Mientras que cuando lo afectado negativamente trasciende dicha faz material por encontrarse comprometido la parte más importante del sujeto como es su aspecto anímico, sus valores, su tranquilidad y otros aspectos internos de él que se enmarcan dentro del concepto amplio de *"su espiritualidad"*, entonces la única respuesta posible de Derecho a esa afectación, congruente con la naturaleza del bien atacado, es una reparación de compensación satisfactoria[1].

Es que la indemnización resarcitoria no procura hacer desaparecer el menoscabo espiritual, ni pretende lograr que el damnificado pueda ser emplazado a una situación previa al evento dañoso, sino que simplemente persigue otorgar una satisfacción o goce o placer en la faz anímica del damnificado que guarde una razonabilidad y proporcionalidad con el padecimiento experimentado. *"Se trata de satisfacer a la víctima más que de compensarla en términos de equivalencia"*[2].

Explicaban los hermanos Mazeaud que ciertamente si se afirma que *"reparar"* significa *"volver las cosas al estado que se encontraban"*, *"hacer desaparecer el perjuicio"*, *"reemplazar lo que ha desaparecido"*, nos veremos precisados a renunciar a la posibilidad de reparación respecto de la mayor parte de los perjuicios morales. Ahora bien, si: *"Reparar un perjuicio no es sólo rehacer lo que se ha destruido, obra con frecuencia imposible de realizar, sino también suministrar la posibilidad de procurarse satisfacciones equivalentes a lo que se ha perdido,*

---

1   PIZARRO, Ramón D. y VALLESPINOS, Carlos G., "Compendio de Derecho de Daños", Ed. Hammurabi, Bs. As., 2014, pág.220. En tal sentido el Tribunal Supremo español ha dicho en Sentencia del 7 de febrero de 1962 que: *"el dinero no puede aquí cumplir su función de equivalencia como en materia de reparación de daño material, la víctima del perjuicio moral padece dolores, y la reparación sirve para establecer el equilibrio roto, pudiendo gracias al dinero, según sus gustos y temperamento, procurarse sensaciones agradables, o más bien revistiendo la reparación acordada al lesionado, la forma de una reparación satisfactoria puesta a cargo del responsable del perjuicio moral, en vez del equivalente del sufrimiento moral"*.

2   PIZARRO, Ramón D., "Daño moral. Prevención. Reparación. Punición", Ed. Hammurabi, Bs. As., 2000, pág.385.

que ella es libre de buscar donde le plazca. El verdadero papel de la indemnización es un papel satisfactorio"[3].

II. VALORACIÓN DEL DAÑO MORAL

Corroborada la repercusión efectiva de un detrimento en la faz espiritual del damnificado, generalmente por vía presuncional, se sigue la necesidad de efectuar una tarea, primero de valoración y luego de cuantificación de la misma.

Aunque guarden estrecha conexión, la cuantificación indemnizatoria debe cuidadosamente ser distinguida de la valuación cualitativa del daño mismo a indemnizar, que constituye su antecedente y presupuesto[4].

"Valorar el daño es determinar su entidad cualitativa, o, lo que es igual, establecer su contenido intrínseco o composición material y las posibles oscilaciones de agravación o de disminución, pasadas o futuras, y supone, en el caso del daño moral, indagar sobre la índole del interés espiritual lesionado y sobre las proyecciones disvaliosas en la subjetividad del damnificado que derivan de dicha minoración"[5].

En tanto que la cuantificación constituye la tarea final que debe realizarse luego de haberse constatado la existencia y medido cualitativamente la magnitud del padecimiento espiritual, y consiste en traducir el mismo en un determinado importe dinerario a favor del damnificado.

---

3   MAZEAUD Henri y León, "Elementos de la Responsabilidad Civil. Perjuicio, culpa y relación de causalidad", Ed. Ediciones Jurídicas de Santiago, Santiago de Chile, 2013, pág.71.

4   ZAVALA DE GONZÁLEZ, Matilde, "La responsabilidad civil en el nuevo Código", T. II, Ed. Alveroni, Córdoba, pág.702.

5   PIZARRO, Ramón D., "La cuantificación de la indemnización del daño moral en el Código Civil", Revista de Derecho de Daños, Rubinzal Culzoni, Santa Fe, 2001, n°1, pág.338.

Aún si desde un punto de vista teórico ambas operaciones parecen claramente diferenciables, en la práctica judicial habitualmente son confundidas y en no pocos casos la actividad valorativa de los daños no es explicitada por los tribunales en sus resoluciones judiciales o se explicitan fórmulas generales de elementos que deben considerarse para la valoración del daño al sólo efecto enunciativo, porque luego no son considerados, dando lugar a una fundamentación meramente aparente.

III. CUANTIFICACIÓN DEL DAÑO EXTRAPATRIMONIAL

La cuantificación se dijo era la operación a realizarse luego de la constatación sobre de la existencia del menoscabo espiritual y de haberse efectuado su correspondiente graduación de entidad cualitativa o valoración, por la cual se define en un determinado importe dinerario o *quantum* a favor del damnificado la indemnización que le corresponde como rubro indemnizatorio por este concepto.

Zavala de González afirmaba que el interrogante: ¿cuánto por daño moral? En el Derecho de Daños significa la pregunta del millón, y una pregunta por y para millones: damnificados, responsables, empresarios, aseguradores, operadores de justicia y todos los miembros de la sociedad, en tanto víctimas potenciales de injustos desmedros espirituales[6].
Dos han sido esencialmente las propuestas que se han formulado en el Derecho argentino en torno a brindar una respuesta teóricas al problema de la cuantificación del daño extrapatrimonial y que han tenido aceptación en la jurisprudencia del país: la libre discrecionalidad del juez y la tarifación judicial indicativa.

---

6   ZAVALA DE GONZÁLEZ, Matilde, "Los daños morales mínimos", LL 2004-E, 1311.

La doctrina de la libre discrecionalidad determina que cada tribunal en cada caso sometido a su decisión se encuentra facultado legalmente para establecer discrecionalmente con libertad el importe resarcitorio del menoscabo no patrimonial que considere adecuado *"justo conforme a su leal saber y entender"*.

"La sensibilidad personal del magistrado y su particular sentido de justicia, en función de las circunstancias del caso concreto, resultarían, de tal modo, suficientes para determinar la procedencia del daño moral y su forma de reparación"[7].

Se cree que una decisión jurisdiccional que encuentra su único fundamento en la subjetividad del juez, importa una decisión con una muy débil o nula justificación. Aun cuando la suma indemnizatoria otorgada pueda aparecer acorde o no con el menoscabo sufrido por el justiciable damnificado, el hecho de estar emplazado en el ámbito individual, subjetivo y privativo del sentimiento de justicia del juez para el caso, imposibilita al justiciable toda opción de análisis, discusión y objeción sobre la corrección de la misma.

"Del hecho que no pueda concederse una reparación exacta, no cabe concluir en que no deba concederse ninguna, pero tampoco que pueda otorgarse cualquiera"[8]. Además, como señala Pizarro, la seguridad jurídica se agrieta cuando en casos similares se otorgan indemnizaciones dispares, fruto del criterio disímil de los Tribunales[9].

---

7   PIZARRO, Ramón D., "Daño moral. Prevención. Reparación. Punición", ob. cit., pág.280.

8   ZAVALA DE GONZÁLEZ, Matilde, "Cuánto por daño moral", LL 1998-E, 1057.

9   PIZARRO, Ramón D., "Valoración y cuantificación del daño moral", LLC 2006-893.

La otra teoría de cuantificación de este rubro que fuera propuesta inicialmente en nuestro país por Jorge Peyrano[10], es la llamada *"tarifación judicial indicativa"*, la cual plantea la necesidad de atender a estos fines a los precedentes jurisprudenciales de cuantificación de daño moral que para casos similares han sido emitidos por los tribunales de una determinada jurisdicción.

Este método se basa en la comparación del caso a decidir con otros casos similares dentro de un determinado territorio y tiene como finalidad esencial impedir el otorgamiento de indemnizaciones diferentes para casos de daños espirituales semejantes, salvo que exista razones suficientemente fundadas para ello.

Este mecanismo de cálculo fue propuesto como un modelo superador al basado en la *"libre discrecionalidad del juez"*, pero a pesar de ello el mismo no se encuentra exento de diversos problemas en cuanto a su aplicación entre ellos puede mencionarse la dificultad de su uso en contextos de inflación económica devaluatoria de la moneda local como lamentablemente en la actualidad padece la Argentina.

Esto es así porque la misma puede llevar a que se adopten indemnizaciones pasadas dictadas por otros Tribunales, sin considerar el proceso inflacionario acaecido durante el tiempo transcurrido en que se dictaron dichas resoluciones hasta el presente caso y un dato esencial: la pérdida de poder adquisitivo del dinero produce correlativamente una pérdida en su capacidad de producir satisfacción a las respectivas víctimas.

---

10   PEYRANO, Jorge W., "De la tarifación judicial iuris tantum del daño moral". JA 1993-I, 877.

IV. TEORÍA DE LAS SATISFACCIONES SUSTITUTIVAS Y COMPENSATORIAS

El reciente Código Civil y Comercial de la Nación con vigencia desde el pasado 2015, reguló en su art. 1741 titulado *"Indemnización de las consecuencias no patrimoniales"*, en su parte final, luego de regular la legitimación activa y la transmisibilidad de la acción resarcitoria, que: *"El monto de la indemnización debe fijarse ponderando las satisfacciones sustitutivas y compensatorias que pueden procurar las sumas reconocidas"*.

El párrafo resulta una novedad, ya que no estaba contemplado en el Código Civil anterior, y tiene la importancia de transparentar la función que cumple la indemnización que se otorga por daños no patrimoniales y que consiste sencillamente en el otorgamiento de una satisfacción placentera o mitigadora al damnificado, mediante los eventuales bienes que éste puede obtener y servicios que se puede procurar con dicha indemnización[11], esto es la adhesión legal a la conocida como *"Teoría de los placeres compensatorios"* o en la denominación que utiliza la legislación civil y comercial *"Teoría de las satisfacciones sustitutivas y compensatorias"*.

Dicha teoría, también llamada *"El precio del consuelo"*, fue introducida en el derecho argentino por Héctor P. Iribarne, quien afirma que *"el pretium consolationis"* procura *"la mitigación del dolor de la víctima a través de bienes deleitables que conjugan la tristeza, la desazón o las penurias"*[12].

---

11   Dicha finalidad de satisfacción que puede producir la indemnización por daño moral fue aceptada hace bastante tiempo en nuestro derecho, entre otros por: BORDA, Guillermo A., "La vida humana ¿Tiene por sí sola un valor económico resarcible?", ED 114-849; IRIBARNE, Héctor P., "Ética, derecho y reparación del daño moral", ED 112-280; CIFUENTES, Santos, "Naturaleza jurídica del daño moral y derivaciones de su concepción", en "Estudios en homenaje al Dr. Guillermo A. Borda", Ed. La Ley, Bs. As., 1985, pág.84 y ss. ORGAZ, Alfredo, "El daño resarcible (Actos ilícitos)", Ed. Depalma, Bs. As., 1967, pág.187

12   IRIBARNE, Héctor P., "De los daños a la persona", Ed. Ediar, Bs. As., 1993, 143. "La cuantificación del daño moral", Revista de Derecho de Daños, Ed. Rubinzal Culzoni, Santa Fe, 1999, n°6, pág.197.

La única reparación posible del dolor es mitigar los padecimientos -que no es suprimirlos- a través del consuelo[13]. Aceptando esta teoría como criterio válido para la cuantificación del daño moral expresa Mosset Iturraspe que *"No se trata de borrar el dolor con el placer. Ni de compensar sufrimientos con gozos. Pero la víctima o sus familiares, a través del empleo del capital recibido, podrían, razonablemente, superar una escasez, una limitación, una falta de bienes o servicios y ello contribuye a dar calidad a la vida"[14].*

Esta teoría proclama que: *"Al establecer el monto indemnizatorio no se apunta a fijar el "pretium doloris", que importaría la pretensión de sustituir el padecer del alma por su precio en dinero, intento vano porque la distinta naturaleza de ellos los hace inequivalentes. Se busca en cambio dar al damnificado medios para paliar los efectos del dolor; dotarlo, en fin, de capacidad económica para acceder a algún deleite que mitigue la tristeza, como una suerte de precio sí, más de "pretium consolationis", ... Es que, si "la delectación es un remedio para mitigar toda tristeza, cualquiera sea su procedencia" y tal delectación tiene por causa las actividades connaturales no impedidas (Santo Tomás de Aquino, "Suma teológica", I-II-38-1, ed. B.A.C. 1954, IV- 386 y 887), hemos de referirnos al precio de los bienes que permiten desarrollarlas"[15]*

La teoría de las satisfacciones sustitutivas y compensatorias procura dar una respuesta jurídica de la razón por la cual el Derecho indemniza, es decir otorga una suma de dinero por un padecimiento espiritual que es imposible de medir económicamente.

---

13   IRIBARNE, Héctor P., "De la conceptuación del daño moral como lesión a derechos extrapatrimoniales de la víctima a la mitigación de sus penurias concretas en el ámbito de la responsabilidad civil", en "Responsabilidad civil. Homenaje al profesor doctor Isidoro H. Goldenberg", Ed. Abeledo-Perrot, Bs. As., 1995, pág.377 y ss.

14   MOSSET ITURRASPE, Jorge, "Diez reglas sobre cuantificación del daño moral", LL 1994-A-728.

15   CApel. de Trelew, sala A, "G. Daniel Armando y otra c. T. Gustavo y otro", 18/3/09, Publicado en: LL Online, Cita online: AR/JUR/4050/2009.

Dicha respuesta es que el dinero no es la finalidad última perseguida mediante dicha indemnización, sino que es el medio o el instrumento del cual se vale el Derecho para procurarle a la víctima una satisfacción o goce que sea susceptible o idóneo para producirle un consuelo o mitigar el padecimiento espiritual experimentado.

Como no es factible establecer una ecuación entre dolor e indemnización, debe introducirse un tercer término: el consuelo, la proporción entre éste y la aflicción sufrida puede ser concebida[16]. En tanto, el valor de los bienes escogidos a ese fin permitirá establecer el *quantum* de la indemnización según un criterio de razonabilidad.

En otras palabras, puede decirse que, si bien no es posible medir en términos económicos el padecimiento de contenido no patrimonial de una persona, pero sí es posible establecer un valor económico del placer que puede acordársele, teniendo en cuenta la valuación de mercado que tienen los bienes y servicios que puede procurarse el damnificado a partir de una determinad suma de dinero y así establecer una proporcionalidad entre el importe en cuestión y el goce que el mismo puede producir[17].

---

16 IRIBARNE, Héctor P., "De la conceptuación del daño moral como lesión a derechos extrapatrimoniales de la víctima a la mitigación de sus penurias concretas en el ámbito de la responsabilidad civil", ob. cit., pág.377 y ss. Igualmente se ha sostenido en el derecho español que: *"En nuestro ordenamiento jurídico, el pago de una suma de dinero a quien ha experimentado un daño extrapatrimonial cumple una función de satisfacción por el perjuicio sufrido, como puede ser la lesión de sus sentimientos, su tranquilidad, su salud, etc. En ningún momento se está comerciando con dichos bienes extrapatrimoniales, ni con la entrega de tal cantidad dineraria se atenúa o desaparece la aflicción o daño moral sufrido, sino que su finalidad última es la satisfacción por la lesión sufrida"*, BUSTO LAGO, José M., "La antijuridicidad del daño resarcible en la responsabilidad civil extracontractual", Tesis Doctoral, Universidad de la Coruña, págs.103/104.

17 Afirman los hermanos Mazeaud:" *...cuando nos preguntamos, por ejemplo, cuánto vale el dolor causado a un padre por la muerte de su hijo, nos sentimos inclinados a responder: ese dolor no tiene precio. Pero nos ciega entonces el mismo error. Cuando respondemos: no tiene precio, simplemente queremos afirmar que el dinero no puede borrar semejante dolor. Pero no es ese el problema. Es preciso averiguar qué suma se requiere para procurar satisfacciones de*

Lo que se propone en definitiva es que frente a un padecimiento espiritual se acuerde a la víctima una *"suma de dinero equivalente para utilizarla y afectarla a actividades, quehaceres o tareas que proporcionen gozo, satisfacciones, distracciones, esparcimiento que mitiguen el padecimiento extrapatrimonial. Por ejemplo, salir de vacaciones, practicar un deporte, concurrir a espectáculos o eventos artísticos, culturales o deportivos, escuchar música, acceder a la lectura, etc. El dinero actúa como vía instrumental para adquirir bienes que cumplan esa función: electrodomésticos, artefactos electrónicos (un equipo de música, un televisor de plasma, un automóvil, una lancha, etc.), servicios informáticos y acceso a los bienes de las nuevas tecnologías (desde un celular de última generación a un libro digital). Siempre atendiendo a la "mismidad" de la víctima y a la reparación íntegra del daño sufrido"*[18].

Esta teoría denota que son en vano los continuos esfuerzos de indagar acerca del cuánto por daño moral, procurando responder a dicho interrogante en términos de valores o mediciones económicas, cuando precisamente lo que caracteriza a estos intereses lesionados es su inconmensurabilidad, y por eso con razón Pizarro[19] afirma la inexistencia de un mercado de valores espirituales.

Así insisto, pierde sentido continuar preguntándose por: ¿cómo cuantificar en dinero un menoscabo que es esencialmente no susceptible de valuación económica? y, en cambio, se precisa ahora formular un nuevo interrogante: ¿En cuánto medimos el nivel de satisfacción que a una persona le puede producir una indemnización a partir de los bienes y servicios que con esas sumas se pueden adquirir y que sí se pueden valuar económicamente?

---

orden moral capaces de reemplazar en el patrimonio moral el valor que ha desaparecido. Y no existe imposibilidad alguna de lograrlo". MAZEAUD Henri y León, "Elementos de la responsabilidad civil. Perjuicio, culpa y relación de causalidad", ob. cit., pág.73.

18   GALDÓS, Jorge Mario, "El daño moral (como "precio del consuelo") y la Corte Nacional," RCyS2011-VIII, 176.

19   PIZARRO, Ramón D., "Daño moral. Prevención. Reparación. Punición", ob. cit., pág.385.

La pregunta cuánto se traslada del daño extrapatrimonial al placer de satisfacción. Como expresa González Zavala: *"El daño moral no se cuantifica, se cuantifica la satisfacción"*[20].

Esta teoría denota también otra característica diferencial entre la valoración y cuantificación del daño, ya que la primera operación recae esencialmente sobre el daño moral resarcible, en tanto que la cuantificación sin perder de vista el daño, pero se concentra en la satisfacción.

Esta tesis conduce a la indagación de los *"bienes o servicios sustitutos"* del menoscabo espiritual, que podrían adquirirse o gozarse con la indemnización, lo que importa un cuestionamiento sobre el poder adquisitivo del monto indemnizatorio a otorgar. Menciona Zavala de González[21] que, aunque no lo sepa ni lo quiera, todo magistrado se pregunta por la equivalencia aproximada entre la indemnización por daño moral y otros bienes de mercado: qué puede obtener o adquirir la víctima con el monto acordado. Al fijar la indemnización, un juez tiene en mente (y debe tener) cuánto vale una casa, un auto o un viaje.

Dicha operación por los propios postulados de la teoría en cuestión no puede quedar reservados en el ámbito subjetivo y privado del juez. *"La técnica implica, necesariamente, que el demandante explicite cuáles son los bienes que persigue adquirir con el monto requerido y porqué pueden recomponer el disvalor espiritual, y probar su valor. De la misma manera el juzgador deberá indicar los bienes, fijar su valor de acuerdo a la prueba aportada e indicar qué placeres pueden otorgarle al damnificado, que compensen los perjuicios"*[22].

---

20   GONZÁLEZ ZAVALA, Rodolfo M., "Satisfacciones sustitutivas y compensatorias", RCCyC 2016 (noviembre), 17/11/2016, p.38.

21   ZAVALA DE GONZÁLEZ, Matilde, "Cuánto por daño moral", LL 1998-E, 1057.

22   MÁRQUEZ, José F., "La reparación del daño extrapatrimonial a través de placeres compensatorios o sustitutivos. Una vía para encontrar patrones comunes", RCyS2016-VI, tapa.

El art. 1741 in fine C.C.C.N. obliga al juzgador para que una vez finalizada la operación valorativa del daño e ingrese en la etapa cuantitativa, deba individualizar y valuar económicamente los bienes y servicios que puede adquirir la víctima con determinada suma de dinero que reconoce otorgarle como consuelo o mitigador del perjuicio y dicha identificación de bienes y valuación debe estar expresamente consignado en la resolución para su debida fundamentación[23].

---

23   Un ejemplo de ello puede leerse en la siguiente resolución: *"En este sentido, entiende este Tribunal que la suma que en definitiva va a recibir la actora, tomando en cuenta el valor liquidado a fecha 19/4/10 y sus intereses –los cuales, entre las funciones que cumplen se encuentra la indirecta de actualizar valores– resulta razonable frente a la gravedad del daño que pretende compensar. Es que la suma aproximada de $70.000 le implica a la actora la posibilidad adquirir bienes que le permitirán una moderada mejoría en su nivel de vida, que le ayude a paliar la desmejoría padecida en el aspecto espiritual. Así, por ejemplo, le permitirían adquirir un Smart TV de jerarquía (un Smart TV OLED LG 55´´ full HD cuesta $39.999 conf. https://www.garbarino.com/productos/tv-led-y-smart-tv/4274?gclid=Cj0KEQjw8pC9BRCqrq37zZil4a0BEiQAZO_zrMNeJV1CLPhs6S0BV5osggtHoaJ6WWZoCoshVj boU8aAt_b8P8HAQ, y uno de igual marca 60´´ SMART TV 60uf8500 se consigue al mismo precio vía online conf.http://www.musimundo.com/catalogo/1570~audiotvvideo/1589~televisores/1992~smar ttv/Lis tado?gclid=Cj0KEQjw8p-C9BRCqrq37zZil4a0BEiQAZO_zrLrvUAoqQy3WF1ZkXyXdRUunspl-ulmML9Q gvQaAtDt8P8HAQ) conservando todavía un saldo para adquirir otros bienes tales como 2 ipad air (conf. https:/ /www.ipoint.com.ar/producto/ipad-air-2-16-gb-gris-mgl12le-a-space-gray/87586b9fb9 un iPad Air 2 16 Gb Gris MGL12LE / A SPACE GRAY cuesta $14.999) o una buena computadora portátil (conf. http://m.cordobavende.com/productos/subcategoria3/2545/apple-mac-book-pro una macbook pro mgx 82 nuevo en córdoba cuesta $32.000) o una gran cantidad de salidas a comer o excursiones en familia (conf. los precios que surgen por ejemplo de http://www.argentina4u.com/en/tours-cordoba.html). Siendo que la actora invoca encontrarse en silla de ruedas, también podría permitirle adquirir una silla de ruedas de aluminio Modelo Deportivo cuyo costo es de $14.900 (conf.http://fabricaarticulosortopedicos.com/sdraluminio.Html) o un sillón de acero reclinable Neumático de $8.900 final (http://fabricaarticulosortopedicos.com/sdracer o.html), conservando un amplio margen para otros destinos".* (Cám. 8a Civ. Y Com. de Córdoba, "Sánchez, Alcira Estela c/ Rivera Vargas, Genaro y otro - Ordinario - Daños y Perj.- Accidentes de Tránsito – Expte. N° 1936112/36", 10/11/2016). MARCELLINO, Leonardo, "Valoración, cuantificación y satisfacción en el daño moral en la jurisprudencia cordobesa", en "Cuantificación del daño. Región Córdoba", Dir. Martín Juárez Ferrer, Ed. La Ley, Bs. As., 2017, pág.266 y ss.

V. CONCLUSIÓN

La reparación del daño moral reconoce que la verdadera finalidad resarcitoria de la indemnización por padecimientos espirituales consiste en brindar una satisfacción sustitutiva o compensatoria que mitigue al damnificado.

En base a lo mencionado puede afirmarse que el nuevo desafío que plantea la reparación del daño moral o espiritual, ya no es su procedencia, sino el asegurarse la debida fundamentación de las decisiones judiciales por este rubro particularmente en sus operaciones de valoración y cuantificación.

Desde este punto de vista, ahora constituye un mandamiento legal que dicho importe indemnizatorio en el que se cuantifique cumpla su verdadera finalidad de servir a una verdadera reparación de satisfacción para la víctima, lo que significa rechazar sumas ínfimas o insuficientes o que no aseguren una adecuada proporcionalidad y razonabilidad de las operaciones de valoración del daño y de cuantificación de la respectiva indemnización entre sí, y a su vez de éstas con la justicia que impone su correspondencia con la realidad.

VI. BIBLIOGRAFÍA

BORDA, Guillermo A., "La vida humana ¿Tiene por sí sola un valor económico resarcible?", ED 114-849.

BUSTO LAGO, José M., "La antijuridicidad del daño resarcible en la responsabilidad civil extracontractual", Tesis Doctoral, Universidad de la Coruña.

CIFUENTES, Santos, "Naturaleza jurídica del daño moral y derivaciones de su concepción", en "Estudios en homenaje al Dr. Guillermo A. Borda", Ed. La Ley, Bs. As., 1985.

GALDÓS, Jorge Mario, "El daño moral (como "precio del consuelo") y la Corte Nacional," RCyS2011-VIII, 176.

GONZÁLEZ ZAVALA, Rodolfo M., "Satisfacciones sustitutivas y compensatorias", RCCyC 2016 (noviembre), 17/11/2016.

IRIBARNE, Héctor P., "Ética, derecho y reparación del daño moral", ED 112-280.

IRIBARNE, Héctor P., "De la conceptuación del daño moral como lesión a derechos extrapatrimoniales de la víctima a la mitigación de sus penurias concretas en el ámbito de la responsabilidad civil", en "Responsabilidad civil. Homenaje al profesor doctor Isidoro H. Goldenberg", Ed. Abeledo-Perrot, Bs. As., 1995.

MARCELLINO, Leonardo, "Valoración, cuantificación y satisfacción en el daño moral en la jurisprudencia cordobesa", en "Cuantificación del daño. Región Córdoba", Dir. Martín Juárez Ferrer, Ed. La Ley, Bs. As., 2017.

MÁRQUEZ, José F., "La reparación del daño extrapatrimonial a través de placeres compensatorios o sustitutivos. Una vía para encontrar patrones comunes", RCyS2016-VI, tapa.

MAZEAUD Henri y León, "Elementos de la Responsabilidad Civil. Perjuicio, culpa y relación de causalidad", Ed. Ediciones Jurídicas de Santiago, Santiago de Chile, 2013.

MOSSET ITURRASPE, Jorge, "Diez reglas sobre cuantificación del daño moral", LL 1994-A-728.

ORGAZ, Alfredo, "El daño resarcible (Actos ilícitos)", Ed. Depalma, Bs. As., 1967, p.187.

PEYRANO, Jorge W., "De la tarifación judicial iuris tantum del daño moral". JA 1993-I, 877.

PIZARRO, Ramón D., "Daño moral. Prevención. Reparación. Punición", Ed. Hammurabi, Bs. As., 2000.

PIZARRO, Ramón D., "La cuantificación de la indemnización del daño moral en el Código Civil", Revista de Derecho de Daños, Rubinzal Culzoni, Santa Fe, 2001.

PIZARRO, Ramón D., "Valoración y cuantificación del daño moral", LLC 2006-893.

PIZARRO, Ramón D. y VALLESPINOS, Carlos G., "Compendio de Derecho de Daños", Ed. Hammurabi, Bs. As., 2014.

ZAVALA DE GONZÁLEZ, Matilde, "Cuánto por daño moral", LL 1998-E, 1057.

ZAVALA DE GONZÁLEZ, Matilde, "Los daños morales mínimos", LL 2004-E, 1311.

ZAVALA DE GONZÁLEZ, Matilde, "La responsabilidad civil en el nuevo Código", T. II, Ed. Alveroni, Córdoba.

9. RESPONSABILIDAD CIVIL EN EL PROCESO PENAL PERUANO

Hellen Luz María Miranda Ruiz[1]

Estudiante de Derecho de la Universidad Nacional de San Agustín de Arequipa.

SUMARIO: I. INTRODUCCIÓN. II. NATURALEZA JURÍDICA. III. EXTENSIÓN DE LA REPARACIÓN CIVIL. IV. DETERMINACIÓN DEL MONTO DE LA REPARACIÓN CIVIL. 1. Valoración del daño material o patrimonial. 2. Valoración del daño moral o extrapatrimonial. V. CONCLUSIONES

RESUMEN

El presente trabajo contiene una investigación sobre la responsabilidad civil en el proceso penal peruano a fin de conocer los puntos más importantes y debatibles acerca de la reparación civil dentro del Derecho Penal, en ese sentido el primer punto que se trata en el trabajo es sobre la naturaleza jurídica de la reparacion civil en el proceso penal, ya que en la doctrina peruana existen varias posiciones y para tratar el tema de responsabilidad civil es importante tomar una posición sobre ese as-

1   Estudiante del Quinto año de la Facultad de Derecho de la Universidad Nacional de San Agustín de Arequipa, Perú. Realizó intercambio académico por un cuatrimestre en la Universidad Nacional de Río Cuarto, provincia de Córdoba, Argentina. Miembro de la Comisión Organizadora de la Segunda Jornada Preparatoria del Congreso Nacional de Derecho Penal y Criminología, realizado en Arequipa el 20, 21 y 22 de junio del 2019. Actual practicante voluntaria del Ministerio Público del distrito fiscal de Arequipa, Perú.

pecto, asimismo se aborda la extensión de la reparación civil en base al artículo 93° del Código Penal peruano y el tema de la determinación del monto de la reparacion civil en un plano patrimonial y extrapatrimonial, que creo yo es el más difícil de dilucidar, finalmente planteo mis conclusiones.

PALABRAS CLAVE

Responsabilidad civil, reparación civil, proceso penal, naturaleza jurídica, extensión, determinación, patrimonial, extrapatrimonial.

ABSTRACT

The present work contains an investigation on the civil responsibility in the Peruvian criminal process in order to know the most important and debatable points about the civil repair within the Criminal Law, in that sense the first point that is dealt with in the work is about the legal nature of civil reparation in the criminal process, since in the Peruvian doctrine there are several positions and to deal with the issue of civil liability it is important to take a position on that aspect, also addressing the extension of civil compensation based on the article 93 ° of the Peruvian Penal Code and the issue of determining the amount of civil reparation in a patrimonial and extra-patrimonial plane, which I think is the most difficult to elucidate, finally I propose my conclusions.

KEYWORDS

Civil liability, civil reparation, criminal process, legal nature, extension, determination, patrimonial, extrapatrimonial.

I. INTRODUCCIÓN

La responsabilidad civil en el Perú es un tema bastante controvertido y estoy segura que no solo en el Perú sino en todos los países Iberoamericanos, el presente trabajo se enfoca en la responsabilidad civil dentro del proceso penal peruano, puesto que hay muchas cuestiones debatibles desde el momento en que por cuestiones procesales se acumularon dos procesos de naturalezas distintas, el civil y el penal, en ese sentido se pretende unificar en un solo proceso la dilucidación de ambas pretensiones, por ser el caso que la responsabilidad civil deviene de un hecho que en primer momento es delictivo y que posteriormente en el proceso puede sobreseerse, absolverse o condenarse, pero más allá de un resultado penal, el Juez de Juzgamiento tendrá que pronunciarse por la reparación civil, el fin de esta investigación es dar a conocer los aspectos de la reparación civil y asimismo plantear los principales problemas que afronta la responsabilidad civil en el proceso penal, para ello se ha tomado la opinión de distintos autores peruanos.

Este artículo se estructura en tres puntos básicos, el primero referido a la naturaleza jurídica de la reparación civil, puesto que en la doctrina peruana se han evidenciado tres posiciones bien marcadas, el segundo punto se basa en la extensión de la reparacion civil y cuáles son los elementos que comprende, que a pesar de encontrarse tipificados en el Código Penal no ofrecen un contenido claro, el tercer punto y más importante desde mi punto de vista es el dirigido a la determinación del monto de la reparación civil, dividido en dos aspectos, el patrimonial y el extrapatrimonial, así se plantean delitos que generan problemas en cuanto a la valoración del bien jurídico dañado.

Finalmente he arribado a algunas conclusiones que probablemente importantes para sanear el tema de la responsabilidad civil en el proceso penal de mi país, en relación a los problemas plasmados a lo largo de esta investigación.

Con el Código de Procedimientos Penales peruano de 1940 y el Decreto Legislativo N° 124 sobre el trámite de procesos sumarísimos, se suscitaba un gran problema para que la "parte civil[2]" solicite y demuestre su reparación civil por el delito en su agravio. El problema era que esta parte civil no motivaba y no probaba los alcances de su reparación civil, en consecuencia no la obtenía o en el mejor de los casos obtenía la reparación civil que al juez o al fiscal se le antojaba. Entonces como no satisfacía su pretensión por la vía penal, se dirigía al proceso civil donde solicitaba mayor reparación civil, generando así un mayor problema.

Con el Nuevo Código Procesal Penal peruano del 2004 ya no se le denomina parte civil, sino que se opta por el término de "actor civil[3, 4]",

---

2   Artículo 54 del Código de Procedimientos Penales de 1940, Legitimidad para constituirse en parte civil: El agraviado, sus ascendientes o descendientes, su cónyuge, sus parientes colaterales y afines dentro del segundo grado; sus padres o hijos adoptivos o su tutor o curador pueden constituirse en parte civil. La persona que no ejerza por sí sus derechos, será representada por sus personeros legales.

3   El actor civil según señala el Nuevo Código Procesal Penal en su artículo 98°, refiere: La acción reparatoria en el proceso penal sólo podrá ser ejercitada por quien resulte perjudicado por el delito, es decir, por quien según la Ley civil este legitimado para reclamar la reparación y, en su caso, los daños y perjuicios producidos por el delito.

4   El artículo 100° del NCPP señala los requisitos para constituirse en actor civil:

    1. La solicitud de constitución en actor civil se presentara por escrito ante el Juez de la Investigación Preparatoria.

    2. Esta solicitud deberá contener, bajo sanción de inadmisibilidad:

    a) Las generales de Ley de la persona física o la denominación de la persona jurídica con las generales de Ley de su representante legal;

    b) La indicación del nombre del imputado y, en su caso, del tercero civilmente responsable, contra quien se va a proceder;

    c) El relato circunstanciado del delito en su agravio y exposición de las razones que justifican su pretensión; y,

    d) La prueba documental que acredita su derecho, conforme el artículo 98°.

con este nuevo código se trata de subsanar los problemas anteriores y se reglamenta la forma y contenido de la reparación civil, dejándose a salvo el derecho de la víctima que no la solicite, pues se le otorga titularidad al fiscal cuando se suscitan estos casos, sin embargo no se solucionó el problema, pues de igual forma no se fundamenta y no se prueba el alcance de la reparación civil solicitada, por lo que el juez la fija discrecionalmente, sin fundamentar su contenido.

En ese sentido surge una serie de preguntas ¿Es realmente el Juez Penal competente para determinar una reparación civil?, ¿Se cumple el fin resarcitorio de la reparación civil ejercida en la vía penal?, ¿O un Juez Civil está mucho más preparado para cuantificar el monto de la reparación civil por los daños causados?

II. NATURALEZA JURÍDICA

En el proceso penal peruano el fiscal como representante del Ministerio Público y titular de la acción penal puede ejercitar dos tipos de pretensiones, es decir, la comisión de un hecho delictivo acarreará por un lado una pretensión penal, punitiva, dirigida a imponer una pena al sujeto activo del hecho, y por otro lado se generará una pretensión civil destinada reparar el daño causado a la víctima del delito, en ese sentido es preciso advertir que en la doctrina peruana se ha generado un debate acerca de la naturaleza jurídica de esta reparación civil, así tenemos tres posiciones, BELTRÁN PACHECO[5] las define así:

Naturaleza penal: dado que se realiza a través del proceso penal y está conexa a una pretensión pública punitiva (la pena).

---

5   BELTRÁN PACHECO, "Un problema frecuente en el Perú: La reparación civil en el proceso penal y la indemnización en el proceso civil", RAE JURISPRUDENCIA, 2008, pág. 41.

a) Naturaleza civil

b) Naturaleza mixta: si bien es cierto se realiza en el proceso penal, su esencia es civil (compensar a la víctima)

PEÑA CABRERA[6], sostiene que es rebatible la primera postura porque los criterios de imputación son distintos, así como sus efectos y sus pretensores.

Estoy totalmente de acuerdo con Peña Cabrera cuando señala que es muy cuestionable la postura que señala que la reparación civil tiene una naturaleza netamente penal, pues si fuera así estaríamos ante una doble punibilidad, pues por un lado tendríamos una sanción civil y por otro lado una sanción penal, lo cual dentro de nuestro ordenamiento jurídico no es concebible en virtud del NE BIS IN IDEM, puesto que nadie puede ser juzgado o perseguido dos veces por un mismo hecho, sujeto y fundamento, lo cual aceptaríamos si concebimos la idea de que la reparación civil en el proceso penal tiene una naturaleza jurídica netamente punitiva. Incluso hace muy poco estuve en una ponencia del Dr. Peña Cabrera en el PRE CONADEPC CIUDAD BLANCA 2019[7], en la que señaló taxativamente que él estaba convencido que la reparación civil derivada de un delito tiene naturaleza civil y se trata entonces de . RESPONSABILIDAD CIVIL en el Proceso Penal, posición con la cual concuerdo plenamente.

Al respecto BELTRÁN PACHECO[8] considera que, "No cabe duda que la reparación civil sólo puede ordenarse en un proceso penal, siendo

---

6   PEÑA CABRERA FREYRE. *Derecho Penal. Parte General,* 2da Edición, Editorial Rhodas, Lima, 2007.

7   Segunda Jornada Preparatoria del Congreso Nacional de Derecho Penal y Criminología.

8   BELTRÁN PACHECO, Op cit. pág. 61.

accesoria de una sentencia condenatoria y que es una manifestación de un criterio de prevención especial positiva".

No estoy de acuerdo con el autor pues no considero que la reparación civil se trate de una pretensión accesoria, puesto que como ya lo mencione líneas arriba en nuestro proceso penal se exigen dos tipos de pretensiones, de tal manera que si la pretensión civil no es ejercitada por la víctima constituida en actor civil, se torna en una obligación del Ministerio Público el ejercicio de la acción civil, de manera que siempre algún sujeto procesal tendrá que solicitarla, lo que no sucedería si se tratara de una pretensión accesoria, que es facultativa de la persona que la propone.

Así, REINHART MAURACH[9] establece "Del hecho de que la indemnización constituye en su esencia un efecto "accesorio" se deriva el que únicamente puede ser impuesta en virtud de una sentencia condenatoria a una determinada pena. No podrá pues establecerse cuando se acuerde la absolución por compensación o el sobreseimiento del proceso".

Beltrán Pacheco cita a Reinhart Maurach para sustentar su posición de que la reparación civil es una pretensión accesoria, nuevamente discrepo con ello, más aún cuando se menciona que la reparación civil no podrá establecerse cuando se absuelva o se sobresea al investigado, pues ello es totalmente falso, en razón de que el ordenamiento penal peruano no sujeta la reparación civil a una sentencia condenatoria[10], pues se pueden dar casos y se han dado, en los cuales se sobresee la causa pero igual se establece un monto por reparación civil e incluso se dicta una sentencia absolutoria pero de igual forma se establece un monto por reparación civil.

---

9   REINHART MAURACH citado por Beltrán Pacheco, Op cit. pág. 42.

10   Artículo 12.3 del NCPP, establece: La sentencia absolutoria o el auto de sobreseimiento no impedirá al órgano jurisdiccional pronunciarse sobre la acción civil derivada del hecho punible válidamente ejercida, cuando proceda.

DEL RIO LABHARTE, nos proporciona un ejemplo en relación a lo explicado, "Un supuesto clásico que se presenta en muchas ocasiones viene dado por el hecho de que es común que se denuncie a título de estafa lo que en sentido estricto constituye un incumplimiento contractual en el que no media la presencia de dolo o un engaño que configure el tipo delictivo. Sin duda, en este caso se debe decretar el sobreseimiento o la absolución por atipicidad; sin embargo, si se verifica el incumplimiento, el órgano jurisdiccional está obligado a dictar una indemnización por daños y perjuicios en la resolución de sobreseimiento o en la propia sentencia absolutoria[11]".

Por último VELÁSQUEZ VELÁSQUEZ[12] nos dice que, "El hecho punible origina no sólo consecuencias de orden penal sino también civil, por lo cual -en principio- toda persona que realice una conducta típica, antijurídica y culpable, trátese de imputable o inimputable, debe restituir las cosas al estado en que se encontraban en el momento anterior a la comisión del ilícito, cuando ello fuera posible, y resarcir los daños o perjuicios ocasionados al perjudicado; nace de esta manera la responsabilidad civil derivado del hecho punible".

Bien como lo menciona Velásquez efectivamente se trata de responsabilidad civil derivada del hecho punible, es clara la posición que he adoptado respecto a la naturaleza jurídica de la reparación civil en el proceso penal peruano y más allá de la garantía constitucional NE BIS IN IDEM y demás argumentos planteados líneas arriba, tanto el Código Penal, como el Código Procesal Penal son muy claros cuando respecto a este tema cuando prescriben en sus artículos, como por ejemplo el artículo 101 del Código Penal que establece la aplicación supletoria del Código Civil, prescribiendo que la reparación civil se rige por las disposiciones pertinentes del Código Civil, es decir que la reparación civil en

---

11   DEL RIO LABHARTE, "La acción civil en el nuevo proceso penal". Revista Derecho, PUCP, Lima, pág. 228.

12   VELÁSQUEZ VELÁSQUEZ citado por Beltrán Pacheco, Op cit. pág. 40.

el proceso penal se rige por normas civiles porque su naturaleza jurídica es civil, otro claro ejemplo es el del artículo 12 del Código Procesal Penal, el cual señala que, el perjudicado por el delito podrá ejercer la acción civil en el proceso penal o ante el Orden Jurisdiccional Civil, pero una vez que se opta por una de ellas, no podrá deducirla en la otra vía jurisdiccional, con lo cual se confirma que se trata de responsabilidad civil por una u otra vía y por ello no se permite recurrir a ambas, en ese sentido por todo lo expuesto dejamos clara nuestra posición respecto a la naturaleza jurídica.

III. EXTENSIÓN DE LA REPARACIÓN CIVIL

La acción penal que se da inicio por la perpetración de un hecho delictuoso, da origen a un proceso penal que tiene como fin la aplicación de una pena o medida de seguridad y además la reparación civil del daño causado. Así nuestro Código Penal en el artículo 92, prescribe que conjuntamente con la pena se determinara la reparación civil correspondiente, que conforme a lo previsto en el artículo 93 del Código Penal, comprende:

a. Restitución del bien[13]: Se trata en suma de restaurar o reponer la situación jurídica quebrantada por la comisión de un delito o falta, la obligación restitutiva alcanza bienes muebles o inmuebles.

---

13 La restitución, consiste en la restauración material del estado anterior a la violación del derecho. Puede tener por objeto las cosas muebles robadas o apoderadas, y las cosas inmuebles a cuya posesión se haya llegado mediante una usurpación. Si la restitución es imposible de hecho (Destrucción o perdida), o legalmente (Derecho legítimamente adquirido por un tercero), el damnificado puede exigir en sustitución de ella y como reparación, el pagó del valor del bien. Si la falta de restitución fuese parcial, la reparación consistirá en el pago de la diferencia del valor actual del bien.

b. O si no es posible la restitución del bien, el pago de su valor: en este apartado es en el que se generan los mayores problemas, porque cuando el bien jurídico afectado, dañado, ya no pueda restituirse se tendrá que pagar su valor, la pregunta es ¿Qué valor se le da al bien jurídico?, si el bien jurídico se trata por ejemplo de una moto, pues fácilmente se l atribuye un valor a dicho bien según los precios del mercado, el problema se presenta cuando se trata de bienes que son difíciles de valorar, como la vida o una extremidad del cuerpo, y exactamente este es el Talón de Aquiles de la Responsabilidad Civil ¿Cómo cuantificar daños incuantificables?

c. La indemnización de daños y perjuicios[14]: lo regula el inciso 2 del artículo 93 del Código Penal, y comprende el resarcimiento del daño moral y material que se adiciona a la restitución del bien, el juez debe administrar con el derecho civil que regula en ese ámbito, la materia y entre otros conceptos se atenderá al daño emergente lo mismo que el lucro cesante, este apartado genera también muchos conflictos con relación a la cuantificación del daño moral, es decir, ¿Cómo cuantificamos la pena o el sufrimiento de una persona?

Entonces, concluyendo, la reparación civil es nada más ni nada menos aquella suma de dinero que permitirá que la persona dañada pueda restaurar las cosa al estado anterior a la vulneración (o se vea compensada, si ello no es posible)[15].

---

14   Respecto a la indemnización de los daños y perjuicios. En el Derecho Civil se entiende por daño o perjuicio los menoscabos sufridos y las ganancias que se han dejado de obtener, es decir el daño emergente que consiste en la pérdida o disminución de las cosas y derechos y lucro cesante que es la pérdida o disminución de una ganancia esperada.

15   CHINCHAY CASTILLO, "La Víctima y su Reparación en el Proceso Penal Peruano. Diálogo con la Jurisprudencia N° 108". Instituto de Ciencia Procesal Penal, pág. 215.

IV. DETERMINACIÓN DEL MONTO
DE LA REPARACIÓN CIVIL

Ejercitada la pretensión resarcitoria en el proceso penal, se tendrán que observar las normas relativas a la responsabilidad civil contenidas en el Código Civil y Código Procesal Civil, además de las normas penales y procesales penales en cuanto corresponda[16].

El principio general, que tradicionalmente rige la valuación del resarcimiento o indemnización, es el de la *reparación plena o integral*[17], consistente en que la víctima debe ser resarcida por todo el daño que se le ha causado[18]. Asimismo, la magnitud del daño reparable en general debe corresponder a la magnitud del perjuicio.

Los daños y perjuicios se miden por el menoscabo sufrido, no en consideración a la magnitud de la culpabilidad o de cualquier otro factor de atribución de responsabilidad; pues la indemnización no constituye una pena, sino *la remoción de la causa del daño y la realización de la actividad necesaria para reponer las cosas o bienes dañados a su estado primitivo* o el pago de una suma pecuniaria que juega a modo de valoración o *precio* del daño ocasionado[19].

Al igual que en la indemnización de daños y perjuicios provenientes de la inejecución de obligaciones contractuales, el monto de la obligación resarcitoria proveniente de responsabilidad extracontractual o de acto constitutivo de delito está integrado por la magnitud del perjuicio efectivamente causado. Se comprende el daño material (emergente o lucro cesante); los daños presentes o futuros, directos o indirectos; asimismo,

---

16   GÁLVEZ VILLEGAS, "El Ministerio Público y la Reparación Civil proveniente del Delito", Anuario de Derecho Penal 2011-2012, pág. 208.

17   DE TRAZEGNIES GRANDA, citado por Gálvez Villegas, Op cit. pág. 208.

18   DE ÁNGEL YÁGÜEZ, citado por Gálvez Villegas, Op cit. pág. 208.

19   GÁLVEZ VILLEGAS, Op cit. pág. 208.

el daño moral y adicionalmente el daño a la persona, según lo dispuesto por el artículo 1985° del Código Civil, concordante con el artículo 93° del Código Penal.

Sin embargo, por razones de equidad, muchas veces se flexibiliza el principio de la reparación integral, dejándose sin reparación determinados daños; como, por ejemplo, en los casos de daños ocasionados por delitos contra el medioambiente[20].

En este aspecto es importante mencionar que otro grave problema de la reparación civil en el proceso penal se da en el caso de los delitos de peligro, ambientales, contra la seguridad pública, tranquilidad publica, salud pública, etc., en los cuales el agraviado no es una persona en específico, sino más bien es el Estado o la Sociedad en general, de manera que es el Procurador Público quien se constituye en actor civil en representación del Estado y la Sociedad según el delitos que se trate y así solicita una reparación civil no fundamentada, ni motivada, puesto que es realmente difícil valorar el daño abstracto que se pudo haber generado a un grupo de personas, en ese sentido la pregunta es, ¿Cómo se solicita, demuestra y exige una reparación civil en estos delitos?

En primer lugar no creo que sea imprescindible la exigencia de una reparación civil cuando no se ha generado daño a ningún bien jurídico, pero por otro lado sin con una finalidad de prevención más que de resarcimiento se plantea el pago de una reparación civil, una posible solución a ello sería establecer el monto de la reparacion civil a través de fijación legal, es decir la ley fijaría en atención a varios criterios, como las posibilidades económicas del investigado o la gravedad del delito el monto de la reparacion civil, fijando tablas de valor, como se da en el caso del delito de peligro común, en el cual se fija el monto de

---

20   DE ÁNGEL YÁGÛEZ, citado por Gálvez Villegas, Op cit. pág. 208.

la reparación civil en atención a la cantidad de bebidas alcohólicas que se encuentran en la sangre del imputado.

En el ámbito de la responsabilidad extracontractual y por ende en la responsabilidad civil proveniente del delito, prima también el principio de la reparación integral; considerando para estos efectos no solo la responsabilidad que surge de un factor de atribución subjetivo, sino también de los factores objetivos de atribución de responsabilidad.

Deberá acreditarse en el proceso la existencia de todos los daños integrantes del resarcimiento mediante la prueba correspondiente, a la vez que deberán practicarse la respectiva valuación o valorización, así como la liquidación correspondiente. Es posible determinar el daño y el resarcimiento extraprocesalmente, para lo cual es indispensable que dicha valorización y liquidación sean aceptadas dentro del proceso.

Un problema que se presenta generalmente es el relativo a los intereses que devengaría el monto de la prestación resarcitoria; ya que la última parte del artículo 1985° del Código Civil señala que el monto de la indemnización devenga intereses legales desde la fecha en que se produjo el daño. Este precepto no resulta claro, toda vez que la prestación resarcitoria constituye una acreencia de valor; lo que significa que se adeuda una prestación no determinada monetariamente, aun cuando es determinable al momento en la sentencia, por lo que no correspondería aplicar el cómputo de intereses desde el momento de la causación del daño, sino recién a partir del momento en que se determina la prestación fijándose monetariamente el monto de la reparación.

Si bien es cierto el agraviado por el delito puede solicitar como resarcimiento una prestación dineraria determinada, pero esta es solo referencial; ya que el monto de la prestación se determinará únicamente en la sentencia que ampare la pretensión. En nuestro medio, se admite este criterio en la sentencia de la Corte Suprema del 13 de agosto de 1991, donde se afirma que "Se debe tener en cuenta que la obligación de indemnizar constituye en realidad una obligación legal de valor y no una de dinero, de manera que lo que se persigue es el efectivo resarcimiento del perjuicio causado en su real y actual valor de modo tal que la suma de dinero que se fije sea *in solutione* y no *in obligation* (…)".

Consecuentemente, el monto de la prestación resarcitoria solo podrá generar intereses a partir del momento de la sentencia. Antes, como en toda deuda de valor, su monto podrá actualizarse, incrementándose el contenido de la prestación principal de tal manera que la prestación indemnizatoria mantenga un poder adquisitivo equivalente al valor del daño causado. Pero este aumento no puede darse mediante la aplicación de intereses a una prestación inexistente antes de la sentencia.

1. Valoración del daño material o patrimonial

La valorización y liquidación de los daños materiales o patrimoniales se determinarán objetivamente mediante la pericia valorativa correspondiente. Hablamos de determinación objetiva refiriéndonos al valor que tienen los bienes u objetos para todas las personas en general y no solo para el titular del bien o derecho afectado; pues todo bien u objeto habitualmente tiene un valor para el público y otro para su titular, por lo general el segundo mayor que el primero. De modo que si "Se trata de un daño material, el resarcimiento significa reconstruir la integridad del patrimonio lesionado (…). Para ello, según dice la doctrina, el juzgador desarrollará una operación lógica consistente en comparar la situación posterior al hecho lesivo con la que existiría o se habría producido si tal hecho no hubiera acaecido"[21].

Sin embargo, para efectos de determinación de este tipo de daños, se considera el interés patrimonial del titular en general y no solo el bien

---

21   DE ÁNGEL YÁGÜEZ, citado por Gálvez Villegas, Op cit. pág. 211.

materia del daño. En consecuencia, no solo el precio del bien, sino su utilidad[22]. Asimismo, conforme señala la jurisprudencia española, para el resarcimiento de daños es necesaria la prueba de ellos en forma categórica, sin que sean suficientes meras hipótesis o probabilidades, añadiendo la resolución que los perjuicios reales y efectivos han de ser acreditados con precisión, de modo que el perjuicio sufrido solo debe ser resarcido con el equivalente del mismo, para lo que es imprescindible concretar su entidad real[23].

Consecuentemente, para aspirar a la reparación de este tipo de daños, se tendrá que probar su existencia, determinar su entidad y practicar su liquidación debidamente, de manera objetiva, no resultando de aplicación criterios aproximativos o discrecionales, sea del juez o de quienes pretenden el resarcimiento.

Bien, como ya he mencionado anteriormente para la valoración del daño patrimonial no hay mucho debate, hasta en el momento en el que el bien jurídico se torna en la salud o la vida de la víctima de un delito, sean homicidios, lesiones o robos con violencia y demás que puedan generar el fallecimiento de la víctima o la perdida de una extremidad, órgano o parte del cuerpo, por ejemplo en una pelea entre A y B, se generan lesiones leves y graves, posteriormente A coge una botella de vidrio, la rompe y con la botella rota le da un golpe en el ojo a B, de manera que B pierde el ojo ¿Cuál será el monto de la reparación civil respecto a la restitución del bien?, es decir ¿Cuánto vale un ojo?, es realmente muy complicado determinar el monto de la reparación civil en estos casos. A este problema mi profesor de Práctica Forense Interna decía que, aunque probablemente sea una perspectiva económica y hasta quizá podría decirse inhumana de tratar el asunto, consideraba tomar el modelo de las aseguradoras Estadounidenses que establecen el

---

22   ZANONI, citado por Gálvez Villegas, Op cit. pág. 211.

23   DE ÁNGEL YÁGÜEZ, citado por Gálvez Villegas, Op cit. pág. 211, 212.

valor de una pierna, de un brazo, de un ojo, etc., de manera que así se
"solucionaría" el problema de la reparacion civil en el proceso penal peruano con relación a este tipo de bienes jurídicos y ya no se presentarían
como en la actualidad sentencias que por los mismos hechos establecen
montos diferentes por restitución del bien.

2. Valoración del daño moral o extrapatrimonial

Dentro del sistema de división de los daños en materiales o patrimoniales y extrapatrimoniales o morales, estos últimos, por su naturaleza
eminentemente subjetiva, resultan de difícil resarcimiento, precisamente porque de forma objetiva no se cuenta con un patrón de determinación de los mismos y, aun cuando pudieran determinarse, no existe un
bien o valor capaz de repararlos. Espinoza Espinoza, quien habla de
daños subjetivos y no propiamente de daños morales o extrapatrimoniales,
afirma que "Por la especial naturaleza del daño subjetivo, cual es la de
ser inapreciable en dinero, no podemos negar su reparación, por cuanto
ello es mucho más injusto que dar una indemnización, al menos aproximativa o simbólica, al sujeto dañado"[24].

En la Sentencia Casatoria 1676-2004, Lima, la Corte Suprema del Perú
ha expresado que: "El daño moral consiste en el dolor y sufrimiento
causado que debe ser apreciado teniendo en cuenta la magnitud o menoscabo producido a la víctima o a su familia de acuerdo a las circunstancias que rodean el caso, así la situación económica de las partes".

Gran parte de la doctrina peruana ha aceptado este concepto de daño
moral, bajo este presupuesto no creo que el proceso penal tenga como
finalidad disminuir el sufrimiento de las personas a través de una suma
de dinero, en el Perú el proceso penal tiene como fin determinar si una
persona es inocente o culpable por la comisión de un hecho delictivo y

---

24   ESPINOZA ESPINOZA, citado por Gálvez Villegas, Op cit. pág. 212.

si en todo caso resulta culpable, será condenado y no con fines de venganza sino más bien de rehabilitación, resociabilización y reinserción en la sociedad, por lo que no creo que el daño moral deba ser un contenido de la responsabilidad civil al menos en lo que respecta a este sentido, en todo caso para resarcir los daños causados, la responsabilidad civil ya tiene otros presupuestos que lo compensan, por ejemplo tampoco estoy de acuerdo con la introducción del daño al proyecto de vida que se ha intentado implementar en los últimos años, me parecen conceptos abstractos que solo generan mayores problemas.

Al haber quedado establecido que se deben reparar los daños extrapatrimoniales, morales o subjetivos, queda por determinar un instrumento que ayude a la fijación de su *quantum*; pues no basta con reconocer un tipo especial de daños, sino que debe establecerse una efectiva reparación del mismo. Con este fin, se debe contar con instrumentos que nos permitan cuantificar la magnitud de las consecuencias de un hecho dañoso a fin de tutelar al agente dañado. De lo contrario, si se fija un *quantum* irrisorio o tímido, como sucede en la práctica judicial, se termina por banalizar la existencia y la consecuente tutela del daño, con lo que el proceso judicial del resarcimiento del daño terminaría siendo una suerte de *lotería forense*[25].

Para evitar esta incertidumbre, siguiendo a De Ángel Yágüez y a Espinoza Espinoza, podemos decir que, en materia de reparación del daño subjetivo y del daño moral, no existe una fórmula única e ideal para establecer su *quantum*, quedando únicamente la *equidad* como criterio para fijar el monto de este daño, aun cuando este criterio no deja de ser subjetivo. Es decir, el juez determinará el monto del resarcimiento teniendo en cuenta la forma más justa aplicable al caso concreto. Por lo que cabe afirmar "Que el criterio equitativo es el único capaz de

---

25   ESPINOZA ESPINOZA, citado por Gálvez Villegas, Op cit. pág. 212.

traducir en términos monetarios el daño moral"[26]. Entonces, equitativamente y siguiendo a la jurisprudencia italiana, para efectos de la
determinación del daño moral (sobre todo para los casos configurativos
de delitos), podemos considerar los siguientes elementos:

a. La gravedad del delito, que es más intensa cuando mayor es la
participación del responsable en la comisión del hecho ilícito.

b. La intensidad del sufrimiento en el ánimo, teniendo presente la
duración del dolor, la edad y el sexo del lesionado.

c. La sensibilidad de la persona ofendida, teniendo en cuenta el
nivel intelectual y moral de la víctima.

d. Las condiciones económicas y sociales de las partes deben ser
superadas porque contrastan con el sentimiento humano y con el
principio de igualdad.

e. El vínculo de connubio o de parentesco.

f. El estado de convivencia.

Igualmente, De Ángel Yáguez, refiriéndose a los daños extrapatrimoniales y a los daños a la persona, sostiene que:

(…) la doctrina italiana en concreto, insiste en que en este caso no cabe ha-
blar propiamente de indemnización sino de valoración equitativa, en atención
al considerable grado de apreciación subjetiva que lleva consigo la sentencia.
Quizá porque, como escribió Forchielli en afortunada expresión, el daño no
patrimonial y en concreto el daño a la persona, debe ser expresado solo en
términos de relevancia moral y social. O como el mismo autor lo señala muy

---

26   Idem.

gráficamente, en estos casos el juez se encuentra sometido al compromiso de atribuir, a través de una variada utilización del metro pecuniario, un consuelo indirecto como compensación del daño sufrido por la víctima[27].

En conclusión, podemos decir que, aun cuando no es fácil determinar la existencia de los daños extrapatrimoniales o morales, sí se puede racionalmente determinar su existencia y entidad. Asimismo, también es posible su determinación equitativamente, siguiendo, de ser posible, los criterios anotados y de esta misma manera se puede determinar el quantum de la obligación resarcitoria.

En algún momento leí un artículo de Alfredo Bullard y él decía que si no podemos cuantificar el daño moral, lo suprimamos de los presupuestos de la responsabilidad civil y simplemente le demos una palmada en la espalda al agraviado, nos disculpemos y le digamos que continúe con su vida, Bullard es bastante irónico para expresar sus ideas pero más allá de ello, si aceptamos el hecho de que debe indemnizarse el daño moral, considero que debe valorarse su contenido en relación con los demás elementos como por ejemplo el daño a la persona, puesto que si ambos presupuestos están íntimamente relacionados, pues no me parece necesario ni justo establecer dos montos distintos para ambos conceptos.

V. CONCLUSIONES

1. La reparación civil en el proceso penal peruano es de naturaleza civil, en tanto las normas penales tanto en el Código Penal como en el Código Procesal Penal así lo han establecido, así como gran parte de la doctrina.

---

27 DE ÁNGEL YÁGÜEZ, citado por Gálvez Villegas, Op cit. pág. 213.

2. Pese a la emisión de un auto de sobreseimiento o una sentencia absolutoria el Juez de Juzgamiento deberá pronunciarse por la pretensión civil, pues la reparación civil no es netamente la consecuencia de un delito, sino de hechos generadores de daños.

3. El Código Penal peruano no ha solucionado el problema de la cuantificación del daño al establecer la extensión de la reparación civil, es más ha creado mayor confusión en tanto ha precisado que si el bien no se puede restituir debe darse su valor en dinero, lo cual genera el problema de ¿Cuánto vale una vida?

4. En los delitos de peligro, ambientales, contra la seguridad pública, tranquilidad pública, salud pública y otros en los cuales el agraviado es el Estado o la Sociedad, en los cuales la reparacion civil estaría dirigida abstractamente a un grupo de personas y que ha generado problemas en su sustentación dentro del proceso penal, la propuesta es que se determine a través de fijación legal.

5. El daño moral es un concepto abstracto que desde mi punto de vista no debería tener cabida en la responsabilidad civil, puesto que su contenido ya es resarcido con otros de los presupuestos, no siendo necesario compensar el sufrimiento de una persona con dinero, porque ello es incuantificable.

II. ALGUNOS PROBLEMAS EN LA DETERMINACIÓN DE LA RELACIÓN CAUSAL

1. ACOTACIONES SOBRE LA RELACIÓN DE CAUSALIDAD Y EL ALCANCE DE LA RESPONSABILIDAD DESDE UNA PERSPECTIVA COMPARADA

Miquel Martín-Casals
Catedrático de Derecho Civil. Instituto de Derecho privado europeo y comparado
Universidad de Girona

SUMARIO: I. LA PLURALIDAD DE ENFOQUES CULTURALES Y JURÍDICOS DE LA CAUSALIDAD. II. ALGUNOS CONCEPTOS FUNDAMENTALES EN TORNO LA CAUSALIDAD. 1. Causalidad versus alcance de la responsabilidad. 2. Causalidad general v. causalidad específica. III. LOS PRINCIPALES PROBLEMAS EN MATERIA DE CAUSALIDAD FÁCTICA. 1. Los problemas de sobredeterminación. 2. Los problemas de incertidumbre causal y algunos de sus paliativos. *2.1. Carga de la prueba de la causalidad y posibles mecanismos de facilitación probatoria. 2.2. La causalidad probabilística como posible solución a la incertidumbre causal.* IV. CONCLUSIONES

RESUMEN

La relación de causalidad es objeto de enfoques distintos en los diversos ordenamientos jurídicos. Teniendo en cuenta este aspecto, el artículo presenta algunos conceptos fundamentales dentro de este elemento de la responsabilidad civil para centrarse en problemáticas y posibles propuestas en materia de causalidad fáctica.

PALABRAS CLAVE

Responsabilidad Civil – Causalidad – Alcance de la Responsabilidad

ABSTRACT

Causation is subject to different approaches in different legal systems. Taking this aspect into account, this paper refers to some fundamental concepts within this element of civil liability and focuses on issues and possible proposals regarding factual causation.

KEYWORDS

Civil Liability – Causation – Scope of Liability

I. LA PLURALIDAD DE ENFOQUES CULTURALES Y JURÍDICOS DE LA CAUSALIDAD

La aproximación a la causalidad en materia de responsabilidad civil varía significativamente de un país a otro[1]. En un intento de organizar los resultados de un análisis comparado sobre la causalidad en Europa, y sin pretender establecer una rígida taxonomía, Infantino y Zervogianni han

---

[1]   En este sentido son importantes las advertencias preliminares que realiza Michael Moore, "Causation Law", en Edward N. Zalta (ed.), *The Stanford Encyclopedia of Phylosophy,* Winter 2019 edition (The Metaphysics Research Lab, Stanford University, 2019), https://plato.stanford.edu/archives/win2019/entries/causation-law/ (Acceso 1.1.2020), pp. 2-3, al explicar que el concepto de causalidad en el Derecho difiere tanto de las nociones generales que se manejan en la vida cotidiana como en las ciencias, y señala que su exposición se circunscribe a cómo se utiliza en términos generales la idea de la causalidad en la tradición jurídica anglo-americana.

señalado recientemente[2] que la mayoría de los sistemas jurídicos europeos pueden encontrar acomodo en uno de los tres modelos siguientes.

En un primer modelo ("enfoque generalista de la causalidad "), que incluiría países como Francia, Italia, Polonia y Bulgaria, la causalidad juega un papel central como instrumento para sopesar, no solo los intereses de las partes, sino también los intereses de política jurídica en juego por la falta de filtros previos (como, por ejemplo, la antijuridicidad o la determinación legal de los intereses protegidos). Esta ponderación de intereses, no obstante, no se lleva a cabo de modo abierto sino de manera encubierta, y la causalidad se concibe como un elemento objetivo, apenas analizado en profundidad, que se basa principalmente en hechos cuya determinación se deja a la decisión de los tribunales de instancia. A pesar de la existencia de mecanismos para facilitar la prueba, este modelo de causalidad sujeta su prueba a un estándar muy elevado, y su determinación puede llegar a ser bastante impredecible. Además, este modelo tiende a resolver los problemas planteados por la incertidumbre causal con la regla del "todo o nada", aunque puede aceptar que se apliquen otras doctrinas como, por ejemplo, la de la "pérdida de oportunidad" que, por regla general, se concibe en este modelo, no como un correctivo a las doctrinas causales establecidas o una alternativa a ellas, sino como un tipo específico de daño[3].

En un segundo modelo ("enfoque limitado de la causalidad "), que incluiría países como Alemania, la República Checa, Grecia, Portugal,

---

2   Marta Infantino / Eleni Zervogianni, 'The European Ways to Causation', in Marta Infantino and Eleni Zervogianni (eds.), *Causation in European Tort Law*, Cambridge, Cambridge University Press, 2017, pp. 84-128.

3   Infantino / Zervogianni, cit., pp. 89-101. También Bénedict Winiger, Helmut Koziol, Bernhard A. Koch y Reinhard Zimmermann (eds.), *Digest of European Tort Law. Volume 1: Essential Cases on Natural Causation*. Berlin/Boston: de Gruyter 2007 (en adelante, Digest I); Jaap Spier / Olav A. Hazen, 'Comparative Conclusions on Causation', en Jaap Spier (ed.), *Unification of Tort Law: Causation*, La Haya: Kluwer Law International, 2000, pp. 127 y ss.

Dinamarca y Suecia, la causalidad es solo uno de los principales presupuestos de la responsabilidad entre varios que también tienen un peso relativo importante. Su determinación presupone que se han superado todos los filtros anteriores (inclusión en el catálogo legal de intereses protegidos, antijuridicidad, etc.). En este modelo, la causalidad es rígida en su aplicación, incluso dogmática, y generalmente distingue de modo claro dos fases, la de la causalidad de hecho o, mejor, causalidad, a secas, y la de la causalidad de derecho, imputación objetiva o, mejor, "alcance de la responsabilidad", con funciones diferenciadas. Su prueba requiere, generalmente, el cumplimiento de un estándar de prueba elevado, pero en determinadas situaciones puede permitir estándares de prueba menos rigurosos y mecanismos de facilitación probatoria que son más controlables que en el modelo anterior. El modelo tiende a resolver los casos de incertidumbre causal con la regla de "todo o nada" y normalmente no acepta la doctrina de la "pérdida de oportunidad"[4].

Finalmente, un tercer modelo ("enfoque pragmático de la causalidad"), que incluye países como Austria, Países Bajos, Lituania, Inglaterra y Gales e Irlanda, los tribunales son abiertamente sensibles a las implicaciones prácticas de las decisiones que toman y tienden a proponer soluciones flexibles y adaptadas al caso concreto. Estas soluciones no están impulsadas por los dictados de reglas amplias o limitadas de la responsabilidad civil, ni por la adhesión dogmática a determinados principios y teorías de la causalidad, sino más bien por un esfuerzo concreto y abierto de formulación de políticas jurídicas. La jurisprudencia está abierta a enfoques innovadores y, en el caso de la incertidumbre causal, aunque sigan partiendo de la regla de "todo o nada", pueden en algunos países permitir la aplicación de la responsabilidad proporcional en determinados grupos de casos.[5]

---

4   Infantino / Zervogianni, cit., pp. 101-116.
5   Infantino / Zervogianni , cit., pp. 117-128.

Teniendo en cuenta esta diversidad, se ha sostenido que la causalidad es un concepto tan fundamental en la caracterización de los ordenamientos jurídicos nacionales que cualquier posible interferencia del legislador europeo, por ejemplo, en el ámbito de la responsabilidad por productos defectuosos, produciría un impacto negativo en la cohesión interna de los distintos ordenamientos jurídicos europeos[6]. Tal temor me parece excesivo ya que, a pesar de tales diferencias, desde hace años se está produciendo un importante intercambio de ideas, basado en la investigación jurídica comparada y, más recientemente, en el análisis de propuestas académicas de ámbito europeo como, por ejemplo, los "Principios Europeos de Responsabilidad Civil" (en adelante PETL)[7] o el llamado "Marco Común de Referencia", (en adelante el DCFR) [8], o incluso de un ámbito más alejado, como el *Restatement (Third) Torts* norteamericano[9]. Tales contrastes permiten un enfoque más amplio de la materia y ya han marcado una cierta convergencia de criterios, a pesar de las dudas que en ocasiones genera el intento de ensamblaje de materiales de distintas tradiciones jurídicas [10].

---

6   Piotr Machnikowski, 'Product Liability Directive', en Piotr Machnikowski (ed.), *European product liability: an analysis of the state of the art in the era of new technologies*, Cambridge: Intersentia 2016, p. 86.

7   European Group on Tort Law, *Principles of European Tort Law. Text and Commentary,* Wien/New York: Springer, 2005, Chapter 3. Causation. Las citas se hacen a la traducción española del libro de los PETL, European Group on Tort Law, *Principios de Derecho europeo de la responsabilidad civil*. Traducción a cargo de la «Red Española de Derecho Privado Europeo y Comparado» (REDPEC), coordinada por Miquel Martín-Casals, Cizur Menor: Thomson-Aranzadi, 2008, con el nombre del autor del comentario, seguido del número del articulo comentado y de la página correspondiente.

8   Christian von Bar / Eric Clive (eds.), *Principles, Definitions and Model Rules of European Private Law. Draft Common Frame of Reference (DCFR)*, Full Edition, Munich, Sellier, 6 vols. 2009, vol. 4, Chapter 4. Causation.

9   Principalmente en The American Law Institute, *Restatement (Third) of Law of Torts: Liability for Physical and Emotional Harm*, Vol. 1, §§ 1 to 36, St. Paul, Minnesota: American Law Institute Publishers, 2010, Chapter 5. *Factual Causation and Chapter 6. Scope of Liability (Proximate Cause)*, que en adelante se citara con la abreviatura RT3.

10   Así, por ejemplo, art. 138 (3) *Law of Obligations Act* (consolidated text of January

Así sucede, en mi opinión, con la situación actual en España que, si bien por su origen puede encuadrarse en el primer modelo señalado anteriormente, desde los años 90 del pasado siglo ha sufrido una mutación iniciada con un artículo del profesor Pantaleón que, con el devenir de los años, se ha convertido en uno de los más fundamentales en materia de responsabilidad civil[11].

El artículo, que en un principio fue entendido como una específica y personal doctrina de dicho profesor[12], era un brillante análisis que trasplantaba a nuestro derecho la tradición anglo-germánica del análisis de la causalidad en las dos fases mencionadas, referida una a la "causalidad de hecho" y la otra a la "causalidad de derecho", y que, siguiendo de modo especial la doctrina alemana, atribuía a esta segunda fase el nombre de "imputación objetiva" (*objektive Zurechnung*). Es bien sabido que la doctrina pasó bastante desapercibida en la práctica hasta que unos diez años más tarde fue poco a poco adoptada por el Tribunal Supremo y, aunque no se halla exenta de críticas, se recoge hoy en la mayoría de textos generales de responsabilidad civil[13].

10, 2017) de Estonia. Para una buena traducción al inglés de la mayoría de los textso legales que se citan vide Ernst Karner/ Ken Oliphant / Barbara Steininger (eds.), European Tort law. Basic Texts, 2nd. Ed., Wien: Jan Sramek, 2018. También en Bélgica el *Avant-projet de loi portant insertion des dispositions relatives à la responsabilité extracontractuelle dans le nouveau Code civil* (https://justitie.belgium.be/ sites/default/files /aansprakelijkheidsrecht_voorontwerp_van_wet.pdf. (Acceso 12.1.2020), bajo el epígrafe de «lien de causalité», contiene nueve largos artículos en materia de causalidad que combinan distintas tradiciones jurídicas.

11   Fernando Pantaleón Prieto, "Causalidad e imputación objetiva: criterios de imputación", en Asociación de Profesores de Derecho Civil (ed.), *Centenario del Código Civil: 1889-1989*, 2 vols., v. II, Madrid: Centro de Estudios Ramón Areces, 1991, pp. 1561-1591.

12   Así Ricardo de Ángel Yagüez, *Tratado de responsabilidad civil*, Madrid: Civitas, 1993, pp. 787-882, después de exponer la posición dominante en España en aquella época, incluye un epígrafe titulado "Relación de causalidad e imputación objetiva. El pensamiento del Profesor Pantaleón".

13   Por todos vide el cuidado detalle con que recoge los aspectos más importantes de esta doctrina Mariano Yzquierdo Tolsada, *Responsabilidad civil extracontractual: parte general: delimitación y especies, elementos, efectos o consecuencias*, 5ª. Ed., Madrid:

Algunos críticos han señalado que los criterios de imputación objetiva que se establecían en dicho trabajo no son suficientes, y así han recurrido a la doctrina penal alemana para intentar ampliarlos. Con ello se ha pasado, si se me permite la expresión, de la doctrina de la imputación del profesor Pantaleón a la doctrina de la "panta-imputación", es decir la que quiere ver criterios de imputación objetiva por todas partes y, en particular, en una serie de elementos que en otros ordenamientos, si bien pueden ser relevantes para determinar la responsabilidad penal, en el ámbito civil no se consideran como criterios de imputación objetiva[14]. Otros autores, en cambio, han señalado que esos criterios que, con menor grado de detalle, también recogen los "Principios europeos de responsabilidad civil" (art. 3:201 PETL), no se pueden aplicar a determinados supuestos y que cuando son aplicables solo tienen cabida en los casos de responsabilidad por culpa, no en los de responsabilidad objetiva. Ante esa situación y al hilo de un uso muy vago de alguno de esos criterios por parte de los tribunales —como, por ejemplo, el uso anfibológico del criterio del "riesgo general de la vida" —se ha señalado que criterios como los de los PETL o de la doctrina de Pantaleón no son útiles[15].

Dykinson, 2019, pp. 211 y ss.

14   Tal es el caso de la concurrencia de culpa de la víctima, que en España se ha abordado en numerosas ocasiones como un criterio de imputación objetiva, cuando en los países de nuestro entorno se considera mayoritariamente como una causa de exoneración y no como un criterio determinante del alcance de la responsabilidad, vide Vicente Montes Penadés, "Causalidad, imputación objetiva y culpa en la "concurrencia de culpas"", en Comité Organizador, *Estudios jurídicos en homenaje al profesor Luis Díez-Picazo*, 4 Vols., Madrid: Thomson-Civitas, 2003, vol. 2, pp. , pp. 2592-2627, o María Medina Alcoz, *La Culpa de la víctima en la producción del daño extracontractual*, Madrid: Dykinson, 2003, especialmente pp. 297 y ss. También el consentimiento de la víctima o la asunción de riesgo, vide Pablo Salvador Coderch / Antonio Fernández Crende, "Causalidad y responsabilidad (Tercera edición)", InDret 329, enero 2006, o la propia jurisprudencia del Tribunal Supremo, que considera la "asunción de riesgo" como in criterio de imputación objetiva (p. ej., entre muchas otras, SSTS 10.9.2015 [RJ 2015\4183] y 7.3.2018 [RJ 2018\1063] (Ponente de ambas: José Antonio Seijas Quintana).

15   Sobre la crítica de estos aspectos, y en general de la imputación objetiva, vide Martin García-Ripoll Montijano, *Imputación objetiva, causa próxima y alcance de los daños indemnizables,* Granada: Comares, 2008 y Fernando Peña López, *Dogma y*

Es obvio que en la necesariamente limitada extensión de este trabajo no se puede intentar profundizar en los amplios y complejos temas que presenta la relación de causalidad en el ámbito de la responsabilidad extracontractual, sino tan solo apuntar algunas ideas que deberían ser objeto de un tratamiento más extenso. Aquí tan solo se pretende acotar algunas de esas ideas, tanto sobre la causalidad como sobre la llamada "imputación objetiva" o alcance de la responsabilidad, aunque se dedicará algo más de atención a algunos de los problemas que plantea la causalidad de hecho y, en especial, a la incertidumbre causal.

II. ALGUNOS CONCEPTOS FUNDAMENTALES EN TORNO LA CAUSALIDAD

1.Causalidad versus alcance de la responsabilidad

En la mayoría de los ordenamientos jurídicos de nuestro entorno la determinación de la relación de causalidad se lleva a cabo en dos fases o etapas. La primera, conocida generalmente como determinación de la "causalidad de hecho", tiene por objeto identificar si la conducta o actividad (en adelante, actividad) de quien ha actuado ha dado lugar al daño sufrido por la víctima demandante. La segunda etapa, denominada de determinación de la "causalidad jurídica", de la "causalidad próxima", de la "imputación objetiva" o del "alcance de responsabilidad", entra en juego cuando ya se ha establecido la causalidad fáctica de acuerdo con las reglas aplicables a la primera fase y lo que se plantea es si podría resultar excesivo o no atribuir al causante del daño todas las consecuencias perjudiciales que derivan de esa causalidad fáctica. Por esta razón, su objetivo es delimitar tales consecuencias de acuerdo con una serie de factores relevantes que responden más a valores y razones

---

realidad del Derecho de daños: *Imputación objetiva, causalidad y culpa en el sistema español y en los PETL,* Madrid: Aranzadi-Thomson Reuters, 2011.

de política jurídica que a la existencia o ausencia real y efectiva de un vínculo causal. Por estos motivos, muchos ordenamientos jurídicos[16], y algunos textos del *soft-law*[17] consideran que este segundo paso va más allá de la indagación de la causalidad. Para tratar de fomentar la claridad, y siguiendo una tendencia que se está generalizando, utilizaré el término "causalidad" para referirme a la primera fase y "alcance de la responsabilidad" para referirme a la segunda.

Es bien sabido que para establecer la causalidad, la mayoría de los ordenamientos utiliza el criterio de la "condicio sine qua non" (en adelante *csqn*) o el "but for test", que implica un enfoque contrafactual, y establece que quien actúa ha causado un daño si el daño no hubiera ocurrido en ausencia de esa conducta o actividad[18]. No obstante, aunque en la mayoría de casos el criterio de la *csqn* será suficiente para resolver la cuestión fáctica de la relación de causalidad, en ocasiones se podrán presentar problemas en el mismo ámbito de la causalidad de hecho y entonces se deberá acudir a reglas o criterios normativos —que, hasta las codificaciones más recientes son, por regla general, de origen jurisprudencial o doctrinal— o buscar teorías distintas de la causalidad. Esos criterios normativos o esas teorías distintas que sirven para fundamentar la causalidad serán necesarias, de modo especial, cuando se presenten tres tipos de problemas, dos de ellos relacionados con los déficits de esa teoría contrafactual de la causalidad —los problemas de sobredeterminación simultánea y sucesiva— y un tercero, en principio independiente de esos concretos déficits, que es la incertidumbre causal.

---

16   Por todos ver Spier / Hazen, cit., pp. 127 y ss.

17   Es así claramente en el Restatement Third, donde el Capítulo 5 se titula *"Factual Causation"* y el 6 *(Scope of Liability [Proximate Cause])*. A pesar de un titulo comun (Capítulo 3. *Relación de causalidad)*, también es así en los PETL (cf. arts. 3:101 a 3:106 PETL en la Sección 1: *Conditio sine quan non y sus límites* y art. 3:201 en la Sección 2. *Alcance de la responsabilidad)*. En cambio, el Marco Común de Referencia no establece la distinción y mezcla en un mismo procepto cuestiones que pertenecen a los dos ámbitos (cf. art. VI.-4:101 DCFR).

18   Zimmermann, *Digest I*, cit., pp. 99-101, Spier / Hazen., cit., pp. 127 y ss.

De entrada, no parece que pueda decirse que la doctrina de la causalidad fáctica que, de modo generalizado se sigue en todos los ordenamientos jurídicos incluido el nuestro, no sirva para determinar la causalidad de hecho ante determinados supuestos como las omisiones. La mayor parte de autores está de acuerdo en que puede establecerse una relación de causalidad fáctica entre una omisión y un daño, siempre que exista un deber de actuar. No obstante, aunque la existencia del deber es necesaria para determinar cuál será la actuación relevante cuya condición causal debe ser analizada, la existencia del deber puede incluso plantearse en otro plano (el de la actuación culposa/antijurídica), pero no es imprescindible para el análisis contrafactual, ya que sigue siendo posible plantearse si se habría producido el efecto en caso de no haberse omitido la conducta, con independencia de que fuera debida o no[19]. Ciertamente, si se parte de una teoría causal mecanicista, que concibe la relación de causalidad como la transmisión de energía de un objeto a otro, no puede hablarse de causalidad en esos casos. Pero esa no es la teoría de la que parte nuestro ordenamiento y la doctrina de la causalidad aplicable —la contrafactual— resuelve mucho mejor que las teorías causales rivales la mayor parte de los problemas que plantean las omisiones[20].

Respecto al alcance de la responsabilidad (la denominada en España "imputación objetiva"), el factor más importante y el más aplicado internacionalmente para establecerla es la previsibilidad, sea en la forma más directa, que se basa en la idea de que el causante del daño debe ser considerado responsable solo del daño que una persona razonable, de ordinaria prudencia y puesta en su posición, hubiera previsto como resultado probable de su conducta (*foreseeability*), sea en la forma de ade-

---

19   Helmut Koziol, "Liability for Omissions — Basic Questions" (2011) 2 JETL, pp. 127 y ss.

20   Ulrich Magnus, "Causation by Omissions", en Lubos Tychy, *Causation in the Law*, Praha: Eva Rozkotova, 2007, pp. 95-104. L.A. Paul, "Counterfactual heories", en Helen Beebee/ Christopher Hitchcock/ Peter Menzies (eds.), *The Oxford Handbook of Causation*, Oxford: Oxford University Press, 2009, pp. 168 y ss.

cuación (*Adäquanz*), como daño que resulta regularmente y de acuerdo con el curso normal de las cosas de la conducta o actividad desplegada[21]. La previsibilidad/adecuación también se plantea en los trabajos académicos de armonización.[22]

La previsibilidad/adecuación plantea dudas sobre qué debe "preverse" o juzgarse como "adecuado" (el daño en términos generales, el daño específico, el riesgo), quién debe prever o juzgar la adecuación (un "observador óptimo", un "observador experimentado") y cuándo debe realizarse el análisis de la previsibilidad o el juicio de la adecuación (antes o después del evento). Así, por ejemplo, en el art. 3: 201 a) PETL, la previsibilidad parece tratarse como el factor más importante, ya que aparece primero en una lista abierta de varios factores, y la pregunta de "qué" debe ser previsible se refiere al "daño", por "quien" a una "persona razonable", y el "cuándo" al "momento realizar la actividad". Otros elementos que califican la previsibilidad/adecuación son "la cercanía en el tiempo y el espacio entre la actividad perjudicial y sus consecuencias" y "la magnitud del daño en relación con las consecuencias normales de dicha actividad"[23].

En los PETL, como sucede en la mayoría de los ordenamientos jurídicos que de una forma u otra parten de la idea de previsibilidad/adecuación, este factor no es absoluto y hay otros factores que pueden ampliar o restringir el alcance de la responsabilidad. Por lo tanto, a veces los causantes del daño pueden ser considerados responsables de daños que no eran previsibles/adecuados pero que se producen debido, por ejemplo, a una vulnerabilidad especial de la víctima (los casos de

---

21   Infantino / Zervogianni, cit., pp. 604-605 y Spier/ Hazen, cit., pp. 131 y ss.

22   Cf. art. 3:201 a) PETL. Por el contrario, y de acuerdo con el correspondiente comentario en p. 3571, el art. VI.-4:101 DCFR, no confirma ni refuta los diversos enfoques doctrinales sobre ese factor. No obstante, la previsibilidad en el DCFR (art. III.- 3:703 DCFR), como en los Principios Lando (art. 9:503 PECL) es un factor importante en el ambio contractual.

23   Cf. Art. 3:201 a) PETL.

los llamados "*egg-shell skulls*")[24] o, por el contrario, no pueden ser considerados responsables incluso si el daño era previsible, pero el causante no hizo nada para aumentar los riesgos ordinarios de vida a los que estaba sujeta la víctima[25]. Otro factor puede ser el "fin de protección de la norma" —que a veces se presenta, no como un criterio complementario, sino como alternativa al criterio principal de la previsibilidad/ adecuación[26]— que puede llegar a ampliar el alcance de la responsabilidad y conducir a tener que responder por daños que, a pesar de no ser previsibles, caen dentro del alcance del fin de protección de la norma, o a restringirlo, cuando el daño previsible no cae dentro de dicho alcance. Otros factores, como el fundamento de la responsabilidad o la naturaleza o el valor del interés protegido, pueden apuntar en la dirección de un alcance de responsabilidad más amplio — como en el caso de daños causados con dolo o negligencia, o de daños corporales— o en la dirección opuesta de un alcance más restringido — como en el caso de responsabilidad objetiva o de los llamados "daños patrimoniales puros"[27]. Además, en determinadas situaciones, algunos factores pueden apuntar hacia la expansión del alcance de la responsabilidad, mientras que otros pueden apuntar en la dirección opuesta.

En la doctrina española se ha señalado que los criterios sobre limitación del alcance de la responsabilidad como los que proponen los PETL, que denomina criterios de la "versión más extendida" de la teoría de la imputación objetiva en España, además de ser poco útiles, no sirven

---

24   No se menciona específicamente en el art. 3:201 PETL, pero si en el comentario a ese artículo. Vide Spier, Com. Art. 3:201 PETL, p. 99.

25   Art. 3:201 d) PETL.

26   Así, por ejemplo, en Alemania, con relación a la crítica de la previsibilidad, en su versión del llamado *Adäquanztkriterium* en favor del fin de protección de la norma *(Schutzzweck der Norm)* como el factor más relevante, vide Hermann Lange / Gottfried Schiemann, *Schadensersatz*, 3 A., Tübingen: Mohr 2003, pp. 90 y ss y Hein Kötz / Gerhard Wagner, *Deliktsrecht* ,13 A., München: Franz Vahlen, 2016, pp. 84 y ss y 92 y ss.

27   Art, 3:201 b) and c) PETL.

para delimitar el alcance de la responsabilidad en los casos de responsabilidad objetiva, y que los PETL no se pronuncian sobre si también pueden aplicarse o no a este tipo de responsabilidad.[28] Señala esta doctrina que en esos regímenes se delimita normativamente un ámbito de riesgo determinado de la realidad (p.ej. el riesgo creado por la circulación, el riesgo creado por la comercialización de productos, el riesgo creado por las aeronaves, etc.) y se señalan uno o varios sujetos responsables que responderán de todos los daños que constituyan la concreción del riesgo definido normativamente al margen de que se haya comportado con diligencia o con culpa[29].

Es cierto que cuando el legislador diseña un régimen de responsabilidad objetiva delimita los riesgos y los sujetos responsables y que, precisamente uno de los principales criterios de delimitación del alcance de la responsabilidad, el del fin de protección de la norma, puede encontrar ahí su anclaje legal. No obstante, también es cierto que el daño que deriva de la concreción del riesgo definido puede tener un mayor o menor alcance y que, para determinarlo, pueden ser necesarios criterios normativos como los contenidos en los PETL o expresados en su día por Pantaleón, tales como el riesgo general de la vida, el incremento de riesgo, la especial vulnerabilidad de la víctima, el criterio de provocación y otros [30]. El art. 3:201, b) PETL, al decir que uno de los factores

---

28   Peña, cit., p. 130.

29   En este sentido Peña, pp. 127 y ss.

30   Piénsese en el ejemplo clásico, reproducido por Zimmermann, en *Digest I*, pp. 610-611, del conductor que atropella a un peatón provocándole una lesión de cierta consideración, pero que no es mortal, y que fallece en un accidente que se produce con motivo de su traslado al hospital y que no tiene nada que ver con el exceso de velocidad de la ambulancia. Existe la relación de causalidad de hecho, determinada de acuerdo con el criterio de la *csqn*, y su alcance, se vería limitado por el criterio del "riesgo general de la vida"; o, en el mismo supuesto, pero con la variación de que el accidente sí tiene que ver con el exceso de velocidad, debido a que la herida comportaba una especial gravedad que requería una especial urgencia, en donde la extensión de la responsabilidad del conductor causante del atropello que derivaría de la aplicación de la *csqn* podría verse confirmada

de los cuáles puede depender el alcance de la responsabilidad es "el fundamento de la responsabilidad (artículo 1:101)" deja claro que los está refiriendo a la responsabilidad, en general, con independencia de su fundamento o título de atribución y con independencia de que algunos de ellos pueda tener mayor o menor relevancia según el fundamento de la responsabilidad, criterio que confirma su comentario al establecer que "[S]i una responsabilidad —bien basada en la culpa, bien en el Art. 5:101 (responsabilidad objetiva)— está dirigida a proteger intereses *específicos*, por regla general debemos entender que *esos* perjuicios deben ser indemnizados".[31]

Por su parte, el *Restatement (Third) Torts*, al abandonar la terminología de la "proximate cause" y de la "legal cause", para adoptar la misma denominación de "alcance de la responsabilidad" (*scope of liability*) que ya se hallaba en los PETL, establece como criterio básico para determinar el alcance de la responsabilidad el llamado "risk standard" o "harm within the risk" (en adelante HWR), que en líneas generales coincide con el criterio del fin de protección de la norma[32], y que el *Restatement* considera aplicable tanto a la responsabilidad por culpa como a la responsabilidad objetiva[33]. Con ello no solo no limita la aplicación de la doctrina

---

con el criterio del "incremento del riesgo". O también, por ejemplo, si el peatón atropellado era especialmente vulnerable, de tal modo que esa lesión, no mortal para un peatón sin vulnerabilidades, le provoca la muerte ("especial vulnerabilidad"). O, finalmente, piénsese si ese conductor que responde objetivamente debe responder también de las lesiones que sufre la persona que se aventura a acercarse al vehículo para rescatar a un menor que se halla en su interior antes de que el vehículo explote (*rescuers*, que sería uno de los supuestos del llamado criterio de la provocación).

31   Spier, Com. Art. 3:201 PETL, p. 101.

32   Así, el § 29 Restatement establece que "[A]n actor's liability is limited to those harms that result from the risks that made the actor's conduct tortious" (que se podría traducir, aproximadamente, como que "la responsabilidad del actor se limita a aquellos daños que resultan de los riesgos que hicieron que la conducta del autor fuera "tortious" [diera lugar a responsabilidad civil]").

33   En este sentido, Restament §29 *Comment j*. Connection with reasonable foreseeability as a limit on liability, p. 506.

del alcance de la responsabilidad a la responsabilidad por culpa, sino que para determinar el alcance de la responsabilidad extiende a la responsabilidad por culpa la noción de que se responde por los daños que son materialización de los riesgos que determinan la existencia de responsabilidad, noción, probablemente, más cercana a la delimitación de los riesgos en la responsabilidad objetiva apuntada anteriormente. Con ello, el *Restatement* sustituye el criterio general anteriormente existente, el de la previsibilidad (*foreseability*), por el del HWR y lo complementa con otros criterios subsidiarios para alargar o acortar el alcance de la responsabilidad allí donde el uso del criterio general podría resultar excesivo o insuficiente.

Los comentarios del *Restatement* añaden que el HWR proporciona una delimitación apropiada al alcance de la responsabilidad que deriva de la aplicación de la *csqn* y que, si bien en lo sustancial coincide en el ámbito de la culpa con la previsibilidad, se trata de un estándar que está más adaptado a la responsabilidad objetiva. A pesar de que el estándar, con su flexibilidad, permite determinados ajustes, ello no impide, pues, que se requieran criterios adicionales que pueden servir tanto para limitar como para extender el alcance que derivaría de la aplicación estricta del test del HWR. La mayoría de esos criterios complementarios los propone el propio *Restatement* y coinciden sustancialmente con los criterios recogidos por Pantaleón[34].

---

34   Restatment § 29 , *Comment l.* Strict liability, p. 507-508 y *Comment m.* Additional limits on scope of liablity, p. 508. Los mayoría de los criterios que expresamente prevee el *Restatement* coinciden en líneas generales con los expresados en los PETL, bien en el texto o en el comentario, y con los recibidos en la doctrina española a través de Pantaleón: predisposición de la víctima (RT3 §33, Com. art. 3:201 PETL, especial vulnerabilidad); rescatadores y servicios médicos (RT3 §32 y RT3 §35) (=provocación); riesgo de daño generalmente no aumentado por conducta ilícita (RT3 §30) ("riesgo general de vida", art. 3:201, d) PETL); conducta intencional o gravemente culposa (RT3 §33, art. 3:201, c) PETL), que corrige el estándar del HWR del RT3 §29, ampliando el alcance, pero no se aplica cuando la conducta o actividad generalmente no aumenta el riesgo de daño (RT3 §30); *intervening causation* (RT3 §34), equivalente, en parte, a la llamada "prohibición de regreso", etc.

2. Causalidad general v. causalidad específica

Una distinción preliminar que también parece necesaria es la que se refiere a la llamada "causalidad general" (o "genérica") y a la "causalidad específica". El término "causalidad general" se refiere a si el riesgo que conlleva una determinada conducta o actividad es capaz de causar cierto tipo de daño. Así, por ejemplo, la pregunta sobre si la radiación que emite el "wifi" es apta para causar cáncer indaga sobre esta cuestión. Por el contrario, la "causalidad específica" se refiere a si, y en qué medida, el riesgo creado por una conducta o actividad específica ha causado el daño que sufre una concreta víctima en particular (por ejemplo, si la exposición a los rayos X causó el cáncer que sufre P).[35]

La distinción no está bien arraigada en algunos ordenamientos jurídicos europeos y se ignora en otros[36], pero es importante porque si una actividad no es apta para causar un determinado tipo de daño no existe causalidad general y ello conlleva que deba excluirse también la causalidad específica. No obstante, la regla inversa no es cierta, ya que la afirmación de la causalidad general no implica que también deba afirmarse de modo necesario la causalidad específica.

---

35   Para una información más detallada sobre las diferencias entre las nociones de causalidad general y de causalidad específica vide Ingeborg Puppe / Richard W. Wright, 'Causation in the Law: Philosophy, Doctrine and Practice', in Infantino / Zervogianni, cit., p. 54 y ss; Christopher Hitchcock, "Probabilistic Causation", Edward N. Zalta (ed.), *The Stanford Encyclopedia of Philosophy*, Fall 2018 edition (The Metaphysics Research Lab, Stanford University, 2018) en https://plato.stanford.edu/archives/fall2018/entries/causation-probabilistic/ (Acceso 1.1.2020), pp. 88 y, de modo especial, el Comentario de la Subsección (a), § 28 *Restatement (Third) of Law of Torts: Liability for Physical and Emotional Harm*, cit., pp. 404 y ss.

36   Así, por ejemplo, la mayoría de los manuales de responsabilidad civil españoles ni siquiera la mencionan. También manifiesta su sorpresa por el escaso eco doctrinal de la distinción en Francia, Jean-Sébastien Borghetti, 'Litigation on hepatitis B vaccination and demyelinating disease in France. Breaking through scientific uncertainty?', en Miquel Martín-Casals / Diego M. Papayannis (eds.), *Uncertain Causation in Tort Law*, Cambridge: Cambridge University Press 2016, pp. 11-42, pp. 41-42.

Entre otras situaciones, la distinción puede ser útil en casos de una pluralidad de potenciales causantes del daño, donde la falta de causalidad general puede "negar" la causalidad específica: el hecho de que la actividad de uno de los potenciales causantes del daño no sea apta para causar el daño producido le permitirá excluirse del grupo de posibles responsables. Por el contrario, la prueba de causalidad general no será suficiente para establecer la relación de causalidad y el demandante deberá establecer no solo que la actividad llevada a cabo por el demandado es apta para causar un daño como el que se ha producido, sino que efectivamente causó el daño concreto que sufre la víctima concreta.

Las disputas sobre la causalidad genérica y la causalidad específica se plantearán en los casos de incertidumbre causal, no solo cuando siendo clara la causalidad general se desconozca la causalidad específica, en cuyo caso se debatirá si la primera puede aportar en el caso concreto elementos de prueba de la segunda sino, sobre todo, cuando no resulte claro si un cierto tipo de hecho o actividad puede causar un cierto tipo de daño (incertidumbre sobre la causalidad general) y, por lo tanto, no es posible o es especialmente difícil probar que el demandado causó el daño que le reclama el demandante (incertidumbre sobre la causalidad específica).

III. LOS PRINCIPALES PROBLEMAS EN MATERIA DE CAUSALIDAD FÁCTICA

1. Los problemas de sobredeterminación

La sobredeterminación, problema también conocido como causas duplicadas reales, causas concurrentes o causas múltiples suficientes, ocurre cuando hay múltiples actividades (X e Y) y cada una de ellas es suficiente por sí misma para causar el mismo daño al mismo tiempo.[37]

---

37   El anàlisis filosófico de la materia es más complejo, ya que con este caso nos refiere solo al supuesto de "sobredeterminación simétrica". Parecidos pro-

Piénsese por ejemplo en el caso de dos cazadores que, pensándose que disparan a un pájaro, disparan a la vez sobre un caminante, o de los dos fuegos que queman simultáneamente una casa, y cualquiera de los dos disparos o de los dos fuegos hubiera sido suficiente para causar el daño. En estos casos, el enfoque contrafactual de la *csqn* conduciría al resultado contraintuitivo de que ninguna de esas actividades causó el daño, ya que si X no hubiera actuado, el daño lo habría causado de todos modos lo actividad Y y, viceversa, si Y no hubiera actuado, entonces lo habría causado la actividad X[38].

Este enfoque da lugar a un problema similar en casos de sobredeterminación sucesiva, es decir, cuando una actividad X es suficiente para causar un daño, pero otra actividad Y habría causado el mismo daño más adelante. En estos casos, el enfoque contrafactual que comporta la regla de la *csqn* niega la condición de causales a actividades que intuitivamente parecen serlo[39].

---

blemas de sobredeterminación se pueden plantear si se combinan causas que no son suficientes para producir el efecto con causas que sí lo son (en combinación con las circunstancias del caso), es decir, en casos de "sobredeterminación asimétrica", que a su vez, tienen distintas variantes; y también si combinamos elementos de los casos ordinarios de causas concurrentes (sin sobredeterminación) con elementos de los casos de sobredeterminación simétrica ("sobredeterminación mixta"). Vide con carácter general Peter Menzies / Helen Beebee "Counterfactual Theories of Causation", en Edward N. Zalta (ed.), The Stanford Encyclopedia of Phylosophy, Winter 2019 edition (The Metaphysics Research Lab, Stanford University, 2019), https://plato.stanford.edu/archives/win2019/entries/causation-counterfactual/(Acceso 10.12. 2019); L. A. Paul, "Counterfactual Theories", Oxford Handbook, cit., pp. 158 y ss, y la tesis doctoral leída en la Universidad de Girona en 2012 y disponible en línea de Rogelio Arturo Bárcena Zubieta, La causalidad en el derecho de daños (http://hdl.handle.net/10803/108448) (Acceso 20.12.219), pp. 108-113.

38   Koch, *Digest I*, pp. 476-477

39   Koch, *Digest I* , pp. 501-504 y Spier / Hazen, cit., pp. 127-130. Con mayor detalle, Bárcena, cit., pp. 114-126 habla de distintos tipus de "anticipación". Importante también en la doctrina civil española el libro de Francisco Jose Infante Ruiz, *La Responsabilidad por daños: nexo de causalidad y causas hipotéticas*, Valencia: Tirant lo Blanch, 2002.

Para superar ese problema allí donde la aplicación del criterio de la *csqn* solo conduce a la paradoja, un criterio más satisfactorio e integral es el llamado "NESS-test" (elemento necesario de un conjunto suficiente), que se basa en las teorías regularistas de la causalidad. Este criterio sostiene que para considerar que una condición es una causa debe tratarse de un elemento necesario dentro de un grupo de condiciones antecedentes actuales y suficientes para dar lugar al efecto y, para ello, analiza las causas duplicativas reales o potenciales en grupos separados de condiciones que son conjuntamente suficientes para producir el efecto dañoso.[40]

No obstante en estos casos, en lugar de adoptar un test alternativo, algunos textos jurídicos adoptan una especie de test de la csqn modificado y se limitan simplemente a prescribir que *"se considerará* [énfasis añadido] que cada actividad es causa del daño de la víctima".[41]

2. Los problemas de incertidumbre causal y algunos de sus paliativos

2.1. Carga de la prueba de la causalidad y posibles mecanismos de facilitación probatoria

Una regla generalmente aceptada es que tanto el demandante como el demandado deben probar aquellos hechos en los que, respectivamente, basan su demanda o su rechazo a la misma.

---

40   Vide Richard W Wright, 'The Ness Account of Natural Causation: A Response to Criticisms, 285-322 y Chris Miller, 'NESS for Beginners', pp. 323-337, ambos en Richard Goldberg (ed.), *Perspectives on Causation*, Oxford: Hart, 2011. También Barcena, cit., pp. 143 y ss.

41   En este sentido el art. 3:102 PETL. Del mismo modo, el § 27 *Restatement (Third) of Law of Torts: Liability for Physical and Emotional Harm* establece que "...each act is regarded as a factual cause of the harm". También, a pesar de haber hablado del NESS test como test alternativo en los comentarios a la reforma, el art. 5.163 del Anteproyecto belga de 2018 dispone que "[U]n fait générateur de responsabilité qui serait une cause du dommage si un ou plusieurs autres faits générateurs qui constituent eux-mêmes une cause suffisante du dommage n'étaient pas survenus, *est considéré comme une cause* de celui-ci".

La carga de la prueba decide quién tiene que probar un determinado elemento factual y las consecuencias que se derivarán si no se satisface la carga. Sin embargo, la carga de la prueba tiene dos aspectos diferentes, que normalmente van de la mano, pero que también pueden distribuirse entre el demandante y el demandado. El primero, a veces llamado "burden of production" (Estados Unidos) o "evidentiary burden" (Europa), se refiere a la carga de presentar evidencia. La parte sobre la que pesa esa carga está obligada a presentar unas determinadas pruebas sobre determinados hechos y corre con el riesgo de no poder presentarla. Por el contrario, el llamado "burden of persuasión" (EEUU) a veces también llamado "legal burden" (EU), proporciona un mecanismo para superar la situación que se da cuando los hechos que debían probarse no lo han sido (una situación llamada *non liquet*). La parte que soporta esta carga corre el riesgo de perder si, a pesar de todas las pruebas aportadas, persiste la incertidumbre y el juez no puede decidir de acuerdo con el estándar de prueba pertinente[42]. Salvando las distancias, esas diferencias se expresan en nuestro ordenamiento mediante la referencia a la carga de la prueba y a la mayor facilidad probatoria[43].

En este contexto, otra noción importante es el "estándar de prueba", que se refiere al grado de convicción que la evidencia aportada por las partes genera en la mente del juez. Si se alcanza el estándar de prueba requerido, el juez está convencido de la "verdad" de la proposición fáctica relevante y el caso se decide en consecuencia. Si no se cumple el estándar, el caso se decidirá contra la parte que soporta la carga de la prueba (carga legal)[44].

---

42   Ivo Giesen, "The Burden of Proof and the other Procedural Devices in Tort Law", pp. 3-67 y Ernst Karner, "The Function of the Burden of Proof in Tort Law", pp. 68-78, ambos en Helmut Koziol / Barbara C. Steininger (eds.), *European Tort Law 2008*, Wien/New York: Springer, 2009.

43   Vide Josep Solé Feliu, "Mecanismos de flexibilización de la prueba de la culpa y del nexo causal en la responsabilidad civil médico-sanitaria", Revista de Derecho Civil, http://nreg.es/ojs/index.php/RDC, vol. V, núm. 1 (enero–marzo, 2018), Estudios, pp. 55-97 y allí más referencias.

44   Vide recientemente, desde una perspectiva comparada, Luboš Tychý, *Standard*

El estándar de prueba aplicable varía, no solo entre los diferentes ordenamientos jurídicos, sino que a veces también depende de situaciones específicas. En los países del *Common Law*, el test generalmente aplicable es la llamada "balance of probabilities" o test de "more probable than not", es decir si es más probable que los hechos se hayan producido que lo contrario, es decir, que no se hayan producido. En cambio, la mayoría de los ordenamientos continentales se adhiere a un estándar más alto que a veces se expresa como una "probabilidad rayana en certeza", lo que significa que el juez debe estar convencido más allá de toda duda razonable[45].

Entre otros posibles dispositivos que alivian la prueba de causalidad, el primero es reducir el estándar de prueba, ya que esto también reduce el grado de evidencia necesario y lleva a la consecuencia de que se deciden menos casos por la regla de la carga de la prueba. La reducción del estándar de prueba ya se utiliza en algunos países para aliviar los rigores de la prueba en cuanto al alcance de la responsabilidad[46] o la cantidad estimada de daños[47].

Otro dispositivo son las presunciones de hecho, que le permiten al juez basar la existencia de cierto elemento de hecho en la presencia de otro hecho que ha sido probado (razonamiento por inferencia). También se aplican en muchos países para aliviar los riesgos probatorios y evitar que la carga legal se convierta en la solución de rutina en algunas situaciones tipo. Aceptar tal presunción no revierte la carga legal, sino que transfiere la carga de aportar evidencia a la otra parte, que deberá apor-

---

of Proof in Europe, Tübingen: Mohr Siebeck, 2019.

45   Giesen, cit., pp. 53 y ss y Karner, cit., pp. 71-72.

46   Así, por ejemplo, el § 287 ZPO alemán, para determinar el alcance de la responsabilidad, rebaja el estándard del § 286 ZPO y requiere solo una "probabilidad sustancial". Vide Christoph Althammer / Madalene Tolani, "Proof of Causation in German Tort Law", en Tychý, cit., pp. 109-121.

47   En los Paises Bajos, art. 6:97 BW.

tarla para refutar la decisión provisional del juez[48]. A veces, los tribunales pueden incluso aplicar factores de asociación, como la fuerza de la asociación (es decir, cuanto más fuerte es la asociación, más probable es que tenga un componente causal), la consistencia (es decir, observación repetida de una relación), la temporalidad (es decir, el factor relevante precede al resultado) y otros. [49]

2.2. La causalidad probabilística como posible solución a la incertidumbre causal

2.2.1. La llamada "causalidad probabilística" como alternativa a la teoría de la csqn.

Ni el criterio contrafactual de la *csqn*, ni las doctrinas regularistas de la causalidad permiten resolver el problema creado por la incertidumbre causal. Cuando la incertidumbre es recurrente o sistémica, la no responsabilidad puede considerarse indeseable y el legislador o los tribunales pueden optar por resolver los problemas creados por tal incertidumbre mediante criterios de causalidad probabilística.

La llamada "causalidad probabilística" designa un grupo de teorías que tienen por objeto caracterizar la relación entre causa y efecto utilizando las herramientas de la teoría de la probabilidad. La idea central detrás de estas teorías es que las causas cambian las probabilidades de sus

---

48   Giesen, cit. pp. 56 y ss.

49   Vide, por ejemplo, los llamados "Bradford Hill criteria" usados en el ámbito epidemiológico y su uso jurídico, a pesar de que su propio autor manifestó que ninguno de esos criterios podía proporcionar evidencias irrefutables a favor o en contra de hipótesis de la relación causa-efecto. En este sentido, Austin Bradford Hill, 'The Environment and Disease: Association or Causation', Proceedings of the Royal Society of Medicine 58 (1965), pp. 295-300 y Susan Haack, "Correlation and causation. The 'Bradford Hill criteria' in epidemiological, legal and epistemological perspective", en Miquel Martin-Casals / Diego Papayanis (eds.), *Uncertain Causation in Tort Law, Cambridge:* Cambridge University Press, 2016, pp. 176-202.

efectos, por lo que un efecto puede ocurrir en ausencia de una causa o no ocurrir en su presencia. En este sentido, fumar sería una causa de cáncer de pulmón, no porque todos los fumadores desarrollen cáncer de pulmón, sino porque los fumadores tienen más probabilidades de desarrollar cáncer de pulmón que los no fumadores. Esto es totalmente consistente con que haya algunos fumadores que eviten el cáncer de pulmón y algunos no fumadores que sucumban a él[50].

En mi opinión, no debe confundirse la causalidad probabilística con el grado de probabilidad necesario para que se cumpla el estándar de prueba requerido por el ordenamiento jurídico para considerar que la causalidad de hecho, la culpa, o cualquier otro elemento sujeto a prueba, ha quedado probado[51]. Aunque al hablar del estándar de prueba requerido a veces se expresa mediante un porcentaje de probabilidad (p. ej. "more probable than not", en el common law, como en más de un 50%), no se trata de que el juez venga obligado a resolver de acuerdo con una probabilidad estadística, epidemiológica u de otro tipo (causalidad general), sino de que, analizadas todas las circunstancias, debe llegar a la convicción de que es más probable que el hecho sujeto a prueba ha sucedido efectivamente que lo contrario (causalidad específica). La causalidad probabilística, en cambio, no disipa la incertidumbre, sino que permite decidir con base en criterios de causalidad general a pesar de que subsiste la incertidumbre sobre la causalidad específica, es decir, sobre la producción o no producción del hecho relevante en el caso concreto[52].

---

50   Vide Hitchcock, "Probabilistic Causation", cit., p. 8.

51   Vide, por ejemplo, Peña, cit., p. 64 y ss y Julio Cesar Galán Cortés, *Responsabilidad médica*, 6ª ed., Cizur Menor: Civitas-Thomson Reuters, 2018, p. 294 y ss.

52   Sobre el significado de la probabilidad en el contexto de la prueba y su diferencia con otros conceptos de probabilidad como la probabilidad estadística, Sandy Steel, *Proof of Causation in Tort Law*, Cambridge: Cambridge University Press, 2015, pp-61-66. Vide también Richard W. Right / Ingeborg Puppe, "Causation: Linguistic, Philosophical, Legal and Economic", 91 Chicago-Kent Law Review (2016), p. 461-502, p. 489 y ss. Tambien Wright, 'The Ness Account...,

La posible aplicación de la causalidad probabilística al ámbito de la responsabilidad civil requiere que concurran los demás presupuestos de la responsabilidad (p. ej. actuación culposa o actividad que daría lugar a responsabilidad objetiva, existencia de daño resarcible, etc.), parte entonces de que ha existido un riesgo que, en términos generales, es apto para producir el tipo de daño del que se trate y propugna establecer la responsabilidad en virtud de ese riesgo que ha creado el agente.

2.2.2. Algunas puntualizaciones sobre qué se entiende comúnmente por "responsabilidad proporcional"

Como han señalado Gilead, Green y Koch, la llamada responsabilidad proporcional o, más específicamente, lo que ellos denominan "responsabilidad proporcional en atención a la causalidad" (*causal proportional liability*, a la que me referiré simplemente como "responsabilidad proporcional)"[53] no se refiere a todas aquellas reglas que distribuyen la responsabilidad entre una pluralidad de causantes del daño (acciones de regreso), ni a aquellas otras que lo hacen entre víctimas (Ps) y causantes del daño (Ds) (como podrían ser las de concurrencia de culpa de la víctima)[54]. La diferencia de la responsabilidad proporcional respecto a

---

cit., pp. 285-322. La confusión ha contaminado la práctica en el Reino Unido, en donde durante una época se ha llegado a considerar que la conducta o actividad que doblara el riesgo de producir el daño ("doubling the risk test") demostraba la existencia de la relación de causalidad porque cumplía el estándard de prueba del "balance of probability test". Así, por ejemplo, se podría aplicar en el ejempo 6 del caso c) infra. No obstante, esa doctrina del "doubling the risk test" ha sido enérgicamente rechazada por el Tribunal Supremo de ese país en *Sienkiewicz:* Cf. Miquel Martín-Casals, "Causation Conundrums. Introduction to the Annotations to *Sienkiewicz v. Greif (UK)Ltd*, European Review of Private Law 1-2013, p. 301–312, p. 305 y ss.

53   Esta es la terminología que usan Israel Gilead / Michael D Green / Bernhard A. Koch (eds.) *Proportional Liability: Analytical and Comparative Perspectives*, Berlin/ Boston: de Gruyter, 2013, p. 3.

54   Aquí, para abreviar, se utilizan las letras P (*plaintiff*, en inglés, para referirse al demandante o (posible) víctima) y D (*defendant*, en inglés, para referirse al demandado o (posible) causante del daño) y también de Ps y Ds para referirse

esos casos señalados es que en el caso de la responsabilidad solidaria la distribución o reparto se produce una vez se ha establecido la relación de causalidad de hecho entre la pluralidad de causantes del daño y la víctima que lo ha sufrido, de acuerdo con el estándar y con los otros criterios de prueba requeridos o, en el caso de concurrencia de culpa de la víctima, que ésta contribuyó causalmente a todo o parte del daño que ha sufrido. Así, una vez se ha establecido que todos los Ds fueron causa de hecho del daño (y por ello se les considera responsables solidariamente) o que P fue causa de hecho de su propio daño, la responsabilidad se reparte, no debido a la incertidumbre causal, sino porque la justicia y equidad requieren que se realice tal distribución entre todos aquellos que fueron causa del daño. Señalan también que una segunda característica de la responsabilidad proporcional en el caso de pluralidad de causantes del daño, requiere que la distribución se realice entre Ps y Ds, es decir, en lo que podríamos llamar relación externa, es decir, no cuando uno de los posibles causantes del daño (D1) ya ha satisfecho la totalidad y se dirige a los demás para reclamarles la parte que les corresponda (relación interna)[55].

Es España se ha escrito recientemente una monografía en la que se propone la responsabilidad proporcional como solución para todos los

---

respectivamente, a una pluralidad de unos y otros.

55   Gilead/Green/Koch, cit., pp. 3-4. Que ese el sentido en que generalmente se maneja el concepto de "responsabilidad proporcional" ("proportional liability") vide también Steel, cit., en particular en p. 194, cuando contrapone la solución adoptada actualmente en Inglaterra y Gales y señala que "[O]f the systems under study, only English law would apply proportional liability in the *core* defendant indeterminacy situations… each defendant being held liable in proportion to the abstract probability that they were a cause of the injury; French and German law (as well as US and Canadian law) hold each defendant liable in full, jointly and severally –each defendant then must seek contribution *inter se*". También en Alemania, MünchKommBGB /Wagner, Bd. 6, 7 A. 2017, §830, nm. 77 y ss., pp.2197 y ss, después de haber comentado la regla del § 830 (1) 2 BGB, lleva a cabo un largo excurso en donde expone sus ideas sobre la responsabilidad proporcional, que contrapone directamente a la regla de la solidaridad.

casos de incertidumbre[56]. En ella se afirma, además, que este último requisito, es decir, que el reparto se de en la relación externa, no en la interna, no es necesario para hablar de causalidad proporcional, y se viene a indicar que yo no he entendido lo qué significa la responsabilidad proporcional, ya que no me refiero a las reglas de distribución interna de la deuda entre los obligados solidarios.[57] Resumiendo muy brevemente, las líneas generales de ese trabajo vienen a indicar que en nuestro ordenamiento ya existen al menos dos supuestos de responsabilidad proporcional, a saber, la pérdida de oportunidad y la responsabilidad solidaria del miembro indeterminado del grupo (en donde la causalidad proporcional vendría a ser "ad intra", es decir, entre los codeudores), y que ello justificaría admitir que nuestro ordenamiento reconoce la causalidad probabilística como teoría alternativa a la causalidad contrafactual y que, por esa razón, se podría aplicar con carácter general a todos los supuestos de incertidumbre causal[58]. En un trabajo tan breve no me va a ser posible responder punto por punto las tesis que desarrolla el autor, ni a las críticas que me formula, pero si indicar las líneas básicas sobre lo que entiendo que es la llamada "responsabilidad proporcional.

---

56   Luis Medina Alcoz, *La responsabilidad proporcional como solución a la incertidumbre causal*, Madrid: Civitas-Thomson Reuters, 2018.

57   Luis Medina, cit., p. 107.

58   Así, Luis Medina, *ibidem* señala que "no acierto a ver que haya de desmesurado en resolver todos los supuestos de incertidumbre causal mediante la regla de la responsabilidad proporcional, esto es, redistribuir entre el agente y la víctima el coste de las dudas en torno a la existencia del nexo causal, salvo que el legislador lo haya excluido o haya establecido una regla probatoria finalista o especial" y añade, p. 148, que "[D]el mismo modo que, sin necesidad de previsiones codiciales o generales, se obliga a cada cocausante de un daño a indemnizar en función de su cuota de «aportación causal» (al menos en la relación interna entre los diversos autores, si se afirma la responsabilidad solidaria frente a la víctima), puede entenderse que, ante la incertidumbre causal y en ausencia de determinaciones legales de signo contrario, el agente (posiblemente) dañoso responde en la medida de la probabilidad causal".

Ciertamente, debe reconocerse que la solución adoptada por muchos ordenamientos supone una quiebra de la doctrina tradicional de la csqn. Tal es el caso del §830 (1) 2 BGB que, ante la incertidumbre insuperable, establece la responsabilidad solidaria de la pluralidad de posibles causantes del daño que han actuado independientemente. También lo es la doctrina sobre la causalidad alternativa con miembro indeterminado de una pluralidad de potenciales responsables del daño que han actuado independientemente que se ha reconocido en Francia, Estados Unidos, Canadá o España, para nombrar solo algunos países. En esos casos, los Ds han creado tan solo un riesgo que podría haber causado un daño, pero en atención a la dificultad probatoria que ha generado su actuación, y que hace imposible determinar qué persona causó el daño, el legislador o el juez consideran que no sería justo dejar a la víctima sin compensación y le permiten dirigirse contra cualquiera de ellas para reclamar la reparación integral[59]. No obstante, estos casos no comportan el abandono de la doctrina de la *csqn* y su sustitución por una doctrina probabilística de la causalidad, sino que se utilizan otros medios, como la corrección normativa que, con carácter excepcional, realiza el legislador alemán[60], o la "agrupación" de los distintos causantes del daño independientes mediante diversos criterios, como ocurre en el caso francés o español[61].

---

59   Koziol, *Digest* I, pp. 387-389, MünchKommBGB/Wagner, Bd. 6, 7 A. 2017, § 830, nm.45 y ss, pp. 2186 y ss.

60   Y otros muchos como, por ejemplo, los legisladores austríaco (§ 1302 ABGB), griego (art. 926, 2° inciso CCG), lituano (art. 6.279 (4) CCL), de los Países Bajos (art. 6:99 BW) o esloveno (art, 186 (4) CCES).

61   Koziol, *Digest* I, pp. 388, Infantino/Zervogianni, cit., p. 632-633, Gilead/Green/Koch, pp. 22 y ss, Steel, cit., pp. 153 y ss. Con ello, no pretendo decir que esas sean las soluciones más correctas desde un punto de vista teórico, como se me ha atribuido, sino tan solo que el legislador o la jurisprudencia, de un modo análogo a como ocurre en el caso de sobredeterminación con el NESS test, no consideran imprescindible acudir a una teoría causal distinta y buscan otras vías que no alteran la doctrina causalista contrafactual general de la de la *csqn*.

Pero es más, a pesar de que esta solución, desde un punto de vista filosófico, podría explicarse mediante una teoría probabilística de la causalidad, nadie en el contexto europeo, que yo sepa, habla de "responsabilidad proporcional" en estos casos.[62] Hablar de "responsabilidad proporcional", en el sentido en que se entiende comúnmente, requiere siempre, como se ha dicho, un reparto o distribución entre el o los (posibles) causantes del daño, por un lado, y la o las (posibles) víctimas, por otro, en función de una distribución de riesgos que, en el caso de causalidad alternativa con causante del daño no identificado, se refiere a los riesgos de incertidumbre sobre la causación del daño, de insolvencia de alguno o algunos de los posibles causantes del daño y a su trazabilidad.

Así, si existe una pluralidad de posibles causantes del daño (Ds) y quien pide la indemnización (P) no puede probar la relación de causalidad de acuerdo con la doctrina de la *csqn* y con el estándar de prueba requerido, los tribunales deben determinar que falta un elemento para hacer responder a los Ds. En consecuencia, los Ds están exentos de responsabilidad a pesar de haber llevado a cabo una conducta o actividad (en adelante, actividad) que reúne los demás requisitos para dar lugar a la responsabilidad, y a pesar de que se trata de una actividad que puede haber sido causa de daño[63].

Cuando la incertidumbre es recurrente o sistémica, la no responsabilidad puede considerarse indeseable y el legislador o los tribunales pueden adoptar una de estas dos soluciones: (a) Preservar la regla de "todo o nada" y hacer responder solidariamente a todos los Ds, permitiendo que cualquiera de esos Ds pueda exonerarse probando que no causó

---

62   Cf. autores citados en nota 56 y allí más referencias. También Infantino/Zervogianni, cit., p. 641 y ss.

63   Esta era la posición defendida magistralmente por Fernando Pantaleón en su Comentario a la STS 8.2.1983 CCJC abril/agosto 83, 2, pp. 405-417, que derivaba, en mi opinión, de una interpretación ortodoxa del ordenamiento jurídico español.

el daño (prueba que resultará sumamente difícil en la mayoría de las ocasiones), o (b) adoptar una regla de responsabilidad proporcional a la causación y hacer responder a cada D de acuerdo con la probabilidad de que haya causado el daño.

Los resultados prácticos de la responsabilidad solidaria y de la responsabilidad proporcional en caso de pluralidad de causantes del daño son muy parecidos si todos los Ds son trazables y solventes. Sin embargo, si no todos los D son trazables, o si no todos son solventes, surge una diferencia importante.

Optar por la responsabilidad solidaria ante la incertidumbre hace que el D solvente y trazable corra el riesgo de los Ds insolventes y de los no trazables. En cambio, P no corre ni con el riesgo de la incertidumbre, ya que para él el resultado es el mismo[64] que si esa incertidumbre no existiera[65]. Como en el caso de la pluralidad de causantes del daño determinados, P puede reclamar la indemnización íntegra a cualquiera de ellos, pero, en este caso, puede incluso hacerlo a aquellos que pueden no haber causado el daño. En casos extremos puede quedar un único D que, por esta razón, no podrá reclamar a ninguno de los demás Ds en vía de regreso y que, debido a la incertidumbre existente, puede ser uno de los Ds que no ha causado el daño. La solidaridad puede, pues,

---

64   Si no se tienen en cuenta los posibles mayores costes de la gestión de su demanda.

65   A los casos en que no existe incertidumbre se refiere el art. 9:101 PETL, ya que en los casos de causalidad alternativa con causante del daño no identificado los Principios optan por la responsabilidad proporcional en el art. 3:101 (1) PETL. Por su parte, la regla del art. 9:102 (4) , al decir que "[L]a obligación de responder en vía de regreso por la parte respectiva es parciaria, es decir, la persona obligada responde sólo por la cuota de responsabilidad que, según este artículo, le corresponda por el daño; pero si no puede ejecutarse la sentencia que establece la condena de la persona responsable del daño en vía de regreso, su parte debe ser redistribuida entre las demás en proporción a sus respectivas cuotas", es una regla que no tiene nada que ver con la causalidad proporcional, sino que establece la solidaridad de los codeudores en las relaciones internas para un determinado supuesto. Lo explica Spier, Com. Art. 3:102 y 3:103 PETL, pp. 84 y 85. De otra opinión, Luis Medina, *La responsabilidad proporcional...,* cit., p. 111.

convertir en responsable por la totalidad a un único D que no tenía ningún tipo de vínculo ni relación con los demás Ds y que, además, puede
no haber causado el daño. En diversos ordenamientos jurídicos se es-
grimen —en favor de buscar en la solidaridad (o en la responsabilidad
in solidum) una solución que se entiende como excepción a la doctrina
general de la *csqn*— una serie de argumentos que pueden sistematizarse
diciendo que: a) P no debería resultar perjudicado por el hecho de que
haya más de un D que pueda haber causado el daño; b) negar la responsabilidad en los casos en que es simplemente imposible determinar
qué D causó el daño cuando la incertidumbre es recurrente o sistémica
es denegar la indemnización del daño a un número muy elevado de
víctimas; c) ante la incertidumbre, a la hora de optar entre la no-res-
ponsabilidad de los Ds que han actuado ilícitamente o de resarcir a P,
que es una víctima inocente que sufre un daño cierto, hay que preferir
a P; d) cuando hay varios Ds puede resultar más fácil para cada uno de
ellos probar que él no causo el daño —y así excluirse— que a P probar
quien lo causó, etc.[66]

Optar por responsabilidad proporcional —en el sentido que entiende la
legislación y la doctrina comparadas— por el contrario, distribuye los
riesgos existentes entre Ds y Ps. Así, mientras que cada D corre con el
riesgo de la incertidumbre y, por ello, se le puede exigir que compense
un daño que puede no haber causado, tendrá que compensarlo solo en
la medida de la probabilidad de que contribuyera a causarlo. A su vez,
P corre con el riesgo de insolvencia y no trazabilidad de los Ds. Por esa
razón, los partidarios de la responsabilidad proporcional afirman que
en casos de incertidumbre causal la responsabilidad proporcional en
atención a la causalidad probabilística ofrece una mejor distribución de
riesgos entre Ds y Ps que la responsabilidad solidaria y, por esta razón,
los PETL (arts. 3:103 y 3:106) y, como veremos, también algunos legisla-

---

66   Vide como esos y otros argumentos aparecen repetidamente en los diversos
       ordenamientos jurídicos que optan por la responsabilidad solidaria o in *solidum*,
       en Steel, cit., pp. 141 yss.

dores y tribunales, han propuesto la responsabilidad proporcional como una solución más equilibrada de los casos de incertidumbre causal.

La regla de la responsabilidad proporcional es conocida en el ámbito comparado mediante manifestaciones concretas, como la responsabilidad por cuota de mercado (*marketshare liability*)[67], que en ocasiones se entiende como una variantre de la causalidad alternativa con causante del daño no identificado. No obstante, la posible aplicación de la responsabilidad proporcional no se limita a esos casos ni a la llamada "pérdida de oportunidad", sino que admite una tipología más amplia que puede dar lugar a situaciones muy diferentes. Aquí se van a señalar tan solo los grupos de casos que se consideran más importantes.[68]

2.2.3 Tipología básica de casos de incertidumbre causal

a) *Causalidad alternativa con causante del daño no identificado*: Existe una pluralidad de posibles causantes del daño (D1-D3) a la víctima (P), cuando no todos o sólo uno de ellos lo ha causado, y se ignora quien ha sido (cf. art. 3:101 (1) PETL). Es el grupo de casos que acabamos de comentar. Pongamos un ejemplo.

Ejemplo 1: D1 y D2 son dos cazadores que han salido a cazar de modo independientemente uno del otro y que disparan simultáneamente en dirección a unos arbustos tras los cuales se encontraba P. Uno de los dos disparos alcanza a P, hiriéndole en un ojo.

---

67   Vide, por todos, entre nosotros, Albert Ruda González, «La responsabilidad por cuota de mercado a juicio», Indret 03/2003, Working Paper nº: 147, www. indret.com.

68   Para distintas tipologías de casos *Digest* I, pp. 265 y ss; Infantino/Zervogianni, pp. 631 y ss; Steel, cit., p. 129 y ss. y Gilead/Green/Koch, cit., p. 10 y ss., que es la que se sigue más de cerca en este trabajo. Vide también Ariel Porat / Alex Stein, *Tort Liability under Uncertainity*, Oxford, Oxford University Press, 2001, pp. 101 y ss.

Resulta imposible establecer mediante pruebas de balística o de otro tipo cuál de los dos disparos hirió a P [69].

La regla de la causalidad proporcional indicaría que D1 y D2 responden cada uno frente a P solo de acuerdo con la probabilidad de que causaran el daño, es decir, a falta de más datos para establecer la probabilidad, la mitad cada uno[70]. A un caso parecido se refiere el siguiente ejemplo:

> Ejemplo 2: P realiza durante años actividades similares que conllevan una exposición similar al amianto o asbesto y trabaja 10 años para D1, 10 años para D2 y 20 años para D3. Después de esos 40 años se descubre que sufre fibrosis pulmonar. Está médicamente establecido que cuanto mayor es el tiempo de exposición al asbesto y mayor la cantidad aspirada, mayor es el riesgo de enfermedad.

En principio, si la cantidad aspirada por unidad de tiempo es similar —por tratarse de actividades de exposición similares—, cada posible causante del daño responderá en función de la duración de la exposición (25% D1, 25% D2 y 50% D3).

b) *La incertidumbre no permite relacionar los causantes con las víctimas*: Existe una pluralidad de causantes de daños (D1-D10) y una pluralidad de

---

69   El caso, por extravagante que parezca, lo aprenden los estudiantes de Derecho norteamericanos en primer curso porque sintetiza los hechos de *Summers v. Tice,* 33 Cal 2d. 80; 199 P 2d. (1948), y encuentra su versión canadiense en *Cook v. Lewis* [1951] *SCR* 830 (Cook), confirmado por el Tribunal Supremo de aquel país como una excepción al criterio contrafactual de la csqn en *Resurfice Corp. v Hanke* [2007] 1 *SCR* 333. Numerosos son también los casos parecidos a este en Francia, Austria y Francia. Vide *Digest* I, pp. 353-389; Gilead/Green/Koch, cit, pp. 23-26y Steel, cit., p. 153 y ss.

70   En este grupo de casos la mayoría de los países optan por responsabilidad solidaria, si bien en alguno también el resultado puede ser de no responsabilidad. La evolución que se ha producido, que apunta a la solidaridad, sea legal o jurisprudencial, se fundamenta en la consideración de que se produce una inversión de la carga de la prueba de la causalidad. Vide autores citados en la nota anterior y cuadro resumen en Gilead/Green/Koch, cit, pp. 25-26.

víctimas (P1-P100), pero se ignora qué posible causante (D) ha causado el daño a qué víctima (P). Los conocidos casos de responsabilidad por cuota de mercado (*marketshare liability*) se encuadrarían en este grupo, de causalidad también alternativa, pero donde la incertidumbre no permite relacionar los causantes con las víctimas (cf. art. 3:103 (2) PETL).

Ejemplo 3: Varias compañías (D1-D10) producen un fármaco destinado a evitar abortos espontáneos durante el período de gestación y las gestantes que han consumido el fármaco han dado a luz sin problemas niños y niñas durante años. En el caso de las niñas (P1-P100) al llegar a la pubertad empiezan a desarrollar cáncer de útero. Por el paso de los años y porque las madres tomaron fármacos producidos diversos fabricantes, no puede demostrarse qué D causó daño a qué P.

Es bien sabido que este, el de las llamadas "hijas del DES", es el caso más conocido de esta categoría y el que ha dado lugar a ríos de tinta sobre la *marketshare liability*.[71]. Veamos otro caso:

---

71   *Sindell v Abbott Laboratories* (1980) 163 California Reporter (Cal Rep) 132, 607 Pacific Reporter, Second Series (P 2d) 924. Con todo, hay que decir que han sido mayores los ríos de tinta generados por la literatura jurídica que sus repercusiones prácticas, ya que incluso en la practica norteamericana *Sindell* ha quedado como un caso aislado. Como afirma el RT3, § 28, *Comment o*, pp. "...there is virtually no case support for a risk-adjusted market-share liability. Even among jurisdictions accepting a pure market-share theory, it has very rarely been applied outside of DES cases". Cf. también Green, en Gilead/Green/Koch, cit., p. 357. Para una breve exposición del caso y de sus avatares, vide entre nosotros Ruda González, en Indret 03/2003, cit. pp. 1 y ss. La mayoría de los países europeos que han resuelto casos parecidos han rechazado la responsabilidad por cuota de mercado y muchos han declarado la no responsabilidad, mientras que otros, como Francia o los Países Bajos, han resuelto en favor de establecer una responsabilidad solidaria. Vide *Digest* I, 448 y ss (pero Paises Bajos, p. 370 y ss); Steel, cit., p. 158 y ss (Francia p. 159-161); Infantino/Zervogianni, cit., pp. 272 y ss (Case 5 *A Cancerous Drug*) y Gilead/Green/Koch, cit., pp. 26-30, con cuadro resumen en p. 30. La adopción de la regla de la solidaridad también se fundamenta, mayoritariamente, en que se lleva a cabo una inversión de la carga de la prueba que se considera necesaria en atención a la situación de incertidumbre que perjudica a la víctima.

Ejemplo 4: Varias compañías (D1-D3) producen productos que se utilizan en la construcción y que contienen amianto. D1 y D2 tienen una cuota de mercado del 25% cada uno y D3 del 50%. Varios trabajadores de la construcción (P1-P3) utilizan durante años productos de estas compañías en su trabajo y sufren mesotelioma al cabo de un tiempo, que puede haber sido causado por la inhalación de una sola fibra.

Tratándose de productos que tienen exactamente las mismas características dañosas y que en ese sentido, son "fungibles", la responsabilidad proporcional podría determinar que cada D responda de acuerdo con la probabilidad de que haya causado el daño expresada, en este caso, en su cuota de mercado (25% D1 y D2, 50% D3). Al tratarse el mesotelioma de una enfermedad que puede producirse por la inhalación de una o varias fibras de asbestos, tal vez podrían descartarse otros factores como la intensidad de la exposición o los años de exposición.

c) *Casos de víctimas no identificadas*: Existe un agente, como la contaminación emitida por una fábrica, el principio activo de un medicamento u otro factor procedente de una fuente de riesgo similar, que incrementa el número de casos de personas que sufren una determinada enfermedad que también puede ser causada por factores independientes de la responsabilidad de alguien. Sabemos que hay más víctimas que antes, pero no podemos saber cuáles son las víctimas que deben su dolencia a la contaminación emitida, o a ese otro agente activo, y cuáles son las que de todos modos hubieran sufrido el daño[72].

Ejemplo 5: D, una fábrica altamente contaminante se instala cerca de una gran ciudad en la que, por condiciones ambientales

---

[72] *Digest* I, pp. 445 y ss; Gilead/Green/Koch, cit., pp, 31-35, con cuadro resumen en p. 34-35; Infantino/Zervogianni, cit., pp. 353 y ss (Case 8. *A Multi-Contamined River*) y pp. 638 y ss. La solución más común en el ámbito de Derecho comparado es que en estos casos no puede declararse la responsabilidad.

no atribuibles a nadie, se producían 20 casos de cáncer al año, y lanza a la atmósfera emisiones cancerígenas no permitidas por la Ley. A los 5 años de su instalación, se ha constatado que el número de casos de cáncer es ya de 40 al año. P1, P2 y P3, habitantes de esa ciudad, acuden al médico, quien les diagnostica un cáncer terminal, por lo que deciden presentar una demanda de responsabilidad civil contra la fábrica D por la enfermedad que sufren.

Si antes se producían 20 casos al año y ahora son 40, la fábrica del ejemplo ha incrementado el riesgo de cáncer en un 100%. O, dicho de otro modo, lo ha doblado y ahora hay 40 víctimas que no saben si pertenecen al grupo de las 20 que debido a las condiciones ambientales habrían sufrido la enfermedad de todos modos o al de las 20 víctimas adicionales que ha causado la fábrica. La responsabilidad proporcional les permitiría reclamar a cada una el 50% de los daños sufridos.

d) *Incremento del riesgo*: A diferencia de los casos en que se sabía que el daño de una víctima había sido causado por el ilícito civil de un miembro de un grupo de «sospechosos» al que pertenecía el demandado (casos [a] y [(b]), o que el demandado había causado ilícitamente un daño a un grupo al que pertenece el demandante (caso [c]), esta categoría incluiría los casos en que la incertidumbre se refiere a si un solo agente demandado (D) ha causado un daño a un solo demandante (P). Son los casos de incremento de riesgo.

Ejemplo 6: Un granjero peruano (P) demanda a D, un gigante alemán de la energía, por haber contribuido en un 0,47% al cambio climático desde el inicio de la revolución industrial. Debido al calentamiento global, P ha tenido que realizar unos cuantiosos gastos para proteger su casa y sus tierras del deshielo de un glaciar cercano.[73]

---

73   OLG Hamm 5. Zivilsenat | I-5 U 15/17, 5 U 15/17 consideró que la demanda

En este caso P podría reclamar la cantidad correspondiente al incremento de riesgo creado por D.

> Ejemplo 7: P nace con un grave daño cerebral. Se ignora si el daño ha sido el resultado inevitable de su nacimiento prematuro o ha sido causado por el tratamiento negligente del doctor D. Se establece que la probabilidad de que el daño haya sido causado por tratamiento erróneo es del 30%.

En este caso la responsabilidad proporcional en atención a la causalidad probabilística le permitiría reclamar el 30% de los perjuicios sufridos. En ambos casos puede resultar que P no sea realmente víctima de la conducta o actividad de D y que D no sea el autor de un daño a P[74].

e) *La pérdida de oportunidad como problema de incertidumbre causal:* Otras veces la incertidumbre sobre si un único demandado D ha causado el daño que sufre un solo demandante P no se concibe en términos de incremento de riesgo sino en términos de privación de la oportunidad de que P no sufra un daño[75]. Aunqué tal vez no resultaría necesario para el

---

estaba bien fundada y que podía procederse a recopilar las pruebas correspondientes. No obstante, el LG Essen, en primera instancia, había rechazado la demanda aduciendo que la contribución de la empresa (RWE) al cambio climático global había sido mínima y que la relación de causalidad era discutible, cf. Bernhard Burtscher / Martin Spitzer, "Haftung für Klimaschäden", ÖJZ 2017/134, pp. 945-953. Podría pensarse que el principal problema para que triunfe la reclamación es el escaso porcentaje de la contribución de RWE en la casuación del daño, pero el problema es más complejo. Véase Gerhard Wagner, *Klimahaftung vor Gericht,* München: Beck, 2020, un trabajo que es la publicación del dictámen que el autor ha escrito para la defensa de RWE.

74   Vide Gilead/Green/Koch, cit., pp. 35-39, con cuadro resumen en pp. 38-39; Steel, cit., pp. 290 y ss. trata conjuntamente el incremento del riesgo y la pérdida de oportunidad, como dos enfoques alternativos.

75   Para la perdida de oportunidad, además de Steel, cit. en la nota anterior, Infantino/Zervogianni, cit., pp. 558 y ss (Case 17 *Delay in Medical Care*) y pp. 644-646; Gilead/Green/Koch, cit., pp. 39-44, con cuadro resumen en pp. 43-44. Sobre la pérdida de oportunidad como un tema de causalidad, *Digest* I., pp. 545-592 y sobre la visión que ve un daño en toda pérdida de oportunidad, Bénédict

lector español avanzado poner aquí un ejemplo, pongamos el de la archiconocida sentencia del Tribunal Supremo español STS 10.10.1998 (RJ 1998\8371, Ponente: Antonio Gullón Ballesteros)

> Ejemplo 8: P, trabajador de una fábrica de helados, al reparar una máquina termoselladora, sufre un accidente que le amputa la mano derecha. La enfermera de la empresa, D, le atiende en la misma fábrica y da instrucciones para que se ponga la mano en una caja con hielo normal para evitar que se deteriore. Sin embargo, un colega de la víctima cree que la mano se conservará mejor si se pone en una caja para tartas heladas y en hielo seco o sintético, y realiza el cambio sin el conocimiento de la enfermera. Al llegar la ambulancia para llevar a P al hospital, D observa que el contenedor ha cambiado, pero no abre la caja, acompaña a P en la ambulancia y, al llegar, entrega la caja hospital. Allí se dan cuenta de que ya no es posible volver a reimplantar la mano, porque se ha congelado por el contacto con hielo sintético. P demanda a D.[76]

En el ámbito comparado, la doctrina de la pérdida de oportunidad se ha aplicado a diferentes constelaciones de casos, algunos de ellos argu-

---

Winiger / Helmut Koziol / Bernhard A Koch, Reinhard Zimmermann (eds), *Digest of European Tort Law, Volume 2: Essential Cases on Damage*, Berlin/Boston: de Gruyter, 2011, pp. 1075-1123.

[76] En el caso concreto, las sentencias de instancia fueron absolutorias, pero el Tribunal Supremo consideró que la enfermera había sido negligente por no haber tomado ninguna medida cuando se dio cuenta de que la caja había sido sustituida, especialmente porque sabía que un miembro no se conserva bien en hielo sintético. Sin embargo, el Tribunal declaró que la enfermera no podía ser responsable del fracaso de la operación de reimplante "porque la prueba pericial ha demostrado que en condiciones normales no es seguro el éxito de la operación", por lo que a la demandada "no se le puede imputar más que la pérdida de una oportunidad para efectuar en condiciones una operación de reimplante de la mano, que no se sabe si al final hubiera dado resultado. Dicho de otra manera, se le puede imputar la pérdida de unas expectativas". Aunque el demandante pidió más de 120.000 euros, el Tribunal Supremo le otorgó tan solo 9.000 euros, sin realizar ningún cálculo ni dar ninguna justificación del porqué de la menguada suma.

mentados en ocasiones en clave contractual, que se refieren a situaciones en las que la acción u omisión negligente del demandado ha impedido que el demandante pudiera obtener un resultado que esperaba que se produjera y que, por esta razón, era hipotético. Este es el caso, por ejemplo, cuando se destruye un billete de lotería de alguien o se le impide participar en un concurso, sea para aspirar a un trabajo o para optar a un premio.

La pérdida de oportunidad ha sido objeto de un amplio debate en los países de nuestro entorno[77] y más recientemente en España[78], sobre

---

77   Helge Grosserichter, *Hypothetischer Geschehensverlauf und Schadensfeststellung*, München: Beck, 2001; Helmut Koziol, «Schadensersatz für verlorene Chancen?», en Gerhard Hochloch, Rainer Frank, Peter Schlechtriem (Hrsg.), *Festschrift* für Hans Stoll zum 75. Geburtstag, Tübingen: Mohr Siebeck, 2001, pp. 245 y ss.; Gerald Mäsch, *Chance und Schaden. Zur Dienstleisterhaftung bei unaufklärbaren Kausalverläufen*, Tübingen: Mohr Siebeck, 2004; Thomas Kadner Graziano, "Loss of a Chance in European Private Law - 'All or nothing' or partial liability in cases of uncertain causation", European Review of Private Law 16 (6), 2008, pp.1009-1042; Christopher Bolko Ehlgen, *Probabilistische Proportionalhaftung und Haftung für den Verlust von Chancen*, Tübingen: Mohr Siebeck, 2012; Christoph Müller, *La perte d'une chance*. Étude comparative en vue de son indemnisation en droit suisse, notamment dans la responsabilité médicale, Berne: Stämpfli, 2002 y, del mismo autor, «La perte d'une chance», en Bénédict Foëx/ Franz Werro, *La réforme du droit de la responsabilité civile*, Zurich/Bâle : Schulthess 2004, pp. 143-181.; Laura Khoury, *Uncertain Causation in Medical Liability*, Oxford/Portland : Hart, 2006; Domenico Chindemi, *Il danno da perdita di chance*, 2a. ed., Milano: Giuffrè, 2010 ; Sabrina Trivelloni, *Danno da perdita di chance e lesione dell'interesse legittimo*, Milano : Giuffrè, 2016 ; François Chabas, «La perte d'une chance en droit francais», en Olivier Guillod (ed.), *Développements récents du droit de la responsabilité civile»* Zurich, 1991, p. 131 y ss.; Jean-Sébastien Borghetti, «La réparation de la perte d'une chance en droit suisse et en droit français», European Review of Private Law 16 (6), 2008, pp.1072 y ss. y, del mismo autor, «La perte de chance, rapport introductif», LPA 31 oct. 2013 n° PA201321801, p. 3, 4/6. Con información sobre la situación de la «pérdida de oportunidad» en diversos ordenamientos jurídicos europeos, vide los distintos informes nacionales y el informe comparado de Koziol (pp. 589-592) en *Digest* I, cit., pp. 545-593 y Infantino /Zervogianni, cit., (Case 17 *Delay in Medical Care*), pp. 558-584 y 644-646.

78   Esenciales, en este punto, Luis Medina Alcoz, *La teoría de la pérdida de oportunidad. Estudio doctrinal y jurisprudencial del Derecho de daños público y privado*, Cizur Menor, Thomson Civitas, 2007 y Clara. I. Asua González, *Pérdida de oportunidad en la res-*

todo después de que nuestra jurisprudencia haya empezado a resolver dos grupos de casos muy concretos: (1) El caso del procurador o abogado que omite negligentemente la correspondiente actuación procesal en favor de su cliente en el momento oportuno o la realiza de modo negligente, provocando con ello que éste no pueda ya hacer valer su derecho, supuesto que generalmente se conoce como «pérdida de oportunidad procesal» [79] y (2) El caso del médico o profesional sanitario que actúa de modo negligente, sufriendo el paciente un daño que, de acuerdo con una probabilidad mayor o menor, tal vez no hubiera sufrido en caso de actuación diligente, supuesto conocido generalmente como «pérdida de oportunidad de curación»[80]

Sobre este tema he tenido la oportunidad de pronunciarme en repetidas ocasiones y, en contra del sambenito que algún autor me atribuye al etiquetarme como "partidario del enfoque ontológico" de la pérdida de oportunidad[81], jamás he defendido que la pérdida de oportunidad, especialmente en el ámbito médico, sea un problema de daño y no un problema de causalidad[82]. Lo que si he indicado es que, por influencia

---

ponsabilidad sanitaria, Cizur Menor: Thomson Civitas, 2008. Vide también Jordi Ribot / Albert Ruda, «Loss of a Chance. Spain», en Digest I, pp. 567 y ss.

79   Las primeras sentencias del Tribunal Supremo español son las SSTS 16.12.1996 (RJ 1996\8971) y 28.1.1998 (RJ 1998\357).

80   La primera fue la STS 10.10.1998 (RJ1998\8371).

81   Así, Luis Medina Alcoz, *La responsabilidad proporcional...,* cit., pp. 106 y ss., indica que me muestro "partidario del enfoque ontológico, en particular, de la «reformulación» de la chance como modalidad dañosa para «ajustar» la reparación a los «instrumentos tradicionales" (todos los énfasis de ese autor), si bien luego dice (p. 108) que parezco "admitir el carácter ficticio de la oportunidad perdida como objeto indemnizable al reconcoer abiertamente que resuelve un problema de incertidumbre causal".

82   Vide Miquel Martin-Casals, "Some Introductory and Comparative Remarks to the Decision of the Swiss Federal Court BGE/ATF 133 III 462 and to the 'Loss of Chance' Doctrine", European Review of Private Law 6-2008, pp. 1043-1050, en un análisis que precede los informes que reflejan la aceptación o rechazo de la "pérdida de oportunidad" en Alemania , Austria, Francia, Inglaterra y Gales Hungría y también España –informe en el que se refleja el estado evolutivo de la jurisprudencia española de aquellos momentos. También

francesa, y para evitar el carácter disruptivo que tiene reconocer una teoría de la causalidad probabilística que da lugar a la responsabilidad proporcional y que está totalmente alejada de la bien asentada teoría de la *csqn*, les ha sido más cómodo a nuestros tribunales (hasta aproximadamente 2012[83]) adoptar la doctrina prevalente en Francia –y también en la mayoría de países que admiten la pérdida de oportunidad[84]— que considera que la oportunidad perdida, en sí misma, es un daño distinto del "daño final", y he señalado que esa doctrina era más fácil de digerir

---

pueden verse mis trabajos "La 'modernización" del Derecho de la responsabilidad extracontractual", en Asociación de Profesores de Derecho civil, *Cuestiones actuales en materia de responsabilidad civil*, Murcia, Servicio de Publicaciones de la Universidad de Murcia, 2011, pp. 11-111, pp. 45 y ss. y "Proportional liability in Spain. A bridge too far?", Martin-Casals/ Papayanis (eds.), cit., pp. 43-66. Sin ánimo de exhaustividad, véanse también mis trabajos "Nuevas perspectivas de la responsabilidad extracontractual", en Esteve Bosch Capdevila (dir.), *Nuevas perspectivas del derecho contractual*, Barcelona: Bosch, 2012, pp. 229-263, pp. 254 y ss y, finalmente, en "Más allá del mal llamado 'baremo sanitario'", en Javier López García de la Serrana / José Luis Nava Meana (Coord.), *Ponencias del XVIII Congreso Nacional de la Asociación Española de Abogados Especializados en Responsabilidad Civil y Seguro*, Gijón, Noviembre 2018, Madrid, Sepín, 2018, pp. 47-97.

83   O incluso después de la STS 16.1.2012 (RJ 2012\1784) (Ponente: José Antonio Seijas Quintana), ya que a pesar de que a partir de esa época empiezan a hablar de causalidad probabilística, no extraen las consecuencias de esa doctrina, ni desarrollan tampoco su significado. Véase, en cambio, la STS 22.1.2020 (ROJ STS 99/2020) (Ponente: Jose Luis Seoane Spiegelberg), incluso con cita, entre otros del art. 3:106 PETL que se refiere claramente a la responsabilidad proporcional.

84   Martin-Casals, "Proportional liability…", cit., p. 63, en donde se ha afirmado literalmente que : …It should be noted that both in the medical and in the legal cases of loss of chance the uncertainty does not flow from the hypothetical nature of the harm, but from the fact that it is unknown whether the claimant would in fact have avoided the harm, that is to say, *it affects causation not damage* (énfasis añadido). However, the reformulation of the chance as damage (énfasis añadido) *fits in with the traditional legal analysis* since it allows the use of traditional tools to prove causation in fact between the conduct or activity of the claimant and the lost chance…". La idea no es una feliz ocurrencia de este autor sino un lugar común en la comparatística europea. Así, por ejemplo, también Infantino/Zervogianni, cit., p. 646 y ss., p 646, señalan que en la mayoría de países en que se admite, la pérdida de oportunidad se considera un problema referido al daño y no a la relación de causalidad, y que los tribunales son menos reacios a admitirla cuando la consideran un daño.

por los tribunales españoles (al igual que los de otros países), porque no cuestiona la doctrina general de la causalidad contrafactual y permite reducir el problema de la incertidumbre a un pretendido problema de valoración del daño. También he señalado que, a diferencia de los que ocurre en otros países, la existencia de una cláusula general que, en principio, permite resarcir la lesión de todo tipo de interés y que, en caso de duda, permite que sea el juez quien decida qué intereses son dignos de tutela jurídica y cuáles no, facilita esa operación de convertir la oportunidad perdida en un "daño", distinto del "daño final", sin ningún quebranto de otros elementos estructurales del sistema (p.ej. además de la causalidad contrafactual, mantener el principio de reparación integral o la posibilidad de valorar la indemnización en abstracto cuando no sea posible hacerlo de modo concreto, etc.). En los países en que el sistema de responsabilidad civil se basa en una tasación legal de cuáles son los intereses jurídicos protegidos y cuál es su alcance, esa conversión —o más bien "transustanciación"— de la pérdida de oportunidad en "daño" no es posible. Así, por ejemplo, en Derecho alemán la oportunidad perdida no puede ser un daño en sí misma, en el sentido de interés jurídicamente protegido, porque no se halla en el listado de intereses protegidos del § 823 BGB ni tiene cabida en otros preceptos como el § 823 II o § 826 BGB[85].

Dicho todo lo anterior, he estado siempre de acuerdo en que ese "transustanciación" casi mística de la oportunidad perdida en daño es una ficción jurídica que trata de resolver un problema de causalidad[86] y he

---

85   Florian Bien, „Schadensrechtliches Alles-oder-nichts-Prinzip und Beweislastumkehr beim groben Behandlungsfehler – Zum Umgang der deutschen Rechtsprechung mit Kausalitätszweifeln im Arzthaftungsprozess", European Review of Private Law 6-2008, pp. 1082- 1097.

86   En Martin-Casals, "Más allá del mal llamado 'baremo sanitario", cit., p. 68, he señalado además que "En la doctrina española ha sido mérito de Luis Medina trasladar los problemas que presenta la pérdida de oportunidad del campo del daño al campo de la causalidad para poner de manifiesto como la consideración de la pérdida de oportunidad como daño específico, distinto del corporal sufrido por el paciente, no es más que un artilugio conceptual...".

escrito que la pérdida de oportunidad, entre otras posibilidades causales, puede configurarse como un caso de causalidad alternativa en
la que la alternativa a la actuación causal de la que deberá responder
quien actúa es, valga el juego de palabras, la *casualidad*, o dicho más
técnicamente, en palabras del art. 3:106 PETL, una causa incierta que
se halla en la esfera de la víctima.[87]

Me gustaría añadir ahora que tal vez esa ficción transustanciadora viene en parte facilitada por el carácter anfibológico que tiene la palabra
"daño", que se utiliza indistintamente para referirse a la lesión del interés
jurídico protegido (el "danno evento" de la doctrina italiana) y a las consecuencias dañosas de esa lesión, es decir, a los perjuicios patrimoniales
o extrapatrimoniales (el llamado "danno conseguenza"). Si consiguiéra-
mos desambiguar la palabra "daño" y reservarla para la lesión del interés jurídico protegido, y utilizar la palabra "perjuicio" para referirnos
a las consecuencias patrimoniales y extrapatrimoniales de esa lesión (lo
que habitualmente se denomina "daños" patrimoniales y extrapatrimoniales o morales) tal vez podríamos ver más claramente en qué confusión
interesada se basa la doctrina de la pérdida de oportunidad como daño.

En los supuestos clásicos de pérdida de oportunidad, reconocidos por la
mayoría de los ordenamientos jurídicos, como la destrucción del famoso
billete de lotería, existe claramente un daño que puede conectarse perfectamente con la doctrina tradicional de la *csqn.* El daño, como lesión
a un interés jurídico protegido, es la destrucción de una cosa que incorpora una expectativa de ganancia, es la destrucción del billete, y de lo
que se trata, una vez establecido que ha existido "daño", es de valorar
el "perjuicio", es decir, estimar el valor pecuniario del perjuicio patri-

---

87   Art. 3:106. Causas inciertas en la esfera de la víctima. La víctima tiene que
      cargar con la pérdida sufrida en la medida correspondiente a la probabilidad de
      que pueda haber sido causada por una actividad, acontecimiento o cualquier
      otra circunstancia perteneciente a su propia esfera. Vide Martin Casals, "Nue-
      vas perspectivas…", cit., p. 256.

monial (y en su caso, también del extrapatrimonial) de la oportunidad perdida.[88]

En los supuestos de pérdida de oportunidad médica (por ejemplo, de pérdida de oportunidad de curación), la incertidumbre pesa sobre la producción del daño, no solo sobre la valoración del perjuicio. Sólo se sabe que el médico ha sido negligente, pero no se sabe si la negligencia ha producido algún daño, en el sentido anteriormente indicado, que aquí sería un daño corporal. De acuerdo con la doctrina causal generalmente admitida, la de la *csqn*, no podemos determinar si el médico ha causado el daño o no y lo apropiado sería aplicar una doctrina causal probabilística, basada en el incremento del riesgo de producción del daño que ha creado la negligencia médica, que daría lugar a una responsabilidad proporcional. Para evitar esa quiebra del sistema, la mayoría de los ordenamientos jurídicos que admiten la pérdida de oportunidad elevan la oportunidad perdida a la categoría de "daño", y resuelven el problema haciéndolo pasar como si se tratara de un problema de valoración del perjuicio.

Por todas esas razones, tal vez podría considerarse que la llamada "pérdida de oportunidad procesal" es un caso de pérdida de oportunidad clásico, en el sentido de que sí puede atribuirse el daño al abogado o procurador, y de lo que se trata es de valorar las consecuencias de ese daño, es decir, el perjuicio. Por esa razón, la doctrina alemana, que no admite la perdida de oportunidad en el contexto médico, señala que pueden resolverse los casos de lo que nosotros llamamos "pérdida de oportunidad procesal" mediante el mecanismo del "juicio dentro del juicio", es decir, estimando judicialmente las probabilidades de éxito que hubiera tenido la acción que ya no se puede ejercer para así determinar el importe del perjuicio[89].

---

88   He tenido ocasión de desarrollar estas ideas con algo más de detalle en "Más allá del mal llamado baremo sanitario", cit., pp. 6 y ss.

89   La propuesta se expresa de modo dubitativo y requeriría un mayor análisis, sobre todo tras la STS la STS 22.1.2020 (ROJ STS 99/2020) (Ponente: Jose Luis

2.2.4. Otros supuestos

La complejidad de la constelación de casos a los que puede, en teoría, aplicarse la responsabilidad proporcional no se agota en los supuestos señalados anteriormente. Como hemos visto, en todos ellos la incertidumbre impedía determinar si la conducta culposa o la actividad sujeta a responsabilidad objetiva había sido *csqn* del daño sufrido por la víctima. Puede suceder, además, que, de acuerdo con los criterios de prueba de la causalidad generalmente admitidos, se pueda probar que esa conducta o actividad ha causado algún daño a la víctima, pero no qué parte ha sido causada por el demandado y qué parte se debe a un factor causal distinto, sea la actuación de tercero (Ejemplo 9), de la propia víctima (Ejemplo 10) o un hecho de la naturaleza del que nadie deba responder (Ejemplo 11):

> Ejemplo 9: Tres perros atacan y muerden a P. Cada uno de esos perros es de un dueño distinto (D1, D2 y D3). No se sabe cuáles son las lesiones que ha causado cada perro.

> Ejemplo 10: Igual que en el caso anterior, pero parte de las lesiones se producen por culpa de P.

> Ejemplo 11: Tres perros atacan y muerden a P. Dos de ellos tienen dueño (D1 y D2), pero el tercero es un perro abandonado. No se sabe cuáles son las lesiones que ha causado cada perro.

Seoane Spiegelberg), de la que he tenido conocimiento al cierre de este trabajo, en la que, con cita, entre otros, del art. 3:106 PETL, señala que la pérdida de oportunidad "…opera como paliativo del radical principio del todo o la nada a la hora de determinar la relación causal entre un hecho y un resultado acaecido, a modo de una imputación probabilística. El comportamiento que priva de una chance es un suceso que ha podido ser condición necesaria del daño, pero también no serlo", aunque luego habla de la doctrina de la "pérdida de oportunidades, es decir, por daño patrimonial incierto o hipotético". A favor de una solución parecida a la propuesta en el texto, Kadner Graciano, cit., p. 1035 y ss., y algo más críticos Bolko Ehlgen., cit., pp. 373 y Mäsch, cit., pp. 142 y ss, 388 y ss, 400 y ss.

Un categoría ulterior incluiría los casos en que la incertidumbre causal se refiere a si la conducta de D producirá un daño en el futuro, pudiendo todavía distinguirse, a su vez, entre un subgrupo de casos en los que lo incierto es si la conducta de D producirá algún daño a P en el futuro (Ejemplo 12), de otro subgrupo en que, de acuerdo con el estándar de prueba requerido, se ha demostrado que la conducta de D ya ha causado un daño a P, o que lo causará en el futuro, pero lo que se ignora es la gravedad que tendrá (Ejemplo 13):

> Ejemplo 12: La conducta negligente de D ha expuesto a P, su empleado, a los efectos nocivos de una sustancia tóxica. No obstante, se ignora si las consecuencias de esa exposición comportarán que exista una probabilidad del 20% o del 80% de que contraiga una enfermedad en el futuro.

> Ejemplo 13: P ha sufrido la fractura de diversos huesos a resultas de un accidente causado por D, pero en el momento de la interposición de la demanda se ignora si ello provocará que su salud se deteriore en el futuro.

Finalmente, podría pensarse en la combinación de los distintos grupos de casos expuestos, en variaciones que aumentarían la complejidad.

> Ejemplo 14: Como en el Ejemplo 1, P realiza trabajos que conllevan el contacto con el amianto o asbesto y trabaja 10 años para D1, 10 para D2 y 20 para D3. Pero aquí P es un fumador empedernido y lo que sufre P es un cáncer de pulmón, que su adicción al tabaco puede haber causado de modo exclusivo o, al menos, puede haber contribuido a causarlo.

Como puede verse, pues, la responsabilidad proporcional puede aplicarse a una constelación de grupos de casos muy variados.

IV. CONCLUSIONES

Decía Pantaleón hace años que "[E]l Derecho no puede sino partir del concepto de causalidad propio de la Lógica y de las Ciencias de la Naturaleza" y que "[L]os operadores jurídicos no son "productores", sino "consumidores "de las leyes causales. Por ello puede afirmarse que la decisión sobre la existencia o no de la relación de causalidad es una cuestión de hecho, libre de valoraciones específicamente normativas. Por el contrario, el problema de la imputación objetiva —la función de cuyos criterios es evitar que sean puestas a cargo del responsable absolutamente todas las consecuencias de las que su conducta es causa— es una cuestión claramente jurídica, un problema de valoración a resolver con las pautas, más o menos precisas, ofrecidas por el sistema normativo de responsabilidad".[90]

En mi opinión la distinción entre causalidad de hecho y causalidad de derecho o jurídica, en lo esencial, sigue siendo válida, como constatan una parte importante de textos del *soft law* y de ordenamientos jurídicos de nuestro entorno cultural. En cambio, no creo que pueda serlo esa idea de que la causalidad de hecho se determina solo de acuerdo con la "Lógica" (¿qué "Lógica"?) o las "Ciencias de la Naturaleza". Como se ha intentado exponer brevemente, ni la lógica ni las ciencias de la naturaleza nos ofrecen una única teoría de la causalidad, ya que junto a la teoría contrafactual imperante, existen otras teorías causales, como las teorías regularistas que sirven de sustrato al NESS-test, o las teorías probabilísticas que sirven de fundamento de la responsabilidad proporcional.

Como también he intentado señalar, también creo que la determinación de la causalidad de hecho no es ajena a elementos normativos. Así, cuando la doctrina de la *csqn* no resuelve problemas de sobredeterminación, el legislador puede adoptar una teoría causal específica que

---

90   Pantaleón, cit. p. 1153.

complemente la general o estipular legalmente qué debe entenderse por causalidad en un determinado caso concreto. También cuando la incertidumbre causal da lugar a resultados que no se consideran deseables de acuerdo con la doctrina de la *csqn*, puede buscar diversas vías para estipular que la causalidad ha existido (cf. p. ej. § 830 (1) 2 BGB y artículos concordantes en otras legislaciones mencionadas). Ciertamente en todos esos casos se puede pensar que en lugar de estipular qué debe entenderse por causa o recurrir a mecanismos interpretativos que permitan encajar la resolución del problema en la teoría causal general, resulta preferible acudir directamente a teorías causales alternativas.

Llegados a este punto, podríamos preguntarnos si es deseable que el derecho asuma como verdadera alguna tesis metafísica sobre la causalidad. El derecho de daños puede utilizar distintos tests para verificar los enunciados causales individuales que, además, dan cuenta de relaciones causales de muy diverso tipo. Dado que no existe un consenso científico ni filosófico sobre la metafísica de la causalidad o, dicho de un modo más llano, sobre lo que la causalidad realmente sea, creo que es preferible explorar con cautela el pluralismo causal y, en concreto, la responsabilidad proporcional en atención a la causalidad probabilística[91], ya que, como reconoce el propio análisis económico del Derecho, la doctrina de la responsabilidad proporcional supone un enfoque doctrinal alejado del enfoque tradicional de la causalidad en el Derecho que, en algunos casos, puede llegar incluso a ser bastante radical[92].

En este sentido, debe tenerse en cuenta que ni la doctrina comparada ni ningún ordenamiento jurídico de nuestro entorno postulan la causalidad proporcional como solución para resolver todos los supuestos de

---

91   Sobre el pluralismo y el monismo causales, Bárcena, cit., p. 78 y *passim*, y allí más referencias.

92   En este sentido, Omri Ben-Shahar, "Causation and foreseeability", en Michael Faure (ed.), *Tort Law and Economics*, Cheltenham / Northampton: Edward Elgar, 2009, pp. 83-108, p. 96.

incertidumbre causal.[93] Así, por ejemplo el Código civil checo (cf. Art. 2925 (2)) la propone solo para los casos de daño causado por circunstancias extraordinarias en el que resulte aparente que las circunstancias de la operación incrementaron de modo significativo el riesgo de producción del daño[94]. El Anteproyecto belga de 2018, por su parte, la propone para la pérdida de oportunidad (art. 5.168)[95] y para la pluralidad de causantes del daño que actúan de modo independiente cuando la incertidumbre se refiere a la identidad del causante del daño (art. 5.169)[96]. Del hecho de que se proponga en un grupo de casos concretos no deriva que sea recomendable en todos los posibles grupos de casos porque, como también se ha intentado señalar, la tipología de casos en que puede producirse incertidumbre causal —y que aquí solo se ha esbozado— es muy variada y no hay un único hilo conductor que permita promulgar un conjunto de reglas aplicables a todos ellos[97].

---

93   Así, Jaap Spier, en su comentario introductorio a los arts. 3:103 y ss PETL, pp. 46-47.

94   Art. §2925 (2): "If it is apparent from the circumstances that the operation significantly increased the risk of damage occurring, even though other possible causes can also be identified, the court shall require the operator to provide compensation for damage to an extent that corresponds with the probability of the operation having caused that damage" (traducción al inglés de Jirí Hrádek), en Karner/Oliphant/Steininger, cit., pp. 65-86, p. 71.

95   Art. 5.168. *Perte d'une chance.* Si un fait générateur de responsabilité est une cause probable du dommage, alors que sans ce fait il y aurait eu une chance réelle que le dommage ne se produise pas, elle a droit à réparation de son dommage en proportion de la probabilité que le dommage ait été causé par ce fait.

96   Art. 5.169. *Faits distincts. Incertitude concernant l'identité de celui qui est à l'origine du dommage.* Lorsque deux ou plusieurs personnes exerçant des activités comparables susceptibles d'engager leur responsabilité ont exposé la personne lésée à un risque de survenance du dommage qui s'est réalisé et qu'il est impossible de démontrer laquelle de ces activités a causé le dommage, chacun e de ces personnes est responsable en proportion de la probabilité que le dommage ait été causé par son activité. Toutefois, elles ne sont pas responsables si elles démontrent qu'elles n'ont pas causé le dommage.

97   En el mismo sentido, y desde una perspectiva correctivista, Ernst J Weinrib, "Causal Uncertainty", Oxford Journal of Legal Studies, Vol. 36, No. 1 (2016), pp. 135–164, p. 164 y *passim,* que añade que lo que se desprende del análisis de los problemas de incertidumbre causal es que no se trata de un problema

Es, pues, opinión generalmente compartida en Derecho comparado que no puede adoptarse la responsabilidad proporcional para todos los casos de incertidumbre causal y que la decisión de adoptarla o no puede depender de varios factores, como el fundamento de la responsabilidad (culpa / culpa grave, responsabilidad objetiva), los distintos conceptos perjudiciales o partidas de daño a resarcir, la magnitud del daño, el número de causantes del daño, el número de víctimas, etc.[98]. En la misma línea, también se ha sostenido que se puede intentar establecer una clasificación de los distintos grupos de casos en que pueden surgir problemas de incertidumbre causal en atención a la fuerza o la debilidad de los argumentos en favor de imponer responsabilidad proporcional cuando la incertidumbre causal impide que se pueda satisfacer el estándar ordinario de prueba[99]. Finalmente se ha intentado llevar a cabo un análisis de los distintos grupos de casos que se encuadran en una tipología como la expuesta para determinar si la aplicación de la responsabilidad proporcional contribuiría mejor o peor que la doctrina del "todo o nada" a alcanzar los fines de la responsabilidad civil, definidos como la justicia y equidad en la distribución de los riesgos y los daños, el incremento agregado del bienestar en la sociedad (eficiencia), la creación de incentivos para evitar que causen daños quienes puedan evitarlos a menor coste (prevención) y la minimización de los costes necesarios para determinar quién debe suportar el coste de los accidentes cuando se producen (eficiencia administrativa).[100] El análisis pormenorizado de los grupos de casos permite distinguir supuestos en los que hay argumentos sólidos que militan en favor de la responsabilidad proporcional (como por ejemplo, en los casos de "causalidad alternativa con causante del

---

homogéneo y que su solución varía con el tipo de situación en el que aparece la incertidumbre.

98   En este sentido, Jaap Spier, Comentario introductorio al art. 3:102 PETL, p. 82 y ss.

99   Ken Oliphant, 'Causation in Cases of Evidential Uncertainty: Juridical Techniques and Fundamental Issues', 91 Chicago-Kent Law Review 585 (2016), pp. 591 y ss.

100   Gilead/Green/Koch, cit., p. 8.

daño no identificado" o de "incertidumbre que no permite relacionar los causantes con las víctimas"), frente a otros en que los argumentos en favor de la causalidad proporcional son más débiles (como p. ej. casos de "víctimas no identificadas" o algunos casos de "incremento de riesgo").[101] Con todo, debe notarse que, dependiendo del enfoque que se adopte, alguno de esos elementos puede tener más o menos peso como, por ejemplo, el valor preponderante del criterio de la eficiencia para el análisis económico del Derecho y prácticamente nulo para los filósofos correctivistas[102].

Hasta la fecha, ningún ordenamiento jurídico ha establecido reglas detalladas sobre cómo evaluar estos u otros factores para determinar si ante una determinada situación de incertidumbre causal debe haber responsabilidad o no. No obstante, y por motivos atendibles de política legislativa, creo que se va ampliando el consenso de que, en determinados casos, la responsabilidad proporcional puede ofrecer una alternativa importante para resolver problemas de incertidumbre causal que no pueden ser resueltos con el enfoque contrafactual de la *csqn*. Queda, pues, mucho por hacer en un tema cuya trrascendencia solo se ve superada por su dificultad.

---

101   Vide con detalle Gilead/Green/Koch, cit., pp. 22 y ss.

102   Para una contraposición entre uno y otro enfoque, y con una amplia crítica desde la perspectiva filosófica correctivista, Diego Papayanis, "Probabilistic Causation in Efficiency-Based Liability Judgments", Journal of Legal Theory 20 (2014), p. 210-252.

2. RESPONSABILIDAD DEL ESTADO DE CHILE A RAÍZ DEL TERREMOTO Y TSUNAMI DE 27 DE FEBRERO DE 2010. ALGUNOS PROBLEMAS DE CAUSALIDAD[1]

Lilian C. San Martín Neira[2]

Profesora asociada, Universidad Alberto Hurtado – Chile.

SUMARIO: I INTRODUCIÓN. II LOS CASOS. 1. El anuncio radial del intendente 2. El incendio en Chillán. 3.Isla Mocha. III. CONCLUSIONES.

RESUMEN

Este artículo alude a la responsabilidad que se ha impuesto al Estado chileno a raíz del terremoto y tsunami de 27 de febrero de 2010, específicamente a algunos problemas relativos al establecimiento del nexo causal que es posible advertir en algunas de las sentencias. Para ello, se exponen tres casos paradigmáticos, a través de los cuales se pone en evidencia la función social que cumple la responsabilidad civil en algunos casos, así como la ausencia de la aplicación de teorías de imputación ob-

---

1   Este trabajo forma parte del proyecto de investigación Fondecyt 1170686, titulado "Responsabilidad civil derivada de desastres naturales", del que su autora es investigadora responsable.

2   Doctor en Sistema Jurídico Romanista por la Universidad de Roma Tor Vergata. Profesora asociada, Universidad Alberto Hurtado – Chile.

jetiva, o causalidad jurídica, y la incorporación de teorías de responsabilidad proporcional para superar problemas de incertidumbre causal.

PALABRAS CLAVES

Causalidad – desastres naturales – responsabilidad del Estado

ABSTRACT

This article refers to the civil liability that has been imposed on the Chilean State in the wake of the earthquake and tsunami of 27 February 2010. Specifically, the article talks about some problems relating to the establishment of the causal link that may be noted in some of the Sentences. To do this, the author exposes three paradigmatic cases, through which is possible to notice that in some cases the civil liability fulfills a social function, as well as the absence of the application of theories of objective imputation, or legal causation, and the incorporation of proportional liability theories to overcome problems relating to uncertain causation.

KEYWORDS

Causation – natural disasters – State civil liability

I. INTRODUCCIÓN

Chile es un país altamente propenso al sufrimiento de desastres naturales de diversa naturaleza, así lo declara expresamente el Decreto 1512 del Ministerio del Interior, que aprueba la política nacional para la gestión de riesgos de desastres (en adelante Decreto 1512), según el cual "Chile es un país expuesto de manera permanente a amenazas de origen natural como antrópicas, entre las que destacan los terremotos, tsunamis, erupciones volcánicas, inundaciones, incendios forestales, entre otras"[3]. Esta circunstancia ha determinado que a lo largo de la historia el territorio nacional haya debido convivir con una variada gama de desastres naturales[4], que eran asumidos como "infortunios" o "fatalidad" por quienes sufrían sus consecuencias y, por consiguiente, en general no daban origen a demandas de responsabilidad civil. En los últimos años, especialmente a raíz del terremoto y posterior tsunami de 27 de febrero de 2010 (en adelante 27F), esta situación ha cambiado. Las víctimas de desastres naturales han ejercido demandas en contra de quienes ellos consideran "responsables" del daño sufrido, más allá de que en los hechos el factor desencadenante del mismo haya sido un cierto fenómeno natural, dejando así de asumir que se trata de un infortunio o fatalidad.

Desde el punto de vista económico y de la distribución de riesgos, la proliferación de demandas de responsabilidad asociadas a desastres naturales tiene en Chile un cariz especial, pues el país no cuenta con un sistema de seguro o reaseguro estatal contra entre este tipo de fenómenos, con lo cual las pérdidas materiales y humanas deben ser soportadas directamente por los afectados. De esta manera, la responsabilidad civil ha pasado a ser la forma en que la población obtiene la indemnización de sus daños[5]. A mi juicio, esto explica que la responsabilidad civil está

---

3   Cfr. Considerando 1, DS 1512 del Ministerio del Interior, publicado el 18 de febrero de 2017. Disponible en: , consultado 03 de enero de 2020.

4   Sobre el particular pueden verse: PALACIOS ROA, *Historia de los megaterremotos ocurridos en Chile entre 1647 y 1906*, Ediciones Universitarias de Valparaíso, Valparaíso, 2016, pp. 41 ss.; ONETTO, *Temblores de tierra en el jardín del Eden. Desastres memoria e identidad. Chile siglos XVI-XVIII*, Centro de Investigaciones Barros Arana, DIBAM, Santiago, 2017, pp. 37 ss.

5   Para un análisis de los desastres naturales como fuentes de responsabilidad civil, *vid* SAN MARTÍN NEIRA, "Desastres naturales y responsabilidad civil. Identificación de los desafíos que presenta esta categoría de hechos dañinos", Revista de Derecho (Valivia), vol. XXXII, N° 2, pp. 123-142. Disponible en http://revistas.uach.cl/index.php/revider/article/view/5949, consultado 03 de enero de 2019.

cumpliendo en estos casos una función de redistribución de las pérdidas
que se asemeja mucho a un sistema de seguridad social, alejándose del
sistema de responsabilidad civil, pues la verificación de todos los requisitos que según la doctrina –y la propia jurisprudencia chilena– deben
cumplirse en estos casos se ha visto ostensiblemente rebajada[6]. Esto último es especialmente válido para el nexo de causalidad, el cual aparece
más bien desdibujado en varias de las sentencias condenatorias por este
tipo de fenómenos[7].

Justamente por esta razón, en esta sede me quiero referir a las demandas en contra del Estado originadas a raíz del llamado 27F. En particular, me gustaría referir algunos problemas jurídicos relativos al nexo
de causalidad entre la actuación del Estado y los daños sufridos por los
demandantes, que estimo pueden resultar ilustrativos de tres cuestiones
importantes: (i) la función social que cumple la responsabilidad civil en
algunos casos; (ii) la ausencia de la aplicación de teorías de imputación
objetiva o, si se quiere, de causalidad jurídica para dar por establecida la
responsabilidad por parte de los tribunales chilenos; y (iii) la incorporación de teorías de responsabilidad proporcional para superar problemas
de prueba del nexo de causalidad material. Para lograr este objetivo
aludiré a tres tipos de casos resueltos por la jurisprudencia.

---

6   Esto se predica no sólo de los casos de responsabilidad civil por desastres, sino
     también de otras áreas de la responsabilidad civil. Sobre el particular me he
     referido latamente en la ponencia de clausura las II Jornadas Nacionales de
     Profesoras de Derecho Privado, cuyas actas serán publicadas por la editorial
     DER durante el 2019.

7   Esta afirmación se basa en el estudio de numerosas sentencias de los tribunales
     chilenos, en que se alega la ocurrencia de un fenómeno natural extremo como
     caso fortuito, pero que por motivos de extensión no pueden ser abordados en
     esta sede. En todo caso, ellas serán debidamente analizadas en un trabajo en
     curso de elaboración, que forma parte del mismo proyecto de investigación a
     que se adscribe este texto y que se espera publicar próximamente.

II. LOS CASOS

El evento conocido como 27F ha dado lugar a numerosas demandas responsabilidad, especialmente en contra del Estado, pero en esta sede quiero referirme específicamente a tres casos que resultan ilustrativos de los problemas causales que es posible visualizar con mayor o menor nitidez en todos los demás[8]. En total, aludiré a tres casos, sin perjuicio de las citas a otros que guarden estrecha relación con el que se analiza.

1. El anuncio radial del intendente

El terremoto y tsunami de 2010 se hizo famoso a nivel mundial, no sólo por la intensidad del evento, sino principalmente por la confusión que reinó en las autoridades locales. En tal sentido, guiadas por una información errónea, las autoridades descartaron la alerta de tsunami, en circunstancias que en algunos lugares éste ya se había producido o bien estaba a punto de producirse. En tal contexto, el Intendente de la Región del Bío Bío realizó un comunicado radial anunciando a la población la ausencia de riesgo de maremoto e instándola a permanecer o regresar a sus hogares, pues gran parte tomó autónomamente la decisión de desplazarse hacia la parte alta de las ciudades. Luego de este anuncio, muchas personas fueron alcanzadas por la ola del tsunami, falleciendo trágicamente, lo que dio lugar a numerosas demandas de responsabilidad, bajo el argumento que la razón por la que estas perso-

---

8   Para una revisión en extenso de esta jurisprudencia *vid* Ríos ERAZO, *Incerteza Causal en la Responsabilidad Civil. Jurisprudencia terremoto del 27 de febrero de 2010*. Tesis para optar al grado de Magíster en derecho con mención en Derecho Privado, Facultad de Derecho, Universidad de Chile, Santiago, 2017; ALARCÓN GONZALEZ Y MUÑOZ BRUNA, *Análisis jurisprudencial sobre la responsabilidad civil extracontractual del estado por falta de servicio derivada del terremoto y posterior tsunami del 27F.* Memoria para optar al Grado de Licenciadas en Ciencias Jurídicas y Sociales, Facultad de Derecho Universidad de Chile, Santiago no publicada, 2018; FARFALLO GALLETTI, *Responsabilidad del Estado. Terremoto del 27 de febrero de 2010*, Rubicón Editores, Santiago, 2019.

nas no se pusieron a salvo fue el anuncio del intendente, que los indujo a la calma[9].

Las primeras demandas en este sentido fueron rechazadas por los tribunales[10], pero esto cambió en 2013, cuando comenzaron sistemáticamente a acogerse por la Corte Suprema, a través de la casación de las sentencias de las cortes de apelaciones. La razón por la cual las cortes rechazaban las demandas es fundamentalmente el hecho de que los demandantes no lograban acreditar que las víctimas efectivamente habían escuchado el anuncio del intendente y, en consecuencia, que esa era la razón por la cual habían sido alcanzados por la onda de tsunami. En tal sentido puede leerse la sentencia de la Corte de Apelaciones de Concepción de fecha 18 de enero de 2013, que textualmente afirma:

> "Que, ahora bien, tampoco rola en autos una probanza seria e idónea tendiente a acreditar que efectivamente los actores (cualquiera de ellos) o el señor Ovando Garcés hayan efectivamente escuchado la transmisión radiofónica que, según lo expuesto en la demanda, los motivó a permanecer en las afueras de su hogar luego de ocurrido el terremoto, porque ninguno de los testimonios que obran en las actas de fojas 238 a 247 se refieren a esta específica cuestión, tal como acontece, según lo más arriba explicado, con la circunstancia que hubieren estado en la calle Manuel Bayón cuando arribó la ola del maremoto. Podrá hoy en día ser un hecho de pública notoriedad que el Intendente de la época efectivamente efectuó tal comunicación por la radioemisora mencionada, mas esto no puede confundirse con el hecho

---

9   *V. gr. vid* Corte Suprema, 03 de marzo de 2017, Rol N° 42539-2017; Corte Suprema, 04 de diciembre de 2018, Rol N° 45305-2017; Corte Suprema, 18 de marzo de 2019, Rol N° 4185-2018; Corte Suprema 26 de marzo de 2018, Rol N° 10165-2017; Corte Suprema, 12 de diciembre de 2017, Rol N° 172-2017.

10   *Vid* Corte Suprema, 25 de enero de 2013, Rol N° 1250-2012; Corte Suprema, 29 de abril de 2014, Rol N° 1629-2013.

concreto que personas determinadas –en este caso cualquiera de los actores o su padre y abuelo- hayan oído tal comunicado en la oportunidad específica en que se radiodifundió"[11].

Por su parte, el fundamento de la Corte Suprema para acoger el recurso de casación interpuesto es el hecho de el pliego de posiciones confeccionado por el demandado para interrogar a los demandantes señala "10.- Diga cómo es efectivo que las palabras del intendente fueron posteriores a las primeras salidas de mar", de donde la Corte extrae la siguiente conclusión:

> "Al entender de esta Corte ese planteamiento se hace razonablemente plausible a condición de asumirse que los Ovando oyeron la intervención de la máxima autoridad regional"[12];

Es decir, la Corte termina por sostener que el hecho de que el occiso y su familia escucharon el anuncio del intendente no es un hecho controvertido de la causa, pues está asumido, y por ende aceptado, por el demando. Si bien no lo señala con todas sus letras, en el fondo, el planteamiento del máximo tribunal es que el nexo de causalidad es también una cuestión jurídica y que, con los antecedentes obrantes en el proceso, es posible presumir que las víctimas efectivamente escucharon tal anuncio, sobre la base de aquello que las personas razonablemente hacen en esas circunstancias. Así se desprende también del voto de minoría con que cuenta este fallo, el cual afirma:

> "Que también se reprocha por el recurso el que la sentencia haya renunciado a construir una presunción en cuanto a tener por demostrados los hechos sobre los que se sustenta la demanda. Sin embargo, los jueces de la instancia son soberanos para inferir

---

11   Corte de Apelaciones de Concepción, 18 de enero de 2013, Rol N° 1154-2012.
12   Corte Suprema, 18 de diciembre de 2013, Rol N° 1629-2013.

de los antecedentes del proceso las presunciones que conducen a formar su convencimiento, de manera que no puede fundarse un recurso de casación en la circunstancia de no haberlas deducido, no pudiendo esta Corte revisar el ejercicio de esa facultad"[13].

Formalmente la construcción que realiza la Corte es correcta, pues acude a un principio reconocido del Derecho procesal, como es el principio de adquisición; sin embargo, lo cierto es que está construyendo una presunción a partir de aquello que le parece razonable y plausible. Ahora bien, la construcción de una presunción exige de un antecedente o circunstancia conocida que debe estar probado en el proceso, debe tratarse de un hecho preciso, no de una simple máxima de la experiencia. En consecuencia, cuando la Corte construye una presunción a partir de aquello que razonablemente hace una persona, en realidad, no está construyendo una presunción, sino simplemente utilizando un concepto jurídico indeterminado, el de razonabilidad, para construir un nexo de causalidad material. Así las cosas, la Corte se acerca a lo que en Italia se ha llamado la juridización del nexo de causalidad material[14].

2. El incendio en Chillán

Se trata de un incendio ocurrido en Chillán, una ciudad cercana al epicentro del terremoto. El caso es el siguiente: a raíz del terremoto, se derrumbó el muro perimetral de la cárcel, que lo que ocasionó una fuga masiva de los presos. En la huida, para evitar la persecución, algunos presos prendieron fuego a las casas vecinas a la cárcel, que terminaron totalmente quemadas. Los dueños de las casas demandaron al Estado aduciendo que éste, al tener en mal estado el muro perimetral de la

---

13   Causa Rol N° 1629-2013, 18 de diciembre de 2013, voto en contra de los Ministros señores Carreño y Pierry.

14   Nocco, "Causalità: dalla probabilità logica (nuovamente) alla probabilità statistica, la Cassazione civile fa retromarcia", Danno e Responsabilità, N° 12, 2006, p. 1243

cárcel, había permitido la fuga de los presos, que si no se hubiese producido no se habrían quemado sus casas.

El Estado fue condenado, para lo cual la Corte Suprema, confirmando la sentencia de la Corte de Apelaciones de Chillán sostuvo:

> "Que, como adecuadamente concluyeron los jueces de la instancia, existen elementos de juicio suficientes para establecer que Gendarmería de Chile, en el caso de autos, desplegó un servicio deficiente y no ajustado a la normativa vigente, por cuanto es un hecho no controvertido que la fuga de los reos se produjo el día del sismo, debido a que el muro perimetral por calle 5 de Abril colapsó en su totalidad hacia el del recinto penitenciario y que este muro tenía una fractura de 60 metros por ese lado de la calle, sin que la demandada hubiese realizado las reparaciones o mantenciones que eran pertinentes para evitar ese colapso.
>
> Que también resulta relevante acudir a lo informado por el Dictamen del Fiscal del sumario administrativo acompañado a los autos, que concluye que son los propios reos quienes una vez obligados a reingresar a la cárcel luego de su huida, quienes provocan intencionalmente los incendios que afectan las casas colindantes.
>
> Que lo anterior, permite descartar la alegación del Fisco de Chile en torno a la ausencia de vínculo de causalidad entre la falta de servicio alegada y el daño reclamado por los actores. En efecto, Gendarmería de Chile y sus funcionarios, pese a lo ocurrido, tenía la obligación de adoptar las acciones necesarias para asegurar a las personas que están bajo su custodia, manteniéndolas dentro del recinto penitenciario, incluso tratándose del sismo del 27 de febrero de 2010, sin que existiera en el lugar un muro perimetral que pudiera resistir el movimiento telúrico, siendo previsible que el antiguo muro podría colapsar, poniendo en riesgo el debido

aseguramiento de las personas que se encontraban bajo su custodia y con ello, la seguridad de las viviendas que colindaban el recinto penitenciario. En consecuencia, tales circunstancias son causas directas y necesarias del daño producido, por lo que no sólo se verifica una constatación física de causalidad, sino que además hay una constatación jurídica de que dicho daño le es imputable al demandado"[15].

Como se aprecia, en este caso, el problema jurídico a resolver es si puede imputarse al Estado de Chile la actuación de los presos que "intencionalmente" (así lo reconoce la sentencia) quemaron las casas aledañas a la cárcel. No cabe duda de que suprimido mentalmente el derrumbe de los muros perimetrales de la cárcel el incendio no se hubiera producido y está comprobado como un hecho de la causa que el muro tenía graves deficiencias en su estructura. De esta manera, indudablemente existe un "nexo de causalidad material". Sin embargo, si aceptamos que la causalidad natural es sólo un paso para dar por establecido el vínculo jurídico entre la conducta del agente y el daño y nos tomamos en serio los llamados criterios de imputación objetiva, debemos concluir que el Estado no era jurídicamente responsable de esos incendios. Al efecto podemos aducir tres reglas que nos llevan al mismo resultado:

> i) La causalidad adecuada, según la cual falta el vínculo de causalidad jurídica cuando el resultado dañoso es imprevisible para una persona razonable puesta en las circunstancias del agente. La pregunta entonces es: ¿era previsible la actuación de los presos o se trata más bien de un resultado exótico, que ninguna persona razonable puesta en las circunstancias del demando habría podido anticipar? Al respecto, la Corte señala que era previsible el colapso del muro y que se pusiera en riesgo la seguridad de las casas aledañas, pero en ningún caso afirma que el resultado con-

---

creto, esto es, incendio de las casas, hubiera sido previsible y, en efecto, parece que él no lo es. No resulta razonable suponer que los presos habrían tomado una medida tan drástica y despiadada con tal de evitar volver a la cárcel.

ii) La prohibición de regreso, según la cual el resultado dañoso no es imputable a la negligencia del agente cuando se interpone la actividad dolosa o gravemente negligente de un tercero. En este sentido la misma sentencia es clara en reconocer que la actitud de los presos fue "intencional", es decir, dolosa. En consecuencia, cobraba plena aplicación la llamada prohibición de regreso y, por tanto, jurídicamente los causantes del daño son los presos y no gendarmería, como en la sentencia se declara.

iii) El fin o ámbito de protección de la norma, según el cual falta el nexo causal si el riesgo que se concreta no es aquel para el cual la norma había sido dictada. En consecuencia, la pregunta jurídica correcta en este caso sería ¿la norma que obliga a mantener en buen estado los cierres perimetrales de las cárceles está dada para evitar que los presos incendien las casas vecinas? La respuesta pareciera ser negativa, pues dicha normativa claramente persigue impedir la fuga de los presos, no evitar que estos causen incendios.

En síntesis, este fallo hace caso omiso de las exigencias que la doctrina (e incluso la jurisprudencia) impone en relación con la causalidad jurídica, para condenar al Estado sobre la base de la causalidad material entre su actuar negligente y el incendio de las casas de los demandantes.

Para ser justa, cabe señalar que el fallo cuenta con un voto de minoría, que estuvo por acoger el recurso de casación intentado por el Fisco. Si bien las razones no analizan desde la perspectiva que aquí se hace, en este voto se señala que no es posible atribuir gendarmería el daño causo por terceros respecto de los cuales no existe una relación de subordinación y dependencia, como son los presos[16], es decir, se asume que el hecho intencional de los presos no puede ser atribuido al Fisco y, por tanto, falta el nexo de causalidad.

3. Isla Mocha

El caso denominado como "isla Mocha" se refiere a un matrimonio de recolectores de orilla, o algueros, que en la noche del 27F estaban pernoctando en un lugar apartado de la isla Mocha, sin acceso a radio o algún otro tipo de comunicación[17]. Una vez ocurrido el terremoto, aproximadamente a los 15 minutos, llegó a esa zona la primera honda de tsunami. Del matrimonio, la mujer logra escapar y salvarse del tsunami, mientras que el marido no. Demandado el Estado por falta de servicio, alega que el terremoto era un caso fortuito -defensa permanente del Estado en todos estos casos- y que la zona en que ocurrieron los hechos era una "zona de sacrificio", que debido a su proximidad con la costa y el aislamiento que la caracterizaba no había forma de avisar a esas personas que se pusieran a salvo o intentar labores de rescate. En efecto, atendidas las circunstancias, no podía decirse que el Estado hubiese podido hacer algo por rescatar oportunamente a esas personas, en consecuencia, la única forma de atribuir responsabilidad es establecer el incumplimiento de una obligación a priori del Estado y esta es justamente la forma en que razona el máximo tribunal. Al efecto señala que la falta de servició del Estado radica principalmente en que no educó adecuadamente a esas personas para que supieran reaccionar en esas circunstancias y, con ello, les privó de la posibilidad de salvarse. Agregando que:

> "(...) de haber sido advertido, preparado, regulado, capacitado y enseñado, [el occiso] habría estado en condición de adoptar me-

---

16   Rol N° 76461-2016, 5 de septiembre de 2017, voto en contra del abogado integrante señor Quintanilla.

17   Corte Suprema, 16 de noviembre de 2017, Rol N° 4658-2017.

didas más sofisticadas de preparación que le hubieran permitido tener la opción de salvar su vida",

Añadiendo, además, que si el Estado hubiera actuado correctamente habría

"(…) otorgado a la víctima la posibilidad cierta adoptar resguardos más elaborados que le hubieran otorgado una chance efectiva y cierta de evitar las consecuencias dañosas reseñadas en esta causa".

El caso llama la atención, pues el tribunal alude a que el Estado privó a al occiso de la oportunidad de salvar su vida; sin embargo, la Corte elude la discusión acerca de si debidamente instruido el occiso habría estado en grado de salvarse y, más en general, elude la discusión acerca de la influencia que tuvo en su fallecimiento la conducta pasiva del Estado. De hecho, resta del todo importancia al hecho de que, en las mismas circunstancias, su cónyuge se salvó, circunstancia tenida en consideración por la Corte de Apelaciones para desechar la demanda fundada en la pérdida de chance[18].

En suma, aunque no lo dice con esas palabras, la Corte condena al Estado por la pérdida de chance de salvarse que tuvo el marido de la demandante. Sin embargo, la sentencia no se reflexiona acerca de si con esa educación la víctima efectivamente hubiera tenido la oportunidad supuestamente perdida y, por otro lado, tampoco reflexiona sobre el hecho de que, al parecer, ella sí tuvo la oportunidad de salvarse, pero no lo logró. Finalmente, la Corte tampoco se hace cargo de avaluar el daño conforme al entendimiento de pérdida de chance, pues simplemente condena por el daño moral sufrido por la demandante.

---

18   *Vid* Corte de Apelaciones de Concepción, 5 de octubre de 2016, Rol N° 301-2016.

Al igual que en los casos anteriormente aludidos, éste fallo cuenta con un voto de minoría, según el cual

> "Que, en relación a la pérdida de chance, tal y como lo sostu-
> vieron los jueces de la instancia, debe ser confrontada a la po-
> sibilidad de los otros afectados del hecho, como la misma de-
> mandante, quien salvó su vida en las mismas circunstancias en
> que pereció su cónyuge, de forma tal que la relación causal entre
> la opción y los procesos educativos previos no está determinada
> por las pruebas rendidas en la causa como lo asentó la sentencia
> recurrida"[19].

Cabe señalar que, con posterioridad a este fallo, la Corte Suprema dictó numerosas sentencias aplicando la teoría de la pérdida de oportunidad y en todos ellos es posible realizar más o menos las mismas críticas que aquí se formulan[20].

---

19   Rol Nº 4658-2017, 16 de noviembre de 2017, voto en contra de la Ministro
       señora Sandoval y del abogado integrante señor Quintanilla.

20   El análisis de estos fallos puede verse en Barría Díaz, "La pérdida de una
       oportunidad en la jurisprudencia de la Corte Suprema sobre juicios indemni-
       zatorios derivados del terremoto y tsunami de 27 de febrero de 2010", Revis-
       ta de Derecho (Concepción), vol. 87, Nº 245, 2018, pp. 235-269. Disponible
       en: https://scielo.conicyt.cl/pdf/revderudec/v87n245/0718-591X-revderu-
       dec-87-245-00235.pdf, consultado 03 de enero de 2019. El autor concuerda
       con la opinión aquí sostenida, dejando también traslucir su idea de que en es-
       tos casos la responsabilidad civil ha venido a transformarse en una suerte de
       asistencia social para las víctimas. En este sentido, expresamente afirma: "las
       dramáticas consecuencias materiales y personales del cataclismo del año 2010
       (…). Ante el sufrimiento de los familiares devastados por la muerte de sus seres
       queridos y las pérdidas materiales experimentadas en circunstancias en las que
       tuvo incidencia el insuficiente amparo de los organismos públicos competentes,
       resulta entendible una mayor sensibilización de los juzgadores al momento de
       resolver las contiendas y la búsqueda de mejores soluciones para los demandan-
       tes, lo que en mi parecer ha quedado plasmado en las sentencias dictadas en los
       juicios en las diversas etapas que han caracterizado su evolución. Así queda de
       manifiesto, por ejemplo, cuando los tribunales comenzaron a acoger las preten-
       siones indemnizatorias haciendo uso, muchas veces en forma bastante discuti-
       ble, de las presunciones judiciales para establecer la relación de causalidad entre

III. CONCLUSIONES

El somero recuento de casos y problemas jurídicos antes expuesto me lleva a plantear algunas reflexiones finales que quizá pueden hacerse extensivas a otras realidades.

En Chile, y probablemente en otros países también, la responsabilidad civil ha pasado a cumplir una función social o asistencial, que se refleja en el hecho de que los tribunales, frente al lamentable hecho de que se trata de víctimas que han sufrido importantes daños a su integridad psíquica o bienes materiales, sin que existan mecanismos de seguro o asistencia social capaces de asistirles, declara la responsabilidad del Estado, en cierta medida forzando las reglas de la responsabilidad civil, particularmente en lo que dice relación con el nexo de causalidad entre la actividad estatal y el daño invocado por los demandantes.

Con tal finalidad, en algunos casos, los tribunales recurren a una aplicación irrestricta de la teoría de la *conditio sine qua non*, obviando el desarrollo doctrinario relativo al aspecto jurídico de la causalidad, sin atender a las doctrinas de la imputación objetiva que sí son acogidas en general por los tribunales.

Asimismo, con la finalidad de proteger a las víctimas, los tribunales chilenos han aplicado reglas jurídicas que suplen las deficiencias probatorias del nexo de causalidad. En este punto se ha obrado en dos sentidos, (i) cuando, por falta de prueba precisa en torno a la forma en que ocurrieron los hechos, no se puede acreditar el nexo de causalidad material entre la conducta del Estado y el daño, se recurre a mecanismos como las presunciones con el objetivo de "construir el nexo causal"; (ii) Cuando el Estado no estaba en posición de salvar a las víctimas, atendido lo rápido de los acontecimientos, se recurre a teorías de responsabilidad

---

la falta de servicio y el fallecimiento de las víctimas". Cfr. *Ídem*, pp. 244-245.

proporcional, particularmente de pérdida de la chance, incluso allí donde resulta altamente cuestionable que en los hechos haya existido una real oportunidad perdida.

3. LA RELACIÓN DE CAUSALIDAD EN EL ÁMBITO DE LA RESPONSABILIDAD POR MEDICAMENTOS DEFECTUOSOS

Mónica Navarro-Michel

Profesora Agregada de Derecho Civil. Universidad de Barcelona

RESUMEN

Este trabajo se centra en la relación de causalidad en el ámbito de la responsabilidad por productos defectuosos. En particular, aborda las dificultades probatorias a las que se enfrenta el perjudicado cuando reclama por los daños sufridos tras el consumo de un medicamento, en aquellos casos en que la causalidad científica resulta incierta. Ello obliga a analizar el impacto que ha tenido en el ordenamiento jurídico español la sentencia del TJUE C-621/15, de 21 de junio de 2017, *NW y otros contra Sanofi Pasteur y otros*, que concluyó que la prueba indiciaria es admisible como medio probatorio, y que las presunciones legales no son admisibles. El trabajo analiza la vinculación entre la causalidad científica y la causalidad jurídica y concluye señalando que, aun siendo distintas, ésta no puede llegar a una conclusión totalmente contradictoria con aquella.

PALABRAS CLAVE

responsabilidad civil, productos defectuosos, medicamentos defectuosos, relación de causalidad, incertidumbre científica, prueba, carga de la prueba.

ABSTRACT

This paper focuses on causation in product liability cases. Specifically, it deals with the difficulties victims have in providing evidence in claims for damages after medicine intake, when scientific causation is uncertain. The impact on the Spanish legal system of the ruling of the European Court of Justice C-621/15, of 21 June 2017, *NW and others against Sanofi Pasteur and others*, is analysed. This judgement concluded that circumstancial evidence as a method of proof is admissible, while legal presumptions are not. The paper deals with the relation between scientific and legal causation, and concludes that, while different, the latter may not be in stark contradiction with the former.

KEYWORDS

Tort Law, product liability, defective medicines, causation, scientific uncertainty, evidence, burden of proof

I. LA PRUEBA DE LA RELACIÓN DE CAUSALIDAD: EL ASUNTO *SANOFI PASTEUR* Y SU IMPACTO EN EL DERECHO ESPAÑOL

1. Objeto de la prueba y carga de la prueba

El perjudicado que reclama una indemnización por los daños causados por un producto defectuoso debe probar el defecto, el daño y la relación de causalidad entre ambos, según dispone el art. 139 del Real Decreto Legislativo 1/2007, de 16 de noviembre, por el que se aprueba el Texto Refundido de la Ley general para la defensa de los consumidores y usuarios (TRLGDCU, en lo sucesivo)[1], de conformidad con el art. 4 de la Directiva 85/374/CEE del Consejo, de 25 de julio de 1985, relativa a la aproximación de las disposiciones legales, reglamentarias y administrativas de los Estados miembros en materia de responsabilidad por los daños causados por productos defectuosos (Directiva 85/374 a partir de ahora). Este precepto indica, por un lado, cuál es el objeto de prueba, que son los tres requisitos de la responsabilidad del productor: "el daño, el defecto y la relación causal entre el defecto y el daño" y, por otro, sobre quién recae la carga de la prueba, que es el perjudicado[2].

En las reclamaciones por medicamentos defectuosos, la dificultad radica muchas veces en la explicación de la causalidad desde el punto de vista fáctico o material, pues el perjudicado que acredita el consumo de un

---

1   El TRLGDCU incorpora la Ley 22/1994, de 6 de julio, de responsabilidad civil por los daños causados por productos defectuosos, que implementó en España la Directiva 85/374.

2   RODRIGUEZ LLAMAS, *Régimen de responsabilidad civil por productos defectuosos*, 2ª edición, Cizur Menor, Aranzadi, 2002, pág. 143, explica que una de las causas que motivaron esta regla fue el deseo de evitar que los fabricantes se vieran incursos en un sinfín de procedimientos judiciales con base en demandas injustificadas.

medicamento y la aparición de daños posteriores no siempre puede vincular éstos con aquel. Cuando los hechos son dudosos, entran en juego las reglas de la carga de la prueba, que llevan a desestimar las pretensiones de la parte actora o la parte demandada según corresponda a una u otra la carga de probar los hechos que fundamenten sus pretensiones (art. 217.1 LEC). Las normas sobre la carga de la prueba no imponen un deber de aportar una prueba determinada, sino una carga, ya que cada una de las partes procesales se verá perjudicada por la ausencia de prueba de ciertos hechos que resultan dudosos. Dicho esto, es indudable que las reglas de la carga probatoria brindan criterios de distribución de los hechos a probar, que las partes tendrán en cuenta para definir su estrategia procesal[3]. El art. 139 TRLGDCU, siguiendo la Directiva, impone la carga de la prueba al perjudicado, de manera que, una vez practicada toda la prueba y hecha su valoración, si el órgano judicial no ha llegado a un convencimiento sobre algún elemento esencial, como es la relación de causalidad, deberá desestimar la demanda[4].

Existen reglas, por tanto, para resolver el problema que se le plantea al órgano judicial cuando los hechos resultan inciertos. Se puede añadir un problema adicional cuando existe esa incertidumbre también para el científico. Cabe plantear si el juez puede resolver una controversia científica y, en su caso, analizar qué relación tiene la causalidad científica y la jurídica.

---

3   GÓMEZ POMAR, "Carga de la prueba y responsabilidad objetiva", *InDret*, 1/2001, págs. 1-17, pág. 6; PAZOS MÉNDEZ, "Los criterios de facilidad y disponibilidad probatoria en el proceso civil", en *Objeto y carga de la prueba civil*, ABEL/PICÓ (dirs.), JM Bosch, Barcelona, 2007, págs. 79-100, en pág. 87.

4   La idea misma de la carga de la prueba no está exenta de críticas. Así, NIEVA FENOLL, en NIEVA FENOLL, FERRER BELTRÁN, GIANNINI, *Contra la carga de la prueba*, Marcial Pons, Madrid, 2019, aboga por la desaparición de esta institución, por su inutilidad, ya que el juicio se forma con la libre valoración de la prueba por sí sola.

2. La STJUE C-621/15, de 21 de junio de 2017, *NW y otros contra Sanofi Pasteur y otros*

El Tribunal de Justicia de la Unión Europea, en su sentencia C-621/15, de 21 de junio de 2017, *NW y otros contra Sanofi Pasteur y otros*, ha clarificado el papel que tienen los indicios y las presunciones en el contexto de incertidumbre científica[5]. Es preciso tener en cuenta que el supuesto de hecho del que parte la sentencia no es, propiamente, un caso de incertidumbre científica, ya que el TJUE cambió la formulación de la cuestión prejudicial planteada por la *Cour de Cassation*. En efecto, el Tribunal de Casación francés no partía de una situación de incertidumbre científica, sino de lo contrario, es decir, de certidumbre de ausencia de relación causal entre el suministro de la vacuna contra la hepatits B y la aprición de la esclerosis múltiple. Siendo así, toda la argumentación jurídica del TJUE acerca de la relación de causalidad, que puede ser correcta teóricamente, es de dudosa aplicación al caso concreto de las vacunas contra la hepatitis B, pues la premisa del tribunal europeo es que los estudios científicos no son concluyentes, cuando el punto de partida del alto tribunal francés es la certidumbre científica: hay estudios científicos suficientes de que la vacuna contra la hepatitis B no causa de forma inmediata la esclerosis múltiple.

Hecha esta aclaración, cabe extraer dos conclusiones de la sentencia TJUE en el asunto *Sanofi Pasteur* de 2017. Primera, que la prueba indi-

---

5   Ver comentarios de SÁNCHEZ LÓPEZ, "Carga de la prueba y estándar mínimo de la prueba por indicios en materia de responsabilidad por los daños ocasionados por un producto farmacéutico defectuoso (a propósito de la STJUE de 21 de junio de 2017)", *Cuadernos de Derecho Transnacional*, 2017, vol. 9, n. 2, págs. 709-724; SOLÉ FELIU, "Responsabilidad del fabricante por daños causados por vacunas: problemas de prueba y presunciones judiciales", *Cuadernos Civitas de Jurisprudencia Civil*, 2017, n° 205, págs. 577-607, y NAVARRO-MICHEL, "Vacunas, defecto y relación de causalidad. Comentario a la STJUE C-621/15, de 21 junio 2017, NW y otros contra Sanofi Pasteur y otros", *Revista Catalana de Dret Privat*, 2019, vol. 20, págs. 165-184.

ciaria es un medio probatorio admisible. Y segunda, que las presunciones legales son contrarias al art. 4 de la Directiva 85/374. Veamos la argumentación.

En relación con la primera pregunta prejudicial, que versa sobre la admisibilidad de los los indicios, el TJUE recuerda que la Directiva 85/374 regula la carga de la prueba, en su art. 4, pero no los medios de prueba o su valoración. Corresponde, por tanto, al ordenamiento jurídico interno de cada Estado miembro "establecer las modalidades de práctica de la prueba, los medios de prueba admisibles, los principios de apreciación de la prueba y el nivel de prueba exigido", en virtud del principio de autonomía procesal (párr.25). Los únicos límites a este principio, que no pueden traspasar ni el legislador estatal ni los tribunales nacionales, son los principios de equivalencia y efectividad del Derecho de la Unión (párr. 25). Por tanto, la regulación procesal no puede hacer imposible en la práctica, o excesivamente difícil, el ejercicio de los derechos conferidos por el ordenamiento jurídico de la Unión (párr. 26).

Si la investigación médica no ha demostrado ni refutado la existencia de una relación de causalidad entre la administración de un medicamento y la aparición de una enfermedad, la prueba indirecta o indiciaria debe ser admitida. Resulta contrario a las exigencias de la Directiva imponer al perjudicado la carga de aportar una prueba concreta e irrefutable de relación de causalidad entre el defecto y la enfermedad (párr. 30), pues ello tendría como efecto hacer excesivamente difícil, o incluso imposible, exigir responsabilidad del productor (párr. 31). La exclusión de ciertas pruebas sería contraria a los objetivos de la Directiva, entre los que figura el de garantizar el justo reparto de los riesgos inherentes a la producción técnica moderna entre el perjudicado y el productor, y el de protección de la seguridad y salud de los consumidores (párr. 32).

Ahora bien, la aceptación de indicios no puede llevar ni a la inversión de la carga de la prueba (párr. 29), ni a una presunción injustificada en detrimento del productor (párr. 34). Ello ocurriría si los tribunales nacionales aplicaran el régimen probatorio de manera poco exigente, contentándose con pruebas no pertinentes o insuficientes (párr. 35), o si, a partir de unos indicios de hecho determinados, presumiera directa y automáticamente la existencia de un defecto y/o de una relación de causalidad (párr. 36). El TJUE señala que los tribunales nacionales tienen la obligación de velar por que los indicios aportados sean "suficientemente sólidos, concretos y concordantes, como para que pueda aceptarse la conclusión de que a pesar de los datos aportados y de las alegaciones formuladas en su defensa por el productor, la existencia de un defecto del producto parece ser la explicación más plausible de la aparición del daño, de modo que pueda considerarse razonablemente que dicho defecto y la relación de causalidad han quedado demostrados" (párr. 37).

Respecto de la segunda cuestión prejudicial, centrada en las presunciones legales, el TJUE prohíbe su utilización, ya que supondrían una infracción de la norma relativa a la carga de la prueba del art. 4 Directiva 85/374. Y esta prohibición afecta tanto a las presunciones *iuris et de iure*, que no admiten prueba en contrario, como a las presunciones *iuris tantum,* que sí la admiten. La dedicación del asunto *Sanofi Pasteur* a esta segunda cuestión prejudicial es relativamente breve, lo que, teniendo en cuenta sus consecuencias, resulta criticable.

3. Impacto de *Sanofi Pasteur* en el Derecho español

Dada la interpretación que hace el TJUE del art. 4 de la Directiva en el asunto *Sanofi Pasteur* es necesario revisar algunos preceptos del ordenamiento jurídico español para ver si resultan incompatibles con el Derecho europeo. Ello nos conduce a analizar, en concreto, dos preceptos, que son el art. 217.7 LEC y el art. 137.2 TRLGDCU. Veamos.

3.1 Art. 217.7 LEC

El art. 217.7 LEC, introducido en la reforma de la LEC del año 2000[6], obliga a los tribunales a tener en cuenta la disponibilidad y facilidad probatoria de cada una de las partes en el litigio. Si algún hecho que debe ser probado se queda sin probar, las consecuencias de esa falta de actividad probatoria recaen en aquella parte procesal que está en condiciones de aportar prueba, según el criterio de disponibilidad o facilidad[7]. Esta norma pretende garantizar la igualdad de armas en el proceso judicial, y evita la conducta obstruccionista del demandado, que tiene documentos o conoce datos y no los aporta, pudiendo hacerlo.

Existe un debate en torno a si el art. 217.7 LEC constituye o no una inversión de la carga de la prueba[8]. Si consideramos que el art. 217.7 LEC introduce una inversión de la carga de la prueba entonces no se debería poder aplicar en los procesos judiciales de responsabilidad por productos defectuosos, pues queda desplazada por la regla más específica del 139 TRLGDCU, que impone la carga de la prueba al demandante.

---

6   Inicialmente como art. 217.6 LEC. La disposición adicional 5.3 de la Ley Orgánica 3/2007, de 22 de marzo, para la igualdad efectiva de mujeres y hombres añadió un apartado 5 al precepto, lo que obligó a reenumerar los apartados 5 y 6 como 6 y 7.

7   Estos criterios deben ser una herramienta excepcional, de interpretación restrictiva. Advertía SERRA DOMÍNGUEZ, "De la prueba de las obligaciones", en *Comentarios al Código civil y Compilaciones forales*, ALBALADEJO (dir.), t. XVI, vol. 2, 2ª edición, Edersa, Madrid, 1991, pág. 68, de la necesidad de obrar con cautela en la apreciación de estos principios, que se prestan a abusos.

8   Por la afirmativa se decanta URIARTE CORDÓN, "La inversión de la carga de la prueba", en *Objeto y carga de la prueba civil*, ABEL/PICÓ (dirs.), JM Bosch, Barcelona, 2007, pág. 107. En contra, LUNA YERGA, "Causalidad y su prueba. Prueba del defecto y del daño", en *Tratado de responsabilidad civil del fabricante*, SALVADOR/GÓMEZ (eds.), Madrid, Thomson-Civitas, 2008, págs. 415-490, pág. 459, y SOLÉ FELIU, "Mecanismos de flexibilización de la prueba de la culpa y del nexo causal en la responsabilidad civil médico-sanitaria", *Revista de Derecho Civil*, 2018, vol. V, nº 1, págs. 55-97, pág. 82.

Seguir aplicando el art. 217.7 LEC a la responsabilidad por productos defectuosos, tras la sentencia *Sanofi Pasteur*, puede suponer una alteración del régimen de la carga probatoria dispuesto en la Directiva, lo cual resulta inadmisible. Es cierto que el art. 217.7 LEC favorece los intereses del perjudicado, y en ese sentido parece que debería ser bien recibida[9], pero como ha afirmado el TJUE en numerosas ocasiones, la Directiva no establece un nivel de protección mínimo, sino que persigue una armonización máxima o completa de los aspectos que regula. Los Estados miembros no pueden mantener o establecer un nivel de protección más elevado para los consumidores que el establecido en la Directiva[10]. Aunque los derechos de los perjudicados se vean limitados o restringidos por la implementación de la Directiva, los Estados miembros sólo pueden apartarse del régimen de la Directiva en la medida permitida por la propia Directiva[11].

La conclusión a la que conduce este razonamiento es que el perjudicado que reclama una indemnización por daños causados por productos defectuosos no podrá beneficiarse del criterio de disponibilidad y facilidad probatoria. Por tanto, habrá que revisar la generalizada "presunción

---

9   No podemos olvidar que la Carta de Derechos Fundamentales de la Unión Europea, de 7 de diciembre de 2000, es posterior a la Directiva, y no había un precepto similar al art. 38, según el cual "las políticas de la Unión garantizarán un alto nivel de protección de los consumidores".

10   Desde las tres STJUE de 25 de abril de 2002 *(Comisión c. Francia, Comisión c. Grecia y González Sánchez y Medicina Asturiana,* asuntos C-52/00, C-154/00, y C-183/00 respectivamente). Para sentencias posteriores, consultar, entre otras, la STJUE C-402/03, de 10 de enero de 2006, *Skov,* la STJUE C- 285/08, de 4 de junio de 2009, *Moteurs Leroy Somer,* y la STJUE C-310/13, de 20 de noviembre de 2014, *Novo Nordisk Pharma.*

11   Como ocurre con la excepción de riesgos de desarrollo como causa de exoneración de responsabilidad (art. 15.1.b) Directiva), y la fijación de la cuantía máxima de responsabilidad global del productor (art. 16 Directiva). Me he ocupado de la excepción de riesgos de desarrollo en NAVARRO-MICHEL, "New Health Technologies and their Impact on EU Product Liability Regulations", en *European Law and New Health Technologies,* de Flear, Farrell, Hervey y Murphy (eds.), Oxford University Press, Oxford, 2013, págs. 172-190, en particular, pág. 181 y ss.

de causalidad" que venían aplicando los tribunales españoles[12]. Puede parecer excesivo, sin duda alguna, pero no parece que la Comisión europea vaya a cambiar su posición al respecto[13]. Eso sí, el perjudicado conserva la posibilidad de superar las restricciones de la Directiva atendiendo a las reglas generales internas de responsabilidad por culpa (art. 13 Directiva y 128.II TRLGDCU)[14].

3.2 El art. 137.2 TRLGDCU

El segundo precepto a analizar es el art. 137.2 TRLGDCU, que introduce una presunción legal *iuris tantum* de existencia de un defecto de fabricación: "En todo caso, un producto es defectuoso si no ofrece la seguridad normalmente ofrecida por los demás ejemplares de la misma serie." El precepto resulta criticable por dos motivos. Por un lado, en la medida en que no existe una norma similar en la Directiva, cabe plantear si en su momento[15] se hizo una incorrecta transposición de la Directiva. Por otro lado, aparece un nuevo motivo de crítica del precepto tras la sentencia *Sanofi Pasteur*, en la que el TJUE considera que las presunciones legales son inadmisibles, por ser contrarias a la distribución de la carga probatoria del art. 4 de la Directiva.

---

12   Para conocer la evolución jurisprudencial, ARCOS VIEIRA, *La inversión de la carga de la prueba de la culpa en la responsabilidad extracontractual: el fin de un principio,* Thomson-Aranzadi, Navarra, 2018.

13   Las dificultades probatorias del demandante en las reclamaciones por producto defectuoso son conocidas por la Comisión europea y, aunque ha llegado a afirmar que esta situación puede resultar injusta, no considera que debe ser corregida, ya que es fruto de un equilibrio de intereses entre las partes involucradas. Cfr. Informe de la Comisión al Parlamento Europeo, al Consejo y la Comité Económico y Social Europeo sobre la aplicación de la Directiva de responsabilidad por los daños causados por productos defectuosos 85/374/CEE, de 7 de mayo de 2018, (COM (2018) 246 final), pág. 7.

14   Como advierte SOLÉ FELIU, "Responsabilidad del fabricante...", *ob.cit.,* pág. 601.

15   Introducida por la Ley 22/1994, ya citada (art. 3.2).

Por todo ello, el art. 137.2 TRLGDCU debería ser derogado. De todos modos, aunque no se produzca su derogación formal, y teniendo en cuenta el principio de primacía del Derecho europeo, el art. 137.2 TRLGD-CU resulta inaplicable, pues queda desplazado por ser incompatible con el Derecho europeo. Ahora bien, por razones de seguridad jurídica, sería recomendable su derogación formal, para evitar la "chatarra normativa".

Dicho todo lo anterior, no es menos cierto que la desaparición formal de este precepto no impediría a los tribunales llegar a un resultado similar, aunque por una vía distinta. En efecto, la prueba de defecto de fabricación de algunos productos de una serie de producción es un indicio que permite desmostrar el defecto de fabricación de otros productos de esa misma serie. Así lo entendió el TJUE en el asunto *Boston Scientific Medizintechnik GmbH y AOK*, resuelto en la sentencia de 5 de marzo de 2015 (asuntos acumulados C-503/13 y C-504/13). La cuestión prejudicial que interesa destacar ahora es la que hace referencia a un defecto de fabricación de productos sanitarios como los marcapasos y los desfibriladores automáticos implantables. El TJUE declara que la comprobación de un posible defecto en un producto perteneciente al mismo modelo o a la misma serie de producción permite calificar de defectuosos todos los productos de ese modelo o serie, sin que sea necesario demostrar el defecto en ese producto concreto (párr. 41). Este asunto introduce la noción de defecto potencial, pues aunque el perjudicado no haya demostrado el defecto del producto por el que reclama, se considera defectuoso si otros de la misma serie o modelo lo son.

III. LA CAUSALIDAD JURÍDICA EN SUPUESTOS DE INCERTIDUMBRE CIENTÍFICA

En un proceso judicial, el demandante tiene la carga de demostrar la relación causal entre el daño sufrido y el medicamento desde un punto de vista fáctico o material (causalidad de hecho), de manera que se pueda afirmar que el daño ha sido consecuencia material y directa del medicamento. En estos casos, la prueba pericial resulta indispensable, no porque esa prueba sea vinculante para el juez, sino porque el el órgano judicial necesita la cooperación de un experto cuando el asunto exige conocimientos científicos o técnicos. Concluida la fase probatoria, el juez valorará libremente la prueba "según las reglas de la sana crítica" (art. 348 LEC) y decidirá si atribuye el resultado dañoso al fabricante demandado.

En las reclamaciones por medicamentos defectuosos, la dificultad puede estar no tanto en el análisis jurídico de la relación causal (o imputación objetiva, si se prefiere[16]), sino en algo previo, cual es la fijación de los hechos, el descubrimiento de datos o indicios sobre los que después aplicar los criterios jurídicos. Dilucidar si un efecto dañoso se ha debido a un medicamento concreto es una cuestión de hecho, y es presupuesto previo para el análisis de la causalidad jurídica.

El demandante debe centrarse en acreditar que el daño sufrido ha sido causado por el medicamento concreto (causalidad específica), y no es necesario que demuestre la potencialidad del medicamento de causar el daño, en general (causalidad genérica). Sin embargo, la causalidad genérica es el presupuesto de la causalidad específica, porque si un medicamento no es idóneo para causar un daño (en general), no puede ser posible que lo haya causado (en concreto).

La causalidad general es, por tanto, un presupuesto necesario, indispensable, pero no suficiente, ya que no explica suficientemente que, en el

---

16   Ver, entre muchos, DE ÁNGEL YÁGÜEZ, *Causalidad en la responsabilidad extracontractual: sobre el arbitrio judicial, la "imputación objetiva" y otros extremos*, Civitas-Thomson, Navarra, 2014, pág. 35 y ss; REGLERO CAMPOS, "El nexo causal", en *Tratado de Responsabilidad Civil*, REGLERO/BUSTO (coord.), t. I, 5ª ed, Thomson-Aranzadi, Navarra, 2014, págs. 767-970, pág. 776 y ss.

caso concreto del perjudicado que reclama, el daño se ha producido por ese medicamento[17]. La causalidad general se puede demostrar mediante estudios estadísticos que pongan de manifiesto una correlación relevante entre los factores concurrentes, el grado de regularidad estadística que un cierto efecto presenta en relación con una determinada causa o, mejor aún, estudios científicos en los que conste claramente la relación causa-efecto. Ahora bien, la demostración de la idoneidad *ex ante* no es suficiente para establecer la causalidad en el caso concreto, puesto que la capacidad de un medicamento de causar un daño en general no es necesariamente la causa de haberlo causado en el caso concreto, pero aún así, es un indicio potente. La transición desde la causalidad general a la específica exige un juicio *ex post facto* que no esté basado en estadísticas[18], sino en la verificación de que en el caso concreto del demandante ese daño ha sido causado por ese medicamento. Aunque, eso sí, la certeza absoluta puede resultar imposible de alcanzar.

Tradicionalmente se ha distinguido entre verdad material y verdad formal, aunque hay que aclarar que no existen dos verdades distintas o dos versiones distintas que sean igualmente válidas, sino afirmaciones fundamentadas en pruebas aportadas al proceso. El órgano judicial basa su decisión en unos hechos que considera probados, teniendo en cuenta los que se han aportado al proceso, aunque después resulte que esos hechos son falsos. El juez civil no tiene una función inquisitiva y, por consiguiente, no puede investigar, por sí mismo, los hechos. Su papel está limitado al conocimiento de las pruebas que aportan las partes en el

---

17 BORGHETTI, "Litigation on hepatitis B vaccination and demyelinating diseases in France: breaking through scientific uncertainty", en *Uncertain causation in Tort Law*, MARTÍN-CASALS/PAPAYANNIS (eds), Cambridge University Press, Cambridge, 2016, págs. 11-42, va aún más lejos y afirma que la coincidencia del derecho y de la ciencia no es posible ni deseable, pues la verdad científica no es la verdad legal, aunque después concluye que las sentencias que compensan al margen de la causalidad científica son decisiones erróneas.

18 Para más detalles, FERRARA, "Causal value and causal link", en *Personal Injury and Damage Ascertainment under Civil Law*, FERRARA/BOSCOLO-BERTO/VIEL (eds), Springer, 2016, págs. 37-51, en pág. 47.

proceso, y tras su valoración, llega a una conclusión sobre las peticiones del demandante en función de la prueba aportada. El conocimiento de la realidad está, pues, mediatizado por la prueba que aporten las partes al proceso. En este sentido, se entiende la afirmación de que la verdad judicial puede no coincidir con la realidad de lo que realmente ocurrió, pero ello no es incompatible con decir que, en la medida de lo posible, la aspiración del proceso judicial debe ser descubrir la verdad material[19]. El objetivo de la prueba es (o debe tender a) la averiguación de la verdad. Aunque la prueba y la verdad no coincidan necesariamente, ello no significa que se deben mantener en planos distintos y se puedan ignorar[20]. El órgano judicial debe aspirar a aproximarse, lo máximo posible, a la verdad material que, en nuestro caso, es el estado de la ciencia en el momento en que se producen los hechos.

Existen, a mi modo de ver, dos problemas distintos, aunque relacionados. Por un lado, el jurista suele exigir al científico que sea más concluyente de lo que es, ignorando que la ciencia médica y la jurídica operan de modo distinto, pues aquella se basa en probabilidades[21]. Por otro lado, algunos supuestos son verdaderos casos de incertidumbre científica, cuando el estado de la ciencia no ha llegado aún a un consenso sobre la relevancia de ciertos factores causales (entre ellos, el consumo del medicamento) en la producción de un efecto dañoso. El juzgado no es el lugar más adecuado para resolver controversias científicas. Establecer la relación causal no supone necesariamente conocer la explicación

---

19   La posibilidad misma de interponer un recurso de revisión de una sentencia firme, con base en los motivos del art. 510 LEC, demuestra que el Derecho no vive de espaldas a la realidad.

20   Como dice FERRER BELTRÁN, *Prueba y verdad en el Derecho*, 2ª edición, Marcial Pons, Madrid, 2005, p, 101: "¡Pero de que la prueba y la verdad no sean hermanas no se deduce que no tengan una estrecha relación de parentesco!"

21   SMILLIE, ECCLESTON-TURNER, COOPER, "C-621/15 – *W and others v Sanofi Pasteur*: an example of judicial distortion and indifference to science", *Medical Law Review*, 2017, vol. 26, nº 1, págs. 134-145, en pág. 14º, desgranan algunas diferencias entre el proceso científico y el jurídico.

científica de porqué se produce esa vinculación causal. El perjudicado tiene la carga de probar el defecto del producto, pero eso no significa que tenga que identificar la causa o el origen del defecto del producto[22].

Cuando la ciencia duda acerca de la relación causa-efecto, el órgano judicial tiene libertad para imponer responsabilidad o no, en función de lo que le parezca más convincente, y aquí los indicios pueden ser relevantes[23]. Ahora bien, cuando la investigación científica ha descartado la relación de causalidad entre el diseño de un medicamento y un daño, los tribunales no pueden imponer responsabilidad. Si a pesar de ello el órgano judicial impone responsabilidad al productor del medicamento, será por dos motivos. O bien porque la imputación de responsabilidad se fundamenta en la existencia de un defecto de fabricación, o bien porque la sentencia ha hecho una valoración ilógica o irracional de la prueba, otorgando mayor peso probatorio a indicios irrelevantes que a la evidencia científica[24]. La libre valoración del juez viene limitada por la necesidad de motivar la sentencia, lo que introduce elementos de cierta objetividad, pues el juez debe incidir en los distintos elementos fácticos

---

22   LUNA YERGA, ob.cit., pág. 429; PARRA LUCÁN, "Responsabilidad civil por productos defectuosos", en *Tratado de Responsabilidad Civil*, REGLERO/BUSTO (coord.), t. II, 5ª ed, Thomson-Aranzadi, Navarra, 2014, págs. 180-329

Como ha señalado la sentencia del Tribunal Supremo de 14 de septiembre de 2018 (RJ 2018/3995), la prueba tiene por objeto la relación causal entre el producto y el daño, lo que no incluye la prueba de la causa del defecto.

23   La exigencia probatoria de la relación de causalidad suele mitigarse cuando el daño o la culpa se han demostrado de manera convincente. Aunque teóricamente cada uno de los elementos de la responsabilidad civil puede ser analizado de manera independiente, en la práctica judicial resulta difícil mantener una separación nítida entre ellos, como afirma INFANTINO, *La causalità nella responsabilità extracontrattuale. Studio di diritto comparato*, Stämpfli Editore SA Berna-Edizione Scientifiche Italiane, Berna-Nápoles, 2012, pág. 283 y ss.

24   Cuestión distinta es que el fabricante retire un medicamento por la alarma social generada, como ocurrió con Bendectin, a pesar de que ningún estudio epidemiológico vinculaba el medicamento con los daños teratogénicos. Ver GOLDBERG, "Scientific evidence, causation and the Law – Lessons of Bendectin (debendox) litigation", *Medical Law Review*, 1996, nº 4, págs. 32-61.

y jurídicos del pleito, "ajustándose siempre a las reglas de la lógica y de la razón" (art. 218.2 LEC). Lo que sigue abierto es cómo distinguir aquellos casos en que la probabilidad de que un factor determinado (consumo o uso de un medicamento) es relevante para la causación, de aquellos otros en los que sólo hay una mera coincidencia temporal, o son casos anecdóticos.

Los casos de responsabilidad por productos defectuosos se pueden comparar con historias de detectives[25]. En muchas ocasiones, ni la víctima ni el fabricante saben qué ha fallado; es tarea de los abogados, y de los expertos, desarrollar teorías sobre como y porqué ocurrió el accidente, y cómo se podría haber evitado. Pero una cosa debe quedar clara: si la comunidad científica afirma de manera concluyente que no existe causalidad genérica, no puede haber causalidad específica.

IV. OBSERVACIONES FINALES

Decía Jane Stapleton que "*causation is not a concept at all*"[26]. Esta afirmación responde a un deseo de presentar el análisis jurídico de una manera más comprensible para los científicos y la sociedad en general. Stapleton propone evitar la palabra "causalidad" y hacer referencia, en primer lugar, a la "indagación histórica", para explicar la aparición del resultado dañoso (lo que es, en definitiva, la causalidad fáctica), y en segundo lugar, a una indagación sobre qué factores deben ser jurídicamente relevantes (la causalidad jurídica o imputación objetiva). El problema queda reducido a una cuestión terminológica. Frente a esta

---

25   OWEN y DAVIES, *Products Liability and Safety: Cases and Materials*, 7ª edición, Foundation Press, 2015, pág. 52.

26   STAPLETON, "Scientific and Legal Approaches to Causation", en *Causation in Law and Medicine*, FRECKELTON/MENDELSON (eds.), Ashgate, Dartmouth, 2002, págs. 14-38, en pág. 14.

idea, Honoré sostiene que el concepto de causa es igual en el derecho, la medicina, la ciencia y la vida diaria, y lo que varía son los valores que sustentan el derecho y la medicina[27].

El telón de fondo de la falta de entendimiento no radica (únicamente) en el lenguaje, sino en la aproximación metodológica distinta y en el nivel de evidencia necesario para considerar que algo está demostrado desde el punto de vista científico o jurídico. Aún así, la ciencia y el derecho están condenados a entenderse; sus caminos no deben ser tan divergentes como para llegar a resultados mutuamente incomprensibles. En el momento actual, en que se desacredita el método científico, cuando los sentimientos y las apreciaciones subjetivas están en auge frente a los datos empíricos, y la llamada "medicina alternativa" se presenta como una opción curativa viable, las afirmaciones que insisten en separar el mundo científico del jurídico no ayudan a frenar el auge de las pseudociencias.

27　HONORÉ, "Principles and Values Underlying the Concept of Causation in Law", en *Causation in Law and medicine*, Freckelton y Mendelson (eds.), Ashgate, Dartmouth, 2002, págs. 3-13, en pág. 3.

4. CUESTIONES DE CAUSALIDAD EN UNA ACCIÓN ALTERNATIVA POR DAÑO A LA PROPIEDAD INDUSTRIAL[1]

Ricardo Concha Machuca
Profesor de Derecho Civil, Universidad de Concepción, Chile.

SUMARIO: I. REGLA DEL TRIPLE CÓMPUTO DEL DAÑO. 1.Planteamiento. 2. Origen de la regla. 3. La regla del triple cómputo del daño en la Ley de Propiedad Industrial. II. El PROBLEMA DE LA CAUSALIDAD EN LAS UTILIDADES. 1.Las utilidades que haya obtenido el infractor como consecuencia de la infracción. 2. Un caso concreto. *2.1. Sentencia del TC. 2.2. Crítica.*

RESUMEN

Este trabajo analiza el problema de la relación de causalidad para el remedio contemplando en la ley chilena de propiedad industrial que da derecho al titular de un bien inmaterial para pedir en sede civil las utilidades que como consecuencia de la infracción haya percibido el infractor de su derecho demandado.

1　Este trabajo se enmarca en el proyecto investigación "Alcance y delimitación de las acciones en el derecho del obtentor de variedades vegetales" financiado por Conicyt, Fondecyt Regular N° 1190111, del que el autor es Investigador Responsable.

PALABRAS CLAVES

propiedad industrial, causalidad, restitución de ganancias.

ABSTRACT

This paper analyzes the causality problem in disgorgement of profits, adopted by the Chilean intellectual property statute that entitles the holder of an intellectual property right to choose the disgorgement of profits derived from defendant's infringement.

KEYWORDS

Intellectual property, causality, disgorgement of profits.

I. REGLA DEL TRIPLE CÓMPUTO DEL DAÑO

1. Planteamiento

Antes que todo, conviene aclarar que el método del triple cómputo del daño, en realidad se trata de un sistema indemnizatorio que ofrece tres alternativas al demandante para pedir tres cosas distintas, en las que según la doctrina se incluyen hipótesis indemnizatorias y restitutorias, por lo que no es un propiamente un método que exclusivamente se refiera al daño, sino que más ampliamente a los remedios civiles que puede optar el titular de un derecho de exclusiva en caso de uso no autorizado y sus consecuencias patrimoniales.

En este trabajo nos abocaremos a los problemas de causalidad a que da lugar una de las alternativas por las que puede optar titular de la propiedad industrial afectado, que contempla el denominado método del triple cómputo del daño, que toma como base las utilidades que ha percibido el infractor.

2. Origen de la regla

Este sistema tiene su origen en el Derecho alemán. En la sentencia del caso "Ariston", del Tribunal Supremo de la Alemania imperial, de 1895. Se trataba de un caso en que el demandado había utilizado composiciones musicales del demandante sin su permiso para su reproducción y difusión a través de un aparato musical mecánico (inventado por el demandado). El problema radicaba en que no existía propiamente un daño. Es más, se argumentaba en sentido contrario que el demandante había ganado cierta popularidad gracias a la conducta del demandado. Por este último motivo, el tribunal de apelación deniega la acción de daños. Finalmente, el Tribunal Supremo razonó en torno al hecho causante del perjuicio como condicionante de la determinación del daño: (1) si se trata de la acción del demandado globalmente considerada, el daño se constituye por la diferencia que se provoca en el patrimonio del demandante, (2) si hablamos de la intromisión sin el consentimiento del demandante, el daño se constituye por el importe de la regalía que aquel pudiese haber exigido al demandado, y (3) si el asunto se centra en los frutos obtenidos por parte del demandado, el daño se constituye por la ganancia que haya obtenido de esa forma. Así, el Tribunal Supremo, creó lo que luego se ha denominado método del triple cómputo del daño, jurisprudencia que fue recogida por el Tribunal Supremo Federal de Alemania, y en la posterior legislación especial[2].

---

2 BASOZABAL, "Método triple de cómputo del daño: la indemnización del lucro cesante en las leyes de protección industrial e intelectual", *ADC, 1*997-3, págs.1263 - 1286, junto con exponer el origen, se refiere críticamente a la coherencia dogmática de esta doctrina.

Esta doctrina goza de difusión en el derecho comparado, siendo derecho comunitario europeo[3], de modo que no es extraño que se haya implementado en el ordenamiento jurídico chileno.

3. La regla del triple cómputo del daño en la Ley de Propiedad Industrial

En Chile se incorporó este sistema en la Ley n° 19.039 sobre Propiedad Industrial (en adelante LPI)[4], mediante una modificación que se introdujo el año 2005. Así el artículo 108 de dicha ley entrega alternativas al demandante, de pedir una "indemnización" (aunque desde una perspectiva causal, este método no es precisamente un sistema de cómputo del daño[5]), conforme a las reglas generales de responsabilidad extracon-

---

3   Sobre este tópico ver MORENO MARTINEZ, "La evaluación de la indemnización ante la infracción de los derechos de propiedad industrial e intelectual: últimas incidencias legislativas y problemática actual" en MORENO MARTINEZ, Juan (coord.) *Problemática actual de la tutela civil ante la vulneración de la propiedad industrial e intelectual*, Dykynson, Madrid, 2017, pág. 166.

4   Esta ley regula las marcas, las patentes de invención, los modelos de utilidad, los dibujos y diseños industriales, los esquemas de trazado o topografías de circuitos integrados, indicaciones geográficas y denominaciones de origen. También se estableció parcialmente este método de cómputo del daño en la ley de derechos de Autor y derechos conexos mediante una modificación que se introdujo el año 2010 en la Ley n° 17.336, sobre Propiedad Intelectual. La Ley n° 19.342 que regula derechos sobre obtenciones vegetales no establece ni estas reglas ni ningún otro medio de tutela civil.

5   BASOZABAL op.cit. pág. 1275. "La usurpación de un derecho no implica automáticamente la causación de un daño para su titular. Cuando existe realmente un daño, el hecho de que se corresponda con la licencia exigible o con la ganancia obtenida depende de que la intromisión haya sido la causa por la que, dadas las circunstancias, alguna de ambas medidas haya dejado de obtenerse por aquél (la intromisión impide que el titular de la patente licencie su derecho en el mercado, o bien, cuando la explote por sí mismo, frustra unas expectativas de ganancia equiparables a las obtenidas por el intromisor). No puede aceptarse que la existencia de uno u otro «daño» dependa sin más de la voluntad del demandante. El «cómputo triple del daño» no encaja en la tradicional indemnización de un daño efectivo (pérdida o falta presumiblemente probada de ganancia), subjetivo (considerado de forma particular en la persona afectada por el mismo), derivado causalmente de la conducta del actor e imputable a

tractual o elegir el sistema del triple cómputo del daño, por lo que en realidad la opción se compone de cuatro alternativas, a saber, las tres del triple cómputo más las reglas generales, excluyentes (por razones de texto) las unas de las otras.

El artículo 108 (LPI) dispone que "La indemnización de perjuicios podrá determinarse, a elección del demandante, de conformidad con las reglas generales o de acuerdo con una de las siguientes reglas: a) Las utilidades que el titular hubiera dejado de percibir como consecuencia de la infracción; b) Las utilidades que haya obtenido el infractor como consecuencia de la infracción, o c) El precio que el infractor hubiera debido pagar al titular del derecho por el otorgamiento de una licencia, teniendo en cuenta el valor comercial del derecho infringido y las licencias contractuales."

Este sistema, por una parte, confiere la facultad elegir al demandante, en una especie de obligación alternativa legal, toda vez que demandada una de las cuatro alternativas, se exonera al demandado de las otras. De esta manera, y, por otra parte, dado lo alternativo de la institución no se puede pedir, además, acumulada, la indemnización de perjuicios según las reglas generales, la que en realidad es la primera alternativa planteada en el inciso primero de la norma[6].

éste. Sólo a partir de una desfiguración de este esquema y de los estrictos límites de la función indemnizatoria podía plantearse una explicación de la *dreifache Schadensberechnung* dentro del derecho de daños".

6   Quedando descartado por texto la acumulabilidad de las acciones indemnizatorias y restitutorias. Sobre la acumulabilidad en general véase PEÑAILILLO, "Sobre el lucro cesante", *Revista de derecho (Concepción)*, 2018-243, págs. 30-31, "La acumulabilidad ha sido discutida y es, por cierto, una dificultad grave (sobre el supuesto de que cada una reúna sus requisitos). Puede sostenerse que son compatibles y la víctima tiene derecho, por una parte, a la reparación del daño causado por el incumplimiento del contrato (o por el hecho dañino) y, además, a la restitución de la ganancia obtenida por el incumplidor (o hechor) que le pertenece porque fue con el incumplimiento del contrato o el hecho dañino con lo que obtuvo esa ganancia (desde luego, es evidente que sería la ganancia neta, descontados los costos que, habitualmente, son indispensables). En contra

En cuanto al literal a) las utilidades que el titular hubiera dejado de percibir como consecuencia de la infracción, se trata de un supuesto propiamente indemnizatorio, en este caso del lucro cesante. La relación causal se produce entre la infracción y las utilidades que ha dejado de percibir como como consecuencia del uso no autorizado de su propiedad intelectual, no presentando problemas de causalidad extraños a los generales de una acción de daños, los que en todo caso, y como se sabe, no son pocos. Se ha sostenido que los dos supuestos siguientes, esto es, tanto la letra b) como la c) corresponden a hipótesis de enriquecimiento injustificado ya que, ante el enriquecimiento del demandado, existe un correlativo empobrecimiento del demandante como consecuencia de esa ventaja, a lo que se suma la falta de causa justificativa del enriquecimiento[7], aunque en realidad no necesariamente se verifica un empobrecimiento del demandante, pero efectivamente se verifica un ahorro de gastos del demandado[8].

En cuanto al supuesto del precio que el infractor hubiera debido pagar al titular del derecho por el otorgamiento de una licencia, teniendo en cuenta el valor comercial del derecho infringido y las licencias contractuales, se señala que esta hipótesis podría considerarse como lucro cesante, ya que corresponde a lo que el demandante hubiese ganado

---

puede postularse que esa ganancia es del autor del único hecho (incumplimiento del contrato o hecho dañino) y que en cuanto incumple indemniza al otro contratante, con lo cual el otro contratante debe quedar satisfecho, y la ganancia que por otra parte obtiene es del incumplidor (o hechor), porque fue él quien desplegó la actividad; además, rara vez es suficiente un hecho (que provocó el incumplimiento) para obtener la ganancia, y es necesario otras actividades para obtenerla".

7   BARRIENTOS "El sistema indemnizatorio del triple cómputo en la Ley de Propiedad Industrial", *Ius et Praxis*, 2008-1, págs. 123-143.

8   Aunque si se dan los requisitos también pueden tratarse como acciones propiamente indemnizatorias. En este sentido, BASOZABAL, op.cit. pág. 1296 "Podría agregarse que «licencia exigible» y «ganancia obtenida por el intromisor» se comportan como subespecies de esta misma medida indemnizatoria siempre que correspondan a aquello que el titular del bien usurpado hubiera obtenido de no haber tenido lugar la intromisión".

de haber otorgado una licencia. Se refuta la idea anterior señalándose que aquella idea se sustentaría en el hecho de que el demandante hubiera querido otorgar una licencia lo que es sólo un supuesto. Por ello es que se ha señalado que esta hipótesis, corresponde a un supuesto de enriquecimiento injustificado a base del ahorro de gastos, es decir, de naturaleza restitutoria[9].

La hipótesis que hemos dejado para el final es la que recientemente ha dado lugar a controversias de causalidad y proporcionalidad en el derecho chileno: "Las utilidades que haya obtenido el infractor como consecuencia de la infracción". Como decíamos, se señala que en este caso estaríamos más bien frente a una hipótesis de enriquecimiento injustificado, por lo que la naturaleza de la condena civil sería restitutoria. La base aquí viene dada por las utilidades que ha obtenido el infractor, mas no se encuentra constituida por el perjuicio sufrido por el demandante.

---

9   Se critica este método, por cuanto fomentaría el no uso de licencias, debido a que el infractor en caso de ser descubierto podría ser condenado a lo que debió pagar desde un principio, mas no existe una diferencia en el monto a pagar entre el infractor y quien sí ha pagado por la licencia contractual. Sobre la discusión de si se trata de remedio resarcitorio o restitutorio véase BASOZABAL, *op.cit.* pág. 1290-1295.

II. EL PROBLEMA DE LA CAUSALIDAD
EN LAS UTILIDADES

1. Las utilidades que haya obtenido el infractor como consecuencia de la infracción

Para la restitución[10] o transferencia[11] de las utilidades que haya obtenido el demandado a consecuencia de uso no autorizado, corresponde determinar los beneficios del infractor derivados de infracción[12]. Se requiere un paso previo, consistente en determinar la cuantía del bene-

---

10   PEÑAILILLO op.cit. pág. 30., "Así, el principio del repudio al enriquecimiento injustificado soporta también una petición equivalente a la indemnización por lucro cesante; sólo que, junto con el aparato conceptual distinto, debe ser cambiada la terminología: ya no habrá de decirse que ha surgido el deber de indemnizar un daño causado (en el rubro ganancia esperada), sino el deber de restituir lo indebidamente obtenido".

11   Decimos restitución o transferencia, toda vez que se ha cuestionado que mediante la restitución de ganancias se cumpla con la funciones propias de las acciones por intromisión, que consiste en "conceder al titular de una posición jurídica exclusiva una pretensión para reintegrar en su patrimonio el provecho obtenido por el intromisor ilegítimo, siempre que dicho provecho hubiera sido asignado o atribuido en exclusiva por el ordenamiento a su titular [...] El objeto de la pretensión restitutoria debe limitarse, desde esta aproximación, a reintegrar en el patrimonio del titular del derecho usurpado aquello que, precisamente, el ordenamiento le había atribuido en exclusiva. Y es evidente que cuando un ordenamiento asigna en exclusiva a una persona una posición jurídica absoluta sobre un bien no atribuye o garantiza a esta persona unas ganancias; sino que, simplemente, le atribuye una posibilidad de obtener ganancias mediante la facultad jurídica de explotar por sí mismo o por medio de un tercero el bien en cuestión. Así, si un tercero explota de forma no autorizada un derecho ajeno y obtiene, por medio de este acto ilícito, ganancias, no usurpa al titular dichas ganancias; sino que lo que le usurpa es la posibilidad de obtenerlas; por lo que lo que el intromisor ilegítimo debe, en concepto de enriquecimiento, al titular del derecho es cabalmente el valor de uso del derecho o facultad infringidos". VENDRELL, "La acción de enriquecimiento injustificado por intromisión en los derechos al honor, a la intimidad y a la propia imagen" en *ADC*, 2012-3, págs. 1178-1180.

12   Para lo que, según algunos, no se requiere que el demandante concurra al mercado para la explotación de su derecho MASSAGUER, *Acciones y procesos de infracción de derechos de propiedad industrial*, Civitas Thomson Reuters, Navarra, 2018, pág. 79, siendo una cuestión discutida Basozabal op.cit. págs. 1297-1298.

ficio del infractor, aspecto de hecho que es anterior a la determinación normativa de la relación de causalidad[13].

La relación causal se debe verificar entre el uso no autorizado de la propiedad intelectual ajena, y la ganancia obtenida por el infractor a consecuencia de la misma, acá entonces la relación de causa a efecto no es entre la conducta y el daño que sufre el demandante, sino que dicha relación de causa a efecto se debe verificar entre el uso no autorizado, y las ganancias que ha percibido el infractor por el uso no autorizado. Al no entrar en discusión causal una disminución patrimonial, en realidad se trata de un juicio en que se discuten los supuestos del enriquecimiento injustificado mas no de derecho de daños, por lo que es irrelevante la culpa del agente. De este modo la cuestión de causalidad es entre la infracción y los beneficios, para luego determinar la cuantía de la restitución[14].

Esta alternativa requiere que se determine que las utilidades son efecto del uso no autorizado de la propiedad intelectual ajena, de modo que la base de cálculo de la petición del demandante, viene dada por las utilidades que ha obtenido el infractor, mas no por el perjuicio sufrido por el demandante.

La relación causal que se exige es entre el ilícito civil consistente en el uso no autorizado de propiedad intelectual ajena y la ganancia obtenida por el infractor a consecuencia de la misma, lo que conduce a un

---

13   Sobre las cuestiones a que da lugar la determinación de la cuantía del beneficio del infractor ver MORENO MARTINEZ, op.cit. págs. 186-189.

14   Como se ha expuesto, se entiende que los beneficios obtenidos por el infractor se trata de un supuesto restitutorio, aunque un sector de la doctrina lo sigue tratando como un supuesto de derecho de daños: "entre las consecuencias económicas negativas derivadas de las partículas que han determinado para establecer los daños resarcibles, y al lado de los beneficios dejados de obtener por el titular del derecho infringido, se incluyen los beneficios incluidos por el infractor como consecuencia de la infracción." MASSAGUER, op.cit., pág. 79. En sentido contrario MORENO MARTINEZ, op.cit. págs. 183-186.

análisis de causalidad entre la infracción al derecho de propiedad intelectual, y su efecto en las ganancias obtenidas por el infractor.

El caso en abstracto es el siguiente: un sujeto utiliza propiedad intelectual ajena en una actividad lucrativa sin la autorización o licencia previa
correspondiente, y de tal actividad lucrativa se obtienen ganancias[15].

Las preguntas causales son dos: ¿el beneficio es efecto del uso no autorizado?, y de ser así, ¿cuánto de aquellas utilidades está conectadas
causalmente con la infracción?

Cabe distinguir un par de supuestos extremos y lo más diversos matices
que se pueden hallar en el medio. Por un lado, tenemos un simple plagio
de una obra, o la piratería, consistente en conductas ilícitas de reproducción, distribución y venta de ejemplares de obras intelectuales. Por
otro lado, podemos imaginar un supuesto en que se utiliza sin autorización propiedad intelectual ajena en un proceso productivo complejo,
donde el bien inmaterial ajeno es únicamente un insumo más dentro de
los más variados bienes materiales e inmateriales que se emplean en tal
proceso productivo de bienes o servicios.

Según la estándar teoría de la *condictio sine qua non*, en todos los casos, el
ilícito civil de referencia, esto es el uso no autorizado de la propiedad
intelectual ajena, es causa necesaria de las utilidades, de manera que, en
abstracto la respuesta a la primera pregunta es afirmativa.

Sin embargo, como se sabe ningún suceso es efecto de una sola causa,
sino que es efecto, de una cadena causal, así el uso no autorizado de la

---

15   La determinación, prueba y cuantificación de este beneficio requiere de fijar el
      importe total de los ingresos obtenidos por demandado derivados de la venta
      de productos o prestación de servicios cuya explotación sea infractora, y en
      particular únicamente de los productos o servicios que la sentencia declaren
      infractores. MASSAGUER, op.cit. págs. 79-80.

propiedad intelectual ajena es causa necesaria pero no suficiente de las utilidades, en cambio, toda la cadena causal es causa suficiente de las utilidades. De este modo ya podemos descartar que todas las utilidades de un proceso productivo, aunque necesariamente conectadas causalmente con el uso no autorizado, hayan sido efecto del solo uso no autorizado de la propiedad intelectual ajena, ya que concurre con todos los demás hechos de la cadena causal, desde aquí entonces es que el *quid* de la cuestión radique en responder a la segunda pregunta, y creemos que bases para una respuesta se encuentra en la proporcionalidad.

Estamos frente a un problema de causalidad parcial, donde el propio infractor, ha participado también lícitamente, y por lo tanto a título de causa concurrente, con el uso no autorizado de la propiedad intelectual ajena, en la producción de las utilidades, lo que impediría transferir todas las utilidades al titular del derecho de propiedad intelectual, y también obsta a que el demandado nada deba al demandante, ya que implicaría que el infractor se ha beneficiado gratis de un bien inmaterial ajeno. Entonces la justicia conmutativa implica que la condena civil debe ser en la proporción de la respectiva concurrencia causal que las condiciones necesarias tienen en el resultado, esto es, las utilidades[16]. En este sentido, una condena civil por todas las utilidades no resulta compatible tampoco con la propia doctrina del enriquecimiento injustificado[17].

---

16   Cuestión que es también normativa y no meramente fáctica, siguiendo a Ferrer, toda causalidad jurídica es normativa, nunca meramente fáctica, véase FERRER BELTRÁN, "La prueba de la causalidad en la responsabilidad civil", en Papayannis (ed), *Causalidad y atribución de responsabilidad,* Marcial Pons, Madrid, 2014, págs. 215-231.

17   En este sentido, BARRÍA, "La acción de enriquecimiento injustificado por la intromisión en los derechos de propiedad intelectual", en CORRAL y MANTEROLA (ed,), *Estudios de derecho civil 12.* Thomson Reuters, Santiago, 2017, págs. 410-411. Sobre esto se ha dicho que "si optamos por el método tercero (ganancia obtenida por el intromisor), el cual exige la prueba de la existencia de la ganancia, así como de la relación causal existente entre ésta y la acción intromisiva, labor especialmente difícil cuando el objeto de la usurpación se introduce en un proceso productivo o comercial en el que, además de él, intervienen otros muchos factores, entre los que probablemente se encuentren el capital, el

De este modo, descartamos la alternativa binaria del todo o nada[18], y nos inclinamos por una solución proporcional. Proporcionalidad que ya se ha planteado en supuestos de causalidad parcial en materia de daños.

En este sentido, se ha dicho que una cuestión de la responsabilidad civil es la atribución proporcional de cuotas de responsabilidad de acuerdo con las respectivas incidencias causales en caso de pluralidad de responsables[19]. También se ha indicado que con la responsabilidad civil se trata de reparar el daño que se ha causado y en la medida en que se causó, de modo que el principio de división de la responsabilidad por la influencia causal es el más adecuado, y dado que no todos los hechos que han llevado al perjuicio contribuyen de igual manera a producirlo "es de justicia, entonces, llevar la distribución de la responsabilidad a la influencia causal"[20].

En este orden de ideas, la proporcionalidad ha sido establecida en los PETL (Principios de derecho europeo de la responsabilidad civil), en su artículo 3:105 que regula la "causalidad parcial incierta", dispone que: "En el caso de una pluralidad de actividades, si es seguro que ninguna de ellas ha causado todo el daño o una parte determinable del mismo, se presume que aquéllas que probablemente han contribuido (mínimamente) a causarlo lo han causado a partes iguales". Esto es, que para los casos que no sea posible determinar la proporción cierta, que se denomina "parte determinable", en esta propuesta de regla se optó por

---

trabajo y la propia iniciativa del intromisor". BAZOSABAL, op.cit. pág. 1266.

18   Sobre estos tópicos en general para el derecho de daños, véase GASCÓN ABE-
       LLÁN y MEDINA ALCOZ "¿Pueden declararse responsabilidades por daños
       sin la prueba del nexo causal? (debate en torno a la teoría de la pérdida de
       oportunidad)", *Teoría & Derecho*, 2009-6, págs.217-208.

19   ARAYA, *La relación de causalidad en la responsabilidad civil*, LexisNexis, Santiago de
       Chile, 2003, pág. 189.

20   DOMÍNGUEZ "El hecho de la víctima como causal de exoneración de respon-
       sabilidad civil", *Revista de Derecho (Concepción)*, 1966-136, pág. 47.

solucionar el problema de la incertidumbre causal estableciendo una proporción simple de partes iguales.

Estimamos que la proporcionalidad causal reconocida en materia de indemnización de perjuicios puede recibir aplicación *mutatis mutandi* a la restitución o traslado de utilidades[21].

2. Un caso concreto

Una persona física, titular de una patente, demandó de perjuicios a la compañía minera estatal Codelco S.A. por haber esta última infringido, el derecho de exclusiva que la patente le confiere, he invoca la letra b del artículo 108 de la LPI, esto es, pidiendo las las utilidades que haya obtenido el infractor como consecuencia de la infracción, a lo que el juzgado de primera instancia dio lugar. Frente a lo que Codelco S.A., deduce recurso de inaplicabilidad por inconstitucionalidad del artículo 108 letra b) de la Ley de Propiedad Industrial ante el Tribunal Constitucional. Como se ha dicho, la norma impugnada contiene la regla del triple cómputo del daño y la letra b) corresponde al supuesto en que se puede pedir el monto correspondiente a las utilidades obtenidas por el infractor como consecuencia de la infracción. En síntesis, señala Codelco que este sistema de indemnización es desproporcionado y vulnera su derecho de propiedad sobre las utilidades obtenidas mediante la realización de una actividad económica lícita, correspondiendo a una verdadera expropiación. Por su lado, el titular de la patente señala que se está en un error al indicarse que Codelco perdería las utilidades obtenidas, ya que, según la ley, las ganancias se limitan a las obtenidas como consecuencia de la infracción, y que, de este modo, no existe tal desproporción.

21　Sin perjuicio de los problemas propios de aplicación de este criterio, como lo es determinar cuáles son las "actividades" y cómo se determina que es "una" actividad en procesos complejos, como usualmente lo son los que emplean patentes, y la cuestión más compleja aún de determinar la proporción causal.

2.1. Sentencia del TC

En Sentencia 14 de enero de 2014 el Tribunal Constitucional chileno (en adelante TC) [22] declaró la inaplicabilidad por inconstitucionalidad de la regla del cómputo mediante las ganancias, en razón a que según falló, esta regla vulnera el principio de proporcionalidad constitucional, vinculando semánticamente tal argumentación con la relación de causalidad[23].

El TC declaró la inaplicabilidad del artículo 108 letra b) sobre la base de que esta regla permite "obtener beneficios desligados de la relación causal entre el uso antijurídico de la propiedad industrial y el enriquecimiento del requirente directamente obtenido por tal uso, provocando en este último resultados gravosos que excede desproporcionadamente la finalidad legítima de la norma".[24]

Más o menos de la resolución del citado tribunal se colige lo siguiente: no hay relación causal entre la infracción a la patente y las utilidades percibidas por el demandado, por lo que la condena civil resulta desproporcionada.

---

22   Sentencia TC de 14 de enero de 2014, rol n° 2365-12-INA.

23   Una crítica a esta decisión para un caso prácticamente idéntico puede verse en PINO, "Sobre la (des)proporcionalidad de la acción indemnizatoria" en *Revista de Derecho Escuela de Postgrado*, 2015-8, pág. 210.

24   Considerando trigésimo noveno Sentencia TC de 14 de enero de 2014, rol n° 2365-12-INA. En el considerando vigésimo noveno expresaba que "nos encontramos frente a reglas indemnizatorias que no están adecuadamente delimitadas y cuyos efectos prácticos son indudablemente diversos, no siendo irrelevante el camino escogido por el demandante. Una cuestión es aligerar la carga de la prueba, otra diversa es demostrar la existencia de un vínculo causal entre el ilícito y el efecto producido; adicionalmente, que ese efecto sea dañoso y, por último, que si ese efecto no genera necesariamente un daño deba avaluarse el costo de la intromisión sobre la esfera monopólica de los derechos de explotación del inventor."

El silogismo del TC es el siguiente: primero establece un principio de proporcionalidad constitucional, y luego en un salto lógico dice que la norma al no respetar el nexo causal incumple con este principio, por lo que la declara inconstitucional para el caso concreto.

2.2. Crítica

El reproche constitucional parece artificioso, toda vez que la base de cálculo de la restitución son las utilidades, pero solo aquellas que se relacionen causalmente con la infracción, toda vez que la norma es clara al establecer que las utilidades a las que se refiere deben ser "consecuencia de la infracción".

Sin embargo, para llegar a establecer que la norma es desproporcionada, primero había que establecer que la regla establece un sistema binario del todo o nada, y predicar que la norma se inclina abstractamente por el todo, olvidando que la misma norma exige que las ganancias a restituir o transferir sean consecuencias de la infracción. De esta manera el TC salva de cuajo el problema de la determinación de la proporción causal por su mera exclusión, cuando en realidad se trata de determinar el *quantum* a restituir, cuestión propia de los jueces del fondo. Una cosa es determinar la proporción, y otra muy distinta es decir que la norma es inaplicable porque conlleva indemnizar perjuicios que no están conectados causalmente con el hecho ilícito. El TC mal utiliza el criterio de proporcionalidad, cuando en realidad lo que quiere decir es que no hay relación causal entre la infracción y todas las utilidades, extremo que la regla impugnada no establece.

En suma, estamos frente a un caso de un problema de casualidad, pero nada nuevo, si no que un problema de causalidad restitutorio que es espejo de los problemas de causalidad indemnizatorios, esto es un problema de causalidad parcial. Acá la pregunta es cuál es la influencia causal de la infracción en las ganancias del infractor, y cuál es la influencia causal de la conducta del infractor en sus ganancias, eliminada hipotéticamente la infracción. En estos casos parece ser que la infracción será siempre causa concurrente, y escasamente causa exclusiva del enriquecimiento del infractor en procesos productivos complejos.

5. LA CAUSALIDAD POR OMISIÓN EN EL SISTEMA DE RESPONSABILIDAD EXTRACONTRACTUAL DEL ESTADO COLOMBIANO

Frank Yurlian Olivares Torres[1/2]

SUMARIO: I. EXISTE UNA DICOTOMÍA ENTRE CAUSALIDAD E IMPUTACIÓN. 1. La causalidad y su significado. 2. Principales teorías de causalidad. II. LA CAUSALIDAD POR OMISIÓN: EN LA CAUSALIDAD POR OMISIÓN SE REQUIERE UN ACTO NEGATIVO CON CONOCIMIENTO. 1. Omisión no es una conducta pasiva simple, omisión es falta de acción esperada o decretada. 2. Clasificación de las omisiones: con conocimiento y sin conocimiento.

---

1   Trabajo producto de la tesis desarrollada en la Maestría de responsabilidad contractual y extracontractual civil y del Estado de la Universidad Externado de Colombia y enmarcado en el desarrollo de la tesis doctoral de Derecho Público y del Estado de la Universidad Carlos III de Madrid de España, dirigida por el Doctor Antonio Descalzo González.

2   Abogado, Universidad Libre de Colombia. Especialista en Derecho Administrativo, Universidad Santo Tomás de Colombia. Magíster en Responsabilidad Contractual y Extracontractual Civil y del Estado, Universidad Externado de Colombia. Magíster en Argumentación Jurídica, Universidad de Alicante de España y Universitá Degli Studi di Palermo de Italia. Experto de la Agencia Nacional de Defensa Jurídica del Estado Colombiano - Coordinador de los Sectores Defensa, Justicia e Interior.

RESUMEN

El artículo 90 de la Constitución Política Colombiana consagra la regla aplicable a los casos de la responsabilidad extracontractual del estado, consagrando como requisitos necesarios la presencia de un daño anti-jurídico, la imputación y la causalidad tanto por acción como por omi-sión. No obstante, en la jurisprudencia de la Sección Tercera del Con-sejo de Estado Colombiano se ha tratado esta clasificación de manera distinta entre sus distintas Sala de Decisión y en especial, al tratamiento que se le da a la causalidad por omisión, generando en muchas ocasio-nes que se dé por probado dicho requisito sin existir si quiera prueba de la existencia de una omisión y que la misma se constituya en causa del daño, en especial en los casos de responsabilidad derivados de conflicto armado y por ello, se avisora la necesidad de precisar las reglas de aná-lisis para la acreditación de la misma.

PALABRAS CLAVE

Causalidad por acción, causalidad por omisión, contenido obligacional, imputación, conflicto armado.

ABSTRACT

Article 90 of the Colombian Political Constitution establishes the rule applicable to cases of extra contractual obligations of the state, esta-blishing as necessary requirements the presence of unlawful damage, imputation and causality both by action and by omission. However, in the jurisprudence of the Third Section of the Colombian State council this classification has been treated differently between its different De-cision Rooms and, in particular, to the treatment given to causality by omission, in many occasions this requirement is considered as proven without existing proof of the existence of an omission and that it cons-titutes a cause of the damage, especially in the cases of responsability derived from the armed conflict. For this reason, the need to specify the rules of analysis for accreditation of the same is warned

KEYWORDS

Causation by action, causality by omission, compulsory content, imputation, armed conflict.

I. EXISTE UNA DICOTOMÍA ENTRE CAUSALIDAD E IMPUTACIÓN

El artículo 90 de la Constitución Política Colombiana de 1991[3] consagra la regla aplicable a los casos de la responsabilidad estatal, estipulando como requisitos necesarios la presencia de un daño antijurídico, la imputación y la causalidad por acción y por omisión. No obstante, en la jurisprudencia de la Sección Tercera del Consejo de Estado Colombiano se ha tratado esta clasificación, hasta llegar a un punto de maduración en el que nos encontramos hoy, en la cual, "la jurisprudencia ha establecido que los elementos de la responsabilidad del Estado son el daño antijurídico y la imputación, afirmándose en algunas ocasiones entonces que dentro del juicio de responsabilidad debía prescindirse del nexo causal para en su lugar hacer un juicio de atribución jurídica mediante el cual se pudiera endilgar o no obligación de reparar al demandado"[4].

---

3   "Artículo 90. El Estado responderá patrimonialmente por los daños antijurídicos que le sean imputables, causados por la acción o la omisión de las autoridades públicas".

4   H. PATIÑO, *El trípode o bípode: la estructura de la responsabilidad, XVI jornadas internacionales de derecho administrativo la responsabilidad extracontractual del Estado,* Universidad Externado de Colombia, Bogotá, 2015, pág. 168.

Uno de los temas más controvertidos en relación con los elementos de la atribución del deber de reparar un daño antijurídico es el de la causalidad como elemento o no de la misma[5], llevando a afirmar que, "en general los juristas y los profesores de derecho están tan confundidos como sus estudiantes acerca de la función que cumple la causalidad en la responsabilidad y su comprensión"[6].

Es precisamente en este escenario en el cual gira la investigación que se aborda, al haber tenido la disputa por dicha clasificación siempre una dicotomía: imputación o causalidad; y en desarrollo de dicha disputa, se ha desconocido que en realidad no existe la misma. Es decir, cualquier clasificación de los elementos de la atribución del deber de reparar un daño antijurídico a la luz del artículo 90 precitado, tiene como elemento a la causalidad y al desconocerse, "este vínculo y relacionamiento da lugar a diferentes interpretaciones y teorías que han complicado soberanamente la tarea del jurista y del juez"[7].

Teniendo en cuenta lo anterior, se puede precisar que de la interpretación del artículo 90 de la Constitución Política de 1991, se tiene que los elementos para que exista atribución del deber de reparar un daño antijurídico son: el daño, la causalidad (de acciones y de omisiones) y la imputación[8]. No obstante, pese a la anterior clasificación de los elementos de la responsabilidad, es dable tener presente que, "según la jurisprudencia reciente, el análisis de la imputación requiere abordar dos niveles, a saber: uno fáctico (imputatio facti) y otro jurídico (imputatio iure). Solo de esta manera, se sostiene, se podría cumplir con la finali-

---

5   F. OLIVARES, *La causalidad, elemento de la atribución del deber de reparar un daño antijurídico,* Grupo Editorial Ibañez, Bogotá, 2017, pág. 21.

6   J. COLEMAN, *Riesgos y daños,* Marcial Pons, Madrid, 2010, pág. 275.

7   R. CAMPAGNUCCI DE CASO, *Responsabilidad civil y relación de causalidad,* Astrea, Buenos Aires, pág. 17.

8   F. OLIVARES, *La causalidad, elemento de la atribución del deber de reparar un daño antijurídico,* Grupo Editorial Ibañez, Bogotá, 2017, pág. 22.

dad de la imputación, el cual es establecer un fundamento normativo para endilgarle a una persona la obligación de reparar un daño"[9].

Sostenerse entonces, que en la clasificación de la imputación como fáctica y jurídica, la causalidad desapareció sería como afirmar que en la imputación fáctica no se realiza ningún juicio de causalidad o que, realizándolo, no sería ni necesaria ni suficiente para atribuir responsabilidad, sino que lo único necesario y suficiente sería la imputación jurídica o el fundamento de la responsabilidad. Lo antecedente no tendría sentido por cuanto llevaría a la atribución del deber de reparar únicamente con argumentos normativos prescriptivos, sin analizar los enunciados descriptivos del caso[10].

Igualmente, el punto de quiebre se presentó con la sentencia del 13 de abril del 2016 de la Subsección C de la Sección Tercera del Consejo de Estado en la cual se pretendió excluir de manera directa y taxativa de los elementos de la responsabilidad el elemento causalidad, al precisarse que lo relevante es la víctima y no la actividad del Estado, lo cual resulta peligrosa dicha afirmación realizada por el Consejo de Estado, en el sentido de que se está tratando de justificar la posición relevante de la víctima dentro del juicio de responsabilidad como si no la tuviera, con el objeto de que sea el distractor argumentativo para justificar que no interesa dentro de dicho estudio la actividad del Estado, y con ello de contera, excluir cualquier intento de estudio de la causalidad.

No obstante, sea cual sea la clasificación de los elementos de la responsabilidad extracontractual del Estado, la causalidad se constituye como un elemento necesario de la misma, según el sentido del artículo 90 de la Constitución Política.

---

9   H. PATIÑO, *El trípode o bípode: la estructura de la responsabilidad, XVI jornadas internacionales de derecho administrativo la responsabilidad extracontractual del Estado,* Universidad Externado de Colombia, Bogotá, 2015, pág. 171.

10   F. OLIVARES, *La causalidad, elemento de la atribución del deber de reparar un daño antijurídico,* Grupo Editorial Ibañez, Bogotá, 2017, pág. 23.

1. La causalidad y su significado

Normalmente, entendemos que la relación de causalidad es un tipo de relación que se da en la naturaleza[11], es algo así como una necesidad física lo cual lleva a que se realicen afirmaciones que en realidad el suceso que llamamos causa rara vez sea individual y aislado, si no más bien un suceso o estado de cosas que se encuentra en conexión con otros, formando el llamado contexto causal y cada uno de los elementos del contexto causal no es por sí solo suficiente para producir el resultado, pero en conjunción con el resto de elementos del contexto causal se convierte en condición suficiente del mismo[12] y es la normalidad o anormalidad en el contexto lo que señala a un elemento como causa y nos permite priorizarla frente al resto de condiciones. Pero esta normalidad o anormalidad depende de las circunstancias contextuales[13].

Son en esas circunstancias contextuales en las que se deben analizar en la causalidad tanto por acción o actos positivos, como por omisión, y así eliminar el sesgo cognitivo de que la causalidad es únicamente la relación causa efecto o una relación fenomenológica, sino que es necesario desarrollar su significado en relación con el contexto y su relación con las personas que la utilizan desde un punto de vista pragmático y denotar que, puede existir causalidad sin que sea eminentemente fenomenológica, como sería en el caso de las omisiones. Sin embargo, lo importante en resaltar es que la posición mayoritaria sostiene que en la indagación causal que se lleva a cabo en el derecho de daños existen unas cuestiones que son normativas y otras que son empíricas. Las primeras se resuelven apelando a criterios morales o jurídicos y las segundas con pruebas[14].

11　　D. GONZÁLEZ, *Las paradojas de la acción*, Marcial Pons, Madrid, 2013, pág. 134.

12　　Ob. cit., pág. 134.

13　　Ob. cit., pág. 134.

14　　Ob. cit., pág. 245

2. Principales teorías de causalidad

Entre todas las teorías tanto de causalidad como de imputación que se han desarrollado y que el Consejo de Estado Colombiano directa o indirectamente también ha desarrollado en su jurisprudencia se encuentran la de: (i) equivalencia de condiciones, (ii) causalidad adecuada y (iii) imputación objetiva.

No obstante, en el desarrollo de las precitadas teorías, se incorporó en mi concepto muy apresurado y sin la reflexión del caso, la teoría de la imputación objetiva, como "una solución contemporánea a buen número de problemas de causalidad para establecer si cierto daño es o no imputable a la administración"[15], por lo que "resulta difícilmente aceptable que se traiga, sin modificaciones como aquí se ha hecho, una institución propia de un sistema de responsabilidad tan particular como es el penal, en el que se analiza la culpa personal del agente causante de un ilícito, a la luz de principios como el de la presunción de inocencia, a un ámbito de responsabilidad anónima del servicio"[16].

En desarrollo del anterior enunciado, se ha llegado a afirmar la falacia de la reducción al absurdo de que "la imputación va más allá de la simple causalidad"[17] o que se logró superar definitivamente en el juicio de responsabilidad, la aplicación tanto de la teoría de la equivalencia de condiciones como de la causalidad adecuada[18], desconociéndose aspec-

---

15   E. GIL BOTERO, *La teoría de la imputación objetiva en la responsabilidad extracontractual del Estado en Colombia, en la filosofía de la responsabilidad civil,* Universidad Externado de Colombia, Bogotá, 2013, pág. 473.

16   J. PIMIENTO, *Responsabilidad o solidaridad. El fundamento del deber de reparar en el ámbito de la responsabilidad extracontractual del Estado,* Revista de Derecho Público, (36), Universidad de los Andes, Bogotá, http://dx.doi.org/10.15425/redepub.36.2016.14, pág. 24.

17   Ob. cit., pág. 24..

18   Sentencia: 6 marzo 2013, Consejo de Estado Colombiano– en adelante se citará CE-, Sección Tercera – en adelante se citará S3, e24884.

tos como que la llamada imputación objetiva trabajada con la teoría de la posición de garante[19], es la misma causalidad por omisión.

En otras palabras, como lo describe PIMIENTO ECHEVERRI, "se requiere, en cualquier caso, que exista un juicio en el que se determine que el daño sufrido por la parte actora, en cuanto que antijurídico –así se ha entendido- es imputable a una entidad pública, siempre y cuando su causa la constituya la conducta activa u omisiva de las autoridades públicas"[20].

Sin embargo, se considera que ante la disputa causalidad o imputación, y que al tratarse de fundamentar que la causalidad es un elemento de la atribución del deber de reparar un daño antijurídico sea por actos positivos o negativos, resulta imperioso designar el significado de lo que se entiende por acto positivo del Estado. De ahí que, consideremos que toda controversia jurídica debe tener como mínimo un acuerdo en el desacuerdo, y dicho acuerdo debe ser el del concepto de acto positivo estatal el cual se prescribe como, la secuencia de movimientos institucionales realizados materialmente por un agente estatal que produce un efecto o daño, con la intención de realizar o ejecutar la función administrativa y/o la función estatal encomendada, y no con la voluntad individual del agente.

La anterior estipulación resulta fundamental para analizarse correctamente las teorías de causalidad por la sencilla razón de que en la práctica tanto los Jueces Administrativos como los Tribunales Administrativos ante la dicotomía - causalidad o imputación- en no pocas veces aplican indistintamente las teorías de causalidad o las aplican de manera errónea.

---

19   E. GIL BOTERO, *La teoría de la imputación objetiva en la responsabilidad extracontractual del Estado en Colombia, en la filosofía de la responsabilidad civil*, Universidad Externado de Colombia, Bogotá, 2013, pág. 480.

20   J. PIMIENTO, *Responsabilidad o solidaridad. El fundamento del deber de reparar en el ámbito de la responsabilidad extracontractual del Estado*, Revista de Derecho Público, (36), Universidad de los Andes, Bogotá, http://dx.doi.org/10.15425/redepub.36.2016.14, pág. 20.

II. LA CAUSALIDAD POR OMISIÓN: EN LA CAUSALIDAD POR OMISIÓN SE REQUIERE UN ACTO NEGATIVO CON CONOCIMIENTO

Partiendo de la premisa estipulada de que la causalidad se divide en acción o actos positivos y en omisión, encontramos que, al hablar de omisión o conducta negativa, se ha desligado totalmente dicha relación causa – efecto en el sentido de que es muy frecuente encontrar en la doctrina la afirmación de que en la omisión no existe causalidad.

Por ello, "para superar los problemas derivados de la dificultad de encontrar el nexo causal en eventos de omisión y de hechos violentos causados por terceros y para configurar la imputación fáctica, la jurisprudencia decidió que la figura de la posición de garante era una herramienta útil"[21], en el entendido de que asimilan a la causalidad únicamente con conceptos fenomenológicos, por lo cual se ha llegado a afirmar que "en el derecho es posible imputar daños antijurídicos a la omisión de un sujeto, escenario que desde las ciencias naturales no tendría explicación lógica en cuanto no podría ser verificado a partir del principio de causalidad y, por lo tanto, desde el determinismo empírico, puesto que de la nada (inacción), en términos causales, no se puede derivar una alteración o modificación del mundo exterior"[22].

En este orden de ideas, se comparte que en eventos de omisión no opera la causalidad por actos positivos, por cuanto no tenemos la dicotomía de causa – efecto, si no una especie de trípode: norma obligacional – constatación fáctica del incumplimiento – efecto. Así que, la causalidad en la omisión no es esencialmente fenomenológica ni jurídica, sino que

---

21   Ob. cit., pág. 175.

22   G. PÉREZ MEDINA, *Imputación y / o Causalidad ¿Elementos concurrentes en el juicio de responsabilidad extracontractual del Estado? - Una aproximación teórica desde la filosofía del derecho de daños*, Tesis Maestría Responsabilidad Civil y del Estado, Universidad Externado de Colombia, Bogotá, 2013, pág. 15.

comparte elementos de los dos, en el sentido de que hay que tener en cuenta que "la causalidad también desempeña un papel en todos los casos de omisión, aunque esto es discutible, y depende de que sea la causalidad, o sean nociones de ontología general, lo que fundamente la eliminación de los elementos negativos"[23].

El análisis se debe realizar en un primer escenario objetivo o normativista en relación con sus funciones o roles y en un segundo escenario subjetivo, es decir, cómo se comporta o debía comportarse el servidor público, en el sentido de que resulta imperioso determinar qué podía hacer el servidor público dentro de sus funciones acompañado por los conocimientos técnicos, científicos, aptitudes particulares al caso y cuál fue su comportamiento de aquello que debía hacer y podía hacer, y es aquí en donde surgen varios interrogantes: ¿Es la misma omisión la de una persona que tenía un deber de actuar, de la que no lo tenía? ¿Es la misma omisión de una persona que tenía el deber de actuar pero que a pesar de si hubiera actuado no iba a aportar nada para evitar el resultado, sea por su capacidad o disponibilidad o la omisión de quien tenía la capacidad y obligación de evitar un resultado?

Consideramos que el análisis debe realizarse de manera retrospectiva como una cadena causal al revés: (i) consecuencia o daño (ii) qué se podía hacer para evitar el daño (iii) capacidad de evitar el resultado (iv) conocimiento de la probabilidad de la constatación de un resultado y (v) obligación de evitar el resultado. Los anteriores interrogantes lógicamente no pueden ser resueltos por la causalidad por actos positivos del Estado, sino que tenemos que recurrir a criterios jurídicos sin traspasar el límite al de la imputación[24].

---

23   M. MOORE, *Causalidad y responsabilidad, un ensayo sobre derecho, moral y metafísica*, Marcial Pons, Madrid, 2011, pág. 133.

24   F. OLIVARES, *La causalidad, elemento de la atribución del deber de reparar un daño antijurídico*, Grupo Editorial Ibañez, Bogotá, 2017, pág. 95.

Al respecto SERRANO ESCOBAR precisa que "[u]n sector sostiene la existencia de una relación causal entre la omisión y el resultado, pero entendiendo la relación causal no en el sentido naturalista, si no como una categoría del pensamiento que pone en relación antecedentes con consiguientes, como un proceso lógico – cognoscitivo que permite sostener que la producción de un resultado solo es posible si se dan, al mismo tiempo, comportamientos positivos que tienden a ocasionarlo y ausencia de comportamientos negativos (omisiones) que podrían impedirlo y otro sector, acude a la fórmula de la conditio sine qua non, pero adaptada a la omisión, para sostener, que si en el hacer el nexo causal se establece mediante la supresión hipotética de aquel, se puede aplicar un mecanismo paralelo para demostrar el nexo causal en el no hacer, pero esta vez el juicio hipotético se plantea así: algo que se omitió es causal respecto a un determinado resultado, cuando añadido mentalmente, este no se hubiere producido"[25].

No obstante, sea cual sea la teoría que se quiera utilizar para equiparar la acción con la omisión, es lógico que en la responsabilidad por omisión el juez establece el nexo causal acudiendo a nociones de tanto fenomenológicas como normativas, en el sentido de que, "ante la imposibilidad de establecer el vínculo de causa a efecto que una el perjuicio con el actuar administrativo, establece la existencia de una causalidad jurídica, que constata con referencias normativas, por cuanto busca razones jurídicas para radicar el daño en la administración"[26].

Lo indicado permite afirmar que, en la omisión no se analizan únicamente elementos fenomenológicos con el objeto de demostrar alguna causalidad, sino que se analiza también desde un plano obligacional normativo la conducta que debió realizar el Estado y la actuación fáctica del mismo Estado.

---

25   L. SERRANO ESCOBAR, *Imputación y causalidad en materia de responsabilidad por daños,* Tesis Doctoral, Universidad Externado de Colombia, Bogotá, 2011, pág. 37.

26   Ob. cit., pág. 190.

1. Omisión no es una conducta pasiva simple, omisión es falta de acción esperada o decretada

Teniendo claro que en la causalidad por omisión existen elementos fenomenológicos como jurídicos, es importante precisar qué se debe entender por omisión, en la medida de que la falta de precisión de tan importante concepto conlleva en no pocos casos a asignarle al Estado obligaciones que nunca ha tenido, o que teniéndolas resulta imposible cumplirlas dando viabilidad a lo que se conoce como la falla relativa del servicio en términos de fundamento de la responsabilidad.

Al respecto, GOLDENBERG es preciso al indicar que, "[e]l concepto normativo de omisión no se identifica con una mera conducta pasiva del agente, es necesario que el comportamiento que se omite sea una acción esperada, en cuanto supone la preexistencia de un deber jurídico de obrar en una determinada forma"[27], o en palabras de WELSEL, "no existe por tanto, una omisión en sí, jurídicamente omitir no significa un mero no hacer nada, si no un no hacer la acción decretada"[28].

Así que, existe una gran diferencia entre una conducta pasiva simple y una omisión, en el entendido de que la omisión está unida a la conducta decretada por el ordenamiento jurídico y no cualquier conducta si no una conducta particular, lo cual resulta lógico en el entendido de que exigirle al Estado obligaciones que no están radicadas en su cabeza, conlleva a una contradicción lógica si se quiere concluir que existe responsabilidad, por ello, "la omisión no se identifica con la inactividad. Cuando el individuo no hace nada está inactivo, pero se puede estar inactivo sin incurrir en omisión. El de inactividad es un concepto natu-

---

27   I. GOLDENBERG, *La Relación de Causalidad en la Responsabilidad Civil*, La Ley S.A, Argentina, 2000, pág. 155.

28   WELSEL, Derecho penal Alemán, p. 277, citado por I. GOLDENBERG, *La Relación de Causalidad en la Responsabilidad Civil*, La Ley S.A, Argentina, 2000, pág. 156.

ral: mira el no hacer, en sí mismo, como ausencia de movimiento corporal. El de omisión es un concepto normativo, porque solo tiene sentido cuando la inactividad del individuo se mira con referencia a una norma que demanda una actividad"[29].

En esa línea argumentativa, surge una pregunta, ¿la omisión se analiza frente a todo el contenido obligacional, o solo frente a lo que se podía hacer dentro del contenido obligacional? En respuesta a dicho interrogante, GONZÁLEZ LAGIER sostiene que "la omisión consiste en no hacer algo que se podía y debía haber hecho, o al menos que se esperaba que se hiciera"[30] lo cual se comparte, en el entendido de que existen obligaciones generales en cabeza del Estado derivadas de principios como por ejemplo proteger en su integridad a toda la comunidad, el cual está estipulado en el artículo 2 de la Constitución Política; sin embargo, cuando se analiza el caso particular, o se baja de nivel dicha obligación, tenemos que a pesar de que el Estado esté cumpliendo sus obligaciones, resulta totalmente imposible evitar un hecho dañino en ciertos eventos.

Lo anterior en el sentido de que tal y como lo sostiene VON WRIGHT "omitir hacer algo que uno puede hacer no presupone tener consciencia de la oportunidad de actuar. En un sentido más fuerte de omitir, un agente omite solo la acción que sabe que puede ejecutar en la ocasión en cuestión. En un sentido todavía más fuerte, un agente omite solo la acción que sabe que puede ejecutar, pero decide dejar sin hacer en la ocasión en cuestión"[31].

---

29   NUÑEZ, Derecho penal Argentino, Parte general, vol. I, pp. 236-237, citado por I. GOLDENBERG, *La Relación de Causalidad en la Responsabilidad Civil*, La Ley S.A, Argentina, 2000, pág.156.

30   D. GONZÁLEZ, *Las paradojas de la acción*, Marcial Pons, Madrid, 2013, pág. 162.

31   VON WRIGHT, G.H., 1970: Norm and Action, St, Andrews: Gifford Lectures, St, Andrews, 1963. Citado por la traducción castellana de P. Grcía Ferrero, Norma y acción, Madrid: Tecnos, 1970, p. 62. Citado por D. GONZÁLEZ, *Las paradojas de la acción*, Marcial Pons, Madrid, 2013, pág. 163."

De ahí que, omitir es la ausencia de un movimiento institucional esperado dentro de las posibilidades de actuar, por lo que omisión no es una
conducta pasiva simple, omisión es falta de acción esperada o decretada. La omisión se predica únicamente de la intención de no ejecutar
algo que sabe que puede ejecutar.

2. Clasificación de las omisiones: con conocimiento y sin co-nocimiento

Resulta importante traer a colación el concepto de acto positivo del
Estado descrito previamente del que se resalta la diferencia que existe
entre intención y voluntad, y es precisamente en la intención en la cual
es dable detenernos y desarrollar desde allí los elementos de las dos omisiones que se pretenden plantear. La intención es la destinada a ejercer
la finalidad propia del servicio, la cual en una teoría de actos negativos
u omisiones diríamos que no existiría una secuencia de movimientos
institucionales, sino que todo lo contrario, falta de movimientos institucionales omitidos intencionalmente por el agente estatal.

Siguiendo la anterior línea argumentativa se podría pensar que las omisiones con conocimiento son aquellas en las cuales el agente estatal tiene
conocimiento de: (i) el deber normativo que le impone actuar en un
caso particular y (ii) un acontecer fáctico o fenomenológico que activa
dicho deber particular, como una denuncia o que se den situaciones
particulares frente a una persona que viabilicen la previsibilidad de un
daño. A pesar de tener esos dos conocimientos decide no actuar, no
realizar la intención estatal.

Las omisiones sin conocimiento son aquellas que por sí mismas no ofrecen elementos fenomenológicos al agente estatal para que actúe. Es decir, se tiene únicamente un conocimiento frente al contenido obligacional general y no frente a un acontecer fenomenológico que active dicho
contenido y que lo baje de nivel de general a particular. En estos eventos

podríamos decir que no se puede predicar intención, por cuanto no se dan los elementos para que se tome una decisión.

Para ejemplificar lo anterior, se podría decir que en el primer evento de omisiones con conocimiento se dan en el caso de que una persona que se siente amenazada o que está amenazada en alguno de sus derechos acude a la Policía Nacional y solicite alguna medida de protección derivada de los hechos puestos al conocimiento de la institución, y que la Policía Nacional teniendo el deber normativo que le impone actuar en un caso particular como sería brindarle protección a toda la comunidad que lo necesite y un acontecer fáctico o fenomenológico que activa dicho deber particular que sería la denuncia, decidan no actuar, al no brindarle protección o brindándosela, resultaría insuficiente, generando con ello mayor probabilidad que atente contra los derechos de la persona víctima.

En el anterior ejemplo, diríamos que existe una omisión con conocimiento frente a la previsibilidad del hecho dañino. En el segundo escenario prescrito como omisiones sin conocimiento, tendríamos el caso en el que se conoce la obligación general como la de proteger a la comunidad y a los habitantes por parte de las Fuerzas Militares y de Policía, pero se puede dar el evento en el que una persona en ningún momento informó a alguna autoridad sobre una posible amenaza, nunca solicitó protección y no se daban circunstancias particulares que dieran indicios de que se le debía brindar protección, y resulta agredida en su vida o integridad física. También se puede dar el caso por ejemplo cuando en una intervención médica salta a la vista una patología que médicamente no se pudo detectar y que en el momento preciso de la intervención complicó el manejo médico que se le estaba dando a la patología inicial. En los anteriores eventos consideramos que no existe una omisión, por lo que se reitera que omitir es la ausencia de un movimiento institucional esperado dentro de las posibilidades de actuar. Omisión no es una conducta pasiva simple, omisión es falta de acción esperada o decretada. La omisión se predica únicamente de la intención de no ejecutar algo que sabe que puede ejecutar.

Todo lo indicado nos permite plantear la siguiente premisa: en el estudio de la causalidad por omisión lo primero que se debe analizar es el concepto de omisión y su estructuración la cual está ligada al concepto de imprevisibilidad y una vez comprobada la misma, se debe proceder a analizarse si dicha omisión se constituye en causa indagándose ¿Si el Estado hubiera realizado la acción esperada y decretada el hecho dañino no se hubiera presentado?

De ahí que, existen casos en los cuales está probada la omisión del Estado pero ello no implica per se que dicha omisión sea la causa del daño o la generadora del hecho dañino en el entendido de que la existencia de una omisión solo sería causa si habíendose realizada la acción esperada y decretada el hecho dañino no se hubiera realizado o realizándose el daño sería menos.

Para fundamentar lo anterior, se trae a colación la sentencia del 2 de mayo del 2019 proferida por el Tribunal Administrativo del Chocó de Colombia dentro del expediente 2009-00245, en la cual condenó al Estado Colombiano por la masacre de Bojayá ocurrida el 2 de mayo de 2002 en el medio Atrato en el que se dio un enfrentamiento entre dos grupos subversivos y que trajo consigo el desplazamiento de la población y la muerte de varias personas, generado en palabras del tribunal por la omisión de las entidades demandadas en dispensarle seguridad y protección a los habitantes de la mencionada zona atrateña y en tano no reaccionaron positiva y activamente frente a los avisos de posibles desplazamientos, saqueos y muertes de estas comunidades.

Suponiendo que está acreditada plenamente la omisión -*lo cual no es así*-, nos preguntaríamos ¿Si es lo mismo decir que está probada la omisión a decir que está probada la causalidad por omisión? La respuesta a la anterior pregunta lógicamente no puede ser positiva, en el entendido de que entre la afirmación de decir que existe omisión, a la de que existe causalidad por omisión, se presenta un elemento o premisa, si se quiere oculta, denominada irresistibilidad. Es decir, el concepto de omisión está ligada al concepto de imprevisibilidad, y por su parte, el concepto de causalidad por omisión está ligada al concepto de irresistibilidad frente a las consecuencias.

El primer concepto de la imprevisibilidad, se da en el sentido de que si el hecho era previsible y no se realizó una acción positiva del Estado se diría que existió omisión. Ello nos lleva al segundo escenario, y es preguntarnos ¿Si el demandado hubiera realizado las acciones que se endilgan que no realizó, se hubiera evitado el daño? La anterior pregunta tiene directa relación con el concepto de irresistibilidad del daño y el de la capacidad material de ejecutar una acción adecuada para evitar el daño o su agravación.

De ahí que, en la sentencia precitada no se realiza juiciosamente ese estudio de la acción esperada y adecuada, sino que solamente se limitaron a afirmar reiteradamente en toda la sentencia que no se les dio protección a los habitantes de Bojayá. Igualmente, si se analizan los argumentos de los demandados y las pruebas plenas que reposan en el expediente, se tiene que para las Fuerzas Militares y de Policía le resultó irresistible el daño por no tener la capacidad material. Es decir, no se contaban con los elementos, personal y material con total disponibilidad para generar una acción adecuada al ataque que se estaba presentando en el municipio de Bojayá.

Lo dicho permite afirmar que, en el caso concreto, no se analizó por parte del Tribunal Administrativo del Chocó el elemento irresistiblidad y capacidad material de realizar una actuación positiva adecuada e idónea para evitar el daño y dar así por válida la tesis de que la omisión es la misma causa del daño.

6. PROPUESTA DE SOLUCIÓN CAUSAL A LAS DEMANDAS EN CONTRA DEL ESTADO DE CHILE POR EL TERREMOTO Y TSUNAMI DEL 2010

Ignacio Ríos Erazo[1]

Académico Derecho Privado de la Facultad de Derecho de la Universidad de Chile.

SUMARIO: I. INTRODUCCIÓN. II. TERREMOTO DEL 27 DE FEBRERO DE 2010. 1. Punto de partida: Hechos. 2. búsqueda de compensaciones mediante la responsabilidad del Estado. 3. Estudio jurisprudencial. *3.1. Resultado. Panorama general. 3.2. Sentencias y culpa. 3.3. Análisis causal en Corte Suprema.* 4. Sumario. III. PROPUESTA DE ANÁLISIS CAUSAL PARA LAS DEMANDAS DEL 27F. 1. *Condictio sine qua non o but-for:* test de la necesidad causal. Aplicación en los casos del 27F. *1.1. Causas concurrentes: culpa del Estado y tsunami. 1.2. Causalidad hipotética: consentimiento informado, comportamiento alternativo lícito y 27F.* 2. Propuesta de solución ante la incerteza causal en los casos del 27f. *2.1. Teoría del Todo o Nada: presunciones, inversión de la carga de la prueba y adquisición procesal. 2.2. Teoría de la causalidad probabilística: pérdida de una chance u oportunidad.* IV. CONCLUSIONES.

1   Dirección electrónica: ignacio.rios@derecho.uchile.cl. El presente trabajo tiene su antecedente en la tesis de Magíster en Derecho Privado en la Facultad de Derecho de la Universidad de Chile defendida en el mes de Julio de 2017.

RESUMEN

El artículo trabajo pretende contribuir al entendimiento de la causalidad y los desastres naturales en base al estudio crítico de las reclamaciones judiciales en las que se demandó al Estado de Chile por el terremoto y posterior tsunami del 27 de febrero de 2010. Se interpretará el principal hecho culpable alegado en contra del Estado —aviso errado de que no existía peligro de tsunami u omisión de tal alerta— como una hipótesis de incerteza causal fáctica, más específicamente, una causalidad hipotética. Así, de haberse emitido el aviso de tsunami correcta y oportunamente —esto es, sin incurrir en culpa— el riesgo de las consecuencias del terremoto lo debieron haber soportado las víctimas. De lo contrario —tal como ocurrió— en el Estado recae el peso de la incertidumbre causal. La aceptación de la doctrina de la pérdida de una chance como solución ante esta incerteza causal se ha posicionado entre las sentencias de los tribunales chilenos.

PALABRAS CLAVE

Responsabilidad civil extracontractual, Causalidad, Pérdida de una chance.

ABSTRACT

This essay aims to contribute to the understanding of causation and natural disasters. To do this, it will critically study of all judgments in which the Chilean state was sued for the earthquake and subsequent tsunami of February 27, 2010. The government's biggest error, which was failing to issue a tsunami warning, as well as giving contrary advice, will be interpreted as a hypothesis of factual causal uncertainty, more specifically, hypothetical causation. Thus, if the tsunami warning had been issued correctly and in a timely manner, which means without incurring government fault, the risk of the consequences of the earthquake would have been burdened by the victims. On the contrary, as indeed happened, the burden of causal uncertainty must be assigned to the State. The acceptance of the loss of a chance doctrine as a solution to this uncertainty has taken place through the Chilean court's decisions.

KEYWORDS

Tort, Causation, Loss of a chance.

I. INTRODUCCIÓN

En Chile, hasta hace algunos años, la causalidad no mereció ninguna atención por la doctrina civil[2], ante lo cual existió una favorable respuesta desde publicaciones específicas[3] y estudios generales de responsabilidad civil extracontractual[4].

---

2   DOMÍNGUEZ, (Prólogo), en ARAYA, *La Relación de la Causalidad en la Responsabilidad Civil,* Legal Publishing, 2003, VII, efectuó en su tesis doctoral sobre la materia en 1967 tal aseveración.

3   Entre otros, ARAYA ob. cit; BARAONA, "La cuestión causal en la responsabilidad civil extracontractual: panorama de Derecho comparado", en *Cuadernos de Extensión Jurídica*, vol. 15, 2008, Universidad de los Andes, 2008, págs. 17-36; CÁRDENAS, "Reflexiones sobre la teoría de la imputación objetiva y su aplicabilidad en el ámbito del derecho de daños", en Varas y Turner (eds) Estudios de Derecho Civil, Jornadas nacionales de Derecho Civil Valdivia, LexisNexis, 2005; CÁRDENAS "La Relación De Causalidad: ¿Quaestio Facti O Quaestio Iuris?: Comentario a Sentencia De Corte Suprema, 26 De Enero De 2004", *Revista Chilena de Derecho,* vol. N°33, 2006, págs. 167-176; PREVOT. "El problema de la relación de causalidad en el Derecho de la responsabilidad civil", *Revista chilena de derecho privado, 2010, págs. 143-178; MUNITA, "Recursos comparados* relativo a la determinación del vínculo causal. Un análisis centrado en eventos de responsabilidad sanitaria." Revista chilena de derecho privado, vol. 23, 2014, págs. 209-259; RÍOS, "¿Quién carga con el peso de la incertidumbre causal?" en Vidal et al (eds), Estudios de Derecho civil X, Thompson Reuters, 2015.

4   BARROS, *Tratado de responsabilidad civil extracontractual,* Editorial Jurídica de Chi-

El presente trabajo pretende contribuir al entendimiento de la causalidad desde un supuesto específico: el terremoto y posterior tsunami del 27 de febrero de 2010 en Chile (en adelante '27F') y la responsabilidad del Estado en las muertes de aquellas personas resultantes del tsunami que afectó vastas zonas costeras. Este desastre provocó una litigación masiva donde en la mayoría de los casos se tuvo por acreditada la culpa del Estado bajo dos variantes:[5] la omisión en dar aviso de tsunami, y la alerta equivocada por la autoridad acerca de la inexistencia de maremoto, llamando a la gente a permanecer en sus hogares.

Se interpretará que el problema envuelto en estos casos no es otro que una hipótesis de incerteza causal fáctica en los que la tradicional teoría de la equivalencia de las condiciones no entrega una respuesta satisfactoria por concurrir diversas causas, en la especie, el tsunami como caso fortuito y la culpa antedicha.

Enseguida, se propone calificar los casos surgidos a raíz del 27F como un supuesto de causalidad hipotética, estudiados por la literatura en materia de consentimiento informado hipotético y comportamiento alternativo lícito. Luego, se sostiene que, de haberse emitido el aviso de tsunami correcta y oportunamente – esto es, sin incurrir en culpa – el riesgo de las consecuencias del terremoto lo debería soportar la víctima. De lo contrario −tal como ocurrió− en el Estado recae el peso de la incertidumbre causal.

Finalmente, se presentan ante situaciones de incerteza causal, con énfasis en la pérdida de una chance, estimándose que su aceptación en los

---

le, 2006, págs. 373-444; y, CORRAL, *Lecciones De Responsabilidad Civil Extracontractual*, 2a ed., Legal Publishing, 2013a, págs. 175-201.

5   Para los efectos del presente trabajo, 'falta de servicio' es equivalente a la culpa del Estado como condición de la responsabilidad civil extracontractual en contra del Estado. Véase VALDIVIA, *Manual De Derecho Administrativo*, Tirant Lo Blanch, 2018, págs. 432-437.

casos del 27F se condice que la progresiva adopción por la doctrina y jurisprudencia.

II. TERREMOTO DEL 27 DE FEBRERO DE 2010

1. Punto de partida: Hechos[6]

El 27 de febrero de 2010, a las 3:34:08 de la madrugada, un terremoto de 8,8° en la escala de magnitud del momento (Mw) sacudió a gran parte del centro y sur de Chile, siendo calificado como el sexto terremoto de mayor magnitud en el mundo y afectando el 18% del producto interior bruto nacional[7]. Luego del desastre se desencadenó un tsunami, con olas de entre 11 a 18 metros que se extendieron entre 15 minutos a 5 horas desde el terremoto. Una serie de desinteligencias graves de las autoridades de la época no solo impidieron informar a la población acerca del riesgo de tsunami, sino que llevaron a las autoridades a comunicar derechamente lo contrario, produciéndose la muerte de aquellas personas que se encontraban en lugares cercanos al mar. Fueron estas acciones y omisiones las que provocaron la litigación en contra del Estado.

---

6   FUENZALIDA, "La responsabilidad del estado ante la falta de servicio y su aplicación al tsunami del 27 de febrero de 2010 en chile", tesis Universidad de Chile, 2015, págs. 96-97, 102-11; acusación presentada por la Fiscalía Metropolitana Occidente en la causa FUENTEALVA CON MALFANTI (2016), así como informes emanados del Servicio Hidrográfico y Oceanográfico de la Armada de Chile (SHOA) y la Oficina Nacional de Emergencia del Ministerio del Interior (ONEMI) en dicho proceso.

7   LETELIER, "Falta de servicio en situaciones de catástrofes naturales", en Letelier (ed), *La falta de servicio*, Thomson Reuters, 2012, pág. 309; SEHNBRUCH, "The impact of the chilean earthquake of 2010: challenging the capabilities of the neoliberal state", *Latin American Perspectives*, vol. 44, no. 4, 2017, págs. 4-9. Estudios indican entre 521 y 575 fallecidos.

2. Búsqueda de compensaciones mediante la responsabilidad del Estado

Ante la ausencia o insuficiencia del seguro y de fondos públicos de compensación de las víctimas de un desastre natural en Chile, la posibilidad de demandar la responsabilidad del Estado se presenta como la última ratio, máxime al no existen normas que eximan de responsabilidad a las autoridades frente a este tipo de catástrofes[8].

Al respecto, se sostuvo que el 27F condicionó la actuación administrativa: el caso fortuito impidió al Estado prestar el servicio. Luego, la causa de los daños no residiría en la culpa del Estado, sino que exclusivamente en el caso fortuito[9]. Por cierto, esta es la opinión que defendió el Consejo de Defensa del Estado (CDE) en los juicios indemnizatorios iniciados en contra del Estado por el 27F.[10] Sin embargo, dicho argumento fue rechazado y el Estado declarado responsable por no alertar a la población acerca del riesgo de tsunami o por informar erróneamente la inexistencia de tal peligro. En definitiva, se determinó mayoritariamente que el Estado incumplió una serie de deberes administrativos para con los particulares, causándoles perjuicios que, según veremos, debió reparar.

No se examinará la culpa de los funcionarios públicos, pues esta se tuvo, en la mayoría de los casos, por acreditado. El interés reside en si la falta de aviso de tsunami – o la información difundida sobre la supuesta inexistencia de riesgo de maremoto – fue una causa necesaria (factual)

---

8   LETELIER ob. cit., pág. 310.

9   LETELIER ob. cit., pág. 342, seguido por ZÚÑIGA, «El derecho de excepción y la responsabilidad del estado: Falta de servicio y acto de gobierno. Comentario de la sentencia de casación rol n° 4029-2013 de la Corte Suprema, de 24 de diciembre de 2013», *Estudios constitucionales*, vol. 12, 2014, pág. 520.

10   El Consejo de Defensa del Estado es el organismo encargado de accionar judicialmente o asumir la defensa de los entes públicos chilenos, regulada en el Decreto Fuerza Ley No 1/1993.

del deceso de las víctimas. A falta de reglas específicas de Derecho Público para determinar la causalidad, el estatuto general y supletorio es el de la responsabilidad civil extracontractual[11]. Toca a continuación dar cuenta del análisis de las sentencias y sus resultados generales.

3. Estudio jurisprudencial

Nuestro estudio abarcó todas las sentencias pronunciadas en primera instancia y tribunales superiores, en los juicios en los que se demandó al Estado la indemnización de los daños generados por el terremoto y tsunami ocurridos el 27 de febrero de 2010. Se identificaron todas las causas mediante la Ley de Transparencia, habida cuenta que el CDE asumió la defensa en todos estos juicios[12].

Asimismo, en las causas en que no se contaba con la sentencia de primera instancia, al elevarse la causa para el conocimiento del tribunal superior, entre los considerandos se desprendían los hechos relevantes del caso y la decisión del tribunal *a quo*. Finalmente, en cinco casos – que representan un 5,95% del total de litigios analizados– no fue posible acceder al contenido de la causa pues no se encontraba dictada aún sentencia definitiva y no se hallaban disponibles los escritos de discusión en el portal del Poder Judicial.

---

11   BARROS ob. cit., pág. 482; CORRAL (2013a) ob. cit., pág. 317. Por lo demás, los casos fueron juzgados por tribunales civiles y no por jurisdicción especial como en Francia o España.

12   Ley N°20.285 de 2008. La solicitud se efectuó el 20 julio 2016 y se dio respuesta el 18 agosto 2016. Se tuvo a la vista solicitud de FUENZALIDA ob. cit.

3.1. Resultado. Panorama general

De las 84[13] causas tenidas a la vista, se distinguen tres grupos principales según la culpa atribuida al Estado:

(i) Casos en que se demandó al Estado por la autorización dada por organismos públicos (municipalidades) para instalar asentamientos urbanos en el borde costero (5 casos: 5,95%)[14];

(ii) Casos en que se demandó al Estado por la extemporánea intervención de las Fuerzas Armadas en el restablecimiento del orden y de la seguridad pública quebrantados tras el terremoto (9 casos: 10,71%)[15]; y,

(iii) Casos en que se demandó al Estado la indemnización de perjuicios por la omisión en informar el riesgo de tsunami o de la errada comunicación de los organismos públicos a la población (Intendente) informando a la población que no existía riesgo de maremoto y que permanecieran en sus hogares (60 causas: 71,42%).[16]

---

13   Las causas se encuentran actualizadas al 30 de enero de 2018. Su individualización y fecha específica se incluye en el Anexo. Dada la cantidad de sentencias analizadas en este trabajo su referencia en el pie de página incluye únicamente su nombre y año.

14   AGURTO (2016); ALEGRÍA (2015); GATICA MANSILLA (2015); GONZÁLEZ (pendiente); y, ZAROR con Municipalidad (2012).

15   ARAVENA (2014); CAMPOS (2013); COMERCIALIZADORA VERDE MAR (2013); DISTRIBUIDORA KAMADI (2017); FEMAT Y CÍA. LTDA. (2015); GRANDÓN (PENDIENTE); GÚZMAN (2014); HERNÁNDEZ (2012); Y JAQUE (2014).

16   Con todo, podría establecerse un cuarto grupo de casos aislados (10 casos: 11,76%) en los que se demandó al Estado, a saber: demandas de perjuicios provenientes de la caída de una pared o incendio de cárceles (3 causas: 3,5%): en QUIJADA (2016), TAPIA (2016) y en ZAMBRANO (2016); de la caída de un muro de la oficina de vialidad de la Municipalidad (1 caso: 1,1%) OLMOS (2012); de la caída de una pasarela en el aeropuerto de Santiago (1 causa: 1,1%) en BASTÍAS con TERMINAL AÉREO Y OTROS (2016); y otras que, por no encontrarse los escritos de

Cuadro N° 1: **Grupo de causas según la actuación imputada al estado**			
N°	**Falta de servicio alegada**	**Número de casos**	**Porcentaje respecto del total de casos en que se demandó al Estado**
1	Permiso para construir viviendas riesgosas	5	5,95%
2	Intervención extemporánea de las Fuerzas Armadas	9	10,71%
3	Aviso tsunami	60	71,42%
4	Otros	10	11,76%
	TOTAL CASOS	84	100%

De estos 60 casos de aviso de tsunami, 24 se encuentran terminados (40%) y 36 vigentes (60%). De las causas finalizadas, en 17 se dictó sentencia definitiva por la Corte Suprema o sentencia firme o ejecutoriada en tribunales inferiores, las que resolvieron el fondo del asunto, tres concluyeron por abandono del procedimiento, y cuatro por incompetencia del tribunal declarados por sentencia definitiva firme.

Cuadro N° 2: **Causas terminadas aviso tsunami**			
Motivo de término	**Casos**	**Número de causas**	**Porcentaje respecto del total de casos terminados por de tsunami**
Sentencia definitiva Corte Suprema. Sentencia firme o ejecutoriada en tribunales inferiores	SOTO MORALES CON FISCO; FONSECA CON FISCO; CONTRERAS RODRÍGUEZ CON FISCO; OÑATE CON FISCO; MOSCOSO CON FISCO; GUTIÉRREZ SANZANA CON FISCO; CIFUENTES CON FISCO; GREEN CON FISCO; OBREGÓN CON FISCO; SUÁREZ CON FISCO; LEFIQUEO CON FISCO; PINTO CON FISCO; SEPÚLVEDA ALISTE CON FISCO; ESCALONA CON FISCO; ESPINOZA ERICES CON FISCO; ROJAS RETAMAL CON FISCO	17	70,8%
Abandono del procedimiento	VELOSO CON FISCO; VASSEUR AGUIRRE CON CDE; PALMA AZÓCAR CON FISCO	3	12,5%
Incompetencia	VASSEUR (CONTRERAS GÁLVEZ) CON FISCO; BELTRÁN CON FISCO; BERMÚDEZ CON FISCO; GUTIÉRREZ SANZANA 1 CON FISCO	4	16,6%
Total causas terminadas aviso tsunami	---	24	100%

discusión en el sistema computacional del Poder Judicial, y sin que se haya dictado aún sentencia definitiva de primera instancia, no es posible saber su contenido (5 casos: 5,95%): FAÚNDEZ, ESPINOZA ULLOA, LANDAETA, ARREDONDO y AZÓCAR.

En cuanto a las causas vigentes (47 casos), 22 se tramitan en primera instancia, estando pendiente la dictación de la sentencia definitiva o la resolución que ponga término al juicio; 13 han sido falladas por juzgados de primera instancia, encontrándose pendiente la resolución de la impugnación interpuesta ante la Corte de Apelaciones respectiva. Finalmente, 12 causas se tramitan en la Corte Suprema por haberse deducido recurso de casación.

Cuadro N° 3: **Causas vigentes aviso tsunami**			
Estado	Casos	Número de causas	Porcentaje de casos vigentes por aviso de tsunami
Tramitándose en primera estancia	Mora con Fisco; Urrutia con Fisco; España con Fisco; Valenzuela Zambrano con Fisco; Pareja con Fisco; Rojas Verdugo con Fisco; Flores con Fisco; Silva Silva con Fisco; Arriagada con Fisco; Gálvez con Fisco; Cáceres con Fisco; Contreras Aravena con Fisco; Yáñez con Fisco; Vasseur Contreras con Fisco; Vasseur Moraga con Fisco; Amaro con Fisco; Neculpi con Fisco	20	55,5%
Sentencia definitiva dictada en primera instancia, encontrándose pendiente su conocimiento por la Corte de Apelaciones	Soto Moreno con Fisco; Bastías con Fisco; Contreras García con Fisco; Pereira con Fisco; Retamal con Fisco; Maraboli con Fisco; Pinochet con Fisco	7	19,4%
Sentencia definitiva dictada en Corte de Apelaciones, encontrándose pendiente su conocimineto por la Corte Suprema	Gatica Valdebenito con Fisco; Cheuquelen con Fisco; Sepúlveda Sepúlveda con Fisco; Rivera con Fisco; Mella con Fisco; Silva Hidalgo con Fisco; Pérez con Fisco	9	25%
Total casos vigentes aviso tsunami	---	36	100%

Así, el análisis se centrará en aquellas causas que, han sido falladas al menos por sentencia definitiva en primera instancia. Esto implicará el estudio de 33 causas y 73 sentencias definitivas, con especial énfasis a las dictadas por la Corte Suprema, según se muestra en el siguiente cuadro:

	Cuadro N° 4: **Sentencias aviso tsunami**						
N	Casos	Sentencia Primera Instancia		Sentencia Corte Apelaciones		Sentencia Corte Suprema	
1	Soto Morales con Fisco	A	13/9/2011	R	15/12/2011	D	23/1/2013
2	Fonseca con Fisco	A	5/3/2012	R	5/11/2013	D	29/4/2014
3	Contreras Rodríguez con Fisco	A	5/3/2012	R	5/11/2013	D	29/4/2014
4	Valenzuela con Fisco	D	13/6/2012	C	18/1/2013	R	12/12/2013
5	Oñate con Fisco	A	30/1/2015	C	22/10/2015	D	7/6/2016
6	Moscoso con Filtro	D	25/8/2015	C	14/3/2016	D	4/10/2016
7	Ramos con Fisco	A	24/10/2015	C	17/2/2016		
8	Gutiérrez Sanzana con Fisco	NA	28/12/2015	R	29/6/2016	D	27/7/2017
9	Cifuentes con Fisco	A	30/11/2015	C	8/9/2016	D	28/8/2017
10	Green con Fisco	A	21/10/2015	C	12/9/2016	D	31/7/2017
11	Obregon con Fisco	A	21/10/2015	C	13/9/2016	D	21/11/2017
12	Suárez con Fisco	A	1/12/2015	C	22/9/2016	R	29/12/2017
13	Lefiqueo con Fisco	NA	30/10/2015	C	5/10/12016	R	16/11/2017
14	Pinto con Fisco	NA	30/10/2015	C	18/10/2016	R	17/1/2018
15	Sepúlveda Aliste con Fisco	D	12/1/2016	C	14/11/2016	R	12/12/2017
16	Escalona con Fisco	A	27/4/2015	C	21/12/2016	D	9/11/2017
17	Luna con Fisco	D	12/11/2015	C	18/1/2017		---
18	Espinoza Erices con Fisco	D	30/10/2015	C	3/4/2017		---
19	Gatica Valdebenito con Fisco	D	15/4/2015	C	9/1/2018		---
20	Cheuquelen con Fisco	D	29/9/2015	C	20/11/2017		---
21	Sepúlveda Sepúlveda con Fisco	A	23/11/2015	C	29/12/2017		---
22	Rivera con Fisco	D	31/12/2015	C	8/6/2017		---
23	Mella con Fisco	A	24/2/2016	C	28/9/2017		---
24	Silva Hidalgo con Fisco	A	24/2/2016	C	10/11/2017		---
25	Pérez con Fisco	A	19/10/2016	C	18/10/2017		---
26	Retamal con Fisco	D	10/1/2017		---		---
27	Rojas Retamal con Fisco	NA	14/1/2017		---		---
28	Contreras García con Fisco	A	15/2/2017		---		---
29	Pinochet con Fisco	A	15/2/2017		---		---
30	Maraboli con Fisco	A	15/3/2017		---		---
31	Pereira con Fisco	A	12/4/2017		---		---
32	Soto Moreno con Fisco	D	31/7/2017		---		---
33	Bastías con Fisco	D	31/5/2017		---		---
	Número de sentencias	**33**		**25**		**15**	

A: Acoge demanda
D: Desestima demanda o recurso de casación
NA: No aplica. Se rechaza demanda por motivos distintos a causalidad (ej. no acreditó falta de servicio)
C: Confirma
R: Reversa

3.2. Sentencias y culpa

El análisis se enmarca en las sentencias que se pronuncian respecto de la causalidad como requisito de la responsabilidad civil. Se excluye por tanto el examen de los fallos en que se rechazó la demanda por motivos distintos a la causalidad, tales como la prescripción extintiva de la acción[17], caso fortuito[18] o inexistencia de culpa[19].

Tampoco nos referiremos con profundidad a la calificación de culpa del Estado que, para los 33 casos, se planteó desde dos variantes: culpa omisiva en alertar el riesgo de tsunami; y, culpa por informar erróneamente la inexistencia del citado peligro.[20]

Cuadro N° 5: **Sentencias sobre causalidad aviso tsunami**

	Causa		Sentencia Primera Instancia		Sentencia Corte Apelaciones		Sentencia Corte Suprema
AVISO INEXISTENCIA RIESGO TSUNAMI	SOTO MORALES CON FISCO	A	13/9/2011	R	15/12/2011	D	23/1/2013
	FONSECA CON FISCO	A	5/3/2012	R	5/11/2013	D	29/4/2014
	CONTRERAS RODRÍGUEZ CON FISCO	A	5/3/2012	R	5/11/2013	D	29/4/2014
	VALENZUELA CON FISCO	D	13/6/2012	C	18/1/2013	R	12/12/2013
	MOSCOSO CON FISCO	D	25/8/2015	C	14/3/2016	D	4/10/2016
	LEFIQUEO CON FISCO	NA	30/10/2015	C	5/10/12016	R	16/11/2017

---

17   GUTIÉRREZ SANZANA (2016).

18   ROJAS RETAMAL (2017), cons. 26°, acogió el caso fortuito pues la alerta de tsunami le fue comunicada al SHOA con posterioridad a la primera ola que azotó Pichilemu, al igual que en *PINTO* (2015), cons. 13°, en el que se acogió la excepción de caso fortuito alegada por el CDE.

19   LEFIQUEO (2015), cons. 14°-16°, se falló ausencia de culpa que tuvo por causal precisa la fuerza mayor pues el estándar exigible a la administración resultaba imposible. Concuerda con lo dicho por LETELIER ob. cit., pág. 342.

20   Al efecto, se calificó como culpa la omisión conforme a las siguientes disposiciones legales según *OÑATE* (2015), cons. 34°; *GUTIERREZ SANZANA* (2017), cons. 19°; *CIFUENTES* (2017), cons. 13°; *ESCALONA* (2017b), cons. 7° y 9°: (i) Decreto Ley N°369 de 1974, art. 1; (ii) Ley N°16.282 de 1977, art. 19; (iii) Decreto Supremo N°26 de 1996; y, en *RAMOS* (2015), *SEPÚLVEDA* (2015) ambas cons. 12°, y *ESCALONA* (2017b) cons. 9°, conforme al (iv) Decreto N°156 de 1977.

	Causa	Sentencia Primera Instancia		Sentencia Corte Apelaciones		Sentencia Corte Suprema	
AVISO INEXISTENCIA RIESGO TSUNAMI	PINTO CON FISCO	NA	30/10/2015	C	18/10/2016	R	17/1/2018
	GUTIÉRREZ SANZANA CON FISCO	NA	28/12/2015	R	29/6/2015	D	27/7/2017
	CIFUENTES CON FISCO	A	30/11/2015	C	8/9/2016	D	28/8/2017
	OBREGON CON FISCO	A	21/10/2015	C	13/9/2016	D	21/11/2017
	SUÁREZ CON FISCO	A	1/12/2015	C	22/9/2016	R	29/12/2017
	SEPÚLVEDA ALISTE CON FISCO	D	12/1/2016	C	14/11/2016	R	12/12/2017
	LUNA CON FISCO	D	12/11/2015	C	18/1/2017		---
	ESPINOZA ERICES CON FISCO	D	30/10/2015	C	3/4/2017		---
	GATICA VALDEBENITO CON FISCO	D	15/4/2015	C	9/1/2018		---
	CHEUQUELEN CON FISCO	D	29/9/2015	C	20/11/2017		---
	RIVERA CON FISCO	D	31/12/2015	C	8/6/2017		---
	MELLA CON FISCO	A	24/2/2016	C	28/9/2017		---
	SILVA HIDALGO CON FISCO	A	24/2/2016	C	10/11/2017		---
	RETAMAL CON FISCO	D	10/1/2017		---		---
	MARABOLI CON FISCO	A	15/3/2017		---		---
	SOTO MORENO CON FISCO	D	31/7/2017		---		---
	BASTÍAS CON FISCO	D	31/5/2017		---		---
OMISIÓN AVISO RIESGO TSUNAMI	OÑATE CON FISCO	A	30/1/2015	C	22/10/2015	D	7/6/2016
	RAMOS CON FISCO	A	24/10/2015	C	17/2/2016		
	GREEN CON FISCO	A	21/10/2015	C	12/9/2016	D	31/7/2017
	SEPÚLVEDA SEPÚLVEDA CON FISCO	A	23/11/2015	C	29/12/2017		---
	PÉREZ CON FISCO	A	19/10/2016	C	18/10/2017		---
	CONTRERAS GARCÍA CON FISCO	A	15/2/2017		---		---
	PINOCHET CON FISCO	A	15/2/2017		---		---
	PEREIRA CON FISCO	A	12/4/2017		---		---
	ESCALONA CON FISCO (ambas faltas de servicio)	A	27/4/2015	C	21/12/2016	D	9/11/2017
	Número de sentencias	**28**		**17**		**9**	

A: Acoge demanda
D: Desestima demanda o recurso de casación
NA: No aplica. Se rechaza demanda por motivos distintos a causalidad (ej. no acreditó falta de servicio)
C: Confirma
R: Reversa

3.3. Análisis causal en Corte Suprema

En general, las sentencias desestiman las casaciones interpuestas sin pronunciarse sobre el fondo del asunto sometido a su conocimiento[21].

---

21   SOTO MORALES (2013); y MOSCOSO (2016b). En GUTIÉRREZ SANZANA (2017); CIFUENTES (2017); GREEN (2017); OBREGÓN (2017); y, SUÁREZ (2017) se rechaza

Con todo, existen casos relevantes que revocaron la decisión del tribunal *a quo*[22], así como las primeras sentencias que acogieron expresamente la pérdida de una chance en esta instancia[23].

3.3.1. Carga de la prueba en situaciones anormales

Diversas demandas fueron rechazadas por ausencia de nexo causal, dado que no se probó que las víctimas escucharon a la autoridad informando que no existía riesgo de tsunami[24]. Sin embargo, el problema causal envuelto fue explicitado en voto de minoría donde se afirmó *"que extremar la carga probatoria en circunstancias tan anormales como las que sucedieron a esta catástrofe, exigiendo evidencias fehacientes y prolijas de que el afectado luego de escuchar de las mencionadas autoridades la ausencia de riesgo decidió emprender un viaje bordeando la costa, deviene en imponer a los demandantes una tarea prácticamente imposible de satisfacer"*[25].

3.3.2. Facilitación probatoria en favor de la víctima: principio de adquisición procesal

El primer caso en que la Corte Suprema concedió indemnización a víctimas del tsunami, la causalidad se dió por acreditada conforme al principio procesal de la adquisición, conforme al cual se tuvieron por acreditados los hechos no controvertidos por el Estado. Así, expresó que *"[s]ea por la vía del principio procesal de adquisición, a partir de la redacción de las posiciones que el Estado opuso (…), sea por la del mérito de la testimonial y/o*

---

      las casaciones interpuestas reiterando los argumentos vertidos en el tribunal a *quo*.

22   Valenzuela (2013).

23   Escalona (2017b); Lefiqueo (2017); y, Pinto (2018).

24   Así, sentenció que *"no habiéndose probado que la víctima escuchó la comunicación de la autoridad, no es posible determinar jurídicamente si hubo relación de causalidad entre ese hecho con su fallecimiento por inmersión"*, en Fonseca (2014); y, Contreras Rodríguez (2014), ambas cons. 9°.

25   Fonseca (2014); y, Contreras Rodríguez (2014), ambas cons. 2° voto de minoría ministro Aránguiz.

documental, sea por la presuncional construida sobre la base de hechos sobradamente conocidos, la luz estaba hecha de cara a la verosimilitud y veracidad de los dos aspectos que los jueces juzgaron en tinieblas, desvaneciendo con ello el nexo causal que gatilló el rechazo de lo pretendido"[26].

Se acudió a este principio, en tanto la prueba de que la víctima escuchó el aviso deviene prácticamente imposible en situaciones de catástrofe: "*el recurso de casación en el fondo gira en torno a lo que califica como una carga probatoria improcedente e imposible* [,] *toda vez que la naturaleza de las descritas calamidades alejaba, si no descartaba, toda posibilidad de rescatar evidencias*"[27].

3.3.3. Concausas

La Corte rechazó la defensa del CDE de falta de causalidad, razonando que "*estamos frente a un efecto dañoso producido por concausas; un hecho de la naturaleza que corre paralelamente con la tardía reacción de los organismos creados para enfrentar los desastres naturales. Ambas son causas directas y necesarias del daño producido, por lo que no sólo se verifica una constatación física de causalidad, sino que además hay una constatación jurídica de que dicho daño le es imputable al demandado*"[28].

3.3.4. Reconocimiento de la pérdida de una chance

Finalmente, durante la segunda mitad del 2017 se reconoció por primera vez la pérdida de una chance por el máximo tribunal. Por una parte, Escalona confirmó la recepción de la teoría admitida en los tribunales inferiores, agregando que "*la omisión en que incurren los organismos pertenecientes a la organización del Estado privó a las víctimas de su oportunidad de poner a*

---

26   Valenzuela (2013), cons. 28°.
27   Valenzuela (2013), cons. 4° y 16°. Similar al voto de minoría del ministro Aránguiz antes citado.
28   Oñate (2016), cons. 13°.

resguardo su vida"[29]. Por su parte, los casos *PINTO* y *LEFIQUEO* adscribieron nuevamente a la reparación de la chance, aun cuando no consideraron una reducción en la idemnización.

4. Sumario

Un aspecto recurrente en las sentencias es la discusión acerca de la influencia de la culpa del Estado – omisiva y comisiva – en la permanencia de las víctimas en la zona de riesgo, esto es, en los lugares azotados por el maremoto. En nuestra opinión se relaciona con la teoría de la equivalencia de las condiciones y la causalidad hipotética alternativa. Por un lado, pudiera darse un indebido uso de la teoría de la equivalencia de las condiciones y el método de la supresión mental hipotética, pues no es evidente que las víctimas hayan sido tan obedientes ante el aviso de permanecer en sus hogares. Lo mismo se aplica para el caso de la omisión de la alerta, pudiendo cuestionarse el hecho de que las víctimas hayan tenido que esperar al aviso para, recién ahí, alejarse de la zona de riesgo. En definitiva, este es un problema de causalidad natural o fáctica.[30] Por otro lado, una segunda vertiente referida a la causalidad se manifestó respecto de la causalidad hipotética o comportamiento lícito alternativo. En efecto, la víctima habría muerto aun si la autoridad hubiese avisado oportunamente del riesgo de maremoto.

III. PROPUESTA DE ANÁLISIS CAUSAL PARA LAS DEMANDAS DEL 27F

Para analizar la causalidad en esta particular litigación y proponer una interpretación que permita fallar las futuras causas de manera cohe-

---

29   ESCALONA (2017b), cons. 10° y 13°.

30   CORRAL, "Responsabilidad civil del Estado por muerte en tsunami". Disponible en: corraltalciani.wordpress.com [visitado el 5/11/2018].

rente y justa, esta sección comienza con la aplicación de la conocida fórmula de la equivalencia de las condiciones. Veremos que los casos del 27F envuelven problemas de incerteza causal, causas concurrentes y causalidad hipotética respecto del resultado final – muerte de las víctimas – los cuales no pueden ser resueltos mediante la *condictio sine qua non*. De ahí que resulte necesario abordar la causalidad hipotética y proponer formas de afrontar la incerteza causal reconocidas en la doctrina, incluyéndose entre otras soluciones la pérdida de una oportunidad o chance.[31]

1. *Condictio sine qua non* o *but-for*: test de la necesidad causal[32]. Aplicación en los casos del 27F

Este es por lejos el test más utilizado y exclusivo para definir en cada sistema legal la causalidad en su primera etapa y el que resuelve gran parte de los casos[33], afirmando que la causa necesaria de un determinado resultado es aquella *sin la cual* un cierto resultado tampoco habría acontecido[34]. Se la denomina "teoría de la equivalencia de las con-

---

31   Esta sección no está destinado a analizar la causalidad normativa en los casos del 27F, sino que uestro interés es destacar cuál es la forma correcta de aproximarse a la incertidumbre causal enmarcada en la causalidad fáctica. Tampoco examinaremos la prueba de la causalidad de manera autónoma, sino que en el contexto de las soluciones ante la incerteza causal. Finalmente, no nos referiremos a la causalidad penal, salvo aquellos aspectos vinculados con la responsabilidad civil.

32   Por todos, el condictio sine qua non y but-for test son equivalentes, utilizándose en el Derecho continental y en el common law, respectivamente. Sobre su aplicación en Europa, véase WINIGER et al., *Digest of European Tort Law. Volume 1: Essential Cases on Natural Causation*, Sringer, 2007.

33   STEEL, *Proof of Causation in Tort Law*, Cambridge University Press, 2015, pág. 16; LE TOURNEAU, *La Responsabilidad Civil*, Legis, 2008, pág. 79; GREEN, *Causation in Negligence*, Hart Publishing, 2015, pág. 10; ROXIN, *Derecho Penal. Parte General. Tomo I. Fundamentos*. La estructura de la teoría del delito, 2a ed, Civitas, 1997, pág. 349; DOMÍNGUEZ, "Aspectos de la relación de causalidad en la responsabilidad civil con especial referencia Al Derecho Chileno." *Revista de Derecho. Universidad de Concepción*, vol. N°209, LXIX, 2001, pág. 16.

34   BARROS ob. cit., pág. 376; CORRAL (2013a) ob. cit. pág. 179.

diciones" porque todos los hechos que han concurrido a producir un daño son considerados causas del mismo y, por tanto, equivalentes[35].

La jurisprudencia chilena entiende claramente esta fórmula,[36] siendo utilizada implícitamente en las sentencias en contra del Estado por el 27F, en tanto la muerte de la víctima no se produjo *sino porque* la autoridad emitió el aviso de inexistencia de tsunami, o no informó acerca de la alerta de maremoto[37]. Se afirmó que *"las víctimas pudieron salvarse si los dichos órganos públicos hubiesen cumplido con las obligaciones que les imponía la ley y los reglamento"*[38], y declaró que *"de haber cada cual cumplido con los deberes que la ley les encomendó, la víctima habría estado en mejor pie para ejecutar maniobras evasivas"*[39].

Sin embargo, el dar por acreditada la causalidad conforme a la teoría de la equivalencia de las condiciones nos parece insuficiente. El test no brindó una solución satisfactoria pues, aun sin la culpa del Estado – esto es, si la autoridad hubiese emitido el aviso de tsunami – las víctimas igualmente habrían fallecido a consecuencia del maremoto.[40] Esto, según veremos, se debe a que en las contiendas judiciales del 27F confluyen varias condiciones, lo que torna inútil la supresión mental hipotética pues se excluyen a todas como necesarias (causas concurrentes) o no se las trata como tales (causalidad hipotética)[41].

---

35   ALESSANDRI, *De La Responsabilidad extracontractual En El Derecho Civil Chileno*, Imprenta Universitaria, 1943, N°156, pág. 243; BARCENA,"La causalidad en el Derecho de daños", Tesis Doctorado, Universitat de Girona, 2012, pág. 90.

36   Lazcano con Cofré (2000), cons. 23; Órdenes con Espinoza (2014), cons. 9°.

37   CORRAL (2013b) ob. cit., explica que en Valenzuela (2013) se utilizó implícitamente la *condictio sine qua non*. BARROS ob. cit., pág. 421 señala que la utilización del contrafáctico *"sino porque"* se emplea para identificar aquellos hechos que son tenidos como causa – necesaria – del resultado. Véase nota al pie 84.

38   Pinochet (2017), cons. 17°.

39   Escalona (2016), cons. 30°.

40   Según tempranamente lo apuntó también la doctrina, en BANFI, "Indemnización y falta de servicio." Diario La Tercera, 25 diciembre 2013; y CORRAL (2013b) ob. cit.

41   Estas dos críticas de la teoría de la equivalencia de las condiciones se enmarcan

1.1. Causas concurrentes: culpa del Estado y tsunami

En supuestos de concurrencia de dos o más causas en la producción del resultado[42], la *condictio sine qua non* prescinde de causas que sí tienen influencia en el resultado[43]. Un supuesto simple de concurrencia causal es el caso de los cazadores[44]. Dos personas disparan negligentemente un arma de fuego a la víctima y ambas balas ($c1$ y $c2$) la impactan simultáneamente, causándole lesiones corporales (e). En virtud de la *condictio sine qua non*, si suprimimos mentalmente $c1$ (el disparo del primer cazador) las lesiones corporales (e) igualmente se hubieran causado por $c2$, lo que en principio lleva a descartar a $c1$ como causa. El mismo resultado se configura con la supresión de $c2$. De este modo, no es posible establecer la causa de las lesiones (e) pese a que $c1$ y $c2$ lo fueron. Luego, la

---

dentro de un completo panorama de todas ellas, descrito por MOORE, *Causalidad y responsabilidad. un ensayo sobre derecho, moral y metafísica*, Marcial Pons, 2011, págs. 516 y siguientes, seguido por BARCENA ob. cit., págs. 91 y siguientes. Otros se refieren a la crítica más común la formulada por Binding y Engisch respecto de la suprainclusión, como bien lo describen Araya Jasma, La Relación De La Causalidad En La Responsabilidad Civil, Lexis Nexis, 2003, , págs. 24-26, MAÑALICH, *Norma, causalidad y acción. Una teoría de las normas para la dogmática de los delitos de resultado puros*. Marcial Pons, 2014, pág. 40, y CORRAL (2013a) ob. cit.

42   "Sobredeterminación causal" o "causas cumulativas". HART y HONORE, *Causation in the Law*, 2th edition, Clarendon Press Oxford, 1985, págs. 122-125 las llaman causas adicionales; BARCENA ob. cit., pág. 106 infrainclusión, mientras que BARROS ob. cit., pág. 422 causalidad acumulada.

43   MOORE ob, cit., págs. 521-534, 604-616 la clasifica en sobredeterminación simétrica (dos procesos causales similares), asimétrica, mixta y anticipatoria. BARCENA ob. cit., pág. 108 agrega la sobredeterminación atípica. Para BARROS ob. cit., pág. 405, en la *"producción del daño intervienen diversas causas necesarias"*. Sin embargo, en nuestra opinión no se trata de causas necesarias, al descartarse por la fórmula de la supresión mental.

44   El "caso de los cazadores", se extrae de dos precedentes jurisprudenciales: *"Summers v. Tice"*, 199 PÁG.2d 1 (Cal. 1948) de norteamerica, y *"Cook v. Lewis"*, [1951] S.C.R. 830 (Can.) en Canadá. También se habla del caso del incendio, que proviene de la causa *"Anderson v. Minneapolis St. PÁG. & S. St. M. Ry. Co"*. (1920) 179 NW 45 (Minn.) analizado, entre los autores más clásicos, por HART y HONORE ob. cit., pág. 123 y WRIGHT, "Causation in Tort Law." *California Law Review*, vol. 73, no. 6, 1985, pág. 1791.

aplicación estricta de la *condictio sine qua non* genera esta inconsistencia y determina que la víctima no reciba compensación alguna[45]. En tal caso, la concurrencia de causas similares o equivalentes, que culminan al mismo tiempo y son suficientes por sí mismas para producir el daño, tomando el nombre de "sobredeterminación simétrica"[46].

Considerando que este supuesto de simetría causal son infrecuentes en la práctica –aunque resultan útiles para explicar fácilmente las inconsistencias de la teoría de la equivalencia de las condiciones – se suelen señalar casos más complejos y habituales en la vida diaria, en los que se mantiene la concurrencia de causas simultáneas, pero no se consideran equivalentes entre ellas. Cada una de ellas contribuye al resultado: no son individualmente necesarias para producirlo, pero en su conjunto lo provocan; o bien todas ellas son individualmente innecesarias y conjuntamente suficientes para causar el daño[47].

Pues bien, a nuestro entender en los casos del 27F concurren al menos dos causas[48]: la culpa del Estado y el tsunami como catástrofe natural, es decir, caso fortuito[49]. La confusión que surgió en algunos juicios llevó a aplicar la *condictio sino qua non* y a desechar sin más la existencia de relación de causalidad, pues la supresión mental hipotética producía un resultado negativo. Si se suprime mentalmente la culpa del Estado, la muerte de las víctimas igualmente podría haberse producido a

---

45   Lo mismo ocurre si dos incendios (c1 y c2), iniciados negligentemente por individuos distintos, son considerados como causas individualmente necesarias para destruir la casa de la víctima (e). Tanto c1 como c2 son individualmente equivalentes y producen un mismo resultado. MOORE ob. cit., pág. 522.

46   MOORE ob. cit., págs. 521-524; BARCENA ob. cit., págs. 108-110.

47   Nos referimos a la sobredeterminación asimétrica y mixta, respectivamente, conforme a la clasificación de MOORE ob. cit., págs. 524-526, seguido por BARCENA ob. cit., pág. 110.

48   Podría haber más de dos causas en el supuesto que concurra la culpa de la víctima, como en FONSECA y CONTRERAS RODRÍGUEZ.

49   PREVOT ob. cit., pág. 155; BARROS ob. cit., pág. 415.

consecuencia del terremoto. Sin embargo, si se suprimen el terremoto y posterior tsunami el daño no se hubiera producido. Esto conduce a descartar la existencia de una causa concurrente simultánea.

En nuestra opinión se trata de un caso complejo de concurrencia causal pues ambas causas – culpa del Estado y caso fortuito – no contribuyen causalmente al resultado final en la misma medida – como en cambio sí ocurre en el caso de los cazadores – sin que se conozca la contribución de cada causa en el resultado final.

Luego, existe una incertidumbre causal que requiere algún tipo de respuesta, pues la concurrencia de la culpa del Estado y del caso fortuito son determinantes en la producción del daño, de modo que no parece justo atribuir el total de los daños al Estado como tampoco hacer que la víctima asuma íntegramente las consecuencias del caso fortuito[50].

Ante la incertidumbre causal la literatura provee soluciones, las que estudiaremos con posterioridad al análisis de la causalidad hipotética.

1.2. Causalidad hipotética: consentimiento informado, comportamiento alternativo lícito y 27F

Esta situación es reconocida en el extranjero[51] y se ha estudiado esta materia a propósito del consentimiento informado[52], ocurriendo cuan-

---

50   BARROS ob. cit., pág. 415 nota al pie 138.

51   Como la *Hypothetische Kausalität* del derecho alemán y la causa anticipada (pre-emption cause) del common law, véase: WRIGHT ob. cit., pág. 1775; STEEL ob. cit., págs. 18-19; INFANTE, *La responsabilidad por daños: Nexos de causalidad y causas hipotéticas*. Valencia: Tirant Lo Blanch, 2002 , pág. 26.

52   En materia médica, véase BARROS ob. cit., págs. 407-408 y CARDENAS 2015, ob. cit., pág. 538, con referencia a Infante ob. cit., pág. 28, de manera general; DE LA MAZA, "Consentimiento Informado Y Relación De Causalidad "*Cuadernos de Análisis Jurídico. Serie Colección Derecho Privado*, vol. VI, 2010a, págs. 127-143; DE LA MAZA, "Consentimiento Informado, Una Visión Panorámica." Ius et Praxis, vol. 16, 2010b, págs. 89-120; y PIZARRO, "En Oposición Al Consentimiento Hipotético Informado." *Revista de derecho* (Valparaíso), 2015, págs. 97-120, con más detalle.

do no obstante que el médico actúa diligentemente (conforme a la *lex artis*) no informa al paciente de los riesgos de sufrir el perjuicio que finalmente padece. Es el caso del paciente que consiente en someterse a una intervención quirúrgica de su ojo izquierdo pues de lo contrario perderá la visión en 6 meses. El paciente es debidamente informado por su médico acerca de los riesgos aparejados a la operación, uno de los cuales es perder la visión en dicho ojo. La intervención no resulta exitosa y, adicionalmente, el paciente comienza a experimentar molestias en su ojo derecho, comunicándole el médico que se trata de una patología que no le informó, muy inusual (3 de cada 10.000 personas lo sufren) y que le provocará ceguera total. El paciente alega que de haber sabido de dicho riesgo no se hubiera sometido a la operación del ojo izquierdo.[53]

En Chile el caso del consentimiento informado y la causalidad hipotética se encuentran bien estudiados. Sin embargo, no se ha analizado la causalidad fáctica previa. En general, los autores que se refieren a la materia califican los supuestos como casos en los que la *condictio sine qua non* fracasa[54] – en lo que estamos de acuerdo – para enseguida calificar la cuestión del comportamiento alternativo ilícito como un criterio de imputación objetiva[55], específicamente el del incremento del riesgo, siguiendo a un reconocido jurista español[56]. Sin embargo, en nuestra opinión dicho análisis es defectuoso, pues, aunque se reconoce acertadamente que la *condictio sine qua non* ha sido insuficiente, no se explica

---

53   En este caso, existe un componente de autonomía o autodeterminación del paciente, en tanto aceptar o no el riesgo considerando la información en su totalidad. En efecto, desconocemos si, de haber sido debidamente informado, el paciente igualmente se habría sometido a la operación de su ojo izquierdo, considerando el bajo riesgo de perder la visión en ambos ojos.

54   DE LA MAZA (2010a) ob. cit., pág. 136.

55   PIZARROS ob. cit., pág. 107 y DE LA MAZA (2010a) ob. cit., pág. 137.

56   DE LA MAZA (2010a) ob. cit., pág. 137 y PIZARRO ob. cit., pág. 109 citan a PANTALEÓN, "Causalidad e Imputación Objetiva: Criterios De Imputación." *Centenario Del Código Civil (1889-1989)*, Centro de Estudios Ramón Areces 1990, págs. 1577-1578.

qué es lo que justifica concebir como causa una omisión y cómo el problema se encuadra 'mágicamente' dentro de los criterios normativos de causalidad[57]. En otras palabras, enfrentados a la dificultad de subsumir el supuesto de *omisión* en el consentimiento informado, estos autores nacionales paradójicamente *omiten* cargar con el peso de la incertidumbre y lo enmarcan dentro de las teorías jurídicas de la causalidad, sin dar razones para admitir ciertas omisiones y rechazar otras.

Estimamos que los casos del 27F se asimilan al consentimiento informado hipotético en los que se discute, entre otras cuestiones, si la víctima habría consentido en someterse a la misma operación de haber sido informada de todos y cada uno de los riesgos. De modo análogo, en los casos del 27F se discutió el comportamiento alternativo lícito del Estado. La culpa del Estado no habría sido determinante en el deceso de las víctimas si éste hubiese sobrevenido igualmente bajo un comportamiento lícito alternativo[58]. Este comportamiento consistiría en haber dado la oportuna alerta de tsunami o haber dado el aviso correcto, según si la culpa se funda en una omisión o en una acción, respectivamente.

Los fallos del terremoto y tsunami arribaron a resultados diversos. Algunas sentencias afirmaron que, aunque la autoridad hubiese alertado oportunamente del tsunami a las víctimas éstas habrían fallecido igualmente, a consecuencia de dicho caso fortuito, pues habrían permanecido en su hogar cercano al mar pese al aviso de maremoto[59]. En cambio, otros fallos argumentaron que, de haber actuado el Estado diligentemente, las víctimas se habrían salvado pues *"habrían estado en mejor pie para ejecutar maniobras evasivas"*[60].

---

57   Aunque PIZARRO ob. cit., pág. 109 reconoce que no abordará el tránsito de la causalidad natural a la normativa.

58   BARROS ob. cit., pág. 406, DE LA MAZA (2010b), pág. 113.

59   Luna (2015), cons. 15º.

60   Escalona (2016), cons. 30º.

El CDE esgrimió que, aun sin culpa, las víctimas habrían fallecido igualmente a consecuencia del maremoto. Esta defensa se asimila a la excepción perentoria del médico demandado que sostiene que el paciente igualmente habría consentido en someterse a la operación de habérsele informado del riesgo de daño por el cual dicho paciente demanda al galeno[61]. Se puede hablar entonces de un *aviso de tsunami hipotético* oportuno –tratándose de una culpa omisiva – o correcto, tratándose de una culpa comisiva. En ambos casos, por lo demás, el interés protegido es la autodeterminación de la víctima, sea para tomar una decisión que afecta su propia vida o cuerpo[62].

Con todo, se notan diferencias entre el consentimiento informado hipotético y el aviso de tsunami hipotético. En el primer caso, debe acreditarse el consentimiento hipotético no de un paciente en abstracto[63] sino de uno concreto[64], mientras que en el 27F la evaluación debiera ser en abstracto, esto es, conforme a una estimación objetiva del comportamiento que se puede esperar de una persona razonable y diligente en esas mismas circunstancias.

Asimismo, para el caso de la responsabilidad médica, la doctrina ha estimado que el médico debió entregar a la víctima una información completa, comprensible, oportuna y con respeto a la situación del paciente[65]. En cambio, para los casos del 27F solo podría exigirse a la autoridad que alertara del maremoto de manera oportuna y comprensible. Esto es relevante pues, de haberse probado que la autoridad emitió

---

61   BARROS ob. cit., pág. 406, DE LA MAZA (2010b) ob. cit., pág. 113.

62   DE LA MAZA (2010b) ob. cit., pág. 98 y PIZARRO ob. cit., p .101.

63   DE LA MAZA (2010b) ob. cit., pág. 114, DE LA MAZA (2010a), págs. 137-138 y PIZARRO ob. cit., pág. 103.

64   Lo corrobora el art. 10 de la Ley N° 20.584 de 2012 y PIZARRO ob. cit., págs. 99-100.

65   DE LA MAZA (2010b), págs. 101-103, agrega la forma en otorgar dicha información.

un aviso correcto – en el supuesto de culpa comisiva – o que al menos lo hubo – en el caso omisivo – la víctima debería soportar íntegramente el riesgo de morir a consecuencia del tsunami.

2. Propuesta de solución ante la incerteza causal en los casos del 27F

El análisis de la relación causal en los litigios relativos al 27F permitió identificar causas concurrentes y causalidad hipotética en el marco de la causalidad fáctica. En efecto, la sola aplicación de la equivalencia de las condiciones conduce a una situación binaria: el Estado no responde o debe indemnizar todos los perjuicios. Esta tesis no resuelve la incertidumbre causal, sea a favor o en contra de la víctima[66].

Una posible alternativa ante estos casos la plantea BARROS, al sostener que la intervención del caso fortuito como causa extraña podría ser resuelta conforme a la teoría del "todo o nada"[67] en la que se excluirán otras causas que hayan contribuido a la producción del resultado. En esta clase de situaciones se enmarca el terremoto del 27 de febrero de 2010. En efecto, no sabemos si lo que llevó a las víctimas del tsunami a permanecer en sus casas próximas al mar fue el aviso dado por las autoridades de no existir riesgo de maremoto. Tampoco sabemos si ellas igualmente habrían pernoctado en sus hogares en caso que las autoridades no hubieran emitido comunicación alguna.

---

66   STEEL ob. cit., pág. 9 plantea como fuente de incertidumbre los casos difíciles en que se aplican contrafácticos, como ocurre con la *condictio sine qua non*. Para RIOS y SILVA, Responsabilidad civil por pérdida de la oportunidad, Editorial Jurídica de Chile, 2014, pág. 173 existirá una causalidad incierta en aquellos casos en los que no se puede dar por acreditada la relación fáctica entre el hecho y el daño.

67   BARROS ob. cit., pág. 415.

A continuación expondremos y aplicaremos a los casos del 27F las soluciones ante supuestos de incertidumbre causal estudiadas en la literatura chilena y extranjera[68].

2.1. *Teoría del Todo o Nada: presunciones, inversión de la carga de la prueba y adquisición procesal*

Una primera respuesta tradicional[69] ante casos de incertidumbre causal proviene de la aplicación de la teoría del todo o nada. Según ésta, una vez acreditada la causalidad con arreglo a determinados umbrales o criterios de incertidumbre[70], la víctima tiene derecho a que un solo

---

68   BARROS ob. cit., págs. 380-381; RIOS y SILVA (2014) ob. cit., págs. 173-176; RIOS, "¿Quién carga con el peso de la incertidumbre causal?", en Vidal et al (eds) *Estudios De Derecho Civil X,* Thomson Reuters, 2015; MUNITA ob. cit., págs. 209-259; LUNA, "Oportunidades Pérdidas." *InDret*, vol. 2, 2005, pág. 2; MEDIN, *La teoría de la pérdida de oportunidad. estudio doctrinal y jurisprudencial de derecho de daños público y privado,* Editorial Thomson Civitas, 2007, págs. 321-384 y 413-446; OLIPHANT, "Causation in cases of evidential uncertainty: juridical techniques and fundamental issues." *Chicago-Kent Law Review,* vol. 91, no. 2, 2016, págs. 587-60, pág. 590. Este último entrega un esquema al respecto, que no difiere mayormente al expuesto por RIOS y SILVA (2014) ob. cit., págs. 174-175.

69   OLIPHANT ob. cit., pág. 588 la denomina regla ortodoxa; MEDINA ob. cit., pág. 322 la llama regla de la indivisibilidad causal o teoría de la identificación total. Se refiere a ella RIOS y SILVA (2014) ob. cit., pág. 175.

70   A falta de certeza absoluta de la causalidad, se recurrida a estos umbrales que en el common law se ha fijado en un 50% de probabilidades de ocurrencia del hecho (regla de la probabilidad preponderante: *more probable than not, more likely than not),* mientras que en el Derecho continental un 80% (regla de la alta probabilidad). RIOS y SILVA (2014) ob. cit., pág. 171 con referencias a MEDINA ob. cit., pág. 282; MURTULA, "Causalidad alternativa e indeterminación del causante del daño en la responsabilidad civil", *InDret,* 2006, pág. 16; LUNA ob. cit., pág. 2; SALVADOR y FERNÁNDEZ, "Causalidad y responsabilidad (3 Ed)", *InDret,* vol. 1, 2006, pág. 6; y, DOMINGUEZ, "Consideraciones en torno al daño en la responsabilidad civi. Una visión comparatista", *Revista de Derecho. Universidad de Concepción,* vol. N°188, LVII, 1990, pág. 151. Se refiere BANFI (2017) ob. cit., pág. 732, mientras que Accatino ob. cit., alude a la doctrina del incremento del riesgo a más del doble de HAACK, "Asuntos arriesgados: sobre la prueba estadística de la causación específica", en Papayannis (ed.), *Causalidad y atribución de responsabilidad,* Marcial Pons, 2014, págs. 103-137; y HAACK 2016 "Correlation and causation: the "Bradford Hill Criteria" in epidemiological,

legitimado pasivo le indemnice todos los perjuicios. Para lograr este resultado, se recurre a distintas técnicas de facilitación probatoria, como las presunciones, la inversión de la carga de la prueba y el principio de la adquisición procesal.

Prácticamente en todos los casos del 27F, salvo algunas excepciones[71], se aplicó esta teoría. En efecto, una vez acreditada la causalidad, se identificó al Estado como único responsable del fallecimiento de las víctimas. Sin embargo, no se utilizaron los umbrales de certidumbre o probabilidades de ocurrencia de un hecho que suele superar un 80%.

En cuanto a las técnicas de facilitación probatoria, en los casos del 27F estuvieron presentes las presunciones[72] y el principio de la adquisición procesal. Por el contrario, la inversión de la carga de la prueba no fue empleada en ninguno de los litigios examinados[73].

Sin dudas, la novedad fue la utilización del principio de adquisición procesal en el caso *VALENZUELA*. Aplicando este principio se tuvo por acreditados todos los hechos no controvertidos por el Estado, especialmente que la víctima se encontraba en su casa cercana al mar al momento del tsunami y el hecho de que escuchó el aviso de permanecer en su hogar[74].

---

legal, and epistemological perspective", en MARTÍN-CASALS y PAPAYAN-NIS (eds.), *Uncertain Causation in Tort Law*, Cambridge University Press, 2016, págs. 176-202.

71   FONSECA (2012) y CONTRERAS RODRÍGUEZ (2012) que redujeron el monto de la INDEMNIZACIÓN en un 75%, y ESCALONa (2016) que aplicó la pérdida de una oportunidad.

72   Sección 2.3.3.C.: SOTO MORALES (2011a), MELLA (2016), MARABOLI (2017). Se estimó no aplicables las presunciones en SEPÚLVEDA ALISTE (2016a); CHEUQUE-LEN (2015); RIVERA (2015); y, LUNA (2015).

73   Mientras no exista norma expresa que la incluya, nuestra opinión es que no debiera utilizarse la inversión de la carga de la prueba. La incluyen expresamente la *Restatement Third* (2010) y el BGB en su artículo 830.

74   VALENZUELA (2013), cons. 28°.

El principio de adquisición procesal[75] importa que los actos jurídicos procesales no solo van en beneficio del que los ejecuta, perjudicando a la contraparte, sino que también ésta puede obtener ventajas de dicho acto[76]. Entre otros típicos ejemplos destacan la confesión judicial espontánea expresa (contenida, por ejemplo, en la demanda o en la contestación) y el caso de los testigos contradictorios presentados por una misma parte (artículo 384 N°3 del Código de Procedimiento Civil)[77].

Al tratarse de un principio formativo del procedimiento no existe inconveniente en que se aplique a falta de norma expresa. Con todo, su utilización en el caso del 27F fue cuestionada, argumentándose que no resultaba evidente que de la absolución de posiciones de los demandantes se coligieran los hechos antes referidos[78]. En nuestra opinión no hay inconveniente en emplear este principio pues cada litigante debe ser consecuente con sus propios actos y quedar sometido al resultado final de los mismos[79].

Para el caso del terremoto y posterior tsunami, las consecuencias devastadoras impedían recolectar la prueba suficiente para acreditar que la víctima se encontraba en su casa ribereña o que había escuchado el aviso de la autoridad de permanecer en la misma, siendo prudente la utilización del citado principio de adquisición procesal en los casos del 27F. Parece razonable entonces que ante estas circunstancias pueda aplicarse este principio, sobre todo si el Estado argumenta que la culpa cometida debe ser evaluada con menor rigurosidad dada la situación

---

75   Llamado principio de incorporación, comunidad de pruebas, comunidad de medios de pruebas, aportación indiferenciada o indiscriminada de los hechos, en VALMAÑA ob. cit., 2012, pág. 7.

76   MATURANA, *Plazos, actuaciones judiciales, notificaciones, resoluciones judiciales y el juicio ordinario. conteniendo la teoría general de la prueba*, Separata editada por la Facultad de Derecho de la Universidad de Chile, 2012, pág. 219.

77   Ibíd, pág. 220.

78   BANFI (2013) ob. cit., opinión contraria a la de CORRAL (2013) ob. cit.

79   VALMAÑA ob. cit., pág. 26.

excepcional que involucró el 27F[80]. En otras palabras, debiera existir el mismo tratamiento respecto a ambas partes en la configuración de la responsabilidad civil. No se le puede exigir a las víctimas que acrediten que escucharon el aviso dado por la autoridad llamándolas a permanecer en sus casas, cuando la autoridad emitió dicha alerta con la intención de ser escuchada por los todos los afectados.

2.2. *Teoría de la causalidad probabilística: pérdida de una chance u oportunidad*

Una mirada reciente a los problemas de incerteza causal plantea la solución contraria a la indivisibilidad causal. Se propone el fraccionamiento de la causalidad y el otorgamiento de indemnizaciones parciales[81]. Se critica la doctrina del todo o nada por desconocer los avances de la estadística y de la probabilidad que permiten dar por acreditada la causalidad e indemnizar conforme a lo que se causó –en la medida en que el agente contribuyó al resultado final– y no al daño sufrido por la víctima[82].

A diferencia de la teoría del *All or Nothing*, la causalidad probabilística o proporcional prescinde de facilitaciones probatorias para alcanzar un determinado umbral de certidumbre: simplemente sostiene que el agente deberá indemnizar conforme a su contribución a la producción del daño. Con todo, se presentan ciertas manifestaciones específicas, como el incremento del riesgo[83] y la teoría de la pérdida de una oportu-

---

80   LETELIER, ob. cit., págs. 314-315.

81   BARROS ob. cit., págs. 380-381; BANFI (2017) ob. cit. pág. 725; MEDINA ob., cit., págs. 108-126; y, RIOS y SILVA (2014) ob. cit., pág. 178.

82   MARTIN-CASALS ob. cit, 2016, págs. 1-2; MEDINA ob. cit., pág. 489; y, RIOS y SILVA (2014) ob. cit., pág. 178.

83   BARROS ob. cit., págs. 380-381 ubica a la pérdida de una chance como manifestación del incremento del riesgo. RIOS y SILVA (2014) ob. cit., pág. 174 nota al pie 389 y 41-42, señalan que la oportunidad es el género, mientras la chance y riesgo sus especies, evocando la primera la idea de expectativa mientras que la segunda la idea de riesgo.

nidad[84]. Nos centraremos en este último aspecto pues fue expresamente reconocido en algunas sentencias.

2.2.1. Estado actual de la pérdida de una chance en Chile

La pérdida de una oportunidad o chance se concibe como la frustración actual de una probabilidad de alcanzar una situación patrimonial o extrapatrimonial más beneficiosa, o de evitar un empeoramiento de la situación patrimonial o extrapatrimonial presente[85].

El tránsito en el reconocimiento chileno de la teoría ha sido paulatino en la doctrina[86] y sorprendentemente rápido en la jurisprudencia. Junto con el primer fallo que la reconoció expresamente[87] existieron otros que ratificaron su aceptación en Cortes de Apelaciones[88].

La Corte Suprema ha admitido la reparación de las oportunidades frustradas en dos ámbitos. El primero ha sido en la responsabilidad médica, en casos de error o falta de diágnóstico[89] o falta de atención oportu-

---

84   Otra manifestación es la responsabilidad por cuota de mercado, aunque se cuestiona su aplicación.

85   RIOS y SILVA (2014) ob. cit., pág. 262.

86   Hoy la aceptación es unánime. Véase CORRAL (2013a) ob. cit., págs. 136-137. Se resumen los inicios de su aceptación en RIOS y SILVA (2014) ob. cit., págs. 212-217, así como en RIOS y SILVA, "La Teoría de la pérdida de la oportunidad según la Corte Suprema." *Revista de Derecho - Escuela de Postgrado*, vol. 7, 2015, p. 14. Se agregan las menciones de CORRAL, "Pérdida de la chance y víctimas por repercusión", *El Mercurio Legal*, 31 de diciembre 2015; PIZARRO ob. cit, pág. 119.

87   Ojeda con Servicio de Salud Viña del Mar Quillota (2008, 2011).

88   Paredes con Empresa de Servicios Marítimos y Portuarios Hualpén (2009, 2011). Recordemos que este caso fue citado en la causa *Escalona* (2016), cons. 52°. Más recientemente, Rodríguez Gutiérrez con Servicio de Salud Talcahuano (2015).

89   Segura (2014), cons. 7° reemplazo, comentada en RIOS y SILVA (2015) ob. cit., y RIOS (2014) ob. cit.; *Sarabia con Servicio de Salud Iquique* (2016); *Corvalán con Félix Bulnes* (2017); *Pérez con Servicio de Salud Osorno* (2017), *Ortiz con*

na[90] que causan la pérdida de una chance de sobrevida, así como la pérdida de la oportunidad de curación respecto de pacientes que vieron extendida su dolencia por la negligencia del médico o funcionarios de la salud[91]. Menos frecuente ha sido el reconocimiento de la pérdida de una oportunidad de partipar en una licitación pública del que la víctima fue privada ilícitamente[92].

2.2.2. Pérdida de una oportunidad o chance en los casos del 27F

Existiendo reconocimiento jurisprudencial de la pérdida de la oportunidad, esta podría ser adoptada en los casos del 27F conduciendo a decisiones que distribyan la incerteza causal.

La situación en que se encontraban las víctimas del 27F era incierta, pues se desconoce lo que hubiera sucedido si la autoridad hubiese alertado a la población del riesgo de tsunami o hubiese emitido un correcto. Como el tsunami acaeció con independencia de la culpa atribuida al Estado, se cuestiona – mediante el argumento de la causalidad hipotética – la actuación de las víctimas aun si el Estado hubiese actuado diligentemente, pues no se sabe si ellas hubieran salvado sus propias vidas.

Por ello, una alternativa es argumentar que la culpa del Estado hizo perder la oportunidad de sobrevida a las víctimas, ya que éstas bien pudieron haber actuado de modo diferente si hubiesen sido alertadas del inminente peligro que representaba el tsunami. Se trata de una oportu-

---

Hospital Luis Tisné (2017), *Pérez con Servicio Salud Antofagasta* (2017), y *Contreras con SEREMI* (2017).

90   *Vásquez con Hospital Van Buren* (2015), comentada por CORRAL (2015) ob. cit., y ROSAS ob. cit., págs. 7-22; *Anabalón con Servicio de Salud Araucanía* (2016).

91   *Morales con Hospital de Talca; Vera con FISCO*.

92   *Titanium con Instituto Nacional del Deporte* (2015), cons. 4° reemplazo, comentada en RIOS, "Corte Suprema, Licitación y Pérdida de la oportunidad (Chance)" *El Mercurio Legal,* 2015, p. 2.

nidad y no de una certeza, pues se desconoce qué curso de acción habría seguido cada víctima, quien perfectamente podría haber desestimado la alerta y decidido permanecer en su hogar[93]. En SEPÚLVEDA se identifica certeramente como la *"chance de lograr alejarse de la zona de peligro"*[94] y en ESCALONA se acoge la causalidad probabilística al sentenciar que *"sólo será posible efectuar una estimación de la probabilidad de que el daño se deba a un hecho u omisión* [se aplica en los casos en que la certidumbre de la relación causal es difícl de establecer, acudiendo] *acertadamente los sentenciadores acuden a la teoría de la pérdida de la chance"*[95].

La situación no es distinta de aquellos casos en los que el médico olvida diagnosticar una enfermedad y la víctima pierde la oportunidad de sobrevida, en los cuales la causa concurrente –enfermedad– no fue provocada por el médico. Como dice CHABAS, en el caso de la pérdida de la oportunidad el médico no provoca la enfermedad y por eso *"(...) el juez no puede condenar al médico a pagar una indemnización igual a la que se debería si él hubiera realmente matado al enfermo"*[96].

Por ello es que DE LA MAZA y PIZARRO, que tratan correctamente la causalidad hipotética en el consentimiento informado[97], se refieren a la pérdida de una oportunidad como la indemnización de perjuicios que debería otorgarse. DE LA MAZA revisa las alternativas de indemnización que podrían alegarse ante el médico tratante, destacándose entre ellas la indemnización por la pérdida de una oportunidad[98]. Por su parte, PI-

---

93   CORRAL (2015b).

94   *SEPÚLVEDA SEPÚLVEDA CON* (2017), cons. 7°.

95   *ESCALONA* (2017b), cons. 13°.

96   CHABAS, "La pérdida de una oportunidad ("chance") en el derecho francés de la responsabilidad civil." *Revista Iarce, Instituto colombiano de responsabilidad civil y del estado*, vol. n°8, 2000, pág. 86.

97   Sección 3.1.2. Ambos autores previenen que no fueron exhastivos en el análisis de los daños en esta materia.

98   DE LA MAZA (2010a) ob. cit., págs. 140-143 agrega que podría exigirse la indemnización de todo daño proveniente del riesgo no informado, o estimarse

ZARRO se refiere a ella como pérdida de la posibilidad, estimando que su cuantía debiera estar asociada a las consecuencias dañinas que significó el riesgo que haya ocurrido el daño[99].

Ahora bien, las consecuencias de estimar que la pérdida de la oportunidad se encuentra presente en los casos del 27F son relevantes. En primer lugar, la indemnización que debe pagar el Estado por su culpa debe ser parcial o fraccionada y no total. Es decir, se debe indemnizar por la oportunidad perdida y no por la muerte de la víctima, pues el Estado no fue el único causante de dicho desenlace fatal. Como ha dicho la Corte Suprema, *"la indemnización o el valor es parcial, pues nunca debe ser igual a la ventaja esperada o a la pérdida sufrida"*[100].

El fallo que inició la aplicación correcta de la teoría fue fue ESCALONA, así como PINTO y LEFIQUEO en la misma instancia. Pese a lo destacable de dichos fallos, al momento de resarcir los perjuicios se sentenció que la indemnización a título de daño moral a favor de los familiares cercanos a los fallecidos, consistió en la angustia por la *"imposibilidad de haber tenido la opción haber evitado el fallecimiento de sus familiares o la afección a su integridad física"*[101], y que la pérdida de la oportunidad de salvarse de los fallecidos *"se relaciona con la opción que tienen aquellos que demandan en su calidad de víctimas por repercusión o rebote de haber contado por más tiempo con su ser querido"*[102]. El punto es confuso pues estaría sugiriendo la adopción de una doble pérdida de una chance. Primero del fallecido por el tsunami, y poste-

---

como la lesión al derecho de la libre determinación.

99   PIZARRO ob. cit. pág. 119.

100   VÁSQUEZ CON HOSPITAL VAN BUREN (2015), cons. 16° reemplazo; SARABIA CON SERVICIO DE SALUD IQUIQUE (2016), cons. 4° reemplazo; ANABALÓN CON SERVICIO DE SALUD ARAUCANÍA (2016), cons. 11° reemplazo; y, CORVALÁN CON FELIX BULNES (2017), cons. 22°. El libro citado es RIOS y SILVA (2014) ob. cit., pág. 268. La misma obra brinda reglas específicas para determinar el quantum indemnizatorio de la oportunidad perdida.

101   ESCALONA (2016), cons. 52.

102   ESCALONA (2017b), cons. 13°.

riormente de las víctimas por rebote por la opción perdida de estar más tiempo con su pariente. Concordamos con CORRAL en definir la pérdida una chance de seguir viviendo del fallecido y, como repercusión, un daño moral para quienes tenían vínculos afectivos con el[103].

Asimismo, resulta reprochable la omisón en estos fallos a la indemnización parcial que debe otorgarse al actor por la pérdida de una chance, siguiendo con ello la tendencia de ciertos fallos que, reconociendo la teoría, terminan reparando como si el agente hubiera provocado el daño y no privando la oportunidad de evitarlo[104]. En otros casos se indemnizó el daño moral conforme al baremo jurisprudencial estadístico sobre indemnización por muerte, lo que constituye un error manifiesto al equiparar la reparación de la muerte con la chance[105].

Otra consecuencia relevante de tratar esta materia como oportunidad perdida y no como cualquier otro daño se da con ocasión de sus requisitos de admisibilidad. Para que la pérdida de la oportunidad sea procedente, se han propuesto ciertas exigencias, las cuales se condicen con su definición y desarrollo jurisprudencial[106]. Así, debe en primer lugar ingresar la oportunidad al estado actual del sujeto afectado, lo que importa entender cuando se cuenta con una oportunidad efectiva o el perjuicio –la oportunidad– es hipotética o reparable a la luz de otro rubro indemnizatorio. Debe existir un porcentaje de factibilidad que supere el nivel de lo meramente posible. En el caso del 27F, solo podría vul-

---

103   Sugiere CORRAL (2015) ob. cit., que la doble pérdida de una chance importaría una doble reducción de la indemnización.

104   Al igual que los primeros fallos nacionales que reconocieron la teoría de la pérdida de una oportunidad sin mención a la indemnización parcial: *Ojeda con Servicio de Salud Viña del Mar Quillota* (2008, 2011), *Paredes con Empresa de Servicios Marítimos Hualpén* (2009, 2011), y *Segura con Fisco* (2014).

105   *Pinto con* (2018), cons. z) reemplazo; *Lefiqueo* (2017), con. 26° reemplazo. Se utiliza el mismo baremo, pero sin referencia a la chance, en *Sepúlveda Aliste* (2017), cons. 13° reemplazo.

106   Seguiremos al respecto a RIOS y SILVA (2014) ob. cit, págs. 264-266.

nerarse este requisito de probarse que la víctima no tenía oportunidad alguna de salvarse. Así, aún en el caso que la víctima estuviera en una situación desventajosa para evitar del desastre –como en *LUNA CON*[107] en que se aludió al alcoholismo de la víctima– esta tenía una oportunidad de evitar las consecuencias del maremoto, y el primero de los requisitos sí se encontraría satisfecho. Distinto sería el caso si la víctima se hubiera encontrado postrada en su casa sin posibilidad alguna de salvarse por sus propios medios, pues simplemente no tendría oportunidad.

En segundo lugar, se debe probar la certeza respecto de la existencia de la oportunidad en tanto se convenza al juez de la existencia de una oportunidad y su posterior aniquilamiento.

En tercer lugar, la oportunidad debe tener el componente de aleatoriedad pues de lo contrario estaríamos derechamente frente a otra clase de daño. Lo anterior está más que dicho al hablar respecto del resultado final de la víctima en los casos del 27F. Evidentemente, la teoría de la equivalencia de las condiciones falla pues se desconoce con certeza lo que hubiera pasado si se suprime la culpa del Estado. Es decir, se desconoce si la víctima habría evitado el alcance de las olas.

Un cuarto requisito es que la oportunidad sea irreversible. Aunque parezca evidente en los casos del 27F, pues no puede predecirse el próximo fenómeno natural, no es infrecuente que en materia de pérdida de una oportunidad patrimonial se pueda volver al estado anterior, con lo que no existiría oportunidad alguna que perder pues ésta puede ser remediada[108].

---

107   *LUNA* (2015), cons. 15°.

108   Se da en los casos de pérdida de una chance de obtener una licitación. En *TI-TANIUM CON INSTITUTO NACIONAL DEL DEPORTE* (2015) se cumplió con este requisito pues la licitación resultó adjudicada a un tercero. De haberse declarado desierta, la oportunidad hubiera sido reversible sin que fuera procedente la teoría. Véase RIOS (2015) ob. cit.

Finalmente, debe existir una incertidumbre del resultado final, es decir, se llega a una situación de incerteza en la prueba de la relación causal por razones o circunstancias ajenas a la víctima[109]. No solo se incluyen los casos en los que existirá imposibilidad material por parte exclusiva de la víctima, sino también cuando ésta no puede acceder a la información empleando todo su esfuerzo ante circunstancias externas a ella. Para el caso del 27F, justamente se llegó a la situación de incertidumbre con ocasión de la prueba de la causalidad, pues resultaba imposible que los demandantes –por lo general parientes de las víctimas fallecidas– probaran la relación de causalidad, especialmente el hecho de haber escuchado la alerta errónea de la autoridad o el hecho de haberse encontrado en su hogar.

En suma, la teoría de la pérdida de la oportunidad nos provee de soluciones justas en la distribución de los riesgos ante una situación como la envuelta en los casos del 27F. Optar por la teoría tradicional del todo o nada desconoce el hecho de que el Estado con su culpa no provocó exclusivamente la muerte de las víctimas azotadas por las olas. Por su parte, las facilidades probatorias o la utilización del principio de la adquisición procesal solo contribuyen a una respuesta que insiste en la indivisibilidad causal.

La propuesta de indemnizar conforme a la pérdida de una chance parece, según la reciente tendencia en Chile, distribuir la contribución al daño de cada parte. Al Estado que actuó con culpa se le hace responsable, aunque no del total, pues no puede –ni nadie podría– evitar un desastre natural como el terremoto y posterior tsunami. A la víctima –o sus familiares– se le otorga una indemnización parcial, debiendo soportar –al menos por el porcentaje restante– las consecuencias del desastre natural conforme a la antigua regla romana casum sentit dominus[110].

---

109   RIOS y SILVA (2014) ob. cit, pág. 266.
110   LETELIER ob. cit., pág. 305.

IV. CONCLUSIONES

La búsqueda de una solución coherente para los casos del 27F y el estudio de la causalidad en la responsabilidad civil extracontractual, exigió revisar los contornos básicos de este requisito de la responsabilidad, basados en la causalidad natural o fáctica. Posteriormente, se comprobó que en las causas del 27F se configuraban causas concurrentes – culpa y caso fortuito – y la llamada causalidad hipotética, aspectos que surgieron en la aplicación fallida de la teoría de la equivalencia de las condiciones. Un correcto análisis causal debiera preguntarse si la víctima hubiera fallecido como consecuencia del tsunami aun cuando se hubiere efectuado el aviso de maremoto oportuna y correctamente.

Las soluciones provistas por la doctrina y jurisprudencia ante eventos de incerteza causal sirven de guía en la correcta reparación de las causas del 27F. Específicamente, la aplicación de la pérdida de una chance como manifestación de la teoría de la causalidad probabilística podría brinda soluciones acordes con la intervención de las causas concurrentes – caso fortuito y culpa – en la producción del resultado, a favor de la víctima y del Estado. La víctima o sus familiares recibirán una indemnización que, aunque parcial, al menos carece de la arbitrariedad propia de la teoría del todo o nada, mientras que el Estado solo será obligado a pagar por una parte de las consecuencias desastrosas del evento natural, debiendo el propio afectado soportar el remanente atribuido al caso fortuito.

III. EL CRITERIO DE IMPUTACIÓN EN LA RESPONSABILIDAD CIVIL: CASOS CONCRETOS

1. LOS CRITERIOS DE IMPUTACIÓN DE LA RESPONSABILIDAD CIVIL EN LA JURISPRUDENCIA DE LA SALA PRIMERA

M.ª Ángeles Parra Lucán
Magistrada de la Sala Primera del Tribunal Supremo
Catedrática de Derecho civil

RESUMEN

La persona a quien se pueda imputar jurídicamente el daño sufrido por otra está obligada a repararlo. En particular, el daño puede imputarse a la persona: a) cuya conducta culposa lo haya causado; o b) cuya actividad anormalmente peligrosa lo haya causado; o c) cuyo auxiliar lo haya causado en el ejercicio de sus funciones. En este trabajo se analiza la aplicación por la Sala Primera del Tribunal Supremo de estos criterios.

PALABRAS CLAVE

Fundamentos de la responsabilidad civil. Culpa. Estándar de conducta. Inversión de la carga de la prueba. Responsabilidad objetiva.

ABSTRACT

A person to whom damage to another is legally attributed is liable to compensate that dam- age. Damage may be attributed in particular to the person a) whose conduct constituting fault has caused it; or b) whose abnormally dangerous activity has caused it; or c) whose auxiliary has caused it within the scope of his functions.

KEYWORDS

Bases of Liability. Fault. Required standard of conduct. Reversal of the burden of proving fault. Strict liability

I. CRITERIOS DE «IMPUTACIÓN».
LOS FUNDAMENTOS DE LA RESPONSABILIDAD CIVIL

La responsabilidad civil hace referencia a la obligación que tiene un sujeto de indemnizar los daños sufridos por un tercero. Cuando alguien sufre un daño, en su persona o en sus bienes, el ordenamiento puede optar entre permitir que la víctima soporte el daño por entero o establecer la obligación del causante de repararlo. El régimen de responsabilidad civil establece, por tanto, el conjunto de reglas relativas a qué daños deben ser reparados, en qué supuestos, a qué sujetos se les debe imputar la responsabilidad y con arreglo a qué criterios.

El tema encomendado por los organizadores de este congreso hace referencia a la imputación de la responsabilidad. Hay que comenzar advirtiendo de la **complejidad terminológica** que reina en esta materia. Contribuye a ello el que los autores y los tribunales no emplean las mismas palabras para referirse a los mismos problemas.

La palabra imputar o imputación **no es utilizada por el legislador español** al regular la responsabilidad civil. Las mejores obras **doctrinales de responsabilidad civil no siempre utilizan esta expresión** y, en cambio, hablan de la imputación o de la «imputación objetiva» para hacer referencia a los criterios de causalidad jurídica, a los que se ha hecho referencia en la ponencia anterior del pf. Martín Casals.

Según la primera acepción de la RAE, imputar significa «atribuir a alguien la responsabilidad de un hecho reprobable». Pero esta definición es insuficiente porque no refleja que en nuestro sistema jurídico pueden imputarse daños a un sujeto a pesar de que su conducta no haya sido reprochable en absoluto. Esa es la segunda acepción que se recoge para el término «imputar» en el Diccionario del Español Jurídico de la RAE, que se hace eco además de los significados de la imputación en el ámbito fiscal y penal, donde sí es utilizado por el legislador.

Aquí nos vamos a referir, en definitiva, a lo que algunos llaman «imputación subjetiva», en el sentido de **atribución** de la obligación de indemnizar un daño **a una persona**. Imputación como atribución de responsabilidad civil.

De esta forma, sencillamente, a lo que se alude con el título del tema asignado es el **fundamento o, mejor, los fundamentos de la responsabilidad civil**. Es decir, cuáles son las <u>razones por las que en un ordenamiento se puede declarar la responsabilidad de una persona,</u> las <u>razones por las que nace la obligación de indemnizar a otro que ha sufrido un daño</u>.

Puesto que el Derecho español no utiliza la palabra imputación, puede ser útil para una primera aproximación, **acercarse al tema partiendo de los textos que sí la utilizan.**

En este sentido, los Principios de derecho europeo de la responsabilidad civil (elaborados por el European Group on Tort Law (en adelante, PETL), según la traducción de M. Martín Casals), contienen la siguiente «norma fundamental»:

Art. 1:101. Norma fundamental

(1) **La persona a quien se pueda imputar jurídicamente el daño sufrido por otra está obligada a repararlo**.

(2) En particular, el daño **puede imputarse** a la persona

a) cuya conducta culposa lo haya causado; o

b) cuya actividad anormalmente peligrosa lo haya causado; o

c) cuyo auxiliar lo haya causado en el ejercicio de sus funciones.

Las razones por las que se puede imputar el daño son la culpa, el ejercicio de una actividad peligrosa y la responsabilidad por hecho ajeno, en particular por los auxiliares.

Para explicar el Derecho español, a la vista de las aplicaciones de la jurisprudencia española reciente, vamos a seguir este esquema, que recoge criterios de atribución de la responsabilidad plenamente identificables en nuestro ordenamiento:

a) En derecho español hay una regla general, establecida en el art. 1902 CC que es la culpa.

b) En derecho español no hay una regla general de responsabilidad sin culpa. Hay reglas especiales para determinados ámbitos en los que el legislador prescinde de la culpa y tiene en cuenta la titularidad de una cosa (dueño del animal, dueño del inmueble), el ejercicio de la actividad (la conducción de un vehículo de motor, la introducción en el mercado de productos defectuosos), etc. Son supuestos de responsabilidad que se rigen por criterios objetivos, en los que se imputa el daño a quien desarrolla la actividad con la que causalmente se conecta el daño prescindiendo de toda consideración de la diligencia de quien la desarrolla.

c) En Derecho español también se regula la responsabilidad por hecho ajeno. La acción u omisión por la que se responde puede ser propia o «de aquellas personas de quienes se debe responder» (art. 1903 CC). Se trata de la responsabilidad por los dependientes y la responsabilidad por los actos de los menores y personas con discapacidad. La dificultad radica en precisar si en estos casos estamos ante un tercer título de imputación o ante casos de responsabilidad objetiva o responsabilidad por culpa de quien responde. También en la determinación de la responsabilidad (obligación de indemnizar con su propio patrimonio, presente o futuro) de quien actúa directamente, lo que se vincula al requisito de la capacidad de culpa así como el ámbito, en su caso, de la repetición o regreso frente a él por parte de quien deba responder frente al perjudicado.

II. RESPONSABILIDAD POR CULPA O NEGLIGENCIA

1. Qué es la culpa

1.1. La infracción del estándar de conducta exigible según las circunstancias

En un régimen de responsabilidad por culpa se responde si existe un modelo alternativo de conducta de modo que, de haber actuado conforme al mismo, el daño no se hubiera causado. La valoración de si ese modelo alternativo es exigible toma en consideración lo razonable, lo admisible desde el punto de vista social, ético y económico en atención a las circunstancias de cada caso.

La interpretación del deber de diligencia toma también en consideración las normas reguladoras de una actividad, cuando las hay, pero plantea el problema de si la exigencia de la norma de seguridad es de mínimos. Cuando no existen esas normas son también relevantes los usos de la profesión de que se trate, las buenas prácticas del sector, en función del momento y lugar.

1.2. La culpa en la jurisprudencia

A) El ejemplo de la jurisprudencia sobre caídas (sentencias 831/2007, de 17 julio, y 149/2010, de 25 de marzo). La jurisprudencia sobre caídas es un buen ejemplo de como los estándares de conducta exigibles, el nivel de diligencia, son diferentes en función de las circunstancias. No es lo mismo que alguien se caiga en el pasillo de mi casa por no tenerla bien ordenada que la caída se produzca en un establecimiento comercial[1].

---

1   Son significativas dos sentencias: i) sentencia 831/2007, de 17 julio. Demanda de indemnización por las lesiones y secuelas producidas por la caída de una persona al pisar un juguete de ruedas en el pasillo a oscuras del domicilio de unos amigos a cuya casa habían acudido a cenar un grupo de personas. La sentencia de primera instancia desestimó, no así la de apelación, que condenó

B) sentencia 1087/2008, de 21 de noviembre. Daños producidos por la explosión derivada de la utilización de un producto para desinsectar una vivienda. Los daños se produjeron como consecuencia de la inadecuada manipulación del producto por parte de quien lo compró. Los vendedores ni han incurrido en culpa ni se les puede imputar, una conducta culposa, imprudente o negligente, pues se han limitado a proporcionar un producto de libre venta, autorizado y homologado, que constituye el objeto lícito de su actividad, y ésta aparece totalmente desligada de la correcta o incorrecta utilización posterior que pudiera haber hecho del mismo quien lo compró debidamente informada del producto y de su peligrosidad. La venta no comporta en sí misma negligencia, y los daños ocasionados no son la consecuencia lógica y natural de la acción de vender. Consecuentemente, no existe responsabilidad del vendedor. Tampoco del fabricante ni de la Administración. Para adaptar el estándar de conducta diligente a las circunstancias del caso, la sentencia cita los criterios de los PETL.

---

a los anfitriones y a la aseguradora al pago solidario de una indemnización por la negligencia al no dejar expedito el pasillo ni vigilar por la integridad de sus invitados encendiendo la luz. La sentencia de casación, después de desestimar el motivo relativo a la falta de congruencia, al existir correlación entre lo pedido, la causa de pedir y el fallo de la sentencia, estima el recurso al entender que ha de concurrir culpa o negligencia del agente para la imputación de responsabilidad. Nuestro ordenamiento no imputa objetivamente responsabilidades y la mera existencia de un riesgo no implica la respuesta de los propietarios por los daños producidos, puesto que, en el entorno doméstico, se baja la vigilancia ante los posibles riesgos y no toda desgracia determina necesariamente que alguien deba responder de ella, porque la vida comporta riesgos por sí misma. Ello lleva a la conclusión de la no imputación de los daños a los anfitriones por falta de culpa en el hecho. Para adaptar el estándar de conducta diligente a las circunstancias del caso, la sentencia cita los criterios de los PETL); ii) sentencia 149/2010, de 25 de marzo. Caída de señora al entrar en un restaurante y no advertir un escalón en zona de penumbra y sin señalización. La sentencia, siguiendo la doctrina de la sala, aprecia negligencia de la entidad titular del establecimiento. Inaplicabilidad de criterios de responsabilidad objetiva al ser doctrina de esta Sala que en los casos de daños personales por caídas en establecimientos abiertos al público es precisa la existencia de culpa o negligencia del demandado lo suficientemente identificada para poder declarar su responsabilidad.

C) sentencia 503/2017, de 15 de septiembre. Responsabilidad por los daños ocasionados en la vivienda de otros propietarios como consecuencia del incendio originado en el colchón del dormitorio de un vecino. Se aprecia falta de diligencia, confirmando la sentencia de instancia. En el caso, se considera que el hecho de que previamente se hubiera iniciado un incendio en el colchón da lugar a que debiera extremarse la precaución de mantener una mayor vigilancia.

D) sentencia 635/2018, de 16 de noviembre. Responsabilidad médico-sanitaria: inexistencia de actuación contraria a la «lex artis». Practicada una operación de cáncer de colón, la evolución del postoperatorio no va bien, sobreviene una peritonitis que los demandantes achacan a la "tardanza" en hacer un TAC. Se desestiman los recursos contra la sentencia que no aprecia negligencia porque, en definitiva, lo ocurrido es un riesgo de la propia intervención quirúrgica.

E) sentencia 112/2018, de 6 de marzo. Responsabilidad profesional médica. Reclamación de daños y perjuicios: daño moral y patrimonial por error de diagnóstico sobre malformaciones del feto que impidió a la demandante adoptar la decisión de abortar dentro del plazo legal. No se aprecia negligencia porque los informes periciales aportados por los codemandados son concluyentes: «los falsos negativos ecográficos como el de este caso son atribuibles las limitaciones del procedimiento y no a una actuación inadecuada del profesional que lo ejecuta». Se entregó a la gestante un documento donde se decía que la ecografía es una exploración complementaria que presenta limitaciones tanto técnicas como de la propia paciente y del operador que la hace, y no todos los defectos son diagnosticables.

F) sentencia 698/2016, de 24 de noviembre (consentimiento informado y «lex artis»). Se desestima el recurso de casación contra la sentencia que absuelve al médico y la clínica frente a la demanda que alegaba infracción del deber de informar[2].

---

2   «Con reiteración ha dicho esta sala que el consentimiento informado es presupuesto y elemento esencial de la «lex artis» y como tal forma parte de toda actuación asistencial (SSTS 29 de mayo; 23 de julio de 2003; 21 de diciembre 2005; 15 de noviembre de 2006; 13 y 27 de mayo de 2011; 23 de octubre 2015), constituyendo una exigencia ética y legalmente exigible a los miembros de la profesión médica, antes con la Ley 14/1986, de 25 de abril, General de Sanidad, y ahora, con más precisión, con la ley 41/2002, de 14 de noviembre de la autonomía del paciente, en la que se contempla como derecho básico a la dignidad de la persona y autonomía de su voluntad.

Es un acto que debe hacerse efectivo con tiempo y dedicación suficiente y que obliga tanto al médico responsable del paciente, como a los profesionales que le atienden durante el proceso asistencial, como uno más de los que integran la actuación médica o asistencial, a fin de que pueda adoptar la solución que más interesa a su salud. Y hacerlo de una forma comprensible y adecuada a sus necesidades, para permitirle hacerse cargo o valorar las posibles consecuencias que pudieran derivarse de la intervención sobre su particular estado, y en su vista elegir, rechazar o demorar una determinada terapia por razón de sus riesgos e incluso acudir a un especialista o centro distinto.

El consentimiento informado, según reiterada jurisprudencia de esta sala, incluye el diagnóstico, pronóstico y alternativas terapéuticas, con sus riesgos y beneficios, pero presenta grados distintos de exigencia según se trate de actos médicos realizados con carácter curativo o se trate de la llamada medicina satisfactiva. En relación con los primeros puede afirmarse con carácter general que no es menester informar detalladamente acerca de aquellos riesgos que no tienen un carácter típico por no producirse con frecuencia ni ser específicos del tratamiento aplicado, siempre que tengan carácter excepcional o no revistan una gravedad extraordinaria (SSTS de 28 de diciembre de 1998, 17 de abril de 2007, rec. 1773/2000, y 30 de abril de 2007, rec. 1018/2000). El art. 10.1 de la Ley 41/2002, de 24 de noviembre, reguladora de la autonomía del paciente y de derechos y obligaciones en materia de información y documentación clínica (LAP), incluye hoy como información básica los riesgos o consecuencias seguras y relevantes, los riesgos personalizados, los riesgos típicos, los riesgos probables y las contraindicaciones».

2. La capacidad de culpa

Para poder ser declarado responsable civil, ¿es necesario tener determinada capacidad? ¿En qué medida influye que el autor de la conducta dañosa sea menor de edad o tenga limitada su capacidad de obrar? El art. 1902 CC no establece como presupuesto de imputación de la responsabilidad el de la capacidad del agente. Habitualmente se ha entendido sin embargo que era así porque el propio Código, en el art. 1903, establece la responsabilidad de los padres y tutores por los daños derivados de los actos cometidos por los menores o incapacitados que se encuentren bajo su guarda o que estén bajo su autoridad.

La pregunta que se plantea es si la responsabilidad de las personas a las que incumbe la guarda legal excluye la de los propios menores o incapacitados y, en su caso, quién responde de los daños ocasionados por los incapaces de hecho, que carecen de guardador legal.

El enfoque correcto de este problema debe partir del concepto de la «imputabilidad civil», es decir, de analizar en cada caso si el autor del daño tiene conciencia y voluntad, madurez de juicio suficiente como para conocer el significado de lo que es causar daño. Se trata de un dato de hecho que debe valorar el juez. Si la respuesta es positiva, el autor debe responder de los daños con su propio patrimonio, con independencia de su edad y del dato de la incapacitación, y sin perjuicio de la responsabilidad, en su caso, de sus padres o tutores[3].

---

3   Algún sector doctrinal ha venido defendiendo, sin embargo, que la responsabilidad de los menores y de los incapaces conforme al art. 1902 CC debe basarse en la subsidiariedad, es decir, que deben responder con sus propios bienes, pero sólo cuando el guardador legal no exista, sea insolvente, o se exonere de responsabilidad mediante la prueba de haber actuado diligentemente. Esta tesis se basaba en que el art. 20.1 1ª CP. 1973 establecía la responsabilidad civil subsidiaria del menor de dieciséis años y de los enajenados (exentos de responsabilidad criminal) cuando los hechos por ellos cometidos fueran delictivos. No parece razonable –se decía– que no sean responsables en caso de cuasidelito, con los mismos criterios, cuando no haya personas que respondan por él confor-

No abundan los supuestos reclamación de daños frente al propio menor. La sentencia 205/2002, de 8 de marzo, es uno de ellos. Trata de las lesiones causadas a consecuencia de un pelotazo ocasionadas por un joven que estaba jugando con unos amigos. Se confirma la codena solidaria al joven y sus padres a indemnizar a una chica de 16 años que perdió la visión casi total del ojo derecho al sufrir un balonazo en la cara, lanzado por el chico, de 17 años, que jugaba al fútbol con unos amigos, mientras estaba sentada en un banco del jardín municipal del Paseo de la Playa de Alcalá de los Gazules (Cádiz). La sentencia tiene en cuenta las circunstancias personales del agente y sus factores psicológicos para declarar que pudo prever y evitar el hecho dañoso.

Mención especial requiere la responsabilidad civil de las personas jurídicas.

---

me al art. 1903 CC. Tal criterio, que carece de apoyo legal expreso, establecía una regla de responsabilidad basada en la equidad, olvidando que en nuestro ordenamiento la equidad no es fuente del Derecho.

Más fuerza tendría, en su caso, el argumento de la aplicación analógica o, en su caso, la interpretación del CC conforme a los preceptos del CP. En mi opinión, sin embargo, este criterio tampoco es convincente. Aunque sea criticable, el legislador mantiene dos regulaciones distintas para la responsabilidad civil derivada de delito y la que no lo es. Desde la promulgación del CP. 1995, que mantiene esa doble regulación, no puede invocarse el argumento de que la existencia de la regulación en el CP. se explica porque la codificación penal precedió a la civil. Puesto que el CC no la excluye, es posible la responsabilidad civil, obligación de indemnizar con su propio patrimonio, de los menores o incapaces. Por eso me parece preferible la tesis expuesta: la responsabilidad del menor o incapaz que sea imputable civilmente es directa, porque está incluido en el supuesto de hecho del art. 1902 CC, sin perjuicio de la que pueda corresponder a sus padres o tutores cuando se den los presupuestos legales.

En la actualidad, el art. 61.3 de la LO 5/2000, de 12 de enero, de responsabilidad penal de los menores, regula la responsabilidad civil cuando el responsable sea un menor de dieciocho años (responden solidariamente con él sus padres, tutores, acogedores y guardadores legales o de hecho, por este orden). El art. 118 y el art. 120 CP. 1995 se ocupan de la responsabilidad civil en el caso de daños causados por inimputables penales por padecer alteraciones psíquicas o de la percepción. Se trata de responsabilidad civil derivada de delito.

La persona jurídica responderá con su propio patrimonio cuando haya actuado a través de sus órganos. **También es** frecuente en la práctica la condena a personas jurídicas al amparo del art. 1903 CC por los actos cometidos por sus empleados y en cuanto titulares de actividades industriales o explotaciones empresariales (art. 1903.IV CC). Expresamente, en la STS 29 junio 1984, planteada en el recurso de casación la imposibilidad de aplicar a las personas jurídicas el art. 1902, el TS declara que aunque se apreciase así, los daños sufridos son civilmente imputables a la entidad demandada, al ser causados por los empleados a su servicio, por aplicación del art. 1903 CC. Se trata de una de las manifestaciones de la **tendencia jurisprudencial a considerar que el art. 1903 CC recoge una responsabilidad por culpa propia**, lo que lleva a equiparar los efectos de la aplicación de los arts. 1902 y 1903.

En particular, el profesional y el empresario individual serán responsables, a título personal, de los daños que se deriven de la prestación del servicio en los términos establecidos en los arts. 147 y 148 del TRLG-DCU (art. 1911 del Código civil). Para los empresarios personas jurídicas (también cuando sean sociedades profesionales) la responsabilidad que el TRLGDCU imputa al «prestador del servicio» debe entenderse referida al propio empresario persona jurídica, que responde con su entero patrimonio social y además, en cada caso, con las reglas específicas previstas para la responsabilidad de los socios (no responden en las anónimas y limitadas, pero sí, en ciertas condiciones en las sociedades profesionales, en las colectivas o en las comanditarias).

3. La prueba de la culpa

Conforme a las reglas generales, es el demandante que reclama una indemnización quien debe probar que el demandado actuó negligentemente.

Pero en ocasiones, el propio legislador establece criterios sobre la carga de la prueba. Es el caso del art. 147 TRLGDCU, sobre el que volveremos más adelante.

3.1. Normas regulatorias

Aunque es admisible presumir la culpa a partir del incumplimiento de las normas que se dirigen a proteger a las víctimas ello, obviamente, solo es razonable cuando esa sea la causa del daño: no debe confundirse la negligencia, que es el incumplimiento de un deber de cuidado, con la causalidad, que es cuestión de hecho. Lo que sucede es que en ocasiones, al delimitar la «causalidad jurídica» y, en particular, valorar el criterio del «fin de la norma» se produce una aproximación entre ambos conceptos y se niega la responsabilidad afirmando que no existe causalidad jurídica cuando en realidad lo que sucede es que no ha quedado acreditada la culpa porque no ha habido infracción del nivel de diligencia exigible.

En realidad el incumplimiento de normas, por sí mismo, no es suficiente para considerar acreditada la culpa. Es necesario que concurran otras circunstancias.

> A) sentencia 144/2007, de 7 de febrero. Confirma la sentencia recurrida, que condenó a la empresa eléctrica que incumplió una norma reglamentaria referida a la necesidad de que los cables situados por debajo de determinada altura deban contar con un revestimiento aislante[4].

---

4   En el caso, un niño de nueve años que estaba jugando en la azotea de un edificio sufre graves lesiones al agarrar un cable eléctrico. Añade el Tribunal: «no siendo causa de exención, ni siquiera de atenuación de dicha responsabilidad de la demandada, la afirmación de que a dicho tejado únicamente deberían tener acceso los profesionales, pues también para ellos existiría un peligro al no haber ninguna señal que advirtiera del mismo, y, además, porque al existir una escalera de acceso fija para subir a dicho tejado cualquiera, y no sólo dichos pro-

B) sentencia 44/2010, de 18 de febrero. El incumplimiento de normas de diligencia únicamente puede ser considerado como determinante de responsabilidad civil extracontractual cuando existe un nexo de causalidad entre la conducta imputada al agente y el daño producido. En el supuesto de autos, la defectuosa señalización del paso a nivel no tuvo papel relevante en la determinación del nexo de causalidad, dadas las circunstancias, consistentes en que los fallecidos eran vecinos del lugar, por lo que conocían el paso a nivel; carecían de licencia preceptiva para pilotar el vehículo y lo ocupaban ambos indebidamente; existía una amplia visibilidad en el sentido que traía el tren; éste circulaba a la velocidad autorizada y no se ha probado que se hubiera omitido la preceptiva señal acústica.

C) sentencia 241/2015, de 5 de mayo. Probado que el daño ha sido causado por el propietario de la embarcación en la que se originó, no cabe imputar la responsabilidad al concesionario del puerto deportivo en el que la nave estaba amarrada, invocando que el concesionario incumplía algunas normas reglamentarias.

D) sentencia 629/2018, de 13 de noviembre. La sentencia se ocupa de la incidencia que en el Derecho de daños tiene la regulación del divorcio y el incumplimiento de los deberes conyugales en un caso en el que el marido reclama una indemnización por daño moral al descubrir que uno de los hijos no era suyo[5].

---

fesionales, podía acceder al mismo ignorando el peligro que ello llevaba consigo ante la inexistencia del correspondiente cartel indicador». Otra cosa es que se aprecia concurrencia de culpas que, coincidiendo con el Juzgador de instancia, se fija también en la proporción de un 50% para cada una de las dichas partes,

5   Por lo que interesa aquí, dice la sentencia: «Conductas como la enjuiciada tienen respuesta en la normativa reguladora del matrimonio, como señala la sentencia 701/1999, mediante la separación o el divorcio, que aquí ya se ha producido, y que no contempla la indemnización de un daño moral generado a uno de los cónyuges en un caso de infidelidad y de ocultación y pérdida de un hijo que consideraba suyo mediante la acción de impugnación de la filiación.

3.2. La regla «res ipsa loquitur»: doctrina de los daños desproporcionados

Si el accidente ha tenido lugar en tales circunstancias que, para un observador razonable, accidentes como el sucedido ocurren precisamente por la negligencia del demandado, se presume su negligencia.

En la jurisprudencia española esta regla encuentra una manifestación en la doctrina de los daños desproporcionados. En dos sentencias recientes, en las que se descarta que se den los presupuestos para su aplicación, se resume cuáles son esos presupuestos.

A) sentencia 698/2016, de 24 de noviembre:

«La doctrina del daño desproporcionado - STS 6 de junio 2014- permite no ya deducir la negligencia, ni establecer directamente una presunción de culpa, sino aproximarse al enjuiciamiento de la conducta del agente a partir de una explicación cuya exigencia se traslada a su ámbito, pues ante la existencia de un daño de los que habitualmente no se produce sino por razón de una conducta negligente, se espera del agente una explicación o una justificación cuya ausencia u omisión puede determinar la imputación por culpa que ya entonces se presume.

*El daño desproporcionado -STS de 19 de julio de 2013- es aquél **no previsto ni explicable en la esfera de su actuación profesional y que obliga al profesional médico a acreditar***

Se trata de unos deberes estrictamente matrimoniales y no coercibles jurídicamente con medidas distintas, como ocurre con la nulidad matrimonial, a través de una indemnización al cónyuge de buena fe -artículo 98 del CC-. Con una regulación, además, tan específica o propia del derecho de familia, que permite obtener, modificar o extinguir derechos como el de la pensión compensatoria del artículo 98 del CC, o decidir sobre la custodia de los hijos habidos de la relación matrimonial, al margen de esta suerte de conductas, pues nada se dice sobre las consecuencias que en este ámbito tiene la desatención de los deberes impuestos en el artículo 68 CC».

las circunstancias en que se produjo por el principio de facilidad y proximidad probatoria. Se le exige una explicación coherente acerca del porqué de la importante disonancia existente entre el riesgo inicial que implica la actividad médica y la consecuencia producida, de modo que la ausencia u omisión de explicación puede determinar la imputación, creando o haciendo surgir una deducción de negligencia.

La existencia de un daño desproporcionado **incide en la atribución causal y en el reproche de culpabilidad, alterando los cánones generales sobre responsabilidad civil médica en relación con el «onus probando» de la relación de causalidad y la presunción de culpa** *(SSTS 30 de junio 2009, rec. 222/205; 27 de diciembre 2011, rec. num. 2069/2008, entre otras), sin que ello implique la objetivación, en todo caso, de la responsabilidad por actos médico», «sino revelar, traslucir o dilucidar la culpabilidad de su autor, debido a esa evidencia (res ipsa loquitur)» (STS 23 de octubre de 2008, rec. num. 870/2003).*

Tiene, en definitiva, un carácter residual y **en ningún caso concurrente en este caso en el que ha habido una explicación y justificación suficiente del daño** *lo que excluye la aplicabilidad de las consecuencias de la doctrina expuesta: una vasculopatía periférica generalizada que era por completo imprevisible».*

B) sentencia 240/2016, de 12 de abril. No es aplicable la doctrina del daño desproporcionado si está acreditado que hubo cumplimiento de la «lex artis» y no hay falta de información sobre los riesgos. En el caso, la sentencia recurrida **excluyó la mala praxis**, entendiendo que la complicación surgida estaba relacionada con la cardiopatía que sufría el paciente, por lo que **no podía aplicarse la teoría del daño desproporcionado.**

3.3. Facilidad probatoria. El art. 217.7 LEC

La sentencia 208/2019, de 5 de abril, explica su aplicación a la responsabilidad por culpa

«6.- *La sentencia recurrida, según lo expuesto, ha ofrecido respuesta, que no contradice la doctrina de la sala, a la causalidad material o física y a la jurídica.*

En este orden metodológico se ha de culminar con la cuestión de la imputación subjetiva.

La culpa se residencia en la idea de negligencia, pero no una negligencia cualquiera, pues se atenderá a las circunstancias del sector del tráfico o de la vida social en la que la conducta del agente se proyecta.

En materia de suministro de energía ha existido una fase más partidaria de establecer la responsabilidad por riesgo de la empresa eléctrica que organiza el tendido o la línea, con caracteres que venían a determinar una objetivación de responsabilidad (sentencia de 2 de abril de 1998 y 15 de diciembre de 1996, entre otras), a la que ha seguido otra en que, sin negar la existencia de riesgo, no lo considera tan extremo como para justificar la objetivación de la responsabilidad

A tales efectos las sentencias que cita la recurrente se compadecerían con tal afirmación.

Sin embargo, y en contra de lo que sostiene la recurrente, **la sentencia recurrida** *no* **se apoya** *en la inversión de la carga de la prueba, consecuencia de un objetivación de la responsabilidad, sino* **en la valoración de las pruebas practicadas, para alcanzar la convicción***, según ya se expuso en el recurso extraordinario de infracción procesal,* **de que existió una deficiente instalación de los fusibles, esto es, una negligencia y, por ende, una imputación culposa.**

Lo anterior no lo contradice que, en la razón 10.ª del fundamento de derecho tercero, acuda al expediente de la disponibilidad probatoria, como argumento de refuerzo.

La teoría de la proximidad o facilidad probatoria (también conocida como "teoría de las cargas probatorias dinámicas"), por virtud de la cual la carga de la prueba pesa sobre la parte que esté en mejores condiciones procesales de aportarla, ha sido incorporada a nuestro ordenamiento jurídico en la vigente Ley de Enjuiciamiento Civil, en cuyo art. 217. 7, relativo a la carga de la prueba, *se establece que "el tribunal debería tener presente la disponibilidad y facilidad probatoria que corresponde a cada una de las partes en litigio".*

Por tanto, una cosa es que el perjudicado tenga la carga de probar la culpa del agente causante del daño, y otra que se acuda al paliativo de la facilidad probatoria, a fin de aliviar al perjudicado de su pesada carga, aminorando el rigor probatorio, pero sin que ello implique una inversión de la carga de la prueba ni una objetivación de la responsabilidad.

De ahí la afirmación de la sentencia recurrida de que esa disponibilidad probatoria correspondía a la recurrente, por ser la propietaria de la línea eléctrica y sobre venir el incendio en su esfera de control y dirección.

Literalmente el tribunal de apelación hace el siguiente reproche, en ese orden, "ocurre que dicha compañía decidió sustituir el tendido eléctrico de DIRECCION046 en enero de 1995, apenas seis meses después del incendio, llegando incluso a levantar un acta notarial que autentificaba dicha sustitución. Refiere la compañía haber extraviado esos cables con posterioridad.

"Sea como fuere, lo cierto es que no se aporta esa acta notarial ni se hace la menor mención a que la compañía hubiera procedido al concienzudo análisis técni-

co del estado de los elementos sustituidos (la inspección meramente ocular llevada a cabo de oficio por la Administración, no por la compañía suministradora, a las tres semanas del incendio solo tenía por objeto comprobar la regularidad del tendido y la ausencia de señales de contacto entre conductores), desperdiciando con ello Endesa la oportunidad de acreditar, por ejemplo, una hipotética inexistencia de sobretensión o de sobrecalentamiento de los conductores.

"Tampoco se aporta registro alguno indicativo de las intensidades alcanzadas por la corriente eléctrica en la zona el día del incendio, ni en fin se introduce hipótesis alguna explicativa de los chispazos en la zona de las casas que sitúe ese fenómeno fuera del ^ámbito de actuación de los equipos e instalaciones de Endesa."

Como corolario cabe citar la sentencia de 12 de abril de 2013. En ella se afirma que es una constante en la jurisprudencia de la sala la afirmación de la responsabilidad de las compañías distribuidoras de gas o electricidad por los daños debidos a fallos en el control de seguridad que les incumbe.

Un supuesto similar al presente, aunque la sala entiende las graves consecuencias del que se enjuicia, fue aquel sobre el que recayó la sentencia núm. 1/1996, de 2 de abril».

3.4. La responsabilidad por riesgo

Frente a la regla general, se admite la inversión de la carga de la prueba de la culpa, de modo que, para quedar exonerado, el demandado debe demostrar su diligencia en casos en los que la actividad desplegada comporta una elevada gravedad de peligro entendida, como dice el art. 4:201 PETL, como gravedad de causar daño.

El análisis de la jurisprudencia muestra que cuando se aplica la responsabilidad por riesgos: 1) se acentúa la exigencia de diligencia, la necesidad de adoptar medidas que eviten accidentes; 2) la carga de la prueba se invierte; o 3) se admite cierta presunción de culpabilidad. Analicemos a continuación algunos ejemplos recientes de la jurisprudencia.

3.4.1. Así, se ha aplicado la doctrina de la responsabilidad por riesgo

A) sentencia 523/2015, de 22 de septiembre, sobre el riesgo creado por la manipulación de semáforos; en el caso, se produce una colisión al estar en verde los dos semáforos de un cruce tras la manipulación del grupo semafórico por un empleado. La sentencia estima el recurso de casación contra la sentencia que negó la responsabilidad de la empresa por considerar que no era aplicable la doctrina del riesgo.

B) sentencia 218/2010, de 9 de abril, obligación de controlar el riesgo por el organizador ciclista: el auxiliar que señalaba el desvío, que estaba en un carril sin visión ni protección, es arrollado por un ciclista. Fallecimiento de encargado de señalización de la carretera, que trabajaba para la organizadora de la competición, al ser arrollado por un ciclista en el curso de la competición. Al organizador de la carrera le corresponde adoptar no sólo las prevenciones y cuidados reglamentarios, sino todos aquellos que la prudencia impone en cada momento para prevenir el daño. En el presente caso el riesgo era perfectamente previsible para la organizadora, lo que le obligaba a adoptar las medidas de seguridad adecuadas, medidas que no adoptó, incurriendo por ello en una conducta negligente.

C) 701/2015, de 22 de diciembre. Responsabilidad civil extracontractual al fallecer una persona al caer a un rio desde un aparcamiento de un concesionario sin barreras de protección. La AP declaró que no había quedado probado ni el cómo ni el por qué del accidente. Los demandantes, herederos del fallecido, recurren en casación por interés casacional alegando oposición a la jurisprudencia de la Sala Primera. **La responsabilidad civil extracontractual exige un nexo de**

causalidad (determinada con certeza, o en juicio de probabilidad cualificada) entre una acción u omisión negligente y el resultado dañoso.

«En este caso, la falta de valla de protección era una situación de riesgo previsible para la demandada de generar un resultado como el producido por la escasa distancia que existía entre el lugar donde estacionaban los vehículos y el talud. De hecho, el demandado intentó levantar un muro de protección y no se le permitió, pero no acreditó que intentase un sistema de vallado. Dado que la explanada se utilizaba como anexo del negocio, debió adoptar las medidas de seguridad adecuadas».

D) sentencia 639/2015, de 3 de diciembre, responsabilidad de la empresa frente a los familiares de los trabajadores que manejan amianto por los daños causados a los familiares de sus trabajadores en las labores de lavado y cuidado de sus ropas de trabajo (los pleitos sobre daños a los trabajadores se resuelven ante la jurisdicción laboral): se reprocha a la empresa la omisión de la diligencia que cabe exigir en atención a un riesgo previsible.

E) sentencia 299/2018, de 24 de mayo. Explosión de gas. Inversión de la carga de la prueba por razón del riesgo propio del suministro. Falta de prueba sobre la causa del siniestro.

3.4.2. Por el contrario, se descarta aplicar la responsabilidad por riesgo en los casos en los que el accidente dañoso no tiene su origen en el riesgo controlado por el demandado.

De esta forma, en ocasiones aparece una conexión entre el criterio de imputación subjetiva y el de causalidad jurídica.

A) sentencia 1100/2006, de 31 de octubre. Caída de una cliente en local de exposición y venta de muebles al tropezar con un escalón que separaba la tienda de la exposición; exoneración del titular del negocio por no ser aplicable la responsabilidad por riesgo[6].

B) sentencia 124/2017, de 24 de febrero. Responsabilidad por los daños ocasionados por el incendio de subestación eléctrica[7].

C) sentencia 122/2018, de 7 de marzo. Daños producidos a una espectadora de un partido de futbol como consecuencia de un balonazo proyectado desde el campo. Se confirma la sentencia que rechazó la reclamación contra el campo de fútbol y se niega que proceda aplicar la doctrina de la responsabilidad por riesgo[8].

---

6   «… porque ni la actividad comercial de exposición y venta de muebles puede calificarse de arriesgada por sí misma, ni la distribución del local en dos niveles, separando la tienda de la exposición de muebles, creó tampoco un riesgo específico o fuera de lo normal en establecimientos de este género. Y si a todo ello se une que, según la prueba practicada, el escalón que daba acceso a la exposición de muebles era perfectamente visible, …».

7   «La doctrina del riesgo no resulta aplicable, sin más, en todo siniestro. El riesgo por sí solo, al margen de cualquier otro factor, no es fuente única de la responsabilidad establecida en los artículos 1902 y 1903 del Código Civil. Riesgo lo hay en todas las actividades de la vida diaria, por lo que el Tribunal Supremo ha restringido su aplicación a los supuestos en que la actividad desarrollada genera un riesgo muy cualificado, pese a que legalmente no se considere como constitutivos de una responsabilidad objetiva (TS 21 de mayo del 2009, 10 de diciembre de 2008, 7 de enero de 2008, 30 de mayo de 2007)».

8   «Señala la parte recurrente que no bastan con las prevenciones establecidas en los reglamentos, por espesas que sean y por cabal que se demuestre su acatamiento, si, pese a ellas, acaece el evento dañoso, denotando imprudencia (sentencia 488/1986, de 17 de julio). Y aun cuando es cierto que, como reitera este Tribunal, puede no resultar suficiente justificación para excluir la responsabilidad la aplicación de las medidas previstas administrativamente, ello no quiere decir que siempre que se produzca un resultado dañoso debe responderse porque las medidas adoptadas resultaron ineficaces e insuficientes, pues tal conclusión, sin matices, conduce a la responsabilidad objetiva pura o por daño, que no es el sistema que regulan los arts. 1902 y 1903 CC (sentencias 780/2008, de 23 de julio; 16 de octubre de 2007). La naturaleza del riesgo, las circunstancias personales, de lugar y tiempo concurrentes, y la diligencia socialmente adecuada en relación con el sector de la vida o del tráfico en que se produce el aconte-

Con anterioridad, la sentencia 270/2006, de 9 de marzo, en el caso de fallecimiento de jugador de golf tras recibir un impacto de la pelota lanzada por otro, también descartó la aplicación de la responsabilidad por riesgo[9].

3.5. *Criterios legales especiales sobre carga de la prueba: el art. 147 TRLG-DCU*

La regla general en materia de responsabilidad por los daños ocasionados en la prestación de un servicio es la de responsabilidad por culpa, si bien se introduce una inversión de la carga de la prueba. En este sentido, establece el art. 147 del TRLGDCU que los prestadores de servicios son responsables de los daños y perjuicios causados a los consumidores y usuarios, salvo que prueben que han cumplido las exigencias y requisitos reglamentariamente establecidos y los demás cuidados y diligencias que exige la naturaleza del servicio. La regla incorpora para los servicios lo que ya resultaba del art. 26 LGDCU 1984.

La sentencia 185/2016, de 18 de marzo, aplica este precepto en un caso de daños causados por cristales de vasos rotos en el suelo de una discoteca.

---

cimiento dañoso, serán elementos a tener en cuenta, como los tuvo la sentencia recurrida al analizar las consecuencias que resultan por la falta de redes en los fondos de la portería, y es que, además de tratarse de una situación conocida por los espectadores, su colocación en el campo no se hace en interés de estos, puesto que dificultará la visión, sino atendiendo a potenciales criterios de orden público que prevalecen sobre el de los espectadores».

9   «La idea del riesgo, fundada en la explotación de actividades, industrias, instrumentos o materiales peligrosos, y en los beneficios que a través de ello se obtienen, en modo alguno puede trasladarse a la práctica deportiva, no organizativa, para fundamentar un régimen de responsabilidad distinto del de la culpa. Se asume el riesgo desde la idea de que se conoce y se participa de él y de que el jugador es consciente de que no existe en el desarrollo de una buena práctica deportiva, más allá de lo que impone la actividad en concreto, porque confía en la actuación de los demás».

La sentencia declara que «el art. 147 ha de aplicarse con cautela, a falta de doctrina jurisprudencial establecida al respecto, dada la inconcreción con la que está descrito su supuesto de hecho: que lo aproxima al carácter de un principio general, modulable en atención a la naturaleza del servicio de que se trate; al modo empresarial, o no, de su prestación; y al rol que en ésta desempeñe un usuario típico. Y deberá ponderarse si el evento dañoso acaecido evidencia, o no, un defecto -un déficit de la seguridad que legítimamente cabía esperar- del servicio prestado; y tener presente "la disponibilidad y facilidad probatoria que corresponda a cada una de las partes del litigio": así lo prescribe el apartado 7 del artículo 217 LEC, también para la aplicación de lo dispuesto en el apartado 6 del mismo artículo».

En el caso de la sentencia, la Sala Primera tiene en cuenta que entre los riesgos superiores a los normales inherentes a la explotación de un local de sala de fiestas se encuentra el que genera la utilización de vasos de cristal y es exigible que dicho riesgo se reduzca mediante medidas específicas dirigidas al efecto, según los usos del sector. La Sala Primera concluye que incumbía a la demandada la carga de la prueba de que adoptó tales medidas, la falta de culpa por su parte, lo que no hizo[10].

---

10   «1. La creación de un riesgo, del que el resultado dañoso sea realización, no es elemento suficiente para imponer responsabilidad (objetiva o por riesgo), ni siquiera cuando la actividad generadora del riesgo sea fuente de lucro o beneficio para quien la desempeña. Se requiere, además, la concurrencia del elemento de la culpa (responsabilidad subjetiva), que sigue siendo básico en nuestro Derecho positivo a tenor de lo preceptuado en el artículo 1902 CC, el cual no admite otras excepciones que aquellas que se hallen previstas en la Ley. El mero hecho de que se haya producido el resultado dañoso, realización del riesgo creado, no puede considerarse prueba de culpa -demostración de que «faltaba algo por prevenir»-, puesto que ello equivaldría a establecer una responsabilidad objetiva o por el resultado, que no tiene encaje en el artículo 1902 CC.

2. La apreciación de la culpa es una valoración jurídica resultante de una comparación entre el comportamiento causante del daño y el requerido por el ordenamiento. Constituye culpa un comportamiento que no es conforme a los cánones o estándares de pericia y diligencia exigibles según las circunstancias de las personas, del tiempo y del lugar. El mero cumplimiento de las normas reglamentarias de

4. «Negligencia de la víctima» (causa de exoneración de la responsabilidad por falta de culpa del causante del daño)

La mayor complejidad práctica de la doctrina de la culpa se encuentra en la realidad en el hecho de que en muchas ocasiones la víctima tampoco ha sido diligente. Se habla entonces de la "culpa" bilateral, de la contribución de la víctima al daño. Los daños son debidos, en parte, a la contribución de la víctima e incluso, en ocasiones «a la culpa exclusiva» de la víctima.

i) Contribución al daño. En ocasiones, la propia víctima ha podido contribuir con su conducta a la producción del daño causado por el agente. La jurisprudencia ha venido considerando la «culpa

---

cuidado no excluye, por sí solo, el denominado «reproche culpabilístico».

3. El riesgo no es un concepto unitario, sino graduable, que puede presentarse con diversa entidad; y ello tiene relevancia para la ponderación del nivel de diligencia requerido. No cabe considerar exigible una pericia extrema y una diligencia exquisita, cuando sea normal el riesgo creado por la conducta causante del daño. La creación de un riesgo superior al normal -el desempeño de una actividad peligrosa- reclama, empero, una elevación proporcionada de los estándares de pericia y diligencia. La falta de adopción o «agotamiento» de las más exigentes medidas de cuidado en su caso requeridas justifica atribuir responsabilidad (por culpa o subjetiva) por los resultados dañosos que sean realización del mayor riesgo así creado: que sean objetivamente imputables a esa culpa en el desempeño de la actividad peligrosa.

4. El carácter anormalmente peligroso de la actividad causante del daño -el que la misma genere un riesgo extraordinario de causar daño a otro- puede justificar la imposición, a quien la desempeña, de la carga de probar su falta de culpa. Para las actividades que no queda calificar de anormalmente peligrosas, regirán las normas generales del artículo 217 LEC. Del tenor del artículo 1902 CC, en relación con el artículo 217.2 LEC, se desprende que corresponde al dañado demandante la carga de la prueba de la culpa del causante del daño demandado. No será así, cuando **«una disposición legal expresa» (art. 217.6 LEC) imponga al demandado la carga de probar que hizo cuanto le era exigible para prevenir el daño; o cuando tal inversión de la carga de la prueba venga reclamada por los principios de «disponibilidad y facilidad probatoria» a los que se refiere el artículo 217.7 LEC».**

de la víctima» como causa de moderación de la responsabilidad, por aplicación del art. 1103 CC (entre otras muchas, Ss. 28 mayo 1991 y 19 julio 1996). Sólo en alguna ocasión se ha declarado que no es aplicable el art. 1103 en materia de responsabilidad extracontractual, si bien «obiter dicta», y tras negar que en el caso hubiera quedado acreditada la culpa de la víctima (STS 20 junio 1989).

En realidad, y así se pone de relieve en la jurisprudencia que acoge la opinión doctrinal al respecto, se trata de la contribución de la víctima a la producción del daño, por lo que es necesario determinar la participación de cada una de las causas (Ss. 14 diciembre 1984, 20 febrero 1987 y 1 febrero 1989). Esta interpretación permite al TS, en casación, revisar el criterio de la Audiencia, apreciando una concurrencia de causas o distribuyendo de otra manera la proporción en que debe reducirse la indemnización o reduciéndola sin más[11].

---

11   Por ejemplo, Ss. 29 mayo 1993, utilizar producto no apto para uso doméstico, sin que lo advirtiera la etiqueta, cerca de cocina encendida, contra lo indicado en la etiqueta, 80% de la víctima; 23 diciembre 1995, conectar la lavadora cuando había un escape de gas, 50% de la víctima; 14 junio 1996, muerte por paso a nivel, 60% de la víctima; 17 octubre 2001, caída de la víctima al descargar un remolque de uvas (85%), agravada por el mal estado de la trampilla; 19 julio 2002, baño nocturno con ausencia de socorristas: el hecho de tolerar esa práctica de los socios y tener la piscina prácticamente sin iluminación atribuye al club el 50% de la responsabilidad por las lesiones sufridas al golpearse la cabeza con el fondo de la piscina; 13 junio 2005, distribuye la responsabilidad entre la estación de esquí y los demandantes en una proporción del 25 y del 75% (aunque la estación colocó un cartel que prohibía el acceso a una pista, así como el uso de trineos, no había ninguna protección en la caseta de cemento contra la que chocaron los jóvenes que se deslizaron por la pista en una lona de plástico); 8 julio 2005, responsabilidad al 50% de la comisión organizadora de fiesta del toro embolado en la que fallece un participante en la fiesta: la comisión crea un riesgo mayor al colocar en el centro de la arena una estructura piramidal para que se suban los participantes y la víctima actúa imprudentemente, pues tenía sesenta años, desconocía el mundo del toro y a pesar de ello se subió a la estructura piramidal de la que, por falta de agilidad, no pudo bajarse cuando el toro subió a las gradas.

ii) «Culpa exclusiva» de la víctima. Para que quede excluida la responsabilidad es necesario que pueda valorarse la conducta de la víctima como causa exclusiva del resultado, y la jurisprudencia rechaza que en estos casos sea aplicable al agente la doctrina de la responsabilidad por riesgo y la inversión de la carga de la prueba que tal doctrina implica. En estos casos hay «culpa exclusiva» de la víctima o «asunción del riesgo» por su parte, lo que determina que nadie deba indemnizarle.

Pero para que excluya o limite la obligación de indemnizar del causante del daño la negligencia de la víctima no basta: es preciso que el comportamiento de la víctima haya contribuido a que se produjera el daño. Para que quede excluida la responsabilidad es necesario que pueda valorarse la conducta de la víctima como causa exclusiva del resultado, y la jurisprudencia rechaza que en estos casos sea aplicable al agente la doctrina de la responsabilidad por riesgo y la inversión de la carga de la prueba que tal doctrina implica. En estos casos hay «culpa exclusiva» de la víctima o «asunción del riesgo» por su parte, lo que determina que nadie deba indemnizarle[12].

---

12   Ss. 16 diciembre 1994, accidente de circulación, coche que se empota en camión; 9 marzo 1995, atropello de peatón que irrumpe en la calzada; 21 junio 1996, manejo inadecuado de herramienta; 13 febrero 1997, espontáneo corneado por vaquilla; 17 octubre 2001, fallecimiento al caerse practicando rafting, actividad de riesgo sin que mediara culpa del monitor; 24 abril 2003, lesiones de corredor de vaquillas que se pone delante de los toriles de rodillas y con los brazos en cruz; 17 junio 2006, lesiones al ser embestido por un novillo durante unas fiestas patronales; 23 octubre 2012, avioneta que se estrella durante un examen para licencia de piloto con el examinador y dos aspirantes a bordo. En materia de accidentes de trabajo se excluye la responsabilidad del empresario cuando el accidente es debido en exclusiva a culpa de la víctima: Ss. 2 marzo 2001, 31 diciembre 2002, 11 febrero 2004, 27 octubre 2006, 30 enero 2012.

Desde una perspectiva más actual en este tipo de casos tiende a decirse que puede haber casualidad material entre el daño producido y la conducta del agente, pero no causalidad jurídica que permita imputarle tal daño. Así lo declara la STS 31 enero 2012, en un caso de daños en piscifactoría por la pérdida de truchas debida al corte del caudal de agua de una central hidroeléctrica por un periodo

Veamos a continuación algunos ejemplos de la jurisprudencia de los últimos años.

A) sentencia 201/2014, de 24 de abril. Se atribuyó al peatón que cruzó con el semáforo en rojo por el paso de peatones en el que le atropellaron el 70% de la responsabilidad por el daño sufrido (pero no exclusiva, teniendo en cuenta: la velocidad a la que circulaba el vehículo, ligeramente superior a la permitida, la existencia de numerosos peatones en la zona, en atención a la hora y condición de la vía, el vehículo detenido en el carril derecho).

B) sentencia 645/2014, de 5 de noviembre. Caída de viajero a la vía del metro por el hueco existente entre los vagones cuando el convoy había iniciado la marcha[13].

C) Confróntese esta sentencia con los hechos que dan lugar a la sentencia 627/2017, de 21 de noviembre, en la que se produce

---

de dos horas, a consecuencia de la parada de un generador en funcionamiento; hay causalidad material pero no jurídica con la conducta de la compañía porque se trataba de un hecho previsible que el condicionado de la concesión de agua ponía a cargo de la piscifactoría y era esta la que debía adoptar las medidas que permitieran la supervivencia de la biomasa en ese margen de tiempo.

13   «La responsabilidad de Metro de Madrid, declarada por la Audiencia y confirmada por esta Sala al examinar los recursos de dicha entidad, no excluye la del recurrente. Se apoya el recurrente en que la Audiencia, para fundamentar la responsabilidad por omisión de Metro de Madrid, afirma que «el paso al vacío de D. Félix no encontró tope alguno y sí un peligrosísimo hueco [...]». Pero olvida el recurrente que la frase transcrita continúa en estos términos: «[peligrosísimo hueco], que hizo que su errónea y despistada acción tuviera unas consecuencias gravísimas». Y es que bajo ningún concepto puede negarse que la acción del recurrente contribuyera en elevado grado a la causación del resultado. Tres son las causas que podrían explicarla: propósito de suicidarse, propósito de viajar entre los dos vagones y confusión. Descartadas las dos primeras de forma expresa por la Audiencia, la tercera, caracterizada por la confusión en la percepción de la puerta del vagón-hueco entre vagones, es atribuible únicamente al recurrente. Y lo es en el grado que, con ecuanimidad, la Audiencia precisó: «Por lo que se calcula dicha incidencia de la conducta de D. Félix en el resultado lesivo, en un 60%»

una caída en el Metro de Madrid. El accidente se produce en el momento en que el demandante traspasa la línea de seguridad y el vehículo no estaba a disposición de los viajeros para ser utilizado. Se desestima el recurso de casación del viajero contra la sentencia que absolvió a la empresa de transportes porque la jurisprudencia ha considerado que el metro es un medio de transporte que genera el riesgo que exige a los viajeros actuar con la máxima prudencia, y a la empresa transportista adoptar las medidas de seguridad generales y específicas adecuadas para evitarlo desde la idea de que un riesgo mayor conlleva un deber de previsión también mayor por parte de quien lo crea o aumenta. El daño se produjo porque la víctima cruzó la línea pintada en el suelo, junto a la banda rugosa que evita los deslizamientos, antes de la detención del tren, al que intentó acceder de forma improcedente. A la demandada no se le puede exigir más diligencia que la adoptada en el momento de producirse el daño. La falta de mamparas no conlleva un mayor esfuerzo de previsión cuando su vinculación con el daño acaecido se hace de una forma meramente especulativa e indiscriminada para todas las estaciones de metro[14].

D) sentencia 328/2017, de 24 de mayo. Se confirma la sentencia (si bien es cierto que los demandantes no recurrieron) que considera que los actores contribuyeron en un 20% al propio daño sufrido y atribuye al demandado un 80%. En el caso, los deman-

---

14 De esta forma se confirma la sentencia que dijo: «no se acredita que existiera culpa o negligencia de la demandada, ni es posible descargar la responsabilidad en la empresa prestadora del servicio en atención a que no es apreciable antijuricidad en su conducta, con base en la ausencia de instalación de medidas de seguridad como la colocación de mamparas con puertas de apertura coincidente con las de los vagones, no exigidas normativamente, que no es posible generalizar y se desconoce la eficacia que puedan tener, «cuando el simple respeto a la medida de seguridad existente, consistente en la delimitación por línea amarilla antideslizante y con una separación de las vías de alrededor de 50 centímetros, hubiera bastado para evitar el accidente».

dantes solicitaron a la Administración una serie de ayudas públicas destinadas a propietarios para el fomento del alquiler. En el curso del expediente administrativo iniciado por esta solicitud, la Administración notificó, por error, al demandado en lugar de a los recurrentes, un escrito en el que se requería la subsanación de defectos de la solicitud que debería haber sido dirigido a los recurrentes. El demandado se hizo cargo de la notificación, sin dirigirla a los recurrentes. La Administración archivó el expediente por falta de subsanación de los defectos de la solicitud. El Tribunal Supremo rechazó el recurso de casación interpuesto por el demandado, por entender que su «culpabilidad ha sido apreciada correctamente en la instancia pues fue el demandado quien recibió las notificaciones que finalmente no llegaron a sus destinatarios, quedando así como responsable frente a los mismos». La contribución de los demandantes procedería de no haber impugnado las notificaciones.

E) sentencia 139/2011, de 14 de marzo. Confirma la sentencia que aprecia concurrencia de culpa en el demandante, pero explica que dada la actividad de riesgo desarrollada por el demandado, sin llegar a una responsabilidad objetiva hay que afirmar que se incrementan los deberes de cuidado. La sentencia recurrida, atendiendo a que concurrieron dos riesgos, el creado por la conducción de una embarcación a motor y el propio de la práctica del submarinismo, rechaza que el siniestro se debiera a culpa exclusiva de la víctima y, en aplicación de la doctrina de la compensación de culpas, con valoración cabal y ponderada de cada actividad y las expresadas circunstancias fácticas, concluye distribuir al 50% la responsabilidad[15].

---

15 La jurisprudencia (SSTS de 5 de abril de 2010, RC n.º 449/2005, 11 de septiembre de 2006, 10 de junio de 2006, 6 de septiembre de 2005, 17 de junio de 2003, 10 de diciembre de 2002, 6 de abril de 2000), no ha llegado al extremo de erigir el riesgo como criterio de responsabilidad con fundamento en el artículo

F) sentencia 345/2019, de 21 de junio (motorista que trabaja en el control de prueba ciclista y que sufre un daño al ir a adelantar a un coche que no debía haberse introducido en la carrera, pero al que no se le indicó que no podía hacerlo y sin que hubiera ninguna indicación en el punto por el que accedió: por esta razón no hay culpa del conductor del coche adelantado-; tampoco se imputa responsabilidad al club, a pesar de que, incumpliendo un reglamento, no proporcionó instrumento para la comunicación con la organización, porque en realidad el accidente tuvo lugar por culpa del motorista (demandante que reclama la indemnización de daños), que adelantó cuando el conductor del coche al que adelantaba ya había señalizado que iba a girar a la izquierda).

5. En especial, la culpa de la víctima menor de edad

¿Puede moderarse la responsabilidad, y aun excluirse, cuando la víctima es un inimputable, es decir, una persona que carece de la capacidad

---

1902 CC, y ha declarado que la objetivación de la responsabilidad civil no se adecua a los principios que informan su regulación positiva. Por estas razones la aplicación de la doctrina del riesgo, además de que solo es posible en supuestos de riesgos extraordinarios (riesgo considerablemente anormal en relación a los parámetros medios, SSTS de 18 de julio de 2002, RC n.º 238/1997 y de 21 de mayo de 2009, RC n.º 2005/2004), no implica una responsabilidad objetiva fundada en el resultado o en el propio riesgo creado (que no tiene en encaje en el artículo 1902 CC, como declara, entre otras, la STS de 25 de marzo de 2010, RC n.º 1018/2006), sino que, sin prescindir del elemento esencial de la culpa, a lo más que llega es aceptar la aplicación del principio de la proximidad o facilidad probatoria o una inducción basada en la evidencia a daño desproporcionado o falta de colaboración del causante del daño, cuando éste está especialmente obligado a facilitar la explicación del daño por sus circunstancias profesionales o de otra índole.

De esto se sigue que, al margen de cómo se distribuya la carga de la prueba, la doctrina del riesgo no elimina la necesidad de acreditar la existencia de una acción u omisión culposa a la que se pueda causalmente imputar el resultado lesivo, sin perjuicio, eso sí, de que, en orden a apreciar la concurrencia del elemento subjetivo o culpabilístico, deba de tenerse en cuenta que un riesgo mayor conlleva un deber de previsión mayor por parte de quien lo crea o aumenta.

de culpa? El problema se plantea, sobre todo, cuando la víctima es un menor que imprudentemente contribuyó a causar el daño.

Según la STS 8 noviembre 1995, cuando los menores no son capaces de discernir *«nunca se les puede declarar culpables de sus propios actos»* (niño de cuatro años) y se establece que no puede considerarse que el suceso sea culpa exclusiva de la víctima pues «siendo ésta un niño de siete años, su conducta sólo puede ser calificada como imprevisible» (STS 8 abril 1996: muerte por aplastamiento por puerta automática mientras estaba jugando). La falta de cerramientos y de medidas de seguridad que impidan el acceso de terceros en explotaciones mineras o canteras da lugar a responsabilidad, considerando irrelevante la negligencia de los menores que, al acceder a las instalaciones, sufrieron daños (STS 22 enero 2004). En algunas ocasiones se tiene en cuenta la culpa «in vigilando» de los padres (STS 11 diciembre 1996: venta de producto pirotécnico) [16] pero, según las circunstancias, se descarta que el accidente sea consecuencia de la falta de vigilancia. Así, en el caso de la 80/2007[17], de 26 de enero se declara que «no puede admitirse la relevancia causal que la sentencia aprecia en la conducta de los padres del menor, pues no contribuyó eficazmente a la producción del daño (...). Aun cuando el menor se encon-

---

16   La reducción de la indemnización (o incluso la exclusión total de la responsabilidad, STS 7 octubre 1994, irrupción de niño de 5 años en la calzada), por culpa de los padres o contribución causal de la conducta de la víctima, según los casos, se produce tanto cuando son los padres quienes solicitan la indemnización por el fallecimiento del menor (Ss. 22 noviembre 1983, niño de diez años; 24 febrero 1993, niña de siete años; 17 febrero 1997, niños de diez y doce años que se adelantan a sus padres y son arrollados en vía férrea sin vallar) como cuando la indemnización es para el niño que ha sufrido las lesiones (Ss. 4 mayo 1995 y 13 febrero 2003)».

17   En el museo había expuestas varias esculturas a las que el público podía acercarse e incluso tocarlas sin que existieran medidas de seguridad o carteles de advertencia que lo impidieran o prohibieran respectivamente. Una de las obras de la exposición era un conjunto escultórico de varias piezas ensambladas, con estructura asimétrica, de inestabilidad acusada y cuya parte más saliente estaba a una altura de 1,45 m. Lorenzo, de 1,13 m. de altura, se acercó y se colgó de ella. La estatua basculó y las tres piezas superiores del conjunto cedieron y cayeron encima del menor, causándole la muerte por rotura de la base del cráneo.

trara sometido a la más estrecha vigilancia de sus padres, no quedaba excluida la causación del accidente". En ocasiones se valora también, a la hora de fijar la indemnización solicitada por los padres por daños sufridos por sus hijos menores, la contribución de los propios padres en la producción del daño[18].

En relación con **menores de edad más avanzada** la jurisprudencia tiene en cuenta su contribución a la producción del daño, y se reduce o excluye la indemnización[19].

6. La jurisprudencia sobre colisiones múltiples

La sentencia 294/2019, de 27 de mayo, sobre daños materiales versa sobre la indemnización de los daños y perjuicios no personales derivados de un accidente de circulación consistente en la colisión frontal entre dos vehículos en una confluencia de calles.

---

18   Ss. 23 febrero 1996, que cifra en un 90% la contribución causal de la negligencia de los padres al no informar a los responsables de unas colonias de verano a las que enviaron a su hija sobre la enfermedad renal que adolecía; 25 junio 1996, negligencia de los familiares en la vigilancia de bebé que fallece en cuna con defecto de fabricación.

     La conducta de los padres puede ser, además, la única causante de los daños (STS 16 mayo 2000: niño de ocho años y de metro y medio de estatura que se introduce en carro de supermercado y apoyando la mano en el pasamanos del elevador).

19   Tanto si la indemnización se concede a los padres (fallecimiento de menor de dieciséis años, STS 20 julio 1995, de quince años en STS 5 octubre 1995, de dieciséis, STS 25 septiembre 1996, de dieciséis, STS 31 enero 1997) como cuando se concede al propio menor (Ss. 28 mayo 1991, lesiones sufridas por joven de quince años, 3 octubre 1996, por joven de dieciséis, 5 junio 1997). La STS 23 febrero 2010, en el caso de un niño de once años, reduce al 60% la responsabilidad de quien le proporciona un petardo, y atribuye el 40% restante conjuntamente a los padres y al propio menor. La STS 23 julio 2008 considera culpa exclusiva del menor, de dieciséis años, las lesiones padecidas al tirarse en estado de embriaguez aguda a la piscina de un hotel, fuera del horario de piscina.

La demanda la interpuso el propietario y la aseguradora de uno de los vehículos, dedicado a la actividad de auto taxi, contra el conductor, la empresa de renting propietaria y la aseguradora del otro, un vehículo de emergencias del Summa y si bien fue estimada parcialmente en primera instancia, resultó **desestimada en apelación porque, al no haberse podido probar cuál de los dos conductores no respetó un semáforo en rojo, era la parte demandante la que debía soportar las consecuencias de la falta de prueba de que la colisión se hubiera debido a la culpa del conductor demandado.** Los demandantes interpusieron recurso de casación, que se estima tras **interpretar el art. 1 LRCSCVM en estos casos y considerar que la solución mejor es que cada uno asuma la indemnización de los daños del otro vehículo en un 50%.**

Con anterioridad, para los casos de daños personales a consecuencia de una colisión recíproca entre vehículos sin prueba del grado de culpa de cada conductor, la sentencia 536/2012, de 10 de septiembre, de pleno, fijó jurisprudencia en el sentido de que "la solución del resarcimiento proporcional es procedente sólo cuando pueda acreditarse el concreto porcentaje o grado de incidencia causal de cada uno de los vehículos implicados y que, en caso de no ser así, ambos conductores responden del total de los daños personales causados a los ocupantes del otro vehículo con arreglo a la doctrina llamada de las indemnizaciones cruzadas" (FJ 4.º, apdo. D). Esta misma doctrina se reiteró, también para la indemnización de daños personales, por las sentencias 40/2013, de 4 de febrero, 627/2014, de 29 de octubre, y 312/2017, de 18 de mayo.

Pero para los daños materiales, el fundamento legal de la responsabilidad no es idéntico y, por eso, la solución que se adopta no es igual[20]:

---

20   Dice el TS: «QUINTO.- Doctrina jurisprudencial sobre la interpretación del art. 1 LRCSCVM en los casos de colisión recíproca sin determinación del grado de culpa de cada conductor.

SEXTO.- Interpretación del art. 1 LRCSCVM para los casos de daños en los bienes por colisión recíproca sin determinación del grado o porcentaje de culpa de cada conductor.

1. El apdo. 1 del art. 1 LRCSCVM (texto refundido aprobado por Real Decreto Legislativo 8/2004, de 29 de octubre), en su redacción vigente al tiempo de los hechos enjuiciados (después de la reforma llevada a cabo por el art. 1.1 de la Ley 21/2007, de 11 de julio y antes de la llevada a cabo por la Ley 35/2015, de 22 de septiembre), disponía:

"El conductor de vehículos a motor es responsable, en virtud del riesgo creado por la conducción de estos, de los daños causados a las personas o en los bienes con motivo de la circulación.

"En el caso de daños a las personas, de esta responsabilidad sólo quedará exonerado cuando pruebe que los daños fueron debidos únicamente a la conducta o negligencia del perjudicado o a fuerza mayor extraña a la conducción o al funcionamiento del vehículo; no se considerarán casos de fuerza mayor los defectos del vehículo ni la rotura o fallo de alguna de sus piezas o mecanismos.

"En el caso de daños en los bienes, el conductor responderá frente a terceros cuando resulte civilmente responsable según lo establecido en los artículos 1902 y siguientes del Código Civil, artículos 109 y siguientes del Código Penal, y según lo dispuesto en esta ley".

(…)

3. En relación con los daños en los bienes, la citada sentencia de pleno, interpretando la referencia al "riesgo creado por la conducción" en el párrafo primero de la norma antes transcrita, declaró que "el riesgo específico de la circulación aparece así contemplado expresamente en la ley como título de atribución de la responsabilidad, frente a la tradicional responsabilidad por culpa o subjetiva en que el título de imputación es la negligencia del agente causante del resultado dañoso. Esto es así tanto en el supuesto de daños personales como de daños materiales, pues en relación con ambos se construye expresamente el régimen de responsabilidad civil por riesgo derivado de la conducción de un vehículo de motor [...]. Respecto de los daños materiales, sin embargo, la exigencia, que también establece la LRCSCVM, de que se cumplan los requisitos del artículo 1902 CC (artículo 1.1. III LRCSCVM) comporta que la responsabilidad civil por riesgo queda sujeta al principio, clásico en la jurisprudencia anterior a la LRCSCVM sobre daños en accidentes de circulación, de inversión de la carga de la prueba, la cual recae sobre el conductor causante del daño y exige de ese, para ser exonerado, que demuestre que actuó con plena diligencia en la conducción" (FJ 4.º, apdo. B).

1. El régimen legal de la responsabilidad civil en el ámbito de la circulación de vehículos a motor se funda en su origen en principios de solidaridad social con las víctimas de los accidentes de tráfico más que en los principios tradicionales de la responsabilidad civil extracontractual. Esto explica, de un lado, que la indemnización de los daños a las personas solo quede excluida por culpa exclusiva de la víctima ("se deba únicamente a la conducta o negligencia del perjudicado", según la redacción de la norma aplicable al presente caso) o fuerza mayor extraña a la conducción o al funcionamiento del vehículo, lo que equivale a una responsabilidad sin culpa del conductor; y de otro, que inicialmente el seguro obligatorio de automóviles solo cubriera los daños a las personas y se arbitraran medios para cubrirlos también cuando el vehículo causante del daño careciera de seguro obligatorio.

2. En materia de daños personales, la doctrina jurisprudencial de las condenas cruzadas responde a ese principio, pues si se siguiera otro criterio, como el de la indemnización proporcional, la consecuencia sería que en los casos de muerte de uno de los conductores, o de los dos, la indemnización a los perjudicados sufriría una reducción muy considerable, pese a no haberse probado la concurrencia de las únicas causas de exoneración legalmente admisibles, y la efectividad del seguro obligatorio del vehículo causante de la muerte del conductor del otro vehículo quedaría injustificadamente mermada, ya que el seguro obligatorio cubre los daños personales de los ocupantes del vehículo asegurado pero no los del propio conductor, que sí quedan íntegramente cubiertos en cambio por el seguro obligatorio del otro vehículo.

3. Cuando se trata de daños en los bienes, el régimen de la responsabilidad civil no se funda ya en ese principio de solidaridad social, sino en el de la culpa o negligencia del conductor causante del daño, como resulta de la remisión del párrafo tercero del art.

1.1. LRCSCVM a los arts. 1902 y siguientes del CC y a los arts. 109 y siguientes del CP.

No obstante, la remisión también a "lo dispuesto en esta ley" y el principio general del párrafo primero del art. 1.1. de que "el conductor de vehículos de motor es responsable, en virtud del riesgo creado por la conducción de estos, de los daños causados a las personas o en los bienes con motivo de la circulación" justifican la inversión de la carga de la prueba, como declaró la citada sentencia de pleno de 2012, solución coherente a su vez con la ampliación de la cobertura del seguro obligatorio a los daños en los bienes desde el Real Decreto Legislativo 1301/1986, de 28 de junio, por el que se adaptó el Texto Refundido de la Ley de Uso y Circulación de Vehículos de Motor de 1962 (texto refundido aprobado por Decreto 632/1968, de 21 de marzo) al ordenamiento jurídico comunitario.

4. Cuando, como en el presente caso, ninguno de los conductores logre probar su falta de culpa o negligencia en la causación del daño al otro vehículo cabrían en principio tres posibles soluciones: (i) que cada conductor indemnice íntegramente los daños del otro vehículo; (ii) que las culpas se neutralicen y entonces ninguno deba indemnizar los daños del otro vehículo; y (iii) que cada uno asuma la indemnización de los daños del otro vehículo en un 50%.

5. Pues bien, esta sala considera que la tercera solución es la más coherente con la efectividad de la cobertura de los daños en los bienes por el seguro obligatorio de vehículos de motor, pues cualquiera de las otras dos o bien podría privar por completo de indemnización, injustificadamente, al propietario del vehículo cuyo conductor no hubiera sido causante de la colisión pero no hubiese logrado probar su falta de culpa, o bien podría dar lugar a que se indemnice por completo al propietario del vehículo cuyo con-

ductor hubiera sido el causante de la colisión pero sin que exista prueba al respecto. Sobre este punto conviene tener presente la posibilidad de que uno de los conductores haya sido el causante del daño, pero no se pueda probar, posibilidad que se da en el presente caso al ser lo más probable que fuese uno de los conductores quien no respetó la fase roja del semáforo de la calle por la que circulaba.

6. Además, la solución por la que ahora se opta cuenta en su apoyo con la "equitativa moderación" a que se refiere el párrafo cuarto del art. 1.1. LRCSCVM en su redacción aplicable al caso, sin que esto signifique que la supresión de este párrafo por el art. único. 1 de la Ley 35/2015, de 22 de septiembre, impida aplicarla a hechos sucedidos bajo el régimen actualmente vigente, cuestión sobre la que esta sala no puede pronunciarse por haber sucedido los hechos del presente litigio antes de esa supresión».

III. RESPONSABILIDAD OBJETIVA

En un sistema de responsabilidad objetiva se imputa a quien desarrolla una actividad los daños que sobrevengan, al margen de si su conducta es o no culposa o negligente, con independencia del nivel de cuidado que emplee.

La consecuencia es que quien desarrolla la actividad a la que se imputan objetivamente la responsabilidad por daños debe internalizar el coste externo de su actividad. Las sentencias 536/2012, de 20 de septiembre, y 312/2017, de 18 de mayo, dicen que además de establecer criterios de imputación al margen de la culpa este régimen de responsabilidad comporta también establecer una presunción de causalidad que solo puede enervarse demostrando que concurren causas de exoneración configuradas por la ley como excluyentes de la relación causal entre la acción y el daño.

En Derecho español no existe una cláusula legal general de responsabilidad objetiva sino una dispersión de supuestos específicos previstos en leyes especiales y aun en el propio Código civil (arts. 1905 y 1910, por ejemplo).

El legislador dibuja de manera diferente los contornos de la responsabilidad objetiva en cada caso en función de los objetivos que trate de conseguir. Así, el art. 1 LRCSCVM establece para los daños personales una responsabilidad objetiva, corregida exclusivamente por la culpa exclusiva de la víctima. Por su parte, el Convenio de Montreal de 28 de mayo de 1999, para la unificación de ciertas reglas para el transporte aéreo internacional, establece dos regímenes de responsabilidad en función de la cuantía de la indemnización[21].

Del régimen de la responsabilidad del productor procedente de la Directiva 85/374/CEE, la sentencia 495/2018, de 14 de septiembre, ha dicho que se trata de una responsabilidad objetiva basada en el carácter defectuoso del producto, pero hay que advertir que en los supuestos en los que el TRLGDCU admite la exoneración por riesgos de desarrollo, la responsabilidad civil se aproxima a una responsabilidad civil por cul-

---

21   Como explica la sentencia 269/2019, de 17 de mayo (indemnización por el fallecimiento de un pasajero en el accidente del avión de Spanair en el aeropuerto de Barajas): «De lo expuesto se deduce que, como acertadamente resuelve la sentencia recurrida, el Convenio de Montreal no establece dos indemnizaciones distintas para un mismo daño. Lo que establece son regímenes distintos para el tramo de la indemnización inferior a los 100.000 DEG y para el que supere esa cifra. En el primer tramo se trata de una responsabilidad que ha venido en llamarse "cuasiobjetiva", pues la única causa de exoneración del transportista aéreo es que el daño haya sido causado por la propia víctima, y en el segundo tramo es una responsabilidad que ha sido denominada como "subjetiva objetivizada", pues solo puede exonerarse si prueba que el daño no se debió a una conducta negligente o indebida del transportista, sus dependientes o agentes o que se debió únicamente a la conducta indebida de un tercero.

5.   Además, ese límite de 100.000 DEG no significa que la indemnización haya de alcanzar, salvo culpa exclusiva de la víctima, esa cuantía, puesto que la cuantía de la indemnización habrá de responder a la importancia del daño causado por el accidente aéreo y puede ser, por tanto, inferior a esa cifra»

pa. Como se explica en la citada sentencia, en el diseño legal, se establece un concepto normativo de defecto, se distribuye la carga de la prueba y también las causas de exoneración de la responsabilidad, entre las que no está, por ejemplo, la intervención de un tercero que contribuye a la producción del daño.

Un ámbito que apenas ha tenido un desarrollo jurisprudencial es el de la responsabilidad por servicios. El art. 146 TRLGDCU establece una regla general de responsabilidad por culpa. Junto a la regla general de responsabilidad, el art. 148 del TRLGDCU introduce como una cláusula general un régimen especial de responsabilidad que no se basa en la culpa, pues el prestador del servicio responde de los daños sufridos por el usuario siempre que éste haya hecho un uso correcto del servicio. Por su generalidad, el precepto no llega a diseñar un régimen de responsabilidad paralelo al de la responsabilidad por productos defectuosos, lo que hace difícil su aplicación.

Puesto que la finalidad principal de la regla es dar satisfacción al perjudicado cuando el servicio no se ha prestado correctamente, cuando no ha ofrecido el nivel de garantía, eficacia o seguridad exigible, debe prestarse especial atención a las normas que fijan el nivel seguridad. No se trata de que el cumplimiento de las normas reglamentarias libere de responsabilidad porque, acreditado la producción del daño, se revela insuficiente. No se trata, por tanto, de permitir la exoneración de responsabilidad al empresario que acredite el cumplimiento de las normas que fijan el nivel de seguridad de los productos.

La atención a las normas de seguridad, para cada sector de actividad, tiene al menos dos virtualidades. Por una parte, tienden a recoger el nivel de calidad exigible y más fácilmente puede servir para acreditar si el servicio ofrece o no la debida seguridad. Por otra parte, sobre todo para los servicios más técnicos, en cuya prestación intervienen una pluralidad de sujetos, las medidas de calidad y seguridad y las de armonización técnica individualizan competencias y funciones para cada uno de los agentes, lo que en mi opinión debe ser tenido en cuenta a la hora de imputar responsabilidad a cada uno de los profesionales o empresarios.

En ocasiones, sin embargo, sin que se haya identificado la inobservancia de una regla de seguridad, la inadecuación del resultado puede dar lugar a responsabilidad civil del prestador del servicio por los daños producidos. El art 148 del TRLGDCU establece la responsabilidad por los daños causados "en el correcto uso de los servicios". El destinatario de un servicio en muchas ocasiones es mero destinatario de la prestación del servicio y no despliega ninguna actividad. La idea de corrección en el uso del servicio apunta, en mi opinión, a que el destinatario de este no ha contribuido con su comportamiento a la producción del daño. Esta contribución del daño puede proceder de una falta de información de un dato que el prestador no estaba obligado a conocer (el consumidor es alérgico al alimento que solicita de la carta en un restaurante). También de una actuación incorrecta del usuario durante la prestación del servicio (se balancea en una atracción cuando se le ha advertido que no lo haga) o en un momento posterior (usando el vehículo reparado de forma contraria a las instrucciones que le proporciona el técnico del taller). Son numerosas las actividades que comportan un riesgo que el usuario asume sin que ello implique una exoneración de responsabilidad de quien presta el servicio cuando éste se ejecuta sin las debidas garantías (actividades deportivas de riesgo, participación en encierros...). El art. 148 del TRLGDCU contiene una cláusula general[22] y una enumera-

---

22   En primer lugar, conforme a la cláusula general se someten a este régimen especial los servicios que "por su propia naturaleza, por estar así reglamentariamente establecido, incluyan necesariamente la garantía de niveles determinados de eficacia o seguridad, en condiciones objetivas de determinación y supongan controles técnicos, profesionales o sistemáticos de calidad, hasta llegar en debidas condiciones al consumidor y usuario".

La regla guarda relación con la obligación general de que los servicios prestados a los consumidores sean seguros (art. 11 del TRLGDCU), pero el nivel de seguridad exigible no es el mismo para todos los servicios. En unos ámbitos solo podrá preción de concretos servicios que quedan incluidos en su ámbito de aplicación[23].

No hay por el momento pronunciamientos de la Sala Primera salvo por lo que se refiere a los servicios sanitarios en los que, en realidad, por su propia naturaleza, el contenido de la actividad desplegada por los médicos o el personal que presta directamente la asistencia sanitaria se define en términos de la diligencia en la realización de la prestación, lo que excluiría la aplicación de la responsabilidad objetiva del art. 148 del TRLGDCU. La responsabilidad del profesional que actúa conforme a la lex artis no puede alcanzar el que no se produzca la sanidad del paciente, ni en que sobrevengan riesgos secundarios conocidos de los que se informó al paciente, quien los asumió.

La jurisprudencia, tras un rechazo inicial de la aplicación del art. 28 LGDCU (precedente del actual art. 148 TRLGDCU) al ámbito sanitario, recurrió al precepto para reforzar la interpretación objetivizadora que ya había venido haciendo de los arts. 1101, 1902 y 1903 CC. A partir de la sentencia de STS de 5 de enero de 2007, la Sala Primera ha sentado la doctrina de que la normativa de protección del consumidor no es aplicable a los actos médicos propiamente dichos sino solo a los organizativos. Posteriormente se ha relajado la trascendencia de la aplicación de la responsabilidad sin culpa en el ámbito sanitario, al vincular la responsabilidad por los defectos organizativos de los centros a una

---

tenderse la seguridad que resulta de un comportamiento diligente del prestador del servicio de modo tal que, cumplido el nivel de diligencia, no procede exigir responsabilidad por los daños (art. 147 del TRLGDCU). En otros sectores de actividad, en cambio, el nivel de seguridad es superior y se reconoce al usuario el derecho a ser indemnizado por los daños que sufra en el uso correcto del servicio.

23 Se consideran sometidos a este régimen de responsabilidad los servicios sanitarios, los de reparación y mantenimiento de electrodomésticos, ascensores y vehículos de motor, servicios de rehabilitación y reparación de viviendas, servicios de revisión, instalación o similares de gas y electricidad y los relativos a medios de transporte (art. 148 del TRLGDCU).

responsabilidad que se puede exigir por funcionamiento anormal del servicio, por deficiencias organizativas, sin necesidad de individualizar la culpa (retraso en practicar una cesárea, inadecuado sistema de guardias, SSTS de 20 de julio de 2009, de 24 de mayo de 2012, también en los supuestos de infecciones hospitalarias). Esta misma interpretación serviría también para reforzar las soluciones en los casos de resultados anómalos o daños desproporcionados que procedan de la prestación del servicio.

La sentencia 446/2019, de 18 de julio, ha considerado que es aplicable el art. 148 TRLGDCU a los daños ocasionados (fallecimiento) como consecuencia de una infección nosocomial adquirida en el medio hospitalario, frente al argumento de la sentencia recurrida que, acogiendo el argumento de la entidad demandada, había negando cualquier clase de defecto organizativo o asistencial, considerando la precitada infección como una indeseada complicación postoperatoria –cuyo germen patógeno no se llegó a conocer- la cual afectó a un paciente de avanzada edad, en muy delicado estado de salud, e inmunodeprimido, señalando que se cumplieron todos los protocolos de evitación de tales enfermedades[24].

---

24   Dice la sentencia 446/2019: «El enfermo es evidente que tenía una legítima expectativa de seguridad de no contraer en el centro hospitalario una patología adicional a la que sufría y que precisamente desencadenó su muerte, como también a no ser expuesto a un tratamiento inadecuado que aumentase los riesgos de contraer una complicación como la reseñada. La prestación de los servicios sanitarios, en las debidas y exigidas condiciones de garantía y seguridad, tienen como finalidad prevenir esta tipología de complicaciones. No podemos compartir, con las sentencias de instancia, que las infecciones nosocomiales son en cualquier caso inevitables, como parece considerar el Juzgado, o que la falta de constancia del origen o causa de la infección nosocomial perjudique la posición jurídica del paciente, pues el juego normativo del art. 148 del TRLGDCU opera a la inversa. Es el centro hospitalario al que, en todo caso, le corresponde justificar la culpa exclusiva de la víctima o el caso fortuito, como evento imprevisible o inevitable, interno a la propia asistencia o actividad hospitalaria, lo que permite distinguirlo de la fuerza mayor».

IV. RESPONSABILIDAD POR HECHO AJENO

1. Responsabilidad por hecho ajeno

Además de la obligación de indemnizar los daños causados por los propios actos, nuestro ordenamiento establece en el art. 1903 CC algunos supuestos de responsabilidad «por hecho ajeno». Conforme al último párrafo del art. 1903 CC, «la responsabilidad de que trata este artículo cesará cuando las personas en él mencionadas prueben que emplearon toda la diligencia de un buen padre de familia para prevenir el daño». Podría pensarse, por tanto, que la responsabilidad de los padres, tutores, empresarios y titulares de centros docentes es una responsabilidad por culpa propia, aunque materialmente haya sido otro sujeto el causante del daño (los menores o incapaces bajo su guarda, sus empleados, los alumnos del centro). En la práctica, sin embargo, la jurisprudencia ha tendido a objetivizar la responsabilidad establecida en el art. 1903 CC De tal manera que, concurriendo los presupuestos exigidos por la norma, se imputa la responsabilidad, al margen de la negligencia del sujeto. La responsabilidad se imputa, entonces, por tener la condición de padre, tutor, empresario o titular de centro docente.

En estos preceptos se toma en consideración la responsabilidad que tiene la persona que responde en función de la relación que tiene con la persona que actúa (el deber de velar por los menores y personas con discapacidad que incumbe a padres y tutores por un lado, la relación de subordinación y dependencia que corresponde al empresario respecto de las personas que participan en la actividad empresarial que organiza). Pero, además, es posible identificar supuestos en los que se atribuye la responsabilidad en función de la titularidad de la cosa en la que se origina el daño.

Así, en la sentencia 503/2017, de 15 de septiembre, se califica como propia la responsabilidad de los demandados por no haber atendido debidamente sus deberes de vigilancia y control como titulares de la vivienda de la que disfrutan, lo que implica la asunción de las consecuencias dañosas derivadas de hechos que se produzcan por las actuaciones de las personas que se encuentren en la casa.

2. Menores y personas con discapacidad

2.1. Responsabilidad de los padres

2.1.1. Fundamento de la responsabilidad

El art. 1903.II CC establece que: «Los padres son responsables de los daños causados por los hijos que se encuentren bajo su guarda». En el sistema del Código civil la responsabilidad de los padres se explica porque los hijos menores no emancipados están bajo su potestad (art. 154 CC) y les corresponde, como contenido de esta, tenerlos en su compañía, educarlos y proporcionarles una educación integral. El fundamento de la responsabilidad de los padres por los hechos dañosos de los hijos que se encuentren bajo su guarda se encontraría, desde este punto de vista, en la culpa in vigilando o in educando de los propios padres.

La realidad muestra, sin embargo, cómo ni los padres pueden vigilar continuamente a sus hijos, sobre todo cuando se trata de adolescentes, ni impedir que actúen de forma diferente a lo que ellos les han enseñado. Incluso, los textos legales recientes se hacen eco de esa mayor autonomía y libertad personal de los menores (basta con leer los derechos reconocidos en la ley orgánica de protección jurídica del menor).

En la práctica, los tribunales aplican esta regla de responsabilidad como si no fuera por culpa. Incluso cuando formalmente la califican de responsabilidad por culpa in vigilando o in educando, en ningún caso se admite la exoneración de los padres, con independencia de que el daño haya sido causado por el menor como consecuencia de una clara negligencia de los padres o al margen de toda culpa por su parte. Se da la paradoja de la inalcanzable diligencia.

Se ha llegado, por tanto, a configurar un auténtico régimen de responsabilidad objetiva de los padres, que no pueden exonerarse de responsabilidad por encontrarse trabajando en el momento en que se produce el hecho dañoso (lo que le impedía ejercer constantemente una vigilancia continua y directa sobre sus hijos, STS 29 diciembre 1962), ni tampoco por haber prohibido a su hija que fumara (STS 14 abril 1977), ni por desconocer que el hijo cogió el coche de sus padres sin su permiso (STS 22 septiembre 1992). En definitiva, «tales hechos permiten, con absoluta lógica, deducir que las medidas adoptadas por el padre para impedir que el menor, aficionado a las armas, la utilizara fueron insuficientes, y en consecuencia constitutivas de negligencia» (STS 24 mayo 1996)[25].

---

25   Un buen resumen de la interpretación jurisprudencial de la regla de responsabilidad contenida en el art. 1903. II CC se encuentra en la STS 7 enero 1992: «La responsabilidad declarada en el art. 1903, aunque sigue a un precepto que se basa en la responsabilidad por culpa o negligencia, no menciona tal dato de culpabilidad y por ello se ha sostenido que contempla una responsabilidad por riesgo o cuasiobjetiva, sentido que siguen numerosas sentencias de esta Sala, justificándose por la transgresión del deber de vigilancia que a los padres incumbe sobre los hijos 'in potestate', con presunción de culpa en quien la ostenta y la inserción de ese matiz objetivo en dicha responsabilidad, que pasa a obedecer a criterios de riesgo en no menor proporción que los subjetivos de culpabilidad, sin que sea permitido oponer la falta de imputabilidad en el autor material del hecho (el menor), pues la responsabilidad dimana de culpa propia del guardador por omisión de aquel deber de vigilancia (Ss. 14 marzo 1978, 24 marzo 1979, 17 junio 1980 y 10 marzo 1983), sin que exonere de responsabilidad el dato de no hallarse presentes el padre o la madre cuando se comete el hecho ilícito o que aquéllos tengan que trabajar o no puedan, por razón de las circunstancias familiares o sociales, estar siempre junto a sus hijos menores de edad, quebrántandose criterios de equidad de dejar sin resarcimiento alguno a quien ha sufrido en su cuerpo y salud importantes daños» (en el mismo sentido, las Ss. 22 abril 1983, 4 mayo 1983, 22 septiembre 1992, 30 junio 1995 y 28 julio 1997).

2.1.2. Sujetos responsables

a) Dado que la redacción del precepto, desde 1981, se refiere a «los padres» que tengan al hijo bajo su «guarda», lo corriente es que se demande y se condene a ambos progenitores.

A diferencia de lo que sucede con la responsabilidad de los tutores (cfr. art. 1903.III CC), no se exige la convivencia del menor con sus padres. En los supuestos de separación de los padres, la doctrina suele afirmar la responsabilidad de quien tiene la guarda en el momento de producirse el hecho dañoso, con apoyo en la STS 11 octubre 1990, que mantiene la condena al padre, bajo cuya custodia estaba el hijo en ejercicio del derecho de visita, aun cuando el convenio regulador de la separación judicial de los padres atribuyó la guarda a la madre. Aunque todavía no existe jurisprudencia al respecto, en el futuro los problemas pueden suscitarse en los casos cada vez más frecuentes de custodia compartida.

b) Lo más razonable es entender que los padres siguen respondiendo de los actos de sus hijos cuando encargan su cuidado a un tercero (empleado de hogar, pariente), sin perjuicio, en su caso, de la responsabilidad por culpa propia de este último, conforme al art. 1902 CC. En el caso de la sentencia 721/2016, de 5 de mayo, la demanda se interpuso contra los padres y el abuelo del menor que disparó a otro, pero se absolvió al abuelo en cuyo patio estaban jugando los niños porque el arma que se encontraba al alcance de los menores en casa del abuelo de Fernando era propiedad de los padres de éste y no la guardaron en lugar apropiado para impedir su uso[26].

---

26 La Audiencia confirma la condena de primera instancia y añade: se confirma la responsabilidad de los progenitores por la doctrina que recoge la sentencia que revisa y, además, por su conducta negligente al permitir el uso de la «escopeta» por su hijo menor. No se atisban concausas culposas por parte de los padres del lesionado. El TS a su vez confirma la sentencia de la Audiencia y por lo que importa aquí dice: Asimismo consta como probada la dinámica del siniestro, sin que en su desarrollo la conducta del menor lesionado fuese concausa de su resultado. Además no existe prueba de que los padres del menor lesionado supiesen que éste iba a hacer prácticas de tiro con carabina en el domicilio en

c) Es discutible qué norma es preferente cuando el menor que causa un daño está en el colegio, porque para este caso, el art. 1903.V CC establece la responsabilidad del titular del centro docente. Los tribunales tienden a sostener, creo que con criterio no siempre compartible, que en estos supuestos, no puede exigirse la responsabilidad a los padres[27].

d) La responsabilidad de los padres conforme al art. 1903 CC puede concurrir con la de otras personas que contribuyen con su conducta a la producción del daño. Con la del vendedor de la escopeta a un menor, incumpliendo lo previsto en el Reglamento de armas (STS 7 enero 1992), o con la de quien coloca en la vía pública un bidón de cola que explota al echar un menor una cerilla (STS 28 mayo 1983).

Cuando varios niños participan en la actividad dañosa y no se puede identificar al autor material de la lesión, la jurisprudencia, en lugar de absolver, por no estar identificado el autor, condena solidariamente a todos los padres. Así, STS 8 febrero 1983, lanzamiento de objetos punzantes; STS 13 septiembre 1985, niños que disparaban una escopeta de aire comprimido.

2.1.3. Responsabilidad del hijo

La responsabilidad establecida en el art. 1903 a cargo de los padres no excluye que pueda declararse la responsabilidad del propio menor

---

que el menor Fernando pasaba las vacaciones de verano con su abuelo.

27 En palabras de la STS 3 diciembre 1991: «Es claro que el padre de la menor causante de la lesión no ejercía su labor de guarda, que se entiende por la común experiencia que delega en el Centro, y de ahí que mal pueda fundarse su responsabilidad en el párrafo 2º del art. 1903 CC Esta obligación de guarda renace desde el momento que el Centro escolar acaba la suya...» (reiteran esta doctrina, la STS 20 noviembre 1995 y, para un supuesto de daños sufridos por el propio menor durante la jornada escolar, la STS 15 diciembre 1994). Pero si se repara en los hechos resulta discutible que los padres puedan exonerarse de responsabilidad en todo caso (por ejemplo, en el caso de la primera sentencia citada, niña de tres años que lleva en el bolsillo de la bata al colegio una aguja imperdible que clava en el ojo a otro niño: parece imputable a los padres que la niña lleve ese objeto al colegio).

cuando sea civilmente imputable, esto es, tenga conciencia de lo que significa dañar a otro. La doctrina discute si las responsabilidades de los padres y del menor son solidarias o subsidiarias.

Son sin embargo escasas las ocasiones en que se demanda y condena al menor (lo que tiene su explicación porque, generalmente, será insolvente)[28].

Cuando el daño lo sufre otra persona que, con su conducta ha contribuido a la producción del daño, los tribunales moderan la cuantía de la indemnización debida por los padres[29].

2.2. Responsabilidad de los tutores

El art. 1903. III CC establece que los tutores son responsables «de los perjuicios causados por los menores o incapacitados que están bajo su autoridad y habitan en su compañía».

---

28   STS 24 mayo 1947, accidente circulación sin permiso de conducir: responsabilidad directa del menor y subsidiaria del padre; STS 22 enero 1991, condena al menor que provoca el accidente y subsidiariamente a su madre; la STS 10 abril 1988, absuelve al socorrista, de diecisiete años (que actuó diligentemente) y a su padre de la responsabilidad derivada del ahogamiento de un niño en piscina pública; 205/2002, de 8 de marzo, comentada en el apartado referido a la capacidad de culpa.

29   Esto sucede, habitualmente, cuando el daño lo sufre otro menor que participa en la misma actividad peligrosa que el menor que lo causa: se aprecia «compensación de culpas» entre el autor de la pedrada y el que la recibió en la STS 30 abril 1969; en la STS 28 mayo 1993 se atribuye mayores consecuencias dañosas a la conducta de la víctima del daño, de catorce años, que a la del que arrojó la cerilla al bidón de cola, que tenía diez años; desde otro punto de vista, la STS 30 junio 1995 modera la responsabilidad por la concurrencia del padre de la víctima, que tampoco prestó atención a lo que estaba haciendo su hijo; la STS 17 septiembre 1998 acepta la «compensación de culpas» al entender que el padre del menor que portaba un juguete susceptible de crear una situación de riesgo debe responder en mayor medida que el del menor lesionado. Se modera también la responsabilidad cuando el daño lo sufre un mayor que también actúa negligentemente, y «permite ser acompañado por un menor de edad portando una escopeta de caza cargada y en disposición de ser usada» (STS 9 julio 1998).

No existe apenas aplicación jurisprudencial de este precepto, pero sin duda deben tenerse en cuenta las orientaciones doctrinales y jurisprudenciales sobre la responsabilidad de los padres. Para un caso concreto, la STS 15 febrero 1975 no admite la exoneración del tutor, por entender que la diligencia no fue bastante para evitar el daño, pese a la alegación del tutor en el sentido de que desconocía que el menor hubiera ido de caza y que, además, se lo tenía prohibido (se condena principalmente al propio menor y subsidiariamente al tutor).

Si el sometido a tutela (menor, incapacitado) es imputable civilmente, es decir, tiene madurez suficiente para captar lo que es causar daño, responderá con su propio patrimonio (art. 1902 CC). La doctrina discute si en estos casos la responsabilidad del menor o incapacitado es subsidiaria de la del tutor o si, como parece preferible, es solidaria.

Algún sector doctrinal ha defendido la aplicación del art. 1903.III CC en los supuestos de actos dañosos causados por los llamados «incapaces de hecho», es decir, quienes debiendo estar incapacitados no lo están (art. 200 CC) Se argumenta que debe imputarse la responsabilidad por los daños causados por enfermo mental no incapacitado a quien, de mediar incapacitación, sería legalmente responsable. El argumento no es despreciable, pero deben tenerse en cuenta, además, otros datos. De una parte, la incapacitación se dirige a proteger al propio incapacitado, pero no se establece en función de su «peligrosidad», de su capacidad o aptitud para causar daños. Además, es dudoso que exista un deber de promover la incapacitación (cfr. art. 757 Lec., y derogado art. 202 CC) e, incluso, las personas legitimadas para hacerlo no tienen por qué ser nombradas tutoras (cfr. art. 234 CC). Pero, sobre todo, no es seguro que el daño se hubiera podido evitar de estar el sujeto incapacitado. Por todo ello, parece más razonable excluir la aplicación del art. 1903 CC, sin perjuicio de que, en circunstancias concretas, pueda existir responsabilidad de determinados familiares o guardadores de hecho conforme al art. 1902 CC.

En relación con la aplicación del art. 1902 a «las personas obligadas a promover la tutela» (art. 229 CC), la STS 13 septiembre 1984 confirma la condena a la madre y hermanos del enfermo mental que causa el daño mientras que, con posterioridad, la STS 5 marzo 1997 excluye la responsabilidad de los padres por falta de culpa.

3. Responsabilidad del empresario por actos de los auxiliares y dependientes

3.1. Sujetos responsables

a) El art. 1903.IV CC establece la responsabilidad de «los dueños o directores de un establecimiento o empresa respecto de los perjuicios causados por sus dependientes en el servicio de los ramos en que los tuvieran empleados, o con ocasión de sus funciones».

Literalmente, el art. 1903.IV imputa la responsabilidad a «los dueños o directores». Es discutible, sin embargo, si debe considerarse a estos últimos incluidos en este régimen de responsabilidad cuando también son «dependientes» del dueño o titular del establecimiento o empresa y, entonces, quizás deberían responder conforme al art. 1902 CC. La jurisprudencia, sin embargo, no ha mantenido en este punto una postura uniforme[30].

---

30   Así, la STS 14 mayo 1952 puntualiza que la condena al director gerente debe entenderse a la sociedad, «por tratarse de una cuestión económica y patrimonial y no de responsabilidad personal», y la STS 4 noviembre 1991 confirma la condena al director del establecimiento y a la entidad propietaria, advirtiendo que la del primero se basa en el art. 1902, «al no actuar con la diligencia que exigía su cargo». Sin embargo, la STS 22 abril 1992, en relación con el director de un medio de comunicación establece su responsabilidad conforme al art. 1903, señalando que su condición de «empleado cualificado» la puede hacer valer en las relaciones internas con la empresa, pero no frente a tercero.

3.2. Fundamento de la responsabilidad

Formalmente, la jurisprudencia mayoritaria alude a la culpa «in vigilando» o «in eligendo» del empresario. En realidad, sin embargo, eleva de tal manera el nivel de diligencia exigible que sólo admite la exoneración de responsabilidad del empresario cuando no se da la relación de dependencia o hubo extralimitación en las funciones por parte del dependiente (Ss. 22 junio 1989, 7 abril 1997, 29 marzo 1996). La condena al empresario se fundamenta en algunas ocasiones de forma conjunta en los arts. 1903 (por culpa «in vigilando») y 1902 CC (por culpa propia)[31].

La objetivación de la responsabilidad del empresario queda patente en la jurisprudencia que imputa la responsabilidad al empresario por los daños producidos con ocasión del ejercicio de su actividad empresarial conforme al art. 1903 CC sin necesidad de identificar un concreto dependiente causante del daño. La responsabilidad del empresario, entonces, lo es por el ejercicio de la actividad, por riesgo de empresa, en relación con los daños reconducibles a su organización, dirección o funcionamiento[32].

---

31   Responsabilidad de la empresa por mantener la línea eléctrica en situación peligrosa y por culpa de su dependiente (STS 30 diciembre 1981); responsabilidad de la empresa por no existir ninguna clase de vigilancia y también por actos de sus empleados (STS 24 marzo 1987); responsabilidad del dueño de la finca por culpa propia, por no tener adoptadas las precauciones suficientes para evitar que el fuego se extendiera y por culpa de su dependiente (STS 12 diciembre 1988); responsabilidad del INSALUD, por falta operativa y por culpa del cirujano (STS 15 octubre 1996). Desde este punto de vista se explican aquellas decisiones en las que se absuelve al dependiente, por no encontrarse culposa su actuación, pero se condena al empresario: entonces, por culpa propia, no derivada de los actos de sus dependientes (así, la STS 25 octubre 1980, por inadecuado mantenimiento de la pala excavadora que provocó el accidente, o la STS 26 septiembre 1997, por falta de diligencia en la conservación del instrumental quirúrgico).

32   Ss. 3 julio 1984: «Aun sin necesidad de precisar la identidad del sujeto físicamente realizador del acto antijurídico y dañoso imputable a la empresa de que se trata»; 10 noviembre 1990: «sin que a ello obste no haberse determinado personalmente quiénes eran los profesores presentes en el lugar en que ocurrieron

3.3. Presupuestos de la responsabilidad

a) Relación de dependencia. Es abundante la jurisprudencia que alude a la necesidad de que entre el titular de la empresa y el sujeto que causa el daño medie una «relación de dependencia». Se ha venido entendiendo que concurre esa «dependencia» o «subordinación» cuando existe una relación laboral, pero también cuando se trata de funcionarios. En ocasiones, incluso, se admite la existencia de «dependencia» entre el profesional que presta sus servicios en el marco de la actividad principal de la entidad, aunque de los hechos se deduzca que no es una relación

---

los hechos»; 16 abril 1993: «la falta de diligencia... aparece en este caso como subjetivamente difusa o personalmente indeterminada, bien que claramente ínsita en el marco operativo de la organización a cuyo cargo y explotación se encontraba el tendido de energía eléctrica en que el accidente se produjo»; la STS 30 enero 1990 llega a afirmar que la identificación de los profesionales a quienes directamente procede atribuir la negligencia causante del daño corresponde «a efectos de lo dispuesto en el art. 1904» a la entidad principal, que resulta condenada conforme a los arts. 1902 y 1903 CC.

En particular, esto sucede en el ámbito de organizaciones complejas: «Las entidades titulares o gestoras de los establecimientos públicos, responden no sólo de forma indirecta o por defecto de vigilancia en la actuación de sus empleados y dependientes... sino también de forma directa cuando se advierten deficiencias imputables a la asistencia masificada que dispensan con imposibilidad de ejercer un absoluto y preciso control de la actuación profesional y administrativa del personal que presta sus servicios en los mismos» (STS 27 enero 1997).

Expresamente se conecta a la responsabilidad de la empresa por proceder el daño del círculo de su actividad la STS 11 noviembre 2002. Un caso límite es el de la STS 14 marzo 2001, que afirma que el empresario ha de responder de los actos de sus dependientes en cuanto éstos obren como instrumento para el funcionamiento de la empresa, y considera aplicable el art. 1903 a la responsabilidad del empresario por el incumplimiento contractual provocado por la huelga de sus trabajadores, al entender que hay culpa propia: «por tratarse de una empresa suministradora de productos de la automoción y con utilización del sistema «just in time», en lugar de repartir entre sus diversas fábricas el sacrificio social, acordó el cierre de Basauri, sin haber tomado las precauciones del previo traslado de los moldes allí existentes a otras fábricas de su pertenencia». La responsabilidad del empresario, en realidad, está justificada por el incumplimiento del contrato con el tercero, pero resulta forzado llegar a esa conclusión por aplicación del art. 1903 CC.

laboral la que media (responsabilidad de la clínica o de la mutua a cuyo cuadro pertenece el médico, Ss. 12 febrero 1990, 8 abril 1996, 19 abril 1999).

De manera uniforme, la jurisprudencia del TS excluye la aplicación del art. 1903.IV CC por actos de la empresa con la que se ha contratado o por actos de los dependientes de esta última por entender que, cuando se trata de «contratos entre empresas no determinantes de relaciones de subordinación entre ellas falta toda razón esencial para aplicar la norma, Ss. 7 octubre 1969, 18 junio 1979, 4 enero 1982, 2 noviembre 1983 y 3 abril 1984, entre otras» (Ss. 9 julio 1984 y 20 diciembre 1996)[33].

Desde este punto de vista, y como excepción, se condena a la empresa comitente o dueño de la obra conforme al art. 1903 por los daños causados a terceros por la actividad negligente del contratista o de sus dependientes cuando puede imputársele cierta culpa en la elección o en la dirección del contratista (Ss. 17 mayo 1977, 24 noviembre 1980, 17 noviembre 1980 y 27 enero 1995)[34].

---

33   Por tanto, es en el ámbito de los «contratos entre empresas independientes» donde se excluye la aplicación del art. 1903.IV CC Así, se ha exonerado de responsabilidad al consignatario de la mercancía por daños causados por negligencia de los dependientes de la empresa estibadora (STS 18 junio 1979), al propietario del camión que lo deja a reparar en un taller, por los daños producidos por el accidente provocado por un empleado de este último (STS 22 octubre 1980), al titular del buque remolcado por los daños causados por los dependientes de la empresa de remolque (Ss. 21 mayo 1982, 2 noviembre 1983), a quien contrata con un transportista independiente el transporte de determinada mercancía por los daños causados con ocasión del transporte (STS 4 enero 1982), a quien contrata el transporte de un remolque de paja con un tractor que choca con conductores eléctricos provocando un incendio en inmuebles adyacentes (STS 19 julio 1996), al promotor que contrata a una constructora autónoma en su organización y medios y a unas personas capacitadas y con suficientes conocimientos para un ejercicio normalmente correcto de la «lex artis» (STS 27 diciembre 2011).

34   Con mucha más razón, se condena al contratista cuando la causa del daño es reconducible a su propia negligencia, conforme al art. 1902 CC Esto es lo que sucede en la STS 26 junio 1984: constructor que no realiza estudio preliminar

b) Culpa del dependiente. Doctrina y jurisprudencia insisten reiteradamente en la necesidad de la culpa in operando del dependiente que materialmente causó el daño. Esta postura no impide, sin embargo, como ha quedado expuesto más arriba, que en muchas ocasiones la jurisprudencia condene ex 1903 aunque no haya quedado identificado un concreto dependiente causante del daño y, otras veces, condena por culpa propia ex 1902 por falta de diligencia de los empleados.

Esa culpa del dependiente implica que pueda ser demandado directamente por la víctima conforme al art. 1902 CC. Esto no suele suceder, porque dada la mayor solvencia de las empresas, las víctimas prefieren dirigirse contra ellas. Pero cuando sólo se demanda al autor material del daño, que ha actuado negligentemente, puede ser condenado sin que a ello se oponga la regulación de la responsabilidad de empresario en el art. 1903 CC (expresamente, STS 1 diciembre 1987, que cita otras anteriores). En este sentido dice la sentencia 328/2017, de 24 de mayo:

> «La responsabilidad por el hecho propio no queda excluida por la circunstancia de que dicha norma permita exigirla también de aquellas personas o entidades que deban responder por hechos de otro. Es cierto que, en su caso, los ahora demandantes pudieron haber dirigido su acción contra Gestovivienda S.L., por cuya cuenta actuaba, al parecer, el demandado; pero nada les impedía reclamar directamente a dicho demandado como receptor de las notificaciones, sin perjuicio de las relaciones de éste con la empresa por cuya cuenta afirma haber actuado».

---

del subsuelo ni pide informes a la compañía telefónica, y contrata la excavación del solar con un palista, produciendo éste avería en hilo telefónico.

Haciendo un juego interpretativo acerca de que la acción ejercitada no es la del art. 1903 CC (por el que tendría que absolver, por no existir dependencia), la STS 18 julio 2005 entiende que se ejercita la acción del art. 1902, y que sí ha habido culpa del empresario contratista.

c) Desempeño de las funciones encomendadas. La jurisprudencia admite la exoneración del empresario cuando los actos dañosos han sido realizados por sus dependientes al margen de las funciones que tenían encomendadas[35].

La jurisprudencia valora, en particular, si la actuación de los dependientes ha tenido lugar con conocimiento del empresario o, incluso, contra su prohibición. Si el comportamiento de los empleados se ha realizado con la condescendencia y la pasividad de la empresa esta responde, aun cuando no les ordenaran realizarlo (STS 8 abril 2014, condena a Wolters Kluwer por actos de sabotaje a la empresa El Derecho, en la que trabajan con anterioridad)[36].

---

35   La STS 26 febrero 1996 absuelve a la dueña de la máquina que se estaba montando pese a que alguno de sus trabajadores colaboró, sin recibir órdenes o instrucciones de sus superiores, en dicho montaje. En relación con los daños morales ocasionados por el empleado del banco que identifica erróneamente como cobrador del cheque falsificado a un sujeto, la STS 19 noviembre 1991 afirma que: «tal reconocimiento escapa absolutamente del ámbito propio de sus funciones laborales bancarias, constituyendo un acto individual al que venía obligado como ciudadano por la ley y con plena desvinculación de la empresa mercantil con la que está ligado laboralmente, y en las que no entra bajo ningún concepto la identificación del delincuente».

La empresa no responde de la actuación del portero de la sucursal que se apropia de las cantidades entregadas por unos clientes para su ingreso (STS 13 junio 1929), ni de la falsificación de cartas-órdenes por un empleado contable que no se hallaba encargado de la gerencia (STS 21 octubre 1932), ni de la muerte de un cazador furtivo por empleado agrícola desprovisto de la función de guarda (STS 20 mayo 1958), ni de los daños causados por empleado de taller que, después de su jornada laboral indicó a un cliente que dejase un carro en la calle que produjo la muerte de un niño por aplastamiento (STS 5 julio 1961); el club no responde de las lesiones causadas por un jugador de baloncesto que, cuando abandona el hotel en que se alojaba el equipo lesiona al empleado que le reclama el pago de unas llamadas de teléfono (STS 10 octubre 2007). En cambio, cuando el dependiente se apropia de cantidad que recibe en el aparente cumplimiento de sus funciones (jefe de ventas de una inmobiliaria), la empresa debe responder frente a los terceros, teniendo en cuenta la seguridad del tráfico (STS 22 junio 1989).

36   Así, la STS 24 febrero 1969 absuelve a la empresa de electrodomésticos cuyo empleado, contra prohibición expresa, admite en el transporte de un televisor a un pasajero, que fallece como consecuencia de accidente de tráfico (parecida-

Identificada la culpa y declarada la responsabilidad de la empleada, se declara igualmente la procedencia de responsabilidad de la empresa por tratarse de un riesgo propio del negocio en la sentencia 105/2019, de 19 de febrero (bebé de 7 meses que se atraganta con papilla cuando se le administraba en una guardería; falta de protocolos sobre traslado inmediato a hospital):

> «Una vez condenada la Sra. Camino en los términos, expuestos procede la condena solidaria de la entidad mercantil Jardín de la Infancia DIRECCION000., pues se trata de una entidad cuyo fin social es el negocio de guardería, al frente del cual aparece como directora, empleada por la sociedad para dirigirlo, la Sra. Camino y, por ende, se está ante la previsión establecida por el art. 1903. 4.º, como acertadamente recoge la sentencia de la primera instancia».

La jurisprudencia atribuye a la responsabilidad del empresario «carácter directo, ya que se establece en razón al incumplimiento de los deberes que imponen las relaciones de convivencia social de vigilar a las personas que están bajo la dependencia de otras y de emplear la debida cautela en la elección de servidores» (Ss. 8 abril 2014, 25 enero 1985, con cita de otras anteriores)[37].

---

mente, con anterioridad, Ss. 6 julio 1934, o la STS 22 octubre 1965, respecto de los daños producidos cuando el conductor del vehículo se aparta de la ruta para visitar a un familiar). La STS 2 julio 1990 exonera de responsabilidad al dueño del tractor para el que trabaja un empleado autorizado a conducirlo para las funciones agrícolas, pero no para tomarlo durante la medianoche para dirigirse en unión de unos amigos a un bar cercano (hay que advertir que, en realidad, en esta ocasión se aplica el art. 22 CP. entonces vigente). La empresa no responde de las agresiones causadas por empleado despedido al gerente (STS 26 junio 2006).

37   Excepcionalmente, algunas sentencias de la Sala 1ª, declaran la responsabilidad subsidiaria de la empresa (Ss. 4 octubre 1980, 10 diciembre 1984, 17 mayo 1988). La explicación de estas decisiones puede encontrarse, me parece, en la previa existencia de actuaciones penales. En algunas decisiones, el TS recuerda que, en cambio, sí es responsabilidad civil subsidiaria, a diferencia de lo que

Son dos las reglas que se extraen de la calificación como directa de la responsabilidad del empresario conforme al art. 1903 CC. De una parte, que la víctima puede dirigirse, si quiere, sólo contra el empresario, sin demandar al dependiente que ha causado materialmente el daño y, al mismo tiempo, que no podrá oponerse con éxito la excepción de litisconsorcio pasivo necesario, por entender que la relación jurídico procesal está bien constituida aunque no se haya demandado al dependiente (STS 5 octubre 1995; parecidamente, entre otras muchas, Ss. 22 junio 1988, 17 junio 1989, 30 enero 1990, 22 febrero 1991).

3.4. La acción de regreso

El art. 1904.I CC establece que: «El que paga el daño causado por sus dependientes puede repetir de éstos lo que hubiese satisfecho». La regla, que carecería de sentido si la responsabilidad del empresario fuera por culpa (pues no sería razonable que pudiera repetir) contribuye a reforzar la tesis de la responsabilidad objetiva del empresario.

La jurisprudencia suele citar el art. 1904 CC como argumento para reforzar su interpretación del art. 1903, condenando al empresario y señalando cómo, en su caso, éste tiene abierta la vía para ejercitar una acción contra su dependiente (Ss. 9 enero 1985, 22 junio 1989 y 30 enero 1990). En la práctica, es muy escaso el ejercicio de acciones de repetición contra el dependiente, y más probable cuando la condena se ha producido en la vía penal (STS 26 octubre 2002).

---

sucede con la regulada en el art. 1903 CC, la que resulta de los correspondientes preceptos del CP. para el caso de responsabilidad civil derivada de delito (Ss. 16 marzo 1987, 30 diciembre 1992, 2 julio 2002, 27 octubre 2011).

4. Responsabilidad de los titulares de centros docentes

La regulación actual de la responsabilidad de los titulares de centros docentes del art. 1903.V[38] procede de la reforma introducida por la Ley 1/1991, de 7 enero, de modificación de los Códigos civil y penal, en materia de responsabilidad civil del profesorado.

Recogiendo las aspiraciones de los docentes, la Ley de 1991 sustituye la originaria responsabilidad del profesorado, inspirada en la función de vigilancia sobre sus discípulos, por la responsabilidad del titular del centro porque, como aclara la Exposición de Motivos de la Ley, es a este último a quien corresponde adoptar las necesarias medidas de organización, mientras que en la realidad docente no existe la relación de sujeción del alumno al profesor en que estaba pensando la redacción originaria del Código. Conviene advertir, sin embargo, que no era infrecuente, ya antes de la reforma, que se demandara a los titulares de los centros, en su calidad de empresarios (en ocasiones, incluso, sin demandar al profesor, STS 3 diciembre 1991).

La reforma de 1991 también modificó el art. 1904 CC, al que adicionó su actual párrafo segundo, conforme al cual: «Cuando se trate de centros de enseñanza no superior, sus titulares podrán exigir de los profesores las cantidades satisfechas, si hubiesen incurrido en dolo o culpa grave en el ejercicio de sus funciones que fuesen causa del daño». Este

---

38   Según el art. 1903.V CC: «Las personas o entidades que sean titulares de un centro docente de enseñanza no superior responderán por los daños y perjuicios que causen sus alumnos menores de edad durante los períodos de tiempo en que los mismos se hallen bajo el control o vigilancia del profesorado del centro, desarrollando actividades escolares o extraescolares y complementarias».

Con anterioridad, el art. 1903 CC establecía que: «son, por último responsables los maestros y directores de artes y oficios respecto a los perjuicios causados por sus alumnos o aprendices, mientras permanezcan bajo su custodia».

régimen contrasta con el del primer párrafo del mismo art. 1904 CC, de cuya comparación resulta la posición privilegiada del profesorado.

¿Es posible exigir una responsabilidad directa del profesorado o, incluso, del director del centro, cuando hayan incurrido en culpa propia? La respuesta debe ser positiva, por aplicación de la regla general del art. 1902 CC. Es discutible, entonces, si la responsabilidad del profesorado sólo nace en los casos de daño o culpa grave, por interpretación conjunta de los art. 1902 y 1904 CC.

4.1. Daños causados por alumnos

La jurisprudencia ha venido manteniendo que la responsabilidad de los centros docentes tiene su apoyo en el **deber de vigilancia que le incumbe al centro (a través del profesorado) sobre sus alumnos** (STS 10 diciembre 1996).

Se considera caso fortuito por falta de previsibilidad, y se excluye la responsabilidad de la directora de la guardería por los daños derivados de pérdida de ojo como consecuencia de la acción de otro menor con un tenedor mientras comían en un comedor vigilado (STS 21 noviembre 1990: por la rapidez con que se desarrolló el hecho, la ausencia de antecedentes en la conducta del niño). Sigue el mismo criterio la STS 10 marzo 1997 sobre lesión causada a un menor por otro al lanzarle un lápiz en la clase de dibujo. En esta última se señala que se está aplicando la redacción anterior a la reforma de 1991 que, dice el TS, a diferencia de la redacción actual, exigía la culpa. No es seguro que, aplicando la actual redacción el resultado vaya a ser otro. No es caso fortuito, porque el daño era previsible, la pérdida de un ojo por uno de los niños que estaba en el grupo jugando con palos «a los marcianos» (STS 18 octubre 1999).

Con criterio discutible, la STS 3 diciembre 1991 afirma que el deber de vigilancia se extiende, aun terminada la jornada lectiva, si se mantiene el patio de recreo abierto. Pero si todavía no han accedido al centro, éste no es responsable (STS 4 junio 1999).

4.2. Daños sufridos por alumnos

El art. 1903.V CC se refiere literalmente a los daños causados por alumnos (a terceros o a otros alumnos del centro). La responsabilidad por los daños sufridos por alumnos **sin que se los haya ocasionado un compañero suyo** puede imputarse al profesor, conforme al art. 1902 CC o al titular del centro. En este último caso, la responsabilidad del centro puede fundarse en el art. 1902 (negligencia en la vigilancia u organización) o en el art. 1903.IV (en su calidad de empresario obligado a responder de los hechos dañosos causados por la negligencia de los profesores empleados). La condena del titular del centro puede basarse simultáneamente en culpa propia y en la negligencia del profesorado.

La **negligencia del profesorado** resulta de no advertir que el juego practicado («lima») es peligroso, y debía prohibirse por el profesorado presente (STS 10 noviembre 1990); por la falta de vigilancia en el acceso de los alumnos a un patio, donde había una canasta de baloncesto inestable de la que se colgaban los alumnos, falleciendo uno de nueve años (STS 10 octubre 1995); por falta de vigilancia de un menor de cuatro años, atacado por un león durante su visita a un zoo (STS 31 octubre 1998, sin perjuicio de la responsabilidad de la dirección del zoológico, delimitada penalmente); daño durante la celebración de fiesta escolar por actividad peligrosa, organizada por los padres, pero a la que no se opuso la dirección (STS 29 diciembre 1998); responsabilidad del centro (por aplicación del art. 1902 CC) por caída de portería que estaba instalada sin anclaje sobre el portero que se colgó del travesaño (STS 5 noviembre 2004).

No hay responsabilidad cuando el daño se causa con ocasión de juegos que no son peligrosos: Ss. 27 septiembre y 28 diciembre 2001.

La jurisprudencia ha imputado la responsabilidad al centro docente aun cuando el daño se haya producido fuera del centro siempre que tenga lugar dentro del horario escolar, por entender **que hubo negligencia en las funciones de guarda de los empleados escolares** (STS 15 diciembre 1994: muerte de niño que se escapa del colegio durante la hora del almuerzo por falta de control del centro). Se observa así una tendencia «objetivadora» en la responsabilidad de los centros docentes por los daños sufridos, que supera la tendencia más antigua representada por la STS 15 junio 1977, según la cual no hay culpa del centro cuando el niño, de diez años, interno, contraviniendo las prohibiciones expresas, se aleja del casco urbano para trasladarse a un paraje donde fallece ahogado.

2. ACERCA DEL CRITERIO DE IMPUTACIÓN OBJETIVA DE LA PROHIBICIÓN DE REGRESO: COMENTARIOS SOBRE LA STS 124/2017 DE 24 FEBRERO[1]

Felipe Oyarzún Vargas
Investigador predoctoral FPI - Universidad Carlos III de Madrid.

SUMARIO: I. SENTENCIA OBJETO DE ANÁLISIS. II. HECHOS. III. DESARROLLO DEL CASO. IV. DECISIÓN DEL TRIBUNAL SUPREMO. V. REFLEXIONES SOBRE LA SENTENCIA. 1. La imputación objetiva en la responsabilidad civil. 2. Alcances sobre el criterio de la prohibición de regreso: *2.1. Consideraciones previas. 2.2. Prohibición de regreso en la Sentencia, 2.3. Observaciones a la decisión del TS.*

RESUMEN

Este trabajo analiza y reflexiona cuestiones relativas al criterio de imputación objetiva de la prohibición de regreso, a propósito de la Sentencia del Tribunal Supremo de 24 de febrero de 2017 (124/2017), dictada

---

1   Este trabajo ha sido elaborado en el seno del Proyecto "Las fronteras del Derecho del enriquecimiento injustificado" (DER2017-85594-C2-1-P; IP Pedro del Olmo), financiado por la Agencia Estatal de Investigación dependiente del Ministerio de Economía, Industria y Competitividad (Gobierno de España)

por Sala de lo Civil. En específico, esta investigación realiza algunos comentarios y observaciones sobre la Sentencia, la cual aplica el criterio de la causalidad adecuada, prescindiendo del criterio de la prohibición de regreso.

PALABRAS CLAVE

Prohibición de regreso – Imputación objetiva – Causalidad

ABSTRACT

This paper analyzes and reflects upon affairs related to the prohibition of return's proximate causation criterion considering the Spanish Supreme Court Sentence on February 24th, 2017 (124/2017), issued by the First Chamber (Civil). Specifically, this research makes some comments and observations about the Judgment, which applies the adequacy criterion disregarding the prohibition of return principle.

KEYWORDS

The prohibition of return – Proximate causation – Causation

I. SENTENCIA OBJETO DE ANÁLISIS

Sentencia Tribunal Supremo, de 24 de febrero de 2017 (124/2017), dictada por Sala de lo Civil, Sección Primera. Ponente: Eduardo Baena Ruiz. Las partes en el proceso: ENDESA Distribución Eléctrica L.S.U. (en adelante, ENDESA) y Red Eléctrica de España S.A.U. (en adelante, REE).

II. HECHOS

El caso trata de un incendio generado en la subestación eléctrica Maragall (propiedad de ENDESA) el 23 de julio de 2007 en Barcelona, el que posteriormente provocó un apagón que afectó a más de 323.000 personas[2]. El siniestro estuvo precedido de un incidente eléctrico, provocado por la rotura de un cable de media tensión de 110 kv (el cual era propiedad de ENDESA) en la subestación eléctrica de Collblanc, propiedad de REE. La rotura provocó la interrupción del paso de corriente que circulaba por el cable de media tensión, lo que redundó en el colapso del mismo y que cayera sobre el parque eléctrico de 220 kv de la subestación Collblanc. Esto causó tres cortocircuitos en la propiedad de REE, que en consecuencia generaron la afectación temporal de varias subestaciones transformadoras que alimentan la red de distribución eléctrica de Barcelona. Uno de estos cortocircuitos produjo un paso de corriente muy elevado por la línea Collblanc-Urgell-Maragall-Badalona, provocando una avería en el cable que acabó generando un incendio en la subestación de Maragall, propiedad de ENDESA.

III. DESARROLLO DEL CASO

ENDESA ejerce acción de responsabilidad civil contra REE por haber incumplido sus obligaciones de mantener correctamente las instalaciones a su cargo, a fin de garantizar la viabilidad de la red de transporte y asegurar la continuidad del suministro, habiendo causado daños por tal incumplimiento. Solicita que se declare responsable a REE del incendio ocurrido en la subestación eléctrica Maragall.

---

2   Información disponible en http://www.europapress.es/catalunya/noticia-apagon-fecsa-ENDESA-estudia-demandar-red-electrica-repartir-costes-apagon-barcelona-2007-20080914131128.html [fecha visita: 30 de junio de 2019]

Las instancias determinaron que el factor desencadenante del siniestro se encuentra en la caída de cables de 110 kv de ENDESA, por lo que también son responsables del siniestro. Coinciden también en la contribución relevante en la producción del incendio por una conducta negligente imputable a ENDESA, lo que permite afirmar una causalidad contributiva que ha favorecido decisivamente en la causación final del siniestro. En razón de ello, se excluye la doctrina de la prohibición de regreso. Ambas decisiones señalan que la responsabilidad del incendio debe imputarse en igual medida a ambas empresas.

La Sentencia fue recurrida vía infracción procesal y casación, motivo por el cual conoce el Tribunal Supremo (en adelante, TS). REE interpone recurso de casación y ENDESA presenta tanto el recurso de infracción procesal como el de casación.

IV. DECISIÓN DEL TRIBUNAL SUPREMO

El TS declara haber lugar en parte al recurso extraordinario por infracción procesal y no haber lugar a los recursos de casación interpuestos contra la Sentencia de la Audiencia Provincial (en adelante, AP). El TS reafirma lo determinado en las instancias anteriores, estableciendo que el factor desencadenante del siniestro se encuentra en la caída de los cables de 110 kv de ENDESA, por lo que esgrime que difícilmente no le incumba ninguna responsabilidad acudiendo al criterio de la prohibición de regreso. Así, ambas empresas produjeron el daño y no evitaron ni redujeron el riesgo de producción del mismo, pudiendo haberlo hecho. TS concluye que estamos en presencia de un caso de causalidad contributiva, excluyendo la aplicación del criterio de la prohibición de regreso y sosteniendo el reparto de responsabilidad en partes iguales.

V. REFLEXIONES SOBRE LA SENTENCIA

1. La imputación objetiva en la responsabilidad civil

Las insuficiencias de las teorías causales empíricas llevan a la construcción de criterios normativos de imputación objetiva[3]. Importante destacar a Karl Larenz en el campo de la responsabilidad civil, pues entiende la causalidad como una investigación acerca de la existencia de una imputación, es decir, el intento de delimitar dentro de los acontecimientos accidentales un hecho que puede ser considerado como imputable a una persona[4].

La teoría de la imputación objetiva sostiene que la determinación de la causalidad material es un antecedente necesario de responsabilidad, sin embargo, también establece que ello no es suficiente[5]. No es lo mismo determinar si un hecho está relacionado materialmente con un daño que imputar jurídicamente responsabilidad a ese hecho por ese daño. Las doctrinas actuales distinguen entre la explicación natural del suceso que causó el daño (causalidad fáctica) y la decisión normativa que atribuye a un sujeto la responsabilidad por el daño causado (causalidad jurídica, *Scope of Liability*[6]).

---

3   PANTALEÓN PRIETO (1990) "Causalidad e imputación objetiva: Criterios de imputación". En Asociación de Profesores de Derecho civil (coordinadores): *Centenario del Código civil*, t.II, Madrid: Ed. Centro de Estudios Ramón Areces, pág.1563.

4   GARCÍA-RIPOLL (2008) *Imputación objetiva, causa próxima y alcance de los daños indemnizables*. GRANADA:ED. COMARES, PÁGS.1 Y SS.

5   DEL OLMO GARCÍA; SOLER PRESAS (2016) *Practicum Daños* 2017. CIZUR MENOR (NAVARRA): THOMSON REUTERS, pág.293.

6   SALVADOR CODERCH (2005) "El círculo de responsables. La evanescente distinción entre responsabilidad por culpa y objetiva". *Indret: Revista para el Análisis del Derecho*, N°. 4, p. 11.

Se distingue entre causalidad material y jurídica. La primera es aquella que une físicamente un hecho con un daño, es el aspecto natural que se expresa en una relación empírica de causa a efecto entre el hecho y el daño[7]. La segunda es aquella que resulta de la selección que se realiza de los hechos materialmente unidos con el daño[8], escogiendo aquellas a las cuales se les va a atribuir jurídicamente la responsabilidad a través de la utilización de criterios de delimitación[9] de imputación objetiva, los cuales son elementos normativos que su omisión o defectuosa aplicación puede ser objeto de casación.

La determinación de estos conceptos es por mecanismos distintos. La causalidad material se determina a través de la teoría de la equivalencia de las condiciones (la conducta del demandado es causa del daño si, suprimida mentalmente la conducta, desaparece el perjuicio). La causalidad jurídica se determina por criterios normativos establecidos (por el legislador o por la jurisprudencia a falta de ley). La Sentencia ofrece pautas[10] que permiten la formulación de la teoría de la imputación objetiva: los riesgos generales de la vida, la prohibición de regreso, la provocación, l fin de protección de la norma, el incremento del riesgo o la conducta alternativa de la víctima, la competencia de la víctima y como cláusula de cierre la probabilidad.

---

7   Barros Bourie (2006) *Tratado de responsabilidad extracontractual*. Santiago: Ed. Jurídica de Chile, pág.374.

8   Martin-Casals; Solé Feliu (2010) "Comentarios a los artículos 1902 a 1910". En Domínguez Luelmo (coordinador): *"Comentarios al Código Civil"*. Valladolid: Lex Nova, pág.2050.

9   A mayor abundamiento en Diez-Picazo (2011) *Fundamentos del Derecho civil patrimonial V*. Primera Edición. Madrid: Civitas, págs. 366-375.

10   Fundamento de Derecho 11° de la STS (Sala Primera de lo Civil) 124/2017, de 24 de febrero.

2. Alcances sobre el criterio de la prohibición de regreso

2.1. Consideraciones previas

La doctrina penal alemana formuló una serie de factores, los cuales Pantaleón en su momento propuso que la dogmática civil considerase como criterios de imputación objetiva[11]. En España, es a partir del año 2000 que el TS comienza a recurrir de modo más frecuente a la imputación objetiva para justificar sus decisiones[12].

En este escenario, la aplicación de la prohibición de regreso se presenta como un criterio normativo que impide retroceder en el curso causal para imputar a un agente las consecuencias de un determinado resultado originadas por la interposición del comportamiento ilícito de un tercero[13]. Este criterio propone negar la imputación objetiva del daño, cuando en el proceso causal dañoso puesto en marcha por el demandado, se ha incardinado sobrevenidamente la conducta dolosa o muy gravemente imprudente de un tercero, salvo que dicha conducta se haya visto significativamente favorecida por la actuación del demandado[14].

2.2 Prohibición de regreso en la Sentencia[15]

Un aspecto central de la Sentencia era determinar, desde el punto de vista de la imputación, el cómo se debería entender la caída de los cables de 110 kw (propiedad de ENDESA) en el curso de los acontecimientos. Por un lado, estaba la tesis de ENDESA quien entendía que no cabría imputarle ninguna responsabilidad en el siniestro atendido que la caída

---

11   PANTALEÓN PRIETO (1990) págs.1561-1591.

12   GARCÍA-RIPOLL (2008) pág.17.

13   SALVADOR CODERCH (2005) pág.24

14   PANTALEÓN PRIETO (1990) pág.1568.

15   Para otras cuestiones sobre esta Sentencia en CABANILLAS SÁNCHEZ (2018) "Sentencias". *Anuario de Derecho Civil*, Tomo LXXI, 2018, fasc. II, págs.626 y ss.

del cable no era causa eficiente del incendio en la subestación eléctrica de Maragall, debiendo entender este hecho solamente como un antecedente fáctico. Por otro lado, estaba la tesis que terminó adoptando el TS (al confirmar las instancias pasadas), consistente en entender que el factor desencadenante del siniestro se encuentra en la caída de los cables de 110 kv que eran propiedad de ENDESA. Al comprender así la caída de los cables de ENDESA, el TS sostiene la causalidad contributiva en la causación del siniestro, reconociendo la injerencia tanto de REE como de ENDESA en la consecución del resultado, lo cual se traduce en la exclusión del criterio de prohibición de regreso imputando de igual forma las consecuencias a ambas empresas. En definitiva, el TS estima que la acción primigenia de ENDESA posee entidad suficiente para que la actuación de REE no absorba en exclusiva el desencadenante causal.

2.3. Observaciones a la decisión del TS

2.3.1. Elementos para la procedencia de la prohibición de regreso

El TS descartó la aplicación del criterio de la prohibición de regreso en el caso, no obstante, si bien la Sentencia sigue a Pantaleón para conceptualizar la prohibición de regreso, no desarrolla específicamente los requisitos que exige este criterio para su concurrencia. Pantaleón sostiene que deben concurrir los siguientes elementos para negar la imputación del resultado dañoso a través de la prohibición de regreso:(i) que el proceso causal que desembocó en el resultado, haya sido puesto en marcha por el posible responsable;(ii) que se haya incardinado sobrevenidamente la conducta dolosa o gravemente imprudente de un tercero;(iii) que la conducta del tercero no se haya visto decisivamente favorecida por la imprudencia del responsable.

Del desglose de la definición, se observa que el caso solo cumple con el primer elemento relativo a que el proceso causal -que acabó con el resultado de incendio-, comenzó por la caída de los cables de ENDESA. Sin embargo, no concurren ni el segundo ni el tercer elemento.

Respecto al segundo elemento, difícilmente se podría llegar a considerar la conducta de REE como una conducta dolosa o gravemente negligente. Es culposa la conducta que se desvía del estándar de conducta exigible, bien como consecuencia de una acción u omisión intencional del agente (dolo)[16] o, bien por negligencia la cual admite grados: la leve es rayana con la responsabilidad objetiva; la grave con el dolo; y, en el punto medio, se encuentra la negligencia simple[17]. Respecto a la prohibición de regreso, cabe señalar que la intervención meramente culposa de un tercero no basta para excluir la imputación objetiva, y ello aunque el grado de culpa o negligencia del tercero fuera superior a la del agente anterior[18]. En el caso, la omisión del deber de cuidado que ha infringido REE producto del defectuoso estado de sus cables no es motivo suficiente, toda vez que se entiende como una conducta constitutiva de negligencia simple. Por tanto, que surja la intervención de un tercero en un proceso causal no elimina sin más la responsabilidad del que inició el proceso[19].

Tampoco concurre el tercer elemento, no es un caso donde la conducta del tercero no se haya visto decisivamente favorecida por la imprudencia del responsable. Existe jurisprudencia que a partir de la valoración de esta circunstancia ha indicado la procedencia de la prohibición de regreso, por ejemplo[20] la Sentencia del TS del 2 de junio de 2004 que resuelve el caso del dueño de una nave industrial destruida por un incendio que demandó a los propietarios de una nave colindante (donde se había generado el incendio que se terminó propagando a la nave

---

16   Martin-Casals y Solé Feliu (2010) pág.2050.

17   Salvador Coderch (2005) pág.6.

18   Pantaleón Prieto (1990) pág.1570.

19   García-Ripoll (2008) pág.152.

20   Arcos Vieira (2005) *Responsabilidad Civil: Nexo Causal e Imputación Objetiva en la Jurisprudencia.* Cizur Menor (Navarra): Aranzadi, pp. 119-120.

del demandante), a la empresa que desarrollaba su negocio en esa nave y a la compañía aseguradora de esa nave donde se generó el incendio. El TS resuelve absolver a todos los demandados en atención a que el incendio fue provocado intencionadamente por un tercero que penetró clandestinamente en la nave de los demandados. Por dicha circunstancia, se exonera a los demandados dado que el nexo causal entre la conducta de los demandados y el daño se desdibuja por la concurrencia de otros elementos causales como lo es en este caso la acción dolosa de un tercero. Volviendo al caso, evidentemente no se cumple este tercer elemento que exige la prohibición de regreso, pues a diferencia del ejemplo expuesto, la conducta del tercero (REE) si se ha visto decisivamente favorecida por la imprudencia de ENDESA, consecuencia del defectuoso mantenimiento por parte de esta última de sus cables de 110 kv. Así, corresponde excluir la aplicación del criterio de prohibición de regreso, pudiendo valorarse en definitiva la conducta de ENDESA en el curso de los acontecimientos.

2.3.2. Coincidencia de víctima con agente causal: ¿concurrencia de la prohibición de regreso?

Otro punto de interés de la Sentencia es el contexto en el cual se pretende desarrollar el criterio de la prohibición de regreso. Para explicarme mejor, daré el siguiente ejemplo: imaginemos que la subestación eléctrica de Maragall no pertenece a ENDESA, sino que es otra empresa ligada al mundo de la electricidad, para efectos del ejercicio, esa empresa se llama ELECTRON. Pensemos que la subestación de propiedad de ELECTRON ha sido destruida producto de un incendio propiciado por la rotura de un cable de ENDESA y la mala conservación en la línea de REE. ¿Qué haría la empresa ELECTRON, la cual fue víctima de la negligencia de ambas empresas?, lo más sensato sería perseguir la responsabilidad solidaria para que le indemnicen los daños.

Con esto, intento reflejar que este caso está lejos de ser el propicio para la aplicación de la prohibición de regreso. Estos casos suelen concurrir tres actores, el agente que inicia el curso causal, el tercero que se incardina sobrevenidamente en el curso causal y la víctima. Por ejemplo, un caso conocido[21] de aplicación de prohibición de regreso es el del Hotel "Corona de Aragón", donde se produjo un incendio dentro de las dependencias del Hotel, el cual se expande producto de que un tercero dejó una sustancia explosiva que causó 76 muertes. Familiares de uno de los fallecidos reclamaron indemnización de perjuicios por la muerte a la empresa hotelera. Más allá del resultado del caso, se puede apreciar que en este caso concurren el Hotel "Corona de Aragón" (el agente que inicia el curso causal), la persona que dejó la sustancia explosiva que generó mayores daños (el tercero) y la familia de una de las personas que fallecieron en el siniestro (la víctima). En cambio, si se realiza la misma aproximación al caso objeto de estudio, se observa que existe la misma identidad tanto en el agente que desencadenó el curso causal y la víctima, es decir, ENDESA solicita una indemnización por parte REE por un un daño que la misma ENDESA ha contribuido a su materialización.

En consecuencia, este contexto no es de un caso de prohibición de regreso, los antecedentes materiales no constituyen la situación de hecho que está detrás de este criterio normativo. Siguiendo con el ejemplo de la empresa ELECTRON, en ese caso imaginario la víctima podría haber demandado solidariamente independiente de los respectivos derechos de repetición posteriores entre los deudores solidarios dado que cuando una pluralidad de personas contribuye a causar el daño, es practica jurisprudencial la de considerarlas a todas responsables solidarias[22], en especial cuando habiendo concurrencia causal en la producción del resultado, no es posible individualizar la contribución de cada uno. Pese a lo anterior, en el caso de estudio al coincidir víctima y agente que desencadena el proceso causal, la solidaridad no es opción y

---

21   STS (Sala de lo Civil) 16773/1988, de 11 de marzo.
22   Martin-Casals y Solé Feliu (2010) pág.2047.

se distribuye en partes iguales la responsabilidad entre ENDESA y REE por el siniestro acontecido.

2.3.3. Incompatibilidad entre los criterios de imputación objetiva

La imputación objetiva ya es una realidad en el ordenamiento jurídico español. Esta situación no obsta a que la aplicación de estos criterios sigan dando material para la discusión, entre otras cosas, pues al momento de resolver el juez puede utilizar diversos criterios para la resolución del conflicto y ello muchas veces puede llevar a respuestas diferentes ante un mismo caso. Este caso es reflejo de ello, dado que se enfrenta la tesis de REE que defendía el uso de la causalidad adecuada (criterio que siguieron los Tribunales) y la tesis de ENDESA que abogaba por el uso del criterio de la prohibición de regreso. Por ello, otro aspecto de esta Sentencia estriba en las respuestas (con las respectivas consecuencias que cada una conlleva) que generan los criterios de causalidad adecuada y de prohibición de regreso al momento de resolver el conflicto.

Aplicando el criterio de la causalidad adecuada, no se excluye la imputabilidad dado que, considerando las circunstancias del caso concreto, no cabría descartar como extraordinariamente improbable (ex ante y por un observador experimentado, suficientemente informado) el resultado producido[23]. Sobre la base de estos elementos, el juicio de probabilidad característico del criterio de adecuación se formula de forma objetiva teniendo en cuenta las características uniformes de tipo natural y social que son parte de la cultura y de los conocimientos humanos en el momento en que se debe realizar ese juicio de probabilidad[24].

En ese contexto, el TS valora la caída de cables de propiedad de ENDESA como un acto antecedente con la virtualidad suficiente para que

---

23   Del Olmo García y Soler Presas (2016) pág. 299.
24   Diez-Picazo (1999) *Derecho de Daños*. Primera Edición. Madrid: Civitas, pág. 339.

del mismo se derive, como consecuencia necesaria, el efecto lesivo producido. La conducta de ENDESA no es solo condición necesaria del daño (causalidad material), sino que adicionalmente en atención al juicio de probabilidad (criterio de la adecuación en causalidad jurídica) es una causa adecuada para imponer a ENDESA (en conjunto con REE) la obligación de reparar el daño.

En sentido opuesto está la prohibición de regreso, pues proporciona una solución completamente diferente a la causalidad adecuada. Si es que hubiesen concurrido los elementos que se describieron antes, debería haberse declarado la absolución de ENDESA y la responsabilidad total por el siniestro de REE. El recurso de casación de ENDESA estaba fundamentado en que en la determinación del nexo de imputación objetiva, aplica exclusivamente el criterio de causalidad adecuada y prescinde del criterio de la prohibición de regreso, el cual en caso de ser aplicado, habría llevado a concluir que la caída del cable de ENDESA sólo es un antecedente fáctico del incendio pero en modo alguno constituye una causa eficiente, necesaria y directa del mismo, por lo que no cabría imputarle ninguna responsabilidad a ENDESA por el incendio.

Como se observa, la aplicación de un criterio u otro lleva a conclusiones opuestas, de allí la importancia de desarrollar de forma estricta y sistemática el contenido propio de cada criterio normativo de imputación objetiva para una aproximación y resolución correcta de los casos.

2.3.4. El caso a la luz de los Principios de derecho europeo de la responsabilidad civil

En el título II de los PETL (Principles of European Tort Law, en adelante PETL) relativo a los presupuestos generales de la responsabilidad, el capítulo 3 de los PETL es el que se refiere a la relación de causalidad. Este tema está dividido en dos secciones, en primer lugar desarrolla la *conditio sine qua non* y sus límites y en segundo desarrolla el alcance de la responsabilidad a través de "*factores de imputación*". Más allá de las distinciones que recibe cada sección, entendiendo que los PETL son un esfuerzo unificador que cuenta con el aporte de países que tienen tradiciones jurídicas diferentes, lo cierto es que, es plausible señalar que una sección desarrolla la causalidad material y la otra desarrolla la causalidad jurídica.

El artículo 3:101 estipula que "*una actividad o conducta es causa del daño de la víctima si, de haber faltado tal actividad, el daño no se hubiera producido*". En los artículos siguientes se desarrollan distintas situaciones de hecho y se indica lo que se debe entender por causa en cada uno de esos casos (art. 3:102 causas concurrentes, art. 3:103 causas alternativas, art. 3:104 causas potenciales, art. 3:105 causalidad parcial incierta, art. 3:106 causas inciertas en la esfera de la víctima).

El artículo 3:201 establece "factores" para determinar el "alcance de la responsabilidad" señalando la previsibilidad del daño, la naturaleza y valor del interés protegido, el fundamento de la responsabilidad, el alcance de los riesgos ordinarios de la vida y el fin de protección de la norma que ha sido violada como tales. La aplicación del artículo 3:201 sólo entra en juego si el requisito de la sección 1 se ha cumplido, es decir, una vez comprobada la causalidad material se cuestionará si dicha conducta debe asumir responsabilidad alguna o no, si es que se le puede imputar el daño a esa conducta. Los factores de atribución que consagran los PETL coinciden en gran medida con los criterios de imputación objetiva que utiliza la jurisprudencia española. Pese a lo señalado, los autores de los PETL determinaron no estipular dentro de los criterios a la prohibición de regreso por estimar que resulta más conveniente dejar la ponderación de estas circunstancias a valoraciones casuísticas[25].

---

25   PEÑA LÓPEZ (2011) *Dogma y Realidad del Derecho de Daños: Imputación Objetiva, Causalidad y Culpa en el Sistema Español y en los PETL*. Primera Edición. Cizur Menor (Navarra): Thomson Reuters Aranzadi, pág.36.

Si bien dentro de los factores de imputación no se encuentra la prohibición de regreso, cabe indicar que los PETL en su Título IV desarrolla las causas de exoneración de responsabilidad, las cuales -como veremos- se aproximan a resolver el presente caso. Dentro del Título, está el Capítulo 8 (situaciones de actividad concurrente), el artículo 8:101 incorpora una causa de exoneración consistente en que la víctima no tiene el derecho a recibir indemnización por aquellos daños que ha contribuido a causar, de aquella parte del daño de la que ella misma es responsable y lo denomina actividad concurrente.

En lo atingente al caso y considerando los PETL, existe una actividad concurrente por parte de ENDESA que exonera en parte a REE de asumir todas las consecuencias del hecho dañoso. Aplicando la teoría de la equivalencia de las condiciones, el siniestro no se hubiese generado si es que suprimimos el hecho del desprendimiento de cables de EN-DESA. Dicha empresa se desenvuelve dentro del rubro de la energía, trabaja permanentemente en situaciones que conllevan riesgos mayores a los ordinarios de la vida, producto de un desprendimiento de uno de sus cables se termina generando un incendio en la subestación Maragall. La actividad concurrente de ENDESA comportaría la reducción de la suma indemnizatoria que de otro modo esta hubiera percibido si no hubiera contribuido a la consecución del resultado dañoso.

Acto seguido, corresponde analizar si es que a esa conducta se le puede imputar jurídicamente responsabilidad, en lenguaje de los PETL, si es posible aplicar uno de los factores de imputación a ENDESA. La previsibilidad es probablemente el factor más importante y más utilizado[26]. En función de este criterio, dependerá de la pregunta sobre la imprevisibilidad del daño el saber si estamos o no en presencia de un daño atribuible a la conducta de una persona. ¿Era imprevisible para

---

26   EUROPEAN GROUP ON TORT LAW (2008) *Principios de Derecho Europeo de la Responsabilidad Civil*. Cizur Menor (Navarra): Aranzadi, pág.99.

ENDESA la generación de potenciales daños a partir del defectuoso mantenimiento de sus cables?, como se acreditó en juicio por un informe de la Dirección General de Industria, Energía y Minas (DGIEM), la caída del cable de ENDESA es consecuencia del deficiente estado de conservación y mantenimiento del mismo, y constituye una de las causas del incendio de la subestación eléctrica de Maragall[27]. Es decir, analizados estos antecedentes no cabría descartar como extraordinariamente improbable el resultado producido[28]. Su falta de observancia a sus deberes de seguridad, su negligencia en el mantenimiento de las infraestructuras que desarrolla su negocio fundamentan la previsibilidad del daño y con ello la negligencia de ENDESA, elementos que reunidos permiten imputarle la responsabilidad por el siniestro.

2.3.5. *La prohibición de regreso y la concurrencia de culpas*

Se señaló que la prohibición de regreso precisa que la conducta del tercero sea dolosa o gravemente o negligente. Se indicó que la conducta de REE constituye una negligencia simple. En ese contexto, estimo que la situación de hecho que decidió el TS se circunscribe mejor a lo que se entiende por casos de concurrencia de culpas, los cuales tienen lugar cuando a la producción de un mismo daño concurre la conducta de un tercero, además de la propia víctima, de modo que faltando una de ellas, el daño no se hubiera producido. Para que pueda aplicarse, resulta necesario que el daño sea objetivamente imputable a la conducta de la víctima, es decir, la conducta de ésta debe contribuir e incrementar el riesgo de que se produzca el resultado dañoso. Por ello, en este tipo de casos debe otorgarse una indemnización menor o incluso puede no existir indemnización. La concurrencia de culpas comporta la contribución de la víctima en la producción del daño, y a diferencia de la culpa

---

27   Fundamento de Derecho 1° de la STS (Sala Primera de lo Civil) 124/2017, de 24 de febrero.

28   García Gutiérrez (2017) "Comentario de Jurisprudencia". *Revista de la Asociación Española de Abogados Especializados en Responsabilidad Civil y Seguro*, N°61, pág.96.

exclusiva de la víctima donde se excluye la relación de causalidad, en este caso si existe relación causal que acarrea la repartición de la responsabilidad[29].

La Sentencia refleja una serie de problemáticas en torno a este tema. En ese sentido, se comprueba que no existen parámetros que permitan diagnosticar en los casos de posible relevancia de la víctima un pronóstico favorable en cuanto a la valoración que puede tener el órgano judicial, ni en cuanto a qué características debe revestir aquella ni los fundamentos que justifican que en unos casos se llegue a la exoneración de la responsabilidad del demandado (casos de culpa exclusiva de la víctima), mientras que otras veces se establece un régimen de corresponsabilidad (concurrencia de culpas como el caso sublite)[30].

Asumiendo que en este caso existe concurrencia de culpas, cabe cuestionarse si la responsabilidad en partes iguales resulta ser una medida justa. Es menester destacar que la jurisprudencia le ha atribuido al artículo 1902 del CC un carácter solidario cuando interviene más de un agente y ello es con independencia de que exista una disposición legal que así lo establezca, calificándola como solidaridad impropia[31]. Ello inclusive atentando contra lo establecido en los artículos 1137 y 1138 del CC, los cuales se entendieron por mucho tiempo como justificantes de la presunción de mancomunidad en las obligaciones pluripersonales en la responsabilidad extracontractual, a través de ellos se entendía que la solidaridad no se presume[32]. A pesar de los mencionados artículos, el TS se ha ido encaminando a reconocer la solidaridad en las obligaciones con pluralidad de sujetos responsables.

---

29   Roca Trías; Navarro Michel (2016) *Derecho de daños. Textos y materiales.* Séptima Edición. Valencia: Tirant Lo Blanch, págs. 195-196.

30   Arcos Vieira (2005) pág.100.

31   Roca Trías y Navarro Michel (2016) pág.250.

32   De Cuevillas Matozzi (2000) *La relación de causalidad en la órbita del derecho de daños.* Valencia: Tirant Lo Blanch, pág.228.

El caso entre ENDESA y REE es una buena muestra para establecer que no es posible dar una solución unívoca a todos los casos en que la conducta de un tercero interfiere un acto previamente ilícito de otra persona. Siempre será necesario para dar una respuesta examinar en cada supuesto los distintos valores en juego[33]. Es importante seguir reflexionando las aristas que surgen del debate sobre la causalidad, este caso demuestra la necesidad y exigencia de delimitar el contenido y alcance de los criterios imputación objetiva y de seguir desarrollando soluciones a los desafíos que enfrenta la responsabilidad extracontractual en este tipo de cuestiones.

---

33 García-Ripoll (2008) págs. 162-163.

3. LA RESPONSABILIDAD CIVIL EXTRACONTRACTUAL DEL CONSERVADOR DE BIENES RAÍCES CHILENO: UNA MIRADA DESDE LA JURISPRUDENCIA

Yasna Otárola E.
Profesora de Derecho Civil de la Universidad de los Andes, Chile.

SUMARIO. I. INTRODUCCIÓN. II. DE LA RESPONSABILIDAD 1. La responsabilidad contractual del Conservador de Bienes Raíces 2. Responsabilidad civil extra-contractual del Conservador de Bienes Raíces. 2.1. La responsabilidad extracontractual en la jurisprudencia reciente. III. CONCLUSIONES.

RESUMEN

La autora describe y analiza las diferentes posturas que sobre la responsabilidad civil del Conservador de Bienes Raíces (CBR) se sostienen en Chile; constata la aplicación de la responsabilidad extracontractual y las conductas en que ha tenido lugar en la praxis judicial, con el objeto de determinar el derrotero que ha seguido esta responsabilidad.

PALABRAS CLAVE

Conservador de Bienes Raíces, responsabilidad civil extracontractual, responsabilidad contractual.

ABSTRACT

The author describes and analyzes the different positions on the civil responsibility of the Real Estate Conservator in Chile; confirms the application of extra-contractual liability and the conduct in which it has taken place in judicial practice, in order to determine the course that has followed this responsibility.

KEYWORDS

Land Registry, non-contractual Civil Liability, contractual liability.

I. INTRODUCCIÓN

El Reglamento del Registro Conservatorio de Bienes Raíces (RCBR) señala en el art. 13 que el Conservador puede negarse a realizar inscripciones que contengan vicios en que aparezca de manifiesto alguna causal de nulidad o por la falta de requisitos legales al efecto.

Esta regulación contiene los principios fundamentales para orientar la conducta del CBR, quien debe procurar otorgar legitimación y fe pública sobre lo inscrito en sus registros.

Si el CBR no analiza correctamente la legalidad del título que se pretende inscribir y realiza una inscripción improcedente, podría verse expuesto a responsabilidad por los perjuicios que esto pueda traer a la parte que solicitó sus servicios y también a terceros.

Siendo el CBR, además, ministro de fe respecto de los registros conservatorios de bienes raíces, en caso de que se alteren los libros a su cargo, también existiría responsabilidad por las consecuencias legales de este acto y por la alteración en sí misma.

En consecuencia, el rol del CBR debe ser activo en el control de los instrumentos que se le presentan para su inscripción y no puede ni debe renunciar a él sin faltar gravemente a sus deberes y ser responsable de los perjuicios que su actitud pasiva o negligente pudiese causar.

Nuestra jurisprudencia ha sido terminante en señalar esta responsabilidad del CBR, aunque no siempre lo ha condenado al pago de dinero por concepto de indemnización de perjuicios; no obstante, concurren en la especie los elementos de la responsabilidad civil, según se verá.

Desde ahí resulta fundamental, para el buen desarrollo de la actividad y la indemnidad de terceros que acuden al Registro, describir y analizar las diferentes posturas que sobre esta responsabilidad existen en nuestro sistema; así como constatar la aplicación de la responsabilidad extra-contractual en la praxis judicial y las conductas en que ha tenido lugar.

II. DE LA RESPONSABILIDAD

La responsabilidad civil en el sistema chileno se asienta en las fuentes de las obligaciones; el art. 1437 del Código Civil, en concordancia con el art. 2284, establece que "*[l]as obligaciones nacen, ya del concurso real de las voluntades de dos o más personas, como en los contratos o convenciones; ya de un hecho voluntario de la persona que se obliga, como en la aceptación de una herencia o legado y en todos los cuasicontratos; ya a consecuencia de un hecho que ha inferido injuria* (…)*".*

Ambas disposiciones permiten distinguir entre la responsabilidad civil derivada del incumplimiento de obligaciones asumidas en virtud de contrato; otra procedente de actos negligentes o culposos que no tienen su fuente en una relación contractual previa con quien haya sufrido el daño, y una última emanada de la responsabilidad fijada directamente por la ley.

En este contexto, la responsabilidad del CBR, como parte de la responsabilidad civil, se ha considerado fundamentalmente extracontractual, aunque no está de más indicar los argumentos esgrimidos por la doctrina para afirmar que esta puede revestir forma contractual, debido a que se trata de una responsabilidad que puede afectar –y en gran medida lo hace– el quehacer propio de cualquier "profesional liberal", aunque se desarrolle al amparo de la Ley n.° 7421 y se encuentre regulada en el Título XI del Código Orgánico de Tribunales, arts. 446 y siguientes. Y en razón de esa calidad se halla sometida al control disciplinario de los tribunales superiores de justicia, los cuales intervienen en su designación.

1. La responsabilidad contractual del CBR

Los pocos autores que se han referido al tema han señalado que en la relación entre el CBR y quienes acuden al Registro a pedir sus servicios existe un vínculo jurídico previo o contrato entre dos partes que se obligan recíprocamente, la una a prestar un servicio y la otra a pagar por este[1].

En principio, esta relación contractual se ha encasillado en cualesquiera de las dos situaciones que contempla el art. 2118 del Código Civil: servicios de profesionales cuyas carreras suponen largos estudios, donde se entiende que pueden quedar comprendidos gran parte o todos estos servicios, y aquellos en que va unida la facultad de representar. También, en el arrendamiento de servicios porque comprende, conforme a los arts. 2007 y 2012, tres clases de contrato de arrendamiento de servicios inmateriales: a) aquel en que predomina la inteligencia por sobre la obra de mano; b) aquel que consiste en una larga serie de actos y c)

---

1   González, "La responsabilidad civil de notarios y conservadores de bienes raíces". Revista de Derecho (Coquimbo. En línea), 2019, 26:3595; Flores y Peña, Sistema registral inmobiliario chileno. Diagnóstico de sus problemas actuales e intentos de reforma. Santiago de Chile, Thomson Reuters, 2014, p. 146.

servicios prestados por profesionales y en los cuales podría encuadrarse la actividad que desarrolla el CBR[2].

Luego, se ha tendido a situar en la categoría específica de un contrato forzoso heterodoxo, debido a que "*tanto el vínculo como las partes y el contenido negocial, vienen determinados heterónomamente por un acto único del poder público*"[3]. No obstante, las dificultades que ofrecen algunas de las características que definen esta actividad, entre ellas la regulación de los aranceles por medio de un decreto supremo y que los CBR son fiscalizados por ministros de Cortes de Apelaciones o jueces de letras[4].

Con todo, se afirma que dichas particularidades no obstan a reconocer que existe un vínculo jurídico previo entre las partes y que esta es la razón fundamental para que esta responsabilidad sea considerada contractual, pues el vínculo nace de la expresión de voluntad de ambos sobre el tipo de servicio y la suma que se pagará, de modo que se ha formado el consentimiento necesario para que el contrato genere derechos y obligaciones[5].

Excepcionalmente, se admite la responsabilidad extracontractual cuando se trata de daños que soportaron terceras personas, las que pueden ser víctimas directas o por rebote, y en el caso en que se intenta perseguir la reparación de los daños provocados por la comisión de un ilícito penal[6].

---

2 Stitchkin, El mandato civil (5ª edición, actualizada por Gonzalo Figueroa). Santiago de Chile, Editorial Jurídica de Chile, 2008, p.59; Tapia, "La responsabilidad civil de los notarios en la jurisprudencia chilena". Cuadernos de Extensión Jurídica, n.º 30, 2018, p. 64.

3 López Santa-María, Los contratos. Parte general (5a edición, Fabián Elorriaga, editor). Santiago de Chile, Editorial Jurídica de Chile, 2010, p. 141; Pizarro, "La responsabilidad civil de los notarios en Chile". Revista de Derecho Universidad Católica del Norte, 18-2, 2011, p. 145.

4 Sepúlveda, Teoría general del derecho registral inmobiliario. Santiago de Chile, Editorial Metropolitana, 2010, p. 186.

5 Tapia, ob. cit., p. 65.

6 González, ob. cit., *on line*, y Flores y Peña, ob. cit., p. 146.

2. Responsabilidad civil extracontractual del CBR

La mayor parte de la doctrina estima que la responsabilidad del CBR puede y debe ser considerada extracontractual, o al menos, no derivada de un vínculo jurídico previo. Por ejemplo, cuando el deber de actuación de este profesional proviene de un imperativo legal, como el examen de legalidad de los actos o contratos; la labor de revisión que realiza al momento de que se le solicite la inscripción de un contrato; la actuación que le cabe como ministro de fe respecto de los registros conservatorios de bienes raíces, entre otros[7].

Esta responsabilidad extracontractual del CBR surge de las normas sobre delitos y cuasidelitos y también de la regulación especial contenida en la reglamentación propia, tales como el art. 13 RCBR, que indica que no puede retardar ni negar una inscripción, y los arts. 96, 97 y 98, que incluyen la responsabilidad civil que le pudiera caber por los daños que ocasione. En particular, el art. 96 prescribe que podrá ser condenado al pago de una multa "(…) *si no anota en el Repertorio los títulos en el acto de recibirlos; si no lo cierra diariamente, como indica el artículo 28; si no lleva los Registros en el orden que indica el Reglamento; si hace, niega o retarda indebidamente alguna inscripción; si no se conforma a la copia auténtica para hacerla; si no son exactos sus certificados o copias; y en general, si incurre en otra falta u omisión a las leyes y lo dispuesto en este Reglamento*".

A lo anterior se añaden obligaciones como el dar copias y certificados conforme a la imposición consignada en el art. 50, la que se complementa con el art. 51 en cuanto a que los certificados llevarán las subinscripciones y notas de referencia y que solo a petición de las partes contendrán las inscripciones canceladas o dejadas sin efecto.

---

7   Peñailillo, Los bienes. La propiedad y otros derechos reales, Santiago de Chile, Thomson Reuters, 2019, p. 85; Sepúlveda, ob. cit., p. 185.

Así pues, el CBR es responsable si no analiza correctamente la legalidad del contrato que se busca inscribir y realiza una inscripción improcedente; si no revisa los antecedentes necesarios para verificar que los títulos del inmueble que se pretende inscribir estén en orden y, en caso contrario, hacer las observaciones pertinentes a fin de velar por la seguridad del asiento y evitar los perjuicios económicos que esto pueda conllevar.

Así lo ha reconocido, aunque con vacilación, la jurisprudencia chilena en aquellos casos en que lo ha condenado a pagar dinero por concepto de indemnización de perjuicios (*Contempora Créditos Hipotecarios c. Maldonado Croquevielle José Luis, Saquel Zaror Kamel, 2016; Asesoría Agrícolas y Avícolas Jorge c. Uribe Sepúlveda Iván Rolando, 2016*).

Se trata de la responsabilidad civil que nace de la ley, de modo que, al estar impuesta pura y simplemente en ella, no queda otra posibilidad que cumplirla[8]. Tal cosa ocurre con las obligaciones fijadas en el RCBR, las que son ajenas a un contrato particular, derivan de la ley y su incumplimiento trae aparejada la indemnización de perjuicios.

Como se podrá apreciar, la ley –en forma directa e independientemente de lo que haga el CBR– establece deberes de conducta que, ante el incumplimiento, dan lugar a responsabilidad legal.

Nuestro Código Civil no consagró un estatuto especial para este tipo de responsabilidad, solo se limitó a consignar estas obligaciones de modo directo, sin otro fundamento que la ley.

---

8   Rodríguez G., Responsabilidad extracontractual, Santiago de Chile, Editorial Jurídica de Chile, 2004, p. 35.

2.1. La responsabilidad extracontractual en la jurisprudencia reciente

Para abordar la aplicación y desarrollo de la responsabilidad, se revisarán brevemente algunos fallos pertinentes.

Los tribunales de justicia han estimado que procede la responsabilidad civil extracontractual del CBR y esta se ha hecho efectiva cuando ha vulnerado los deberes y obligaciones indicados en el RCBR. En particular, ha surgido de faltas de diligencia en la realización de actuaciones ligadas a errores u omisiones en la confección de los asientos, lo que lo ha llevado a extender certificados erróneos, en los que figuran gravámenes que en principio no existen y que posteriormente sí, o bien se han cancelado cargas que luego se enmiendan.

En la sentencia de 13 de julio de 2009 (*Cerda Almonacid Cupertina del Carmen c. Seguel Jara Lucitania del Carmen y otro, 2009*) se deduce demanda ordinaria de resolución de contrato con indemnización de perjuicios en contra de XXX y del CBR, debido a que este emitió un certificado en el que figuraba que el inmueble objeto de cesión estaba libre de todo gravamen; la demandante compró la propiedad con la convicción de que no tenía cargas; pero cuando fue a inscribirla, constaba una hipoteca.

La Corte desestima la responsabilidad civil, sobre la base de que la acción intentada no tiene por objeto perseguir la responsabilidad funcionaria que podría tener lugar en la especie, presupuesto necesario para entrar a analizar si concurren los elementos de dicha responsabilidad.

No obstante, el voto disidente aduce que corresponde acoger la demanda de indemnización de perjuicios y condenar al CBR a pagar los daños, debido a que cuando se celebró el contrato de cesión de derechos, no había constancia de hipoteca ni gravámenes, prohibiciones e interdicciones, y luego cuando el comprador del bien fue a inscribir figuraba una hipoteca, de lo que se infiere que el certificado emitido por el CBR es erróneo.

En el mismo sentido, en una sentencia de 8 de abril de 2013 *(Araya Pérez Mónica c. Navarro Beltrán Ricardo, 2013)* se deduce demanda de indemnización de perjuicios en contra del CBR, debido a que canceló la servidumbre de oleoducto que pesaba sobre el inmueble y después la enmendó, situación que hace que reaparezca una cancelación que aparentemente había sido suprimida, que −alega la actora− influyó en la compra de la propiedad y la pérdida de acciones contra el vendedor.

El tribunal de primera instancia acogió la indemnización de perjuicios por la existencia de una acción ilícita y culpable de parte del CBR.

En cambio, el tribunal de segunda instancia afirmó que el hecho culposo del cual deriva el daño moral es el error en que incurrió al anotar marginalmente el alzamiento en el Registro de Prohibiciones y Gravámenes en que estaba inscrita la referida servidumbre de oleoducto, lo que ocurrió el 31 de mayo de 1996, sin que pueda pretenderse que sea un hecho dañoso el reponer la anotación de la servidumbre en 2004, pues tal actuación era necesaria y conforme a derecho.

La Corte Suprema anuló la sentencia porque los fundamentos esgrimidos resultan contradictorios, desde que, por un lado, se afirma la responsabilidad del demandado tanto en la cancelación de la servidumbre de oleoducto como en su posterior enmienda para que vuelva a considerarse vigente y, por otro, se aduce que tal acto es necesario y conforme a derecho.

Se trata, pues, de faltas vinculadas a las subinscripciones y cancelaciones reguladas en los arts. 88 y siguientes del RCBR y en las que el CBR, intentando rectificar errores, omisiones o modificaciones conforme al título, perjudica a quienes solicitan estos documentos, induciéndolos a tomar una decisión, respecto de la adquisición del inmueble, que de otro modo no habrían adoptado, circunstancia que les causa un empobrecimiento real en su patrimonio.

Otras veces la actuación se relaciona con el quehacer de la calificación registral y que le impone el deber de rechazar la inscripción si en algún sentido es legalmente inadmisible. De modo que la negligencia se ha presentado cuando se niega a inscribir debiendo hacerlo, o lo hizo, siendo que no debía, conforme a los arts. 13 y 14 del RCBR. En particular, se trata del examen de legalidad de los títulos, que va desde aspectos formales hasta aspectos de fondo.

En la sentencia de 10 de mayo de 2012 (*Química Alemana Limitada c. Maldonado Croquevielle Luis, 2012*) se demanda de indemnización de perjuicios al CBR por transgredir el art. 13 del RCBR, lo que habría causado perjuicios a la demandante. Esta infracción se produce cuando el CBR inscribe el dominio del inmueble ubicado en calle Mapocho n.ᵒˢ 4040 al 4061, de Quinta Normal, Región Metropolitana, a nombre del adjudicatario en pública subasta, en circunstancias de que previo a esa inscripción, que es del 3 de julio de 2003, se había inscrito la quiebra de la Sociedad dueña de la propiedad indicada, el 1 de julio de 2003, en el Registro de Interdicciones y Prohibiciones de Enajenar, como también al margen de la inscripción del dominio del inmueble.

La Corte decide no dar lugar a la indemnización, fundada en que si bien el art. 13 del RCBR (en concordancia con los arts. 12, 14, 25 y 70) contiene la regla general en cuanto a que el CBR está obligado a inscribir los títulos que se le presenten, salvo en las situaciones de excepción que regula el mismo art. 13 y el 14, esta excepción solo opera "*si la inscripción es en algún sentido legalmente inadmisible*", ejemplificando luego el concepto con situaciones de irregularidades esencialmente formales, salvo aquella relativa a que sea "*visible en el título algún vicio o defecto que lo anule absolutamente*".

Esto implica que el CBR no está especialmente llamado a controlar la validez y eficacia de los actos de que dan cuenta los títulos que constituyen el antecedente de la inscripción. De modo que no es posible exigirle el análisis que el recurrente vierte en relación con la validez o nulidad de la subasta por la que se adjudicó el bien el tercero a cuyo nombre se inscribió, así como tampoco lo relativo a la alegación de objeto ilícito en la enajenación, ni sobre el estado y eventuales efectos que el acto requerido hubiera podido ocasionar en la quiebra de la Sociedad.

Todavía más, efectuada la anotación de la adjudicación del inmueble en el Repertorio, con arreglo a lo dispuesto por el art. 17 del RCBR, era posible que luego de inscrita la quiebra, el 1 de julio de 2003, se hubiera verificado la inscripción de dominio a favor del adjudicatario en virtud del principio de prioridad en relación con la anotación cronológica en el Repertorio, lo que hace operar el efecto retroactivo que se reconoce a la inscripción.

En la sentencia de 28 de noviembre de 2012 (*Yáñez Quezada Alexander Reinaldo c. Conservador de Bienes Raíces de Santiago, 2012*) se deduce demanda de indemnización de perjuicios contra el CBR porque practicó una inscripción que era legalmente inadmisible, por lo que se configura culpa infraccional al transgredir los arts. 8, 13, 57 y 62 del RCBR. El demandante señala que la ley obliga a rehusar la inscripción si es en algún sentido inadmisible, como en el caso de que la copia no sea auténtica; su actuación se enmarca en un error, falta o defecto que hace surgir la culpa infraccional y lo hace responsable del daño ocasionado.

Agrega que la inscripción fue realizada sin tener a la vista escritura pública auténtica alguna y solo con posterioridad al hecho dañoso se dispusieron medidas de resguardo.

El tribunal de primera instancia rechazó la demanda de indemnización, sentencia confirmada por el tribunal de segunda instancia.

A su turno, la Corte Suprema rechazó la demanda, fundada en que conforme a los arts. 13, 16 y 17 del RCBR, el sistema de control impuesto a los Conservadores [...] está preferentemente orientado a las formas de los títulos "en relación con el orden y funcionamiento del registro (...)", con la salvedad de lo establecido en el art. 13. Ello significa que el CBR no está llamado a controlar la validez y eficacia de los actos de que dan cuenta los títulos que constituyen el antecedente de la inscripción. En la especie, no era posible exigirle el análisis que el recurrente vierte en cuanto a la validez o nulidad del título, teniendo en consideración que se establecieron como hechos en esta causa que la escritura tenía apariencia de verdadera; fue revisada en su materialidad por varios funcionarios y fue suscrita la incorporación al Registro por el demandado, quien después tuvo conocimiento de su falsedad, dado que dicha circunstancia solo podía verificarse con un peritaje.

En sentencia de 18 de noviembre de 2013 (*C.A.G.F., doña M.E.R.O.A., don C.A.G.O., don E.M.G.O., doña M.J.G.O., doña K.F.G.O. y don Israel C.G.O. c. don L.A.M.C., Conservador de Bienes Raíces*) se deduce demanda de indemnización de perjuicios en contra del CBR porque inscribió una transferencia de dominio respecto del inmueble inscrito a fojas 69.093 n.º 50.371 del Registro de Propiedad de 1995, ubicado en la comuna de La Reina, calle J.C.N. 667, L. n.º 17, de propiedad de C.G.F., sobre el cual recaía una medida precautoria innominada que ordenaba al CBR abstenerse de practicar inscripción alguna, decretada por el 4º Juzgado del Crimen de Santiago e inscrita a fojas 33.248 n.º 58.913 del Registro de Prohibiciones del Conservador de Bienes Raíces de 2007.

El demandante interpuso un recurso de queja disciplinaria en contra del CBR, el que fue resuelto favorablemente por el Pleno de la Excelentísima Corte Suprema, que concluyó que el CBR debió instar por obtener directamente o a través de la parte interesada la anuencia del juez del crimen, lo que no se hizo, conducta que ignoró una orden dispuesta por un juez y que se sancionó con una amonestación privada. La falta cometida provocó que el inmueble dejara de pertenecer a los demandantes.

La sentencia de primera instancia rechazó la demanda, porque estimó que no se acreditaba la relación de causalidad entre el actuar del CBR y los daños; resolución confirmada por el tribunal de segunda instancia. La Corte Suprema sostuvo que, conforme a lo dispuesto en los arts. 588, 670, 671, 675 y 686 del Código Civil, la escritura de adjudicación en pública subasta corresponde al título traslaticio de dominio, adjudicación que debe ser inscrita en el Registro de Propiedad. Luego, para transferir el dominio del inmueble *sub*-lite, debieron concatenarse una serie de actos jurídicos, como el remate en pública subasta, la suscripción de la escritura de adjudicación, la solicitud de inscripción, la inscripción misma y la posterior entrega material del inmueble. Cadena de actos que se inició antes que se decretara la medida precautoria innominada del 4° Juzgado del Crimen de Santiago, la que se dictó en el tiempo intermedio entre la suscripción de la escritura y la solicitud de inscripción. De esta forma, la pérdida del dominio que los actores atribuyen exclusivamente a la inscripción conservatoria es consecuencia de una serie concatenada e interrelacionada de actos jurídicos, donde la inscripción del título es tan solo uno de ellos, fundamental, por cierto, pero que impide atribuir los perjuicios directamente al actuar negligente del CBR.

El voto disidente señala que en el caso *sub-lite* se reconoce de un modo indirecto que la actuación del CBR fue esencial en la cadena de acontecimientos que derivaron en la pérdida del dominio del inmueble, pues en el fallo se argumentó que la privación patrimonial fue la consecuencia de una serie concatenada e interrelacionada de hechos jurídicos, donde la inscripción del título fue tan solo uno de ellos. Dicha aseveración se engarza con la normativa legal que dispone que la transferencia y transmisión del dominio, la constitución de todo derecho real, exceptuadas las servidumbres, requiere la tradición, y la única forma de tradición para estos actos es la inscripción en el Registro y mientras esta no se verifica, un contrato puede ser perfecto y originar obligaciones y derechos entre las partes, pero no transfiere el dominio ni derecho real alguno, ni tiene existencia para terceros. Ergo, la sentencia cuestionada optó por considerar la inscripción como un eslabón más dentro de la cadena causal, en vez de reconocer que la privación del bien raíz se produjo por la acción negligente del CBR.

Como se puede ver, aun cuando se ha intentado responsabilizar al CBR, la consideración de la calificación como una actividad pasiva, donde las funciones en la constitución de la propiedad raíz se reducen a las anotaciones e inscripciones de títulos relacionados con inmuebles, pero no se extienden al examen de validez y eficacia de tales instrumentos, salvo que una norma especial lo autorice para ello, ha impedido que las demandas de indemnización prosperen.

En efecto, para la jurisprudencia, el CBR no está llamado a controlar la validez y eficacia de los actos de que dan cuenta los títulos que constituyen antecedentes de inscripción. De resultas que, para los tribunales, por una parte, esta función consiste en controlar la legalidad de las inscripciones velando por ello mediante su atribución legal de formular y/o rechazar títulos que sean en algún sentido inadmisibles; y, por otra, que ella se hace efectiva solo si la irregularidad detectada es ostensible y manifiesta.

Empero, recientemente se ha dado paso a una posición que ve la función de calificación de forma más amplia y, desde ahí, ha decidido condenar al CBR si ha actuado negligentemente, aunque luego la Corte ha revocado la decisión.

En la sentencia de 30 de marzo de 2016 (*Asesoría Agrícolas y Avícolas Jorge c. Uribe Sepúlveda Iván Rolando*) se acogió la demanda de indemnización de perjuicios en contra del CBR por no haber anotado en el Repertorio la solicitud de inscripción del aporte del inmueble en la oportunidad legal debida, esto es, al momento de ser presentada, el 12 de octubre de 2012. Anotó esa petición recién el 22 de octubre, habiéndose anotado antes, el 19 de octubre, un embargo que recaía sobre dicho inmueble, impidiendo a la demandante el beneficio de la retroactividad que dispone el art. 17 del RCBR. Agrega que el CBR incumplió un deber legal, lo que ocasionó a la demandante la pérdida del ingreso a su patrimonio del inmueble aportado.

La Corte de Apelaciones revocó el fallo apelado respecto de la condena en costas y lo confirmó en lo demás.

La Corte Suprema desestimó la demanda de indemnización, sobre la base de que la demandante no probó en qué consiste el daño sufrido. Solo manifiesta que, por la falta de la anotación en el Repertorio antes de ser anotado el embargo, habiendo sido requerido con anterioridad, fue privada del inmueble aportado.

La Corte le advierte que el inmueble llegaría a su patrimonio en virtud de un aporte que le fue comprometido por el constituyente. Pues bien, si debido al embargo de que fue objeto en manos del aportante no recibió el inmueble, lo que ha acontecido es que el compromiso no le ha sido cumplido. Mantiene, pues, su derecho a exigirlo y puede perseguir el cumplimiento del aporte, o su valor, a quien se obligó a efectuarlo.

En un fallo que se ha considerado fundamental en materia de responsabilidad, se ha decidido condenar al CBR por el daño que ha causado por no haber controlado la existencia y el estado jurídico del derecho inscribible, pues está obligado a determinar la validez y la eficacia de los títulos —actos— que constituyen los antecedentes jurídicos para la inscripción y también necesarios para la congruencia entre la descripción del predio en el título y los caracteres que presenta en la realidad[9].

Así, se demuestra que la función que cumple es "amplia" y que tiene por objeto dar a la registración la fuerza y consistencia que apuntan a

---

9   Zarate, Tratado de Derecho Inmobiliario Registral, Santiago de Chile, Editorial Metropolitana Jurídica de Chile, 2019, p. 463.

su debida seguridad y certeza para el resguardo de los derechos que constan en el título que se inscribe[10].

En la sentencia de 24 de mayo de 2016 (*Contempora Créditos Hipotecarios c. Maldonado Croquevielle José Luis, Saquel Zaror Kamel, 2016*) se demanda de indemnización solidaria a los Conservadores de Bienes, Hipotecas, gravámenes, interdicciones y prohibiciones de enajenar, debido a que otorgaron certificados de dominio vigente, copia de inscripción de dominio, certificado de hipoteca, gravámenes y de inscripciones y de prohibiciones de enajenar del inmueble inscrito a fojas 101.731 n.º 107.626 del Registro de Propiedad de 2005 del CBR de Santiago con antecedentes erróneos o falsos, solicitados por la demandante y entregados por los demandados el 4 y 6 de enero de 2006, para efectuar un estudio de títulos sobre un inmueble que iba a ser objeto de una hipoteca.

Con la información entregada se realizó un estudio de títulos, con el fin de otorgar un mutuo hipotecario. Una vez celebrado este, se solicitó a los demandados la inscripción de la hipoteca constituida a favor de la demandante, la que fue inscrita a fojas 15.848 n.º 20.251 del Registro de Hipotecas, gravámenes e interdicciones de 2006 del CBR, respecto del cual los demandados no efectuaron reparo alguno en relación con el título. Pero la hipoteca que garantizaba el crédito hipotecario cedido recayó sobre un inmueble de propiedad de un tercero distinto del constituyente de la garantía y, además, el inmueble que garantizó la operación no existe.

El tribunal de segunda instancia confirmó el fallo de primera instancia. La Corte Suprema condenó a los demandados sobre la base de que el contenido de la función de calificación que estos realizan no puede

---

10   Sentencia de Tercer Juzgado de Letras de Talca que acogió demanda de indemnización en contra del Conservador de Bienes Raíces por no inscribir Acta de Asamblea que derivó en que conductores perdieran cartón de recorrido. Sentencia 10-09-19. 3° Juzgado de Letras de Talca, Rol: C-119-2018.

dejar de considerar ciertos principios que informan el sistema registral, como la publicidad, la fe pública y la legitimación registral. El primero se consagra en el art. 49 del RCBR. De acuerdo con el segundo, el Registro se reputa exacto, en beneficio del adquirente que contrató basado en la convicción y certeza de lo asentado en los registros, por lo que corresponde protegerlo, otorgándole los resguardos en la publicidad que brinda el Registro. El tercer principio alude a la presunción de veracidad de los asientos registrales, que se estiman ciertos mientras no se pruebe divergencia[11].

La ley impone al CBR la obligación de negarse a inscribir aludiendo inadmisibilidad legal o existencia visible en el título de un vicio o defecto que lo anule absolutamente; se concluye que su rol en esta materia no se limita a eventos solo formales, sino que también admite aquellos de naturaleza sustancial, siempre que se desprendan del examen de los propios actos y/o contratos de que se trate.

Los demandados aceptaron todas las inscripciones, anotaciones y subinscripciones del inmueble sin reparar en el hecho de que este no existía, aun cuando el defecto de que adolece la inscripción originaria surge del mero examen del título. Incurrieron en una falta de diligencia, al no ejercer convenientemente su deber de control, hecho que determinó la desprotección y menoscabo de la demandante.

De este modo, se avanza en reconocer la responsabilidad civil que le cabe al CBR cada vez que provoca daño, debido a que fue negligente en las actuaciones que debe ejecutar con motivo de la calificación del título.

El CBR tiene facultades para realizar la calificación de los títulos, la que no solo se circunscribe a la verificación de aspectos formales; es-

---

11   Otárola, Comprensión y alcance de la función de calificación de acuerdo con el Reglamento del Registro Conservatorio de Bienes Raíces en Chile. Santiago de Chile, Thomson Reuters, p. 329.

tos últimos, más los sustantivos, son parte del control de legalidad que ejerce para dar a la registración la fuerza y consistencia que apuntan a su debida seguridad y certeza para el resguardo de los derechos que constan en el título que se inscribe. De ahí que debe vigilar que los títulos cumplan con los requisitos legales para su validez y registrabilidad. El incumplimiento de estos deberes y el daño que ese actuar provoque serán reparados mediante la responsabilidad extracontractual.

III. CONCLUSIONES

De lo expuesto se concluye que para la doctrina chilena la responsabilidad del CBR puede ser contractual si se estima que existe un vínculo jurídico previo entre este y quien acude al Registro a solicitar sus servicios, o bien ser extracontractual, basado en que esta relación no existe y que ella emana directamente de la ley.

La jurisprudencia chilena, en tanto, da cuenta de un aumento en las demandas de indemnización de perjuicios en contra del CBR. Tales acciones, extracontractuales, han surgido de la contravención al RCBR que regula su actividad y, desde luego, del daño que la infracción ha provocado en terceros. En particular, ocurre en materia de calificación registral, situación que ha permitido ampliar su concepción a aspectos sustantivos y reconocer que los deberes legales se encuentran contenidos en la legislación vigente. Tal precisión otorga mayor eficacia y transparencia a sus actuaciones frente a los usuarios que acuden a inscribir los títulos en el Registro.

4. SOBRE EL CRITERIO DE IMPUTACIÓN EN LA RESPONSABILIDAD CIVIL DE LOS PADRES POR LOS DAÑOS OCASIONADOS POR SUS HIJOS MENORES DE EDAD. REFLEXIONES DESDE EL ORDENAMIENTO JURÍDICO CHILENO

Lucía Rizik Mulet[1*]
Profesora Asociada, Facultad de Derecho y Humanidades,
Universidad Central de Chile

SUMARIO. I. INTRODUCCIÓN. II. NORMATIVA APLICABLE. III. CRITERIO DE IMPUTACIÓN. 1. Contenido, alcance y límites del deber de cuidado de los hijos menores. 2. Hacia un modelo de diligencia exigible basado en el "cuidado de otro". *2.1. Circunstancias relacionadas con los padres. 2.2. Circunstancias relacionadas con los hijos menores de edad. 2.3. Circunstancias relacionadas con la peligrosidad de la acción y la probabilidad del daño.* IV. CONCLUSIONES.

RESUMEN

El objetivo de esta comunicación es analizar el criterio de imputación de la responsabilidad civil de los padres por los daños ocasionados por

---

1   Licenciada en Ciencias Jurídicas y Sociales, Universidad de Chile. Máster en Derecho Privado, Universidad Carlos III de Madrid. Doctora en Derecho, Universidad Diego Portales. Correo electrónico: luciarizik@gmail.cl

sus hijos menores de edad en el ordenamiento jurídico chileno. Para ello, se presentan razones de moralidad política que justifican el establecimiento de un supuesto de responsabilidad civil basado en la culpa de los padres, en oposición a modelos objetivos de responsabilidad civil. Luego, se presentan las funciones paterno-filiales como los elementos que determinan de manera sustantiva el contenido, alcance y límites del deber de diligencia exigible a los padres respecto de sus hijos. Finalmente, se ofrece un modelo de diligencia exigible a los padres como responsables por los daños que sus hijos ocasionan.

PALABRAS CLAVE

Responsabilidad civil, padres, hijos menores, estándar de diligencia.

ABSTRACT

This communication analyze the criterion of imputation in the liability of parents for the damages caused by minors in the Chilean legal system. Reasons of political morality are presented that justify the establishment of an assumption of liability based on the fault of the parents, as opposed to objective models of responsibility. Then, the parental-filial functions are presented as the elements that substantively determine the content, scope and limits of the duty of due diligence to parents with respect to their children. Finally, a model of due diligence is offered to the parents as responsible for the damages that their children cause.

KEYWORDS

parents liability, child, standard of duty.

I. INTRODUCCIÓN

La protección de los derechos de la niñez por medio del cuidado preferente de sus padres y la necesidad de reparar a la víctima que ha sufrido un perjuicio ocasionado por un niño, son dos elementos que explican por qué el ordenamiento jurídico contempla la responsabilidad civil de los padres por los daños ocasionados por sus hijos menores de edad como un supuesto de responsabilidad civil extracontractual.

Sin embargo, la responsabilidad civil de los padres en un sistema que proteja y reconozca los derechos de la niñez, debe propender a resolver la permanente tensión entre el principio de emancipación de los niños y el principio de paternalismo, conduciendo a soluciones en las que se reconozca que, en ciertos casos, los niños pueden accionar de manera libre e intencional, corrigiendo el daño que dicha actuación pueda ocasionar, y en otros, serán los padres, investidos por las funciones de cuidado que el ordenamiento jurídico les reconoce, quienes indemnicen los perjuicios. Al respecto, y como bien recuerda Díaz Albart para explicar el caso español, aunque atingente para el caso chileno, no es posible entender de manera separada la responsabilidad civil de los padres por los hechos ilícitos de sus hijos menores de edad, del contenido de la patria potestad y, en consecuencia, si una de ellas cambia sustantivamente, debe modificarse la otra.[2]

Y es que en esta materia, aparecen dos intereses a los que el ordenamiento jurídico debe atender. Por un lado, la víctima requiere ser reparada en los daños que ha padecido, y para ello, recurrirá a aquel sujeto que cuente con un patrimonio suficiente para responder. Por otro lado, están los niños, quienes en la práctica, previsiblemente no podrán hacer frente a una reparación pecuniaria, por carecer de bienes en su patrimonio. La

---

2   Díaz Albart, "La responsabilidad por los actos ilícitos dañosos de los sometidos a patria potestad o tutela", *Anuario de Derecho Civil, II*, 795-894, 1987, p. 847.

víctima se dirigirá entonces en contra de los padres, quienes podrían verse obligados a indemnizar los daños derivados de hechos ilícitos en los que no les cabe participación directa. , más aun teniendo en cuenta que hoy, el ordenamiento jurídico les exige ejercer sus funciones parentales promoviendo el libre desarrollo de la personalidad de su hijo, en consonancia con la evolución de sus facultades, y como consecuencia de ello, no pueden sino disminuir las medidas de vigilancia conforme sus hijos van creciendo.[3]

La responsabilidad civil de los padres se fundamenta así, en las funciones de crianza y educación asignadas a los padres. Este supuesto de responsabilidad civil se aleja de los principios de justicia correctiva, si bien se articula conforme a su estructura, no necesariamente explica sus fines. En este sentido, el distanciamiento de los fines correctivos se justifica en última instancia, en una decisión del legislador por relevar el interés de reparación de la víctima, y proteger al niño, a quien por su condición, la indemnización de perjuicios puede resultarle excesivamente gravosa, perjudicando sus posibilidades de planificar o desarrollar una vida normal hacia el futuro.

La solución, sin embargo, requiere incluir un criterio de imputación de los padres basado en la culpa, cuyo estándar de diligencia tendrá como

---

3   Así se desprende de las disposiciones relevantes del ordenamiento jurídico chileno que regulan las relaciones entre padres e hijos. En concreto, el artículo 5 de la Convención Sobre los derechos del niño, señala que:

Los Estados Partes respetarán las responsabilidades, los derechos y los deberes de los padres o, en su caso, de los miembros de la familia ampliada o de la comunidad, según establezca la costumbre local, de los tutores u otras personas encargadas legalmente del niño de impartirle, en consonancia con la evolución de sus facultades, dirección y orientación apropiadas para que el niño ejerza los derechos reconocidos en la presente Convención.

Asimismo, el artículo 222 del c.c. chileno, dispone que: *La preocupación fundamental de los padres es el interés superior del hijo, para lo cual procurarán su mayor realización espiritual y material posible, y lo guiarán en el ejercicio de los derechos esenciales que emanan de la naturaleza humana de modo conforme a la evolución de sus facultades.*

límite la autonomía de los padres y la autonomía progresiva de hijos menores de edad, pues de lo contrario se les impondría a los padres una carga excesiva y, al mismo tiempo, podría afectarse el ejercicio de los derechos del hijo mediante medidas de control de su autonomía. Aquí radica el objetivo de este trabajo: determinar el contenido, alcance y límites del estándar de diligencia de los padres como responsables por los daños que sus hijos ocasionan.

II. NORMATIVA APLICABLE

El ordenamiento jurídico chileno establece distintos supuestos de responsabilidad civil de los padres en los artículos 2319, 2320 y 2321 del c.c. chileno. Los tres artículos mencionados son supuestos de responsabilidad civil subjetiva, basados en el cuidado y la diligencia con que los padres deben supervisar a sus hijos menores de edad. El artículo 2319 se refiere a la capacidad de responder por delitos o cuasidelitos, y la negligencia imputable a personas que estén a cargo de incapaces que ocasionan daños, y señala que: *No son capaces de delito o cuasidelito los menores de siete años ni los dementes; pero serán responsables de los daños causados por ellos las personas a cuyo cargo estén, si pudiere imputárseles negligencia.*

Queda a la prudencia del juez determinar si el menor de dieciséis años ha cometido el delito o cuasidelito sin discernimiento; y en este caso se seguirá la regla del inciso anterior.

El artículo 2320 establece los requisitos de la responsabilidad de quienes tienen personas a su cuidado. En el caso de los padres, establece en el inciso 2° que: *Así el padre, y a falta de éste la madre, es responsable del hecho de los hijos menores de edad que habiten en la misma casa.*

Pero cesará la obligación de esas personas si con la autoridad y el cuidado que su respectiva calidad les confiere y prescribe, no hubieren podido impedir el hecho.

Finalmente, el artículo 2321 se refiere a la responsabilidad de ambos padres en caso que sus hijos cometan delitos y cuasidelitos que provengan de la mala educación recibida de ellos: *Los padres serán siempre responsables de los delitos o cuasidelitos cometidos por sus hijos menores, y que conocidamente provengan de mala educación, o de los hábitos viciosos que les han dejado adquirir.*

Una lectura comprensiva de estas disposiciones permite observar que el legislador estableció cómo criterios para determinar cuál es el supuesto de responsabilidad de los padres aplicable, los siguientes: la edad y la capacidad del niño, el tipo de ilícito llevado a cabo por el niño (hecho ilícito o delito) y el tipo de deber de diligencia infringido por los padres, en particular, la supervisión o cuidado y la educación.

III. CRITERIO DE IMPUTACIÓN

La culpa o negligencia de los padres es un requisito común en cualquiera de los supuestos de responsabilidad civil de los padres. Autores chilenos han explicado que la responsabilidad civil de los padres es una hipótesis de responsabilidad por culpa propia que se fundamenta en la infracción de un deber de cuidado respecto del menor de edad. Se trataría de una falta en el cuidado ejercido sobre el autor del daño, es decir, frente a un daño producido por el hecho de un hijo menor de edad que se encuentra al cuidado de otra persona, la ley presume la culpa de esta última.[4]

En el derecho chileno se sugiere que el deber de cuidado de los padres, surgiría de la relación paterno-filial, y su contenido estaría determinado por las disposiciones referidas al cuidado personal en la crianza y educación de los hijos, establecidas en el título IX del Libro I del c.c., "De los derechos y obligaciones entre padres e hijos". Así, en algunos fallos

---

4   Barros Bourie, *Tratado de Responsabilidad Civil Extracontractual,* Editorial Jurídica de
     Chile, Santiago de Chile, 2010, pp. 168 y ss.

se ha dicho que el fundamento de la responsabilidad de los padres se encuentra en el deber de vigilancia que estos ejercen, pues es la propia ley la que les otorga el deber de cuidar a los hijos[5]. Pero también se ha señalado que el presupuesto fáctico respecto del cual surge la responsabilidad civil de los padres establecida en el artículo 2320 es la exclusiva calidad de padre.[6]

1. Contenido, alcance y límites del deber de cuidado de los hijos menores

En la época de la codificación nacional, la idea de la responsabilidad de los padres podía apoyarse en la autoridad del padre, y a falta de este, de la madre, y en la culpa de los mismos por su falta de diligencia en el cuidado que les cabía respecto de sus hijos, después de todo, estos últimos estaban sometidos a su autoridad, y les debían obediencia. Ello justifica el que tradicionalmente, se sostenga que la responsabilidad de los padres por los hechos de sus hijos establecida en el artículo 2320 inciso 2° se sustenta en la culpa *in vigilando*, por faltar al deber de vigilar en forma constante y activa a sus hijos y así evitar que provoquen daños[7].

---

5   "Que esta presunción de responsabilidad es la consecuencia lógica de la obligación del padre o la madre sobreviniente, de tener el cuidado personal de la crianza y educación de los hijos, que les impone los artículos 222 y 277 del Código Civil, ya se trate de hijos legítimos o naturales, deber no solamente moral, sino que una efectiva obligación civil que grava con gastos que los padres deben costear pudiendo ser requeridos judicialmente para su pago". Corte de Apelaciones de San Miguel, sentencia del 02 de diciembre 1988, Legalpublishing CL/JUR/124/1988.

6   Corte de Apelaciones de Antofagasta, sentencia de 24 de septiembre de 2010, v-Lex: 234333243.

7   Alessandri Rodríguez, Responsabilidad Civil Extracontractual, Editorial Jurídica de Chile, Santiago de Chile, 2005, p. 238. En el mismo sentido, puede consultarse la obra de: Aedo Barrena, *Responsabilidad extracontractual,* Editorial Librotecnia, Santiago de Chile, 2006, p. 226; Rodríguez Grez, Responsabilidad extracontractual, Editorial Jurídica de Chile, Santiago de Chile, 1999, pp. 213 y ss. Desde el derecho de familia, la literatura que relaciona las disposiciones sobre responsabilidad civil de los padres por los daños de sus hijos con los derechos y deberes entre padres e hijos es algo excepcional. Rodríguez Pinto ha hecho un

Este deber de vigilancia sería de carácter legal, regulado en los artículos 222 y siguientes del c.c., pues surge como consecuencia del ejercicio del cuidado personal de los hijos.[8] Parecía razonable que la presunción de culpa recayera en primer término en el padre y solo a falta de éste, en la madre, pues resultaba coherente con las disposiciones sobre derechos y deberes entre padres e hijos, que concebía en el padre una autoridad total frente a sus hijos, pues se encontraban especialmente sometidos a él.[9]

A través de esta posición de autoridad, el padre podía ejercer las facultades de crianza, educación, corrección y castigo sobre sus hijos de manera absoluta, y en consecuencia, la esfera de autodeterminación de los hijos era más bien reducida, por lo que el titular del cuidado personal (o autoridad paterna) tenía las facultades para evitar que el hijo menor de edad dañase a otras personas.

De este modo, la construcción de este deber de vigilancia ha girado en torno a la idea de poder de control, corrección y castigo, pues el padre era quien debía conducir el actuar de los hijos con el propósito de evitar los daños que los hijos podían producir a sí mismos o a terceras

---

trabajo que explica la cuestión de modo más o menos panorámico, basado en todo caso, en las obras de Barros Bourie. Señala que la responsabilidad de los padres por los daños de sus hijos, estaría relacionada con el deber de cuidar, educar y corregir a los hijos. Considera que la responsabilidad de los padres por los daños que sus hijos causan se fundamenta en el incumplimiento de sus deberes de cuidado y de educación, o de vigilancia del hijo; y no la representación legal. Agrega que "siendo la infracción del deber de cuidado lo que fundamenta la responsabilidad de los padres, bien podría afirmarse que esta responsabilidad subsiste mientras los hijos viven bajo el cuidado de los padres; es decir, se prolonga más allá de la mayoría de edad legal". A juicio de la autora, esta responsabilidad dura mientras los hijos viven bajo el cuidado de los padres. Rodríguez Pinto, El cuidado personal de niños y adolescentes en el Nuevo Derecho de Familia, Editorial Legalpublishing, Santiago de Chile, 2011, pp. 15 y ss.

8   Alessandri Rodríguez, op. cit., p. 238; Ramos Pazos, *De la responsabilidad extracontractual*, Editorial Universidad de Concepción, Concepción, 2009, p. 66.

9   Alessandri Rodríguez, *op. cit.*, p. 241

personas.[10] Para Claro Solar, corregir y castigar eran dos acciones que cumplían distinto propósito. Corregir es enmendar lo errado, advertir, amonestar o reprender, y el castigo es mortificar o afligir, por haberse cometido una falta. La diferencia estaba en que la corrección mira a la sanción moral, mientras que el castigo a la represión corporal[11].

Ahora bien, el ejercicio de la facultad de corregir y de castigar tenía como límite la moderación, concepto que resulta ciertamente ambiguo, y que debía ser interpretado por los tribunales. Detrás de esta moderación, se observa la imposibilidad de negarle al padre el derecho de corregir y castigar a sus hijos, sin dejar de pensar que, al mismo tiempo, no son los golpes el medio para educar y corregir las malas inclinaciones, sino la dulzura y el buen ejemplo del padre[12]. Otro límite aplicable sólo a la facultad de castigar, eran las consecuencias derivadas del maltrato habitual al hijo que ponga en peligro su vida o le cause grave daño, las que dan lugar a la emancipación del hijo y a la separación entre los cónyuges[13]. En síntesis, la responsabilidad del padre, y a falta de este, de la madre, por el hecho de su hijo menor de edad, se hace efectiva basándose en la omisión o falla en el ejercicio de sus deberes o facultades derivadas del cuidado personal.

---

10   Tomo aquí la distinción expuesta por Daniel D´Antonio, quien diferenciaba el deber de vigilancia del cuidado señalando que el primero es "el contralor que corresponde a los padres a fin de canalizar el accionar innmaduro de sus hijos, evitando toda conducta que pueda resultar nociva para sus propios intereses o para terceras personas, en tanto que el cuidado comprende todo lo necesario para que la persona del hijo se forme en plenitud". D´Antonio, "Responsabilidad civil de los padres", En: Mosset/ D´Antonio/Novellino *Responsabilidad de los padres, tutores y guardadores. R*ubinzal-Culzoni, Santa Fe, 1998, pp. 158-159.

11   Ceballos, "El estado y el monopolio de la violencia patriarcal", *Revista de La Academia*, núm. 8, 2003, p. 76.

12   Claro Solar, *Explicaciones de Derecho Civil chileno y comparado*, Editorial Nascimiento, Santiago de Chile, 1944, p. 196.

13   Claro Solar, *op.cit.*, p. 198.

Respecto a la regla establecida en el artículo 2321, el fundamento es la falta en el cumplimiento del deber de educar a los hijos, el que también tiene un carácter legal pues surge como consecuencia del cuidado personal. Ahora bien, para algunos autores, como Alessandri Rodríguez, este deber es secundario frente al deber de vigilancia, pues solo se presume la culpabilidad cuando aparece o se demuestre que el delito o cuasidelito provino de la mala educación del hijo, o de los hábitos viciosos que se le dejó adquirir[14].

La culpa *in educando* resulta compleja. Los problemas en la educación de los hijos menores pueden explicarse ya por los malos hábitos inculcados por los padres, ya por un defecto en la elección de quienes eduquen al hijo de manera formal. En uno y otro caso, la construcción del deber de diligencia es difícil, más aun teniendo en cuenta la deficiente conexión con el nexo causal.[15]

En ocasiones, los padres pueden resultar ser personas de poca educación, con carencias en su formación afectiva, y con escasos recursos que no pueden acceder a los mismos medios educativos para sus hijos que un padre o madre profesional y con trabajo estable. Quienes no pueden pagar un colegio, no eligen el establecimiento en que estos recibirán su educación obligatoria ni los profesores que trabajarán impartiéndola. Asimismo, en muchas ocasiones, los niños pueden ser educados y obedientes a pesar de su pobreza material, o desobedientes y caprichosos, debido a la riqueza de sus padres. Otro problema derivado de la dificultad de configurar la culpa *in educando* deriva del principio de corresponsabilidad parental. Al respecto, como ambos padres cualquiera sea el régimen de cuidado de sus hijos menores de edad, participan en forma activa, equitativa y permanente en el cuidado y educación de ellos,

---

14   Alessandri Rodríguez, *op. cit.*, p. 238
15   Rogel Vide, *Responsabilidad civil de los padres*, Editorial Reus, Madrid, 2018, p. 17.

puede haber disparidad de criterio tanto si los padres viven juntos como si se encuentran separados entre sí.

De este modo, los problemas de la configuración del deber de cuidado basado en la culpa presunta de los padres por incumplimiento del deber de vigilancia o educación se explican porque hoy las facultades de corrección y castigo a los hijos menores de edad, así como la autoridad de los padres con respecto a sus hijos en los que se sustenta este deber de vigilancia se han visto paulatinamente mermadas por las diferentes reformas que se han introducido en materia de derecho de familia. De la posición de autoridad absoluta del padre, se ha dado paso a un sistema de funciones parentales en el que los padres tienen una serie de limitaciones dirigidas a resguardar la autonomía de los hijos menores de edad, por lo que, a mayor edad de los hijos, menor vigilancia de los padres, y, por lo tanto, menor garantía para la víctima. Lo mismo ocurre con la *culpa in educando*. Los padres ejercen todos sus deberes o funciones parentales basados en el respeto de los derechos esenciales que emanan de la naturaleza humana, y teniendo en cuenta de manera primordial el interés superior del hijo.

Otro problema que aparece al configurar la responsabilidad de los padres desde la culpa *in vigilando* basada en los deberes que surgen del ejercicio del cuidado personal, es que puede llevarnos a soluciones injustas en aquellos casos en que uno de los padres no lo ejerce, pues aquel padre que dedica más tiempo y esfuerzo al cuidado de su hijo es quien también deberá responder por los daños que este cause, eximiéndose el otro padre de dicha responsabilidad. Relacionado con el punto anterior, este fundamento tampoco explica aquellos casos en que los niños se encuentran bajo el cuidado y vigilancia de otra persona al momento de los hechos, por ejemplo, en el período de régimen comunicacional con el padre que no es titular del cuidado personal, pues, estando el hijo menor de edad bajo su cuidado, el padre que no es titular del cuidado personal sería exonerado de responder, pues no habita con él.

La autonomía progresiva de los hijos menores de edad, la supresión de la autoridad paterna, el libre desarrollo de la personalidad de los miembros de la familia hacen desaparecer la culpa *in vigilando* y la culpa *in educando*, siendo entonces conveniente volver al texto de la presunción legal establecida en el artículo 2320 y, más allá de la construcción dogmática de estas formas de culpa, atender al real criterio de imputación: el cuidado de otro.

2. Hacia un modelo de diligencia exigible basado en el "cuidado de otro"

Si los padres responden por culpa, al infringir un deber de cuidado respecto de sus hijos, y el ordenamiento jurídico les permite liberarse de esa responsabilidad si prueban que no pudieron evitar el hecho, conforme a la autoridad y cuidado que su calidad les confiere y prescribe ¿Cómo debe llevarse a cabo el cuidado del hijo para evitar el hecho dañoso? Para responder a esta pregunta, una vez conocida la evolución de la estructura de la relación paterno-filial, es necesario determinar si en el ordenamiento jurídico nacional hay pautas mínimas sobre el cumplimiento de dicho deber.

Al respecto, será el juez quien en cada caso determine el nivel de cuidado esperado por parte de los padres. Como ya se ha visto, la ley establece para los padres deberes de crianza, cuidado y educación de los hijos. Sin embargo, la falta de exhaustividad de los deberes de cuidado en sede civil,[16] exigen que el juez indague en las circunstancias de la conducta del responsable. De este modo aquí, como en otros casos de responsabilidad civil, la tarea del juez es normativa y ello requiere tener en cuenta diversas circunstancias y ponderar, por un lado, el interés de los padres de ejercer su derecho y deber preferente de educar a sus hijos y la evolución de las facultades del niño, y por otro lado la

---

16   Barros Bourie, *op. cit., p.* 15.

expectativa de la víctima de no sufrir daños derivados de una conducta ilícita.

Asimismo, una concepción igualitaria de la responsabilidad civil, exigirá tener en cuenta ciertos criterios o pautas que se desprenden de las disposiciones legales relativas a la responsabilidad parental, pero al mismo tiempo, requerirá considerar especialmente las condiciones económicas, sociales y el entorno familiar del agente material y de los padres. En este sentido, y como bien destaca Tamayo Jaramillo a propósito de la situación colombiana, pero que bien resultan aplicables a Chile, "un problema de particular gravedad se presenta en nuestro país en relación con la imposibilidad que tienen muchos padres de vigilar y cuidar en forma permanente al hijo menor. En efecto, por necesidades económicas, no son pocos los hogares en donde el padre y la madre tienen que trabajar durante todo el día para poder llevar el sustento diario al hogar. Cuando los padres tienen la posibilidad de delegar en un tercero la vigilancia, en cierta forma estarán cumpliendo con la obligación de vigilancia que les impone la ley. Pero puede suceder que las limitaciones económicas les impidan a los padres conseguir un sustituto mientras ellos están ausentes. En tales circunstancias, creemos que a las madres de familia que durante el día tienen que salir a trabajar para mantener a sus hijos, no se les puede negar el derecho a exonerarse de la presunción de culpa que pesa en su contra, demostrando que en razón de su trabajo no pudo vigilar a sus hijos. No se puede obligar a la madre a que trae de cumplir con las obligaciones materiales mínimas y que al mismo tiempo ejerza vigilancia sobre sus hijos menores."[17] Serán los tribunales los llamados a determinar el modelo de conducta exigible por medio de la ponderación de estas y otras circunstancias.

17　　Tamayo Jaramillo, *Tratado de Responsabilidad Civil. Tomo I, Legis, Bogotá, 2008, p. 737.*

En este sentido, si la responsabilidad civil de los padres se configura sobre la base de una presunción de culpa, un elevado estándar de diligencia exigible impediría a los padres exonerarse de responsabilidad en todo caso[18] Siendo la culpa el factor de atribución, la obligación de cuidado tiene límites para su establecimiento: el interés superior del niño, el libre desarrollo de su personalidad, la evolución de sus facultades. Aparecen, asimismo, criterios orientadores y prudenciales que el juez considerará en el caso concreto. La formulación general considera las siguientes circunstancias: aquellas relacionadas con los padres, las relacionadas con los hijos, y las relacionadas con la peligrosidad de la acción y la probabilidad del daño.

2.1. Circunstancias relacionadas con los padres

En un contexto igualitario, las circunstancias personales, económicas y sociales de los padres requieren ser ponderadas a efectos de determinar las medidas de cuidado debidas. Los padres, al tener para sí las funciones de orientación y guía sobre sus hijos, ejercerán dichas funciones de acuerdo a su forma y desarrollo de vida. En tales circunstancias, resulta prudente que en cada caso, los jueces tengan especialmente en cuenta el número de hijos menores de edad que tienen a su cargo los padres; las circunstancias económicas que pueden influir en el modo en que se ejerce el cuidado exigible, por ejemplo, si cuentan o no con un seguro de responsabilidad civil; el desconocimiento de circunstancias concretas relativas a los hechos; la distancia o separación física de la que se encuentran del hijo y; la especial consideración sobre la evolución de las facultades del niño y su aleccionamiento conforme a ellas.

---

18   Yzquierdo Tolsada, *Responsabilidad Civil Extracontractual. Parte General. Delimitación y especies. Elementos. Efectos o consecuencias,* Dykinson, Madrid, 2016, p. 253, explica que una combinación como esta resulta explosiva, "acaba instaurando un sistema que, aparentemente es de culpa presunta, pero que en la práctica prescinde lisa y llanamente de la culpa".

Al respecto, un criterio de razonabilidad y prudencia que deberá tener en cuenta el juez es si en el establecimiento de medidas de cuidado, los padres han considerado la evolución de sus facultades para alcanzar su autonomía. No hay que olvidar que en la medida que los niños adquieren habilidades, va disminuyendo la necesidad de orientación, y dirección de los padres.[19] Sobre ello, una vigilancia o control constante de los padres o impartir una educación que renuncie a estrategias de socialización o de participación de otros actores sociales, como la comunidad o el Estado, probablemente sean medidas demasiado estrictas sobre un hijo de doce o catorce años para concretar la evitación del daño. Los padres, en el ejercicio de su deber de cuidado, deberán tener en cuenta el derecho del hijo a participar de las decisiones que le afectan y contar con suficiente autonomía para controlar su vida. En este sentido, la sociedad espera de los padres el estímulo en la adquisición de habilidades y competencias, delegando sus responsabilidades en la toma de decisiones en sus propios hijos, pero para ello, los padres deben también contar con las competencias y habilidades que le permitan juzgar la capacidad de sus hijos, y su proceso de desarrollo infantil que es dinámico y está condicionado por una gran variedad de factores.[20]

En este sentido, los padres podrán aportar prueba para demostrar que han orientado a sus hijos mediante el señalamiento y aclaración de los peligros que conlleva la realización de determinadas actividades, las medidas de precaución que es posible tomar, la realización de advertencias sobre lugares o cosas que pueden resultar riesgosas para su integridad y la de otros niños, la prohibición de comportamientos que el hijo puede comprender como lesivo, etc.[21]

---

19   Lansdown, *La evolución de las facultades del niño*, Unicef-Sace the Children, Florencia, 2005, p. 9.

20   Lansdown, *op. cit.*, pp. 27-29.

21   Gómez Calle, *La responsabilidad de los padres*, Editorial Montecorvo, Madrid, 1992, p. 323 y ss.

2.2. Circunstancias relacionadas con el hijo menor de edad

Circunstancias del niño como su edad, su carácter, su desarrollo intelectual, sus hábitos de juego y el lugar en que este se encuentra, son relevantes para determinar cuál es la medida de cuidado exigible a los padres. La evaluación de dichas circunstancias permiten a los hijos gozar de un margen de autonomía para el desarrollo de sus actividades y su personalidad, pues solo de esta manera el niño podrá asumir sus derechos y responsabilidades, y a los padres les resulta útil para adoptar medidas concretas de cuidado.

En este sentido, supuestos en los que los niños ocasionan daños requerirán una valoración del juez respecto a las circunstancias personales del niño: conocer si tiene tendencias agresivas que expliquen su comportamiento, un desarrollo intelectual que lo lleve a desarrollar comportamientos lesivos, entre otras circunstancias.[22]

2.3. Circunstancias relacionadas con la peligrosidad de la acción y la probabilidad del daño

Un ensayo de definición sobre el contenido del deber de cuidado que tienen los padres con respecto a su hijo menor de edad frente a un acto dañoso, exige adentrarse en la prueba exoneratoria del artículo 2320. La fórmula del artículo 2320 es amplia pues no hace una mención específica a la vigilancia, sino a la evitación del daño, posibilitando de este modo, el establecimiento de un deber de cuidado general asociado a la crianza. La evitación del daño está vinculada a la previsibilidad, es decir, cuan posible es que bajo determinadas circunstancias se produzca el daño. Solo si el daño es previsible para los padres estos podrán haber incurrido en culpa o negligencia.[23] En este sentido, si existe un motivo concreto para vigilar al hijo, como por ejemplo, ha sido imprudente en

---

22   Gómez Calle, *op. cit.*, pp. 323-326.

23   Barros Bourie, *op. cit.*, p. 18.

otras ocasiones al jugar, o es un niño difícil de persuadir, o tiene un comportamiento inadecuado con sus pares, los padres deberán supervisar la conducta de su hijo de forma más estricta que con un niño de la misma edad pero con un grado mayor de madurez. Al mismo tiempo, la peligrosidad de los objetos que el niño manipula y la experiencia del niño en las actividades vinculadas al hecho ilícito también son elementos que deben ser considerados por el tribunal a la hora de definir la diligencia exigible a los padres.[24]

IV. CONCLUSIONES

Adherir a un sistema de responsabilidad civil de los padres basado en la culpa, implica reconocer que si bien los padres son quienes se encuentran en mejor posición para supervisar la conducta de sus hijos, la carga impuesta debe tener en cuenta tanto el beneficio que el cuidado y la crianza que ejercen los padres le reporta a la sociedad como las escasas ventajas económicas que los padres pueden obtener de la paternidad o maternidad como experiencia vital. Para que ello ocurra, es necesario establecer de manera clara el estándar de diligencia exigido a los padres, que permita satisfacer las legítimas aspiraciones de reparación del daño que tiene la víctima y conocer el deber de cuidado con que los padres deben desarrollar las funciones paterno-filiales.

El estándar de diligencia exigible a los padres requiere tener en cuenta la normativa vigente sobre el derecho de daños, los derechos y deberes entre los padres e hijos y los derechos de la niñez, así como las circunstancias sociales, económicas y culturales de los padres y de los hijos, con el objeto de concretar los objetivos de reparación, disuasión óptima e igualdad.

---

24   López Sánchez, *La responsabilidad civil del menor,* Editorial Dykinson, Madrid, 2001, pp. 188-197; Gómez Calle, *op. cit.,* pp. 323-335.

5. LA RESPONSABILIDAD CIVIL DEL CURADOR DEL SOCIO INCAPACITADO DE LA SOCIEDAD DE RESPONSABILIDAD LIMITADA EN BRASIL

Aline France Campos
Luciana Fernandes Berlini

SUMARIO. I. CONSIDERACIONES INICIALES. II EL SOCIO INCAPAZ DE UNA SOCIEDAD DE NEGOCIOS. 1. Responsabilidad del socio no gerente por deudas contraídas por la sociedad limitada. III. CURATELA MIEMBRO INHABILITADO. 1. Responsabilidad del curador. IV. CONCLUSIÓN

RESUMEN

El Código Civil brasileño, en su art. 974, autoriza a la persona incapaz a ser miembro de una empresa comercial, siempre que el capital social esté totalmente pagado, no realice la actividad de administración de la entidad legal y esté debidamente asistido o representado, dependiendo del grado de compromiso de su juicio con la práctica de los actos de la vida civil. En el caso de una sociedad anónima, el socio incapaz es responsable de las obligaciones sociales hasta el valor de sus acciones. Sin embargo, sucede que el sistema legal brasileño proporciona, en situaciones específicas, la responsabilidad personal del socio de una compañía limitada más allá del valor de sus cuotas. El curador del socio incapaz puede, en tales casos, ser considerado civilmente responsable por la práctica de actos ilegales dentro del alcance del ejercicio de la empresa que causen daños al curado.

PALABRAS CLAVE

Miembro incapaz; Sociedad de responsabilidad limitada; Curador; Responsabilidad civil; Brasil

ABSTRACT

The Brazilian Civil Code, in its art. 974 authorizes the incapacitated person to be a member of a business Corporation, since the capital is fully paid-in, does not exercise the administration activity of the legal entity and is properly assisted or represented, depending on the extent of the impairment of his judgment for the practice of acts of civil life. In the case of a limited liability company, the incapacitated partner responds for the social obligations up to the value of his shares. It occurs, however, that the Brazilian legal system establishes, in specific situations, the personal liability of the partner of a limited liability company. In such cases, the curator of the incapacitated partner may be held civilly liable for the practice of illicit acts in the course of the exercise of the company that may cause harm to the curated.

KEYWORDS

Incapacitated partner; Limited liability company; Curator; Civil Liability; Brazil.

I. CONSIDERACIONES INICIALES

Dispone el art. 974 del Código Civil (CC / 2002), en su §3, permite a la persona incapaz integrar los cuadros de una empresa, siempre que no sea nombrado director y que el capital de la empresa esté totalmente pagado. Para este fin, todavía es necesario que el incapaz sea representado o asistido adecuadamente.

Las sociedades limitadas, a su vez, se caracterizan por la limitación de la responsabilidad de sus socios por las obligaciones asumidas por la empresa. Bajo los términos del art. 1052 del Código Civil, "*a responsabilidade de cada sócio é restrita ao valor de suas quota*". Sucede, sin embargo, que el sistema legal brasileño proporciona, en situaciones específicas, la responsabilidad personal del socio del empresario de una sociedad limitada.

Queda por investigar si el curador del socio incapaz puede ser considerado responsable por los daños causados a terceros en el ejercicio de la empresa o solo por aquellos causados al socio incapaz representado o asistido.

II. EL SOCIO INCAPAZ DE UNA SOCIEDAD DE NEGOCIOS

Poniendo fin a los debates existentes sobre la posibilidad de que el menor aparezca en la gestión de la empresa, así como sobre el momento en que podría asumir la condición de socio y los tipos corporativos que implicarían su participación, la Ley 12.399/2011, insertó el El apartado 3 del art. 974 del Código Civil brasileño, que regula expresamente el asunto.

Aunque la disposición se inserta en el capítulo que trata sobre la capacidad del emprendedor, su §3 regula la participación de los incapaces en la empresa, lo que permite a los incapaces ser socios de cualquier tipo, independientemente de la autorización judicial. Para este fin, será necesario, como se mencionó, que la persona incapaz no ejerza la administración de la empresa, que el capital social esté totalmente pagado y que el socio en cuestión sea asistido o representado.

Sin embargo, la condición para el pago completo del capital social no genera la protección esperada, ya que permite a los incapaces, ya sea de manera relativa o absoluta, integrar empresas comerciales de cualquier tipo. Por lo tanto, no habría obstáculo para que el incapaz sea miembro de una sociedad caracterizada por la responsabilidad ilimitada de sus miembros, y sus activos personales pueden ser responsables de las deudas sociales.

Por lo tanto, el requisito legal en cuestión no brindaría ninguna protección al miembro no apto, siempre que sea una empresa en la que los socios tengan una responsabilidad ilimitada o una sociedad anónima, *"vez que a responsabilidade do acionista independe da integralização, sendo, em qualquer caso, limitada ao valor de emissão das ações subscritas"*[1].

En la misma línea, Alfredo de Assis Gonçalves Neto señala que el pago del capital social *"nada influi para a determinação da responsabilidade de sócio nas sociedades em que tal responsabilidade é, pelo só fato de ser sócio, solidária e ilimitada relativamente às obrigações sociais"*[2]. La limitación de responsabilidad de los socios por las deudas contraídas por la empresa deriva exclusivamente del tipo corporativo elegido para la explotación de la actividad económica.

---

1   DE MENEZES, Joyceane Bezerra; CAMINHA, Uinie. A capacidade do empresário e o novo estatuto da pessoa com deficiência. In LUPION, Ricardo; ARAÚJO, Fernando (orgs). *15 anos do Código Civil:* direito de empresa, contratos e sociedades. Porto Alegre: Editora Fi, 2018, p. 368.

2   GONÇALVES NETO, Alfredo de Assis. *Direito de empresa:* comentários aos arts. 966 a 1.195 do código civil. 4 ed. São Paulo: Revista dos Tribunais, 2012, p. 105.

El capital social es el patrimonio necesario para el inicio de las actividades de la empresa y consiste *"em soma definida, em moeda nacional, declarada no ato constitutivo, e, de certo forma, presta-se como referência da força econômica
da sociedade: capital social elevado sugere solidez"*[3]. Sin embargo, es solo una
garantía mínima para los acreedores de la empresa. Primero, porque la
sociedad, independientemente de su tipo, responde ilimitadamente, es
decir, con todos sus activos y no solo con su capital social para sus obligaciones. Segundo, porque *"os bens que integram o patrimônio da sociedade
podem ser destinados à prática de atos compreendidos no objeto social que resultem em
perdas para a sociedade"*[4]. Finalmente, porque en el caso de una empresa
caracterizada por la falta de limitación de responsabilidad de sus socios,
las deudas sociales también afectan su capital privado en caso de insuficiencia de recursos sociales. Este es el principio de subsidiariedad[5] de
la responsabilidad de los miembros por las obligaciones sociales.

Finalmente, la prohibición de la gestión por parte del socio incapaz se
deriva del hecho de que la gestión de los activos y negocios de otros
debe estar sujeta a la mayor precaución posible. El administrador de la
compañía, aunque también tiene la condición de socio, no administra
sus propios activos. Gestiona los activos de la empresa, una persona (entidad jurídica) con personalidad y patrimonio distintos de los respectivos
socios. Si la persona incapaz no tiene la capacidad de administrar sus
propios activos, no tiene la capacidad de administrar los demás. Tal im-

---

3   BRUSCATO, Wilges. *Manual de direito empresarial brasileiro*. São Paulo: Saraiva,
    2011, p. 188.

4   CAVALLI, Cássio. Notas sobre a disciplina do capital social nas sociedades limi-
    tadas. *Revista de Direito Empresarial – RDEmp,* Belo Horizonte, n. 2, maio/agosto
    2013, p. 67.

5   El principio de subsidiariedad: [...] *só autoriza a execução de bens dos sócios, para o
    adimplemento de dívida da sociedade, depois de executados todos os bens do patrimônio desta.
    Sendo a sociedade empresária um sujeito de direito autônomo, enquanto ela dispuser, em seu
    patrimônio, de bens, não sentido em buscá-los no patrimônio dos sócios. Apenas depois de
    exaurido o ativo do patrimônio social, justifica-se satisfazer os direitos do credor mediante exe-
    cução dos bens de sócio.* (COELHO, Fábio Ulhoa. *Princípios do direito comercial:* com
    anotações ao projeto de código comercial. São Paulo: Saraiva, 2012, p. 43-44).

pedimento también tendría como objetivo la protección del socio, ya que este último sería eliminado de los riesgos inherentes al rol de director.

1. Responsabilidad del socio no gerente por deudas contraídas por la compañía de responsabilidad limitada

El socio de una compañía limitada, como ya se mencionó, responde de manera restringida por las obligaciones sociales, es decir, solo responde al valor de sus cuotas. Sin embargo, puede tener sus activos personales alcanzados para pagar deudas sociales en situaciones específicas.

En Brasil, si el pago del capital social no se produce, en su totalidad, en el momento de la incorporación o cuando el aumento de capital, todos los socios, de conformidad con el art. 1.052 del Código Civil, será responsable solidaria del pago. Una vez pagado[6] todo el capital social, el capital personal de los socios no se alcanzaría para pagar las obligaciones corporativas. Pero en caso de pago parcial, todos los socios, es decir, incluso aquellos que han pagado sus propias acciones, son responsables de pagar el monto restante.

El capital social de una sociedad anónima puede pagarse transfiriendo a la entidad jurídica dinero, activos o créditos, y solo está prohibida la contribución a la prestación de servicios (art. 1055, párrafo 2 del CC/2002). Si el socio suscriptor elige pagar el capital social con activos, no puede transferirlos a la compañía al imputarles un valor superior a su valor real.

---

6   El capital social suscrito es el monto prometido por aquellos que desean unirse a la junta, ya sea cuando se incorpora la empresa o cuando se emiten nuevas acciones con el fin de aumentar el capital social. Es la suscripción que otorga la membresía al suscriptor. Una de las obligaciones de los socios es el pago del capital social, que, a su vez, consiste en el acto por el cual el accionista transfiere efectivamente a la empresa el valor prometido, es decir, el valor suscrito. En sociedades anónimas, el pago de capital puede ocurrir con la transferencia de activos, dinero o crédito, quedando prohibido, de conformidad con el párrafo 2 del art. 1055 del Código Civil, la contribución consiste en la prestación de servicios.

La valoración que no corresponde al valor de mercado de los activos perjudica la formación del capital social, que se considerará pagado, pero sin tener una correspondencia efectiva entre el valor suscrito y el realizado. Por lo tanto, la no observancia del principio de efectividad o realidad del capital social permanecería clara.

Motivo por el cual el Código Civil, en §1 del art. 1.055, establece, mediante la estimación o evaluación exacta de los activos transferidos a la empresa para la formación de su capital social, responsabilidad conjunta y solidaria entre todos los socios, incluidos aquellos que ni siquiera han pagado sus cuotas con activos. Por lo tanto, representará la mayor diferencia en el valor atribuido al bien, no solo al socio que pagó el capital con el bien, sino a todos los miembros de la sociedad.

También debe tenerse en cuenta que las resoluciones corporativas tomadas en una junta o junta de accionistas, siempre que, de conformidad con la ley y los estatutos, todos los miembros de la empresa estén obligados, incluidos los que estuvieron ausentes o se manifestaron en contra de la resolución aprobada. Sin embargo, de conformidad con el art. 1.080 del Código Civil, si la decisión tomada viola [7] la ley o el contrato, los so-

---

7 Itamar Gaino proporciona los siguientes ejemplos:

As deliberações podem ser infringentes da lei comercial, da lei civil e até mesmo da lei processual civil. A infração da lei comercial caracteriza-se com mais frequência pela dissolução irregular da sociedade [...].

A infração da lei civil pode ocorrer pela simulação de negócios jurídicos, por exemplo, pelo fingimento de transferência de bens sociais a terceiros, com a finalidade de prejudicar os credores. Pode dar-se também pela transferência efetiva de bens sociais, agindo os sócios em conluio com o adquirente, caracterizando-se, aí, a figura jurídica da fraude contra credores.

A infração da lei processual civil decorre da alienação de bens sociais quando está em curso processo de execução contra a sociedade, tipificando-se, então, a fraude à execução. (GAINO, Itamar. *Responsabilidade dos sócios na sociedade limitada*. 3 ed. São Paulo: Saraiva, 2012, p. 125).

Fabio Ulhoa, a su vez, trae el ejemplo de la fianza:
Como exemplo, imagine-se que o contrato social proíba – como, aliás, é usual – à sociedade

cios que lo aprobaron serán ilimitados en responsabilidad por los daños que dicha deliberación cause a la empresa, los socios o terceros.

La responsabilidad de los socios de sociedad limitada, en la hipótesis del art. 1.080, sin embargo, no se deriva simplemente de la membresía del individuo. Esta es una responsabilidad que solo se puede encontrar si ha contribuido a la formación de la voluntad social contaminada, es decir, aquellos miembros que se han manifestado contrarios a una asamblea o reunión o que no han participado en la votación no responden con sus activos personales por el daño causado por un deliberación contraria a la ley o los estatutos.

Los socios también pueden ver afectado su capital privado como resultado de no tener en cuenta la personalidad jurídica de la empresa, que *"suspende temporariamente os efeitos da personificação, sem implicar a própria extinção da pessoa jurídica, que é preservada em face dos demais atos de caráter não fraudulentos que praticou"*[8]. Se elimina la personalidad de la sociedad para que los socios puedan responder personalmente por las obligaciones de la sociedad. Por lo tanto, es necesario vislumbrar la desviación de propósito de la sociedad, caracterizada por fraude o abuso de derechos relacionados con la autonomía patrimonial de la entidad jurídica.

En este sentido, no es raro que manifestaciones, como los tribunales laborales, por ejemplo, sin cuestionar la limitación de responsabilidad de

---

limitada prestar fiança. Se os sócios majoritários aprovam em assembléia, ou alguns dos sócios autorizam, por escrito, confrontando a proibição constante do contrato social, a concessão da garantia pela sociedade, esses sócios são responsabilizáveis pelas obrigações sociais de fiadora. O credor da sociedade pode cobrar dos sócios participantes da deliberação irregular, diretamente, o valor afiançado. [...] (COELHO, Fábio Ulhoa. *Curso de direito comercial.* 6 ed. São Paulo: Saraiva, 2003, v. 2, p. 410)

8   GONÇALVES, Oksandro. A desconsideração da personalidade jurídica e o novo código de processo civil. In BRUSCHI, Gilberto Gomes; COUTO, Mônica Bonetti; E SILVA, Ruth Maria Junqueira de A. Pereira; PEREIRA, Thomaz Henrique Junqueira de A. (coords). *Direito Processual Empresarial.* Rio de Janeiro: Elsevier, 2012, p. 597.

los socios de las sociedades anónimas, así como sin ninguna disposición legal, se hagan responsables de su mera responsabilidad. inexistencia o insuficiencia de activos de la entidad jurídica.

Además de estas manifestaciones, todavía hay predicciones en varios diplomas legales de la teoría del desprecio de la personalidad jurídica disociada de sus bases teóricas. El mero incumplimiento también sería suficiente para la responsabilidad de los socios. Esta es la consagración de la teoría menor del desprecio de la personalidad jurídica, especialmente en el área del derecho del consumidor y el derecho ambiental.

Tampoco lo son las decisiones judiciales para atacar los activos de los socios cuando los créditos fiscales están en incumplimiento. El Código Tributario Nacional (CTN) es claro al definir la responsabilidad personal del administrador de la empresa, en el ejercicio de su función, practica actos irregulares. Sin embargo, el Tesoro Público a menudo constituye certificados de deuda activos en detrimento de la sociedad y todos los socios. Es decir, los certificados se emiten incluso en detrimento de quienes no ejercen la gestión y sin cuestionar si el acto resultante de la obligación tributaria se realizó *"com excesso de poderes ou infração da lei, contrato social ou estatuto"*, como exige el art. 135 de la CTN.

No se puede olvidar todavía que los riesgos son inherentes al ejercicio de la actividad económica. Por lo tanto, no pueden eliminarse por completo incluso ante la explotación de la empresa por empresas comerciales caracterizadas por la limitación de responsabilidad de sus socios. Es por eso que Fábio Ulhoa señala que la prosperidad o el fracaso están sujetos a factores aleatorios, es decir, que la propia empresa no puede controlar o anticipar. El fracaso, por lo tanto, todavía podría ocurrir *"mesmo nos casos em que o empresário e o administrador agiram em cumprimento à lei e aos seus deveres e não tomaram nenhuma decisão precipitada, equivocada ou irregular"*.[9]

---

9   COELHO. Fábio Ulhoa. *Princípios do direito comercial:* com anotações ao projeto

Sucede que el socio de la sociedad anónima, de conformidad con el mencionado apartado 3 del art. 974 del Código Civil, puede ser incapaz, pero el dispositivo, sin embargo, no ha logrado, con las condiciones establecidas, la salvaguarda completa de su propiedad personal, especialmente en el caso de que se ignore la personalidad de la entidad jurídica y la incidencia del art. 1080 del Código Civil. Debido a los riesgos inherentes a la empresa, Joyceane Bezerra y Uinie Caminha señalan que:

> [...] a inclusão das pessoas com deficiência no mundo empresarial deve ser admitida com cautela, tendo em vista que a responsabilidade patrimonial envolvida. Sugere-se, portanto, especial zelo dos seus interlocutores contratuais para que, mediante a aplicação da boa fé objetiva, possam zelar pela integridade do negócio jurídico, atinando para eventual hipervulnerabilidade daquele com quem vier a tratar.[10]

En este sentido, se cuestiona si el representante o asistente del socio incapaz también podría ser responsable ante terceros perjudicados como resultado de los actos realizados por la sociedad anónima, especialmente en relación con aquellos actos que, a pesar de la notable característica de las empresas en cuestión, autorizan La responsabilidad personal de sus miembros? ¿Podría su responsabilidad, por lo tanto, extenderse al daño causado a terceros o limitarse al daño causado al socio incapaz mismo?

---

do código comercial. São Paulo: Saraiva, 2012, p. 56.

10   DE MENEZES, Joyceane Bezerra; CAMINHA, Uinie. A capacidade do empresário e o novo estatuto da pessoa com deficiência. In LUPION, Ricardo; ARAÚJO, Fernando (orgs). *15 anos do Código Civil:* direito de empresa, contratos e sociedades. Porto Alegre: Editora Fi, 2018, p. 393.

III. CURATELA MIEMBRO INHABILITADO

En Brasil, cuando se piensa en la limitación de la capacidad civil, se utiliza el instituto curatela[11], medida excepcional hecha posible por el procedimiento judicial, cuyo objetivo es delimitar las restricciones al ejercicio autónomo de los actos de la vida civil.

Doctrina y jurisprudencia[12], basado en la Ley de Inclusión de Personas con Discapacidad (Estatuto de las Personas con Discapacidad), comprende la necesidad de diferir la curatela con el menor nivel posible de discapacidad de la autonomía de las personas con discapacidad. La curatela, por lo tanto, es apropiada en las hipótesis del artículo 4 del Código Civil brasileño, ítems II, III y IV:

> Art. 4o São incapazes, relativamente a certos atos ou à maneira de os exercer:

---

11   Art. 84 da Lei 13.146/2015. A pessoa com deficiência tem assegurado o direito ao exercício de sua capacidade legal em igualdade de condições com as demais pessoas.

§ 1º Quando necessário, a pessoa com deficiência será submetida à curatela, conforme a lei.

§ 3º A definição de curatela de pessoa com deficiência constitui medida protetiva extraordinária, proporcional às necessidades e às circunstâncias de cada caso, e durará o menor tempo possível.

12   RECURSO ESPECIAL. CURATELA.

A curatela é o encargo imposto a alguém para reger e proteger a pessoa que, por causa transitória ou permanente, não possa exprimir a sua vontade, administrando os seus bens. O curador deverá ter sempre em conta a natureza assistencial e o viés de inclusão da pessoa curatelada, permitindo que ela tenha certa autonomia e liberdade, mantendo seu direito à convivência familiar e comunitária, sem jamais deixá-la às margens da sociedade. (REsp 1515701/RS, Rel. Ministro LUIS FELIPE SALOMÃO, QUARTA TURMA, julgado em 02/10/2018, DJe 31/10/2018)

II - os ébrios habituais e os viciados em tóxico

III - aqueles que, por causa transitória ou permanente, não puderem exprimir sua vontade;

IV - os pródigos

Lo que se deduce del dispositivo es que las personas enumeradas como incapaces no son necesariamente personas con discapacidad, sino que tienen el compromiso de manifestar voluntad. En este sentido, el Código Civil fue profundamente modificado por la Ley de Inclusión de Personas con Discapacidad (Estatuto de las Personas con Discapacidad), que instituyó muy fuertemente la disociación entre discapacidad y discapacidad. Precisamente porque su objetivo es promover, en igualdad de condiciones, la autonomía y los derechos fundamentales de las personas con discapacidad. Es por eso que ya no es posible asumir que las personas con discapacidad son incapaces. Solo excepcionalmente, la persona con discapacidad estará restringida en la práctica de actos de la vida civil. Por lo tanto, se espera que esa persona pueda ejercer su libertad en la mayor medida posible.[13]

La persona incapaz o capaz con una discapacidad tiene, sin embargo, como se mencionó, el derecho fundamental[14] ejercer su profesión, em-

---

13   Según el Tribunal Superior de Justicia: INCAPACIDADE DECLARADA
        POSTERIORMENTE. NULIDADE NÃO RECONHECIDA. NECESSI-
        DADE DE DEMONSTRAÇÃO DO PREJUÍZO. DISSOCIAÇÃO ENTRE
        TRANSTORNO MENTAL E INCAPACIDADE.

(...) A partir do novo regramento, observa-se uma dissociação necessária e absoluta
        entre o transtorno mental e o reconhecimento da incapacidade, ou seja, a defi-
        nição automática de que a pessoa portadora de debilidade mental, de qualquer
        natureza, implicaria na constatação da limitação de sua capacidade civil deixou
        de existir. (REsp 1694984/MS, Rel. Ministro LUIS FELIPE SALOMÃO, jul-
        gado em 14/11/2017, DJe 01/02/2018)

14   Art. 8º da Lei 13.146/2015. É dever do Estado, da sociedade e da família asse-

prender, así como ejercer su autonomía como socio de una empresa comercial:

> Art. 35 É finalidade primordial das políticas públicas de trabalho e emprego promover e garantir condições de acesso e de permanência da pessoa com deficiência no campo de trabalho.
>
> Parágrafo único. Os programas de estímulo ao empreendedorismo e ao trabalho autônomo, incluídos o cooperativismo e o associativismo, devem prever a participação da pessoa com deficiência e a disponibilização de linhas de crédito, quando necessárias. (Lei de Inclusão da Pessoa com Deficiência)

"Limitar a capacidade importa limitar a liberdade pessoal"[15]. Por lo tanto, como la curatela limita la capacidad, la medida debe aplicarse al alcance exacto de la discapacidad y la duración de la causa discapacitante, a fin de satisfacer la nueva demanda de protección de los vulnerables y ampliar el espectro de su autodeterminación, especialmente en las relaciones que en principio ya no admite curatela[16]. Es un intento, defendido

---

gurar à pessoa com deficiência, com prioridade, a efetivação dos direitos referentes à vida, à saúde, à sexualidade, à paternidade e à maternidade, à alimentação, à habitação, à educação, à profissionalização, ao trabalho, à previdência social, à habilitação e à reabilitação, ao transporte, à acessibilidade, à cultura, ao desporto, ao turismo, ao lazer, à informação, à comunicação, aos avanços científicos e tecnológicos, à dignidade, ao respeito, à liberdade, à convivência familiar e comunitária, entre outros decorrentes da Constituição Federal, da Convenção sobre os Direitos das Pessoas com Deficiência e seu Protocolo Facultativo e das leis e de outras normas que garantam seu bem-estar pessoal, social e econômico.

15   AMÁ, Maria Victoria; HERRERA, Marisa; PAGANO, Luz María. *Salud mental en el Derecho de Familia.* Buenos Aires, 2008. p. 216.

16   Art. 85 da Lei 13.146/2015. A curatela afetará tão somente os atos relacionados aos direitos de natureza patrimonial e negocial. § 1º A definição da curatela não alcança o direito ao próprio corpo, à sexualidade, ao matrimônio, à privacidade, à educação, à saúde, ao trabalho e ao voto.

durante mucho tiempo por la doctrina[17], para alejar a las personas con discapacidad del estigma de la exclusión al tiempo que las protege.

1. Responsabilidad del curador

Cuando se trata de responsabilidad civil, es necesario verificar si el curador ha cometido algún daño como resultado de su desempeño, y es necesario combinar el artículo 186 con el artículo 927, también del Código Civil, que establece que *"aquele que, por ato ilícito causar dano a outrem, fica obrigado a repará-lo"*.

El daño aún puede resultar del abuso de los derechos, cuando el sanador, al ejercer la curatela, *"excede manifestamente os limites impostos pelo seu fim econômico ou social, pela boa-fé ou pelos bons costumes"*.[18]

Por lo tanto, el objetivo principal de la responsabilidad civil es restablecer *status quo ante*, para reparar el daño o al menos compensar el daño sufrido por la víctima.

> Para realizar a finalidade primordial de restituição do prejudicado à situação anterior, desfazendo, tanto quanto possível, os efeitos do dano sofrido, tem-se o direito empenhado extremamente em todos os tempos. A responsabilidade civil é reflexo da própria evolução do direito.[19]

Como se mencionó, podemos ver hipótesis en las cuales el socio responde con su patrimonio personal debido a la práctica de actos ilegales

---

17   *O regime das incapacidades, como expresso no Código Civil, deve ser aplicado de forma irrestrita tão- somente às situações jurídicas patrimoniais, vez que seu objetivo primordial é preservar o incapaz no trânsito jurídico patrimonial.* (TEPEDINO, Gustavo. *Temas de direito civil*. Rio de Janeiro: Renovar, 2009, p. 212).

18   Artículo 187 del Código Civil.

19   DIAS, José de Aguiar. *Da irresponsabilidade civil*. 11 ed. Rio de Janeiro: Renovar, 2006, p. 25.

en el ámbito corporativo, especialmente cuando las deliberaciones descritas en el art. 1080 del Código Civil o desprecio de la personalidad jurídica basada en la desviación de propósito de la entidad jurídica. El sanador [20] socio incapaz, a su vez, *"responde pelos prejuízos que, por culpa, ou dolo, causar ao tutelado"* (art. 1752 CC).

Por lo tanto, no habría duda de que el representante respondería ante el socio incapaz de las resoluciones corporativas a las que contribuyó su voto, contrariamente a la ley o al contrato. Para este fin, debe haber emitido su voto de manera ilícita o ilícita y que la resolución ha causado daños al propio socio incapaz, como en el caso de que la resolución cause pérdidas que disminuyan o impidan la distribución de ganancias o incluso causen la dilución de la participación accionaria de los representados en el mercado. El asistente relativamente incapaz desempeñaría la misma responsabilidad civil cuando el apoyo o el consejo al socio se vuelven a votar en contra de la ley o el contrato y eso causa daño.

No se puede olvidar que, tanto en el caso de la asistencia como en el de la representación, los límites de la acción del curador y el alcance de la curatela se establecen en el término y la sentencia de la curatela, precisamente para verificar si hubo o no abuso de derechos. , culpa o astucia en tu actuación.

Sin embargo, se cuestiona si el tutor o el síndico también podrían ser considerados responsables cuando las resoluciones corporativas a las que han contribuido causen daño a terceros. Según el derecho corporativo, el tema de la responsabilidad por daños a terceros debe abordarse específicamente. El enfoque comienza desde el daño hecho y no desde la persona que causó el daño. Por eso Pedro País de Vasconcelos señala

---

20   Aplica el art. 1752 del Código Civil, en referencia a la responsabilidad civil del tutor, como resultado de lo dispuesto en el art. 1774 del mismo diploma.

que *"não importa tanto quem atuou no mundo físico, mas antes que a atuação ocorreu e o que dela resultou"*[21]. Se busca la causalidad en la actuación:

> Em lugar de se procurar saber se uma pessoa causou danos a um terceiro, uma causalidade no sujeito, busca-se a causalidade na atuação. Assim, enquanto no Direito Civil o problema é o da responsabilidade da pessoa (do *cives*), no Direito Comercial o problema é o da responsabilidade da atuação, da atividade. É a atividade em si própria que é responsabilizada pelos danos. Como é da natureza das coisas do comércio, a atividade resulta da atuação de representantes, e estes representam uma empresa, que integra um património que irá responder pelos danos, sendo que a empresa e o respectivo património pertencem a alguém. É, pois, um problema de atuação comercial, de atuação da empresa.[22]

Por lo tanto, ante terceros, es la compañía la responsable de forma ilimitada por los daños causados o sus respectivos socios cuando la ley así lo autorice. Tanto es así que según el derecho corporativo no importa quién realizó el acto físicamente. Lo que importa es el *"atuação em si mesma, não partindo do sujeito, mas antes dos problemas causados pela atuação no mercado"*[23]. Sin embargo, no hay nada que impida, en situaciones de responsabilidad personal del miembro incapaz, manifestarse a cambio de su representante o asistente.

---

21   VASCONCELOS, Pedro Leitão Pais de. Responsabilidade comercial: primeira questão. In: BARBOSA, Mafalda Miranda; ROSENVALD, Nelson; MUNIZ, Francisco (coord). *Desafios da nova responsabilidade civil*. São Paulo: JusPodivm, 2019, p. 379.

22   VASCONCELOS, Pedro Leitão Pais de. Responsabilidade comercial: primeira questão. In: BARBOSA, Mafalda Miranda; ROSENVALD, Nelson; MUNIZ, Francisco (coord). *Desafios da nova responsabilidade civil*. São Paulo: JusPodivm, 2019, p. 380.

23   VASCONCELOS, Pedro Leitão Pais de. Responsabilidade comercial: primeira questão. In: BARBOSA, Mafalda Miranda; ROSENVALD, Nelson; MUNIZ, Francisco (coord). *Desafios da nova responsabilidade civil*. São Paulo: JusPodivm, 2019, p. 379.

Los daños a terceros se presentan como daños causados por la sociedad. El tercero ciertamente desconoce a la persona que, en representación de la pareja incapaz, ha contribuido, con su voto, a la deliberación contraria a la ley o los estatutos. De tal manera que el tercero lesionado inevitablemente responsabilizará a la sociedad.

Si el incumplimiento de la personalidad jurídica de la empresa debido a su uso indebido del propósito, es decir, fraude o abuso de derechos, resulta en una decisión que infringe la ley o el contrato, el curador del socio incapaz responderá, en los mismos términos ya. mencionado antes del representado o asistido.

También destaca que el Código Civil brasileño establece que el curador responde objetivamente al daño causado por el curatelado a terceros.

Art. 932. São também responsáveis pela reparação civil:

II - o tutor e o curador, pelos pupilos e curatelados, que se acharem nas mesmas condições;

Art. 933. As pessoas indicadas nos incisos I a V do artigo antecedente, ainda que não haja culpa de sua parte, responderão pelos atos praticados pelos terceiros ali referidos.

Sin embargo, depende del curador o tutor también llevar una acción regresiva en detrimento de los incapaces.

Seria, nesta linha, pouco realista pretender que tutores e curadores arquem sozinhos com os prejuízos causados pelos incapazes. Não esqueçamos que a responsabilidade dos tutores e curadores, de acordo com o Código Civil, é objetiva, não lhes socorrendo sequer a prova de que não foram negligentes. Ou seja: ainda que, no caso concreto, toda diligência, cuidado e zelo tenham sido observados, tutor e curador, mesmo assim, responderão, se o dano aconteceu.[24]

Cabe señalar, sin embargo, que el estándar en cuestión se aplica solo a los actos realizados por el propio curador y que causan daños a terceros. En el contexto corporativo, el reconocimiento de la incapacidad, así como el nombramiento de un administrador para el socio, necesariamente deben comunicarse a la empresa. Por lo tanto, la persona incapaz solo puede emitir su voto a través de su representante o con la participación de su asistente. Tenga en cuenta también que, según los términos del art. 116 del Código Civil, *"a manifestação de vontade pelo representante, nos limites de seus poderes, produz efeitos em relação ao representado"*. Se entiende que el hecho de que la ley especifique los supuestos en los que no se considerará que la culpabilidad genera responsabilidad demuestra la naturaleza excepcional que pretende el legislador cuando se trata de responsabilidad objetiva, ya que en el sistema legal brasileño, la investigación de la culpa es la regla.

Sin embargo, la construcción de la responsabilidad del curador en el ámbito empresarial es compleja y poco investigada. Complejo porque requiere la compatibilidad de los principios del derecho corporativo con la noción de vulnerabilidad que enfrenta el socio incapaz. Además, no hay reglas específicas para el tema. Poco investigado porque la situación curatela de los miembros no es común, lo que no mitiga su importancia, ya que esta responsabilidad debe analizarse incluso para promover la protección necesaria de la persona incapaz y vulnerable por excelencia, pero también para garantizar la seguridad en el tráfico de las relaciones comerciales.

---

24   BRAGA NETTO, Felipe; FARIAS, Cristiano Chaves de; ROSENVALD, Nelson. *Novo tratado de responsabilidade civil*. 2 ed. São Paulo: Saraiva, 2017, p. 623.

Por lo tanto, la responsabilidad civil del miembro incapaz curador debe, como señala Nelson Rosenvald, *"pautar-se em um sincretismo jurídico capaz de realizar um balanceamento de interesses, através da combinação das funções basilares da responsabilidade civil: punição, precaução e compensação".*[25]

IV. CONCLUSIÓN

La responsabilidad civil del curador miembro incapaz de una sociedad anónima se basará en las peculiaridades de la ley, especialmente en el análisis necesario del daño causado por la actividad económica ejercida. Sin embargo, no debe olvidarse que el desempeño del curador siempre debe guiarse por los límites impuestos al término de la curatela, el mejor interés del curatelado y en línea con su voluntad, ya que el papel del curador es ayudarlo o representarlo.

Si se requiere que el socio sea responsable por los daños causados a terceros como resultado de una decisión contraria a la ley o los estatutos a los que ha contribuido su curador, la responsabilidad civil del representante o asistente permanecerá clara. El compañero que no pueda hacerlo debe actuar a cambio. En caso de incumplimiento de la personalidad jurídica de la empresa en función de su uso indebido del propósito, es decir, fraude o abuso de derechos, tienen origen en una resolución también tomada de conformidad con el art. 1080 del Código Civil, el curador del miembro incapaz responderá bajo estos mismos términos.

---

25   ROSENVALD, Nelson. *As funções da responsabilidade civil:* a reparação e a pena civil. 3 ed. São Paulo: Saraiva, 2017. p. 33.

6. O SUBSTRATO FÁCTICO DA NEGLIGÊNCIA NA RESPONSABILIDADE CIVIL AQUILIANA

João Marques Martins

Professor Auxiliar da Faculdade de Direito da Universidade de Lisboa

RESUMO

A culpa, enquanto pressuposto da responsabilidade civil aquilina, configura o momento da imputação subjetiva do facto causal do dano ao agente.

Neste artigo, procura-se delimitar analiticamente e com exatidão a dimensão factual que subjaz ao juízo normativo de negligência, o que se afigura fundamental não só para a compreensão dogmática do pressuposto culpa, como também para isolar os elementos que podem ser objeto de demonstração probatória. Indo um pouco mais além, segundo o entendimento generalizado, este exercício pode considerar-se crucial para a delimitação exata dos poderes do STJ no conhecimento da culpa negligente.

PALAVRAS-CHAVE

Negligência; Culpa; Responsabilidade Civil Aquiliana; Matéria de Facto.

ABSTRACT

Fault, as an element of tort liability, represents the moment where the fact that causes the damage is subjectively ascribed to the defendant.
In this paper I will try to analytically and exactly delimitate the facts that integrate a negligent conduct, which is critical not only for the dogmatic comprehension of negligence, but also to isolate the parts that can be subjected to evidence. Going a bit further, according to the common opinion, this task may also be fundamental to draw the limits of the Supreme Courts powers to assess negligence in a given case.

KEYWORDS

Negligence; Fault; Tort Liability; Matter of Fact.

I. INTRODUÇÃO

No extremo da síntese, o *cuidado* (ou a falta dele) é o substrato fáctico da culpa negligente. Para efeitos de análise e, em certa medida, probatórios, pode reconhecer-se- -lhe um lado interno e um outro externo. Na faceta interna, devemos considerar a *atenção* e a *previsão*. Do lado externo, temos a conduta hipotética que teria evitado a situação comportamental ilícita. Pode, então, propor-se uma ordenação cronológica e estabelecer uma ligação causal: quem não estava atento não previu; quem não previu não adotou a conduta impediente da situação comportamental ilícita ocorrida.

Nesta base prosseguirei, procurando descrever cada uma das identificadas dimensões e estabelecer o modo como elas se relacionam[1].

II. CUIDADO INTERNO: ATENÇÃO E PREVISÃO

O primeiro elemento a considerar é o facto interno e difuso designado por «Atenção». Estar atento constitui uma atividade incidente sobre um objeto: significa dirigir as *energias psíquicas* para algo[2]. O *algo* destinatário da nossa atenção ora pertinente é a relação entre o indivíduo e os processos causais potencialmente conducentes à verificação da lesão de direitos ou à ocorrência do evento-prevenido pela disposição de proteção[3]. Não pode a atenção dirigir-se a todos os processos causais assim definidos, pois eles são inabarcáveis. Relevam somente aqueles que se encontram sob o domínio do autor da atenção, ou seja, os que ele podia: *(a)* ter evitado gerar; *(b)* ter modificado (ou interrompido)[4].

---

1   Uma advertência: tal como detalhadamente aclarei noutro lugar (v. *Prova por Presunções Judiciais na Responsabilidade Civil Aquiliana*, pp. 243-8), a *supra* preconizada bidimensionalidade do cuidado não equivale à construção doutrinária germânica, por vezes perfilhada pela jurisprudência do mesmo país, que opõe *innere Sorgfalt e äussere Sorgfalt*.

2   A «atenção» referida em texto identificaria uma espécie do género «intencionalidade», tal como esta veio a ser (re)introduzida na filosofia por Franz Brentano [em *Psychologie vom empirischen Standpunkte* (1874)].

3   V. artigo 483.º/1 do Código Civil Português.

4   *O poder* criar ou modificar, que configura a relação de domínio entre o indivíduo e os processos causais, deve ser concebido em termos de possibilidade física. Não é de confundir com a afirmação ou a negação do *dever* de não criar ou o de modificar o processo causal. Esta segunda perspetiva coloca-nos no problema

Posto isto, o indivíduo está atento quando é bem-sucedido o esforço intelectual debitado na deteção da existência, em cada momento, dos processos causais por ele gerados ou dos que estão em curso e cuja modificação está ao seu alcance material. Quando assim sucede, diremos que o agente debitou atenção suficiente (adiante abreviada para AS). Compreende-se então, facilmente, que o indivíduo não atento só por obra do acaso deixará de criar ou se ocupará em modificar um processo causal sob o seu domínio.

A previsão pode ser entendida sob duas perspetivas[5]:

> *(a)* Numa primeira, o agente, alicerçado nos dados percecionados e no conhecimento obtido através do estudo e/ou da experiência, projeta os contornos da evolução dos processos causais em curso e sob o seu domínio, determina a probabilidade, *a seriedade* de certos resultados ocorrerem, e bem assim engendra as intervenções capazes de bulir com o mundo. Se for bem-sucedido nestas tarefas, diremos que ele cumpriu a previsão objetiva suficiente (adiante abreviado para POS).

> *(b)* Numa segunda, o agente pondera a sua relação com o processo causal em curso, em especial a sua capacidade para dominá-lo e evitar que ele venha a converter-se numa situação comportamental ilícita. Se for bem-sucedido, diremos que ele cumpriu a previsão subjetiva suficiente (adiante abreviado para PSS).

---

da *exigibilidade*.

5   Aponta-se frequentemente a relação entre negligência e previsibilidade. Com especial clareza, v. LARENZ, *Lehrbuch des Schuldrechts – I – Allgemeiner Teil*, p. 282. Na jurisprudência portuguesa, v., por exemplo, ac. do STJ de 29.04.2004 (SALVADOR DA COSTA | Proc. n.º 04B1302) e ac. do STJ de 07.04.2005 (LUCAS COELHO | Proc. n.º 03B4474) (disponíveis em www.dgsi.pt).

Vejamos agora como a atenção e a previsão se acomodam nas categorias que, nesta sede, se têm por tradicionais.

Duas hipóteses são configuráveis: *(a)* o agente, estando atento, apreendeu a sequência fáctica em curso e, seguidamente, previu a possibilidade de esta desembocar na concretização de determinado risco, mas confiou, erradamente, que assim não viesse a suceder (negligência consciente); *(b)* o agente, por não estar atento, por lapso do raciocínio ou por falha cognitiva, não chegou a prever o risco gerado pela sequência fáctica em curso (negligência inconsciente).

Cabe precisar estas noções:

> *(a)* A negligência consciente pode ser analiticamente decomposta nos seus elementos caracterizadores. Considerando a atividade e o conteúdo do intelecto, temos que o agente: *(i)* estava atento; *(ii)* dispunha da informação e dos conhecimentos necessários para prever a evolução do processo causal em curso; *(iii)* realizou, efetivamente, uma previsão da evolução futura da sequência causal em curso, tendo incluído nas hipóteses conjeturadas a situação comportamental ilícita; *(iv)* confiou que ela não ocorreria.
>
> Fica, destarte, isolada a falha cometida: *(iv)*. Trata-se, evidentemente, de um erro de *previsão*. Cabe conjeturar as suas causas. Julgo que poderão ser de dois tipos: *(i)* o agente subestimou a probabilidade de ocorrência do resultado (lesão/evento-prevenido); *(ii)* o agente sobrestimou a sua capacidade para controlar o processo causal em curso, de modo a evitar o resultado, cuja probabilidade de ocorrência exatamente valorou[6.]

---

6   A verificação de uma destas hipóteses não impede, naturalmente, a conclusão de que a valorização realizada pelo lesante foi a exigível, de acordo com o padrão da pessoa-média, de modo que não será de considerar negligente a sua conduta.

Na primeira hipótese, não observou a POS; no segundo, a PSS.

Assim postas as coisas, podemos surpreender duas interessantes relações de proximidade conceptuais e comportamentais postas em evidência pelas identificadas causas de falha na previsão: *(i)* quando a confiança na não-ocorrência do resultado foi ocasionada por uma subvalorização da probabilidade de a sequência causal em curso nele vir a desembocar, quanto mais intenso é o erro, mais a negligência consciente se aproxima da inconsciente; *(ii)* ao invés, quando aquela confiança é causada por uma sobre-avaliação das capacidades do agente, quanto menos intenso é o erro, mais a negligência consciente se aproxima do dolo eventual.

(b) Na segunda forma de negligência referida (inconsciente), temos que o agente nem sequer previu o risco gerado pela sequência fáctica em curso. Tentando perceber por que razões o não fez, podem abrir-se duas vias explicativas: *(i)* não estava atento, de modo que nem chegou a captar os dados que lhe permitiriam antever a verificação do resultado; *(ii)* estava atento e recebeu os mencionados dados, mas, por falha de raciocínio ou de conhecimentos, não foi capaz de prever o risco associado à sequência fáctica em curso[7.] No primeiro caso, não observou a AS; no segundo, a POS.

Até agora, analisámos a dimensão interna da conduta. Repare-se nos elementos considerados: atenção, previsão, raciocínio, subestimação, sobrestimação, conhecimento, etc. Mas a negligência, ao contrário do dolo, tem uma dimensão externa, que não corresponde somente a factos indiciantes da verificação da faceta interna. Trata-se, ao invés, de factos externos mas hipotéticos, de

---

7   O que há de relevar se fosse de lhe exigir (estará aqui o fundamento para a censura) a realização do esforço para a obtenção dos conhecimentos ou informação, ou da realização do raciocínio.

cuja *existência* depende a possibilidade de considerar um comportamento negligente.

III. CUIDADO EXTERNO: INTRODUÇÃO

Abdicando, para já, de alguma precisão, direi que o cuidado externo é a conduta traduzível nos factos hipotéticos e externos cuja verificação teria evitado a situação comportamental ilícita ou colocado o agente em condições de impedir a sua ocorrência. A aludida conduta tanto pode ser uma ação como uma abstenção de agir.

Recorde-se, novamente, que nos situamos no domínio da possibilidade física. Não releva, neste momento, se era ou não exigível ao agente a adoção da conduta: este é o problema da exigibilidade.

Compreende-se sem dificuldade que a (frequente) alegação de que o cuidado externo não foi observado é meramente conclusiva. A sua procedência carece da afirmação e, porventura, demonstração de que, no caso em apreço, a adoção de determinada conduta pelo agente teria, efetivamente, evitado a situação comportamental ilícita ou colocado o agente em condições de evitá-la.

A subsequente exposição situar-se-á a um elevado (e indesejado) nível de abstração. É, todavia, inevitável que assim seja, pois estamos perante a consabida natureza casuística do problema da determinação do cuidado: só perante o caso concreto é possível construir a conduta hipotética que evitaria a situação comportamental ilícita ou colocaria o agente em condições de evitá-la. Apesar de tudo, são exequíveis alguns passos concretizadores.

Teoricamente, podemos conceber duas espécies do género cuidado externo: condutas impedientes (*infra* **IV**); condutas cognoscitivas (*infra* **V**).

IV. CONDUTAS IMPEDIENTES

1. Introdução

Quando analisamos a situação comportamental ilícita, é possível hipotisarmos contrafactualmente condutas que teriam impedido a sua ocorrência, as quais são configuráveis alternativamente do seguinte modo: *(a)* o agente poderia não ter assumido determinada tarefa; *(b)* o agente podia ter introduzido, no seu comportamento, medidas de segurança, cautelas, que teriam provavelmente impedido o início do processo causal ou impedido a sua eficácia lesiva.

Atendendo à função descrita destes dois tipos comportamentais, podemos nomeá-los do seguinte modo: conduta impediente preventiva (CIP); conduta impediente cautelar (CIC).

2. Conduta impediente preventiva (CIP)

A CIP constitui uma abstenção, um não-fazer algo. A ideia que lhe subjaz, e da qual decorre o seu interesse para o problema da culpa negligente, é simples e intuitiva: se a lesão ou o evento-prevenido se deixam perspetivar como efeito de um processo causal cuja génese é situável e existencialmente dependente num/de um contexto fáctico gerado pela execução de uma tarefa (*lato sensu*), fácil se torna concluir que aquele evento (efeito) não teria ocorrido caso o réu se tivesse abstido de executar tal tarefa[8]. A CIP apresenta uma particularidade relativamente aos demais tipos de cuidado que analisaremos. Enquanto com estes o agente teria provavelmente impedido a eficácia lesiva da sua conduta ou teria sido colocado em posição de evitar a consumação de um processo causal em curso, com a adoção da CIP

---

8   São pensáveis casos em que a inobservância de uma CIP é chamada à discussão: considere-se o condutor etilizado, com dificuldades de visão ou motoras, o técnico (ex.: médico) que realiza intervenções para as quais não está preparado.

o agente ter-se-ia, pura e simplesmente, abstido de contribuir para a geração do contexto lesivo.

3. Condutas impedientes cautelares (CIC)

3.1. Nota prévia

As CIC são dogmática e estatisticamente o tipo de cuidado externo mais relevante.

Encetarei a exposição com duas considerações de índole geral.

Primeiramente, retenha-se que a CIC é a conduta hipotética que teria evitado a situação comportamental ilícita, interferindo no processo causal que lhe subjaz.

Uma segunda nota para falar de dificuldades probatórias. À CIC são aplicáveis os problemas da conduta omissiva, com a qual, de resto, partilha a estrutura, embora não a *situação* dogmática. Ou seja, determinada conduta hipotisada só é qualificável como CIC se for de afirmar a sua eficácia causal impediente, algo que, no caso concreto, poderá levantar intrincados problemas probatórios.

A compreensão do funcionamento e do papel dogmático das CIC é facilitada com a segmentação do seu estudo pelos diferentes tipos de situações comportamentais ilícitas.

Assim sendo, segue a respetiva análise: *(a)* no comportamento ativo lesivo dos direitos de outrem (*infra 3.2.*); *(b)* no comportamento omissivo lesivo dos direitos de outrem (*infra 3.3.*); *(c)* na violação de disposições de proteção (*infra 3.4.*).

3.2. CIC e ação lesiva de direitos de outrem

A função das CIC seria, já se fez notar, evitar a verificação da situação comportamental ilícita através da interferência no processo causal lesivo subjacente. Bem se vê que tomamos como objeto de estudo o processo causal: é para ele que *olhamos* e é com base nessa *observação* que colocamos hipóteses. Dito isto, importa conhecer concretizações dos três modos funcionais que a CIC pode assumir:

> *(a)* Na primeira hipótese de configuração funcional, a CIC é uma conduta que teria impedido a geração do processo causal conducente à lesão.

> *(b)* Na segunda modalidade ponderável, a CIC é uma conduta hipotética que, ao contrário da anterior, operaria depois de o agente ter colocado em marcha o processo causal conducente à lesão, de modo que o seu efeito seria, invariavelmente, alterar a configuração desse processo.

> *(c)* Finalmente, temos a CIC, cuja função seria desviar o bem adstrito ao direito cuja lesão veio a decorrer do processo causal em curso. Em rigor, esta terceira forma de CIC não é totalmente distinta da precedente; ganha a sua autonomia, creio, porque a CIC operaria sobre o bem, sobre o destino, e não tanto, como sucede no caso anterior, nos elementos que enformam o processo, ou seja, no *iter*.

Uma conjeturável dificuldade prática é a confusão percetiva entre o comportamento efetivamente adotado pelo agente e a CIC. Não se justifica, todavia. O comportamento é um facto (ou complexo fáctico) real. A CIC seria a conduta que impediria a ocorrência da situação comportamental ilícita. Apenas *impediria*; não *impediu*. Trata-se, insisto, de um facto hipotético. Esta trivial constatação confere a ferramenta necessária para a distinguirmos do comportamento adotado pelo agente. Enquanto este será encontrado no curso dos acontecimentos, a CIC faltará: perscrutamos a sequência fáctica e não a encontramos. É o bastante para que a distinção seja realizada.

3.3. CIC e omissão lesiva de direitos de outrem

Se presentes as considerações *supra* tecidas a respeito das omissões, já se terá intuído a sobreposição entre o dever incumprido fundante da ilicitude e o conceito de CIC. Se a conduta não adotada constitutiva da omissão interviria no processo causal já em curso (mas não criado pelo agente), então tem a exata estrutura da segunda e/ou terceira modalidades funcionais de CIC anteriormente mencionadas. Consequentemente, o modo certeiro de lidar com esta coincidência é, pura e simplesmente, afirmar que, em casos de omissão, nenhuma CIC é concebível, esvaziando-se ou, pelo menos, estreitando-se o conteúdo representável da culpa negligente[9].

3.4. CIC e disposições de proteção

Neste contexto problemático, importa distinguir as disposições de proteção que prescrevem uma conduta ativa que evitaria a ocorrência do evento-prevenido *(a)* daqueloutras em que a disposição de proteção prescreve uma abstenção *(b)*.

(a) Se a sobreposição entre as CIC e o dever incumprido gerador da omissão pareceu impor-se sem apelo, esse mesmo efeito de espelho, de reflexo, mostra-se ostensivo quando tratamos das disposições de proteção (mesmo se considerarmos apenas aquelas que visam o perigo em

---

9   Se as CIP estão, por definição, fora de ponderação, as adiante designadas condutas cognoscitivas (CC) são, como veremos (infra V), convocadas a assumir protagonismo.

abstrato) que prescrevem uma conduta ativa. Nestes casos, a hipotisação de uma CIC afigura-se, mesmo num plano conceptual, implausível.

> *(b)* Se é o lesante que, agindo em desconformidade com a disposição de proteção que prescreve uma abstenção, cria o processo causal conducente à ocorrência do evento-prevenido, então inexiste qualquer obstáculo a conceber condutas hipotéticas que teriam: *(i)* impedido o agente de adotar o comportamento desconforme à disposição de proteção; *(ii)* após a violação da disposição de proteção, modificado a direção do processo causal posto em curso; *(iii)* desviado o objeto do processo causal em marcha.[10]

Quanto à destrinça entre conduta prescrita e CIC [importante para os casos referidos em *(b)*], é aplicável a técnica referida *supra* em *3.2*.

---

10   A questão passa então a ser decidir se a possibilidade de configurar metafisico-conceptualmente (todas) estas condutas deve relevar em sede de culpa. Quanto às primeiras – as que teriam impedido o agente de adotar o comportamento desconforme à disposição de proteção –, parece inequívoco que hão de relevar: se elas eram configuráveis, mas não exigíveis atendendo às circunstâncias, então é de afastar a culpa negligente. Quanto às segundas e terceiras, o ponto é mais delicado. Na verdade, é exato que, após a violação da disposição de proteção que prescreve uma abstenção, se afigura, em regra, possível, para o agente, introduzir no processo causal condutas que impediriam a verificação do evento-prevenido. Mas é igualmente verdade que, já antes, porventura, ele poderia ter introduzido condutas que o impedissem de violar a disposição de proteção, ou seja, de adotar uma conduta proibida. De modo que a questão vem a ser a seguinte: se ao agente era inexigível a não-violação da norma de proteção, age ainda assim com culpa se, depois dessa violação, lhe era exigível a introdução de CIC que impediriam a verificação do evento-prevenido; se ao agente era exigível que não violasse a norma de proteção, a inexigibilidade da introdução das condutas após o início do processo causal é irrelevante, ou seja, não afasta a negligência. Porém, nestes casos, em que ao agente era exigível que não violasse a norma de proteção, o cumprimento do cuidado exigível (mas concretamente ineficiente) para evitar o evento-prevenido (depois de encetado o processo causal) pode relevar para determinar a medida da indemnização, nos termos do artigo 494.º CC, mas não para afastar a culpa negligente.

V. CONDUTAS COGNOSCITIVAS (CC)

A conceção das CC como espécie de cuidado externo tem como pano de fundo a relação de domínio entre o indivíduo e os processos causais no mundo. Com base nela pode conjeturar-se que a possibilidade de prever a ocorrência daqueles processos que constituem situações comportamentais ilícitas e/ou as condutas adequadas a evitá-las pressupõe a posse de determinados conhecimentos de diversa natureza, designadamente fáctica e/ou técnica. O único modo de suprir a eventual falta de tais conhecimentos é, obviamente, adquiri-los. Ora, as CC constituem precisamente as diligências provavelmente necessárias à obtenção desses conhecimentos; podem configurar atividades como estudar, investigar, falar com pessoas, analisar documentos, visitar locais, etc. A adoção das CC nunca haveria, *per si*, impedido a ocorrência da situação comportamental ilícita; a sua observância é, antes, um pressuposto desse impedimento.

Seguindo o método precedente, importa distinguir a função e a operação das CIC nos diferentes contextos hipotisáveis: *(a)* comportamento ativo lesivo dos direitos de outrem *(b)* comportamento omissivo lesivo dos direitos de outrem; *(c)* na violação de disposições de proteção.

> *(a)* Nas ações lesivas de direitos de outrem, a CC não observada seria a conduta que teria colocado o agente em situação de poder compreender a configuração e a evolução potencialmente lesiva do processo causal que criou e, consequentemente, adotar uma CIP ou gizar as competentes CIC.

> Neste contexto, a pertinência imputacional (em sede de culpa) da não-adoção de uma CC acabará, em regra, por ser consumida pela relevância conferida à não-adoção de uma CIP ou de uma CIC.

(b) As CC ganham especial relevo nos casos de omissão. Com efeito, só cabia ao agente adotar a conduta que teria evitado a lesão se lhe fosse exigível observar a CC necessária à aquisição do conhecimento do processo causal em curso e, consequentemente, conjeturar a intervenção que o direito lhe impõe.

A separação entre os substratos da ilicitude e da culpa segue, neste contexto, a proposta por LARENZ e CANARIS, que os AA. ilustraram com um caso decidido pelo Reichsgerichtshof, de 30.10.1902, respeitante a uma árvore que caiu sobre um transeunte[11.] O proprietário do terreno agiu ilicitamente porque não cortou atempadamente a árvore ou não criou um mecanismo para o seu suporte, isto é, não evitou a sua queda. Mas decidir se a sua conduta foi negligente e, consequentemente, culposa implicaria analisar uma outra dimensão do seu comportamento, que, no caso, se afiguraria cronologicamente anterior: tratava-se de saber se o proprietário do terreno se havia inteirado do estado da árvore, ou seja, se tinha observado as condutas que lhe teriam permitido tomar consciência das circunstâncias geradoras do dever cuja não-   -observância constitui a situação comportamental ilícita. Ora, só se afirmada a exigibilidade de adoção das referidas condutas seria de concluir pela verificação da culpa negligente.

Concluindo, repare-se que, nas omissões, se o agente observou as CC que, no caso, lhe permitiram conhecer devidamente o processo causal em curso e, apesar disso, não adotou o comportamento que teria evitado a lesão, de três uma: *(i)* ele subestimou a probabilidade de o processo causal em curso vir a desembocar numa lesão (incumpriu uma POS); ou *(ii)* absteve-se de intervir porque, por exemplo, a adoção da conduta devida implicaria co-

---

11   *Lehrbuch des Schuldrechts – II/2 – Besonderer Teil* , p. 426.

locar em risco outros bens jurídicos, como a sua vida[12]; ou *(iii)* suscitar-se-á alguma dificuldade em qualificar como negligente a sua atitude, sendo antes, aparentemente, mais certeiro considerá-la dolosa[13]. Temos aqui, então, um campo fértil para típicos problemas de fronteira entre negligência consciente e dolo eventual.

(c) No contexto das normas de proteção, é sustentável uma tendencial impertinência das CC: não só a previsão do processo causal lesivo decorre da própria lei, como a observância da conduta que evitaria a sua geração ou a sua eficácia causal é imposta independentemente da verificação concreta de qualquer perigo.

Não obstante, esta precisa circunstância permite gizar uma hipótese que, apesar da tendencial irrelevância prática, atento o disposto no artigo 6.º CC, se afigura dogmaticamente interessante, não sendo de excluir a sua concreta pertinência em certos casos. Tenho em vista a conduta que permitiria ao agente conhecer a existência da disposição de proteção: se não era exigível ao agente observar essa CC, será de afastar a culpa.

Finalizando, cabe uma nota clarificante a respeito da distinção (metafísica) entre a CC e a POS (cuidado interno): a CC é uma conduta externa destinada a adquirir conhecimento; a POS é um processo do raciocínio destinado a conjeturar uma sequência causal e, bem assim, as medidas aptas a interferir no seu curso.

---

12   O que provavelmente nos colocará perante uma causa de exculpação.

13   Retomemos o caso referido em texto, para fins ilustrativos: se se prova que o proprietário fez as devidas diligências para se inteirar do estado de conservação da árvore, tendo ficado ciente de que ela estava podre e poderia cair a qualquer momento, e supondo que não era para ele novidade que no tal caminho circulavam pessoas, sobra algum espaço para falarmos de negligência?

VI. RELAÇÃO ENTRE CUIDADO INTERNO E CUIDADO EXTERNO

Proponho agora um exercício destinado a descrever as relações entre cumprimento do cuidado interno e observância do cuidado externo, e vice-versa.

Recordemos a tipologia apresentada e as respetivas siglas:

>*(a)* Cuidado interno: *(i)* AS: Atenção suficiente; *(i)* POS: Previsão objetiva suficiente; *(iii)* PSS: Previsão subjetiva suficiente.

>*(b)* Cuidado externo: *(i)* Conduta impediente: preventiva (CIP); Cautelar (CIC); *(ii)* Conduta cognoscitiva (CC)

Atendendo a quanto se vem expondo na corrente subsecção, diria:

>*(a)* Salvo a intervenção do acaso, o agente só adota a CIP ou a CIC devidas se observou a AS, a POS e a PSS;

>*(b)* Se o agente cumpriu a AS, a POS e a PSS, mas não a CIP ou a CIC devidas, ou a sua conduta foi dolosa, ou intervieram circunstâncias constitutivas de uma causa de exculpação;

>*(c)* Salvo intervenção do acaso, o agente só observa a CC devida se cumpriu, pelo menos, a AS;

>*(d)* A não observância de uma CC pode impedir o cumprimento da POS e/ou da PSS.

VII. RELAÇÃO ENTRE CUIDADO E NEGLIGÊNCIA

Neste momento, convém explicar como, de acordo com a orientação exposta, a violação do cuidado externo e/ou interno se liga à atribuição da qualificação "negligência" a uma dada conduta.

O primeiro ponto a focar é o seguinte: apenas se o cuidado, externo ou interno, for exigível, está a sua não-adoção apta a suportar a predicação da conduta do agente em termos de negligência.

O segundo, que é motivo deste número, visa explicar que tipo de cuidado violado suporta a referida predicação. Bastará a não-observância do cuidado interno numa das modalidades: AS, POS, PSS? Este é certamente o mínimo ontológico para podermos falar de negligência; mas não é, em regra, suficiente. Com efeito, salvo contadas exceções, a violação do cuidado interno só relevará quando, em concreto, o seu cumprimento teria *causado* a observância de um cuidado externo cuja adoção fosse exigível.

Para determinação dos casos em que a violação do cuidado externo tem de ser detetada, convém retomar novamente a distinção entre ações lesivas de direitos *(a)*, omissões lesivas de direitos *(b)* e condutas desconformes às disposições de proteção *(c)*.

> *(a)* Na primeira hipótese, só há negligência se for possível identificar uma CIP, CIC ou CC que o agente não observou[14].

> *(b)* Nas omissões, a violação do cuidado interno é, em princípio, suficiente para fundar a predicação intencionada por «negligência». Mas já ficou dito e justificado que a qualificação de negli-

---

14   Note-se, porém, que não é de asseverar a condicional simétrica desta bicondicional: é configurável a hipótese de se identificar uma CIP, CIC ou CC não observada e, apesar disso, não ser adequada a qualificação de negligência – é o que sucederá quando intervier uma causa de exculpação ou for de afirmar o dolo.

gência só é garantida se puder ser demonstrado o incumprimento de uma CC. Com efeito, se esta tarefa não for, no caso, possível (*v.g.*: não é configurável, porque desnecessária, qualquer CC) ou ajustada (*v.g.*: a CC configurável foi cumprida), ficaremos na dúvida sobre se o agente incumpriu, ou não, o cuidado interno, e, consequentemente, hesitaremos na predicação do seu comportamento: se negligente, se doloso, se, até, não culposo.

(c) Finalmente, quanto às disposições de proteção, supondo que as condutas ativas nelas prescritas teriam, no caso concreto, a função de impedir a verificação do resultado, e se não estiver em discussão o conhecimento da prescrição pelo agente, então, como a disposição de proteção tem a estrutura e a função de uma CIC, bastará, para haver negligência, a inobservância do cuidado interno. Nos demais casos, para quem neles veja diferenças relativamente aos anteriores, em que é a conduta do agente que gera o processo causal, é aplicável o disposto *supra* em *(a)*.

VIII. CONCLUSÃO

Concluindo, procede-se à sumula dos factos que constituem o substrato da negligência e que, consequentemente, delimitam o objeto da prova. A saber:

1. Falta de cuidado interno:

(a) Negligência consciente:

(i) atenção do agente;

(ii) posse da informação e dos conhecimentos necessários para prever o risco associado à sequência fáctica em curso;

(iii) realização de uma previsão da evolução futura da sequência causal em curso, com inclusão da situação comportamental ilícita, nas hipóteses conjeturadas;

(iv) confiança na não-ocorrência da situação comportamental ilícita:

(iv$_a$) subestimação da probabilidade de ocorrência do resultado (lesão/evento-prevenido) (incumprimento da POS – previsão objetiva suficiente);

ou

(iv$_b$) sobrestimação da capacidade para controlar o processo causal em curso, de modo a evitar o resultado (incumprimento da PSS – previsão subjetiva suficiente).

(b) Negligência inconsciente

(i) Desatenção e consequente desconhecimento dos dados que permitiriam antever a verificação do resultado (incumprimento da AS – atenção suficiente);

(ii) Não-previsão do risco associado à sequência fáctica em curso (incumprimento da POS – previsão objetiva suficiente).

2. Falta de cuidado externo:

(a) Inobservância de CIP – conduta impediente preventiva:

(i) Assunção de tarefa;

(ii) Relação causal entre a execução da tarefa e a ocorrência do resultado;

(iii) Factos que fundam a tipicidade da tarefa como fonte de processos causais lesivos (danosos).

(b) Inobservância de CIC – conduta impediente cautelar:

(b₁) Situação comportamental ilícita decorrente de ação lesiva de direitos de outrem:

(i) Propriedades da conduta;

(ii) Não-adoção da conduta;

(iii) Efeitos (hipotéticos) da conduta:

(iii₁) A adoção da CIC *(w)* teria impedido o agente de introduzir a conduta causal *(x)*: *w* teria evitado *x*, pois, se *w* se tivesse verificado, *x* não teria ocorrido;

(iii₂) A adoção da CIC *(w)* teria modificado o curso causal e evitado a lesão *(y)*: *w* teria evitado *y*, pois, se *w* se tivesse verificado, *y* não teria ocorrido;

(iii₃) A adoção da CIC *(w)* teria desviado o bem do curso causal e evitado a lesão *(y)*: *w* teria evitado *y*, pois, se *w* se tivesse verificado, *y* não teria ocorrido.

(b₂) Situação comportamental ilícita decorrente de violação de disposição de proteção: quando seja de ponderar CIC nestes casos, segue-se o modelo de *(b₁)*.

(c) Inobservância de CC – conduta cognoscitiva: características da conduta

7. A RESPONSABILIDADE CIVIL DO ESTADO POR ATOS DOS NOTÁRIOS E REGISTRADORES

Osvaldo José Gonçalves de Mesquita Filho[1]
Bernard Korman Kuperman[2]

SUMÁRIO: I. SISTEMA NOTARIAL E REGISTRAL BRASI-LEIRO. II. A RESPONSABILIDADE CIVIL DOS NOTÁRIOS E REGISTRADORES. III. A RESPONSABILIDADE CIVIL DO ES-TADO POR ATOS DOS NOTÁRIOS E REGISTRADORES. IV. CONSIDERAÇÕES FINAIS.

RESUMO

Este trabalho traz uma discussão sobre a responsabilidade civil do Estado por danos causados no exercício de atividade notarial ou registral, cujo cerne decorre da dualidade entre o caráter público e privado dessa atividade. A tese pacificada é pela responsabilização do Estado, porém o divisor de opiniões reside na natureza dessa responsabilidade: se soli-

---

1   Bacharel em Direito pela Universidade Federal de Minas Gerais (UFMG). Advogado. Mestrando em Direito Urbanístico pela UFMG. Pós-graduado em Direito Notarial e Registral pelo Centro de Estudos em Direitos e Negócios. Pós-graduando em Direito Civil pela PUC-MG. Brasil. Contato: mesquita.os-valdo@gmail.com

2   Bacharel em Direito pela Universidade Federal de Minas Gerais (UFMG). Advogado. Pós-graduado pela Fundação Dom Cabral no programa PDA. Brasil. Contato: bernard@kupermanadvogados.com

dária com o cartorário ou subsidiária. Em busca de uma resposta, foram examinados os argumentos doutrinários a respeito, bem como decisões dos tribunais superiores, com relevância para o julgamento do Recurso Extraordinário - RE 842846, no qual foi declarada a repercussão geral, reconhecendo-se a responsabilidade objetiva direta do Estado. Este estudo, porém, concluiu em consonância com o voto vencido do Ministro Luís Roberto Barroso, pela responsabilização primária do notário/registrador, no sentido de que o Estado deva ser responsabilizado somente em caso de insolvência do titular da serventia, orientação que condiz com a natureza jurídica da atividade, de delegação do Poder Público, que assim o faz para transferir a responsabilidade de prestação ao particular.

PALAVRAS-CHAVE

Responsabilidade Civil do Estado. Serviços Notariais e Registrais. Dano Causado a Terceiros. Responsabilidade Solidária. Responsabilidade Subsidiária.

ABSTRACT

This work brings forth a discussion regarding the state's civil liability for damages caused in the performance of Brazilian public notary activities, which essentially involves the duality of its public and private nature. The State's strict liability, in such cases, is the major case law. However, the divergence resides in the type of obligation: if it should be considered solidary or subsidiary. Seeking an answer, legal literature arguments have been examined, as well as supreme court precedents, specially the "Extraordinary Appeal" N. 842846, where "General Repercussion" was declared and the State's strict and direct liability acknowledged. Nevertheless, this study has concluded in corroboration to Minister Luís Roberto Barroso, who decided that the State should only be held liable in cases of notaries' insolvency. This orientation pairs the legal rationale of delegation of public affairs to private entities, in pursuance of transferring the liability in the performance of public services to the private sector.

KEYWORDS

Civil Liability of State. Notary and Registry Services. Vicarious Liability. Solidary Liability. Subsidiary Liability.

I. SISTEMA NOTARIAL E REGISTRAL BRASILEIRO

Antes de iniciar a discussão sobre a responsabilidade civil de notários e registradores, é imprescindível entender o sistema normativo concernente à matéria como um todo. Este tópico buscará, de forma propedêutica, discorrer sobre a organização notarial e registral no ordenamento brasileiro, com o fim de esclarecer conceitos basilares a partir dos quais possa ser compreendido o desenrolar do discurso.

Na estrutura jurídica mundial, existem três classificações predominantes para se definir a organização notarial: o Notariado Administrativo, o Notariado Anglo-Saxão e o Notariado Latino[3-4]. O sistema brasileiro adotou a teoria do Notariado Latino, que hoje tem maior adesão em todo o mundo: mais de 120 países, abrangendo dois terços da população mundial e mais de 60% do Produto Interno Bruto (PIB) do planeta[5].

---

3   Classificação adotada no XVI Congresso Internacional do Notariado Latino, 1982, em Lima, Perú. SOUZA JARDIM, M.V.A. *Escritos de Direito Notarial e Direito Registral*. Coimbra: Almedina, 2015. pág.23 apud KUMPEL, Vitor. *Tratado Notarial e Registral*. São Paulo. YK, 2017, pág.106.

4   Referente às demais classificações existentes, sugere-se a leitura de KUMPEL, ob. cit., pág. 106-128.

5   UINL. *Mission*. Disponível em: <www.uinl.org/mission>. Acesso em: 18-06-2019.

Apesar da nomenclatura "Latino", tal estrutura está presente em localidades dentro da Grã-Bretanha, no Japão, dentre outras, não se restringindo aos países de línguas latinas. Tendo em vista o grande número de peculiaridades das disciplinas jurídicas locais, e até mesmo questões culturais, dada a importância do caráter consuetudinário nas normas notariais/registrais, nenhuma classificação é precisa, existindo, contudo, uma estrutura basilar que é comum à organização.

O notário do tipo latino é um profissional do Direito, titular de função pública, nomeado pelo Estado para conferir autenticidade aos atos e negócios jurídicos contidos nos documentos que produz e orientar e assessorar os usuários, com imparcialidade e independência[6]. O notário/registrador deve conferir segurança jurídica às relações sociais, publicizando os negócios jurídicos, possuindo autonomia ampla na confecção dos negócios privados, tendo presunção relativa da veracidade dos seus atos. Impende ressaltar que a autonomia dos registradores é mais restrita que a dos notários, uma vez que os atos a serem praticados por aqueles são regidos pelo princípio da tipicidade registral, pelo que devem atuar somente nas situações determinas pela Lei.

No ordenamento jurídico brasileiro, à semelhança da organização latina, as atividades notariais e registrais são atividades jurídicas próprias do Estado, exercidas em caráter privado, mediante delegação estatal, conforme dispõe o artigo 236 da Constituição Federal de 1988 (CF/88). O delegatário possui total autonomia organizacional, inexistindo relação de hierarquia com o Estado, e sim de fiscalização, exercida por meio do Poder Judiciário.

A natureza jurídica dos notários e registradores era controvertida na doutrina e na jurisprudência brasileiras, sendo pacificada nos últimos

---

6   UINL. *Fundamental Principles*. Disponível em: <www.uinl.org/principio-fundamentales. Acesso em: 18-06-2019.

anos através de julgados nas ações diretas de inconstitucionalidade (ADI) 4.140, em 2008, e 2.415, em 2011. Cabe ressaltar o seguinte trecho dos julgados:

> Trata-se, na dicção da Carta da República, de uma delegação, não de uma relação contratual. Por isso é exercível somente por pessoa natural, nunca por pessoa jurídica. O serviço notarial e registral é estatal, mas possui natureza privada. O ingresso se dá por concurso público de provas [...] Seus titulares são fiscalizados pelo Poder Judiciário, e não pelo Poder Executivo. Portanto, não são servidores públicos e tampouco ocupam público. [7]

A função exercida é pública, regida, em grande parte, por normas de Direito Público, própria da organização estatal, mas prestada em caráter privado, por uma pessoa estranha à estrutura organizacional do Estado. Isso caracteriza, nas palavras de Dip, o binômio-tensivo da atividade notarial e registral, visto que se posiciona entre o jurista estatal e o jurista privado, possuindo natureza jurídica peculiar (tertium genius)[8].

Essa interação do caráter público e privado dos notários e registradores representa uma importante semelhança entre o ordenamento brasileiro e o espanhol. Segundo Castro[9], o notário espanhol sempre foi considerado como ofício de honra, função outorgada a pessoas aprovadas e conhecidas por sua fidelidade e consciência, tendo uma posição especial na organização jurídica, não constituindo uma profissão livre, pois o ingresso é regulado pelo Estado, nem sendo servidores do Estado, em sentido estrito, porque são escolhidos e remunerados pelos particulares.

---

7   BRASIL. Supremo Tribunal Federal. 20-9-19. Disponível em: www.stf.jus.br/jurisprudencia. Acesso em: 18-6-19.

8   LOUREIRO, Luiz Guilherme. *Registros Públicos* – Teoria e Prática. 10 ed. Salvador. Juspodivm, 2019, pág. 56.

9   CASTRO, Frederico de. *Derecho Civil de Espanã*, Parte general, tomo I, Libro Preliminar. Valladolid, 1942 apud LOUREIRO, ob. cit. pág. 56.

O caráter privado, no ordenamento brasileiro, demonstra-se claramente no fato de que a personalidade do serviço é o notário ou registrador, assim entendidos enquanto pessoas naturais, visto que são eles os sujeitos de direitos e deveres, prestando o serviço público de forma direta, como particulares, não se submetendo ao teto remuneratório do serviço público e à aposentadoria compulsória, e sendo remunerados por meio dos emolumentos, que têm natureza jurídica de taxa[10]. A serventia extrajudicial, ou cartório, como são chamados os locais de funcionamento da atividade, não tem personalidade jurídica, sendo integrante do Cadastro Nacional de Pessoas Jurídicas (CNPJ) apenas para fins tributários.

Por outro lado, os atos dos notários e registradores continuam sendo considerados atos do Estado, exatamente pelo fato de eles exercerem função delegada, tipicamente pública, visando atender aos interesses da coletividade. O Estado delega a chamada fé pública, que representa para a sociedade a crença de que o ato praticado é dotado da qualidade de expressão da verdade[11].

Apesar de ter havido a delegação estatal, perdura a finalidade da consecução do interesse público, dado que tal interesse é indisponível. Esse contexto justifica que o Estado continue exercendo a irrenunciável função de controle, a qual se dá em dois níveis: passivo e ativo. No âmbito passivo, o controle se dá pela informação e fiscalização, que é realizada pelo Poder Judiciário. No âmbito ativo, dá-se pela regulamentação normativa, a qual deve ser obrigatoriamente seguida pelo delegatário[12].

A função de controle estatal também se dá na organização estrutural do sistema notarial e registral, característica típica dos chamados notariados numerários, já que o Estado deve determinar o número de

---

10   STF 25-10-10.

11   KINDEL, Augusto Lemen. *Responsabilidade civil dos notários e registradores*. Porto Alegre: Norton Editor, 2007, pág. 89.

12   Ibid., pág. 66.

serventias existentes e suas principais características, devendo-se destacar as respectivas competências territoriais. A exemplo do que ocorre na Espanha, o Supremo Tribunal Federal (STF), na ADI 4.140/GO, sedimentou que é responsabilidade do ente federativo definir a organização das serventias, criar ou extinguir cartórios e definir o número de serventias em determinado município.

Toda a discussão acerca da responsabilidade civil dos notários e registradores e da responsabilidade estatal sobre o serviço público delegado perpassa e reside na dualidade entre o caráter público e privado da atividade. De um lado o Estado, que delega a prestação do seu serviço, mas que tem o dever de fiscalizar e regulamentar a respectiva realização. Na perspectiva inversa, o particular, que cumpre todos os requisitos da lei[13] para receber a delegação, e passa a exercer função pública, devendo agir estritamente segundo os ditames legais, contudo, com autonomia gerencial e financeira, sendo remunerado pelos usuários dos serviços, por meio do recolhimento de taxas; e, o principal, exerce sua atividade com independência.

II. A RESPONSABILIDADE CIVIL DOS NOTÁRIOS E REGISTRADORES

A responsabilidade civil da profissão notarial e de registro é amplamente discutida pela doutrina e jurisprudência brasileiras. O primeiro objeto de discussão trata-se do dispositivo constitucional aplicável ao dever de indenizar dos cartorários, restando dúvida quanto à aplicação de

---

13   Os requisitos estão presentes no art. 14, da Lei 8.935/1994: a) habilitação em concurso de provas e títulos; b) nacionalidade brasileira; c) capacidade civil; d) quitação com as obrigações eleitorais e militares; e) diploma de bacharel em Direito ou dez anos de exercício em serviço notarial e registral, até a primeira publicação do edital; f) verificação de conduta condigna para o exercício da profissão.

uma interpretação extensiva do §6°, artigo 37, ou às normas contidas no §1° do artigo 236, ambos da CF/88.

Como pressupostos para subsumir-se no §6°, artigo 37 da CF/88, destacam-se, principalmente, a necessidade de o responsável ser pessoa jurídica e a imprescindibilidade de o agente ofensor estar na qualidade de prestador de serviço público.

Embora os notários e registradores sejam prestadores de serviço público, fazem-no enquanto pessoas naturais, cuja responsabilidade civil pelos danos causados aos particulares é pessoal. A responsabilidade objetiva prevista no §6° do artigo 37 da CF/88 somente se aplica às pessoas jurídicas de direito público e de direito privado prestadoras de serviços públicos, e não ao particular que exerce função jurídica por delegação[14].

Portanto, eventual ação indenizatória não seria proposta em face do serviço notarial e/ou registral, uma vez que este não tem personalidade jurídica, e sim direcionada à pessoa física titular da serventia. Isso porque a delegação é direcionada à pessoa natural investida nas funções de notário/registrador[15].

Por outro lado, o artigo 236 da CF/88 é norma constitucional específica, em que se delega ao legislador federal o regime jurídico dessas pessoas, retirando-as da regra geral do §6° do artigo 37.

---

14   SILVA, Carina Goulart da; FACCENDA, Guilherme Augusto. Breve Histórico da Responsabilidade na atividade notarial e registral. In: EL DEBS, Marta et al (Coords.). *Tabelionato de Notas – Temas aprofundados*. Salvador: Juspodvim, 2019, pág. 161-178 - cap. 6, pág. 176.

15   3 MOREIRA, Anthony Nunes. Responsabilidade civil dos notários e registradores: alteração legislativa, diluição do dano e o RE 842.846 RG/SC, In: EL DEBS, Marta et al (Coords.). *Tabelionato de Notas – Temas aprofundados*. Salvador: Juspodvm, 2019, pág. 179-204 – cap. 7, pág. 185.

A norma infraconstitucional federal mais recente que disciplina a responsabilidade civil e criminal dos notários e registradores é o artigo 22 da Lei 8.935/1994 (Lei dos Cartórios), com nova redação dada pela Lei 13.286/2016.

Coaduna-se este estudo com o entendimento de El Debs[16] de que a nova redação do enunciado normativo finalmente clarifica a responsabilidade subjetiva dos notários e registradores perante terceiros. Sob sua ótica, tal alteração teve a finalidade de extinguir as diversas linhas argumentativas sobre a aplicação da teoria objetiva, restando, para os delegatários, apenas o mantra "onde há culpa, há reparação", ao lado dos pilares da responsabilidade civil de conduta ativa ou omissa, o nexo de causalidade e o dano sofrido pela vítima[17].

A nova lei que assentou a responsabilidade subjetiva de notários e registradores alinhou o regime de responsabilização brasileiro ao de diversos outros ordenamentos. Silva e Faccenda[18] explicitam que:

> na França, as primeiras monografias sobre o tema são de mais de um século atrás, e sempre consideraram que, além do prejuízo, deve-se demonstrar dolo ou culpa na falta cometida pelo profissional de notas. Já na Espanha, cujo sistema notarial é semelhante ao brasileiro, o Tribunal Supremo pacificou entendimento de que é necessária a análise de culpa para responsabilizar o notário.

Pelas normas infraconstitucionais editadas, a responsabilidade dos notários e registradores perante terceiros é subjetiva, dependente, pois, da comprovação de culpa ou dolo. O pressuposto da responsabilidade civil

---

16   EL DEBS, Martha. *Legislação notarial e de Registros públicos comentada: doutrina, jurisprudência e questões de concurso*. 2.ed. Salvador: Juspodivm, 2016, pág. 1.753.

17   Ibid., pág. 1.755.

18   SILVA, Carina Goulart da; FACCENDA, Guilherme Augusto. ob.cit., pág. 170.

apenas poderia ser alterado para a teoria objetiva, à luz da dicção atual do artigo 22 da Lei 8.935/1994, se considerada inconstitucional por uma violação ao §6º do artigo 37 constitucional, como sustentado pelo Ministro Luiz Edson Fachin, em seu voto no RE 842846[19].

Se a Constituição Federal tratou o regime de responsabilidade civil dos notários e registradores em dispositivo diverso do artigo 37, §6º, que claramente explicita que lei federal a disciplinará, não há que se falar em inconstitucionalidade por descumprimento de tal dispositivo, pois não haveria sentido na delegação de competência de matéria já disciplinada pela própria Carta Magna. Se o constituinte diz que certa matéria será tratada em lei específica, evidente que tal enunciado poderá diferir-se da regra geral da Constituição.

O fato de a responsabilidade ser subjetiva não significa, necessariamente, transferir um ônus insuportável para a vítima, pois pode ser aplicado o §1º do artigo 373 do Código de Processo Civil.

Conforme o voto do Ministro Luís Roberto Barroso no RE 842846[20], em determinadas situações de litígio entre cartórios e particulares há uma clara assimetria de informações, uma vez que os notários e registradores possuem maior facilidade em obter prova de que agiram sem culpa no contexto do evento danoso.

Portanto, sem alterar a responsabilidade subjetiva, o juiz deve distribuir dinamicamente o ônus da prova da culpa aos delegatários, parte que se encontra em melhor posição subjetiva para clarear a situação fática con-

---

19   STF 27-2-19. Recurso Extraordinário com Repercussão Geral em que foi determinada a responsabilidade civil objetiva do Estado para reparar danos causados a terceiros por tabeliães e oficiais de registro no exercício de suas funções cartoriais. O colegiado assentou ainda que o Estado deve ajuizar ação de regresso contra o responsável pelo dano, nos casos de dolo ou culpa, sob pena de improbidade administrativa.

20   STF 27-2-19.

trovertida. Impede-se, assim, que os oficiais possuidores de informações privilegiadas as manejem arbitrariamente, garantindo-se o contraditório segundo os princípios da paridade de armas e da boa-fé processual[21].

A estratégia processual de distribuição dinâmica do ônus probatório se assemelharia à teoria da culpa presumida na responsabilidade civil. Nesta, a culpa mantém a sua condição de pressuposto da obrigação de indenizar, porém de forma mitigada, eis que, nos casos em que fosse aplicada, bastaria à vítima demonstrar o fato danoso, decorrendo a obrigação de indenizar da presunção relativa de culpa, que, em razão da inversão do ônus da prova, poderia ser afastada pelo ofensor se demonstrasse a ausência de culpa[22].

III. A RESPONSABILIDADE CIVIL O ESTADO POR ATOS DOS NOTÁRIOS E REGISTRADORES

Conforme já repisado, a responsabilidade civil do Estado por atos de seus agentes é objetiva, em respeito aos princípios orientadores pós-modernos de primazia do interesse da vítima e solidariedade social. O Brasil adota a teoria do risco administrativo. Isso significa, em essência, que o Estado responde independente de culpa, porém fica livre de responsabilização se conseguir demonstrar que não existe nexo causal entre o dano e a ação ou omissão a ele imputada, isto é, o Estado não indeniza se provar culpa exclusiva da vítima; caso fortuito ou força maior[23-24].

---

21   THEODORO JÚNIOR, Humberto. *Curso de Direito Processual Civil* - teoria geral do direito processual civil, processo de conhecimento e procedimento comum - 56. ed. Rio de Janeiro: Forense, 2015, v. 1, pág. 890.

22   FARIAS, Cristiano Chaves de; BRAGA NETTO, Felipe Peixoto; ROSENVALD, Nelson. *Novo tratado de responsabilidade civil*. São Paulo: Atlas, 2015, pág. 508-509

23   Ibid., pág. 1011.

24   O STJ proclamou: "A responsabilidade civil do Estado é objetiva, mormente

Contudo, em se tratando de danos causados por titular de cartório, há divergência jurisprudencial e doutrinária quanto à responsabilidade do Estado ser subsidiária ou solidária junto aos notários e registradores.

O posicionamento do Superior Tribunal de Justiça (STJ) caminha no sentido da responsabilidade subsidiária estatal, nos moldes do já pacífico modelo para concessões: "A responsabilidade dos notários se equipara às pessoas jurídicas de direito privado prestadoras de serviços públicos. Os serviços dos notários são exercidos por delegação estatal, se dando por conta e risco do delegatário"[25]. Entende o STJ que o art. 22 da Lei 8.935/1994 obsta à interpretação de que deve o Estado responder solidariamente com o delegatário, sendo a responsabilidade do Estado, ainda que objetiva, apenas subsidiária.

No mesmo sentido, Benício e Lemos[26]:

> *Considerando o regime de delegação e a percepção integral de emolumentos pelos titulares de serventias não oficializadas, inexiste, a princípio, responsabilidade direta do Estado por atos desses agentes delegados. A responsabilidade do ente estatal delegante deve ser tão somente subsidiária, no caso de insolvência do agente delegado, este - sim - diretamente responsável.*

Isso porque, segundo os autores acima:

---

quando se tratar de risco criado por ato comissivo de seus agentes. A comprovação de dano e autoria basta para fazer incidir as regras dos arts. 37, §6°, da Constituição e 927, parágrafo único do CC"(STJ. REsp 1140387, Rel. Min. Herman Benjamin, 2ª Turma, 23-4-10).

25   BRASIL. Superior Tribunal de Justiça. 19-05-10. Disponível em: www.stj.jus. br/jurisprudencia. Acesso em: 18-6-19.

26   BENÍCIO, Hércules Alexandre da Costa; LEMOS, Raphael Abs Musa de. A Responsabilidade Civil de Notários e Registradores. In: ROSENVALD, Nelson; MILAGRES, Marcelo (Coords.). *Responsabilidade civil: Novas Tendências*. Indaiatuba: Foco Jurídico, 2017, pág. 531.

com base no art. 28 da Lei 8.935/1994, notários e registradores têm direito à percepção dos emolumentos integrais pelos atos praticados na serventia, apropriando-se dos lucros daí decorrentes, os prejuízos que causarem não devem ser socializados e satisfeitos pela totalidade dos cidadãos do ente estatal delegante.[27]

Por outro lado, o Supremo Tribunal Federal, para fins de repercussão geral no Recurso Extraordinário (RE) 842846[28], reiterando entendimento prévio (AgRg RE 209354; RE 209354; RE 175739), aprovou a tese: "O Estado responde objetivamente pelos atos dos tabeliães registradores oficiais que, no exercício de suas funções, causem danos a terceiros, assentado o dever de regresso contra o responsável, nos casos de dolo ou culpa, sob pena de improbidade administrativa".

Trata-se de responsabilidade "direta, primária e solidária", segundo o voto da Ministra Rosa Weber[29]. A vítima pode optar por mover a ação por perdas e danos diretamente contra os Estados, sem necessidade de comprovação de culpa, ou então contra o notário/registrador, mas em tal hipótese cabe-lhe o ônus da prova da existência de ato culposo praticado por tais agentes ou seus prepostos.

Na mesma linha, a Ministra Carmen Lúcia[30] destacou que tirar do Estado "a responsabilidade de reparação deixaria o cidadão desprotegido, pois caberia a ele a incumbência de comprovar a culpa ou dolo do agente". Seguindo esse raciocínio, a responsabilidade subsidiária do Estado implicaria em retrocesso, pois ignoraria as modernas tendências de alargamento das responsabilidades estatais e da ampliação do âmbito de proteção da vítima, enfáticas em um retorno desta ao *status quo ante*.

---

27   Ibid., pág. 531.
28   STF 27-2-19.
29   LOUREIRO, Luiz Guilherme. ob. cit., pág. 120.
30   STF 27-2-19.

Conforme assentado no voto do Ministro Luiz Fux[31], deve ser respeitado o novo perfil da responsabilidade civil pela concepção solidarista da Constituição Federal: a vítima não pode deixar de ser indenizada. Por isso, diante da existência de dois sujeitos responsáveis, quais sejam o Estado, com potência patrimonial; e a pessoa natural do oficial, com eventual indisponibilidade de recursos, é possível que a segunda não consiga, após uma condenação, satisfazer a condição da vítima à situação anterior ao dano, razão pela qual deve haver responsabilidade direta do Estado.

No julgamento do caso de repercussão geral supramencionado, três foram os votos contrários à tese firmada, os quais, no entanto, apresentaram argumentos distintos.

O Ministro Marco Aurélio Mello[32] deu provimento integral ao recurso, defendendo que a responsabilidade é exclusivamente do cartório por atos de seus agentes que venham a causar danos a terceiros, argumento com base no já citado artigo 37, §6º, da CF/88.

Já o Ministro Luiz Edson Fachin[33] considerou que a responsabilidade do Estado deve ser objetiva, mas subsidiária em relação à responsabilidade direta dos notários/registradores. Para o julgador, contudo, o ato notarial ou de registro que causasse dano ao particular deveria ser imputado objetivamente ao delegatário, não havendo que se falar em responsabilidade subjetiva deste. No caso concreto, manteve a condenação ao Estado-membro, mas, tendo em vista a natureza prospectiva da tese fixada, entendeu que podem figurar no polo passivo o Estado, respondendo subsidiariamente, e o titular da serventia, ambos com responsabilidade objetiva.

---

31   STF 27-2-19.
32   Ibid.
33   Ibid.

A terceira divergência veio com o voto do Ministro Luís Roberto Barroso, que não deu provimento ao RE em questão, em respeito à jurisprudência existente no STF sobre o tema, argumentando que a mudança de entendimento não deve ter efeito retroativo. Contudo, propôs a alteração do entendimento com a fixação da seguinte tese:

> Os tabeliães e oficiais de registro tem responsabilidade subjetiva e primária por danos causados a terceiros no exercício de suas funções, tendo o Estado responsabilidade objetiva, porém apenas subsidiária por atos ilícitos praticados por estes agentes, assegurado seu direito de regresso contra o responsável.[34]

No entendimento dos autores deste trabalho, tal linha argumentativa é a que deveria ter prosperado, dado que é a que melhor expressa toda a lógica jurídico-social do sistema notarial e registral brasileiro. O Ministro Barroso argumentou que o Estado não pode ser demandado isoladamente numa situação de falta imputável ao tabelião ou registrador, que a

> ideia de que o Estado seja o responsável, a bolsa final de todas as súplicas, deveria ser revisitada [..] já que todo dinheiro pago em indenização é dinheiro que não foi para a educação, saúde, transporte; que se o Estado foi responsável, ele tem que responder, mas essa interpretação ampliativa da responsabilidade do Estado é falsamente generosa, sendo verdadeiramente perversa. Argumenta, ainda, que "condenar o Estado objetivamente num caso de falha do oficial cartorário seria condenar o Estado a o pior dos mundos, ele não recebe as receitas do cartório, mas ele paga as indenizações pelos erros praticados em cartório.[35]

---

34   VOTO DO MINISTRO LUÍS ROBERTO BARROSO NO RE 842846/SC.
ob. cit.

35   VOTO DO MINISTRO LUÍS ROBERTO BARROSO NO RE 842846/SC,
ob. cit.

Ao nosso sentir, há total pertinência nessa argumentação, visto que o delegatário não é remunerado por tarifa (como os concessionários), e sim por taxa, que tem natureza tributária divisível, sendo paga pelos usuários dos serviços cartorários, por meio dos emolumentos. Não se justifica, portanto, que o Estado arque primariamente com uma situação pela qual ele não receba a contrapartida também na forma primária. O correto, na visão de alguns autores, seria demandar exclusivamente o notário ou registrador, por suas próprias características de agente delegado em regime especial[36].

A conjuntura social e econômica brasileira também é considerada pelo Ministro Barroso, o qual menciona que se deve desenvolver uma nova cultura de responsabilidade fiscal, tendo como contrapartida a justiça social, visto que "se você não arrecada você não tem como investir socialmente" (sic)[37]. O voto analisa os impactos econômicos de eventual responsabilização objetiva e primária do Estado, no sentido de que tal decisão acarretaria o agravamento do déficit fiscal brasileiro. Importante mencionar que:

> O Brasil tem déficit fiscal de R$139 bilhões. O Brasil paga R$100 bilhões de juros – uma reconstrução da Europa por ano, nas palavras de Paulo Guedes[38]. Quando damos essa interpretação que aumenta a responsabilidade civil do Estado, estamos acrescentando uns trocados a esse déficit e a esses juros. Se essa for a solução mais justa, não há o que fazer, tem que pagar a conta. Contudo, acredito que não é justo aqui. O que eu acho justo aqui: o cartório tem o lucro é que tem o dever primário de indenizar; se por acaso ele for insolvente, o Estado entra subsidiariamente.[39]

---

36   LOUREIRO, Luiz Guilherme. op. cit., pág. 119
37   VOTO DO MINISTRO LUÍS ROBERTO BARROSO NO RE 842846/SC, ob. cit.
38   Ministro da Economia do Brasil, no ano de 2019.
39   VOTO DO MINISTRO LUÍS ROBERTO BARROSO NO RE 842846/SC.

Por fim, o Ministro arremata seu voto argumentando que a tese majoritária firmada seria, ainda, mais dispendiosa para o Judiciário, visto que seriam propostas duas demandas: uma contra o Estado para a reparação civil pelo que sofreu o dano e, posteriormente, a de regresso, do Estado contra o delegatário. Lado outro, se sua tese fosse a vencedora, seria proposta apenas uma ação, contra o titular da serventia, em que se colocaria o Estado no polo passivo, a fim de eventual responsabilização subsidiária. Completa, então, dizendo que a tese vencedora seria "injusta do ponto de vista social, equivocada do ponto de vista econômica, e acho que é uma má utilização do Poder Judiciário" (sic)[40].

IV. CONSIDERAÇÕES FINAIS

É inegável a importância do sistema notarial e registral para todo o mundo, em especial para os países que adotam o Sistema Latino, um total atualmente de cerca de 120 nações, conforme já demonstrado. No ordenamento brasileiro, a função social dos notários e registradores, segundo Campilongo[41], seria propiciar a redução da litigiosidade e a estabilização das relações sociais através de um terceiro imparcial que construa uma relação de confiança nas partes, levando a um pleno desenvolvimento social. Nesse cenário, haveria cada vez menos litígios e mais segurança nos negócios intersubjetivos, o que fomentaria o crescimento social e econômico.

A boa prestação dos serviços notarias e registrais, para que se consiga atingir o cenário acima mencionado, cabe ao titular do serviço, a quem

---

ob. cit.

40 VOTO DO MINISTRO LUÍS ROBERTO BARROSO NO RE 842846/SC. ob. cit.

41 CAMPILONGO, Celso Fernandes. *Função social do notariado: eficiência, confiança e imparcialidade.* São Paulo: Saraiva, 2014, pág. 159-160

foi delegada a prestação pelo Estado. Contudo, o bom funcionamento do serviço prestado continua sob a garantia do Estado, a quem cabe o controle, através da fiscalização e regulamentação, dado que a atividade tem natureza pública.

O poder regulamentar consiste na edição de normas pelo Estado, as quais devem ter por objetivo a prestação eficiente, célere e adequada dos serviços extrajudiciais, além de indicar a melhor interpretação dos dispositivos legais aplicáveis por notários e registradores. A fiscalização, que é realizada pelas corregedorias locais, objetiva a eficiência do serviço prestado e o cumprimento das leis e normas complementares.

Nesse sentido, a jurisprudência e a doutrina se mostram praticamente pacíficas ao dispor que a responsabilidade do Estado sobre o serviço delegado deve ser objetiva, nos moldes do §6º do art. 37 da CF/88 (teoria do risco administrativo). Na inteligência do ditame constitucional, há responsabilidade estatal objetiva sobre as pessoas prestadoras de serviço público, que é o caso da atividade notarial e registral. Contudo, existem limites para que o Estado seja responsabilizado, podendo-se citar a culpa exclusiva da vítima, o caso fortuito, a força maior, dentre outros.

A divergência reside na discussão sobre a subsidiariedade ou solidariedade da responsabilidade estatal, tal como demonstrado nos tópicos anteriores. Apesar do posicionamento majoritário expressado na votação do RE 842.846/SC, que teve repercussão geral reconhecida, coadunamos com o posicionamento minoritário expressado pelo Ministro Barroso, seguido por diversas decisões do STJ e por parte da doutrina.

Para os que defendem essa tese, a independência na prestação dos serviços notariais e registrais deve se traduzir em responsabilização primária dos titulares, tendo em vista que estes têm autonomia - gerencial, financeira e interpretativa - na prestação dos seus serviços. Para Cavalieri Filho, o fato de serem remunerados por emolumentos, que tem natureza de taxa, significa que "o Estado não poderá ser responsabilizado pelos danos ocasionados pelos delegatários, sendo responsabilizados tão somente, subsidiariamente, quando da insolvência do delegatário"[42].

A partir de uma falsa percepção da realidade das serventias extrajudiciais, pode-se argumentar que a situação de insolvência seria situação extremamente difícil, tendo em vista que esses serviços têm alto faturamento. Porém, é fato que existem os cartórios com receitas substanciais, mas a maioria são de pequeno porte, o que reforça a hipótese da insolvência. O Ministro Barroso também argumenta nesse sentido, inclusive[43].

Sendo assim, o Estado deveria ser responsabilizado somente em caso de insolvência do titular da serventia extrajudicial. Essa orientação condiz com a natureza jurídica da atividade, visto que é uma delegação do Poder Público, que assim o faz para transferir a responsabilidade de prestação ao particular. O Estado tem o dever de fiscalizar e regulamentar a atividade e, ao cumprir tal obrigação, não seria razoável responsabilizá-lo primariamente pelas atividades delegadas, sob pena de subverter toda a lógica que justifica a delegação do serviço.

Sob o ponto de vista processual, a tese firmada representa a necessidade de dois processos: um contra o Estado e outro do Estado contra o titular da serventia para buscar o regresso. Seguindo a linha defendida pelo Ministro Barroso, há clara afronta aos princípios da economia processual e da desjudicialização, estruturas basilares do ordenamento processual brasileiro, visto que, se seguida a tese defendida neste trabalho, seria necessário somente um processo, figurando o delegatário e o Estado no polo passivo.

---

42   CAVALIERI FILHO, Sergio. *Programa de responsabilidade civil.* 10.ed. Porto Alegre: Atlas, 2013. pág. 277.

43   VOTO DO MINISTRO LUÍS ROBERTO BARROSO NO RE 842846/SC. ob. cit.

Os argumentos relacionados aos aspectos econômicos da responsabilização do Estado são pertinentes e devem ser analisados pelo Judiciário. Nos últimos anos, houve o gradual desenvolvimento de um papel mais "político" do Poder Judiciário, atento às consequências de suas decisões também em um patamar social, que transcende a singularidade do caso concreto, acabando por consagrar mundialmente a eficiência econômica como um dos objetivos a serem perseguidos pela responsabilidade civil, como mecanismo de repartição dos prejuízos normais à vida em sociedade[44].

Visto isso, a transferência da responsabilidade pelas indenizações da serventia extrajudicial para o Estado, de forma direta, tal como firmou a tese vencedora, introduziria consideráveis valores aos gastos anuais dos entes federativos, já demasiadamente endividados e com orçamento exíguo para a prestação de serviços básicos. Em respeito ao princípio da eficiência econômica, coadunamos com o argumento do Ministro Barroso no sentido de considerar ilógico o Estado não auferir a receita do serviço, mas ter de arcar com eventuais indenizações. Outrossim, tal como mencionado acima: "se a indenização for justa, tem que ser paga; se não for justa, é dinheiro que está sendo gasto injustamente, ao invés de ir para a educação, saúde"[45].

Analisando sob uma perspectiva de direito comparado, chega-se à conclusão que a decisão do STF vai em sentido oposto ao que vigora na maioria dos países do Notariado Latino. Nesse sentido é o seguinte argumento de Loureiro:

> A tese consagrada pelo Supremo Tribunal Federal contraria o entendimento da doutrina e da jurisprudência constitucional dos

---

44   SCHREIBER, Anderson. *Novos paradigmas da responsabilidade civil: da erosão dos filtros da reparação à diluição dos danos.* São Paulo: Atlas, 2007, pág.126.

45   VOTO DO MINISTRO LUÍS ROBERTO BARROSO NO RE 842846/SC. ob. cit.

países que adotaram os mesmos sistemas de notariado e registros públicos, em que as respectivas funções são outorgadas a profissionais do direito que a exercem sob iniciativa privada e, portanto, agem sob o próprio risco. Esse modo de organização dos serviços de segurança preventiva, segundo os diversos países que o adotam (ex: Espanha e Inglaterra em tema de sistema registral imobiliário e a maioria dos países europeus que adota o notariado latino) tem a vantagem de exonerar os cofres públicos de arcar com indenizações por responsabilidade objetiva e ser mais adequado à proteção dos cidadãos, pois obrigam os profissionais do direito a agir com cautela redobrada e a estabelecer, por meio de seus colégios e associações, um fundo de cotização destinado à reparação dos danos provocados por dolo ou culpa.[46]

O autor ainda defende a responsabilização da União, e não dos Estados-membros e do Distrito Federal, porquanto ser dela a atribuição de delegar a fé pública[47]. Não compartilhamos dessa posição, visto que o sistema notarial e registral brasileiro delega aos entes federados a capacidade de auto-organização, o que fica claro no voto da ADI 4.140/GO, tal como mencionado no início deste ensaio, restando a eles a responsabilidade sobre os serviços.

Por todo o exposto, conclui-se que a tese firmada pelo STF subverte toda a lógica jurídica, econômica e social sobre a qual se fundamentam os serviços notarias e registrais. Tal como mencionado na votação do RE 842.846/SC, o STF pode ser chamado a julgar tema correlato novamente, seja sob a ótica da responsabilidade do notário e registrador, seja para analisar o tema da responsabilidade estatal sob um novo viés argumentativo (teoria do *overruling*). Não parece razoável que a tese firmada prospere por muito tempo, cabendo ao Estado o papel de bus-

---

46   LOUREIRO, Luiz Guilherme. ob. cit., pág. 120.
47   LOUREIRO, Luiz Guilherme. ob. cit., pág. 120-121

car a alteração do posicionamento, sendo importante que a doutrina forneça subsídios visando consubstanciar a mudança na jurisprudência.

8. PROBLEMAS EN TORNO A LA MOTIVACIÓN EN EL MARCO DE LOS ACCIDENTES DE TRÁNSITO EN EL ORDENAMIENTO PERUANO

Richard Villavicencio Billinghurst[1]

SUMARIO. I. JUICIO DE RESPONSABILIDAD Y CONFRON-TACIÓN NORMATIVA EN EL ORDENAMIENTO PERUANO. 1. Nuestra consideración respecto al esquema de responsabilidad civil según el cuadro normativo. II. RESPONSABILIDAD OBJETIVA (POR RIESGO). III. REGLAMENTO NACIONAL DE TRÁNSITO. IV. MOTIVACIÓN JUDICIAL. 1. De la motivación a nivel constitucional. 2. Prueba en la imputación de responsabilidad en accidentes de tránsito en el ordenamiento peruano. V. ANÁLISIS FUNCIONAL. VI. CON-CLUSIONES.

RESUMEN

El presente trabajo tiene como objetivo comunicar a la comunidad jurídica la actualidad de la denominada responsabilidad objetiva en los casos de accidentes de tránsito en el ordenamiento jurídico peruano, a efectos de poder constatar que la misma pierde aplicación práctica y

---

1   Maestrando en la especialidad de Derecho Civil por la Pontificia Universidad Católica del Perú, profesor en la especialidad de Derecho Civil Patrimonial en el Centro de Educación Continua de la Pontificia Universidad Católica del Perú, miembro del taller "Manuel Augusto Olaechea".

eficiente en comparación con la denominada responsabilidad subjetiva en el mismo ordenamiento, siendo necesario presentarlo como un problema a efectos de direccionar la mejor motivación de las sentencias en sede judicial y procurando destacar que se viene haciendo de manera tímida. Con esto pretendemos un franqueamiento en la aplicación de nuestras disposiciones conforme al mandato constitucional respecto a la motivación y en atención a la realidad de los hechos.

PALABRAS CLAVES

Responsabilidad objetiva, accidentes de tránsito, responsabilidad por culpa.

ABSTRACT

The present work has as objective to communicate to the legal community the actuality of the so-called Strict liability in the cases of traffic accidents in the Peruvian legal system, in order to be able to verify that it loses practical and efficient application in comparison with the so-called fault liability in the same legal system, being necessary to present it as a problem for the purpose of directing the best motivation of judgments in court and trying to emphasize that it has been done in a timid manner. With this we intend to clear the application of our provisions in accordance with the constitutional mandate regarding motivation and in response to the reality of the facts.

KEYWORDS

Strict liability, traffic accidents, fault liability

I. JUICIO DE RESPONSABILIDAD Y CONFRONTACIÓN NORMATIVA EN EL ORDENAMIENTO PERUANO

Es de trascendental importancia conocer el esquema normativo del cual partimos, en particular del ordenamiento peruano, ya que es en virtud del cual procuraremos realizar un esbozo crítico respecto a la situación actual del tema que nos convoca; en esta línea de ideas debemos partir por la exposición normativa de nuestro sistema y, en particular, de nuestra regulación positiva.

En el ordenamiento peruano el Código Civil de 1984 (en adelante C.C) prevé en el artículo 1969[23] la cláusula general normativa de responsabilidad extracontractual, en el cual, además de diagnosticar responsabilidad en virtud de la generación del daño por dolo o culpa, se establece la inversión de la carga probatoria respecto a dichos criterios; de igual manera, y siguiendo el esquema tradicional de responsabilidad de nuestro sistema, en el artículo 1985°[4] del mismo cuerpo normativo se postulan otros elementos a ser analizados, como es el caso del daño (perjuicio-consecuencia-) y la relación de causalidad[5].

Nuestro ordenamiento no ha sido ajeno a la evolución teórica y casuística en materia de riesgos y es en virtud de esto último que en nuestro

---

2   *Maestrando en la especialidad de Derecho Civil por la Pontificia Universidad Católica del Perú, profesor en la especialidad de Derecho Civil Patrimonial en el Centro de Educación Continua de la Pontificia Universidad Católica del Perú, miembro del taller "Manuel Augusto Olaechea".

3   Art.1969°.- Aquel que por dolo o culpa causa un daño a otro esta obligado a indemnizarlo. El descargo por falta de dolo o culpa corresponde a su autor.

4   Art.1985°.- La indemnización comprende las consecuencias que deriven de la accion u omisión generadora del daño, incluyendo el lucro cesante, el daño a la persona y el daño moral, debiendo existir una relacion de causalidad adecuada entre el hecho y el daño producido. El monto de la indemnización devenga intereses legales desde la fecha en que se produjo el daño.

5   Cabe mencionar que en nuestro ordenamiento se ha optado por hacer mención expresa de la teoría de la causalidad adecuada.

artículo 1970°[6] se ha regulado el criterio (denominado por una gran mayoría doctrinaria) de responsabilidad objetiva o, tal vez de manera más adecuada, responsabilidad por riesgo.

Debemos precisar que a pesar del clásico llamado en nuestro sistema a la voz "antijuridicidad", en nuestro ordenamiento no se hace mención alguna a dicho elemento[7]; sin perjuicio de ello, es considerado por el común denominador de los tribunales peruanos haciendo muchas veces una argumentación en base a la interpretación *a contrario sensu* del artículo 1971° inc.1[89]

---

6   Art. 1970°.- Aquel que mediante un bien riesgoso o peligroso, o por el ejercicio de una actividad riesgosa o peligrosa, causa un daño a otro, esta obligado a repararlo.

7   Además de ser discutible su cualidad de elemento autónomo.

8   Art.1971°.- No hay responsabilidad en los siguientes casos:

1. En el ejercicio regular de un derecho.

2. En legitima defensa de la propia persona o de otra o en salvaguarda de un bien propio o ajeno.

3. En la perdida, destrucción o deterioro de un bien por causa de la remoción de un peligro inminente, producidos en estado de necesidad, que no exceda lo indispensable para conjurar el peligro y siempre que haya notoria diferencia entre el bien sacrificado y el bien salvado. La prueba de la perdida, destrucción o deterioro del bien es de cargo del liberado del peligro.

9   (…) hay que saber que la locución "ejercicio regular de un derecho" apareció históricamente entre nosotros en el Código Civil de 1936 con una función precisa: delimitar el campo del abuso del derecho.

La figura del "abuso del derecho" tiene todos los visos de haber sido perfectamente conocida por nuestros codificadores de entonces, si se tiene en cuenta la versación de estos en las tendencias más avanzadas del, entonces predominante, derecho francés, y la atención que brindaron a los avances de los Códigos de Suiza y Brasil, recientes para la época. Así, bajo el título dedicado a los "actos ilícitos", el artículo 1137 del Código Civil derogado prescribía: "no son actos ilícitos [...] 1.- Los practicados en el ejercicio regular de un derecho". LEON HILARIO, *La responsabilidad civil, Líneas fundamentales y nuevas perspectivas,* Instituto pacífico, Lima, 2017, pág. 45

Al respecto, y a pesar de que esto no sea de necesario análisis para lo que continuará en la páginas venideras, debemos destacar que nosotros no consideramos que el análisis de dicho "elemento" sea necesario, al menos no con independencia de los otros elementos de la responsabilidad civil, toda vez que, aparentemente, viene deducido por *default* ante cualquier demanda por algún daño sufrido, siendo de carga del demandado la prueba de haber actuado en el marco de algún supuesto del artículo 1971° a efectos de dispensar su comportamiento de alguna imputación futura.

Con esto pretendemos afirmar dos puntos en particular: (i) la antijuridicidad no es un elemento autónomo de la responsabilidad civil en el ordenamiento peruano; (ii) el análisis en la práctica de su relevancia viene diagnosticada por su inexistencia antes que por la prueba o determinación de su acaecimiento[10].

1. Nuestra consideración respecto al esquema de responsabilidad civil según el cuadro normativo

El esquema regular de responsabilidad civil en nuestro ordenamiento, siendo coherente con nuestra normativa sobre la materia, deberá abordar al menos tres elementos en particular y dos momentos.

Respecto a los primeros nos referimos a: (i) daño (consecuencia), como toda aquella afectación a un interés jurídicamente relevante (sin perjuicio de las voces que se deseen postular y que, por ningún motivo deben considerarse limitativas)[11] y visto, a su vez, como el hecho generador

---

10   Siempre que se pretenda seguir el argumento regular jurisprudencial en virtud del análisis del artículo 1971°.

11   Daño emergente, lucro cesante, daño a la persona, daño moral. En este punto debemos poner en conocimiento que nuestra normativa no hace una distinción entre daños patrimoniales o extrapatrimoniales, cosa que consideramos acertada; sin embargo, pesar de ello, nuestra jurisprudencia es reincidente en usar esta clasificación de índole doctrinaria antes que normativa.

de dichas consecuencias (evento); (ii) nexo causal, como aquel ligamen etiológico entre el evento y las consecuencias que perturban la esfera jurídica del dañado; (iii) los criterios de imputación, entendiendo como tales a aquellos regulados en los artículos 1969° y 1970°[12] (clásicamente denominados como subjetivo y objetivo respectivamente).

En cuanto a lo segundo, serán dos los momentos de análisis: (i) análisis de causalidad material, donde buscaremos constatar el acaecimiento del ligamen entre el hecho denunciado y los daños alegados y; (ii) análisis de causalidad jurídica, donde prima la abstracción propia del derecho, en la cual se verificará si la actividad puede calzar en algún criterio de imputación (como supuesto de hecho que es) para despertar las consecuencias jurídicas concomitantes (hacer recaer sobre la esfera jurídica del responsable la obligación resarcitoria).

II. RESPONSABILIDAD OBJETIVA (POR RIESGO)

Cuando nos referimos a responsabilidad "objetiva"[13] se hace, evidentemente, en contraposición al término "subjetivo", es decir, dicho criterio de responsabilidad debe ser entendido como aquel que no encuentra su fundamento en términos de culpa o en atención a estos criterios sino,

---

12   Sin perjuicio de otros criterios de responsabilidad como aquella generada por animales, incapaces, subordinados, entre otros; pero, procuramos no hacer desarrollo alguno sobre los mismos en atención al destino de este trabajo.

13   Evitamos en este punto referirnos a la evolución dogmática de la institución, al menos desde las exposiciones de los profesores Raymond Saleilles y Lois Josserand en sus conocidos textos *Les accidents du travail et la responsabilité civile* y *De la responsabilité du fait des choses inanimées* respectivamente y de los profesores Pietro Trimarchi en su texto *"Rischio e Responsabilità Oggettiva"* y Marco Comporti, *"sposizione al pericolo e responsabilita civile"* que, sin duda alguna, han servido de basamento para llevarnos a afirmar la línea evolutiva de la institución a la cual hacemos mención; más aún, teniendo en cuenta que el propósito no es cuestionar las opiniones a nivel académico sino, la aplicación, vigencia y utilidad de la institución en el ordenamiento jurídico peruano.

por el contrario, prescinde del análisis de culpabilidad de los sujetos y se basa en otros para justificar la imputación de la obligación resarcitoria. La responsabilidad objetiva o responsabilidad "por riesgo" es consagrada, en opinión de muchos, en el artículo 1970° del C.C, con lo cual, aparentemente, se está dejando de lado el factor culpa al no ser examinado ni mencionado en el dispositivo legal citado.

Ahora bien, conviene revisar las posiciones a nivel local para comprender el desarrollo de la institución y la interpretación mayoritariamente acogida, para luego proceder al análisis del problema en cuestión, es decir, determinar si realmente viene siendo aplicada la responsabilidad objetiva por imperio del 1970 o, por el contrario, hemos primado realizar siempre, o en la mayoría de casos, un análisis respecto del comportamiento generador de daños.

El profesor José León Barandiarán señala lo siguiente:

> Conforme al segundo criterio informador de la responsabilidad ésta puede darse en los casos de la utilización de cosas riesgosas o actividades peligrosas, como se ha dicho antes. Es el supuesto de la responsabilidad por riesgo. El C.C consagra esta responsabilidad en el artículo 1970. Entonces, ante la producción de un daño, no es necesario determinar la culpa o el dolo en el agente. Se puede decir que existe una especie de culpa virtual[14] en dicho agente, por el hecho de utilización de la cosa riesgosa o de la actividad peligrosa. Funciona aquí el principio de *cujus commodum est, ejus est periculum*. Los cambios en la vida social, (...) pues no se trata de todos los casos en que se produce daño, sino sólo de algunos en que se emplea un instrumento o un quehacer que en sí es riesgoso o peligroso; pudiendo darse el caso de que dentro

---

14   El subrayado es nuestro

de la evolución humana aparezcan nuevos supuestos riesgosos o peligrosos, por ejemplo, el uso de la energía nuclear.[15]

De lo señalado por el profesor León Barandiarán conviene resaltar la presunción de culpa a la que hace mención (culpa virtual) para referirse al contenido de la norma examinada y a la negación a la cual él mismo se refiere del examen de culpa o dolo; esto resulta confuso, toda vez que, establecer la presunción de culpa por un lado y negar el examen de culpa o dolo no resulta del todo coherente a menos que se permita probar la inexistencia de culpa (como presunción que es), con lo cual la norma contenida en el artículo 1970° no se diferenciaría en lo absoluto de la cláusula general normativa del 1969°, la cual establece la inversión de la carga probatoria.

Según el profesor De Trazegnies:

> El legislador subjetivista de la última redacción de la Sección reconoce que cuando menos la obligación de indemnizar cierto tipo de daños debe ser eximida del requisito de la culpa. No se trata ya aquí de una inversión de la carga de la prueba de la culpa, sino directamente de la incorporación en el nuevo Código de la teoría del riesgo con su connotación objetivista.[16]

En el mismo sentido de nuestra discrepancia se manifiesta el profesor De Trazegnies, siendo que, resultaría incoherente referirse a dos supuestos normativos que versen sobre el mismo criterio, más aún si pretendemos decir (como lo hace el profesor León Barandiarán) que el 1970° lleva implícita una culpa virtual.

---

15   LEON BARANDIARAN, responsabilidad extracontractual, En *Exposicion de motivos y comentarios*, OKURA Editores, Lima, 1985, pág.800

16   DE TRAZEGNIES GRANDA, *Responsabilidad extracontractual* (7ma ed.), Fondo Editorial de la Pontificia Universidad Católica del Perú, Lima, 2001, pág. 169

(…) el legislador peruano, que ya había invertido la carga de la prueba como regla general (art. 1969, in fine), requería de una medida más enérgica respecto de los daños por cosas o actividades peligrosas: la responsabilidad objetiva (…) Mal podría decirse que el principio del artículo 1969 es de carácter general y que se aplica a todos los casos de responsabilidad extracontractual, incluyendo los comprendidos en el artículo 1970; con lo que los daños resultantes de actividades riesgosas o del uso de bienes peligrosos, estarían también sujetos al principio de la culpa. Si fuera así, no hubiera sido necesario el artículo 1970 (…) Hay quienes han pretendido que la responsabilidad por riesgo no es realmente un caso de responsabilidad objetiva, sino que se trata más bien de una presunción de culpa iuris et de iure (…) Esta tesis es insostenible, pues una presunción que no puede ser enervada es una realidad para el Derecho. ¿Cómo puede hablarse todavía de culpa si, aunque puedo demostrar que no tuve culpa en la comisión del daño, no se me deja probarlo? La inversión de la carga de la prueba que hemos encontrado en el artículo 1969 juega el papel de una presunción iuris tantum: siempre queda la posibilidad de probar que no se tenía culpa.[17]

Advertida la diferencia de criterios para imputar responsabilidad y expuesta la posición del profesor De Trazegnies, podremos decir que en el artículo 1970° sí se ha <u>deseado</u> positivizar alguna teoría de responsabilidad objetiva, es decir, aquella que prescinde de análisis volitivo, psicológico o subjetivo para arribar a la imputación del agente dañante. Sin embargo, no podemos dejar pasar inadvertida una afirmación hecha por el profesor De Trazegnies, aquella que niega el carácter general de aplicación del artículo 1969° en atención a la existencia del criterio establecido en el 1970°.

---

17   Ibíd. pág. 170-171

Al respecto debemos señalar (y esto tal vez delata alguna de nuestras conclusiones) que la sola existencia de un hecho real, aquel que en términos de platón puede pertenecer al mundo sensible, no determina su ubicación jurídica en un supuesto de hecho específico, bien y es posible que dicho acaecimiento se conjugue perfectamente (cual proceso de subsunción) en más de un supuesto normativo y, por lo mismo, no encontramos argumento que pueda ser tomado a *priori* como determinante para considerar que ante esta concurrencia de supuestos deba descartarse la aplicación de un supuesto en demérito de otro; menos aun cuando no existe en nuestro ordenamiento un *numerus clausus* de supuestos de actividades riesgosas o peligrosas, que nos faciliten la reducción del análisis.

III. REGLAMENTO NACIONAL DE TRÁNSITO

El reglamento nacional de tránsito aprobado por Decreto Supremo N° 016-2009-MTC, señala en su artículo 29° lo siguiente:

> La responsabilidad civil derivada de los accidentes de tránsito causados por vehículos automotores es <u>objetiva</u>[18], de conformidad con lo establecido en el Código Civil. El conductor, el propietario del vehículo y, de ser el caso, el prestador del servicio de transporte terrestre son solidariamente responsables por los daños y perjuicios causados.

De la lectura de dicha prescripción destacamos dos cosas que consideramos importantes: (i) la voz "responsabilidad objetiva", que hasta este punto sería innovadora; (ii) la aparente remisión al C.C.

---

18   El subrayado es nuestro.

Nosotros, a pesar de que esto pueda parecer un recurso meramente semántico, no encontramos expresión alguna en el C.C en el que se pueda hablar de responsabilidad objetiva[19], sin embargo, procuraremos entender que se refiere, tal vez, a la disposición del art. 1970 °.

Ahora bien, conviene destacar que el mismo reglamento contiene una disposición que consideramos contradictoria con lo planteado por el art. 29°, nos referimos específicamente al artículo 274 °: En los accidentes de tránsito en que se produzcan daños personales y/o materiales, el o los participantes están obligados a solicitar de inmediato la intervención de la Autoridad Policial e informar sobre lo ocurrido. Se presume la culpabilidad [20]del o de los que no lo hagan y abandonen el lugar del accidente.

Esto nos lleva a preguntarnos: ¿cómo presumir la culpa si se trata de un supuesto de responsabilidad objetiva? ¿Dónde radica la necesidad de tal presunción si el basamento de tal criterio dista del análisis culpabilístico?

Es, tal vez, esta reglamentación aquella que delata el verdadero problema en la motivación de los jueces o, es una consecuencia más de algún sesgo[21] culpabilístico; tal vez una necesidad para el legislador y el juzgador de seguir basando su razonamiento dentro del campo de la responsabilidad civil en la culpa.

Al inicio de este apartado procuramos coordinar la interpretación del artículo 29° del reglamento con el artículo 1970° del C.C, sin embargo, y luego de la revisión del artículo 274 °, bien podríamos remitirnos al artículo 1969°, con lo cual queda evidenciada nuestra fundada contradicción expuesta líneas arriba con las afirmaciones del profesor De

---

19   Con ese *nomen.*

20   El subrayado es nuestro.

21   Y no por ello podríamos calificarlo de erróneo.

Trazegnies, en lo referido a la necesidad de abandonar la aplicación del criterio de imputación subjetivo (como viene redactado en nuestro ordenamiento) a los casos de actividades riesgosas; todo lo dicho lo podemos confrontar con lo hasta este punto expuesto, y es que nada nos limita a sospechar de la bipartición si no, dualidad aplicativa de los dispositivos mencionados del C.C.

IV. MOTIVACIÓN JUDICIAL

Dentro de un proceso es relevante establecer la función del juez, y es que, en el ordenamiento peruano, al igual que en la mayoría de ordenamientos pertenecientes a la misma tradición jurídica, es el demandante quien debe probar sus afirmaciones, siendo el juez el llamado a determinar la necesidad de un pronunciamiento de mérito fundamentando en virtud de la convicción generada por los medios probatorios aportados.

Al respecto, y con cargo al análisis de las normas sobre la materia, es claro que en un proceso por responsabilidad civil deberá ser el demandante quien pruebe que los hechos que constituyen sus afirmaciones son acorde al mandato imperativo de los supuestos de hecho; dicho esto, en caso de imputar responsabilidad por culpa en el ordenamiento peruano el demandante tendría la prerrogativa de no recurrir a la prueba de dicho criterio ya que existe una presunción de la misma, limitando su actuación a la demostración del momento de la causalidad material (esto no es óbice para que, si así lo deseara, incluya medios probatorios del actuar culposo).

1. De la motivación a nivel constitucional

El artículo 139 inc.5 de la Constitución peruana de 1993 establece claramente: "La motivación escrita de las resoluciones judiciales en todas las instancias, excepto los decretos de mero trámite, **con mención ex-**

presa de la ley aplicable[22] y de los fundamentos de hecho en que se sustentan."

Resulta evidente que el juez deberá motivar en base a norma y, por lo mismo, dentro de los límites del supuesto de hecho[23]; en esta línea expositiva, debemos recordar que bajo la hipótesis de considerar un supuesto de responsabilidad por riesgo su motivación deberá ir dirigida en virtud del artículo 1970º del C.C, y no otro.

2. Prueba en la imputación de responsabilidad en accidentes de tránsito en el ordenamiento peruano

¿Qué debe probarse en los casos de responsabilidad por aplicación del artículo 1970º del C.C y art. 29º del Reglamento de Tránsito?

La respuesta, en consonancia con la disposición normativa debería ser obvia, será necesario probar que la actividad es riesgosa o peligrosa, ya que el Reglamento de Tránsito es claro al hacer remisión a las disposiciones del C.C, ergo, el demandante deberá probar el momento de la causalidad material y probar que la actividad sindicada como generadora del evento se encuentra dentro de la hipótesis del art. 1970º.

En este sentido se manifiesta profesor Taboada señalando que:

> Lo único que se pretende es hacer total abstracción de la culpa o ausencia de culpa del autor, de modo tal que la existencia de culpa o no sea totalmente intrascendente para la configuración de un supuesto de responsabilidad civil ex

---

22   El subrayado es nuestro

23   Sin ser esta afirmación obstáculo alguno para el ejercicio de control de constitucionalidad de determinadas normas.

tracontractual, <u>debiendo acreditarse además de la relación</u> <u>causal, la calidad del bien o actividad como una riesgosa.</u>[2425]

A partir de las afirmaciones anteriores debemos preguntarnos si esto es lo que realmente sucede en el ordenamiento peruano, es decir, si se

requiere la prueba de riesgo o si se entiende a la responsabilidad en materia de accidentes de tránsito como una de tipo "objetivo".

V. ANÁLISIS FUNCIONAL

Para poder arribar a una respuesta definitiva a la incertidumbre de cómo se desarrollan este tipo de casos en sede peruana es necesario analizar algunos fallos en sede judicial.

Casación. Nº 2034-2002 Ica: la señora María Clementina Falconi (quien interpone el recurso de casación) y Vacas demanda a la empresa Alimentos San Joaquin SCRL por los daños ocasionados a ella y a sus menores hijos como consecuencia de un accidente de tránsito, siendo que, el estallido de la llanta izquierda del camión de la demandada, conducido por José Antonio García Chávez, provocó el despiste del camión y la colisión con el remolcador tripulado por la demandante.

> **Sexto considerando**: Que, con respecto a la inaplicación de normas denunciadas por la recurrente debe precisarse que, en efecto, al caso de autos le es de aplicación la que corresponde a la **responsabilidad extracontractual subjetiva** a que se

---

24   El subrayado es nuestro

25   TABOADA CORDOVA, *Elementos de la responsabilidad civil* (2da ed.), Grijley, Lima, pág. 100-101

refiere el artículo 1969 del Código Civil, puesto que, como se ha glosado precedentemente y se ha establecido por las instancias de mérito, el accidente submateria fue motivado por la **excesiva velocidad** impuesta al vehículo causante del evento y la pinchadura de uno de sus neumáticos, evidenciándose así el supuesto de **culpa o negligencia, más no la hipótesis de la responsabilidad objetiva por uso de bien riesgoso o peligroso** a que se refiere el artículo mil novecientos setenta del acotado Código sustantivo (...)

Expediente N° 26261 – 2010 Lima (Resolución N° 23): Ancelma Conislla Trillo, interpone demanda contra la Empresa De Transportes Costeño SRL, peticionando la indemnización por daños daños ocasionados como consecuencia de la muerte de su hija, quien resultara víctima de la colisión entre el vehículo de la Empresa De Transportes Costeño SRL y el vehículo de la Empresa Vita Gas SAC.

> **Séptimo considerando**: (...) la UT-1 (vehículo de la demandada) era desplazada por su conductor a una velocidad mayormente en constante aceleración, velocidad que ante la presencia de la UT-2 (vehículo de Vita Gas) no le permitió efectuar una maniobra evasiva para evitar el accidente, así como que la UT-1 conducía su vehículo bajo los efectos de un excesivo agotamiento físico que no le permitió conducir y controlar su unidad en forma normal (...) **En contraposición la UT-2 que se desplazaba a una velocidad prudente y razonabl**e[26], por las circunstancias del momento (...) haciendo normal uso de la vía en sentido Oeste a Este.

Expediente N° 92-97 Ucayali:

---

26   El resaltado es nuestro

Tercer considerando: Que, del estudio y análisis de las instrumentales obrantes en autos, peritaje técnico a fojas dieciocho, atestado policial de fojas siete a dieciséis, posición y lugar de impacto de los vehículos de fojas trescientos treintiocho y trescientos Veintinueve, así como la determinación del desarrollo secuencial del evento, se llega a establecer que el automóvil (...) se desplazaba a una velocidad prohibida para zona urbana, tal como lo establece el Reglamento General de Tránsito, el que complementado al mal estado de funcionamiento de los frenos del vehículo, determina la **imprudencia temeraria y negligencia**[27] del conductor (...).

De los fallos citados podemos deducir nuestras consideraciones críticas, y es que tal parece que los jueces en materia de responsabilidad por riesgo, sobre todo en los casos de accidentes de tránsito, no requieren de prueba alguna de riesgo, es decir, basta con la simple alegación del demandante de que en efecto se trata de una actividad riesgosa y peligrosa y, por lo mismo, no cumpliendo la carga impuesta por el ordenamiento a partir de la disposición del art. 1970°.

En este estado de los hechos apreciamos que es el juez quien busca la manera de suplir dicha carga a través de la argumentación de la culpa, para poder arribar a la deducción de responsabilidad. Recordemos que es plausible encontrar disposiciones que alivien la carga probatoria para determinadas personas, seguramente con basamento en sus potenciales condiciones al momento de entablar una demanda de este tipo, pero esto no puede significar que el juez deba suplantar en esta actividad a las partes.

En este sentido se manifiesta el profesor Taruffo:

---

27   El resaltado es nuestro

A veces el legislador pretende de esta manera aliviar la posición procesal de un determinado sujeto; otras veces se presume un hecho cuya prueba resultaría bastante difícil en la práctica, y otras veces más se atribuye la carga de la prueba (contraria) a la parte que se considera tenga la disponibilidad del medio de prueba o que pueda más fácilmente probar el hecho contrario presunto. Ocurre a veces, pues, que el legislador procediendo de tal manera intente que la prueba (directa o contraria) de un hecho sea lograda, y entonces con su intervención se puede ver también una finalidad lato sensu epistémica. (…) las partes conocen ex ante cómo están distribuidas las cargas probatorias en las diversas situaciones, y, por tanto, pueden ajustar sus estrategias procesales.[28,29]

Recodemos que en el ordenamiento peruano ya existe una regla de inversión de la carga probatoria, esta se encuentra en el art. 1969°, artículo que, conforme a la evolución de la teoría de la responsabilidad por riesgo manifestaría su similitud a lo ocurrido en Francia a propósito de diagnosticar la denominada "responsabilidad objetiva" a través de la presunción de culpa.

Intentando mantener un marco de coherencia y procurando coadyuvar a la motivación judicial podemos afirmar que la aplicación del artículo 1970° deviene en ineficaz si no, inútil, toda vez que:

- Resulta más eficiente usar la regla del artículo 1969° a la luz de su inversión de la carga probatoria.

- Sigue siendo el argumento culpabilístico el usado por los jueces para, en carencia de prueba de riesgo, suplir la carga probatoria

---

28   El resaltado es nuestro

29   TARUFFO, *l'onore come figura processuale*, Rivista trimestrale di diritto e procedura civile, vol.66, N° 2, Giuffrè, Milán, 2012, págs. 430-431

del art. 1970º (el riesgo debe probarse, no existe inversión de la carga probatoria en dicha disposición).

• El juez no puede suplir la carga de las partes, ello manifestaría imparcialidad en el desarrollo del proceso.

• El análisis de los hechos no puede justificar que el juez, en su sentencia, informe que se basó en culpa, dejando al demandado en la incertidumbre de cual debió ser su actividad en el proceso y la programación de una estrategia dirigida al conocimiento de la imputación.

Consideramos oportuno citar al profesor Wagner, quien señala lo siguiente:

> (…) recientemente, *The House of Lord* ha requerido que el daño sea previsible, lo que mueve la regla en *Rylands v Fletcher*[30] a pocos centímetros de la responsabilidad <u>basada en la culpa.</u> **La corte opinó que era tarea del legislador -y no de los tribunales**-[31] crear categorías de responsabilidad objetiva.[32][33]

Nosotros nos manifestamos de acuerdo a dicho pronunciamiento, y es que para hablar de supuestos de responsabilidad cuyo criterio de imputación no sea la culpa es necesario dar un mensaje anticipado a la colectividad que potencialmente se encuentre en uno de dichos supuestos.

---

30   Caso emblemático de los denominados *"strict liability"*.

31   El subrayado es nuestro.

32   WAGNER, *Strict liability in european private law*. En J. &.-P.-I. Basedow, *The max planck encyclopedia of european private law*, vol.2, London: Oxford University Press, London, 2012, pág. 1608

33   Resulta irónico que en un sistema donde llevan por fuente a los precedentes se haya optado por un pronunciamiento donde se requiera una norma expresa y, por el contrario, en un ordenamiento como el nuestro nos basemos en doctrina y precedentes antes que en la motivación coherente de la norma.

Consideramos que el mensaje respecto a qué actividades considera el ordenamiento como supuestos de responsabilidad objetiva debe ser dado *ex ante* al daño. No perdiendo de vista que una de las funciones de la responsabilidad civil es la preventiva, de esta manera podríamos deducir que, ante la existencia de supuestos específicos de dicho criterio el potencial responsable tendrá que evaluar si desea optar por la realización u omisión de dicho comportamiento y, de considerar necesario su emprendimiento en la dirección de la actividad previamente diagnosticada como peligrosa o riesgosa, deberá asumir los costos que esto implica; sea a través de seguros o medidas preventivas más económicas para que continúe siendo eficiente su actividad.

VI. CONCLUSIONES

De todas nuestras advertencias procuramos informar del estado de la cuestión en el ordenamiento peruano y, de igual manera, podemos concluir lo siguiente:

- El artículo 1970° requiere de prueba en contraposición con la disposición del artículo 1969°.

- Para afirmar la utilidad del artículo 1970° será necesario que se requiera la prueba de riesgo (aunque sea en medida probabilística), de lo contrario, y ante un fallo estimatorio, el juez estaría supliendo la actividad de parte.

- El reglamento de tránsito es inocuo por su propia necesidad remisiva a las normas del C.C y por entrar en contradicción dentro de su propio cuerpo normativo.

- El juez se ve en la necesidad de filtrar de manera subrepticia la motivación normativa en cita al art. 1970° con el argumento del

1969°, lo cual es evidentemente innecesario, siendo suficiente la aplicación de éste último.

IV. RESPONSABILIDAD EXTRACONTRACTUAL Y ENRIQUECIMIENTO INJUSTIFICADO

1. RESPONSABILIDAD EXTRACONTRACTUAL VS. ENRIQUECIMIENTO INJUSTIFICADO ¿CÓMO RESTITUIR LOS BENEFICIOS ILÍCITOS?[1]

Nelson Rosenvald[2]

SUMARIO: I. INTRODUCCIÓN. II. DE LA MONOFUNCIONA-LIDAD A LA POLIFUNCIONALIDAD DE LA RESPONSABILIDAD CIVIL. III. LA RESTITUCIÓN DEL LUCRO ILÍCITO DENTRO DEL ENRIQUECIMIENTO INJUSTIFICADO. IV. LA RESTITU-CIÓN DEL LUCRO ILÍCITO EN LO INTERNO DE LA RESPON-SABILIDAD CIVIL. V. LA TERCERA VÍA DE LAS SOLUCIONES PRAGMÁTICAS. VI. LA RECUALIFICACIÓN DEL PRINCIPIO DE REPARACIÓN INTEGRAL. VII. CONCLUSIÓN

ABSTRACT

Is disgorgement of profits part of tort law or it belongs to unjustified enrichment? The goal of the article is to evidence on comparative law the

---

1   Este trabajo ha sido elaborado en el seno del Proyecto "Las fronteras del Derecho del enriquecimiento injustificado" (DER2017-85594-C2-1-P; IP Pedro del Olmo), financiado por la Agencia Estatal de Investigación dependiente del Ministerio de Economía, Industria y Competitividad (Gobierno de España)

2   Posdoctorado en Derecho Civil por la Universidad Roma-tre (IT); Posdoctorado en Derecho Societario por la Universidad de Coimbra (PO); Profesor de la Facultad de Derecho de IDP/DF (BR); Fiscal de Justicia del Estado de Minas Gerais (BR). ORCID: 0000-0002-4123-0158; http://lattes.cnpq.br/9825456802517927; Correo electrónico: nelson.rosenvald@me.com

different paths used by private law to restore the benefit gained by a person who illegally encroached on another's right. The profits gained form the infringement can be assessed in two different ways: on the one hand, an illegal benefit can be seen as the entirety of assets that have accrued to the infringer as a result of the infringement; alternatively, an illegally gained benefit can be seen in the sum of money the infringer avoided to pay by using another's right without authorization. It is apparent that the need for a specific claim providing for the disgorgement of profits depends greatly on the rules existing for the compensation of damages. However, it is hardly surprising that a broader, more comprehensive concept of disgorgement of profits is rarely discussed in different legal systems.

KEYWORDS

disgorgement; restitution; tort law; unjustified enrichment; full compensation

RESUMEN

La restitución de los beneficios ¿es parte del Derecho de daños o pertenece a la doctrina del enriquecimiento injustificado? El objeto de este artículo es mostrar, sobre la base del derecho comparado, las diferentes vías empleadas en el Derecho privado para restituir los beneficios obtenidos ilegalmente por una persona que ha infrigido un derecho ajeno. Esos beneficios pueden ser evaluados de dos formas, bien como la ganancia obtenida por el infractor a consecuencia de su comportamiento ilícito, o bien como la suma de dinero que el infractor habría tenido que pagar al tercero de haber obtenido su autorización. La necesidad de una específica acción dirigida a la restitución de los beneficios depende de las reglas existentes en el ámbito de la reparación del daño. Sin embargo, es sorprendente que en los direrentes sistemas legales rara vez se discute un concepto más amplio y comprensivo de restitución de beneficios.

PALABRAS CLAVE

Rrestitución de beneficios; Derecho de daños; enriquecimiento injusto; indemnización integral.

I. INTRODUCCIÓN

A los académicos del derecho les enseñamos que el propósito de una indemnización es hacer como si el ilícito nunca hubiera ocurrido. Esta declaración, sin embargo, es una fuente de perplejidad, que sirve solo como una cortina de humo para simular las difíciles cuestiones de política pública que los jueces se ven obligados a enfrentar. El dinero es incapaz de deshacer las pérdidas graves, y parece incluso una broma cruel decir que una condena pecuniaria puede restaurar la integridad de una persona gravemente perjudicada. Peor aún si el dinero fuera capaz de que una persona lesionada se pusiera sana, por lo que entonces pareciera que dañar a alguien y luego pagar es tan bueno como no perjudicarlo.[3]

El grave problema de la responsabilidad civil consiste en la miopía de preservar el paradigma puramente compensatorio en detrimento de un modelo plural y abierto que pueda albergar la convivencia civilizada de remedios reparadores, restaurativos y punitivos, cada uno dentro de sus presupuestos objetivos. El esquema monolítico de reparación de daños se centra exclusivamente en la restitución ficticia de la víctima al estado anterior a la lesión, cuando en realidad el derecho puede ir más allá del

---

3   Arthur Ripstein se vale de esta provocación para cuestionar la célebre definición de Lord Blackburn sobre el propósito de una indemnización, como el de poner al demandante "in the same position as he would have been if he had not sustained the wrong". Private wrongs. Cambridge: Harvard University Press, 2016 p. 233.

simple rescate del pasado mediante una "camisa de fuerza" compensatoria, trascendiendo la epidermis del daño, para alcanzar el ilícito en sí mismo, ya sea para prevenirlo, eliminar las ganancias que derivan de él de manera indebida o, en situaciones excepcionales, para punir comportamientos ejemplarmente negativos.

En los últimos tiempos hemos avanzado bastante en cuanto al daño individual por la vía de la apertura de compuertas en el campo de los presupuestos de responsabilidad civil. Flexibilizamos el nexo causal, convertimos la imputación objetiva en una cláusula general y ampliamos el alcance del concepto de daño. Resulta que todos estos perfeccionamientos se realizaron dentro de la función de compensación de daños, descuidando la necesidad de una difusión de remedios capaces de ofrecer mayores incentivos para el cumplimiento efectivo de las normas sustanciales.

Debemos considerar que el derecho privado no se resume a la creación de reglas justas de derecho sustantivo en pro de la sociedad, sino también a atreverse a innovar y experimentar con tutelas que cumplan los objetivos de las reglas, cuando las que existen ya no se muestran eficaces. Por lo tanto, nuestro objetivo no es considerar el importante intercambio desde una perspectiva post facto de responsabilidad civil (de restauración después del daño) por una *ex ante*, enfocada en crear salvaguardas de prevención y modificación de comportamientos. De hecho, la discusión está en el campo de alentar la creación de remedios adicionales *post facto*, dentro de la justicia correctiva, que permitan la eliminación o restitución de beneficios ilícitos, una idea que ni siquiera es central en los sistemas de la Europa continental y mucho menos en Brasil.

Ante este escenario, desde un sesgo dogmático y lógico, los remedios necesitan más que una comprensión histórica: se recalibran constantemente por una necesidad de justificación y propósito que garantice su efectividad, cumpliendo los objetivos de las normas sustantivas del ordenamiento jurídico, o *rule of law*. La noción fundamental de "enforcement" se sujeta al cuestionamiento sobre de qué vale la existencia de normas de derecho material sin instrumentos adecuados de concreción que se midan periódicamente para determinar su efectividad. La respuesta radica en la disponibilidad de remedios que en la práctica aseguran el cumplimiento completo de las desideratas de las normas privadas.[4]

II. DE LA MONOFUNCIONALIDAD A LA POLIFUNCIONALIDAD DE LA RESPONSABILIDAD CIVIL

Tenemos una cultura de compensación de daños subyacente al principio de la *restitutio in integrum*. Esto es así por toda Europa y América Latina y parece ser un consenso para el futuro, como resulta del *Draft Common frame of reference* (DCFR), Libro VI. –1:101: Norma fundamental (1) Quien sufre un daño jurídicamente relevante tiene derecho a obtener reparación de la persona que lo haya causado de forma intencionada o negligente, o a quien le sea subjetivamente imputable por cualquier otro motivo.[5]

El protagonismo del modelo compensatorio no es exclusivo de las jurisdicciones de civil law. En los países que conforman la *common law*, el

---

4   VAN BOOM, Willem H. *Efficacious enforcement on contract and tort law. Inaugural Lecture held at the occasion of accepting the position of Ordinarius in Private Law at the Erasmus University Rotterdam on Friday April 21, 2006*. Boom Juridische uitgevers Den Haag,2006, p. 8-10

5   En el mismo sentido se plantea el art. 10.1 del *Principles of European Tort Law*: "La indemnización es un pago en dinero para compensar a la víctima, es decir, para reestablecerla, en la medida en que el dinero pueda hacerlo, en la posición que hubiera tenido si el ilícito por el que reclamo no se hubiera producido. La indemnización también contribuye a la finalidad de prevenir el daño".

"principio de daño" de John Stuart Mill siempre ha sido una de las defensas epistemológicas más poderosas de la libertad: "El único propósito por el cual se ejercerá el poder contra un miembro de una comunidad civilizada contra su voluntad será el de evitar daños a los demás". Es decir, el Estado solo puede interferir en esta libertad contra la voluntad del individuo para impedir que cause daño a terceros.[6]

No obstante, si observamos también el ilícito practicado por el demandado, en vez de solo el daño sufrido por el demandante, podemos no solo prevenir daños, sino también comportamientos antijurídicos. Es decir, dentro del derecho privado, se pueden prevenir ilícitos, punir ilícitos y restituir ganancias ilícitas. Este enfoque ya ha sido considerado por los tribunales europeos, como en este reciente fallo de la Suprema Corte Italiana sobre el exequátur de una condena por *punitive damages* en EE.UU.[7]

Por lo tanto, en un escenario globalizado y tecnológico de creciente expansión de ilícitos, surge otra pregunta: ¿Cómo enfrentar los ilícitos lucrativos? En el idioma inglés se dice: *Tort must not pay*. Sin embargo, existe una racionalidad económica: el ilícito no solo se paga, sino que remunera muy bien. Por ejemplo: la prensa ofende a una celebridad en su honor o intimidad. El ofensor triplica el número de ediciones vendidas. Al fin de un largo proceso el demandante obtendrá un valor muy inferior que las ganancias obtenidas por el demandado.

---

6   MILL, John Stuart Mill. *Sobre a Liberdade.* Tradução Pedro Madeira. Lisboa: Edições 70, 2016, p. 8

7   *Cassazione Civile, Sezioni Unite., Sentenza 05/07/2017 n° 16601:* "Debe ser superado el carácter monofuncional de la responsabilidad civil, pues lateralmente a la preponderante y primaria función compensatoria se reconoce también una naturaleza polifuncional que se proyecta en otras dimensiones, entre las cuales las principales son la preventiva y la punitiva, que no son ontológicamente incompatibles con el ordenamiento italiano y, sobre todo, responden a una exigencia de efectividad de la tutela jurídica. En el sistema italiano la condena al pago de una suma superior a aquella estrictamente necesaria para restablecer el *status quo* anterior se configurará solo si hay una norma ad hoc, cuya fattispecie prevea el elemento punitivo".

Este ambiente fomenta conductas parasitarias –*free rider*– no solo por violaciones de los derechos de la personalidad, como en diversos sectores de la vida en sociedad. Los ilícitos rentables se han verificado tradicionalmente en el derecho de la propiedad, derecho de competencia y, desafortunadamente, se han extendido en el campo de los derechos difusos. Los grandes desastres de la minería brasileña son el resultado del uso de diques de contención de residuos que se sabe que son obsoletos y peligrosos, pero cuyas enormes ganancias para las compañías mineras superarían cualquier condena por daños.[8] Volkswagen se enfrenta a la mayor demanda colectiva de la historia en Alemania –el dieselgate– con casi medio millón de propietarios de automóviles fabricados por el grupo automovilístico. Según la asociación alemana de consumidores, Volkswagen perjudicó "deliberadamente" a los propietarios con la manipulación de la emisión de gases tóxicos, un engaño que le debe obligar a pagar daños y perjuicios.[9]

---

[8]   La ruptura de un dique de residuos mató en Brumadinho (Minas Gerais, Brasil) a más de 300 personas, mientras un centenar de cadáveres sigue sin localizar. El desastre de Brumadinho ha puesto en el centro del debate las medidas de seguridad y fiscalización en este tipo de instalaciones porque hace solo tres años otra mina de la empresa Vale sufrió una rotura similar. El colapso de Mariana, que queda cerca de Brumadinho, también en Minas Gerais, causó 19 fallecidos y la mayor catástrofe ecológica en la historia de Brasil.

[9]   El juicio, que se celebra en la Audiencia de Brunswick, es el más reciente capítulo en la saga del famoso escándalo que estalló en Estados Unidos en el mes de septiembre de 2015. El caso ya le ha costado al mayor fabricante de automóviles del mundo unos 30.000 millones de euros. En Estados Unidos, la *Securities and Exchange Commission* (2019) eliminó las ganancias ilícitas de Volkswagen por haber emitido US$ 13 mil millones a tasas atractivas en títulos en los mercados estadounidenses, mientras que los ejecutivos sabían que más de 500.000 vehículos excedían groseramente los límites legales de emisiones vehiculares.

La segunda razón es la "apatía racional"[10] de las víctimas en casos de daños insignificantes y dispersos (*trifling damages*). Casos en los que el daño sufrido por cada ofendido es de poca monta y no lo alienta a iniciar un procedimiento que consuma tiempo y energía con resultados modestos. En esos casos, no demandar parece ser la actitud racional. Muchas víctimas ni siquiera tienen noción de los daños. Sin embargo, el daño a la sociedad como un todo o a un grupo específico puede ser excesivo, ya que un número significativo de personas se ven afectadas y la ganancia de los ofensores es de gran magnitud. Acceder al alcance de estos daños e identificar a las víctimas es una tarea problemática, especialmente a la luz del paradigma clásico de acceso individual a la justicia. De ahí que surjan acciones colectivas. En cuanto a las *indemnizaciones triviales*, supongamos que una compañía telefónica cobra una tarifa indebida de EUR 20,00 al año por cliente y tiene millones de consumidores. Un solo consumidor no gastará su tiempo y energía en un proceso cuyo resultado le otorgará una condena insignificante, mientras los lucros son astronómicos. En el Análisis Económico del Derecho se dice que es un problema de apatía racional. [11]

Como sea, si la intención es eliminar beneficios indebidos, en la experiencia europea y sudamericana, las pretensiones restitutorias se pueden lograr de dos maneras: a través del enriquecimiento injustificado o por la responsabilidad civil.

---

10   "Esto significa que a la víctima le puede resultar demasiado caro presentar una demanda contra el infractor al comparar los costos con el resultado esperado del juicio. Este problema puede ocurrir en aquellas situaciones en que las pérdidas se encuentran dispersas en muchas víctimas. Sin embargo, las pérdidas totales podrían ser sustanciales, por lo que sería socialmente ventajoso si el culpable fuera considerado responsable después de todo". Louis T. Visscher. *Economic Analysis of Punitive Damages, common law and civil law perspectives*. H.Koziol, V.Wilcox (eds). SpringerWien/New York (2009)

11   LANDES, William; POSNER, Richard. *The private enforcement of law*, p. 33..

III. LA RESTITUCIÓN DEL LUCRO ILÍCITO DENTRO DEL ENRIQUECIMIENTO INJUSTIFICADO

Ilustrativamente tenemos el precedente brasileño de una famosa actriz de quien se usó su imagen sin consentimiento en una publicidad cosmética. El tribunal superior (*Superior Tribunal de Justiça*) reconoció la interferencia con los derechos de la personalidad y aplicó la figura de la *condictio por intromisión en derecho ajeno,* mientras haya un contenido de atribución inherente a ellos. Al término del proceso la actriz tuvo derecho a parte del lucro de la infractora.[12]

De hecho, seguimos la doctrina desarrollada en Alemania hace más de ochenta años, especialmente por *Wilburg* y luego por *von Cammerer,* que convirtieron el modelo unitario de enriquecimiento injustificado en una tipología sofisticada, con una visión agrupada de los casos de intromisión. La doctrina de la "atribución" o "diferenciación" desarrollada por Wilburg se encarga de reemplazar el modelo unitario por una colección de diferentes pretensiones de restitución, cada una con diferentes características, lo que pone en jaque la concepción unitaria de enriquecimiento injustificado como incapaz de explicar los casos de enriquecimiento no derivados de una prestación, especialmente aquellos derivados del uso y el disfrute de algo ajeno (hipótesis de intromisión). La *condictio por intromisión* evita la interferencia con los activos de otros para fines de uso, disfrute, consumo o incorporación y es claramente distinguible de una pretensión de responsabilidad civil.

---

12 "De acuerdo con la mayoría de la doctrina, el deber de restitución del denominado lucro de la intervención encuentra su fundamento en el instituto del enriquecimiento sin causa, actualmente afirmado en el art. 884 del Código Civil. El deber de restitución de lo que se obtiene mediante una interferencia indebida en los derechos o bienes jurídicos de otra persona tiene la función de preservar la libre disposición de derechos, en los que están incorporados los derechos de la personalidad y de inhibir la práctica de actos contrarios al ordenamiento jurídico (Tribunal Superior de Justicia: Informe del Min. Ricardo Villas Bôas, REsp 1698701/RJ, 3.T DJe 08/10/2018)".

El mérito innegable de la teoría de la diferenciación es que destaca un tratamiento por 'tipos', es decir, diferente para cada grupo de casos que comparta el mismo conflicto de intereses y merezca la misma solución. De esta manera se crea una "tipología" de enriquecimientos injustificados en el que cada tipo cumple con las demandas abstractas de equidad sin caer en el atomismo de la solución casuística.[13]

Fue solo después de la Segunda Guerra Mundial, cuando Ernst von Caemmerer dirigió su atención al enriquecimiento injustificado, que las ideas de Wilburg fueron reconocidas como valiosas. Caemmerer identifica la restitución en los casos de enriquecimiento no participativo, en base a la violación de derechos de propiedad, argumentando que la naturaleza de la propiedad confiere un beneficio a su titular, no solo limitado al derecho de excluir a otros de su esfera, sino también de obtener sus beneficios sin su autorización. Si, por lo tanto, alguien usa la propiedad ajena, obtiene algo que se inserta en el contenido de atribución del propietario, que consiste en las facultades de uso, disfrute y disposición.[14]

Vale la pena mencionar que los casos de intromisión encajan bien en el sistema alemán, donde la propiedad se transmite de forma abstracta y es el enriquecimiento injustificado que rectifica las desviaciones cau-

---

13   Por lo tanto, la doctrina de la separación distingue los casos de transferencias indebidas (Leistungskondiktion), violación de los derechos del demandante por parte del demandado (Eingriffskondiktion), gastos en mejoras en la propiedad ajena (Verwendungskondiktion) y, finalmente, el pago de débito ajeno, acciones internas entre deudores solidarios y otros casos similares (Rückgriffskondiktion). MEIER, Sonja. *Unjustified Enrichment,* p. 1744.

14   KREBS, Thomas. *The Fallacy of 'Restitution for Wrongs',* p.7. "La división entre enriquecimiento por performance y enriquecimiento "por otras formas" es actualmente fundamental para el derecho alemán gracias a la originalidad del desarrollo elegante y persuasivo de Wilburg y von Caemmerer. Con respecto al *Eingriffskondiktion* la doctrina de la atribución representa un avance significativo sobre los intentos previos de limitar el alcance del enriquecimiento sin causa".

sadas por ese tipo de transmisión.[15] Mientras, en los sistemas en que la transmisión es causal, estos retos serán resueltos en los derechos reales y los contratos, y no en el enriquecimiento injustificado. Por cierto, en España el tema ya fue profundizado por importantes obras, especialmente las de Díez-Picazo,[16] Fernando Pantaleón[17] y Basozabal Arrue.[18]

IV. LA RESTITUCIÓN DEL LUCRO ILÍCITO EN LO INTERNO DE LA RESPONSABILIDAD CIVIL

Por otro lado, la evolución del asunto en Inglaterra en los últimos 50 años ha influido en las jurisdicciones de *common law* de una manera diferente a como sucedió en Alemania, principalmente por la contribución de Peter Birks, que desarrolló una taxonomía del derecho de obligaciones basada en el derecho romano.

En resumen, Birks estableció una importante distinción entre, por un lado, causas/fuentes, y por otro, respuestas/pretensiones. En su mapa, el *unjust enrichment*, es una fuente residual de obligaciones –de cierre y consistencia– que se utilizará solo en los casos en que la obligación no nazca de consenso o ilícito, ya que estas hipótesis se encuentran, respectivamente, en el derecho contractual y *Tort law*. Por lo tanto, el enriquecimiento injustificado está reservado para todas las situaciones que se asemejan a un pago indebido. En contraste, los remedios son

---

15   GARCIA, Pedro del Olmo. Presentación del libro de ROSENVALD, Nelson. *A responsabilidade civil pelo ilícito lucrativo.* Editora Juspodivm, Salvador, 2019.

16   DÍEZ-PICAZO, Luis. *La doctrina del enriquecimiento injustificado.* En: DE LA CÁMARA, Manuel y DÍEZ-PICAZO, Luis. Dos estudios sobre el enriquecimiento sin causa. Madrid: Civitas

17   PANTALEÓN PRIETO, Ángel Fernando. *Responsabilidad civil.* Madrid: Editorial Tecnos, 1985.

18   ARRUE, Xabier Basozabal. *Tres modelos para una regulación actual del enriquecimiento injustificado: unitario, tipológico, fragmentado,* InDret 4/2018.

multicausales. Por consiguiente, además de la compensación por daños, hay restitución por violación de contrato y *restitution for wrongs*.[19] Así, cuando hay una ganancia antijurídica por intervención en un bien ajeno, por ejemplo, con violación del honor, de un secreto comercial, una propiedad, la restitución se dará por medio de la responsabilidad extracontractual.[20]

De todo lo que se ha dicho, puede parecer que el fundamento de la obligación de restituir una ganancia ilegítima se enfrente por razones

---

19   BIRKS, Peter. Unjust enrichment, p. 307-8. En su clasificación basada en hechos jurídicos, "event-based classification", Peter Birks señala que, a diferencia del enriquecimiento injusto –un evento que solo atrae la respuesta de la restitución–, el contrato y el ilícito generan respuestas múltiples y heterogéneas, entre las que la compensación, la punición y la restitución son los más comunes. La restitución por enriquecimiento injusto y la restitución por ilícitos se arraigan en diferentes sectores de la ley de obligaciones y, en consecuencia, exigen diferentes remedios por parte del ordenamiento. En común en ambas está el hecho del enriquecimiento. Sin embargo, si bien la restitución por ilícitos es un remedio propio para un comportamiento objetivamente antijurídico por parte del que ha obtenido un beneficio, la restitución por enriquecimiento injusto es una pretensión que se relaciona con todas las situaciones que generan enriquecimiento, pero ajenas al consenso y la ilicitud. Incluso si el receptor ha demostrado un comportamiento impecable, tendrá que reembolsar en el *unjust enrichment*.

20   En el ámbito de los remedios que se dirigen a lo ilícito, el derecho a la restitución adquiere un significado distinto. Será una restitución genuina, no una compensación alternativa, cuando se trate de una pretensión basada en las ganancias del ofensor derivadas de un ilícito practicado contra el demandado, independientemente de la existencia de pérdidas. Lo que relaciona de inmediato a las partes es la práctica de un ilícito, no el empobrecimiento del demandante o la privación de su propiedad. Solo así renovaremos su sentido para entender la restitución como una función diferente de la responsabilidad civil. Aplicando el ejemplo de Birks en el "thug case", si a A le paga B por pegarle a C, no hay conexión entre la transferencia de 100 de B a A y la pérdida sufrida por la víctima, además del hecho de que el patrimonio de A aumentó debido a un ilícito cometido en contra de C. En la perspectiva del enriquecimiento sin causa, A no enriqueció a expensas de C, ni el beneficio de A sería una propiedad de C. Por otro lado, en el sector compensatorio de responsabilidad civil, C no podría reclamar compensación de daños contra A porque la ganancia del infractor fue independiente de la pérdida de la víctima. Si el enriquecimiento injustificado y la reparación de daños no funcionan, entonces le queda a C la respuesta de restitución por las ganancias ilícitas. BIRKS, Peter. Unjust enrichment, p. 326-333.

muy distintas en Inglaterra y en Alemania. Sin embargo, así como la base del modelo Birksiano de "restitution for wrongs" no es unánime en el contexto de las jurisdicciones de *commom law*, la justificación de la restitución por intromisión en la teoría de la atribución también sufre resistencias minoritarias que, paradójicamente, acercan la *condictio* por intromisión de la propuesta inglesa que ancla la restitución en la ilicitud del comportamiento de quien obtiene beneficios en base a la posición jurídica ajena. [21]

Birks dejó seguidores.[22] Destaco el aporte de James Edelman, introduciendo la expresión *Gain based damages* como condenación por las ventajas obtenidas por el demandado, independientemente de las pérdidas del demandante. La indemnización basada en ganancias se divide en dos medidas autónomas de restitución: *disgorgement* y *restitutionary damages* (*reasonable fee damages*). En el ámbito de la responsabilidad civil, la racionalidad va más allá de la visión estrecha de que la reparación total solo funciona cuando la víctima obtiene lo que ha perdido en términos patrimoniales y extrapatrimoniales. Además, como resultado de violaciones contractuales, asegura un medio alternativo para cuantificar pérdidas y daños. La oposición a un modelo unitario de restitución por ilícitos le permite a Edelman asumir la legitimidad de tales condenaciones basa-

---

21   "No es uniforme el entendimiento dado por los autores al contenido o tenor del destino (Zuweisungsgehalt) de los derechos reales y de la propiedad intelectual. Jakobs, por ejemplo, entiende que al propietario le corresponde, no el valor objetivo del uso de la cosa, el ingreso o producto de la misma como objeto del patrimonio, sino su uso como acción, siendo la ilicitud de la intromisión de un tercero que justifica la obligación de restituir" (VARELA, João de Matos Antunes. *Das obrigações em geral*, v. I, p. 492).

22   Un análisis comparativo muestra que la restitución por ilícitos es un tema estudiado principalmente en Inglaterra debido a la reciente atención prestada al enriquecimiento injustificado, a diferencia de lo que pasó en los países de *civil law* en los que este tercer sector de derecho de las obligaciones desde hace mucho tiempo es objeto de apreciación legislativa, lo que sin duda atrajo a su esfera el espacio que podría darse a la restitución por ilícitos. En la *commom law* Peter Birks, Ian Jackman, Goff y Jones, James Edelman y Andrew Burroughs están a la vanguardia de estos estudios.

das en ganancias y, al separar sus dos formas, explicar cuándo está disponible cada una y los parámetros objetivos para cada condenación.[23]

Se usa el vocablo *disgorgement* como base en esta obra para describir un fenómeno particular que contrasta con la indemnización compensatoria regular y, por lo tanto, en diversos sistemas jurídicos representa una "anomalía", como cuando se reciben cantidades que pueden exceder con creces el monto de los daños –y sin que haya ninguna consideración en cuanto a su existencia o su estimación– el demandante sería bendecido con "windfall profits".[24]

El propósito del *disgorgement* es eliminar el beneficio ilícito. Por ejemplo, Pedro es el dueño del famoso restaurante madrileño "La tortilla fenomenal". Sin embargo, Rodrigo usa la marca sin el consentimiento de Pedro, abriendo un establecimiento muy exitoso en Río de Janeiro. Pedro puede expropiar una parte de las ganancias, aunque nunca haya tenido la intención de crear una sucursal brasileña, porque el comportamiento antijurídico de Rodrigo fue la causa necesaria de las ganancias. El término "disgorgement" está actualmente incorporado en el *Restatement 3* del *American Law Institute*.[25]

---

23   EDELMAN, James. Gain-based damages. El trabajo seminal de James Edelman sobre los *gain-based damages* como género en la restitución de ilícitos se contrapone a los loss-based damages, base para comprender las respuestas de índole compensatoria. El derecho restitutorio es el derecho basado en *gain-based recovery*, en contraste con el derecho a la compensación, que se basa en las pérdidas de la víctima (*loss-based recovery*). Las obligaciones de restituir e indemnizar son distintos tipos de respuestas a los hechos que ocurren en el mundo real. Cuando los tribunales ordenan la restitución, le determinan al reo que renuncie a sus ganancias. Cuando los tribunales ordenan una compensación, le determinan que paguen al demandante por el daño sufrido.

24   HONDIUS, Ewoud; JANSEN, Andre. *Disgorgement of profits*, p. 476.

25   R3RUE" – American Law Institute 2011 § 3, "no se permite que una persona lucre a través de su propio ilícito". § 51(4): "El objeto de la restitución en tales casos es eliminar el beneficio de los ilícitos al tiempo que evita, en la medida de lo posible, la imposición de una sanción. Los remedios de restitución que persiguen este objeto a menudo se denominan "disgorgement".

Un comentario puntual. Aunque ambos sean pretensiones no compensatorias de daños, *disgorgement* y *punitive damages* son institutos muy diferenciados. La función de *disgorgement* es eliminar lucros indebidos, independientemente de la evaluación del comportamiento malicioso del infractor. Por el contrario, la función de *punitive damages* es disuadir una conducta ultrajante, sin importar si el demandado ha lucrado con su acción dolosa. Los *gain-based damages* no están sujetos a las críticas generalmente reservadas a los *punitive damages*, como la confusión entre las funciones de la justicia civil y la criminal (¡quizás la principal censura!), la discrecionalidad y el exceso de valores de las condenas.[26]

Este recorte lleva a tres consecuencias prácticas. Por un lado, en el *disgorgement* el techo de la indemnización es el valor de las ganancias ilícitas, mientras en el *punitive damages* el techo de la indemnización puede superar el valor de las ganancias ilícitas. Además, el *disgorgement* depende de la existencia de beneficios indebidos, sin embargo, en la sanción punitiva es suficiente la intención de obtener ganancias indebidas. Por ultimo, el *disgorgement* dispensa la existencia de pérdidas o es una alternativa a ellas, en contrapartida *exemplary damages* es una condena autónoma, pero siempre en adición a la indemnización por daños.[27]

26　Así como el *disgorgement*, las indemnizaciones punitivas también se usan en jurisdicciones de la *common law* como respuestas para remover las ganancias ilícitas del reo. A pesar de la distinción funcional e incluso filosófica, los dos remedios sufren las mismas críticas por su naturaleza no compensatoria y el enriquecimiento que las condenas aportan a los demandantes. Sin embargo, la función de contención de conductas indignantes de los *punitive damages* afectará la modificación de los criterios para la evaluación de la condena, de acuerdo con los criterios de un fallo que aplique el *disgorgement*.

27　Allan Beever acerca los *punitive damages* a la justicia distributiva, fundamentando el deber de pagarlos en función de la relación entre el individuo y la sociedad, lo que haría que la indemnización punitiva fuera inconsistente con la estructura de la responsabilidad civil, mientras que el *disgorgement* se acercaría a la compensación de daños como respuesta a una quiebra de deber específicamente referida al demandante. En: The structure of aggravated and exemplary damages, *Oxford Journal of legal studies*, vol. 23-1 (2003), P. 107.

No obstante, existen figuras híbridas entre *disgorgement y punitive damages*.
Por ejemplo, en la Propuesta Francesa de 2017 se introduce una multa
civil que, en verdad, es una auténtica pena que se propone para aquellos
supuestos de daños extracontractuales en los que el infractor ha cometido deliberadamente un acto ilícito para obtener una ganancia. Como
se ve, se trata de una sanción punitiva: no solo se ordena atender a la
intensidad de la culpa del demandado, sino que, además, se le priva de
una suma muy superior al beneficio obtenido.[28]

La segunda medida de *gain based damages* es el llamado "restitutionary
damages". En el área de los *restitutionary damages*, la noción de "restitución" de ganancias indebidas se resolverá no sobre la base de las ganancias obtenidas por el agente con la práctica del ilícito (como sucede en
el *disgorgement*), sino con soporte en un valor al que personas razonables
negociaron para tener acceso contractual al derecho que fue violado
por el infractor (*licence fee damages*), o por los ingresos que razonablemente percibiría el ofendido por la explotación ilícita del bien (*reasonable
fee*). El remedio, también conocido como "negotiation damages", "user
damages" y "Wrotham Park damages", tiene un carácter restituidor en
el sentido definido por Edelman como una segunda forma de *gain-based
damages*, cuya particularidad frente al *disgorgement* es que la expresión
restitutionary damages tiene la naturaleza de un "give back", es decir, una
devolución de los valores transferidos por el autor de la demanda al reo,
como resultado de su ilícito.[29]

---

28   *France- Projet de Réforme de la Responsabilité Civil* 2017 Art.1266-1 *L'amende civile* "En
      asuntos extracontractuales, donde el autor ha cometido una falta deliberada-
      mente para obtener una ganancia o una economía, el juez puede sentenciarlo,
      a pedido de la víctima o del fiscal público y por una decisión especialmente
      motivada, al pago de una multa civil. Esta multa es proporcional a la gravedad
      de la falta cometida, a los poderes contributivos del autor y a las ganancias que
      han derivado de ella. La multa no puede ser superior a diez veces el monto de
      la ganancia obtenida".

29   EDELMAN, James. Gain-based damages, p. 66. "There are two distinct mea-
      sures of gain-based damages, too often run together. Notwithstanding, the term
      "restitutionary damages" has been used to describe gain-based damages for

Supongamos que alguien usa una patente sin contratar a su titular, pero es desafortunado y no obtiene ganancias ni cualquier beneficio de su ilícito. Independientemente del resultado negativo, hubo un ahorro de gastos y el demandante recibirá un precio razonable equivalente a lo que se pagaría en el mercado por la asignación de su propiedad intangible.[30]

La diferencia entre los dos remedios de *gain-based damages* está en la forma en que se determina el quantum de la obligación de restitución y, principalmente, en las funciones mismas. Mientras que en *restitutionary damages* hay una reversión de la transferencia patrimonial entre las partes, en el *disgorgement damages* se suprime la ventaja adquirida por el reo, independientemente de cualquier traslación de bienes por parte del autor. Por la primera forma, el demandante se beneficia de una cantidad correspondiente al bien transferido o sustraído de su patrimonio, es decir, una suma razonable debido al hecho de que el infractor se haya aprovechado de un bien ajeno. Por la segunda, se suprime la ventaja

---

wrongs. However, there are awards which operate to reverse a wrongful transfer of value (restitutionary damages) and those which operate to disgorge profits which have accrued to a defendant from a wrong (disgorgement damages). The use for two different terms paves the way for a straightforward and principled approach".

30　Para ilustrar la confrontación entre los dos remedios, James Edelman presenta el caso Inverugie investments Ltd. v. Hackett En resumen, los acusados eran propietarios y administradores de un gran hotel y el autor era un inquilino a largo plazo de 30 apartamentos dentro del complejo hotelero. Los reos, cínicamente, practicaron usurpación de mala fe de las unidades de vivienda, las que permanecieron un largo período en su posesión, con el alcance de usarlas en la operación diaria. La usurpación resultó inútil, ya que durante el ínterin el hotel sufrió pérdidas. Por lo tanto, si se hubiera otorgado *disgorgement* a favor del autor, la suma realmente restituida sería nula, ya que no había ganancias nominales para eliminar *(profits to disgorge)*. Sin embargo, en la sentencia, los magistrados hicieron uso del mecanismo de Restitutionary Damages para otorgar a las víctimas el valor de mercado de hospedaje en habitaciones similares en el lapso temporal de la usurpación. En este diapasón, el profesor de la Universidad de Oxford señala que "las *restitionary damages* deben ser convocadas con amplitud de requisitos y las disgorgement damages tan solo en las hipótesis en las que un "interés adicional" confirme su oportunidad". En: Gain-based damages, p. 86 y ss.

económica tangible que, sin correspondencia con el uso del patrimonio del autor, el reo obtuvo con la práctica del ilícito. El *disgorgement* no solo busca privar al agente de las ganancias realizadas, sino también por los gastos ahorrados, con la reversión de las cantidades obtenidas indebidamente a expensas de la víctima.

El precio hipotético del consentimiento no debe confundirse con el lucro cesante que el demandante comprobadamente deja de percibir. El "reasonable fee" sería lo que en tesis el demandado debería pagar por el uso del derecho, aunque el demandante no quisiera cedérselo a nadie, por ningún precio. Pero, si el titular del derecho puede probar que efectivamente el ilícito le quitó ventajas económicas, elegirá entre lucros cesantes o un precio de mercado.

Volviendo al Código Civil alemán, la ley de enriquecimiento injustificado no le otorga al demandante la alternativa entre *disgorgement* y *reasonable fee*. La compensación se basará en el valor de mercado del uso del activo, mientras que el infractor solo será expropiado de las ganancias si ha actuado de mala fe. En este caso, el demandante saldrá del enriquecimiento injustificado y se respaldará en el instituto de la Gestión de Negocios Ajenos.[31]

---

31   BGB - Sección 818: Alcance de la demanda de enriquecimiento (2) Si la restitución no es posible debido a la calidad del beneficio obtenido, o si el receptor no puede realizar la restitución por otra razón, debe compensar su valor. Sección 687: Falsa agencia sin autorización específica (2) Si una persona trata los negocios de otra persona como si fueran propios, aunque sabe que no tiene derecho a hacerlo, entonces el principal puede hacer valer las reclamaciones resultantes de las secciones 677, 678, 681 y 682. Si las afirma, por ende, tiene el deber del agente voluntario según la sección 684 (1). Sección 667 Deber de devolver: El mandatario está obligado a devolver al mandante todo lo que recibe para cumplir el mandato y lo que obtiene al realizar la transacción.

V. LA TERCERA VÍA DE LAS SOLUCIONES PRAGMÁTICAS

Dada la bifurcación entre los modelos de Alemania e Inglaterra, ¿hacia dónde apuntan las regulaciones europeas? Desde mi punto de vista las regulaciones son pragmáticas, porque dan prioridad al *private enforcement*, esto es, la elección del remedio adecuado por la víctima, según las circunstancias del caso.[32]

En este sentido, el *Draft Common Frame of Reference* extiende el sentido del vocablo "reparación" para incluir el *disgorgement* dentro del alcance de la responsabilidad civil.[33]Varias medidas de legislación especial establecen normas sobre responsabilidad civil por la infracción de la propiedad intelectual y autoral, que se interpretan en el sentido de la doctrina del método triple de cómputo del daño.[34]En este sentido, la Directiva (UE)

---

32   En cuanto al *private enforcement*, Henrique Souza Antunes afirma que "el desarrollo de fenómenos de parasitación implicó el reconocimiento de la superación de una perspectiva indemnizatoria centrada exclusivamente en la parte perjudicada. El lucro del agente surgió como un criterio importante para determinar la compensación en áreas como la propiedad intelectual, la competencia, el ambiente o la protección de los derechos de la personalidad". En: Comentários ao Código Civil – Direito das obrigações, p. 553.

33   DCFR. 6:101: Finalidad de la reparación y sus formas: 1. Se entiende por "reparación" la adopción de medidas dirigidas a restaurar a la persona que ha sufrido un daño jurídicamente relevante en la posición en la que se encontraría si ese daño no se hubiera producido. 4. Alternativamente a lo previsto en el apartado (1) y solo para el caso en que resulte razonable, la reparación podrá consistir en la restitución de las ventajas que la causación del daño jurídicamente relevante haya traído a su causante.

34   Propiedad Intelectual - Directiva (UE) 2004/48: Articulo 13 - Cuando las autoridades judiciales fijen los daños y perjuicios: a) tendrán en cuenta todos los aspectos pertinentes, como las consecuencias económicas negativas, entre ellas las pérdidas de beneficios, que haya sufrido la parte perjudicada, cualesquiera beneficios ilegítimos obtenidos por el infractor y, cuando proceda, elementos distintos de los factores económicos, tales como el daño moral causado por la infracción al titular del derecho, o b) como alternativa a lo dispuesto en la letra a), podrán, cuando proceda, fijar los daños y perjuicios mediante una cantidad a tanto alzado sobre la base de elementos como, cuando menos, el importe de los cánones o derechos que se le adeudarían si el infractor hubiera pedido autorización para utilizar el derecho de propiedad intelectual en cuestión. 2. Cuan-

2016/943 –relativa a la protección de los secretos comerciales contra su obtención, utilización y revelación ilícitas– enfatiza que el titular del derecho puede interponer una acción para la compensación de la pérdida de ganancias, o si no para la recuperación de las ganancias obtenidas por el infractor o, como tercera opción, el pago del *licence fee*.[35] Destaco asimismo el Código Civil holandés que adoptó el *disgorgement* como una especie de pretensión alternativa en relación a compensación de daños en cualquier ámbito de responsabilidad civil.[36]

¿Habría una tercera vía que pueda romper el impasse entre la vía alemana e inglesa y que se adaptaría mejor a los sistemas de origen francés? Digo esto porque entre nosotros suele haber una cláusula general de ilicitud, el concepto de daño es flexible y por eso cualquier lesión a un interés lícito puede ser el punto de partida para una acción

---

do el infractor no hubiere intervenido en la actividad infractora a sabiendas ni con motivos razonables para saberlo, los Estados miembros podrán establecer la posibilidad de que las autoridades judiciales ordenen la recuperación de los beneficios o el pago de daños y perjuicios que podrán ser preestablecidos

35   Artículo 14 - Indemnización por daños y perjuicios: 1.   Los Estados miembros garantizarán que las autoridades judiciales competentes, a instancia de la parte perjudicada, ordenen al infractor que supiera o debiera haber sabido que se estaba involucrando en la obtención, utilización o revelación ilícitas de un secreto comercial que pague al poseedor del secreto comercial una indemnización por daños y perjuicios adecuada respecto del perjuicio realmente sufrido como consecuencia de la obtención, utilización o revelación ilícitas del secreto comercial. 2.   Al fijar la indemnización por daños y perjuicios a la que se refiere el apartado 1, las autoridades judiciales competentes tendrán en cuenta todos los factores pertinentes, como los perjuicios económicos, incluido el lucro cesante, que haya sufrido la parte perjudicada, el enriquecimiento injusto obtenido por el infractor y, cuando proceda, otros elementos que no sean de orden económico, como el perjuicio moral causado al poseedor del secreto comercial por la obtención, utilización o revelación ilícitas del secreto comercial.

36   Código civil holandés- *Artículo 6:104* – "Estimación del daño y la entrega de ganancias: si alguien, quien es responsable ante otra persona por ilícito o por incumplimiento de una obligación, ha obtenido una ganancia por este ilícito o incumplimiento, el tribunal puede, a solicitud de la persona lesionada, calcular ese daño de acuerdo con el monto de este beneficio o una parte de él".

de responsabilidad extracontractual.[37] Esto permite la indemnización del llamado *daño abstracto,* como se puede ver en la Propuesta Francesa de reforma de la responsabilidad civil.[38] En las reglas sobre la reparación de los perjuicios resultantes de un daño material, se dice que la indemnización puede compensar la privación del uso de la cosa. Por lo tanto, la mera privación del uso puede ser indemnizada como daño, lo que puede cubrir sin mucho problema el supuesto de quien impide el uso del derecho ajeno por haberse entrometido en él. Así, la indemnización en esos casos tenderá a ser similar al precio de mercado del uso del que el dueño se haya visto privado.

En particular, no estoy de acuerdo con el uso de esta flexibilidad conceptual para transformar en daño algo que no es propiamente un daño, sino una violación de un derecho. Considerar la ventaja obtenida por el agente como una "presunta pérdida de ganancias" y, por lo tanto, extender el concepto del daño en sí mismo, crea una confusión conceptual, ya que no se puede afirmar que fue la acción de la interviniente la que impidió al titular del derecho ganar algo que sería razonable suponer que ganaría. Por el contrario, en la mayoría de los casos solo hubo algún tipo de beneficio porque el interviniente decidió actuar, porque sin ello el titular del derecho no habría obtenido ningún beneficio. Prefiero que la ley otorgue un remedio de restitución y diga expresamente que este es una alternativa a la compensación por daños.

---

37   Esto tanto en España como en Brasil: Art. 1902 Código Civil España: "El que por acción u omisión causa daño a otro, interviniendo culpa o negligencia, está obligado a reparar el daño causado". Art. 186, Código Civil Brasileño: "Quien, por acción u omisión voluntaria, negligencia o imprudencia, viola el derecho y causa daño a otros, incluso si es exclusivamente moral, comete un acto ilícito"

38   *France- Projet de Réforme de la Responsabilité Civile* 2017 - Subsección 2. Reglas particulares para la compensación por daños resultantes de daños materiales- Art. 1279: "Si es necesario, la indemnización también compensa la privación del disfrute de la propiedad dañada, las pérdidas operativas o cualquier otro daño".

VI. LA RECUALIFICACIÓN DEL
PRINCIPIO DE REPARACIÓN INTEGRAL

Por esto, para insertar la restitución de ganancias ilícitas en el contexto de la responsabilidad civil, sugiero la recualificación del principio de reparación integral. Este impone que la reparación corresponda al daño causado, dejando fuera cualquier otra consideración. Hay un sentido común de que la responsabilidad civil no es el *locus* adecuado para recibir la restitución por ilícitos y la eliminación de ganancias indebidas, bajo pena de abandonar uno de sus principios más básicos, a saber, la función destinada a deshacer los daños sufridos por el demandante.

Según esa idea, el demandante tendría derecho a ser reincorporado a la posición anterior al ilícito. El demandado no tendría que restaurar nada más de lo que se perdió. Ese rasgo restaurativo no autorizaría un remedio para la restitución de las ganancias provenientes del acto ilícito.

Sin embargo, esta conclusión no pasa de ser un "mito". Aun el sistema compensatorio más generoso no podrá cubrir cada uno de los efectos concebibles de una conducta ilícita. Una verdadera *restitutio in integrum* es imposible, y mientras no se invente una máquina del tiempo, ningún ordenamiento proporcionará formas alternativas de restaurar todos los daños causados.[39] Resulta que la compensación de daños no es a ratio de la responsabilidad civil, sino que consiste en su más importante remedio y función. El hecho es que se pueden deshacer los daños, sino solo transferir el costo del ilícito del ofendido al ofensor. En verdad, el centro de la responsabilidad extracontractual es el principio de la reparación integral, entendida como la restauración del equilibrio entre las partes, especialmente obligado por una obligación de indemnizar. La confrontación entre la situación anterior y posterior al ilícito no puede medirse unilateralmente por la situación patrimonial de la víctima, sino

---

39   KOCH, Bernard. *Why tort law seems to fail sometimes? Essays in honour of Jaap Spier,* p. 157.

por la reconstrucción de dos situaciones jurídicas, teniendo en cuenta no solo los hechos desventajosos, sino también los hechos ventajosos.[40]

La famosa cuestión de saber si el vaso está medio vacío o medio lleno es significativa. Es decir, podemos encontrar dentro de un mismo sistema jurídico diferentes significados para el concepto de "making the victim whole". Durante el procedimiento de evaluación de la indemnización, podemos preguntar cuánto se ha perdido (a partir del estado original) o cuánto se requerirá para restaurar a las partes a la situación original, a partir del resultado final del evento perjudicial. Los resultados finales de las operaciones serán dramáticamente distintos a medida que adoptemos un abordaje *ex ante o ex post* del principio de la reparación integral.[41]

El objetivo de la "reconstitución" hipotética de las partes al estado anterior al ilícito requiere un análisis bilateral que, más allá del ofensor, incluya la posición del agente. En la medida en que el ofensor haya obtenido una ganancia ilícita o haya ahorrado gastos al violar una determinada posición jurídica, naturalmente la "mejor indemnización" deberá incluir entre sus criterios alternativos la restitución o la redención de beneficios económicos; de lo contrario, violaremos la justicia correctiva que anima la restitutio in integro. Así, si entendemos la filosofía de la justicia correctiva como un análisis de la relación bilateral entre víctima e infractor, logramos –como en Portugal– una función reconstituidora de la responsabilidad civil,[42] en la cual el papel de la indemnización no será restituir a las partes en la situación previa al daño,

---

40   En este sentido Vincenzo Colonna, *compensatio lucri cum damno*, p. 710.

41   COMANDÉ, Giovanni. *Awarding damages for non-pecuniary losses. Essays in honour of Jaap Spier*, p. 74. "in doing so, it becomes clearer that various degrees of full compensation can be sustained by the same constitutional principles without falling into contradiction".

42   *CÓDIGO CIVIL DE PORTUGAL.* SECÇÃO VIII - Obligación de indemnización. Artigo 562.º (Principio general). Quien está obligado a reparar un daño debe reconstituir la situación que existiría, si no se hubiera verificado el evento que obliga la reparación.

sino restituirlas a la situación previa al ilícito. Quizá esto no sucederá con una condena por las pérdidas de la victima, sino con la restitución de ganancias ilícitas o incluso el pago de un precio de mercado por el disfrute de un activo de otra persona. Es decir, el demandante puede optar por un mayor número de pretensiones sin que ninguno de ellos sea de naturaleza punitiva.[43]

VII. CONCLUSIÓN

De hecho, es sobre todo en el campo del enriquecimiento injustificado que encontramos la zona gris más importante ante la responsabilidad civil. Esta similitud se puede inferir de la circunstancia de que ambos institutos apuntan, en cierta medida, a restaurar un equilibrio preexistente anterior a la producción del daño o anterior a la obtención de la ventaja injustificada.

Así como la ley inglesa en los últimos cincuenta años ha desarrollado el modelo de restitución por actos ilícitos, la ley alemana ha contribuido decisivamente a cambiar el escenario del derecho de enriquecimiento al crear una tipología capaz de justificar las heterogéneas hipótesis del aumento patrimonial injustificado, a través de la teoría de la diferencia-

---

43   Los filósofos Goldberg y Zipursky trabajan en su doctrina de la "civil recourse" como una alternativa a la justicia correctiva dentro de la teoría de la responsabilidad, basada en las nociones de *accountability* y *answerability*, que se encuentran en el hecho de que los ofensores han perjudicado ilícitamente al demandante. Este es un movimiento importante en esta doctrina, ya que hace hincapié en que la responsabilidad civil hace que los ofensores sean los responsables del ilícito cometido, en lugar de observar la responsabilidad civil como un mecanismo que proporciona reparación a la víctima como un sustituto de la retribución privada. Los autores conceptualizan *civil recourse* como: "Simply put, it is legitimate and useful for a modern liberal-democratic state to afford the victims of certain wrongs an avenue of recourse against those who have wronged them. Civil recourse is what the state delivers by having tort law". GOLDBERG, J. C. P. E ZIPURSKY, B. C. *Torts as Wrongs* (2010) 88, Texas Law Review 917, 972.

ción. Especialmente importante en el desarrollo del tema es la medición del enriquecimiento por intromisión en el derecho ajeno, como resultado de la teoría de la atribución, de Wilburg y von Caemmerer.

No se trata, sin embargo, de un estímulo para la competencia de distintos órdenes jurídicos, entre *common law* y *civil law*, representadas aquí por Inglaterra y Alemania. Como destaca Christian Von Bar,[44] quizás la idea de un derecho privado nacional sea un anacronismo, una repercusión del siglo XIX, dado que en el derecho comparado actual la doctrina de las familias de derecho han estado sufriendo, ya que la delimitación entre familias se realiza en el área del derecho contractual de una manera distinta que en el área del enriquecimiento sin causa y de la responsabilidad civil extracontractual. Más que una comparación de codificaciones, en busca de una procedencia nacional, estamos más interesados en una procedencia en el tiempo.

Quizás, la reciente opción metodológica de la doctrina brasileña de adoptar el "lucro de la intervención" dentro del modelo del enriquecimiento sin causa, como repositorio natural de las situaciones en las que alguien obtiene beneficios ilícitos por la intromisión en situaciones jurídicas ajenas, derive de una comparación entre la alternativa concebida en el derecho alemán con dos modelos jurídicos: la compensación de daños y las sanciones punitivas (donde se explica la clara preferencia por el lucro de la intervención). Sin embargo, todavía queda abierto el reto de establecer un estudio profundo sobre el remedio restaurador, de forma autónoma del hecho jurídico del enriquecimiento injustificado, sin la necesidad de recurrir a penas civiles o a una reformulación indebida de los lucros cesantes para darle una posición dentro del sector de la responsabilidad extracontractual.

---

44   VON BAR, Christian. *Concorrência entre as ordens jurídicas e "law made in Germany"*. Boletín de la Facultad de Derecho, v. LXXXVII, p. 441.

Finalmente, tenemos un largo camino por recorrer si realmente queremos tomarnos en serio el derecho civil en cuanto a una renovación
metodológica que, en la medida de lo posible, combine la dogmática
con la efectividad. En esta ardua travesía, uno de los pasos consiste en
revisar las funciones de la responsabilidad civil, definiendo parámetros
objetivos que puedan guiar al legislador y a los juzgadores en cuanto
a las situaciones en las que un acto ilegal debe trascender los daños y
lograr propósitos punitivos, restrictivos o incluso de despojar las ganancias ilícitas del ofensor. La definición de límites entre responsabilidad
civil y el enriquecimiento injustificado no es solo una investigación científica, sino una forma de guiar el derecho civil brasileño a la resolución
de conflictos omitidos por el legislador.

2. LA RESTITUCIÓN DE GANANCIAS CON OCASIÓN DE UN ILÍCITO EXTRACONTRACTUAL. UNA MIRADA DESDE EL SISTEMA CHILENO[1]

Carlos Céspedes Muñoz[2]
Profesor de Derecho Civil de la U. Católica de la Santísima Concepción (Chile).

SUMARIO: I. INTRODUCCIÓN. II. UN PANORAMA DEL SISTEMA CHILENO. III. LAS ZONAS DE CONTACTO ENTRE LA RESPONSABILIDAD CIVIL EXTRACONTRACTUAL Y EL ENRIQUECIMIENTO INJUSTIFICADO: ¿ES POSIBLE ACUMULAR LAS ACCIONES QUE DERIVAN DE AMBAS?. 1. El artículo 85 E de la Ley 17.336, sobre propiedad intelectual. 2. El artículo 108 de la Ley 19.039, sobre propiedad industrial. 3. El efecto restitutorio de la nulidad y la posibilidad de demandar perjuicios como consecuencia de ello. 4. La existencia de un delito civil en que un tercero recibe provecho del dolor ajeno. IV. PALABRAS FINALES.

---

1   Este trabajo se enmarca dentro del proyecto DINREG 7/2018, denominado "La indemnización originada por los daños causados en estado de necesidad, financiado por la Dirección de Investigación de la U. Católica de la Santísima Concepción, y Fondecyt Iniciación N°11180060, titulado "Las indemnizaciones por sacrificio en el Derecho civil chileno", de los cuales el autor es investigador responsable.

Agradezco la gentil invitación a participar en el Primer Congreso Iberoamericano de Responsabilidad Civil a los profesores María José Santos Morón, Pedro del Olmo García y Darío Parra Sepúlveda, así como la grata hospitalidad brindada en nuestra estadía en Madrid.

2   Doctor en Derecho por la U. de Salamanca (España). Profesor de Derecho Civil de la U. Católica de la Santísima Concepción (Chile). Director del Magister en Derecho Privado de la misma universidad. Correo postal: Lincoyán 255, Concepción, Chile. Correo electrónico: ccespedes@ucsc.cl.

RESUMEN

Como regla general y frente a la existencia de un ilícito extracontractual, el sistema chileno sólo concede la indemnización del daño, mas no la restitución de las ganancias obtenidas por el infractor o intromisor por el mismo hecho.

PALABRAS CLAVE

Responsabilidad extracontractual – enriquecimiento injustificado – restituciones

ABSTRACT

As a general rule and in the presence of a tort, the Chilean system only grants the compensation of the damage, but not the restitution of the profits obtained by the perpetrator.

KEYWORDS

Tort law – unjust enrichment – restitutions

I. INTRODUCCIÓN

El presente trabajo se enmarca en mi intervención como comentarista, desde la perspectiva chilena, de la ponencia del profesor Nelson Rosenvald intitulada "Responsabilidad extracontractual versus enriquecimiento injustificado: ¿cómo restituir los beneficios ilícitos?".

Bien sabemos que existen supuestos cuya solución puede reconducirse por la vía de la responsabilidad extracontractual o por la del enriquecimiento injustificado, como acontece en la denominada *condictio* por intromisión. El objeto del presente trabajo consiste en determinar si es posible en el ordenamiento chileno, además de obtener la reparación del daño, lograr la restitución de los beneficios ilícitos obtenidos por el autor de un ilícito extracontractual.

II. UN PANORAMA DEL SISTEMA CHILENO

El sistema de responsabilidad extracontractual chileno es similar al español, atendido que también siguió el modelo del Código civil francés de cláusula general y, por tanto, atípico, teniendo como factor de atribución a la culpa o negligencia[3]. En cuanto al enriquecimiento sin causa, no existe norma alguna que la consagre como principio general ni fuente de obligaciones en el sistema civil chileno.

Dadas las semejanzas entre ambos sistemas de responsabilidad extracontractual, sólo me detendré brevemente en el enriquecimiento sin causa para indicar sus particularidades y, posteriormente, enunciaré las zonas de contacto de éste con la responsabilidad extracontractual. No me referiré a las situaciones de incumplimiento contractual que podrían llevar aparejada alguna situación de enriquecimiento, por ser ajena a la materia que nos convoca[4].

---

3   Cfr. Guzmán Brito, Alejandro, *Historia de la codificación en Iberoamérica*, Thomson Aranzadi, Navarra, 2006, p. 209. Esta familiaridad entre el Code y el Código civil chileno es también evidenciada por Santos Briz, Jaime, *La responsabilidad civil. Derecho sustantivo y Derecho procesal*, cuarta edición actualizada y revisada, Editorial Montecorvo, Madrid, 1986, p. 32.

4   Sobre el punto y desde la perspectiva del ordenamiento chileno, *vid.* Prado López, Pamela, "La restitución de ganancias en el incumplimiento eficiente: una respuesta desde el derecho chileno de los contratos", *Revista Ius et Praxis*, año 24, N°3 (2018), pp. 335-378; Pino Emhart, Alberto, "La restitución de ganancias ilícitas y la acción del provecho de dolo ajeno", en *Revista Ius et Praxis*, año 22, N°1 (2016), pp. 246 y ss.

Pese a no enunciarse formalmente como fuente de obligaciones, la jurisprudencia chilena lo reconoce y la doctrina chilena la enuncia como tal[5], indicando que la existencia del enriquecimiento sin causa para obtener soluciones equitativas encuentra asidero legal en los artículos 578[6] y 1437[7] del Código civil chileno[8], al enunciar, respectivamente, al "hecho suyo" como fuente de derechos personales y al "hecho voluntario" como fuente de obligaciones, permitiendo amparar en su amplitud al "hecho" que provocó el enriquecimiento[9]. Asimismo, el fundamento equitativo antes indicado –corregir situaciones injustas ya consumadas– se puede obtener en virtud del principio de inexcusabilidad, conforme al cual los tribunales están obligados a solucionar la controversia sometida a su conocimiento aunque falte norma que resuelva el conflicto (art. 10 del Código Orgánico de Tribunales), debiendo en dicho caso recurrir a la equidad (art. 170 N°5 del Código de Procedimiento Civil, sobre requisitos que deben cumplir las sentencias definitivas)[10]; y sin perjuicio de que la equidad natural es una regla de interpretación de la

---

5   Entre varias, sentencias de la Excma. Corte Suprema de 17 de diciembre de 2018, rol 38.887-2017; de 03 de septiembre de 2018, rol 44.324-2017; de 03 de enero de 2017, rol 32.990-2017, todas disponibles en www.pjud.cl. También, PEÑAILILLO ARÉVALO, DANIEL, "El enriquecimiento sin causa. Principio de Derecho y fuente de obligaciones", en *Revista de Derecho U. de Concepción*, N°200 (1996), pp. 7 y ss.; ABELIUK MANASEVICH, RENÉ, *Las obligaciones*, tomo I, sexta edición actualizada, Thomson Reuters, Santiago, 2014, pp. 223 y ss.

6   "Art. 578. Derechos personales o créditos son los que sólo pueden reclamarse de ciertas personas, que, por un hecho suyo o la sola disposición de la ley, han contraído las obligaciones correlativas; como el que tiene el prestamista contra su deudor por el dinero prestado, o el hijo contra el padre por alimentos. De estos derechos nacen las acciones personales".

7   "Art. 1437. Las obligaciones nacen, ya del concurso real de las voluntades de dos o más personas, como los contratos o convenciones; ya de un hecho voluntario de la persona que se obliga, como en la aceptación de una herencia o legado y en todos los cuasicontratos; ya a consecuencia de un hecho que ha inferido injuria o daño a otra persona, como en los delitos y cuasidelitos; ya por disposición de la ley, como entre los padres y los hijos sujetos a patria potestad".

8   En adelante, "CC".

9   PEÑAILILLO ARÉVALO, DANIEL, op. cit., pp. 7 y ss.

10   PEÑAILILLO ARÉVALO, DANIEL, *op. cit.*, p. 12.

ley que se aplica a falta de las reglas indicadas en los artículos 19 a 23 CC, conforme lo indica el artículo 24 CC[11].

Asimismo, nuestra doctrina y jurisprudencia reconoce el carácter subsidiario de la acción de enriquecimiento sin causa[12], reservando su aplicación para situaciones en que falta una regla específica que solucione el conflicto y, por tanto, permanece su inhibición en aquellas ocasiones en que por negligencia o pura indecisión se ha dejado de ejercitar la acción específica respectiva que el orden jurídico tiene diseñada.

Lo anterior se entronca con el hecho de no reconocer normativamente a este instituto en el catálogo formal de fuentes de las obligaciones del ordenamiento chileno. Así las cosas, si el interesado dispone de otra acción admisible, la conclusión generalizada es que debe ejercitar esa y, por tanto, carecerá de la acción de enriquecimiento injustificado. Si la acción disponible deviene en ineficaz por prescripción, también es generalizada la opinión de negarla; como también si se intenta a través de esta vía la acción respectiva que ya fue negada[13].

Finalmente, en cuanto a sus requisitos, la doctrina tradicional ha señalado los siguientes: enriquecimiento de un sujeto, empobrecimiento

---

11   Sobre el tema, *vid.* LETELIER CIBIÉ, PABLO, "Enriquecimiento injustificado y equidad. Los problemas que plantea la aplicación de un principio general", en *Revista Ius et Praxis,* año 24, N°2 (2018), pp. 649 y ss.

12   Sentencia de la Corte Suprema de 20 de abril de 2015, rol 27.477-2014; sentencia de reemplazo de la Corte de Apelaciones de Puerto Montt de 21 de junio de 2017, rol 934-2016; y sentencia de la Corte de Apelaciones de La Serena de 13 de enero de 2012, rol 1670-2011, todas disponibles en www.pjud.cl. También, PEÑAILILLO ARÉVALO, DANIEL, *op. cit.,* p. 24; ABELIUK MANASEVICH, RENÉ, *op. cit.,* p. 230; BARROS BOURIE, ENRIQUE, *Tratado de responsabilidad extracontractual,* reimpresión primera edición, Editorial Jurídica de Chile, Santiago, 2007, p. 929; CÉSPEDES MUÑOZ, CARLOS, "Expropiación y enriquecimiento sin causa", en *Revista Derecho en la UCSC. Academia y Extensión,* N°7 (2019), p. 7.

13   Dejando a salvo la existencia de alguna razón de hecho calificada que prive de eficacia a la acción ordinaria prevista, por ejemplo, la insolvencia del demandado (PEÑAILILLO ARÉVALO, DANIEL, *op. cit.,* P. 25).

de otro, correlatividad entre ambos y ausencia de causa de enriqueci-miento[14]. Sin embargo, se ha ido abriendo paso la tesis que sólo exige la existencia de un enriquecimiento y ausencia de causa, partiendo de la constatación que lo determinante es la "medida del enriquecimiento" y que de lo que se trata es "la obligación de restituir por quien no tiene causa de retener"[15].

III. LAS ZONAS DE CONTACTO ENTRE LA RESPONSABILIDAD CIVIL EXTRACONTRACTUAL Y EL ENRIQUECIMIENTO INJUSTIFICADO: ¿ES POSIBLE ACUMULAR LAS ACCIONES QUE DERIVAN DE AMBAS?

Previamente, debemos consignar que doctrinaria y jurisprudencial-mente es ampliamente reconocida la diferencia entre ambas clases de acciones, por lo que es posible distinguirlas con nitidez en nuestro orde-namiento[16]. De allí que, ciertamente, el punto de partida de estas zonas de contacto es que un mismo hecho de lugar a acciones restitutorias e indemnizatorias, es decir, cuando un mismo hecho causa daño a una persona (reparación indemnizatoria) y enriquecimientos correlativos de otra (restitución de beneficios), que es lo que acontece típicamente en

---

14   ABELIUK MANASEVICH, *René, op. cit.,* pp. 228 y ss. También la jurisprudencia tra-dicional, v. gr., sentencia de la I. Corte de Apelaciones de Santiago de 14 de septiembre de 1983 (Westlaw Chile J4767/1983).

15   PEÑAILILLO ARÉVALO, DANIEL, *op. cit.,* pp. 12 y ss. Las sentencias más recientes de la Excma. Corte Suprema enuncian tanto los requisitos enumerados por Abe-liuk como los referenciados por Peñailillo, v. gr., sentencias de la Excma. Corte Suprema de 17 de diciembre de 2018, rol 38.887-2017; de 03 de septiembre de 2018, rol 44.324-2017; de 03 de enero de 2017, rol 32.990-2017, todas disponi-bles en www.pjud.cl.

16   *Vid.* BARROS BOURIE, ENRIQUE, "Restitución de ganancias por intromisión en de-recho ajeno, por incumplimiento contractual y por ilícito extracontractual", en BARROS BOURIE, ENRIQUE y otros, *Derecho de daños,* Fundación Coloquio Jurídico Europeo, Madrid, 2009, pp. 26 y ss.; PEÑAILILLO ARÉVALO, DANIEL, *op. cit.,* p. 29.

la *condictio* por intromisión[17]. Lo cual implica que ese hecho, además de cumplir con los requisitos de las acciones restitutorias, haya sido cometido con negligencia y causando daño.

Como regla general, la doctrina asume que puede haber concurrencia alternativa de tales pretensiones, rigiéndose cada una de ellas por la regulación respectiva. Se indica que se puede ejercer una u otra, pero no se pueden acumular, ya que actuar sobre los beneficios supone, en cierto sentido, condonar el ilícito[18]. Se agrega que ambas acciones son el anverso y reverso patrimoniales de un mismo hecho, de modo que carece de justificación recibir a la vez la restitución del beneficio obtenido por el demandado y la restitución del daño patrimonial por lucro cesante sufrido por el demandante[19].

No obstante, se menciona que el único espacio de superposición está dado en aquellos casos en que la restitución está configurada como piso

---

17 Barros Bourie, Enrique, *Restitución...*, p. 22. Vid. Díez-Picazo, Luis, "La doctrina del enriquecimiento sin causa", en Díez-Picazo, Luis y de la Cámara, Manuel, *Dos estudios sobre enriquecimiento sin causa*, Civitas, Madrid, 1988, p. 116; Basozabal Arrue, Xabier, *Enriquecimiento injustificado por intromisión*, Civitas, Madrid, 1998, pp. 100 y ss.; Busto Lago, José Manuel y Peña López, Fernando, "Enriquecimiento injusto y responsabilidad civil extracontractual", en *Anuario da Facultade de Dereito*, 1997, p. 149.

18 Barros Bourie, Enrique, *Restitución...*, p. 66. A propósito del *waiver of tort*, Birks explica que uno de los caminos posibles es la técnica del *Extinctive Ratification* (Birks, Peter, *An introduction to the law of restitution*, Clarendon Press, Oxford, 1985, pp. 315 y 316). En palabras de Basozabal, ello significa que "se puede ratificar el acto llevado a cabo por el demandado: de acuerdo con las reglas de la representación, la víctima del "ilícito" –por ejemplo, el dueño del bien que otro usa o enajena– podría ratificar el acto del intromisor y legitimarlo a posteriori; el "ilícito" quedaría extinguido por la ratificación" (Basozabal Arrue, Xabier, "Enriquecimiento injusto comparado: un aproximación al Derecho inglés de Restituciones", *ADC*, 2018-I, p. 34).

19 Barros Bourie, Enrique, *Restitución...*, pp. 66 y 67. En el mismo sentido, Pino Emhart, Alberto, *op. cit.*, pp. 258 y ss., indicando que se estaría frente a un doble pago.

mínimo del *quantum* indemnizatorio[20]. En el mismo sentido se nos presenta la acción reivindicatoria que se ejerce contra el que enajenó la cosa para la restitución de lo que haya recibido por ella, cuando por su enajenación se ha hecho imposible o difícil su persecución; y que sólo lleva adicionada una indemnización de perjuicios en caso de que se haya enajenado a sabiendas de que era ajena (art. 898 CC[21])[22].

Sin embargo, esta regla general debe matizarse en algunas situaciones reguladas por la ley chilena, que pasamos a reseñar.

---

20   BARROS BOURIE, ENRIQUE, *Restitución...*, p. 34, ejemplificándolo con la pérdida de la especie o cuerpo cierto que se debe por hecho imputable al deudor, en que se debe el precio de la cosa y la indemnización de perjuicios respectiva (art. 1672 CC). A nuestro juicio, no es que la restitución sea el piso mínimo del *quantum* indemnizatorio, sino que constituye el cumplimiento por equivalente de la prestación frustrada. Sobre la diferencia entre cumplimiento por equivalente e indemnización de perjuicios en el ordenamiento chileno, *vid.* PEÑAILILLO ARÉVALO, DANIEL, "Responsabilidad contractual objetiva", en PIZARRO WILSON, CARLOS (coordinador), *Estudios de Derecho Civil IV*, Legal Publishing, Santiago, 2009, pp. 331 y ss. Sin embargo, también se ha sostenido que el Código civil chileno no reconoce tal distinción y que el valor del objeto de la prestación forma parte de la pretensión de indemnización de daños, *vid.* VIDAL OLIVARES, ÁLVARO, "El reintegro del valor del objeto de la prestación: ¿cumplimiento en equivalencia o indemnización de daños?", en CORRAL, HERNÁN Y MANTEROLA, PABLO (editores), *Estudios de Derecho Civil XII*, Thomson Reuters, Santiago, 2017, pp. 485 y ss. Es decir, se replica la misma discusión que existe en España sobre el punto (*cfr.*, entre otros, PANTALEÓN PRIETO, FERNANDO, "El sistema de responsabilidad contractual (materiales para un debate)", *ADC*, 1991-III, pp. 1043 y ss.; LLAMAS POMBO, EUGENIO, *Cumplimiento por equivalente y resarcimiento del daño al acreedor. Entre la aestimatio rei y el id quod interest*, Trivium, Madrid, 1999).

21   "Art. 898. (1) La acción de dominio tendrá también lugar contra el que enajenó la cosa, para la restitución de lo que haya recibido por ella, siempre que por haberla enajenado se haya hecho imposible o difícil su persecución; y si la enajenó a sabiendas de que era ajena, para la indemnización de todo perjuicio. (2) El reivindicador que recibe del enajenador lo que se ha dado a éste por la cosa, confirma por el mismo hecho la enajenación".

22   BARROS BOURIE, ENRIQUE, *Restitución...*, nota 20, p. 26. En sentido similar, DIEZ-PICAZO, LUIS, *op. cit.*, pp. 116 y 117.

1. El artículo 85 E de la Ley 17.336, sobre propiedad intelectual

Esta disposición señala que "(1) Al determinar el perjuicio patrimonial el tribunal considerará, entre otros factores, el valor legítimo de venta al detalle de los bienes sobre los cuales recae la infracción. (2) El tribunal podrá, además, condenar al infractor a pagar las ganancias que haya obtenido, que sean atribuibles a la infracción y que no hayan sido consideradas al calcular los perjuicios. (3) Con independencia de la existencia de un perjuicio patrimonial, para efectos de la determinación del daño moral, el tribunal considerará las circunstancias de la infracción, la gravedad de la lesión, el menoscabo producido a la reputación del autor y el grado objetivo de difusión ilícita de la obra".

Aquí apreciamos una mezcla de acciones indemnizatorias y restitutorias, que pueden acumularse en la medida que la restitución de las ganancias no se haya considerado en la determinación de los perjuicios.

Se ha dicho que como la restitución de ganancias obtenidas por el intromisor en ningún caso puede constituir un daño para el titular del derecho de autor, se ha justificado que la única forma de entender esta norma es considerarla como un supuesto de enriquecimiento sin causa autónoma de la respectiva acción indemnizatoria, que admite acumulación[23].

---

23 Barría Díaz, Rodrigo, "La función preventiva o disuasoria de la responsabilidad civil, a propósito de las leyes de propiedad intelectual y de propiedad industrial", en Barría Díaz, Rodrigo y otros, *Presente y futuro de la responsabilidad civil*, Thomson Reuters, Santiago, 2017, pp. 203 y ss. También Corral Talciani, Hernán, *Lecciones de responsabilidad civil extracontractual*, segunda edición actualizada, Thomson Reuters, Santiago, 2013, p. 336, ya que de entenderla como indemnizatoria estaríamos en presencia de un daño punitivo.

2. El artículo 108 de la Ley 19.039, sobre propiedad industrial

Esta norma dispone que "La indemnización de perjuicios podrá determinarse, a elección del demandante, de conformidad con las reglas generales o de acuerdo con una de las siguientes reglas: a) Las utilidades que el titular hubiera dejado de percibir como consecuencia de la infracción; b) Las utilidades que haya obtenido el infractor como consecuencia de la infracción, o; c) El precio que el infractor hubiera debido pagar al titular del derecho por el otorgamiento de una licencia, teniendo en cuenta el valor comercial del derecho infringido y las licencias contractuales que ya se hubieran concedido".

Podemos observar que esta disposición contempla el conocido sistema indemnizatorio del triple cómputo[24], en que para efectos de determinación de la cuantía de los perjuicios se puede optar por medidas resarcitorias o restitutorias.

Una parte importante de la doctrina chilena, estimando que estamos en presencia de una acción indemnizatoria[25], critica el recurso a la restitu-

---

24   Sobre el tema, *vid.* Barrientos Zamorano, Marcelo, "El sistema indemnizatorio del triple cómputo en la Ley de Propiedad Industrial", en *Revista Ius et Praxis,* año 14, N°1 (2008), pp. 123 y ss.; y Urquieta Salazar, Carlos, "La acción de indemnización de daños de la Ley de Propiedad Industrial y la regla especial de determinación del quantum indemnizatorio por lesión de bienes inmateriales", en Gómez de la Torre, Maricruz y otros (editores), *Estudios de Derecho Civil* XIV, Thomson Reuters, Santiago de Chile, 2019, pp. 1181 y ss. En clave comparada, Basozabal Arrue, Xabier, "Método triple de cómputo del daño: la indemnización del lucro cesante en las leyes de propiedad industrial e intelectual", *ADC,* 1997-III, pp. 1263 y ss.

25   La consideran así Barría Díaz, Rodrigo, *op. cit.,* pp. 208 y ss.; Urquieta Salazar, Carlos, *op. cit.,* p. 1202. Evidenciando la discusión pero sin adoptar postura sobre el tema, Corral Talciani, Hernán, *op. cit.,* p. 338. Por la tesis restitutoria se manifiestan Barrientos Zamorano, Marcelo, *op. cit.,* pp. 123 y ss.; y Pino Emhart, Alberto, *op. cit.,* pp. 239 y 240, quien entiende que es una hipótesis de restitución de ganancias pese a que la norme utilice la expresión "indemnización de perjuicios".

ción de ganancias, pues estas no constituyen un daño para el titular y, asimismo, pueden superar al valor que por la licencia a autorización habría cobrado el mismo por la explotación de su derecho[26]. Tan así que, en sentencia de 14 de enero de 2014, el Tribunal Constitucional[27] declaró su inaplicabilidad por inconstitucionalidad por vulnerar el principio de proporcionalidad que se infiere de la garantía de igualdad ante la ley (artículo 19 N°2 Constitución chilena), ya que permite, a título indemnizatorio, obtener beneficios desligados de la relación causal entre el uso antijurídico de la propiedad industrial y el enriquecimiento director obtenido por el infractor por tal uso, provocando en este último resultados gravosos que exceden desproporcionadamente la finalidad legítima de la norma.

3. El efecto restitutorio de la nulidad y la posibilidad de demandar perjuicios como consecuencia de ello

El art. 1687 CC[28], como efecto propio de la declaración judicial de nulidad, dispone que da derecho a las partes a ser restituidas al mismo estado en que se hallarían si no hubiese existido el acto o contrato nulo[29].

---

26   Barría Díaz, Rodrigo, *op. cit.*, p. 209.

27   Rol 2437-13-INA, "Astudillo con Compañía Minera Teck Quebrada Blanca S.A.", disponible en www.tribunalconstitucional.cl.

28   "Art. 1687. (1) La nulidad pronunciada en sentencia que tiene la fuerza de cosa juzgada, da a las partes derecho para ser restituidas al mismo estado en que se hallarían si no hubiese existido el acto o contrato nulo; sin perjuicio de lo prevenido sobre el objeto o causa ilícita. (2) En las restituciones mutuas que hayan de hacerse los contratantes en virtud de este pronunciamiento, será cada cual responsable de la pérdida de las especies o de su deterioro, de los intereses y frutos, y del abono de las mejoras necesarias, útiles o voluptuarias, tomándose en consideración los casos fortuitos y la posesión de buena o mala fe de las partes; todo ello según las reglas generales y sin perjuicio de lo dispuesto en el siguiente artículo".

29   Junto con el efecto restitutorio pueden tener lugar las denominadas "prestaciones mutuas", que buscan determinar quién soporta la pérdida o deterioro de la especie objeto del contrato declarado nulo, así como la suerte de los frutos y de las mejoras del mismo. Sobre la calificación de estas últimas y la compatibilidad de las respectivas pretensiones, vid. Pinochet Olave, Ruperto, "El carácter indemnizatorio de las prestaciones mutuas en caso de declaración de nulidad

La doctrina ha opinado que, además de la restitución, podría acumular-se una demanda de indemnización de perjuicios en los supuestos que se originen daños para el demandante. Por ejemplo, la nulidad por error en la persona cuando la consideración de ésta sea la causa principal del contrato y se encuentre de buena fe (art. 1455 CC); o la nulidad del que ha sufrido dolo al consentir (art. 1458 CC), en que se ha indicado que si se concede acción indemnizatoria cuando no vicia el consentimiento, con mayor razón si lo produce[30]. El fundamento de la acumulación de ambas acciones se encuentra en el hecho de que el contrato declarado nulo pudo haber causado daños que no alcanzan a ser reparados, como, por ejemplo, los costos o gastos en que la persona afectada incurrió para celebrar el contrato[31].

4. La existencia de un delito civil[32] en que un tercero recibe provecho del dolo ajeno

Conforme al inciso 2° del art. 2316 CC, *"el que recibe provecho de dolo ajeno, sin ser cómplice en él, sólo es obligado hasta concurrencia de lo que valga el provecho"*.

---

de contrato", en Céspedes Muñoz, Carlos (coordinador), Estudios de derecho patrimonial en homenaje a los 35 años de la Facultad de Derecho de la Universidad Católica de Concepción, Thomson Reuters, Santiago, 2013, pp. 85-103; y Pinochet Olave, Ruperto y Concha Machuca, Ricardo, "Las prestaciones mutuas en caso de nulidad de contrato: carácter indemnizatorio o restitutorio en el Derecho civil chileno", en Revista de Derecho Privado, N°28 (2015), pp. 129-152.

30   Baraona González, Jorge, *La nulidad de los actos jurídicos*, Pontificia U. Javeriana – Ibáñez, Bogotá, 2012, pp. 88 y ss. En el mismo sentido, Barros Bourie, Enrique, *Restitución...*, p. 31 y en *Tratado...*, pp. 1012 y ss.

31   Baraona González, Jorge, *op. cit.*, p. 88, quien se apoya en la teoría de la culpa *in contrahendo* de Ihering.

32   "Art. 2284. Las obligaciones que se contraen sin convención, nacen o de la ley, o del hecho voluntario de una de las partes. Las que nacen de la ley se expresan en ella. Si el hecho de que nacen es lícito, constituye un cuasicontrato. Si el hecho es ilícito, y cometido con intención de dañar, constituye un *delito*. Si el hecho es culpable, pero cometido sin intención de dañar, constituye un cuasidelito. En este título se trata solamente de los cuasicontratos". La cursiva es nuestra. Esta disposición complementa la del art. 1437 CC, citada en la nota 5.

Una regla similar existe en el inciso 2° del art. 1458 CC[33], a propósito del dolo como vicio del consentimiento.

Sin duda, respecto de los autores, cómplices y encubridores de este delito civil, estamos en presencia de una acción indemnizatoria[34]. Sin embargo, respecto de los que han reportado provecho del dolo ajeno, estamos en presencia de una acción restitutoria y no indemnizatoria, como lo ha resuelto recientemente nuestra jurisprudencia: "de esta forma el autor y el cómplice responden por toda la acción y respecto de ellos existe acción anulatoria e indemnizatoria. Respecto del tercero que se ve favorecido por el actuar doloso de otro, solamente se le sujeta a la restitución y cuando los presupuestos de la acción se han concretado, no antes y tampoco por una suma mayor"[35] [36].

---

33   "Art. 1458. (1) El dolo no vicia el consentimiento sino cuando es obra de una de las partes, y cuando además aparece claramente que sin él no hubieran contratado. (2) En los demás casos el dolo da lugar solamente a la acción de perjuicios contra la persona o personas que lo han fraguado o que se han aprovechado de él; contra las primeras por el total valor de los perjuicios, y contra las segundas hasta concurrencia del provecho que han reportado del dolo".

34   BARROS BOURIE, ENRIQUE, *Tratado...*, p. 932.

35   Sentencia de la Corte Suprema de 30 de enero de 2013, rol 6302-2010, disponible en www.pjud.cl. Esta decisión es una de las tantas sentencias que se dictó en el denominado "caso Inverlink", en el cual la Administradora de Fondos Mutuos Inverlink S.A. sustrajo y vendió instrumentos financieros pertenecientes a un tercero –la estatal Corporación de Fomento de la Producción (CORFO)– para pagar a sus inversionistas, lo que no podría haber efectuado de no mediar tal actuación delictiva, pues no contaba con recursos propios para responder de sus obligaciones. Por lo anterior, se interpusieron varias demandas en contra de los inversionistas que recibieron tales pagos en su carácter de "terceros que reportaron provecho de dolo ajeno". También, sentencia de la Corte Suprema de 30 de septiembre de 2013, rol 4871-2012, disponible en www.pjud.cl. En el mismo sentido, BARROS BOURIE, ENRIQUE, *Tratado...*, p. 932; PIZARRO WILSON, CARLOS, "La acción de restitución por provecho de dolo ajeno", en PIZARRO WILSON, CARLOS (coordinador), *Estudios de Derecho Civil IV*, Legal Publishing, Santiago, 2009, pp. 680 y ss.; PINO EMHART, ALBERTO, *op. cit.*, pp. 258 y ss.

36   Sin embargo, existe importante doctrina que estima que la acción en comento se trata de una acción indemnizatoria y no restitutoria. Así, DOMÍNGUEZ ÁGUILA, RAMÓN, "Sobre el artículo 2316 inciso segundo del Código Civil y la acción contra el que recibe provecho de dolo ajeno", en *Revista de Derecho U. de Con-*

IV. PALABRAS FINALES

En un ordenamiento jurídico inmerso en un sistema económico-social fundado en la libre competencia, hay un constante enriquecimiento de los patrimonios a costa de otros, lo que no obliga al legislador a corregirlo. Si el enriquecimiento tiene justificación jurídica, aun cuando pueda ser moralmente objetable, el Derecho no interviene[37].

Asimismo, desde la perspectiva chilena, no se puede asumir como regla general la restitución de toda ganancia o beneficio que obtenemos de los demás sin justificación legal o contractual[38].

Tampoco podemos asumir como regla general que, ante la existencia de beneficios ilícitos, además de la reparación del daño, se pueda obtener la restitución de las ganancias obtenidas por el infractor o intromisor[39]; máxime si lleva aparejado una cuestión aún más compleja de resolver, consistente en determinar en qué medida las ganancias obtenidas por el infractor están causalmente conectadas con el hecho ilícito como, además, en qué medida dichas ganancias se deben al esfuerzo o trabajo propio de aquél[40].

Excepcionalmente, ello puede acontecer en los casos en que la ley lo ha dispuesto expresamente, destacándose las pretensiones restitutorias e indemnizatorias reguladas en la Ley de propiedad intelectual y en la Ley de propiedad industrial. Debe consignarse que el profesor BARROS

---

cepción, N°225-226 (2009), pp. 217 y ss. También el voto disidente del abogado integrante Jorge Baraona en la sentencia primeramente nombrada en la nota anterior.

37 ABELIUK MANASEVICH, RENÉ, *op. cit.*, p. 223.

38 BARROS BOURIE, ENRIQUE, *Restitución...*, pp. 17 y 18. En el mismo sentido, DÍEZ-PICAZO, LUIS, *op. cit.*, pp. 43 y ss.

39 BARROS BOURIE, ENRIQUE, *Restitución...*, pp. 65 y ss.

40 CFR. PINO EMHART, ALBERTO, *op. cit.*, pp. 266.

ha sostenido que la existencia de este cúmulo alternativo de acciones indemnizatorias y restitutorias, permite concluir que la misma solución se puede imponer respecto de las situaciones de exclusividad en el goce de derechos que no están sujetas en Chile a un estatuto especial de propiedad, como son los secretos industriales o los derechos de la personalidad[41].

La solución antes planteada se deriva, además, del carácter subsidiario que se le ha reconocido a la doctrina del enriquecimiento injustificado, lo que se corrobora, incluso, con las modernas regulaciones, como el art. 1795 del nuevo Código Civil y Comercial argentino y el art. 1303-3 del nuevo texto del *Code*. Y que es particularmente aplicable en aquellos ordenamientos que no contemplan al enriquecimiento sin causa como fuente de obligaciones, como el chileno. Aquí puede ser perfectamente válida una subsidiariedad positiva, por la cual la acción de enriquecimiento, por responder a un principio general de Derecho, únicamente procede en defecto de otra acción derivada de un precepto legal aplicable; como una subsidiariedad negativa, que consiste en que el enriquecimiento no esté consagrado por la ley con carácter general[42].

Finalmente, la citada regulación de la Ley de propiedad intelectual y de la Ley de propiedad industrial ha llevado a algunos autores a pensar que las acciones restitutorias, a más de compensar las interferencias en la propiedad, tienen la función de prevenir las conductas reprochadas por tales leyes[43]. En efecto, ante la inconstitucionalidad de la norma que autorizaba, a título de indemnización de perjuicios, obtener la restitución de las ganancias obtenidas por el intromisor en un derecho de propiedad industrial ajeno, se han levantado voces que abogan por entender tal disposición –previa reforma legal– desde el punto de vista preventivo

---

41   Barros Bourie, Enrique, *Restitución...*, pp. 72 y ss.

42   En este sentido, Álvarez Caperochipi, José, *El enriquecimiento sin causa*, tercera edición, Editorial Comares, Granada, 1993, p. 118.

43   Barría Díaz, Rodrigo, *op. cit.*, pp. 210 y ss.

del Derecho de daños, en el entendido que a través de aquella lo que se ha buscado es dotar de cierta capacidad disuasoria en las referidas regulaciones. Se indica que el marco normativo de la Ley de propiedad intelectual y de la Ley de propiedad industrial conforma un sistema de protección que no sólo otorga respuestas a los atentados en contra de dichos bienes inmateriales, sino también una herramienta para disuadir a las personas a realizar conductas atentatorias en contra de tales derechos[44].

---

44   Barría Díaz, Rodrigo, *op. cit.*, pp. 211-213.

3. ENRIQUECIMIENTO POR INTROMISIÓN: PROPUESTA DE CALIFICACIÓN A PARTIR DE LA DELIMITACIÓN DE FRONTERAS ENTRE RESPONSABILIDAD CIVIL Y ENRIQUECIMIENTO SIN CAUSA

Rodrigo da Guia Silva

*Estudiante de doctorado, con título de máster,
en Derecho Civil en la Universidade do Estado do Rio de Janeiro (UERJ).*

SUMARIO. I. INTRODUCCIÓN: ¿QUÉ ES EL ENRIQUECIMIENTO POR INTROMISIÓN?. II. CONFRONTACIÓN TEÓRICA DEL ENRIQUECIMIENTO POR INTROMISIÓN A LA LUZ DE LA TRIPARTICIÓN FUNCIONAL DE LAS OBLIGACIONES. III. ANÁLISIS DEL INTENTO DE COMPATIBILIZACIÓN ENTRE LA DISCIPLINA DE LA RESPONSABILIDAD CIVIL Y LA CUESTIÓN DEL ENRIQUECIMIENTO POR INTROMISIÓN. IV. PROPUESTA DE CALIFICACIÓN DEL ENRIQUECIMIENTO POR INTROMISIÓN COMO MODALIDAD DE ENRIQUECIMIENTO SIN CAUSA. V. CONCLUSIÓN.

RESUMEN

El objetivo central del presente estudio es presentar una propuesta de calificación dogmática del enriquecimiento por intromisión basada en la delimitación de las fronteras entre la responsabilidad civil y la prohibición del enriquecimiento injustificado. El estudio adopta como premisa metodológica el análisis funcional de las obligaciones y de los respectivos regímenes jurídicos obligacionales generales. A partir de estas premisas, se identifican algunas razones para la insuficiencia del intento de confrontación del enriquecimiento por intromisión a partir de la disciplina de la responsabilidad civil. Al final, se formula la propuesta de calificación del enriquecimiento por intromisión como modalidad de enriquecimiento injustificado.

PALABRAS CLAVE

enriquecimiento por intromisión; enriquecimiento injustificado; responsabilidad civil; fuentes de las obligaciones.

ABSTRACT

The main objective of this study is to present a proposal for dogmatic qualification of enrichment due to interference based on the delimitation of the boundaries between civil liability and the prohibition of unjustified enrichment. The study adopts as a methodological premise the functional analysis of the obligations and of the respective general legal regimes of obligations. From these premises, the paper indicates some reasons for the insufficiency of the attempted confrontation of the enrichment due to interference from the discipline of civil liability. Finally, the study formulates the proposal for qualification of enrichment due to interference as a modality of unjustified enrichment.

KEYWORDS

enrichment due to interference; unjustified enrichment; civil liability; sources of obligations.

I. INTRODUCCIÓN:
¿QUÉ ES EL ENRIQUECIMIENTO POR INTROMISIÓN?

Antes[1] de comenzar propiamente la confrontación del presente asunto – que está directamente relacionado con la definición de las fronteras entre responsabilidad civil y enriquecimiento sin causa –, es necesario establecer premisas que permitan la comprensión adecuada de lo que se viene a ser el enriquecimiento por intromisión. Algunos ejemplos pueden facilitar la comprensión de la materia. Inicialmente, se puede pensar en el uso no autorizado de la imagen ajena. Imagínese, en este sentido, que una cierta sociedad empresarial, para promover su nueva marca de cerveza, decide intentar contratar al cantante más famoso del país para protagonizar su campaña publicitaria. Supongamos, sin embargo, que el artista rechaza la propuesta. Disgustada por la respuesta negativa, la empresa publica fotografías del cantante en el centro de la campaña publicitaria, aludiendo a la supuesta preferencia del artista por la cerveza anunciada. En este caso, ¿tendría razón el artista al solicitar, además de la compensación los daños morales y la reparación de los lucros cesantes (calculados sobre la base del caché que el artista cobra regularmente por campañas similares), también el pago de una parte de las ganancias obtenidas por la cervecería a de usar tu imagen?[2]

---

1   El autor agradece a la académica Vitória Acerbi por la diligente traducción preliminar del texto.

2   Al considerar un caso similar – y paradigmático en el derecho brasileño –, el Superior Tribunal de Justicia respondió afirmativamente a la pregunta aquí enunciada, afirmando: "(...) 2. Acción de indemnización propuesta por una actriz por el uso no autorizado de su nombre e imagen en una campaña publicitaria. Solicitud de reparación de los daños morales y patrimoniales, además de la restitución de todos los beneficios económicos que la demandada obtuvo en la venta de sus productos. 3. Además del deber de reparación por daños morales y materiales causados por el uso no autorizado de la imagen de una persona con fines económicos o comerciales, de conformidad con la *Súmula* n. 403/STJ, el titular del bien jurídico infringido tiene derecho a exigirle al infractor reembolso del beneficio que obtuvo a su costa. (...)" (STJ, 3ª T., REsp 1.698.701/RJ, Min. Rel. Ricardo Villas Bôas Cueva, Sentencia 2/10/2018. Traducción libre del original).

Otro ejemplo: imagínese que María, después de escuchar que su veci-
na Paula ha dejado el país por un período de un año en el extranjero,
invade la casa que pertenece a Paula y la usa para sus propios intereses
privados. Además de vivir en la casa, Maria promueve varias fiestas
y eventos en el espacio, siempre exigiendo el pago de billetes para la
entrada. En las semanas previas al regreso de la propietaria, Maria contrata a la mejor empresa de ingeniería de la ciudad para reparar todas y
cada una de las partes de la casa que se habían deteriorado durante su
ocupación. Cuando Paula finalmente regresa, su casa está desocupada
y sin ningún daño. Espontáneamente, María está dispuesta a pagar el
monto correspondiente al alquiler de la casa para ese período, sabiendo
que el monto sería mucho menor que todos los beneficios que obtuvo.
En estas circunstancias, ¿tendría razón Paula al postular la condena de
María al pago de una parte de sus ganancias de fiestas y eventos en su
casa?

A partir de estas preguntas, se puede delinear una conceptualización
preliminar del enriquecimiento por intromisión: se trata, esencialmente,
de una ventaja patrimonial obtenida a partir de la explotación no autorizada de un bien o derecho ajeno.[3] Entendido su concepto general,
uno debe preguntar: ¿contiene el derecho brasileño algún instrumento para reprimir la obtención de ventaja injustificada en la forma del

---

3   Así conceptualiza, en el ámbito del sistema portugués, LEITÃO, O *enriqueci-*
     mento sem causa no direito civil: estudo dogmático sobre a viabilidade da configu-
     ração unitária do instituto, face à contraposição entre as diferentes categorias
     de enriquecimento sem causa, Centro de Estudos Fiscais, Lisboa, 1996, p. 688.
     La conceptualización preliminar presentada aquí parece permitir, al menos en
     principio, la configuración del enriquecimiento por intromisión en la hipótesis
     de la explotación no autorizada de bien o derecho de carácter no estrictamente
     individual. La resolución de tal situación de enriquecimiento por intromisión
     posiblemente requeriría la aplicación de los instrumentos provistos por el or-
     denamiento para la tutela de los derechos colectivos *lato sensu* (incluyendo los
     derechos individuales homogéneos, los derechos colectivos stricto sensu y los
     derechos difusos), de lo que podría resultar, por ejemplo, según corresponda, un
     reconocimiento de legitimidad activa extraordinaria y la asignación del monto
     de la sentencia a un fondo colectivo.

enriquecimiento por intromisión? Para responder a esta pregunta, es necesario investigar si alguna norma de la legislación brasileña puede justificar la imposición de dicha obligación a la persona que se ha ganado el enriquecimiento por intromisión. Teniendo en cuenta que no existe una formación de negocio jurídico (lo que podría justificar la incidencia de una regla convencional), la pregunta se resume a lo siguiente: ¿el enriquecimiento por intromisión es una cuestión de responsabilidad civil o de enriquecimiento injustificado?

II. CONFRONTACIÓN TEÓRICA DEL ENRIQUECIMIENTO POR INTROMISIÓN A LA LUZ DE LA TRIPARTICIÓN FUNCIONAL DE OBLIGACIONES

El desarrollo contemporáneo de la teoría general de las obligaciones encuentra desafío relevante en las hipótesis reunidas bajo la etiqueta genérica *enriquecimiento por intromisión*. Estas son, como hemos visto, situaciones en las que una persona en particular obtiene ventaja patrimonial de la explotación no autorizada de bienes o derecho ajenos. Tal ventaja patrimonial puede asumir cualquiera de las configuraciones típicas de enriquecimiento (aumento de activos, disminución de pasivos o ahorro de gastos). La doctrina ha buscado construir una especie de régimen jurídico general para el enriquecimiento por intromisión, enfocándose especialmente en la identificación del fundamento para su eventual restitución y sobre la cuantificación de la obligación de restituir eventualmente impuesta al interventor.[4]

Un caso que siempre se recuerda en relación con el enriquecimiento por intromisión es el juzgado, en la experiencia portuguesa, por el

---

4   Para un análisis de las dificultades inherentes al esfuerzo de encuadre dogmático de las hipótesis de enriquecimiento por intromisión en el derecho brasileño, vid. KONDER, *Dificuldades de uma abordagem unitária do lucro da intervenção. Revista de Direito Civil Contemporâneo*, vol. 13, out.-dez./2017, *passim*.

Supremo Tribunal de Justicia en la Sentencia del 3 de abril de 1964:
el propietario de un terreno ribereño, ubicado a la orilla del río Dão,
se dio cuenta que los propietarios de la tierra contigua habían restado
doscientos cinco pies de aliso (árbol típico de la región) y quinientos
camiones de arena, por lo que les dirigió una acción de indemnización,
basada en la responsabilidad civil, para obtener la indemnización de
sus daños. En defensa, los propietarios del terreno vecino afirmaron,
entre otros argumentos, que la acción natural del río Dão ya había res-
taurado la cantidad original de arena del terreno. Este argumento fue
confirmado por el Supremo Tribunal de Justicia, que consideró que solo
en relación con el corte de los alisos sería posible reconocer los daños
indemnizables. Con respecto a la arena removida por los interventores,
el Tribunal concluyó que la insubsistencia de la situación de desfalco de
fondos impidió el establecimiento de daños indemnizables, por lo que
el propietario tendría que tomar otra acción basada específicamente en
el enriquecimiento injustificado (en la modalidad de intromisión) de los
vecinos interventores.[5]

Por cierto, este artículo no constituye el lugar adecuado para el desarrollo de todas las preguntas planteadas por la doctrina con respecto
a la regla del problema de enriquecimiento por intromisión. Solo se
pretende aquí abordar algunas posibles consecuencias, en este asunto,
de la asunción de la premisa metodológica con respecto a la calificación
funcional de las obligaciones en el derecho civil, con énfasis particular
en el análisis funcional de las obligaciones vinculadas a la prohibición
del enriquecimiento sin causa. La percepción de similitudes y distinciones funcionales entre los diferentes tipos de obligaciones permite la
aplicación de la normativa más directamente relacionada con la obligación específica que enfrenta el intérprete, a fin de lograr concretamente
la satisfacción de los intereses merecedores de tutela que están en juego

---

5   Este relato se remonta a la lección de LEITÃO, O *enriquecimento sem causa no direito
     civil,* cit., p. 717.

en cada hipótesis.[6] De hecho, en materia obligacional, el interés del acreedor[7] – a ser tutelado de acuerdo con el régimen jurídico respectivo – parece pasible de reconducción, a depender de la hipótesis fáctica que originó la obligación, al cumplimiento de las expectativas derivadas de los compromisos asumidos, a la reparación de daños causados o a la reversión de transferencias patrimoniales injustificadas.[8]

Sustancialmente, el análisis funcional de las categorías de obligaciones tratadas en el derecho brasileño parece tornar posible su sistematización en torno a tres regímenes principales (negocial, reparatorio y restitutorio), vinculados a la fuente de la respectiva obligación: negocio jurídico, daño injusto y enriquecimiento injustificado.[9] Se debe reconocer, por lo tanto, una tripartición funcional de obligaciones, pudiéndose separar las funciones *ejecutoria* (de un negocio legítimamente celebrado), *reparatoria* (de un daño injustamente causado) y *restitutoria* (de riqueza

---

6   A resaltar la relevancia del estudio de las fuentes de obligaciones para la definición del régimen jurídico aplicable, vid. BARASSI, *La teoria generale delle obbligazioni*, Tomo II, 2. ed., Giuffrè, Milano, 1964, p. 1.

7   Las cifras de acreedores y deudores se mencionan por la consagración de su uso en la práctica brasileña, sin cualquier perjuicio de la premisa metodológica de que toda relación jurídica (incluida la obligacional) consiste, desde el punto de vista subjetivo, en un vínculo entre centros de interés (en este sentido, vid., por todos, PERLINGIERI, *O direito civil na legalidade constitucional*, Traducción de Maria Cristina De Cicco, Renovar, Rio de Janeiro, 2008, pp. 734 y ss.), e igualmente sin perjuicio de la premisa metodológica de que la complejidad de la relación obligacional apunta a la multiplicidad de situaciones jurídicas subjetivas activas y pasivas vinculadas a cada uno de los centros de interés (en este sentido, vid., por todos, LARENZ, *Derecho de obligaciones*, Tomo I, Traducción de Jaime Santos Briz, Editorial Revista de Derecho Privado, Madrid, 1958, p. 37). Para un análisis más detallado de las influencias de estas premisas metodológicas en la comprensión del fenómeno obligacional, vid. SILVA, Novas perspectivas da exceção de contrato não cumprido: repercussões da boa-fé objetiva sobre o sinalagma contratual. *Revista de Direito Privado*, a. 18, v. 78, jun./2017, pp. 48 y ss.

8   En este sentido, vid. NORONHA, Direito das obrigações, 4ª ed., Saraiva, São Paulo, 2013, p. 440.

9   Vid. ESPÍNOLA, *Garantia e extinção das obrigações:* obrigações solidárias e indivisíveis, Atual. Francisco José Galvão Bruno, Bookseller, Campinas, 2005, pp. 75-77.

injustamente obtenida).10 Por supuesto, un negocio jurídico puede prever obligaciones de restituir, más comúnmente conocidas como obligaciones de *restituir (o devolver) cosa cierta*. La restitución relevante para el presente estudio, por otro lado, es aquella dirigida funcionalmente no a promover un interés ajustado por contrato, sino a recomponer un patrimonio injustificadamente beneficiado.

El esfuerzo de sistematización apenas realizado nos permite concluir que la identificación del régimen jurídico que rige una determinada relación obligacional (sin perjuicio, por supuesto, de la consideración del ordenamiento jurídico en su conjunto unitario aplicable a cada caso concreto) depende de la vinculación funcional de la hipótesis específica de obligación a los regímenes fundamentales consagrados en el derecho brasileño – los regímenes negocial, indemnizatorio y restitutorio. Por lo tanto, no es suficiente que la atención del intérprete se centre en la enunciación formal de las posibles fuentes de obligaciones, ya que cada hecho legal es teóricamente capaz de constituir, modificar o extinguir relaciones legales obligacionales, dependiendo de la valoración atribuida por el ordenamiento.[11] Por lo tanto, la polisemia de la expresión "fuentes de obligaciones" no debe oscurecer la percepción de que cualquier hecho jurídico puede consistir en una "fuente" de obligaciones (en el sentido de la hipótesis fáctica de incidencia de la norma), a atraer, de acuerdo con la función específicamente realizada, los regímenes negocial, reparatorio o restitutorio.

En resumen, lo que parece ser más importante en este asunto es la investigación del papel que juega cada obligación específica. La premisa antes mencionada de análisis funcional de las obligaciones del derecho

---

10   Vid. NORONHA, *Direito das obrigações,* cit., p. 439; y MIRAGEM, Pretensão de repetição de indébito do consumidor e sua inserção nas categorias gerais do direito privado: comentário à Súmula 322 do STJ, *Revista de Direito do Consumidor,* vol. 79, jul.-set./2011, p. 385.

11   Vid. NORONHA, *Direito das obrigações,* cit., pp. 367-368.

civil tendrá un impacto directo en la comprensión de la disciplina dada al enriquecimiento por intromisión por el sistema brasileño. Por cierto, se destacan tres repercusiones principales de la mencionada premisa metodológica: (i) la definición del marco jurídico del enriquecimiento por intromisión en el derecho brasileño; (ii) la investigación sobre la posibilidad de acumulación de pretensiones con respecto al beneficio obtenido por el interventor y el daño sufrido por el titular del derecho; y (iii) la aclaración de posibles criterios de cuantificación que parezcan compatibles con el marco legal del enriquecimiento por intromisión. En vista de la brevedad de este trabajo, el presente estudio se limitará al análisis de la primera cuestión planteada.[12]

III. ANÁLISIS DEL INTENTO DE COMPATIBILIZACIÓN ENTRE LA DISCIPLINA DE LA RESPONSABILIDAD CIVIL Y LA CUESTIÓN DEL ENRIQUECIMIENTO POR INTROMISIÓN

Reconocidas las tres posibles categorías de obligaciones de acuerdo con las funciones desempeñadas, es importante investigar a cuál de ellas se relaciona más propiamente el enriquecimiento por intromisión. Al principio, el enriquecimiento por intromisión se aleja de las obligaciones de fuente negocial, ya que la materia tiene como presupuesto lógico la intromisión *no autorizada* (es decir, sin ningún vínculo causal con negocio jurídico previo) en bienes o derechos ajenos. Quedan a la investigación, por lo tanto, las categorías vinculadas a la responsabilidad civil (reparación de daños injustos) y la prohibición del enriquecimiento sin causa, alrededor de los cuales existe una división expresiva de la doctrina.

---

12   Para el desarrollo de las demás cuestiones, sea consentido remeter a SILVA, *Enriquecimento sem causa:* as obrigações restitutórias no direito civil, Thomson Reuters Brasil, São Paulo, 2018, item 3.4; y SCHREIBER; SILVA, Aspectos relevantes para a sistematização do lucro da intervenção no direito brasileiro, *Pensar*, vol. 23, n. 4, out.-dez./2018, *passim*.

Por un lado, se sostiene que la intervención en bien o derecho ajeno genera daño indemnizable, cuyo monto debería ser integrado por el beneficio obtenido ilegítimamente por el interventor.[13] A partir de tal concepción, la responsabilidad civil surgiría como el mecanismo propicio para la represión al beneficio de aquellos que explotaron sin autorización el bien o derecho ajeno.[14] También se afirma, en esta línea, que la consideración de las ventajas obtenidas por el autor de la mala conducta reflejaría un *tercer método* para calcular el daño patrimonial, junto con los criterios tradicionales del daño (o empobrecimiento) *real* y del *patrimonial*.[15]

Tal línea de entendimiento, que enmarca el enriquecimiento por intromisión en el ámbito de la responsabilidad civil, parece reflejarse directamente en la redacción de la subalínea II del artículo 210 de la Ley de Propiedad Industrial (Ley nº 9.279/1996). Dicha disposición se refiere, entre los criterios para determinación de los lucros cesantes, a los "beneficios obtenidos por el autor de la violación del derecho" (traducción libre del original). Así, se observa, en al menos una hipótesis, la consagración normativa expresa de la proposición teórica que identifica la relevancia del beneficio obtenido por el interventor para la delimitación de la indemnización a ser pagada a favor de la víctima de un daño injusto.

Tal opción legislativa podría ser interpretada simplemente como un error normativo, pero debe tenerse en cuenta que la solución adoptada por la legislación nacional en el ámbito de la disciplina de las hipótesis

---

13   Vid, por todos, en la doctrina brasileña, ROSENVALD, *A responsabilidade civil pelo ilícito lucrativo: o disgorgement* e a indenização restitutória, JusPodivm, Salvador, 2019, *passim;* y ROSENVALD, As fronteiras entre a restituição do lucro ilícito e o enriquecimento por intromissão, *Revista de Direito da Responsabilidade*, a. 1, 2019, *passim.*

14   No es casualidad que se identifica que la propuesta de un marco para el enriquecimiento por intromisión en el ámbito de la responsabilidad civil tiende a ir acompañada de la expansión de las funciones de dicho instituto más allá de la función reparatoria básica, como se puede ver en COELHO, *O enriquecimento e o dano*, Almedina, Coimbra, 1970, p. 33.

15   Vid. COELHO, *O enriquecimento e o dano, cit., p. 32, nota de pie de página n. 53.*

de violaciones de los derechos de propiedad industrial no refleja auténtica peculiaridad de la experiencia brasileña. De hecho, parece posible resaltar cierta similitud con las experiencias española[16] y alemana[17], en las cuales también se verifica una incorporación del criterio que se refiere al enriquecimiento del interventor por la disciplina propia de la responsabilidad civil. Tal es la influencia de la tal línea de entendimiento en el campo de la propiedad industrial e intelectual que la doctrina, en Brasil y en otros lugares, considera con no poca frecuencia la exportación del criterio legal específico para cuantificar el lucro cesante en el área de la competencia desleal.[18] Por cierto, se cuestiona si es factible imponer al agente económico la obligación de restituir (total o parcialmente) el beneficio que ha obtenido a partir de la práctica de actos de competencia desleal.[19]

A pesar de los posibles éxitos en términos pragmáticos, la propuesta de resolución de la cuestión del enriquecimiento por intromisión en el

---

16   Por cierto, debe destacarse la similitud entre el referido artículo 210 de la Ley de Propiedad Industrial de Brasil y el artículo 140 de la Ley de Propiedad Intelectual de España. Para un análisis detallado de la la legislación española sobre propiedad intelectual, marcas y patentes, señalando cierta confusión entre los criterios de responsabilidad y de enriquecimiento sin causa, vid. DÍEZ-PICAZO, Derecho de daños, Civitas, Madrid, 1999, p. 54 y ss.

17   Pertinente, al respecto, es el relato de LEITÃO, *O enriquecimento sem causa no direito civil*, cit., pp. 720-721. Para un relato de la experiencia alemana en la materia, vid., también, FERREIRA, *A tutela dos direitos de propriedade industrial pelo enriquecimento sem causa*, Tesis de Fin de Máster presentada en la Facultad de Derecho de la Universidad de Lisboa, Lisboa, 2013, pp. 28-32.

18   Vid. MICHELON JR., *Direito restituitório:* enriquecimento sem causa, pagamento indevido, gestão de negócios, Revista dos Tribunais, São Paulo, 2007, p. 202. Para un relato de la experiencia italiana en la materia, vid. GIANNOTTE, "Arricchimento senza causa", en CENDON *(a cura di)*, *Trattario di diritto civile:* titoli di credito, gestione di affari, ripetizione di indebito, arricchimento, Giuffrè, Milano, 2014, pp. 620-621.

19   Se tiende a encontrar respuesta afirmativa sobre todo en las hipótesis de "competencia por explotación" (MICHELON JR., Cláudio. *Direito restituitório*, cit., pp. 202-203). En sentido semejante, vid. en la doctrina portuguesa, LEITÃO, O *enriquecimento sem causa no direito civil*, cit., pp. 759-760.

área de responsabilidad civil parece provenir, en lo que más directamente importa para el presente estudio, de cierta resistencia a la pro-
moción del análisis funcional para la calificación de obligaciones en el
derecho civil. De hecho, puesto que la distinción funcional de las obligaciones (y de los respectivos regímenes jurídicos) se basa en el perfil
funcional promovido en cada caso, se puede observar una cierta im-
precisión conceptual en la inclusión de las ventajas obtenidas por el
interventor en el proceso de cuantificación de la indemnización debida
a la víctima de un daño injusto, como es el caso en el artículo 210,
subalínea II, de la Ley de Propiedad Industrial.[20] Se reconoce, en resumen, que la "pretensión de ganancias de la intervención y la pretensión indemnizatoria son (...) cosas fundamentalmente diferentes".[21]

IV. PROPUESTA DE CALIFICACIÓN DEL ENRIQUECIMIENTO POR INTROMISIÓN COMO UNA MODALIDAD DE ENRIQUECIMIENTO SIN CAUSA

Luego, aún en un esfuerzo por comprender el marco jurídico del enriquecimiento por intromisión, se debe pasar a la investigación de la
propuesta teórica de aplicación de la disciplina del enriquecimiento
injustificado. Se sostiene que, contrariamente a la opinión que incorpora el enriquecimiento por intromisión en la delimitación del daño
indemnizable, la imposición de su restitución reflejaría, desde un punto
de vista funcional, la preocupación por restaurar el patrimonio del interventor al estado en el que debería estar, si no se hubiera verificado el
hecho generador del enriquecimiento.[22]

---

20   Vid. MICHELON JR., *Direito restituitório*, cit., pp. 201-202.
21   Traducción libre del original *"Der Anspruch auf den Eingriffserwerb und der Schade-
      nersatzanspruch sind (...) grundverschiedene Dinge"* (SCHULZ, System der Rechte auf
      den Eingriffserwerb, *Archiv für die civilistische Praxis*, 105. Bd., H. 1, 1909, p. 457).
22   Vid. DÍEZ-PICAZO, *Derecho de daños*, cit., p. 50.

La propuesta de enmarcar el enriquecimiento por intromisión en el ámbito del enriquecimiento sin causa fue el foco de la doctrina especializada en la controversia sobre la posibilidad o no del tratamiento unitario del instituto. Parte de la doctrina apoya la necesidad de la división del tema, argumentando la imposibilidad de reconducción de las variadas hipótesis de restitución a un fenómeno unitario.[23] Por lo tanto, se formuló una bipartición fundamental entre el enriquecimiento obtenido a partir de una prestación de los "empobrecidos" y el enriquecimiento obtenido *de otras formas*, incluido el enriquecimiento por intromisión en esta segunda categoría.[24] Esta forma de entender el fenómeno de la restitución parece manifestarse, en la doctrina contemporánea, en las propuestas teóricas que apuntan a la supuesta ausencia de fundamento común y, sobre todo, la ausencia de similitud entre las disciplinas normativas derivadas de la cláusula general de restitución por enriquecimiento sin causa contenida en el artículo 884 del Código Civil brasileño y el reglamento de los institutos específicos como la gestión empresarial y el pago indebido, también animados por la función restitutoria.

Otra parte de la doctrina defiende la configuración unitaria del instituto de enriquecimiento sin causa, argumentando que las diversas hipótesis de restitución, aunque no sean idénticas en su eventual disciplina normativa, estarían sujetas a reconducción a principios comunes.[25] El desa-

---

23   A relatar, en este sentido, la propuesta pandectista de la división del instituto de enriquecimiento sin causa, vid. LEITÃO, O *enriquecimento sem causa no direito civil*, cit., p. 342.

24   Para un relato de que la concepción de división del instituto, afluente originalmente de la pandectística, fue vigorosamente reanudada por Walter Wilburg e Ernst von Caemmerer, vid. LEITÃO, *O enriquecimento sem causa no direito civil*, cit., p. 411. Todavía sobre la experiencia alemana, resulta pertinente el relato de GOMES, O conceito de enriquecimento, *o enriquecimento forçado e os vários paradigmas do enriquecimento sem causa*, Universidade Católica Portuguesa, Porto, 1998, p. 197.

25   Para un relato sobre la propuesta doctrinal alemana de una configuración unitaria de enriquecimiento sin causa, en oposición a las propuestas de división del instituto, vid. LEITÃO, *O enriquecimento sem causa no direito civil*, cit., pp. 431-432.

rrollo de tal línea de comprensión se debe en gran parte a los estudios de Fritz Schulz,[26] que intentó identificar en la violación de un derecho ajeno la razón común de la deflagración del mecanismo de restitución en sus diversas manifestaciones, independientemente si implica o no una prestación de aquél a expensas de quien se ha enriquecido.[27] Aún a partir de la referida premisa teórica de la configuración unitaria del enriquecimiento sin causa, se desarrolló la idea de que el fundamento unificador del instituto no radicaría en la violación de un derecho ajeno (una circunstancia común y probable, pero no necesaria para la configuración del enriquecimiento sin causa), sino más bien en la doctrina del contenido de la atribución (Zuweisungsgehaltlehre).[28] Se debería reconocer enriquecimiento sin causa, según tal formulación, cuando la incidencia del mecanismo restitutorio tuviera por objetivo principal garantizar la adecuada variación patrimonial según la destinación jurídica de los bienes.[29]

Aún en cuanto a la propuesta de reconocimiento de la unidad del instituto, vid., entre otros, CAPEROCHIPI, *El enriquecimiento sin causa*, Universidad de Santiago de Compostela, Madrid, 1979, pp. 71 y ss.

26   En cuanto a la importancia del trabajo de Fritz Schulz para la reformulación de la doctrina unitaria tradicional de enriquecimiento sin causa mediante su aplicación al problema del enriquecimiento por intromisión. vid. LEITÃO, *O enriquecimento sem causa no direito civil*, cit., pp. 402-403. Vale la pena señalar que, de acuerdo con la formulación de Fritz Schulz, se debería reconocer la posibilidad de elección, por el acreedor, entre la pretensión de indemnización y la pretensión restitutoria (SCHULZ, Fritz. System der Rechte auf den Eingriffserwerb, cit., p. 457). Pertinente al respecto es el relato de GOMES, *O conceito de enriquecimento, o enriquecimento forçado e os vários paradigmas do enriquecimento sem causa*, cit., p. 183.

27   A resumir el terreno común sobre el cual Fritz Schulz pretendía justificar la configuración unitaria de enriquecimiento sin causa, vid. LEITÃO, *O enriquecimento sem causa no direito civil*, cit., p. 407. También es relevante el relato de la teoría de Fritz Schulz específicamente sobre el enriquecimiento por intromisión proporcionado por GOMES, *O conceito de enriquecimento, o enriquecimento forçado e os vários paradigmas do enriquecimento sem causa*, cit., pp. 180-181.

28   En ese sentido vid. BARBOSA, Reflexões em torno da responsabilidade civil: teleologia e teleonomologia em debate, *Boletim da Faculdade de Direito de Coimbra*, vol. 81, 2005, pp. 589-591.

29   Para una critica a la supuesta insuficiencia de la teoría de Fritz Schulz debido a la tutela excesiva e injustificadamente atribuida al titular del derecho con base

A pesar de los méritos de cada una de las proposiciones teóricas que pretendían dilucidar la configuración unitaria o fraccionada del instituto del enriquecimiento sin causa, una solución quizás más segura, a la luz de la metodología civil-constitucional, puede ser fornecida por la propuesta de análisis mencionada anteriormente de obligaciones en el derecho civil. Las relaciones obligacionales parecen pasibles de reconducción a los regímenes jurídicos generales de acuerdo con la función desempeñada por cada tipo de obligación. Sobre la base de esta premisa metodológica, se enunció la tripartición de las obligaciones de acuerdo con los perfiles funcionales más comúnmente verificados: los perfiles funcionales ejecutorio, reparatorio y restitutorio. A partir de estas premisas, se justifica el reconocimiento de la configuración unitaria del instituto de enriquecimiento sin causa en torno a la identidad del perfil funcional restitutorio de las variadas obligaciones de restitución (derivadas o no de la cláusula general del deber de restituir), a justificar, como ya se señaló, la incidencia del tratamiento uniforme y sistemático,

Las consideraciones anteriores permiten, enfin, aclarar el marco jurídico apropiado del enriquecimiento por intromisión en el derecho brasileño. Tratase de una forma de enriquecimiento sin causa, caracterizada por la explotación no autorizada de bien o derecho ajeno.[30] Tal es su

---

en una interpretación irrazonable de la doctrina del contenido de la atribución, vid. KONDER; SAAR, "A relativização do duplo limite e da subsidiariedade nas ações por enriquecimento sem causa", en TEPEDINO/TEIXEIRA/ALMEIDA (coords.), *Da dogmática à efetividade do direito civil:* Anais do Congresso Internacional de Direito Civil Constitucional – IV Congresso do IBDCivil, Fórum, Belo Horizonte, 2017, pp. 149-150.

30   Exactamente en este sentido, se aprobó, en la VIII Jornada de Derecho Civil promovida por el Consejo de la Justicia Federal, la Declaración 620, *in verbis:* "Art. 884: La obligación de restituir el enriquecimiento por intromisión, entendido como la ventaja patrimonial obtenida de la explotación no autorizada del bien o derecho ajeno, se basa en la prohibición del enriquecimiento sin causa". Traducción libre del original: "Art. 884: A obrigação de restituir o lucro da intervenção, entendido como a vantagem patrimonial auferida a partir da exploração não autorizada de bem ou direito alheio, fundamenta-se na vedação do enriquecimento sem causa". Esta conclusión parece ser la tendencia con-

relevancia en la conformación dogmática del instituto que, a pesar de la comprensión previamente establecida de su configuración unitaria, se señalan dos modalidades fundamentales de enriquecimiento sin causa: enriquecimiento por prestación y enriquecimiento por intervención. La restituibilidad del enriquecimiento por intromisión dependerá, pues, o bien de una disposición específica para la restitución o bien de la cláusula general del deber de restituir. Suponiendo que no exista una disposición expresa (al menos en términos generales) capaz de cubrir las hipótesis de enriquecimiento por intromisión – lo que refleja el respeto a la norma de subsidiariedad contenida en el artículo 886 del Código Civil brasileño –, su restitución dependerá de la concreta declaración de los otros supuestos (*in casu*, los aspectos positivos) de la cláusula general contenida en el artículo 884.[31]

El *enriquecimiento* del interventor, en el sentido de una ventaja patrimonial efectiva (y no virtual o hipotética), podrá consistir, de acuerdo con la comprensión general esbozada en la doctrina, en aumento de los activos, disminución de los pasivos o ahorro de gastos, modalidades a las que parecen ser pasibles de reconducción las hipótesis fácticas más variadas del fenómeno.[32] Parece posible resaltar, a este respecto, una

---

temporánea del Superior Tribunal de Justicia, como se puede inferir del análisis de los siguientes juzgados STJ, 2ª S., ProAfR. no REsp. 1.552.434/GO, Rel. Min. Paulo de Tarso Sanseverino, Sentencia 14/12/2016; STJ, 3ª T., REsp. 1.698.701/RJ, Rel. Min. Ricardo Villas Bôas Cueva, Sentencia 2/10/2018.

31   Con base en semejante línea de entendimiento, la Corte de Justicia del Estado de Río de Janeiro, al considerar la hipótesis fáctica del mal uso de la imagen ajena, determinó la restitución de parte del beneficio obtenido por el interventor, con base en la prohibición al enriquecimiento sin causa (TJERJ, Proceso nº 0008927-17.2014.8.19.0209, 13a C.C., Rel. Des. Fernando Fernandy Fernandes, Sentencia 26/10/2016, publ. 31/10/2016). En el análisis de esa decisión, se afirma que ella habría establecido "(...) un precedente aparentemente inédito en el ordenamiento jurídico brasileño" (KONDER, Dificuldades de uma abordagem unitária do lucro da intervenção, cit., item 1. Traducción libre del original).

32   En ese sentido vid, por todos, en la doctrina brasileña, NANNI, *Enriquecimento sem causa*, 2ª ed., Saraiva, São Paulo, 2010, p. 237; en la doctrina portuguesa,

mayor recurrencia fáctica de la hipótesis del aumento del activo y de la disminución del pasivo, como sucede, respectivamente, en los ejemplos habituales de la empresa que potencia sus ventas a partir del uso no autorizado de la imagen ajena y de la persona que invade y disfruta la casa de playa durante el período de viaje de su propietario.

La obtención a costa de otros, a su vez, deriva de la percepción de que la ventaja del interventor deviene, en mayor o menor medida, del bien o del derecho en el que se incidió la intervención. Se debe enfatizar, por cierto, que el grado de contribución causal del derecho sobre el cual se intervino y de la conducta del interventor tendrá un impacto directo en la cuantificación de la obligación restitutoria.[33] Finalmente, la *falta de causa* se indica por el hallazgo de que no existe la autorización legal o comercial para el uso del derecho ajeno, siendo cierto, empero, que la ausencia de un título jurídico formal se debe sopesar con los otros valores relevantes para la delimitación de la (in)justicia del enriquecimiento en cada caso concreto.[34] En realidad, se debe reconocer que la configuración del requisito de la *falta de causa* con el fin de deflagración del deber de restituir el enriquecimiento por intromisión (como, además, de la gene-

---

CORDEIRO, *Tratado de direito civil português*, Volume II, Tomo III, Almedina, Coimbra, 2010, pp. 224-226; en la doctrina italiana, SACCO, *L'arricchimento ottenuto mediante fatto ingiusto*: contributo alla teoria della responsabilità estracontrattuale, UTET, Torino, 1959, Ristampa inalterata: Centro Stampa Università de Camerino, 1980, pp. 196-200; y, en la doctrina francesa, CARBONNIER, *Droit civil*, Volume II, PUF, Paris, 2004, p. 2.436; y TERRÉ; SIMLER; LEQUETTE, *Droit civil*: les obligations, 11ª ed., Dalloz, Paris, 2013, pp. 1.114-1.115.

33 Vid. LINS, *O lucro da intervenção e o direito à imagem*, Lumen Juris, Rio de Janeiro, 2016, p. 189. En el mismo sentido, sea consentido remeter a SILVA. Contornos do enriquecimento sem causa e da responsabilidade civil: estudo a partir da diferença entre lucro da intervenção e lucros cessantes, *Civilistica.com*, a. 5, n. 2, 2016, pp. 15-16.

34 Al respecto, sea consentido remeter a SILVA, Contornos do enriquecimento sem causa e da responsabilidade civil, cit., p. 17. Tal comprensión parece explicar la preocupación, encontrada en la doctrina, en el sentido de que el problema del enriquecimiento por intromisión suscitaría mayor atención al requisito de la *obtención a costa de otros* que al requisito de falta de justa causa (vid., ilustrativamente, LEITÃO, *O enriquecimento sem causa no direito civil*, cit., pp. 894-895).

ralidad de las hipótesis de enriquecimiento sin causa) no se cumple con
el simple análisis de la inexistencia de título jurídico en sentido formal
y tradicional. Se presenta indispensable, a la inversa, promover el juicio
de merecimiento de tutela para que se pueda concluir sobre la justicia o
la injusticia del enriquecimiento a la luz de la legalidad constitucional.[35]

V. CONCLUSIÓN

Como hemos visto a lo largo de este breve estudio, el uso del análisis
funcional de las obligaciones permite establecer una distinción relevante entre la reparación del daño y la restitución del enriquecimiento sin
causa, en el ámbito del cual pertenece el enriquecimiento por intromisión. En resumen, hay una clara diferencia de enfoque: mientras que la
prohibición del enriquecimiento sin causa tiene como objetivo la restitución del patrimonio del enriquecido al estado en que debería estar
caso no se hubiera producido el hecho generador del enriquecimiento
sin causa, la responsabilidad civil tiene como función primordial la reparación integral del daño sufrido por la víctima.[36]

De estas distinciones fundamentales surgen, por un lado, la circunstancia de que el enriquecimiento sin causa no requiere ningún empobrecimiento por parte del titular del derecho y, por otro lado, el hecho de
que la indemnización generalmente ignora eventuales consecuencias
patrimoniales positivas de la conducta dañina sobre el patrimonio del
propio causador del daño. De ahí la necesidad de enmarcar la cuestión
del enriquecimiento por intromisión en el área del enriquecimiento sin

---

35   En ese sentido, sea consentido rementer a SILVA, *Enriquecimento sem causa*, cit.,
      item 2.3.

36   En ese sentido, vid. TERRA; GUEDES, Considerações acerca da exclusão do
      lucro ilícito do patrimônio do agente ofensor, *Revista da Faculdade de Direito da
      UERJ*, n. 28, dez./2015, pp. 21-22.

causa, siempre y cuando se cumplan los requisitos de la cláusula general del deber de restituir contenida en el artículo 884 del Código Civil brasileño.

El encuadre sistemático del enriquecimiento por intromisión como una forma de enriquecimiento sin causa tiene consecuencias tanto en lo que respecta al reconocimiento de la posibilidad de acumulación de pretensiones referentes al beneficio obtenido por el interventor y al daño sufrido por el titular del derecho; como por lo que hace a los criterios de cuantificación que deben ser compatibles con el encuadre de la figura en el ámbito del derecho restitutorio. El enriquecimiento por intromisión sigue siendo un tema digno de investigación más profunda en nuestra doctrina, pero tales suposiciones nos permiten corregir algunas posibles desviaciones de ruta, en la que el enriquecimiento por intromisión viene constantemente "ocultado" de modo más o menos deliberado bajo la categoría de pérdida de lucros cesantes, que es una categoría típica del derecho de responsabilidad civil, funcionalmente distinta del derecho restitutorio.

4. RESPONSABILIDAD Y ENRIQUECIMIENTO: CULPA Y DAÑO[1]

Pedro del Olmo
Universidad Carlos III de Madrid

"Cuando sólo tienes un martillo, todo te parecen clavos"

La comparación entre la acción de responsabilidad civil y la acción de enriquecimiento injusto es un asunto relativamente nuevo en nuestro Derecho. Es cierto que el estudio de las funciones de la responsabilidad civil fue iniciado ya hace algunos años por autores como F. Pantaleón, quien explicó que la responsabilidad civil no tiene por función la reintegración de derechos y tampoco tiene por función la restitución de enriquecimientos injustificados. Por otro lado, L. Díez-Picazo también había propuesto en nuestro país actualizar los estudios sobre el enriquecimiento injustificado siguiendo lo que se denomina visión tópica del enriquecimiento, introducida en su momento por Wilburg y Von Caemmerer y que hoy en día es un paradigma bien asentado en Alemania y en el Derecho comparado. Según esa visión, no tiene demasiado sentido hablar del enriquecimiento injustificado como un campo de estudio unitario que se pueda explicar siempre por las mismas ideas y principios, sino que es más conveniente descender en el análisis y atender a sub-casos mejor definidos y que, por ser más homogéneos, responden a unas mismas características y a unas mismas considera-

---

1   Este trabajo ha sido elaborado en el seno del Proyecto "Las fronteras del Derecho del enriquecimiento injustificado" (DER2017-85594-C2-1-P; IP Pedro del Olmo), financiado por la Agencia Estatal de Investigación dependiente del Ministerio de Economía, Industria y Competitividad (Gobierno de España)

ciones de política legislativa. Se propone así distinguir entre distintos tipos de *condictiones* y diseñar su tratamiento de forma más concreta. Hay diversas propuestas en este sentido, pero podemos aquí limitarnos a recordar que se propone hablar de una *condictio* por prestación (a la que responde nuestro pago de lo indebido o nuestras acciones de restitución por nulidad de los contratos), de una *condictio* por mejoras (que se regula con distinto alcance en las distintas normativas), de una *condictio* de reembolso (regreso de deudores solidarios, pago de tercero...) y, por lo que aquí más interesa, de una *condictio* por intromisión. En esta línea de pensamiento, la consagración de la *condictio* por intromisión en nuestro Derecho –en la que tuvo mucho que ver Xabier Basozabal- es la que plantea ya con claridad la necesidad y la oportunidad de diferenciar entre responsabilidad por daños y enriquecimiento injustificado.

Esta *condictio* por intromisión es la que se aplica cuando el titular de un derecho sufre la apropiación de alguna o algunas de las utilidades que forman parte del contenido de ese derecho por parte de un tercero que no tiene título para apropiárselas. Esta *condictio* se define en su formulación más clara en función del llamado *contenido de atribución* de los derechos. Aplicamos, por ejemplo, la *condictio* por intromisión cuando alguien utiliza los inmuebles del demandante sin tener derecho a ello; es claro que sólo el propietario y las personas a quienes él autorice tienen derecho a gozar de esos inmuebles. Otro ejemplo de este tipo de *condictio* podría ser el de los cantantes que utilizan canciones escritas por otros, a los que no les pagan lo que les corresponde de acuerdo con las normas de la propiedad intelectual. En ambos ejemplos sería de aplicación el módulo del precio de la licencia del derecho usurpado (precio del alquiler, en el primer ejemplo; precio de la licencia, en el segundo) como medida de la obligación restitutoria que el demandado ha de satisfacer al demandante. Como se ve, es esta *condictio* por intromisión la que más frecuentemente puede plantear un problema de linderos con la acción de indemnización por daños extracontractuales.

Se ha dicho que el Derecho del enriquecimiento injustificado tiende a ocupar, en los distintos sistemas, los intersticios que dejan entre sí las demás ramas del Derecho privado patrimonial. Por ello, hay que tener en cuenta las características propias de cada sistema en su conjunto, antes de poder plantear un uso razonable del Derecho comparado en esta materia. Así, es muy conocida la idea de que el Derecho de enriquecimiento injustificado no puede tener el mismo significado en Derecho alemán, en el que la propiedad se transmite de forma abstracta y es el enriquecimiento injustificado el que tiene la función de corregir algunos excesos que provoca ese tipo de transmisión, que en los Derechos en los que la transmisión de la propiedad es causal y en los que muchas veces se solucionan los problemas en el nivel de los derechos reales y en el de los contratos, sin tener que recurrir necesariamente a acciones derivadas del enriquecimiento injustificado. En estos últimos, pues, el Derecho del enriquecimiento injustificado tiene una dimensión mucho menor que en los primeros. Su tarea ya no es necesaria porque otras ramas del Derecho patrimonial se ocupan de resolver los problemas en su lugar.

En la misma línea, tampoco es nueva la idea de que algunos de los problemas que plantean los casos de intromisión en derecho ajeno se plantean de forma distinta en los sistemas cuyas reglas de responsabilidad civil distinguen entre antijuridicidad y culpabilidad (como sucede en Alemania) y en los sistemas en los que la culpabilidad en sentido subjetivo apenas juega un papel en la responsabilidad civil por daños, como ocurre en Francia o España. Por eso, la formulación inglesa de "restitution for wrongs" para denominar los casos de intromisión en derecho ajeno puede resultar confusa en los sistemas de origen francés. En estos sistemas, la invasión de un derecho ajeno -así como la infracción de una norma- siempre ha sido bastante para considerar que ha concurrido culpa (*faute*).

Por todo ello, creo que es fundamental un buen entendimiento de la estructura del propio sistema para entender mejor lo que implica la pre-

sencia o la reintroducción entre nosotros de la *condictio* por intromisión.
Desde ese punto de vista, creo que es importante tener en cuenta que
la acción de responsabilidad civil extracontractual de los sistemas que,
como el español, fueron inspirados por el *Code Napoléon* es tan amplia y
maleable que puede ocupar sin grandes problemas teóricos gran parte de los casos que en Alemania se explican como casos de enriquecimiento por intromisión en el Derecho ajeno. Por otro lado, el hecho de
que -en nuestro sistema- muchos problemas de intromisión en derecho
ajeno hayan encontrado acomodo en otros lugares del Código Civil (accesión, liquidación del estado posesorio en las que, curiosamente, sí se
tiene en cuenta la buena o mala fe del demandado), muy alejados de los
problemas que plantean las obligaciones extracontractuales, hace casi
natural que se olvide una visión agrupada de los casos de intromisión.
Sin embargo, el hecho de que sea teóricamente posible vivir sin reglas
especiales sobre enriquecimiento por intromisión en escenarios en los
que también se pueda pensar en responsabilidad civil no significa que
ésta sea una buena alternativa.

Así, conviene destacar que la diferencia entre una acción de enriquecimiento por intromisión en derecho ajeno y una acción de responsabilidad civil por daños no se puede basar con igual fuerza, en nuestros
sistemas y frente a lo que ocurre en Alemania, en la necesidad de que
concurra un título de imputación para apreciar la responsabilidad civil.

En efecto, en Alemania, ha de concurrir culpa en sentido subjetivo para
poder condenar a la indemnización de daños, mientras que ese requisito
no es necesario para poder condenar a la restitución del enriquecimiento obtenido por intromisión. Una cosa es mía o no, según lo determine
el sistema por la asignación de esa cosa y sus utilidades o productos, no
según que quien me lo quita o discute sea de peor o mejor intención
(y por mucho que este dato pueda tener, luego, consecuencias en la
obligación que se impone). Por el contrario, en los sistemas latinos de
responsabilidad por daños, la mera intromisión bastaría como imputa-

ción por culpa (en sentido objetivo). En efecto, en los sistemas latinos, a falta de una solución específicamente diseñada para estos problemas, se emplea la acción de daños contentándose con entender la culpa como antijuridicidad: basta con que se viole el derecho ajeno, con culpa en sentido subjetivo o sin ella, para que se pueda recurrir a la acción de daños. Con ello, el parecido a una acción de enriquecimiento basada en la intromisión –y también el problema de atribuir a la responsabilidad una función de reintegración de derechos– es considerable desde el punto de vista de los requisitos de la acción.

El carácter objetivo del requisito de la culpa siempre ha estado claro en la doctrina de los sistemas de origen francés que más ha profundizado en estas materias desde el punto de vista de la responsabilidad extracontractual por daños. La llamada *dimensión objetiva de la culpa*, a la que muchas veces se llama *ilicitud*, es claramente preponderante sobre la llamada dimensión subjetiva de la culpa, que siempre ha tenido un papel menor. Estas ideas se pueden ver claramente recogidas en el reciente Anteproyecto belga de responsabilidad civil (redactado por la Comisión Ministerial formada en septiembre 2017 y que en la actualidad, está plasmado en un texto de junio 2018), en cuyo artículo 5.147 se define la culpa como la infracción de una norma de conducta que resulta de la ley o del deber general de prudencia que hay que respetar en las relaciones sociales. No hay en esta definición ninguna dimensión subjetiva que, en el mencionado Anteproyecto, queda relegada a unas reglas especiales sobre daños causados por menores (que responden a partir de los doce años) y enfermos mentales (que responden por culpa objetiva) por las que el juez puede moderar la indemnización y puede, incluso, fallar en equidad.

Además de contar con un concepto objetivo de culpa, el concepto de daño es también maleable en los sistemas de raíz francesa. En estos sistemas no hay una lista cerrada de intereses protegidos, como sucede en Alemania, sino que cualquier lesión a un interés lícito puede ser el punto de partida para una acción de responsabilidad extracontractual que, por ello, habrá de controlarse por medio del requisito de la causalidad y de la culpa. Por otro lado, en estos sistemas, no hay planteamientos muy claros respecto de la indemnizabilidad del llamado *daño abstracto* y, además, el amplio reconocimiento del daño moral como indemnizable -incluso cuando aparece aislado y por sí mismo- viene a añadir nuevas dosis de flexibilidad.

Lo anterior se puede ver claramente en la Propuesta de reforma de la responsabilidad civil que fue presentada en Francia por el Ministerio de Justicia en marzo de 2017 y que, en la actualidad, está pendiente de ser aprobada. En la Propuesta francesa, dentro de la subsección dedicada a las reglas especiales sobre la reparación de los perjuicios resultantes de un daño material, el art. 1279 dice que la indemnización puede compensar, en su caso, la privación del uso de la cosa. Por lo tanto, la mera privación del uso de la cosa puede ser indemnizada como daño en la lógica francesa de nuestros sistemas, lo que puede cubrir sin mucho problema el supuesto de quien impide el uso del derecho ajeno por haberse entrometido en él. Si no se está muy atento a la medida de esa indemnización, la posibilidad de confusión con una acción de enriquecimiento es considerable.

En efecto, la indemnización en esos casos tenderá a ser similar al precio de mercado del uso del que el dueño se ha visto privado, que es la medida típica de la acción de enriquecimiento por intromisión. Esta solución está en la lógica de los sistemas latinos y, de hecho, la mejor doctrina española ha señalado críticamente que nuestra jurisprudencia concede una indemnización (contractual o extracontractual) calculada sobre el precio del uso en casos en los que no es claro que exista un daño como tal porque, simplemente, había habido una privación del uso de la cosa. En este sentido, se pone como ejemplo muchas veces el caso de la STS 482/2011 de 4 de julio (MP Ferrándiz Gabriel), en la que se concede como indemnización el precio del alquiler de unas naves destinadas al aparcamiento de autobuses que no habían sido entregadas por los vendedores en el momento pactado. Estos vendedores acabaron devolviendo las naves en cuestión voluntariamente, mediante la entrega de las llaves en el juzgado, y los tribunales conceden al comprador una indemnización así medida (la renta de mercado de dichas naves durante el tiempo en que duró su retención y uso por los vendedores), a pesar de que los vendedores condenados argumentaban que el comprador demandante no las iba a poner en alquiler y, por tanto, esa indemnización no tenía sentido al no corresponderse con un lucro cesante que, como se había visto en la realidad (tras recibirlas, el comprador no las había puesto en alquiler), no se habría obtenido por el comprador en ningún caso.

En los sistemas de raíz francesa, por tanto, no se exige la concurrencia de culpa en sentido subjetivo para imponer responsabilidad extracontractual. Por otro lado, el concepto de daño es también flexible y nada impide teóricamente considerar que la violación de un derecho subjetivo ajeno dé lugar a una indemnización por daños cuya explicación última no se termina de dar. Así, la flexibilidad de estos requisitos puede producir en el operador la confianza de que ya tiene en sus manos un buen instrumento para la solución de los casos problemáticos. En estos sistemas, pues, bien podría decirse que parte del tratamiento de los problemas de enriquecimiento por intromisión en derecho ajeno han sido absorbidos por el Derecho de daños.

Sin embargo, como explicaba Xabier Basozabal en España hace ya algún tiempo, concebir la intromisión en los derechos ajenos sobre la base del requisito de la antijuricidad –que fue una de las primeras ideas propuestas en la doctrina alemana para explicar el campo del enriquecimiento por intromisión en derecho ajeno– es una postura que fue desechada por los inconvenientes que presentaba. Entre esos inconvenientes, cabe destacar el problema de que se acabe afirmando el carácter punitivo del remedio aplicable, de manera que no se hace pagar el daño causado (la *condictio* por intromisión no está pensada para compensar el daño, sino para reintegrar el derecho usurpado), sino que se hace restituir el provecho obtenido como sanción por el comportamiento antijurídico. Además, esa sanción consistente en la absorción de la ganancia podría ir destinada al patrimonio del demandante que, en realidad, tampoco tiene título para obtenerlo más allá del precio de la licencia que podría haber cargado sobre el uso de su propio bien, en caso de que el demandado hubiera obrado correctamente y hubiera solicitado autorización previa al uso del derecho en cuestión. Otro inconveniente de ese énfasis en el requisito de la antijuridicidad, que está relacionado con el anterior, es que puede que se acabe reconociendo un remedio de responsabilidad extracontractual siempre que se viole una norma jurídica y sin atender a si era una norma que protegía los intereses de la colectividad en general o si, por el contrario, violaba un derecho subjetivo que atribuía a su titular un poder de disposición sobre el bien o derecho en el que el demandado se ha entrometido. La cosa tiene un peligro aún mayor en los sistemas de raíz latina, donde ni siquiera hay una lista cerrada de intereses protegidos que pueda poner freno a la idea de que cualquier lesión de un interés lícito puede dar lugar a la reclamación de la ganancia obtenida por el demandado.

Esta visión de la antijuridicidad como base del enriquecimiento puede explicar que, en el art. 1266-I de la ya mencionada Propuesta francesa de marzo de 2017, se introduzca una llamada *multa civil*. Esa propuesta está probablemente ajustada al hecho de que los artículos 1303 a 1303.4 del nuevo Código Civil francés tampoco son muy ambiciosos a la hora de regular el enriquecimiento injustificado, que parece limitado a los casos de enriquecimiento por prestación y el consiguiente olvido de los casos de enriquecimiento por intromisión.

Esa multa civil contenida en la Propuesta de 2017 es una auténtica pena que se propone para aquellos supuestos de daños extracontractuales en los que el autor ha cometido *deliberadamente* un acto ilícito para obtener una ganancia. Como se ve, aquí el elemento subjetivo de la culpa se introduce en su posibilidad más intensa. Según la Propuesta, la multa civil se hace depender, entre otras cosas, de la intensidad de la culpa del demandado y de los beneficios obtenidos por éste y se limita, en caso de personas físicas, al doble del montante obtenido. La multa se entrega al Estado, que la dedicará al fondo de compensación que, en su caso, cubra el tipo de daño experimentado por la víctima. Como se ve, se trata de una medida claramente punitiva: no sólo se ordena atender a la gravedad de la culpa del demandado sino que, además, la condena consiste en privarle de una cantidad potencialmente mayor que el beneficio obtenido.

Esta propuesta francesa se explica por el deseo de castigar al demandado para que el crimen no sea rentable (la conocida idea que se formula en la tradición anglosajona diciendo, *"crime does not pay"*) y, aunque sigue presentando otros problemas que pueden tener hasta rango constitucional, al menos, sortea la dificultad de que la sanción acabe enriqueciendo al demandante. En efecto, en otras propuestas de introducción de la categoría de los daños punitivos, muchas veces el deseo de evitar que el crimen sea rentable acaba determinando que el crimen sí pueda ser rentable, pero rentable para la víctima que recibe -sin tener derecho a ello- la ganancia obtenida por el demandado.

En todo caso, la medida francesa de la multa civil creo que tampoco afronta abiertamente el hecho de que el demandante tiene que recibir al menos parte de ese enriquecimiento obtenido por el demandado a su costa. Porque, si bien es claro que éste no debe recibir todo lo obtenido por el demandado, puesto que éste algo habrá puesto por su lado en ocasiones para obtener el rendimiento, sí ha de recibir la parte que el ordenamiento jurídico le asigna por su titularidad; es decir, el valor de mercado que tenga el monopolio del provecho que se corresponde a esa titularidad. Si el Estado acaba recibiendo todo el beneficio obtenido por el intromisor y la acción de daños extracontractuales no es capaz de absorber el precio de la licencia de uso del derecho del demandante, aquél se puede llegar a considerar como injustamente enriquecido a costa del demandante.

Creo que el análisis desde un punto de vista comparado de los sistemas latinos ha de tener en cuenta, para poder ser creíble y realista, que la responsabilidad civil en los sistemas latinos es realmente muy flexible. Pero creo también que, una vez redescubierto el campo de los enriquecimientos por intromisión, el trabajo pendiente no es aprovecharse de esa flexibilidad de la responsabilidad por daños y aumentarla admitiendo figuras de carácter punitivo, sino proponer medidas que permitan poner en manos del demandante remedios que sirvan para reparar los daños causados y, coordinadamente, poner también en sus manos remedios que sirvan para restituirle el valor de lo usurpado injustamente por el demandado. Es decir, que se trata de respetar la idea de que no es lo mismo indemnizar los daños sufridos que pedir la restitución de lo percibido a costa del demandado, por mucho que ambos remedios compartan un grupo de casos en los que las dos acciones pueden concurrir. Más allá de eso, probablemente nos colocamos ya fuera de la lógica del Derecho privado y entramos en la lógica de Derecho público del decomiso.

5. RESTITUCIÓN, ENRIQUECIMIENTO INJUSTIFICADO, INDEMNIZACIÓN Y CULPA CONCURRENTE DEL PERJUDICADO EN LA RESPONSABILIDAD CIVIL EX DELICTO

LA SENTENCIA DE LA SALA SEGUNDA DEL TRIBUNAL SUPREMO DE 1 DE ABRIL DE 2014

Marta Pantaleón Díaz[1]
*Contratada predoctoral (FPU) del Área de Derecho
Penal de la Universidad Autónoma de Madrid (España).*

SUMARIO. I. INTRODUCCIÓN. II. EL CASO. III. LA ACCIÓN CONTRA EL EMPLEADO (AUTOR DEL DELITO). IV. LA ACCIÓN CONTRA LA SOCIEDAD EMPLEADORA.

RESUMEN

Las recientes sentencias de la Sala Segunda del Tribunal Supremo de 23 de enero y 5 de febrero de 2019 han consolidado la doctrina,

---

1   Contratada predoctoral (FPU) del Área de Derecho Penal de la Universidad Autónoma de Madrid (España).

Una vez más, estoy en deuda con los Profesores Fernando Pantaleón Prieto, Enrique Peñaranda Ramos, Leopoldo Puente Rodríguez y Antonio Ruiz Arranz, y con Diego Sobejano Nieto, por su atenta lectura de este trabajo y sus siempre oportunas sugerencias de mejora; labor que esta vez también debo agradecer muy especialmente al Profesor Xabier Basozabal Arrue. Los errores restantes son solo míos.

originalmente establecida por la Sala en su sentencia de 1 de abril de 2014, conforme a la que, en supuestos de delitos «de enriquecimiento» —como (al menos) el hurto, el robo, la estafa o la apropiación indebida—, no procedería en ningún caso moderar el importe de la responsabilidad civil *ex delicto* del autor, ni de los eventuales responsables civiles subsidiarios a los que se refiere el artículo 120.4 CP, con base en la culpa concurrente del perjudicado (artículo 114 CP). Esta comunicación tiene por objeto plantear —al hilo del supuesto de hecho al que se refiere la sentencia de 1 de abril de 2014— las cuestiones más controvertidas que suscita esta línea jurisprudencial, tratando de «traducir» la fundamentación de las citadas resoluciones al lenguaje de las categorías dogmáticas del Derecho civil patrimonial y someterlas, sobre esta base, a un (necesariamente somero) análisis crítico.

PALABRAS CLAVE

Restitución, enriquecimiento injustificado, indemnización, culpa concurrente del perjudicado, responsabilidad civil *ex delicto*.

ABSTRACT

The recent decisions of the Spanish Supreme Court's Criminal Chamber of 23rd January and 5th February 2019 have firmly established a doctrine, originally set by the Chamber's decision of 1st April 2014, according to which, in cases of «enrichment offences» —such as (at least) theft, robbery, fraud and misappropriation—, an apportionment neither of the criminal's tortious liability *ex delicto*, nor of his or her employer's *as per* article 120.4 of the Spanish Penal Code, on the grounds of the contributory negligence of the claimant is in order. It is the aim of this paper to draw attention to the most problematic issues raised by such precedents —in the light of the facts of the case decided on 1st April 2014—, by trying to «translate» the Court's reasoning into the language of traditional civil-law systematic categories, in order to then subject it to a (necessarily brief) critical analysis.

KEYWORDS

Restitution, unjust enrichment, damages, contributory negligence, tortious liability *ex delicto*.

I. INTRODUCCIÓN

A través de su sentencia de 1 de abril de 2014 (RJ 2014/2160), de la que fue ponente el magistrado Antonio del Moral García, la Sala Segunda del Tribunal Supremo estableció una doctrina —recientemente reiterada en sus sentencias de 23 de enero (RJ 2019/161) y 5 de febrero de 2019 (RJ 2019/395), del mismo ponente— de acuerdo con la que, en supuestos de delitos «de enriquecimiento» (como, al menos, el hurto, el robo, la estafa o la apropiación indebida), no procedería en ningún caso moderar el importe de la responsabilidad civil *ex delicto* del autor, ni de los eventuales responsables civiles subsidiarios a los que se refiere el artículo 120.4 CP, con base en la culpa concurrente del perjudicado (artículo 114 CP). Más allá de una «nebulosa» de justicia material en la que flotan —sin tensión aparente entre sí— conceptos como los de «enriquecimiento», «restitución», «indemnización» o «responsabilidad vicaria», la fundamentación de estas resoluciones no se deja, sin embargo, «traducir» de forma demasiado sencilla al lenguaje de las categorías dogmáticas del Derecho civil patrimonial. Llevar a cabo esta tarea resulta, no obstante, imprescindible para valorar críticamente la solución acogida por la Sala. A estos dos objetivos se encamina, precisamente, esta modesta comunicación.

II. EL CASO

Los hechos sobre los que versa la sentencia de 1 de abril de 2014 —muy similares, en lo que aquí interesa, a aquellos a los que se refieren las sentencias de 23 de enero y 5 de febrero de 2019— pueden resumirse de la forma siguiente: el Sr. «Gerónimo» («Ángel», en la sentencia recurrida), empleado de la sociedad Transcalleja, S.L. (en adelante, «Transcalleja»), dedicada al transporte de mercancías, se encargaba de trasladar en su camión contenedores llenos de componentes de automóviles entre las instalaciones de Seat, S.A. (en adelante, «**Seat**») y las de Montajes Automovilísticos Alcalá, S.A. (en adelante, «**MAASA**») para, acto seguido —en régimen de «circuito cerrado»—, conducir de vuelta a la fábrica de Seat con los contenedores vacíos que MAASA le devolvía. Cuando descargaba los contenedores vacíos en las instalaciones de Seat, esta sellaba un albarán de entrega, acreditativo de su devolución, que Gerónimo entregaba a Transcalleja para que esta cobrase los portes a MAASA.

A partir de un determinado momento, Gerónimo se percató de que, en las instalaciones de Seat, no existía —o existía solo sobre el papel[2]—

---

2   De acuerdo con el relato de hechos probados de la sentencia, «[d]urante todo el periodo que abarca la comisión de los hechos aquí enjuiciados, se hallaba vigente en la sede industrial de Seat, S.A. en la Zona Franca de Barcelona el procedimiento del sistema de gestión "control de contenedores (B.Ü.B)" [...], que concretaba entre otros aspectos las actividades que se debían realizar por los empleados de Seat para la recepción de contenedores vacíos [...].

A pesar de la existencia de dicho procedimiento del sistema de gestión [...], por los responsables de Seat, S.A., no se había instruido de manera eficaz y suficiente a sus empleados [...] sobre el modo en que debían desarrollar la expresada actividad.

Consintiéndose por dichos responsables, la desatención por los empleados de sus obligaciones como lo eran: la contabilización de entrada, el control de las descargas, la comprobación sobre el estado de los contenedores, la verificación, sellado y control específico de los albaranes, así como de la cumplimentación de la conformidad o disconformidad con la recepción de contenedores vacíos en los mismos».

ningún tipo de control del efectivo transporte y descarga de los contenedores vacíos; estando, incluso, a disposición de los transportistas, el sello de la firma mediante el que se acreditaba en los albaranes su entrega conforme. Gerónimo aprovechó esta oportunidad para vender, a lo largo de algo menos de un año, en sus viajes de regreso de las instalaciones de MAASA a las de Seat, al menos 1.270 contenedores vacíos, valorados entre 175 y 1.600 euros cada uno, a un par de empresas de gestión de residuos de la zona, indicándoles a los compradores que el propietario de los contenedores los estaba sustituyendo por otros más modernos y había decidido venderlos como chatarra.

Descubierta la operación, se inició un procedimiento penal, en el que Gerónimo prestó su conformidad con las pretensiones tanto penales como civiles de las acusaciones. Así, en su sentencia de 26 de junio de 2013 (JUR 2013/300603), la Audiencia Provincial de Navarra condenó a Gerónimo, como autor de un delito continuado de apropiación indebida, a una pena de prisión de dos años y una de nueve meses de multa con una cuota diaria de seis euros, así como a indemnizar a Seat, «en concepto de responsabilidad civil», el valor de aquellos de los contenedores apropiados que no pudieron ser recuperados de los compradores (la inmensa mayoría). Sin embargo, absolvió a su empleadora, Transcalleja, como responsable civil subsidiaria (artículo 120.4 CP), por entender que

> «*por parte de los responsables de la entidad perjudicada por la apropiación indebida [...] se relajaron hasta el extremo la observancia de sus deberes de autotutela primaria, siendo así que los perjuicios sufridos por razón de la pérdida de los contenedores [...] [son] el resultado de la falta de diligencia de dichos responsables en la protección de sus bienes*».

Curiosamente, en el razonamiento de la Audiencia sobre este punto, el artículo 114 CP no aparece siquiera mencionado. El argumento que emplea consiste, más bien —en gráfica expresión de la Sala Segunda—

en «trasplantar» al ámbito civil «la doctrina de esta Sala que ha estimado que no puede apreciarse la tipicidad del delito de estafa cuando el
error que genera el desplazamiento patrimonial es fruto no tanto de la
conducta engañosa como de la indiligencia no tolerable del perjudicado»; doctrina en la que confluyen «[t]emas de imputación objetiva (au-
topuesta en peligro), tipicidad (engaño *bastante*) y de ponderación de los
deberes de autoprotección y de tutela que debe dispensar el derecho penal», y que —como correctamente continúa señalando la Sala Segunda
del Tribunal Supremo— «en todo caso cuenta con un ya arraigado,
aunque muy modulado, refrendo jurisprudencial»[3].

Contra la sentencia de la Audiencia interpuso recurso de casación por
infracción de ley el Ministerio Fiscal, alegando indebida aplicación del
artículo 120.4 CP, al haber sido excluida Transcalleja como responsable
civil subsidiaria. El recurso —al que, sorprendentemente, no se adhi-
rió Seat[4]— fue impugnado por Transcalleja, refiriéndose, entre otros
aspectos, a la necesidad de que su responsabilidad fuera excluida o mo-
derada con base en el artículo 114 CP. El Tribunal Supremo estimó
el recurso del Ministerio Fiscal, casando y anulando, en este punto, la
sentencia de instancia.

En su sentencia, la Sala Segunda rechaza, en primer lugar, la posibilidad de reducir el importe de la responsabilidad civil subsidiaria de
Transcalleja —y, *a fortiori*, la de excluirla completamente— a través de

---

3   STS 1-4-2014, Fundamento de Derecho Tercero (énfasis en el original). En el
     mismo Fundamento de Derecho, la propia Sala Segunda califica de «controver-
     tida» esta restricción del alcance del tipo de estafa. Aunque, a mi juicio, podrían
     existir muy buenos motivos para ello, un análisis crítico de esta doctrina es una
     de mis principales tareas pendientes para el futuro.

4   Ello no impidió, sin embargo, a la Sala Segunda entrar a conocer sobre el fon-
     do, con base en el artículo 108 LECrim, al no poder inferirse del aquietamiento
     de Seat con la sentencia —en opinión de la Sala— un desistimiento o renuncia
     tácitos a su pretensión indemnizatoria contra Transcalleja (vid. Fundamento de
     Derecho Primero).

una hipotética rebaja (o exclusión) de la debida por Gerónimo[5]. Descarta, en este sentido, por un lado, la línea argumental seguida por la Audiencia, señalando que la doctrina jurisprudencial restrictiva del alcance del tipo de estafa no puede trasladarse al ámbito de la responsabilidad civil *ex delicto*, en la medida en que

> «[e]n ningún supuesto se puede convalidar el *enriquecimiento injusto*, por nula que haya sido la diligencia de la víctima. Esa teoría no es una especie de sanción a la víctima descuidada, que no solo se vería privada de la protección penal, sino que además vería legalmente convalidada la *sustracción o perjuicio económico* ocasionados por un tercero de manera ilícita (aunque no penalmente sancionable)»[6].

Pero tampoco por la vía del artículo 114 CP cabría, de acuerdo con el Tribunal Supremo, llevar a cabo esta moderación de la responsabilidad. Argumenta la Sala, en este sentido, que

> «esa norma no habilita nunca para moderar la responsabilidad civil en los casos de delitos de enriquecimiento. Estamos ante supuestos de estricta justicia conmutativa en que sostener lo contrario llevaría a contradecir criterios elementales de justicia. No puede consolidar legalmente el autor de la infracción el *enriquecimiento ilícito*, ni total ni parcialmente, por mucha negligencia causal que pueda atribuirse a la víctima. Cuando lo procedente es la *restitución* o, como fórmula subrogada, la *indemnización equivalente*, no cabrá jamás hacer uso del expediente del art. 114 CP. [...] Por eso el art. 114 solo menciona la indemnización o la reparación y no la restitución. Cuando lo que

---

5   Solo hipotética, evidentemente, dada la firmeza de la condena de este último acordada por la Audiencia Provincial.

6   Fundamento de Derecho Tercero (énfasis añadido).

procede es la restitución o en defecto de ella la indemnización como sustitutiva, no cabe moderación»[7].

Pero la Sala Segunda del Tribunal Supremo se plantea, en segundo lugar, la posibilidad de moderar la responsabilidad civil subsidiaria de Transcalleja con base en la culpa concurrente de Seat (artículo 114 CP), sin que ello implique una rebaja de la debida por Gerónimo; posibilidad que la Sala también termina rechazando —aunque con muchas más dudas— con el siguiente razonamiento:

> «Poner el acento de la responsabilidad civil ex art. 120.4 en el principio *eius commoda, eius damna,* será campo bien abonado para negar la dualidad de cuantificaciones (una cuantía a cargo del responsable penal que actuó dolosamente y otra rebajada para el tercero responsable civil por virtud de la negligencia de la víctima). La vinculación al principio de la *culpa in eligendo o in vigilando* sería base más fundada para propiciar esta fragmentabilidad: habría que moderar la cuantía del tercero responsable civil para compensar la culpa concurrente *(culpa in vigilando)* de la víctima.

> Desde una perspectiva estrictamente civilista esta podría ser la solución.

> Pero sea cual sea la opinión que se tenga sobre ese tratamiento legal, lo cierto es que en nuestro ordenamiento la responsabilidad civil nacida de delito tiene un régimen especial y diferente, en puntos a veces no despreciables del régimen general de la culpa extracontractual: arts. 1092 y 1093 del Código Civil. Hay que estar a lo dispuesto en el Código Penal. Y en el Código Penal el art. 114 es un precepto inescindible. *La responsabilidad civil subsidiaria es estrictamente vicaria de la responsabilidad civil del responsable penal.*

---

7   Fundamento de Derecho Cuarto (énfasis añadido).

Es un espejo de ella. El responsable subsidiario responde de lo mismo que el responsable penal, aunque solo en defecto de éste. No caben diferenciaciones en el alcance de sus respectivas responsabilidades civiles en virtud de factores como éste (la culpa de la víctima no tendría relevancia en relación a la conducta dolosa pero sí repartiría el daño en relación al tercero cuando hay culpas concurrentes). Y no se exige constatar en concreto la presencia de culpa de ese tercero civil responsable»[8].

La argumentación de la Sala Segunda plantea, a mi juicio, dos grandes interrogantes, a los que trataré de dar respuesta en los siguientes apartados del trabajo. Cabe preguntarse, por un lado, por la calificación dogmática que ha de merecer la acción del perjudicado por un delito de apropiación indebida (aquí Seat), recaído sobre un bien irrecuperable (los contenedores) contra el autor del delito (Gerónimo); cuestión de la que dependerá la posibilidad de moderar o excluir la responsabilidad de este último por culpa concurrente del primero (apartado III). Por otro, es necesario analizar la construcción de la responsabilidad subsidiaria *ex* artículo 120.4 CP por la que la Sala Segunda del Tribunal Supremo se inclina en esta sentencia (y las posteriores en esta misma línea), y plantearse si es esta la más adecuada *de lege ferenda* o, al menos —como la Sala parece entender—, la única compatible con una interpretación de este precepto en clave de responsabilidad civil «objetiva» o «por riesgo», por oposición a una responsabilidad civil por culpa *in eligendo* o *in vigilando* (apartado IV).

---

8   STS 1-4-2014, Fundamento de Derecho Quinto (énfasis añadido).

III. LA ACCIÓN CONTRA EL EMPLEADO (AUTOR DEL DELITO)

Bajo la expresión «responsabilidad civil derivada de los delitos» que encabeza el Título V de su Libro I, el Código Penal español engloba, como es sabido, un conjunto enormemente heterogéneo de materias que no se dejan reducir en absoluto al ámbito de la responsabilidad civil extracontractual en sentido estricto —el «Derecho de daños», cuyo régimen básico se ubica en los artículos 1902 y ss. CC— y que tienen como único punto de conexión, al margen de su naturaleza extrapenal, la competencia («adhesiva») de los jueces y tribunales del orden penal para conocer sobre ellas en el marco de los procedimientos en los que se enjuician los delitos de los que traen causa[9]. La responsabilidad civil ex delicto no responde, en definitiva, a una sola categoría de la dogmática jurídico-civil, sino a muchas, se encuentren o no expresamente contempladas en los artículos 109 y ss. CP; desde la reivindicación de una cosa de quien la tenga por parte de su dueño, hasta la restitución de prestaciones entre las partes de una relación contractual ineficaz, pasando —por poner solo algunos ejemplos— por la responsabilidad civil extracontractual (en sentido estricto) de los intervinientes en el delito y la de sus compañías aseguradoras.

Uno de los muchos efectos perversos de este defecto de técnica legislativa se pone muy claramente de manifiesto en la sentencia objeto de este comentario. La Sala Segunda del Tribunal Supremo tiene claro que, en este caso, el autor del delito debe «algo» a Seat, y también que ese «algo» lo debe —por razones elementales de justicia material— con absoluta independencia del posible descuido de la compañía perjudicada en la custodia de sus propios bienes. Y cabe estar de acuerdo con ello. Pero, a la hora de

---

9   Vid., en este sentido, por todos, YZQUIERDO TOLSADA, «La responsabilidad civil en el proceso penal», en REGLERO CAMPOS/ BUSTO LAGO (coords.), *Tratado de responsabilidad civil,* t. I, 5ª ed., Thomson Reuters, Cizur Menor, 2014, págs. 1173-1185.

determinar la naturaleza jurídica de ese «algo», la Sala se refiere (como si fueran lo mismo) a instituciones tan diferentes como la «restitución» de la propiedad perdida (rectius, acción reivindicatoria), la acción de enriquecimiento injustificado y la acción extracontractual de daños en sentido estricto («indemnización»); todo ello, para acabar calificando la acción de Seat contra Gerónimo como una suerte de «reivindicatoria por equivalente», desconocida, hasta donde alcanzo, en el Derecho civil español[10].

Parece claro, sin embargo, que solo caben, en rigor, dos formas básicas —y no excluyentes entre sí[11]— de concebir, en este grupo de casos, la responsabilidad civil (en sentido amplio) «derivada» de la apropiación indebida que el autor del delito tiene frente al perjudicado por la pérdida de la cosa. Este último tiene a su disposición, por una parte, una serie de acciones que nacen con total independencia de la culpa del demandado, y cuya existencia y extensión es, por esto mismo, independiente de la posible culpa concurrente del perjudicado: las acciones de reintegración de su derecho absoluto de propiedad sobre la cosa ilegítimamente apropiada[12]. Si esta siguiera existiendo —fuera en manos del

---

10   Así, por ejemplo, DÍEZ-PICAZO, *Fundamentos del Derecho civil patrimonial*, t. VI, Civitas, Cizur Menor, 2012, pág. 66, que apunta que, como acción restitutoria que es, la reivindicatoria solo puede ejercitarse contra quien se encuentra efectivamente en posesión de la cosa reclamada.

11   Como señalan, con acierto, BASOZABAL ARRUE, *Enriquecimiento injustificado por intromisión en derecho ajeno*, Civitas, Madrid, 1995, págs. 103-111, 336; y «Subsidiariedad de la acción de enriquecimiento injustificado: pautas para salir de un atolladero», *Revista de Derecho Civil*, vol. VI (núm. 2), 2019, pp. 119-123; y DÍEZ-PICAZO, *Fundamentos del Derecho civil patrimonial*, t. V, Civitas, Cizur Menor, 2011, págs. 45-46.

12   Sobre esta clase de acciones y sus diferencias respecto de las de responsabilidad civil extracontractual (en sentido estricto), vid., por todos, PANTALEÓN PRIETO, «Artículo 1902», en PAZ-ARES et al. (coords)., *Comentario del Código Civil*, t. II, Ministerio de Justicia, Madrid, 1991 pág. 1972; y «Cómo repensar la responsabilidad civil extracontractual (también de las Administraciones públicas)», *AFDUAM*, 2000-4, pág. 168; BASOZABAL ARRUE, *Enriquecimiento injustificado*, ob. cit., *passim* (especialmente, págs. 100-111); SALVADOR CODERCH, «Tutela del honor y responsabilidad por culpa», en SALVADOR CODERCH/ CASTIÑEIRA PALOU, *Prevenir y castigar. Libertad de información y expresión, tutela*

autor del delito o en manos de un tercero que no hubiera adquirido la propiedad sobre ella (cf. artículo 111 CP)— tendría cabida una acción reivindicatoria. Si, por el contrario, como en el grupo de supuestos aquí analizado, la cosa ha devenido irrecuperable por la venta a un tercero que, a su vez, la ha destruido, lo que procederá será un acción de enriquecimiento injustificado (condictio por intromisión) contra el autor del delito; acción que, en este caso[13], permitirá al propietario recuperar —al menos hasta el límite del valor de mercado de la cosa— el precio que el tercero pagó al demandado por ella[14].

Por otro lado, no ha de olvidarse que, en este grupo de casos, la cosa indebidamente apropiada se ha perdido precisamente *por culpa* del autor del delito, dando lugar al deber por su parte de indemnizar al propietario (en principio) el *valor de mercado* de la cosa perdida[15], en concepto de responsabilidad civil extracontractual[16]. Pero esta acción de daños —a diferencia tanto las reintegradoras del derecho de propiedad anteriormente analizadas, como de la (inexistente) «reivindicatoria por

---

del honor y funciones del Derecho de daños, Marcial Pons, Madrid, 1997, págs. 38-40; DÍEZ-PICAZO, ob. cit., t. V, págs. 29-31, 33-34, 45; REGLERO CAMPOS/ PEÑA LÓPEZ, «Conceptos generales y elementos de delimitación», en REGLERO CAMPOS/ BUSTO LAGO (coords.), *Tratado de Responsabilidad Civil,* t. I, 5ª ed., Thomson Reuters, Cizur Menor, 2014, pág. 110.

13   No pretendo, con lo que sigue, por tanto, hacer una afirmación de carácter general sobre el alcance de la *condictio* por intromisión, sino una circunscrita al supuesto concreto de la venta de cosa ajena.

14   Vid., en este sentido, BASOZABAL ARRUE, *Enriquecimiento injustificado,* ob. cit., págs. 62, 109-110, 128-129, 294-299, 332; y DÍEZ-PICAZO, ob. cit., t. V, págs. 31-32, 38-39, 41, 48-49 (que se refiere a la llamada «*condictio* por disposición sin derecho», como supuesto particular de la *condictio* por intromisión). Discute la posibilidad de extender esta misma solución a la oferta vinculante de compraventa que incumple el oferente, vendiendo la cosa a un tercero RUIZ ARRANZ, «La oferta de contrato: vinculación y responsabilidad», ADC, 2018-71(4), págs. 1451-1457.

15   Pues cabe presumir, salvo prueba en contrario, que esta será (como mínimo) la cuantía del *daño* padecido por el propietario.

16   De hecho, la solución no sería muy distinta de haberse perdido la cosa *fortuitamente* en poder del autor del delito (cf. artículo 1185 CC).

equivalente» en la que parece estar pensando la Sala Segunda— no es por definición inmune a la culpa concurrente del perjudicado, de manera que, en principio, la indemnización debida tendría que moderarse (llegando incluso a quedar excluida) con base en el artículo 114 CP. Para evitar esta consecuencia —a todas luces injusta— sería necesario dar un paso más en el razonamiento, introduciendo en la ecuación un elemento adicional: el *dolo directo* con el que, en la constelación de supuestos aquí analizada, actúa el responsable civil principal. Y es que parece razonable sumarse a la opinión doctrinal[17], conforme a la que ningún grado de descuido por parte del perjudicado en relación con sus propios intereses puede hacerlo menos digno de resarcimiento frente a quien intencionalmente los ha lesionado[18].

Creo que cabe concluir, en definitiva, que la solución alcanzada en este punto por la Sala Segunda resulta básicamente correcta: el importe de la responsabilidad civil subsidiaria de Transcalleja *ex* artículo 120.4 CP no puede reducirse por la vía de una (hipotética[19]) rebaja de la del responsable principal. Esta última puede reconducirse, bien a la *condictio* por intromisión, bien a la indemnización extracontractual de daños y perjuicios; solución que, quizás, sea la más acorde con la decisión de la Audiencia de cifrar el importe debido por Gerónimo en el *valor* de los contenedores perdidos (y no en el precio que las empresas chatarreras efectivamente pagaron por ellos). Pero, en cualquier caso, ninguna de estas dos deudas puede verse afectada en lo más mínimo —al menos en este concreto supuesto— por la negligencia de Seat en la custodia de los bienes indebidamente apropiados.

---

17   De la que parece poder encontrarse un atisbo, por cierto, en la parte final del Fundamento de Derecho Quinto de la STS 1-4-2014 antes reproducido.

18   Así, entre otros, MARTÍN CASALS, «Chapter 8. Contributory Conduct or Activity», en European Group on Tort Law, *Principles of European Tort Law. Text and Commentary*, Springer, Viena, 2005, págs. 134-135; y OETKER, «§ 254 Mitverschulden», en KRÜGER (coord.), *Münchener Kommentar zum Bürgerlichen Gesetzbuch*, t. II, 7ª ed., C.H. Beck, Múnich, 2016, pars. 11, 112.

19   Vid. n. 5.

IV. LA ACCIÓN CONTRA LA SOCIEDAD EMPLEADORA

Tanto el artículo 120.4 CP como el artículo 1903 CC contemplan la posible responsabilidad civil del empresario por los daños causados por sus empleados en el desempeño de sus funciones. Existen, sin embargo (inexplicablemente), importantes diferencias entre ambos regímenes de responsabilidad[20]. De acuerdo con el primero de los preceptos,

> «[s]on también responsables civilmente, *en defecto de los que lo sean criminalmente* [...] las personas naturales o jurídicas dedicadas a cualquier género de industria o comercio, por los delitos que hayan cometido sus empleados o dependientes, representantes o gestores en el desempeño de sus obligaciones o servicios».

El segundo dispone, en cambio, que «los dueños o directores de un establecimiento o empresa» son responsables «respecto de los perjuicios causados por sus dependientes en el servicio de los ramos en que los tuvieran empleados, o con ocasión de sus funciones», si bien esta responsabilidad «cesará» si aquellos *prueban* «que emplearon toda la *diligencia* de un buen padre de familia para prevenir el daño».

Como puede apreciarse, la responsabilidad civil *ex delicto* del empresario es *subsidiaria* de la del empleado que causa directamente el daño y —al menos, aparentemente— *objetiva*: el primero responde por mucho que

---

20   Muy críticos, en este mismo sentido, se muestran SURROCA COSTA, *La responsabilidad civil por hecho ajeno derivada de delito o falta*, tesis doctoral, Universitat de Girona, 2012, págs. 10, 17, 23, 509; GÓMEZ CALLE, «Los sujetos de la responsabilidad civil. La responsabilidad por hecho ajeno», en REGLERO CAMPOS/ BUSTO LAGO (coords.), *Tratado de responsabilidad civil*, t. I, 5ª ed., Thomson Reuters, Cizur Menor, 2014, pág. 1092; YZQUIERDO TOLSADA, «La responsabilidad civil en el proceso penal», ob. cit., págs. 1126-1133; y BELUCHE RINCÓN, «La responsabilidad por hecho ajeno» (epígrafes 1 a 6 y 9), en *Practicum daños 2017*, Thomson Reuters, Cizur Menor, 2016, pars. 3/100, 3/690.

seleccionara y vigilara al segundo de forma perfectamente diligente[21].
No obstante, conforme al régimen común, el empresario responde de
los daños causados por su empleado *directamente* (y solidariamente con
este, en caso de poder establecerse también su responsabilidad civil por
el mismo daño[22]), si no logra demostrar la ausencia de culpa *in eligendo*
o *in vigilando* por su parte: se trata, pues, de una responsabilidad *por culpa*,
con inversión de la carga de la prueba de este elemento[23].

A pesar de estas diferencias, la responsabilidad del empresario —*ex delicto* o no— ha venido configurándose tradicionalmente como responsabilidad *por hecho propio*[24]. Conforme a esta concepción, el empresario no
sería una especie de «fiador *ex lege*» de su empleado que respondería solo
si y en la medida en que este también pudiera ser declarado responsable
del daño, sino que lo haría (subsidiariamente y por riesgo, o directamente y por culpa, según el régimen aplicable) con total independencia
de todo ello: podría responder *más* que el empleado[25], pero también

---

21   Así interpreta el precepto, al menos, la doctrina amplísimamente mayoritaria.
        Vid., por todos, SURROCA COSTA, ob. cit., págs. 195-208, 512; CASA-
        DELLÀ SÁNCHEZ, *La responsabilidad civil del principal por hecho de sus auxiliares.
        En especial, la relación de dependencia*, tesis doctoral, Universitat de Girona, 2014,
        págs. 19-20, 25-35, 40-67, 405-406; GÓMEZ CALLE, ob. cit. pág. 1075; e
        YZQUIERDO TOLSADA, «La responsabilidad civil en el proceso penal», ob.
        cit., págs.. 1127-1129; BELUCHE RINCÓN, ob. cit., par. 3/685; y ALONSO
        GALLO/ PUENTE RODRÍGUEZ, «Responsabilidad civil derivada del delito
        y costas procesales», en MOLINA FERNÁNDEZ (coord.), *Memento Práctico Pe-
        nal 2019*, Francis Lefebvre, Madrid, 2018, par. 6266.

22   Vid., en este sentido, por todos, GÓMEZ CALLE, ob. cit., págs. 1013, 1034-
        1035, 1062; y BELUCHE RINCÓN, ob. cit., pars. 3/80, 3/830.

23   Así, entre muchos otros, SURROCA COSTA, ob. cit., págs. 141-143, 511;
        GÓMEZ CALLE, ob. cit., págs. 1054-1060; YZQUIERDO TOLSADA, ob.
        cit., págs. 1126-1127; y BELUCHE RINCÓN, ob. cit., pars. 3/20-3/45, 3/55-
        3/60, 3/680-3/720.

24   Lo señalan, con acierto, GÓMEZ CALLE, ob. cit., págs. 1053, 1062; y BELU-
        CHE RINCÓN, ob. cit., par. 3/5.

25   Y respondería, al menos teóricamente, aunque la falta de culpa del empleado (o
        cualquier otro impedimento de carácter puramente personal) impidiera afirmar
        la responsabilidad civil de este por el daño; supuesto actualmente muy difícil de

menos, teniendo en cuenta, en lo que aquí interesa, que la imposibilidad de moderar la responsabilidad civil de este último con base en la culpa concurrente del perjudicado no prejuzgaría en absoluto la posibilidad de hacer lo propio con la responsabilidad del empleador (ni viceversa). La del empresario es, en definitiva, una obligación *autónoma*, independiente —o, al menos, no *directamente* dependiente— de las vicisitudes que puedan afectar a la de su empleado.

Esta sigue siendo la lectura mayoritaria del artículo 1903 CC. Sin embargo, en lo que hace al artículo 120.4 CP, la Sala Segunda del Tribunal Supremo se aparta radicalmente, en la sentencia objeto de este comentario, de esta consolidada interpretación; alejamiento que ha consolidado con sus sentencias de 23 de enero y 5 de febrero de 2019. En estas resoluciones, la Sala Segunda construye la responsabilidad subsidiaria del empresario como una responsabilidad civil *por hecho ajeno;* una responsabilidad «vicaria[26]» (accesoria, si se quiere) de la del empleado[27]. De acuerdo con este modelo, para determinar tanto el *an* como, sobre todo, el *quantum* de la responsabilidad *ex* artículo 120.4 CP ha de

---

imaginar, pero que lo era mucho menos —incluso para la responsabilidad civil *ex delicto*— cuando los inimputables solo respondían civilmente en defecto de sus guardadores (cf. artículo 20.Primera CP 1973). Sobre la evolución de esta normativa, vid., con mayor detalle, PANTALEÓN DÍAZ, «La enigmática regla 1ª del artículo 118.1 del Código Penal. Sobre la responsabilidad civil de los inimputables», *InDret*, 2017-3, pp. 3-4.

26   Resulta relativamente frecuente en la doctrina, sin embargo, el uso (impropio) de este término para referirse al carácter *objetivo* de la responsabilidad del empresario; vid., por ejemplo, SURROCA COSTA, ob. cit., págs. 199-208; e YZQUIERDO TOLSADA, ob. cit., págs. 1127-1130. Como hemos visto, no obstante, un régimen de responsabilidad civil objetiva no tiene por qué ser al mismo tiempo uno de responsabilidad civil vicaria (por hecho ajeno). De hecho, la mayoría de ejemplos de regímenes de responsabilidad por riesgo lo son de responsabilidad *por hecho propio*; y en esta línea se orientaba, como veíamos, la interpretación tradicional del artículo 120.4 CP.

27   Sistema de responsabilidad por el que se inclinan también, para este grupo de casos, los PETL (artículo 6:102) y el DCFR (artículo VI.-3:201). Así interpreta también el artículo 120.4 CP parte de la doctrina; vid., por ejemplo, CASADELLÀ SÁNCHEZ, ob. cit., págs. 76-77, 101, 317, 326-327.

partirse del *an* —que, tratándose de responsabilidad civil derivada de delito, normalmente no será problemático— y el *quantum* de la responsabilidad civil del empleado autor del delito, siendo únicamente en este primer nivel en el que ha de valorarse la incidencia, en su caso, de la culpa concurrente del perjudicado. El empresario responde por *la misma deuda* que el trabajador, de manera que, si no es posible, como en el caso que aquí nos ocupa, moderar la responsabilidad civil (en sentido amplio) del segundo con base en el artículo 114 CP —ya sea porque esta responsabilidad tiene su fundamento en la reintegración del derecho de propiedad del perjudicado (*condictio* por intromisión) o porque se trata de una responsabilidad extracontractual (en sentido estricto) por un daño causado con dolo directo— por este simple hecho, tampoco cabe moderar la del empresario.

En mi opinión, esta forma de concebir la responsabilidad civil del empresario *ex* artículo 120.4 CP presenta algunas desventajas frente a la tradicional. Ya supone una importante, a mi juicio, el simple hecho de que el régimen de la responsabilidad *ex delicto* del empresario se distancie de este modo todavía más del que resulta de aplicación en el resto de los casos (artículo 1903 CC). Si ya es difícil encontrar fundamento para las diferencias entre una y otra regulación que existen por imperativo legal —responsabilidad subsidiaria y objetiva (artículo 120.4 CP) *versus* responsabilidad directa y por culpa (artículo 1903 CC)— añadir una más por vía interpretativa —responsabilidad por hecho ajeno (artículo 120.4 CP) *versus* responsabilidad por hecho propio (artículo 1903 CC)— no parece tener sentido alguno. El carácter «inescindible» del artículo 114 CP no viene impuesto en absoluto, como parece entender la Sala Segunda del Tribunal Supremo, por la letra de ninguno de los preceptos reguladores de la responsabilidad civil *ex delicto*; y menos aún por la del art. 120.4 CP que, como hemos visto, la propia Sala Segunda había venido interpretando tradicionalmente en un sentido completamente distinto. Si existían (y existen) diferentes alternativas de interpretación de este precepto, habría debido optarse, *prima facie*, por aquella que minimizara las diferencias entre uno y otro régimen de responsabilidad del empresario.

Al margen de ello, otra consecuencia problemática de la interpretación del artículo 120.4 CP en clave de responsabilidad «vicaria» defendida por la Sala Segunda del Tribunal Supremo en la sentencia es la posibilidad —al menos en principio— de exigirla al empresario *siempre* que el trabajador también responda civilmente, y sea cual sea el fundamento de la responsabilidad de este último, aunque lo que el perjudicado haya ejercitado frente a él no sea una acción de daños en sentido estricto. Volviendo al caso concreto objeto de la sentencia, supongamos que estuviera claro que la acción de responsabilidad civil (en sentido amplio) ejercitada por Seat hubiera sido una *condictio* por intromisión, dirigida a recuperar de Gerónimo el *precio* obtenido con la venta de los contenedores. ¿Habría tenido sentido que, en caso de insolvencia de Gerónimo, hubiera tenido que abonar este importe a Seat una parte que, como Transcalleja, no se enriqueció en absoluto a través del comportamiento ilícito de su empleado?

Pero es que, aunque lo único que se baraje en el caso de que se trate sea una acción de responsabilidad civil extracontractual (en sentido estricto) —como podría ser también, como hemos visto, el supuesto al que se refiere la sentencia—, la solución a la que conduce la lectura del artículo 120.4 CP llevada a cabo por la Sala Segunda (imposibilidad de moderar la responsabilidad civil *del empresario* por culpa concurrente del perjudicado) resulta —al contrario que la analizada en el apartado III del trabajo— francamente cuestionable desde el punto de vista de la justicia material. Y es que parece que no existe ninguna razón de peso para trasladar la *totalidad* del daño sufrido por un empresario que no ha empleado la diligencia suficiente en la custodia de sus propios bienes a otro que, como máximo (y ni siquiera esto es necesario), se ha limitado a seleccionar o supervisar negligentemente a sus trabajadores.

No obstante, la fundamentación jurídica de la sentencia revela, a mi juicio, que si una Sala Segunda a todas luces tan preocupada por el respeto de los «criterios elementales de justicia» ha terminado optando por esta (injusta) solución, ello ha obedecido a su creencia de que esta era la única compatible con una interpretación del artículo 120.4 CP que —en la línea de lo defendido por la doctrina mayoritaria y la jurisprudencia tradicional del Tribunal Supremo— prescindiera absolutamente de la exigencia de culpa por parte del empresario (con o sin inversión de la carga de la prueba sobre este elemento). En el Fundamento de Derecho Quinto de la sentencia, la Sala parece oponer, en efecto, el binomio responsabilidad por hecho propio/ responsabilidad por culpa *in eligendo in vigilando* al binomio responsabilidad «vicaria»/ responsabilidad objetiva basada en el principio *eius commoda, eius damna*; todo ello bajo la premisa —evidentemente errónea[28]— de que la culpa concurrente del perjudicado es una institución que opera únicamente en el ámbito de la responsabilidad civil por culpa y no, en cambio, (con mayores o menores matizaciones) en el de la responsabilidad civil por riesgo[29].

Lo cierto es, sin embargo, que la interpretación tradicional de la responsabilidad subsidiaria del empresario *ex* artículo 120.4 CP como una responsabilidad *objetiva por hecho propio* no habría impedido en absoluto a la Sala Segunda moderar la responsabilidad de Transcalleja con base en la culpa concurrente de Seat, afirmando, a la vez la inaplicabilidad

---

28   Los apartados 1 y 2 del artículo 1 del Real Decreto Legislativo 8/2004, de 29 de octubre, por el que se aprueba el texto refundido de la Ley sobre responsabilidad civil y seguro en la circulación de vehículos a motor, son el mejor ejemplo de ello.

29   Sostienen lo contrario, con acierto, entre otros muchos, MARTÍN CASALS, ob. cit., pág. 136; REGLERO CAMPOS/ MEDINA ALCOZ, «El nexo causal. La pérdida de oportunidad. Las causad de exoneración de responsabilidad: culpa de la víctima y fuerza mayor», en REGLERO CAMPOS/ BUSTO LAGO (coords.), *Tratado de Responsabilidad Civil*, t. I, 5ª ed., Thomson Reuters, Cizur Menor, 2014, págs. 922-923, 955-957; BASOZABAL ARRUE, *Responsabilidad extracontractual objetiva: parte general*, BOE, Madrid, 2015, págs. 124-132; y OETKER, ob. cit., pars. 7-19.

del artículo 114 CP en relación con la responsabilidad civil de Gerónimo (por cualquiera de las vías examinadas en el apartado III de esta
comunicación). Para este viaje, en definitiva, no hacían falta tantas —y
tan perniciosas— alforjas.

6. LA RESTITUCIÓN POR INTROMISIÓN EN DERECHO AJENO. APROXIMACIÓN COMPARATIVA ENTRE EL DERECHO COLOMBIANO Y EL DERECHO ESPAÑOL[1]

Lorena Arismendy Mengual
Universidad Carlos III de Madrid

SUMARIO: I. INTRODUCCIÓN. II. PANORAMA ACTUAL DEL DERECHO DEL ENRIQUECIMIENTO INJUSTO COLOMBIANO. III. PROPUESTA DE MODERNIZACIÓN. 1. Los "tipos" de enriquecimiento injustificado. 2. Del enriquecimiento por intromisión en particular. *2.1. La restitución del valor de goce de las cosas. 2.2. La restitución por incorporación, consumo o disposición de cosa ajena.* IV. CONCLUSIONES

RESUMEN

Este trabajo se enfoca en identificar en el Código Civil colombiano aquellas normas que fundamentan y regulan el enriquecimiento injusto por intromisión en derecho ajeno, sobre la base de la experiencia doctrinal española. Como resultado, puede identificarse una acción de carácter restitutorio con sustantividad propia y que puede ser plenamente diferenciable de la acción de responsabilidad civil extracontractual por

---

1   Este trabajo ha sido elaborado en el seno del Proyecto "Las fronteras del Derecho del enriquecimiento injustificado" (DER2017-85594-C2-1-P; IP Pedro del Olmo), financiado por la Agencia Estatal de Investigación dependiente del Ministerio de Economía, Industria y Competitividad (Gobierno de España).

daños. Para ello, se tomará a modo de ejemplo la infracción a los derechos de autor, esto es, un caso que típicamente sería abordado por el derecho de daños colombiano.

PALABRAS CLAVE

Enriquecimiento injusto, intromisión en derecho ajeno, responsabilidad civil extracontractual, restitución.

ABSTRACT

This paper focuses on identifying in the Colombian Civil Code a legal foundation for unjust enrichment by interference with another's right, based on the Spanish doctrinal experience. As a result, one may identify a restitutory legal action with its own sustantivity and which can be fully distinguishable from a torts claim. In order to do this, a copyright infringement will be taken as an example, a case that would typically be addressed by Colombian tort law.

KEYWORDS

Unjust enrichment, interference with another's right, civil liability for torts, restitution.

I. INTRODUCCIÓN

En este trabajo se sostiene que, en derecho colombiano, existen las bases normativas suficientes que justifican la restitución como solución jurídica accionable frente a los escenarios de intromisión en derecho ajeno, esto es, para los casos de usurpación del valor de goce de bienes ajenos y la incorporación, consumo o disposición de cosa ajena, sobre la base del estudio realizado por Basozabal Arrue respecto del Ordenamiento

Jurídico español, en su obra "Enriquecimiento injustificado por intromisión en Derecho ajeno"[2].

El precitado autor, a partir del estudio de las llamadas *condictiones* conforme fueron consagradas en el Código Civil alemán (*Bürgerliches Gesetzbuch* o BGB) y la doctrina germana, tras la ardua tarea de escudriñar una regulación ciertamente dispersa, procuró dar coherencia a las soluciones que se encuentran en el Código civil español enfocándose en aquellas disposiciones que positivamente fundamentan un modelo restitutorio por enriquecimiento injustificado que se separa de la concepción tradicional de esta figura[3] y que lógicamente se abstrae del régimen de responsabilidad civil extracontractual por daños[4]. Se considera en este trabajo que, siguiendo la invitación que inicialmente formulaba Díez-Picazo[5] y que Basozabal Arrue magistralmente desarrollaba en la obra señalada y en subsiguientes escritos, es posible descubrir en el Código Civil colombiano, tales fundamentos y, por primera vez, probablemente llegar a soluciones distintas a aquellas que corresponden al peso de la tradición de la doctrina del enriquecimiento injusto, un área del Derecho que ha sido perenemente menospreciada y poco estudiada en dicho contexto.

Basozabal Arrue propuso un esquema metodológico para lograr tan ambicioso objetivo[6], sin embargo, dicho exhaustivo análisis desafortu-

---

2   BASOZABAL ARRUE, X. *Enriquecimiento injustificado por intromisión en derecho ajeno,* Civitas, Madrid, 1998.

3   A efectos del ordenamiento jurídico español, estas bases normativas se encuentran en los Arts. 451, 455, 360, 375, 379.2 y 383.1 del Código Civil de dicho país.

4   A efectos del ordenamiento jurídico español, la base normativa se encuentra en el Art. 1902 del C.C., *cfr.* Art. 2341 C.C. colombiano.

5   DÍEZ-PICAZO, L. *La doctrina del enriquecimiento injustificado,* Civitas, Madrid, 1987, pág. 130.

6   *"El planteamiento inicial correcto para la adecuada construcción de un derecho de enriquecimiento en el marco del derecho español actual sería el siguiente: detectar y determinar "tipos" de enriquecimiento injustificado, que lógicamente deberían coincidir con los de cualquier ordenamiento de nuestro mismo entorno jurídico (prestación-intromisión-impensa-regreso); localizar*

nadamente excede la capacidad de las presentes líneas, pese a lo cual, encontrando que ella es concluyentemente aplicable al caso colombiano, la intención es realizar una primera aproximación al precitado ejercicio y, con ello, determinar de qué manera puede abrirse camino a la modernización del Derecho del enriquecimiento injusto colombiano.

II. PANORAMA ACTUAL DEL DERECHO DEL ENRIQUECIMIENTO INJUSTO COLOMBIANO.

La tendencia a no incluir entre sus sistemas codificados la institución del enriquecimiento injustificado fue seguida por España y la mayor parte de estados americanos como Chile, Colombia y Ecuador, entre otros. Se aplicó, entonces, el conocido modelo "causal" francés para determinar la invalidez de aquellas obligaciones o aquellos negocios jurídicos que carezcan de una causa, como elemento esencial, que justifique o legitime la realización de movimientos patrimoniales entre las partes[7].

El Código Civil colombiano[8] prescindió en su texto de una regulación general del enriquecimiento injustificado, por lo cual, durante décadas se recurrió a los Arts. 4, 5, 8 y 48 de la Ley 153 de 1887[9] para resolver los supuestos de enriquecimiento que carecen de causa o justificación.

---

dichos "tipos" dentro del ordenamiento, considerando especialmente si se encuentran regulados y si existe cierta unidad y coherencia en dicha regulación; y, por último, dar soluciones materiales para cada tipo a partir de las previsiones legales que se ocupen del mismo, procurando armonizarlas y orientarlas a la satisfacción del conflicto de intereses "típico" afectado". BASOZABAL ARRUE. Ob. Cit., pág. 47.

7   GUZMÁN BRITO, A. Historia de la codificación en Iberoamérica, Thomson Aranzadi, Navarra, 2006.

8   HINESTROSA, Fernando. "El Código Civil de Bello en Colombia", en Revista de Derecho Privado, No. 9, Bogotá, 2005.

9   De agosto 15, por la cual se adiciona y reforma los códigos nacionales, la ley 61 de 1886 y la ley 57 de 1887. Especialmente el Art. 8, a cuyo tenor se lee: "Cuando no hay ley exactamente aplicable al caso controvertido, se aplicarán las leyes que regulen casos ó materias semejantes, y en su defecto, la doctrina constitucional y las reglas generales de derecho."

Las precitadas disposiciones fundamentaron incansablemente la institución del enriquecimiento injustificado como un principio general del Derecho que sería de aplicación cuando no fuese posible encontrar una ley aplicable[10].

Una escueta regulación de la materia en sede privada aparece sólo a través del Art. 831 del Código de Comercio colombiano de 1971, a cuyo tenor se lee:

"Nadie podrá enriquecerse sin justa causa a expensas de otro"[11].

Pese al avance regulatorio que esta norma introdujo, es necesario resaltar que un texto tan sucinto no se corresponde con el meticuloso texto que lo inspiró y que se encuentra en el Código Civil italiano de 1942, en los Arts. 2041 y 2042[12].

Sea como fuere, el desarrollo de esta figura es esencialmente jurisprudencial y doctrinal, desde su consolidación en la jurisprudencia de la Corte Suprema de Justicia en 1936[13], momento a partir del cual ha permanecido prácticamente intacta, siendo ineludible a día de hoy la

---

10   Corte constitucional, Sala Plena. Sentencia C-038 de 1995, M.P.: Carlos Gaviria Díaz; Consejo de Estado, Sección Tercera, Sala Plena. SU del 19 de noviembre del 2012, C.P.: Jaime Orlando Santofimio Gamboa.

11   Decreto 410 de 1971, de marzo 27. Por el cual se expide el Código de Comercio.

12   Corte Suprema de Justicia. Sala de Casación Civil. Sentencia del 19 de diciembre de 2012. Magistrado Ponente: Jesús Vall de Rutén Ruiz. Referencia: 54001-3103-006-1999-00280-01.

13   En este caso, una empresa de exhibición de cine demandó al municipio de Medellín solicitando que le fuera devuelto el exceso de dinero que pagó por el servicio de energía eléctrica recibido en el teatro en que operaba ya que, por una equivocación, se le aplicó una tarifa mayor a la que realmente correspondía. La Corte estimó la procedencia de la pretensión subsidiaria de la *actio in rem verso* en lugar de una acción por pago de lo no debido. Corte Suprema de Justicia. Sala Civil. Sentencia del 19 de noviembre de 1936. Magistrado Ponente: Juan Francisco Mujica. GJ t. XLIV, págs. 471 – 476.

verificación de los ya clásicos requisitos que acompañan a esta institución y que son los mismos exigibles en el caso español a saber: se debe comprobar i) el enriquecimiento por parte de una persona; ii) el empobrecimiento de otra persona; iii) la relación de causalidad entre el referido enriquecimiento y el referido empobrecimiento, de tal forma que sean correlativos; iv) la ausencia de justificación jurídica, causa o justo título para dicho movimiento patrimonial y; v) la inexistencia de una acción que sea procedente de forma principal para restablecer la situación patrimonial del demandante[14].

Dicho sendero no ha conllevado avances significativos en el ámbito del Derecho privado colombiano en los últimos años[15] y, se corresponde a grandes rasgos, con lo que la doctrina internacional ha denominado la visión o teoría unitaria del enriquecimiento injusto según fue formulada inicialmente por Savigny[16], en virtud de la cual, en últimas, la extensión de la restitución a la que habría lugar se corresponde estrictamente con

---

14   Reiterado y vigente criterio imperante aún hasta la actualidad, *cfr.* Corte Suprema de Justicia, Sala de Casación Civil. Sentencia del 4 de diciembre de 2018. M.P.: Luis Alonso Rico Puerta. La anterior refiere directamente, como muchas otras lo hacen, a la Sentencia de la misma Corporación, de 7 de octubre de 2009, Rad. No. 2003-00164-0, que precisa los mencionados requisitos. Tal como ha sido tradicionalmente caracterizada en España: NUÑEZ LAGOS, R. *El enriquecimiento sin causa en el derecho español.* Reus, Madrid, 1934 pp. 6, 8, 16, 107 y ss; DÍEZ-PICAZO, L. y GULLÓN, A. *Sistema de derecho civil. Contratos en especial. Cuasi contratos. Enriquecimiento sin causa. Responsabilidad extracontractual,* Vol. II, T. 2, 11ª Ed., Tecnos, Madrid, 2015, pp. 299 y ss.

15   Al respecto, se evidencia una particular, aunque cuestionable evolución en esta materia desde el punto de vista del Derecho administrativo y de la responsabilidad civil del Estado en sus contrataciones, de la cual es razonable resaltar el esfuerzo que se imprime para argumentar la autonomía de la pretensión de restitución por enriquecimiento injusto en relación con la subsidiariedad estrictamente procesal de la *actio in rem verso. Vid.* Consejo de Estado, Sección Tercera, Sala Plena. SU del 19 de noviembre del 2012, n.° 24897, C.P.: Jaime Orlando Santofimio Gamboa.

16   Sobre la base del llamado desplazamiento patrimonial sin causa (Vermögensverschiebung). SAVIGNY. Sistema Del Derecho Romano Actual. Madrid, 1878. Esta teoría fue posteriormente actualizada y matizada, *vid.* ENNECCERUS y LEHMANN. *Lehrbuch des* Bürgerlichen Rechts II. Recht der Schuldverhältniße, 15ª Ed., Mohr (Siebeck), Tübingen, 1958.

el enriquecimiento que experimenta uno, a expensas de otro, encontrando allí una barrera dogmáticamente insoslayable.

En este sentido, habida cuenta una casuística que no se ve allí contenida, merece la pena abordar la cuestión desde una óptica distinta, siguiendo la tendencia de los últimos desarrollos en la materia.

III. PROPUESTA DE MODERNIZACIÓN

1. Los "tipos" de enriquecimiento injustificado

En el Código Civil colombiano pueden discernirse aquellos supuestos restitutorios provenientes de los contratos o las obligaciones que derivan de ellos, los cuales se encuentran positivamente regulados con un generoso asidero en las acciones de nulidad y rescisión de los contratos, entre otros[17]. A esto denomina la doctrina el enriquecimiento por prestación y, en realidad, este inspira y limita lo que conocemos como enriquecimiento sin justa causa en la actualidad, cuando en la práctica corresponde sólo a un "tipo" de enriquecimiento, respecto de los múltiples que a este efecto pueden existir[18].

En este orden de ideas, una nueva lectura al Código Civil colombiano permite encontrar a su vez una regulación de supuestos restitutorios sobre la base de supuestos de hecho indiscutiblemente distintos a una prestación, como será manifiesto posteriormente. Así las cosas, es nece-

---

17 Arts. 1740 y ss. del C.C. colombiano, como lo hacen los Arts. 1303 y ss. del C.C. español.

18 BASOZABAL ARRUE. Ob. Cit., págs. 214-221; CAEMMERER. *Bereicherung und unerlaubte Handlung*, en DÖLLE, RHEINSTEIN y ZWEIGERT. *Festschrift für Ernst Rabel*, Vol. I, Mohr (Paul Siebeck), Tübingen, 1954, págs. 340-352; VENDRELL CERVANTES, C. *La acción de enriquecimiento injustificado por intromisión en los derechos al honor, a la intimidad y a la propia imagen*, ADC, tomo LXV, 2012, fasc. III, págs. 1118, 1124, 1127; DÍEZ-PICAZO. Ob. Cit., pág. 33.

sario plantearse la existencia de diferentes "tipos" de enriquecimientos, los cuales no necesariamente derivan de una pretendida relación contractual o cuasicontractual[19].

2. Del enriquecimiento por intromisión en particular

En un ambiente de manifiesta insatisfacción, en la escena jurídica alemana hizo su aparición a inicios del siglo XX, la denominada teoría de la diferenciación, que se oponía a la previamente referida tesis unitaria y que fomentó una diversificación de las posibles pretensiones respecto del enriquecimiento sin causa[20]. Tomando esta propuesta y sin pretender superponer la concepción alemana en la materia, sino simplemente procurando hacer un análisis casuístico diferenciado, se esbozará la existencia de lo que puede ser conocido (también) en el ordenamiento colombiano como el enriquecimiento por intromisión en derecho ajeno[21].

Para plantear respecto de qué "derechos ajenos" puede enervarse una acción restitutoria en este contexto, resulta obligatorio reflexionar acerca del denominado contenido de atribución (*Zuweisungsgehalt*) de los derechos[22]. Al respecto, un determinado derecho subjetivo concede a su titular el uso y goce exclusivo del mismo, lo cual incluye, de suyo, la exclusividad en la

---

19   Adviértase en este caso *"cada supuesto de hecho surge en el lugar en el que se necesita una "restitución" que reequilibre la situación patrimonial"*. BASOZABAL ARRUE, X. *Tres modelos para una regulación actual del enriquecimiento injustificado: unitario, tipológico, fragmentado*, en InDret, 4, 2018, págs. 36-42.

20   WILBURG. *Die Lehre von der ungerechtfertigten Bereicherung nach österreichischem und deutschem Recht*, Leuschner & Lubensky, Graz, 1934; CAEMMERER, *Bereicherung und…*, Ob. Cit.; Estas teorías encuentran amplio asidero por autorizada doctrina alemana, vid. LARENZ y CANARIS. *Lehrbuch des Schuldrechts*, II, 13ª Ed., C. H. Beck, München, 1994, págs. 129-131; SCHLECHTRIEM. *Schuldrecht. Besonderer Teil*, 6ª Ed., Mohr Siebeck, Tübingen, 2003, págs. 294-295; MEDICUS. *Schuldrecht II: Besonderer Teil*, 18ª Ed., C. H. Beck, München, 2018.

21   El análisis de otros latentes tipos de enriquecimiento excede, se insiste, los límites de este trabajo.

22   BASOZABAL ARRUE. Ob. Cit., págs. 68 y ss.

explotación económica de aquél, siendo este el caso paradigmático del derecho de la propiedad, la cual cuenta con un innegable contenido atributivo. Así las cosas, quien explota dicho derecho subjetivo ajeno, deberá restituir las ventajas económicas que con ello perciba en tanto que estas son propiedad del titular del derecho, encontrando este así protegida su posición jurídica como tal frente a las intromisiones ilegítimas que puedan presentarse. Esta protección no puede razonablemente limitarse a los derechos que recaen sobre bienes materiales, sino que debe necesariamente extenderse a los bienes de naturaleza inmaterial los cuales también estarán cubiertos por el ámbito del enriquecimiento por intromisión[23].

> *a. Ubicación en el ordenamiento jurídico colombiano y soluciones materiales conforme a su regulación en el Código Civil.*

En el ámbito del enriquecimiento injustificado clásico colombiano, ¿Qué sucede cuando una de las partes no experimenta un detrimento patrimonial inmediato? Podemos pensar en una persona que, sin autorización de su autor, utiliza la letra y música de una determinada canción, logrando con ello obtener generosas ganancias Imaginemos ahora que el autor no ha sufrido pérdida patrimonial alguna a partir de dicha conducta o, puede, incluso verse beneficiado por ella.

Colombia no cuenta en materia de derechos de autor con una normativa similar a la que se encuentra vigente en España a través de la Ley de Propiedad Intelectual[24]. Dicho texto incorpora el conocido método del triple cómputo del daño (*dreifache Schadensberechnung*) que permite optar por la restitución de los beneficios que haya obte-

---

23 VENDRELL CERVANTES. Ob. Cit., págs. 1130 – 1137; BASOZABAL ARRUE. Ob. Cit., págs. 141-153.

24 Real Decreto Legislativo 1/1996, de 12 de abril, por el que se aprueba el texto refundido de la Ley de Propiedad Intelectual, regularizando, aclarando y armonizando las disposiciones legales vigentes sobre la materia.

nido el infractor, si bien bajo una lógica *prima facie* indemnizatoria[25]. Conforme al reglamento aplicable en materia de derechos de autor incorporado en Colombia a partir de los Arts. 56 y 57 de la Decisión 531 de 1993 de la Comunidad Andina de Naciones, en sede civil, quien perciba una interferencia no autorizada en sus derechos de propiedad intelectual, cuenta con la posibilidad de solicitar unas determinadas medidas cautelares que incluyen el cese inmediato de la actividad ilícita, la incautación, embargo, decomiso o secuestro preventivo de los ejemplares producidos, así como los medios utilizados para ello y, la indemnización de los daños sufridos a partir de la infracción[26].

Si el titular del derecho no ha sufrido pérdida alguna como consecuencia de la intromisión indebida de otra persona en el mismo, lógicamente no le es posible interponer una acción de responsabilidad civil por daños, al no existir estos últimos. Siendo esta prácticamente la única opción posible en Colombia[27], cabe preguntarse,

---

25   Se recoge específicamente en los arts. 66 LP, 43 LM y 140 LPI. BASOZA-BAL ARRUE, X. *Método triple de cómputo del daño: la indemnización del lucro cesante en las leyes de protección industrial e intelectual*, en *Anuario de Derecho Civil*, Ref: ANU-C-1997-30126301300, pp. 1263-1300. Es importante resaltar que dicho método sí que ha sido consagrado en el marco de la protección de los derechos de la propiedad industrial, contenido en el Art. 243 de la Decisión 486 de la Comunidad Andina de Naciones, cuyo texto establece: *"Para efectos de calcular la indemnización de daños y perjuicios se tomará en cuenta, entre otros, los criterios siguientes: a) el daño emergente y el lucro cesante sufrido por el titular del derecho como consecuencia de la infracción; b) el monto de los beneficios obtenidos por el infractor como resultado de los actos de infracción; o, c) el precio que el infractor habría pagado por concepto de una licencia contractual, teniendo en cuenta el valor comercial del derecho infringido y las licencias contractuales que ya se hubieran concedido"*.

26   En concordancia con la Ley 23 de 1982 sobre derechos de autor y la Ley 44 de 1993 por la cual se modifica y adiciona la ley 23 de 1982 y se modifica la ley 29 de 1944. Lo anterior al margen de la responsabilidad penal que cabe en aplicación de los Arts. 270 a 272 del Código Penal colombiano.

27   No se plantea siquiera la intervención del derecho del enriquecimiento injusto en las infracciones a los derechos de autor en particular. BOTERO ARISTIZA-BAL, L. "La indemnización de perjuicios en las acciones de infracción a los derechos de propiedad intelectual: Una revisión crítica del caso colombiano frente a los retos de la globalización", en *Revista de la propiedad inmaterial*, Bogotá, 2010,

¿está protegida la posición jurídica del autor de la obra? ¿a qué tiene derecho?

Una respuesta sencilla y coherente nos proporcional el Art. 3 de la Ley 23 de 1982, cuando afirma que los derechos de autor comprenden para sus titulares las facultades exclusivas de disponer de su obra a título oneroso y de aprovecharlas con fines de lucro, esto es, sin lugar a dudas, el reconocimiento de un monopolio exclusivo de explotación concedido al titular de la obra que nos remite de forma casi inmediata al anteriormente referido contenido de atribución de los derechos y que, en este caso en particular, se aprecia sin dificultades.

Hemos de considerar que ante una circunstancia como la anteriormente descrita, en el estado actual de la cuestión, no podríamos accionar la *actio in rem verso* para proteger al autor de la ahora afamada canción, en la medida en que no existe un empobrecimiento por su parte que sea a su vez correlativo con el enriquecimiento de quien ha hecho un uso indebido de su derecho de propiedad intelectual sobre aquella. La respuesta pone de manifiesto que las ventajas económicas del infractor pueden legítimamente permanecer en su patrimonio, esto es, que el infractor gozaría del derecho a conservar los frutos percibidos a partir del uso no autorizado de la cosa (en este caso, inmaterial) ajena.

Así las cosas, ¿existe en Colombia una regulación de la obligación de restituir los frutos de la cosa a su titular cuando ella ha sido utilizada de mala fe? Se arguye a continuación que dicha regulación existe en el Ordenamiento Jurídico colombiano y que ella justifica la obligación de restituir o remover los lucros percibidos por el denominado intromisor.

---

pp. 35-39; OLARTE COLLAZOS, J. "Tasación de perjuicios en materia de propiedad intelectual: una visión desde el ordenamiento jurídico colombiano", en COMITÉ ASESOR SOBRE OBSERVANCIA (ACE). *La cuantificación de los daños en los casos de infracción de la propiedad intelectual*, WIPO/ACE/13/9, 2018, pp. 3-7.

Como se verá a continuación, los Arts. 964, 738, 728, 733, 735 y 732 del Código Civil colombiano fundamentan esta respuesta de la misma manera en que lo harían los Arts. 451, 455, 360, 375 y 383.1 del Código Civil español en dicho Ordenamiento.

2.1. La restitución del valor de goce de las cosas

Un examen de las normas incluidas en el Código civil colombiano permite aproximarnos a la comprobación de una verdadera regulación de la pretensión restitutoria en casos de intromisión en un derecho ajeno. La persona que ha usurpado el valor de goce de un bien ajeno estará obligada a restituir o no los frutos que percibe de dicho bien, haciendo para ello, una clara diferencia entre la situación del poseedor de buena fe y el poseedor de mala fe.

a. Buena fe en la posesión: Conforme a su regulación positiva, son requisitos de la posesión regular: el justo título y la buena fe[28]. Esta última se presume como regla general[29] y se concreta en "la conciencia de haberse adquirido el dominio de la cosa por medios legítimos exentos de fraudes y de todo otro vicio. Así, en los títulos traslaticios de dominio, la buena fe supone la persuasión de haberse recibido la cosa de quien tenía la facultad de enajenarla y de no haber habido fraude ni otro vicio en el acto o contrato. (…)"[30], es decir, que se aplica en materia posesoria un concepto de buena fe subjetiva[31].

---

28   Arts. 764, 765 y 768 C.c. colombiano; será poseedor irregular quien no reúna alguno de estos requisitos (Art.774 C.c.) y, en este sentido, el poseedor de buena fe puede ser poseedor regular o irregular. Esto mismo sucede en el Ordenamiento español, *ex.* Arts. 451 y 433 C.c. español.

29   Art. 769 C.c. colombiano, cfr. NEME VILLARREAL. *La presunción de buena fe en el sistema jurídico colombiano*, en *Revista de Derecho Privado*, No. 18, Bogotá, 2010, págs. 72-73.

30   Art.768 C.c. colombiano.

31   NEME VILLARREAL. *La presunción de…*, Ob. Cit., págs. 65-94.

Dicho lo anterior, el inciso número 3 del Art. 964 C.C. colombiano32, regula la situación del poseedor de buena fe de cosa ajena y ciertamente proporciona un fundamento para que, aquel que cumpla con estos requisitos, sea exonerado de la obligación de restituir los frutos de la cosa, imponiendo para ello como límite el de la contestación de la demanda de reivindicación33, momento a partir del cual su obligación se equiparará a la que es exigible del poseedor de mala fe, aunque no la hubiere34. En realidad, conforme a la interpretación correctora que Basozabal Arrue defiende respecto del ámbito de aplicación del Art. 451 C.C. español (correspondiente al precitado inciso 3 del Art. 964 C.C. colombiano), sólo al poseedor de buena fe que adquiere la cosa mediante título válido corresponden los frutos percibidos durante la posesión[35].

---

32   *"El poseedor de buena fe no es obligado a la restitución de los frutos percibidos antes de la contestación de la demanda; en cuanto a los percibidos después, estará sujeto a las reglas de los dos incisos anteriores."*

33   Es importante mencionar que la contestación de la demanda en este contexto corresponde al fenómeno de la *litis contestatio* ("o sea la formación del vínculo jurídico-procesal que nace con la notificación de la demanda") y no así a la contestación física de la misma, que puede no suceder. Corte Suprema de Justicia, Sala Civil. Sentencia del 1 de Julio de 1971; criterio ratificado en: Corte Suprema de Justicia, Sala Civil. Sentencia del 25 de abril de 2005, Rad. No. 110013103006-1991-3611-02. Esta es también la interrupción legal de la posesión a la que se refiere el Código Civil español, *Cfr. Sentencia n° 545/2012 de TS, Sala 1ª, de lo Civil, 28 de septiembre de 2012.*

34   Al respecto ha afirmado la Corte Constitucional: *"Mientras no se ha notificado al poseedor de buena fe el auto admisorio de la demanda, la ley, con razón, reconoce la legitimidad de su situación. El no intentar la reivindicación, justifica el que el dueño no adquiera los frutos, frutos que sigue haciendo suyos el poseedor de buena fe a quien no se ha notificado el auto admisorio de la demanda. Cuando se notifica el auto admisorio, es decir, cuando se traba la litis no desaparece la buena fe del poseedor, necesariamente. Esa buena fe puede subsistir, porque él tenga motivos fundados para seguir creyendo, por ejemplo, que recibió la cosa de quien tenía la facultad de enajenarla, y que no hubo fraude ni otro vicio en el acto o contrato. Por esto, no es acertado sostener que la ley presume que en ese momento deviene poseedor de mala fe. La realidad es otra".* Corte Constitucional. Sentencia de Constitucionalidad SC-544-94, del 1 de diciembre de 1994.

35   El autor dedica una cuidada exposición de dicha interpretación armonizadora

b. Mala fe en la posesión: Para aquellos supuestos que no quepan dentro del anteriormente citado concepto de buena fe subjetiva en la posesión, los incisos 1 y 2 del mismo Art.964 C.C.[36], cimientan en su contenido la obligación de restituir del valor de goce la cosa que ha sido usurpada en tanto que obligan al poseedor de mala fe a pagar los frutos percibidos y aquellos que el legítimo poseedor hubiera podido percibir. Lo anterior bajo el entendido de que los 'frutos percibidos' se corresponden con el precitado valor de goce de la cosa, el cual debe ser contrastado con referencia a un valor de mercado y, así, el poseedor de mala fe se queda sin la ganancia neta de su gestión, la cual corresponde al titular del bien protegido[37].

Según se evidencia, el inciso 3 del Art. 964 C.C. colombiano exime al legítimo poseedor de buena fe de restituir el valor de goce de la cosa, aspecto que difiere cuando se trata de un poseedor de mala fe, conforme a los incisos 1 y 2 del mismo artículo, en virtud de lo cual, esta situación conllevará la obligación de pagar precisamente el valor del goce de la cosa que ha sido usurpada en dichos términos, o lo que es lo mismo, restituir el enriquecimiento. Así, dicho artículo consagra una acción específica para la restitución del valor de goce de un bien ilegítimamente explotado por quien no es su titular.

---

y la confronta con la regulación de los supuestos de restitución de frutos por liquidación contractual (Arts. 1303 y ss. C.C. español.) y la restitución por cobro de lo indebido (Arts. 1895 y ss. C.C. español) de tal forma que no se aprecien errores valorativos. BASOZABAL ARRUE. Ob. Cit., págs.207 y ss.

36 *"El poseedor de mala fe es obligado a restituir los frutos naturales y civiles de la cosa, y no solamente los percibidos sino los que el dueño hubiera podido percibir con mediana inteligencia y actividad, teniendo la cosa en su poder. Si no existen los frutos, deberá el valor que tenían o hubieran tenido al tiempo de la percepción; se considerarán como no existentes lo que se hayan deteriorado en su poder"*. *Cfr.* Art. 455 C.C. español.

37 BASOZABAL ARRUE. Ob. Cit., págs. 265-266.

2.2. La restitución por incorporación, consumo o disposición de cosa ajena

De otra parte, el Código Civil incluye sendas normas que de forma casi inequívoca establecen que el dueño de una cosa se encuentra en la posición de exigir el valor de la misma respecto de quien la incorporare, consumiera o dispusiera de ella, lo cual se observa en el apartado correspondiente a la accesión, como también sucede en España. Es indispensable acotar que se hará énfasis en aquello que una persona debe entregar a otra de tal forma que sea reputada dueña "del todo" de la cosa, es decir, el contenido de atribución de la accesión misma y, a contrario sensu, qué puede exigir la persona que no se reputa finalmente titular "del todo", para así determinar cómo se restituye a su patrimonio aquél bien o actividad de la que resulta privada[38], como se verá en los supuestos que se exponen a continuación:

a. Accesión de cosa mueble a cosa inmueble:

i. Edificación en suelo propio con materiales ajenos: Quien ha edificado con materiales ajenos en suelo propio, tiene a partir de ese momento la obligación de pagar al dueño de tales materiales su justo precio u otro tanto de la misma naturaleza, calidad y aptitud cuando ha actuado de buena fe conforme a lo dispuesto en el Art. 738 C.C., (de lo contrario, deberá diferenciadamente también los daños o perjuicios que se causen)[39];

---

38   *Ibidem*, pág. 269.

39   *"Si se edifica con materiales ajenos en suelo propio, el dueño del suelo se hará dueño de los materiales por el hecho de incorporarlos en la construcción, pero estará obligado a pagar al dueño de los materiales su justo precio u otro tanto de la misma naturaleza, calidad y aptitud. Si por su parte no hubo justa causa de error, será obligado al resarcimiento de perjuicios, y si ha procedido a sabiendas, quedará también sujeto a la acción criminal competente; pero si el dueño de los materiales tuvo conocimiento del uso que se hacía de ellos, sólo habrá lugar a la disposición de este artículo. La misma regla se aplica al que planta o siembra en suelo propio vegetales o semillas ajenas. Mientras los materiales no están incorporados en la construcción o los vegetales arraigados en el suelo, podrá reclamarlos el dueño".* Cfr. Art. 360 Código Civil español.

ii. Construcción y siembra en suelo ajeno: El dueño del terreno deberá pagar el valor del edificio o la siembra de quien ha construido o sembrado en suelo ajeno de buena fe. En caso contrario, el dueño del terreno puede hacerse dueño de la edificación o plantación, mediante las indemnizaciones prescritas a favor de los poseedores de buena o mala fe en el título de la reivindicación o, dependiendo de si se trata de una construcción, puede solicitar el pago del justo precio de su terreno sumando los intereses legales durante el tiempo en que fue utilizado, o bien, si se trata de una plantación, puede solicitar el pago de la renta y la indemnización de perjuicios que proceda, conforme a lo dispuesto en el Art. 739 C.C.[40].

b. Accesión de cosa mueble a otra cosa mueble:

i. Adjunción: Cuando se unen dos cosas perteneciendo ambas a distintos dueños, pero de tal forma en que ellas pueden ser separadas y subsistir separadamente, se reputa dueño de la cosa adjuntada el propietario de la cosa principal[41] debiendo este pagar al propietario de la cosa accesoria su valor, según lo dispuesto en el Art.728 C.C.[42].

---

40 *"El dueño del terreno en que otra persona, sin su conocimiento hubiere edificado, plantado o sembrado, tendrá derecho de hacer suyo el edificio, plantación o sementera, mediante las indemnizaciones prescritas a favor de los poseedores de buena o mala fe en el título de la reivindicación, o de obligar al que edificó o plantó a pagarle el justo precio del terreno con los intereses legales por todo el tiempo que lo haya tenido en su poder, y al que sembró a pagarle la renta y a indemnizarle los perjuicios. Si se ha edificado, plantado o sembrado a ciencia y paciencia del dueño del terreno, será este obligado, para recobrarlo, a pagar el valor del edificio, plantación o sementera".* Cfr. Arts. 361-364 Código Civil español.

41 De conformidad a la regla del mayor valor de la cosa, no de complementariedad o el volumen de las mismas, ex Arts. 729 -731 C.C. colombiano.

42 *"En los casos de adjunción, no habiendo conocimiento del hecho por una parte, ni mala fe por otra, el dominio de lo accesorio accederá al dominio de lo principal, con el gravamen de pagar al dueño de la parte accesoria su valor".* Cfr. Art. 375 Código Civil español.

ii. Mezclas: Para los casos que un bien mueble accede a otro sin ser posible su separación y perteneciendo ellos a distintos dueños distintos, debe verificarse que una de las materias mezcladas tiene un valor considerablemente mayor que el de la otra, en cuyo caso se reputará como dueño de la mezcla al propietario de dicha materia (la de mayor valor), quien deberá pagar al dueño de la materia restante el precio de la misma, conforme al inciso 2 del Art.733 C.C.[43];

iii. Especificación: Cuando de la materia que pertenece a una persona otra persona realiza una obra, valiendo más la materia, el dueño de ésta se hace dueño de la nueva especie pagando el valor de la hechura conforme a los incisos 2 y 3 del Art. 732 C.C.[44].

Ahora bien, por regla general, cuando las cosas se incorporan, adjuntan, mezclan o especifican por iniciativa del dueño de la cosa principal,

---

43   *"A menos que el valor de la materia perteneciente a uno de ellos fuere considerablemente superior, pues en tal caso el dueño de ella tendrá derecho para reclamar la cosa producida por la mezcla, pagando el precio de la materia restante".* Cfr. *Ibidem.* En Colombia, si no tuviere alguna de las materias un mayor valor, ostentarán el dominio de la cosa ambos dueños pro indiviso, a prorrata del valor de la materia que a cada uno pertenezca.

44   *"No habiendo conocimiento del hecho por una parte, ni mala fe por otra, el dueño de la materia tendrá derecho a reclamar la nueva especie, pagando la hechura. A menos que en la obra o artefacto, el precio de la nueva especie valga mucho más que el de la materia, como cuando se pinta en lienzo ajeno, o de mármol ajeno se hace una estatua; pues en este caso la nueva especie pertenecerá al especificante, y el dueño de la materia tendrá solamente derecho a la indemnización de perjuicios".* Solución inversa a la proporcionada por el Art. 383.1 C.C. español (en el que el *'especificante'* se hace dueño de la nueva especie pagando el valor de la materia a su respectivo dueño), pero que continúa por la línea de la restitución como respuesta jurídica. Ha de anotarse que, en Colombia cuando la especie nueva vale mucho más que la materia con la que fue elaborada, se reputará dueño de la cosa el *'especificante'*, debiendo pagar al dueño de la materia una indemnización de los perjuicios, conforme al inciso 3 del Art.732 C.c. colombiano. No resulta menos que curioso encontrar esta excepcional referencia a la *indemnización* de perjuicios en un grupo de normas que consistentemente refieren a la restitución (o pago del justo precio) como solución específica en situaciones análogas.

mediando buena fe de este, se debe al dueño de la cosa accesoria sólo el valor que a esta corresponde. En caso contrario, cuando aquel actúa de mala fe, se suma a ello la obligación de pagar los daños y perjuicios en el caso de la edificación en suelo propio con materiales ajenos y, en la utilización de la materia ajena, se adiciona la pérdida de la materia propia[45]. Estas serían las consecuencias en el ordenamiento jurídico colombiano de lo que la doctrina denomina los enriquecimientos *obtenidos* por el intromisor[46].

De otra parte, cuando el dueño de las cosas accesorias tiene la iniciativa en la incorporación, adjunción, mezcla o especificación de las cosas, esto es, cuando el enriquecimiento es *impuesto* por el intromisor[47], su actuación de mala fe suscita su obligación de dar al dueño de la materia principal el valor de la materia en dinero u otro tanto de la misma naturaleza, calidad y aptitud, sin perder de vista que el dueño de la cosa principal tiene derecho a la propiedad de la cosa en que ha sido empleada[48].

Así, de forma relativamente pacífica, los Arts. 727 y ss. del C.C. colombiano establecen que cuando una persona incorpora, consume o dispone de una cosa ajena, el dueño de la cosa está facultado por el Ordenamiento Jurídico para solicitar del intromisor el valor de la cosa fructífera o, en otros términos, el enriquecimiento. Se completa así el panorama de la acción.

---

45   Art. 737 C.C. colombiano: *"El que haya hecho uso de una materia sin conocimiento del dueño y sin justa causa de error, estará sujeto en todos los casos a perder lo suyo, y a pagar lo que más de esto valieren los perjuicios irrogados al dueño; fuera de la acción criminal a que haya lugar, cuando ha procedido a sabiendas. Si el valor de la obra excediere notablemente al de la materia, no tendrá lugar lo prevenido en este artículo; salvo que se haya procedido a sabiendas".*

46   BASOZABAL ARRUE. Ob. Cit., pág. 277.

47   *Ibidem*, pág. 278.

48   *Vid. también* Art. 735 C.C. colombiano.

IV. CONCLUSIONES

Si volvemos al caso que arriba nos ocupó, bajo esta nueva lectura, el autor de la obra que ha sido indebidamente utilizada por otro, podría pretender los réditos percibidos por el intromisor, aspecto ciertamente novedoso. Si bien con una inicial limitación, esto es, que su patrimonio sea apenas reintegrado por medio de la entrega de los frutos de la cosa usurpada por ser esta efectivamente plagiada o copiada, aunque no sufra este último pérdida patrimonial alguna y, si de hecho la sufriere, podría solicitar adicional y separadamente la correspondiente reparación de daños y perjuicios ya que se trata de acciones independientes y que persiguen objetivos distintos[49].

Es indispensable comenzar a reflexionar respecto al hecho de que no todos los casos de enriquecimiento injusto son susceptibles de presentar las mismas clásicas y genéricas características a efectos de enervar una restitución, máxime si se tiene equivocadamente como inicial referente la existencia de una relación de carácter contractual u obligacional entre las partes. En efecto, la casuística es innegablemente mucho más rica y diversa y, hasta la fecha, abordada de forma exorbitantemente abstracta, lo cual justificó en varios niveles el hecho de tener que recurrir a la equidad como fundamento de la acción de enriquecimiento injusto en Colombia, recurso que a la fecha no parece ser indispensable, en la medida en que el mismo Código civil aprobado en 1887 contiene fundamentos normativos suficientes para justificar la restitución de los enriquecimientos que se perciben por intromisión en los derechos ajenos, esto es, en las normas relativas a la liquidación de estados posesorios y la accesión, realidad que se hace fehaciente teniendo en cuenta la experiencia doctrinal española.

---

49 BASOZABAL ARRUE. Ob. Cit., págs. 246-262, 264-256 y 331; VENDRELL CERVANTES. Ob. Cit., pág. 1163.

V. RESPONSABILIDAD CIVIL Y RELACIONES FAMILIARES

1. RESPONSABILIDAD CIVIL Y RELACIONES FAMILIARES

Alma María Rodríguez Guitián

Profesora Titular de Derecho Civil[1] - Universidad Autónoma de Madrid

Sumario: I. INTRODUCCIÓN. II. PRIMERA REFLEXIÓN: IN-CONVENIENCIA DE LA APLICACIÓN GENERALIZADA DEL DERECHO DE DAÑOS AL ÁMBITO DE LA FAMILIA. 1. No todo sufrimiento o dolor es indemnizable 2. Protección de la familia y de la paz familiar. III. SEGUNDA REFLEXIÓN: NECESIDAD DE SISTE-MATIZACIÓN DE LAS DIFERENTES HIPÓTESIS DE DAÑOS ENTRE FAMILIARES PARA DEBATIR, EN CADA CASO, SU RE-PARACIÓN. 1. Primer ejemplo: Acción de daños por vida insatisfacto-ria. 2. Segundo ejemplo: Daños prenatales causados de modo directo por la madre. 3. Tercer ejemplo: Daños causados al conviviente *more uxorio* a consecuencia de la ruptura unilateral de la convivencia. IV. TERCERA REFLEXIÓN: APLICACIÓN SUBSIDIARIA DEL DERECHO DE DAÑOS PARA LA RESOLUCIÓN DE LOS CONFLICTOS FAMI-LIARES. 1. Condiciones para la aplicación del Derecho de Daños. *1.1. Tutela insuficiente del interés del familiar dañado a la luz del caso concreto. 1.2. No contradicción con la finalidad perseguida por el legislador en la regulación de una deter-minada institución familiar.* V. CUARTA REFLEXIÓN: BREVE APUNTE SOBRE LAS FUNCIONES DE LA RESPONSABILIDAD CIVIL EN EL ÁMBITO DE LAS RELACIONES FAMILIARES.

---

[1]   Acreditada a Catedrática de Universidad.

RESUMEN

En los últimos años ha aumentado el interés por la aplicación de la responsabilidad civil en las relaciones familiares, en especial, en aquellas derivadas del matrimonio. El presente trabajo reflexiona sobre la no conveniencia de una extensión generalizada del Derecho de Daños a todo conflicto familiar y sobre la necesidad de sistematizar las diferentes hipótesis de daños entre familiares, distinguiendo en qué casos ha lugar a responsabilidad civil y en qué casos no.

PALABRAS CLAVE

Responsabilidad civil, Derecho de Familia, Daño no patrimonial

ABSTRACT

In the recent years, the interest on the application of civil liability within family relationships has grown, in particular, to those derived from marriage. This paper holds the no convenience of a generalized application of the Law of Torts to any familiy conflict and the need to systematize the different scenarios of damage among relatives, distinguishing in which cases the civil liability can be applied and which cases no.

KEY WORDS

Civil Liability, Family Law, Non-pecuniary loss.

I. INTRODUCCIÓN

Ni las normas reguladoras del Derecho de Daños ni las normas reguladoras del Derecho de Familia del Código Civil español (en adelante

CC) se ocupan de forma expresa de si es posible interponer, con carácter general, una acción de responsabilidad civil por parte de un familiar a otro por el daño causado. Solo en algunos supuestos absolutamente tasados y excepcionales se prevé una forma especial de resarcimiento. A título ejemplificativo cabe citar el artículo 97 CC, que regula la prestación compensatoria a favor del cónyuge que, tras el divorcio o la separación, sufre un desequilibrio económico respecto a su situación anterior, o el artículo 168 CC, que establece la responsabilidad de los padres por la pérdida o el deterioro, por dolo o culpa grave, de los bienes de los hijos que aquellos administran.

La ausencia de una regulación general expresa de la reparación de daños entre familiares en los Códigos Civiles Decimonónicos, restringiéndose a ciertas hipótesis limitadas, seguramente es coherente con las condiciones económicas y estructurales de la familia en la sociedad preindustrial y en los inicios del desarrollo industrial. Se trata de una sociedad preferentemente agrícola en la que la familia tiende a la autosuficiencia y se concibe como una unidad social cerrada al exterior y de tipo jerarquizada, donde el cabeza de familia ocupa la cúspide[2]. En este contexto parece lógico que las controversias se revolvieran internamente y que el recurso al juez, en caso de daños entre familiares, fuera residual. Cualquier daño al menor o a la mujer se explica por el ejercicio de la autoridad de la que goza el padre de familia, siempre que no se traspasen los límites del Código Penal[3].

Pero es evidente que en el momento actual el contexto socio-económico y jurídico ha sufrido una serie de cambios relevantes, que han conduci-

---

2   Para un análisis detallado de este modelo de familia con rasgos patriarcales es imprescindible la consulta de la monografia de DÍEZ-PICAZO, L., *Familia y Derecho*, Civitas, Madrid, 1984.

3   Extensamente RODRÍGUEZ GUITIÁN A.M., "La responsabilidad civil en las relaciones familiares", en YZQUIERDO/CUENA (dirs.), *Tratado de Derecho de la Familia*, Vol. VI, 2ª edición, Thomson Reuters Aranzadi, Cizur Menor, 2017, págs. 870 ss.

do a un nuevo modelo de familia. En particular, a raíz de la Constitución española de 1978 (en adelante CE) es claro que hoy la familia no se identifica con una estructura familiar como la antes citada. Los factores de renovación del modelo de familia aparecen ligados a la autonomía de la mujer y a su entrada en la vida laboral, que en gran número de familias conduce a la superación de la visión del marido y padre como único principal productor del capital. Tal proceso se inició respecto a la mujer casada, durante mucho tiempo identificada jurídicamente con la persona del marido, y continuó con los hijos, en una constante evolución hoy hacia el reconocimiento de la personalidad del menor. Así, se ha afirmado que, frente a la antigua visión de la familia que, en cierta medida, sacrifica la personalidad de algunos de sus miembros, surge una nueva concepción de la misma en la que el familiar, antes que ser tal, es una persona, un sujeto del ordenamiento que no sufre una restricción de sus derechos fundamentales, ni siquiera frente a los otros miembros de su familia. Parece, pues, que tal moderna concepción de la familia permite, al menos cuestionarse, si han de caer las trabas a la normal aplicación de las normas generales de la responsabilidad civil en este ámbito[4].

---

4   Sobre la cuestión consúltese ROCA TRÍAS E., *Familia y cambio social (De la "casa" a la persona)*, Cuadernos Civitas, Madrid, 1999, págs. 75-76 y "La responsabilidad en el Derecho de Familia. Venturas y desventuras de cónyuges, padres e hijos en el mundo de la responsabilidad civil", en MORENO (coord.), *Perfiles de la responsabilidad civil en el nuevo milenio*, Dykinson, Madrid, 2000, pág. 540. Como señala esta autora, en relación con el *Common Law*, sí cabe hablar de una doctrina de la inmunidad por daños entre los cónyuges, vigente hasta principios del siglo XX en Estados Unidos y hasta mediados de siglo en Inglaterra. Según HOLLISTER, G.D., "Parent-child Immunity: A Doctrine in Search of Justification", 50 *Fordham Law Review* 496 (1982), así como el principio de inmunidad entre cónyuges se ha explicado por la identidad jurídica que caracteriza la relación conyugal, la inmunidad entre padres e hijos radica en otro tipo de planteamientos, ya que el *Common Law* nunca trata al niño como mera prolongación de sus padres. El menor tiene su propia identidad jurídica, puede ser titular de derechos y deberes y actuar en juicio. La inmunidad de los padres frente a sus hijos es elaborada por los tribunales estadounidenses a finales del siglo XIX y principios del XX, sin que tenga precedentes en el *Common Law* inglés, en el cual realmente no llega a regir. Posee sus antecedentes, según el autor anteriormente citado (cit.pág. 489), en el Derecho Romano. En EEUU la regla de que el hijo menor de edad no puede interponer una acción de *tort*, tanto intencional como negligente, contra su padre

El presente trabajo no tiene más que el mero propósito de llevar a cabo
una serie de reflexiones dirigidas a llamar a una prudente aplicación del

---

o su madre, parece tener su origen en la decisión del Tribunal Supremo de Mis-
sissippi en *Hewlett v. George* [9 So. 885, 887 (Miss. 1891)]. El tribunal sostiene que
una hija menor no puede demandar por daños a su madre a pesar de que ésta
la confina de modo ilegal en un establecimiento psiquiátrico para poder llevar a
cabo una vida inmoral en Chicago. Las razones que se dan es tanto la salvaguarda
de la paz social como la armonía familiar, de manera que el menor dañado puede
encontrar protección en las leyes penales. La mayoría de los tribunales norteamericanos siguen *Hewlett v. George* [así, por ejemplo, *Roller v Soller* (37 Wash. 242, 79),
un caso de 1905 que excluye la acción civil de daños contra un padre declarado
responsable en la vía penal por haber violado a su hija] hasta *Dunlap v. Dunlap*
[150 A. 905, 912-913 (N.H. 1930)], que permite al hijo empleado demandar a
su padre empleador por los daños derivados de la relación laboral, para los que
el padre había contratado un seguro de responsabilidad. Para un clásico trabajo
en defensa de la regla mantenida en *Dunlap* véase McCURDY, W.E., "Torts Between Persons in Domestic Relation", 43 *Harvard Law Review* 1030 ss (1930). Sin
embargo, en *Levesque v. Levesque* [106 A.2d 563 (N.H. 1954)], el tribunal se aparta
de *Dunlap* cuando no admite que un menor de edad no emancipado, lesionado en
un accidente de automóvil, demande a su padre. Argumenta que la existencia de
un seguro de responsabilidad civil no ha de crear un derecho a accionar donde
no debería existir. No obstante, la doctrina de *Levesque* es de nuevo apartada doce
años más tarde en *Briere v. Briere* [224 A.2d 588, 590, 591 (N.H. 1966)]. El tribunal
analiza y critica cada una de las razones que, a su juicio, apoyan la inmunidad
entre padres e hijos. Así, en primer lugar, el peligro de disminución del patrimonio
familiar, por ejemplo, frente a los hermanos de la víctima, si se hace frente a las
posibles indemnizaciones. No existe tal peligro si el progenitor ha cubierto el riesgo de daños con un seguro. En segundo lugar, el peligro de posibles fraudes por
la complicidad de padres e hijos. No obstante, sostiene que los jueces y tribunales
tienen la experiencia suficiente para darse cuenta de cuándo se esconde realmente
un espíritu fraudulento entre familiares. Por último, el peligro de que con tales
demandas no se preserve ni la armonía doméstica ni la autoridad paterna. Pero
mantiene el tribunal que tales principios pueden perfectamente ser vulnerados
también en otro tipo de demandas entre padres e hijos que, en cambio, sí se
permiten, como las acciones contractuales entre ellos o las acciones para la tutela
del derecho de propiedad. En la actualidad puede decirse que hay un acuerdo
general en que toda forma encubierta de inmunidad parental es indefendible. En
concreto, ello es claro en los casos de accidentes de automóviles en que hay un
seguro de responsabilidad civil, en los que no existe riesgo de que se rompa la armonía familiar. También parece fuera de duda en los tribunales que la inmunidad
no juega cuando los padres son culpables de un *tort* cometido intencionalmente.
En general, respecto de los daños entre padres e hijos en EEUU, véase un estudio
muy completo en EPSTEIN, R.A., *Cases and materials on Torts*, Aspen Publishers,
New York, 2004, págs. 1200-1203 y DOBBS, D.B., *The Law of Torts*, West Group,
St. Paul, Minn., 2000, págs. 753-756.

Derecho de Daños al ámbito de la familia, pero en absoluto pretenden ser afirmaciones categóricas sino, todo lo contrario, invitar a un debate constructivo sobre un tema tan complejo y polémico.

II. PRIMERA REFLEXIÓN: INCONVENIENCIA DE LA APLICACIÓN GENERALIZADA DEL DERECHO DE DAÑOS AL ÁMBITO DE LA FAMILIA

La admisión de la responsabilidad civil en el Derecho de Familia, a mi juicio, no ha de generalizarse, es decir, no debe aplicarse de forma automática e indiscriminada a cualquier hipótesis de daños entre familiares. Expongo, a continuación, sin ánimo exhaustivo, algunas de las razones en que tal afirmación puede sustentarse.

1. No todo sufrimiento o dolor es indemnizable

A pesar de que cabe hablar de un fenómeno actual, cada vez mayor, de expansión general del ámbito de la responsabilidad civil, hay que ser muy rigurosos a la hora de admitir, en particular, la reparación de los daños morales, porque, si no, asistimos, tal y como se ha sostenido por solvente doctrina, al peligro de la degradación del concepto de daño moral[5]. La indemnización de este tipo de perjuicio requiere hechos de especial gravedad; así, históricamente consiste en una reacción especial ante acontecimientos graves, como son los ligados a lesiones de derechos de la personalidad[6]. Con esta última afirmación no pretendo en absoluto mantener, por supuesto, que el daño reparable se limite en la

---

5   Véase la monografía de DÍEZ-PICAZO L., *El escándalo del daño moral,* Thomson Civitas, 2008.

6   DÍEZ-PICAZO, L., *El escándalo del daño moral,* op.cit.pág. 88.

normativa española de responsabilidad extracontractual al derivado de la vulneración de un derecho subjetivo[7]. Pero parece claro que no todo dolor, no todo sufrimiento, aunque desde el punto de vista ético o moral parezca injusto, ha de indemnizarse.

Así, hay daños que forman parte del riesgo general de la vida y no deben imputarse objetivamente al agente del daño: una vida de relación lleva consigo disgustos y contrariedades respecto de las que el ordenamiento jurídico debe permanecer al margen[8]. En el caso concreto de los daños derivados del incumplimiento de deberes conyugales, que es la hipótesis más debatida en la actualidad, a este último argumento se añade, para reforzar su negativa a la reparación, el criterio del consentimiento del dañado y el deber de asumir los actos propios, en particular, las consecuencias de realizar una elección equivocada[9].

Muy significativa en este sentido es la sentencia del Tribunal Supremo español (en adelante TS) de 17 de julio de 2007[10]. Aborda un problema, no entre familiares, pero sí dentro del ámbito doméstico y entre personas muy cercanas ligadas por lazos de amistad. El TS exonera de responsabilidad civil extracontractual al matrimonio demandado por las lesiones causadas a una amiga, a la que invitan a cenar a su casa, derivadas de una caída en el pasillo cuando ésta tropieza con el juguete del hijo de sus anfitriones. Entiende el tribunal que el daño no es imputable objetivamente al matrimonio anfitrión en virtud del criterio del riesgo general de la vida. Han de excluirse del ámbito del artículo 1902

---

7   ANTALEÓN PRIETO, F., "Comentario al artículo 1902 Código Civil", en BERCOVITZ *et al.* (dirs), *Comentario del Código Civil*, Tomo II, Ministerio de Justicia, 1993, pág. 1972.

8   DÍEZ-PICAZO L., "Daños civiles en el matrimonio", *Otrosí*, núm. 5, Revista del Colegio de Abogados, Madrid, 2011, págs. 7 ss (www.otrosi.net).

9   Matiza FERRER RIBA J., "Relaciones familiares y límites del derecho de daños", *InDret* 04/2001, pág. 11 (www.indret.com), que tal argumento sólo podría aceptarse en las relaciones de convivencia entre personas adultas.

10   RJ 2007/4895.

CC los pequeños riesgos que la vida obliga a soportar. Como afirma el Fundamento tercero número 6º de la sentencia, en el ámbito doméstico son fácilmente imaginables acciones u omisiones culposas de los anfitriones para con sus invitados, como, por ejemplo, servir una comida en no buenas condiciones, o no haber reparado antes de la visita ciertos desperfectos que podrían ocasionar daños, pero ello no significa que *"absolutamente todas las situaciones hipotéticamente peligrosas sean merecedoras de imputación objetiva si el peligro es remoto y aquellas entran dentro de la normalidad del hogar"*.

2. Protección de la familia y de la paz familiar

Tampoco ha de aplicarse de forma indiscriminada la responsabilidad civil al ámbito familiar porque, aunque en nuestra sociedad actual, por múltiples factores (en los que ahora no puedo profundizar por razones de espacio), se aprecia una pérdida del significado social de la familia, no puede olvidarse que esta institución, en cualquiera de las nuevas formas que hoy adquiere, continúa ejerciendo importantísimas funciones sociales, sobre todo las relativas a la formación y educación de los hijos menores y al cuidado de ascendientes y dependientes, de modo que todavía hoy es la formación social caracterizada por los ligámenes y las relaciones más estables. Por tanto, la protección de las relaciones familiares y de la paz familiar es un factor esencial que ha de ponderarse por el juez en la resolución de litigios entre los integrantes de una familia, pero que también ha de tener presente el legislador.

Un primer ejemplo de medida legislativa en Reino Unido (con la excepción de Escocia) es la s. 1 (2) (a) de la *Law Reform (Husband and Wife) Act* de 1962, que refleja una aproximación prudente a la admisión de la litigación dentro de la familia, en cuanto concede al juez un poder discrecional para suspender el ejercicio de la acción de daños en ciertas circunstancias, eso sí, estando subsistente el matrimonio. Así, si la continuación del proceso no lleva consigo ningún beneficio sustancial a cualquiera de las partes[11].

A nivel judicial cabe citar dos ejemplos. El primero es el caso resuelto por la Corte Suprema de Canadá de 9 de julio de 1999 [*Dobson (litigation guardian of) v. Dobson)*][12]. La madre, *Cynthia Dobson*, estando en la vigesimoséptima semana de gestación, en medio de una tormenta de nieve, sufre un accidente de automóvil, que conduce al nacimiento de un hijo prematuro con ciertas lesiones. El hijo acaba interponiendo una acción de daños y perjuicios contra su madre, alegando que el accidente es causado por la negligencia de ésta última. La Corte Suprema revoca las sentencias de los tribunales de instancia, los cuales habían otorgado una indemnización al hijo, y alega, entre otras razones, que la responsabilidad civil implica, en este caso, una seria intromisión en la vida privada de las mujeres embarazadas, con potenciales efectos dañinos de la unidad familiar. Subraya que la relación entre la mujer embarazada y su hijo futuro es verdaderamente única y no puede existir analogía entre la acción de daños de un hijo por negligencia prenatal contra un tercero y esa misma acción contra su madre. La admisión de la responsabilidad civil podría llevar consigo serias consecuencias psicológicas tanto en la relación madre-hijo como en la familia en su conjunto, e incluso podría proyectar efectos perjudiciales sobre la sociedad canadiense. La Corte considera más adecuado calificar el deber de la madre hacia el feto o el embrión como un deber moral que, en la mayoría de los casos, se respetará sin necesidad de coerción legal.

---

11   "1. Actions in tort between husband and wife. (2) *"Where an action in tort is brought by one of the parties to a marriage against the other during the subsistence of the marriage, the court may stay the action if it appears—(a) that no substantial benefit would accrue to either party from the continuation of the proceedings"* (http://www.legislation.gov.uk/ukpga/ Eliz2/10-11/48/section/1?view=extent). Véase LOWE N./DOUGLAS G., *Bromley's Family Law*, Oxford University Press, 2015, pág. 99.

12   (1999) 2 S.C.R. 753. Véase extensamente en HOOFT, I., "Responsabilidad de los progenitores por daños prenatales causados por accidentes", *Revista de Derecho de Daños*, núm. 2, Rubinzal-Culzoni, Buenos Aires, 2001, págs. 231-236.

Otro caso, esta vez en España, es el resuelto por la sentencia de Pleno de la Sala de lo Civil del Tribunal Supremo de 13 de noviembre de 2018[13], quinto y hasta ahora último pronunciamiento del TS español en materia de responsabilidad civil por incumplimiento del deber de fidelidad conyugal y atribución indebida al marido de la paternidad del hijo. Uno de los argumentos esgrimidos para negar la reparación del daño moral solicitado por el ex marido en virtud de la responsabilidad civil extracontractual, tras la existencia de sentencia firme estimando la demanda de impugnación de la paternidad biológica interpuesta por éste respecto de uno de los tres hijos del matrimonio, son las consecuencias negativas indudables que la admisión de tal reparación podría traer consigo para el grupo familiar, aunque no detalla cuáles sean las mismas. Desde luego no parece lógico que el tribunal esté pensando, por una parte, en la preservación de la paz de esa concreta familia en el momento de la solicitud de la responsabilidad civil, en cuanto que el matrimonio ya está divorciado cuando se plantea la demanda de daños. Por otra parte, al existir ya una previa sentencia estimatoria de la demanda de impugnación de la paternidad, el descubrimiento de la verdad biológica es ya un hecho conocido por el ex marido y por el hijo con anterioridad a tal demanda de daños. Por ello, la STS 13 de noviembre de 2018 seguramente podría referirse a que la decisión por parte de los tribunales de condenar a las ex esposas a reparar el daño moral a los ex maridos, en este tipo de hipótesis de ocultación de la paternidad biológica, llevaría consigo la creación de un deber de informar por parte de la esposa sobre dicha paternidad, que conduciría a obviar los motivos concretos por los que una mujer ha querido guardar silencio sobre tal extremo, dañando con ello, no solo su derecho a la intimidad, sino también la paz familiar[14]. Es decir, seguramente el tribunal está

---

13   RJ 2018/5158.

14   En este sentido FARNÓS AMORÓS, E., "El derecho ante los casos de engaño o incertidumbre sobre la paternidad: de nuevo sobre el ideal de la «buena madre»", *Mujer, maternidad y derecho*, V Congreso sobre la Feminización del Derecho. Carmona V, Santiago de Compostela, 21-22 de septiembre 2017, García Ru-

aludiendo a las consecuencias *ex ante* que la decisión de estimar este tipo de demandas en un ordenamiento jurídico podría traer consigo para la unidad y la paz familiar.

A ello acabe añadir que la preocupación del tribunal quizás iría ligada también, como ya ocurrió en su sentencia anterior de 30 de julio de 1999, referida a la misma problemática y que es mencionada en la de 13 de noviembre de 2018, al riesgo de la multiplicación de demandas de esta clase, en la medida en que "cualquier causa de alteración de la convivencia matrimonial obligaría a indemnizar"[15]. Este mismo argumento ya se ha invocado hace tiempo por la doctrina y los tribunales norteamericanos para justificar su negativa a reparar con carácter general los daños entre familiares. Detrás de esta objeción subyacen razones como la preservación de la economía judicial y el mantenimiento de la confianza de la sociedad en el sistema. Ahora bien, es cierto que, en contra de este temor, cabe sostener que las demandas insignificantes podrían ser desterradas por el buen sentido de los propios cónyuges y de sus abogados y, además, que en los estados de USA donde se ha puesto fin al régimen de inmunidad por daños los tribunales no se han visto desbordados por demandas frívolas o banales[16].

---

bio, M.P. (dir), Tirant lo Blanch, Valencia, 2019, págs. 454-455.

15   Sobre las diversas interpretaciones que pueden darse de la decisión judicial en este extremo concreto remito al trabajo, muy completo, de NEVADO CATALÁN, V., "Imposición de paternidad al marido: ¿La relación matrimonial como fundamento para excluir la responsabilidad por daños? (A propósito de la Sentencia del Tribunal Supremo de 13 de noviembre de 2018)", *Anuario de Derecho Civil*, Fascículo III, 2019, págs. 974-976 (pendiente de publicación). Cito por la última corrección de pruebas que, muy amablemente, su autora me ha hecho llegar.

16   TOBIAS C., "Interspousal Tort Immunity in America", 23 *Georgia Law Review* 461-462 (1989). En relación con la ya citada STS 13.11.2018, se muestra crítico con el argumento dado por el tribunal DE VERDA Y BEAMONTE, J.R., "Denegación de la indemnización por daño moral derivado de la ocultación dolosa de la verdadera filiación biológica del hijo matrimonial", *Diario La Ley* N° 9318, 14 de diciembre de 2018, pág. 5. A su juicio, la ocultación dolosa de la verdadera filiación biológica no puede estimarse una circunstancia de poca relevancia.

III. SEGUNDA REFLEXIÓN: NECESIDAD DE SISTEMATIZACIÓN DE LAS DIFERENTES HIPÓTESIS DE DAÑOS ENTRE FAMILIARES PARA DEBATIR, EN CADA CASO, SU REPARACIÓN

La segunda reflexión es que, ante la inconveniencia de dar una respuesta generalizada al problema de la responsabilidad civil y las relaciones familiares, es imposible obviar la complicada tarea de sistematizar las diferentes hipótesis de daños entre familiares, distinguiendo en qué casos ha lugar a indemnización y en qué casos no, ya que las razones para su admisión o denegación pueden diferir bastante. Ante la lógica falta de espacio para llevar a cabo en este trabajo dicha sistematización, me limitaré a ilustrar esta segunda reflexión con algunos ejemplos.

1. Primer ejemplo: Acción de daños por vida insatisfactoria

No ha de estimarse, en primer lugar, la acción de daños de un hijo frente a su padre por la vida insatisfactoria que le ha ocasionado su condición extramatrimonial, que es un supuesto diferente, sin embargo, a la reclamación por los daños que resultan de aquella hipótesis consistente en la negativa a reconocer un hijo[17].

---

17   El Código Civil y Mercantil de la Nación Argentina de 2014 admite expresamente en el artículo 587 que el daño causado al hijo por la falta de reconocimiento es reparable, siempre que se reúnan los requisitos exigidos en el Código Civil para la existencia de responsabilidad civil. Se ha señalado que es en esta hipótesis donde ha habido siempre una mayor aceptación teórica y práctica de la responsabilidad civil en materia de filiación, pero que ello en absoluto implica que no puedan alegarse otros daños en otro tipo de supuestos distintos. Por ejemplo, la reclamación de daños a la madre por omitir la información acerca de la identificación del presunto padre, o por la tardanza en reclamar la indemnización al otro progenitor en nombre del hijo. A este último tipo de hipótesis se aplican las normas generales de la responsabilidad civil. En el artículo 587 del Código Civil y Mercantil no se ha buscado la confección de una redacción abierta, para evitar concretar cuáles son los daños reparables en particular, al ser también muy dinámica la materia de la filiación. Consúltese HERRERA, M., "Comentario al artículo 587 del Código Civil", *Código Civil y Comercial de la Nación comentado*, Tomo II, en HERRERA *et al* (dirs), Infojus, Buenos Aires, 2015, págs. 334-335.

Las acciones de daños por las que el hijo reclama una indemnización a sus progenitores por el hecho de haber nacido fuera del matrimonio, denominadas de *disadvantaged* o *dissatisfied life* (vida insatisfactoria) (aunque en un inicio son conocidas como *wrongful life*), comienzan a plantearse en Estados Unidos y suponen la brecha por la que se favorece las demandas de los hijos hacia sus padres. En concreto, tienen su punto de partida en el caso *Zepeda v. Zepeda*[18], resuelto en el año 1963 por un Tribunal de Apelaciones de *Illinois*, en el que un hijo fuera del matrimonio (el padre está casado, lo que ignora su madre, a quien aquel induce a mantener relaciones sexuales bajo promesa de matrimonio), solicita una indemnización a su progenitor por los perjuicios que el hecho de ser hijo extramatrimonial le ha causado; entre otros, le ha privado de su derecho a ser hijo legítimo, a gozar de un hogar normal, a contar con un padre legítimo y a heredar de éste último y de sus ascendientes. El menor reclama tanto los daños derivados de su nacimiento como el daño consistente en su propio nacimiento[19].

El tribunal desestima la demanda de daños, aunque mantiene que la acción del demandante es lícita y que se le ha causado, sin duda, un daño moral. Sustenta la negativa a indemnizar en que tal demanda abriría el riesgo de otras demandas similares (por el color, la raza, los defectos físicos...) y, aunque reconoce las desventajas que existen en aquel momento en el ordenamiento norteamericano para los hijos extramatrimoniales, considera que para paliar las mismas no debe entrar en juego la acción de daños sino la acción del legislador.

---

18   41 Ill. App. 2d 240, 190 N.E.2d 849 (1963).

19   MACÍA MORILLO, A., *La responsabilidad médica por los diagnósticos preconceptivos y prenatales (las llamadas acciones de wrongful birth y wrongful life)*, Tirant lo Blanch, Valencia, 2005, págs. 45-46, señala que estas demandas de vida insatisfactoria fueron importantes porque abrieron el camino a la consideración del hecho de la vida o del nacimiento como un daño. A partir de ellas empezó a haber demandas en las que el daño no se fundamentaba ya en una vida sana sino en la vida enferma que no fue impedida por los padres (inicio de las demandas de reclamación de responsabilidad a los padres por procreación irresponsable).

En la actualidad, como es lógico, a raíz del reconocimiento constitucional de la equiparación entre hijos matrimoniales y extramatrimoniales, tales demandas han dejado de plantearse ante los tribunales, al menos con este contenido. En mi opinión, en esta clase de hipótesis no debería jugar la institución de la responsabilidad civil: por una parte, no hay tal daño, ya que desde luego es más que discutible que exista un derecho de la persona a no nacer en circunstancias desfavorables y, por otra, aunque se llegara a admitir la existencia de un daño, se trataría de un perjuicio que ha de ser asumido por la víctima, en cuanto el nacimiento fuera del matrimonio entra dentro de los riesgos que, sin duda, la vida obliga a soportar (como el nacer pobre o rico, guapo o feo, con padres que le quieren a uno o no…).

En cualquier caso, hoy en día los hijos extramatrimoniales disponen en los sistemas jurídicos de acciones civiles específicas para reclamar ciertos daños materiales, como, por ejemplo, los alimentos que el padre no le hubiera dado, o la acción de preterición o de complemento de la legítima en caso de perjuicio de sus derechos sucesorios[20]. Pero las posibles demandas por los daños morales causados por carencia de afecto del progenitor al hijo no podrían estimarse. El hecho de querer a todos los hijos por igual quizás constituye un imperativo moral, pero no un deber jurídico en sentido estricto. Pensemos que la propia normativa sucesoria del CC español justifica que un padre tenga mayor cariño hacia alguno de sus hijos al permitir que le deje, además del tercio de legítima estricta, el tercio de mejora y el de libre disposición frente al resto de los hijos[21].

---

20   Por supuesto que habrá también responsabilidad civil en caso de que se aprecie una conducta tipificada en el Código Penal como delito. En concreto, el artículo 226 del Código Penal español prevé que "1. *El que dejare de cumplir los deberes legales de asistencia inherentes a la patria potestad, tutela, guarda o acogimiento familiar o de prestar la asistencia necesaria legalmente establecida para el sustento de sus descendientes, ascendientes o cónyuge, que se hallen necesitados, será castigado con la pena de prisión de tres a seis meses o multa de seis a 12 meses*".

21   Este tipo de demandas son polémicas en Brasil en el momento actual. El Tribu-

2. Segundo ejemplo: Daños prenatales causados de modo directo por la madre

Respecto a los daños prenatales ocasionados por malos hábitos de la madre durante el embarazo (práctica de deportes peligrosos, consumo excesivo de medicamentos, regímenes alimenticios severos…), la regla general en el Derecho Comparado europeo es que sólo los comportamientos dolosos deben dar lugar a responsabilidad civil. Por consiguiente, los comportamientos realizados de forma negligente por la madre no son indemnizables, en la medida en que en este tipo de casos se hace prevalecer la libertad y el derecho a la intimidad de aquella en cuanto tales comportamientos entren dentro del riesgo permitido[22]. Como puede deducirse, la admisión de la acción de daños se supedita a la ponderación de los diversos derechos e intereses en conflicto, tanto del hijo como del progenitor.

La opción por la no reparación del daño es acogida por el legislador penal español en la regulación del delito de lesiones prenatales, de manera que cuando el artículo 158 del Código Penal tipifica la modalidad gravemente imprudente de las lesiones al feto, excluye, sin embargo, a la embarazada como sujeto activo del delito al hacer prevalecer su derecho a la intimidad y a la autonomía y libertad. En esta misma línea se orienta también la *Congenital Disabilities (Civil Liability) Act* 1976 (*section* 1) (aplicable en Reino Unido excepto Escocia), que solo estima responsable civil a la madre de los daños prenatales, consecuencia de su ac-

---

nal Supremo de Justicia parece entender que la indemnización puede conceder-se por vulneración del deber de cuidado de los padres, pero no por vulneración del afecto. Véase DE OLIVEIRA MACÊDO, A./SILVA NAVES, J.V., "Aspectos jurisprudenciais do abandono afetivo parental e a responsabilização civil por dano moral", *Campo Jurídico*, vol. 5, n. 1, 2017, págs. 370 ss.

22   No obstante, hay doctrina que sostiene que debe prevalecer en esta hipótesis el derecho a la salud del hijo. En este sentido ATIENZA NAVARRO, M.L., "La responsabilidad civil de los padres por las enfermedades o malformaciones con que nacen sus hijos en el ámbito de la procreación natural", en DE VERDA (coord.), *Daños en el Derecho de Familia*, Thomson Aranzadi, 2006, pág. 52.

tuar negligente en accidentes de tráfico, cuando ella conduce sabiendo o debiendo saber que está embarazada. Parece que la razón radica en que en estos casos de accidentes de circulación el deber de cuidado de la madre gestante hacia la seguridad del hijo no nacido no deriva tanto del hecho de ser madre cuanto del deber general de conducir de modo diligente para evitar daños a terceros[23].

3. Tercer ejemplo: Daños causados al conviviente *more uxorio* a consecuencia de la ruptura unilateral de la convivencia

Respecto de los daños reclamados por uno de los convivientes *more uxorio* que, tras la ruptura de la convivencia por el otro miembro de la pareja, queda en una situación muy desventajosa desde el punto de vista económico (por ejemplo, abandonó su trabajo y vivienda propias en el momento del inicio de la convivencia para ayudar en su negocio al otro conviviente), no parece que la acción de responsabilidad civil constituya el cauce adecuado en el ordenamiento español para paliar este tipo de situaciones, sin duda con frecuencia injustas, ya que falta el requisito de la imputación subjetiva. De forma unánime se sostiene que el fundamento para excluir, como regla general, la aplicación de la medida de la responsabilidad civil en este tipo de demandas radica en la posibilidad de finalizar libremente la relación[24]. En los casos en que

---

23   *Section 2:* Liability of woman driving when pregnant.

"A woman driving a motor vehicle when she knows (or ought reasonably to know) herself to be pregnant is to be regarded as being under the same duty to take care for the safety of her unborn child as the law imposes on her with respect to the safety of other people; and if in consequence of her breach of that duty her child is born with disabilities which would not otherwise have been present, those disabilities are to be regarded as damage resulting from her wrongful act and actionable accordingly at the suit of the child". Consúltese en https://www.legislation.gov.uk/ukpga/1976/28/section/4. Al respecto CLERK, J.F. & LINDSELL, W.H.B., *On Torts,* 15th edition, Sweet & Maxwell, London, 1982, pág. 130 § 2-38.

24   En la doctrina española ESPADA MALLORQUÍN, S., *Los derechos sucesorios de las parejas de hecho,* Thomson Civitas, 2007, pág. 295 nota de pie de pág. 108 y

un conviviente abandonado reclama al otro, tras la ruptura de la unión, una indemnización por los daños y perjuicios causados falta el requisito de la culpabilidad exigido para la concurrencia de tal responsabilidad civil: la ruptura unilateral de la convivencia, aunque pueda discutirse la moralidad de la misma, no es un acto culpable a los efectos jurídicos[25].

Por su parte la Jurisprudencia española mantiene también, desde hace tiempo, esta ausencia de reprochabilidad[26]. Una excepción la constituye la sentencia del Tribunal Supremo de 16 diciembre 1996[27], que condena a uno de los convivientes a indemnizar al otro los daños patrimoniales, pero no los morales, en virtud de la vía de la responsabilidad civil extracontractual. En el origen de la relación hay una promesa cierta de matrimonio que luego se incumple con la ruptura de la convivencia por parte del varón. La mujer se traslada a Sevilla al domicilio de él, abandonando su hogar y sus medios económicos de vida en Madrid. Como en el ordenamiento español ni la ruptura de la convivencia ni el incumplimiento de una promesa de matrimonio constituyen una conducta reprochable, el TS se ve obligado a forzar la argumentación ligando la culpa "*a la imprevisión de ambos convivientes que debieron establecer con claridad*

GARCÍA RUBIO, M.P., *Alimentos entre cónyuges y entre convivientes de hecho*, Civitas, Madrid, 1995, pág. 210. En el Derecho Comparado véase CORNU, G., *Droit Civil, La Famille*, 9 édition, Montchrestien, Paris, 2006, págs. 92-93; D´ANGELI, F., *La famiglia di fatto*, Dott. A. Giuffré editore, Milano, 1989, págs. 458-460 y MALAURIE, P./AYNÈS, L., *Droit de la famille*, 6 éd., LGDJ, Paris, 2017, págs. 202-203.

25   En Latinoamérica, sin embargo, algunas regulaciones prevén una indemnización en caso de ruptura unilateral de la pareja de hecho. Consúltese ZANNONI, E. A., *Derecho Civil, Derecho de Familia*, Tomo 2, 3ª edición, Astrea, Buenos Aires, 1998, pág. 271. Un ejemplo es el artículo 326 del Código Civil de Perú, que señala que, en caso de finalización de la unión de hecho por decisión unilateral, el juez puede conceder, a elección del abandonado, una cantidad de dinero en concepto de indemnización o una pensión de alimentos. Sobre este precepto véase TORRES MALDONADO, M.C.: *La responsabilidad civil en el Derecho de Familia*, Gaceta Jurídica, Lima, 2016, p. 216.

26   SSTS 11 diciembre 1992 (RJ 1992/9733) y 9 abril 1979 (RJ 1979/1277).

27   RJ 1996/9020.

los derechos y deberes recíprocos, aun en el caso de la ruptura de la convivencia". No obstante, considera especialmente negligente la conducta del hombre que no repara en las consecuencias que podía suponer a la mujer el abandono de su hogar y de sus medios de vida con el consiguiente empobrecimiento que, dada su situación, se produciría con la ruptura de la relación[28].

IV. TERCERA REFLEXIÓN: APLICACIÓN SUBSIDIARIA DEL DERECHO DE DAÑOS PARA LA RESOLUCIÓN DE LOS CONFLICTOS FAMILIARES

La tercera reflexión que querría hacer se refiere a uno de los argumentos, a mi juicio de mayor peso, esgrimidos desde tesis contrarias a la extensión del Derecho de Daños al ámbito de la familia: en concreto, la inadmisibilidad de aplicar, para resolver los conflictos entre familiares, otras medidas distintas a las previstas en la normativa reguladora del Derecho de Familia, en atención a que éstas son autosuficientes y, por consiguiente, las únicas adecuadas en virtud de la especialidad del Derecho de Familia y de las características propias del matrimonio y de las relaciones paterno-filiales.

No creo que haya razones suficientes para excluir *a priori* y, en todo caso, la aplicación del Derecho de Daños al ámbito de la familia: el Código Civil es un cuerpo unitario, en el que todas sus normas se interrelacionan, aunque precisan, eso sí, de una adecuada coordinación. Tal conclusión se ve favorecida cuando el precepto básico regulador de la responsabilidad civil extracontractual, como es el caso del artículo 1902 del Código Civil español, es una norma de redacción abierta, sin una lista taxativa de supuestos indemnizables, con conceptos igualmen-

---

28   Véase el comentario crítico a la misma de GARCÍA RUBIO, M.P., *CCJC*, núm. 43, 1997, págs. 401 ss.

te abiertos, que admitiría en principio la inclusión de los daños entre familiares dentro de su tenor literal (*"El que por acción u omisión causa daño a otro, interviniendo culpa o negligencia, está obligado a reparar el daño causado")*[29]. Ahora bien, el problema no es tan sencillo. El método viene impuesto por el objeto y las características propias, sin duda especiales, del matrimonio y de las relaciones paterno-filiales aconsejan una aplicación prudente del Derecho de Daños en este ámbito. Por ello, la extensión de las reglas de la responsabilidad extracontractual al Derecho de Familia ha de estar presidida por la idea de que aquellas normas poseen un carácter subsidiario[30], de modo que su aplicación aparece supeditada, a mi

---

29   En Italia, hasta la sentencia de la Corte de Casación de 10 de mayo de 2005 n. 9801, se sostiene, tanto por la doctrina como por la jurisprudencia, la negativa a indemnizar los daños familiares, en concreto, los originados por la lesión de deberes conyugales, que es el caso más polémico, debido al argumento fundamental de la especialidad de la normativa del Derecho de Familia, que buscaba evitar la acumulación de remedios. A partir de la citada sentencia se mantiene, no obstante, la aplicación de la norma básica de la responsabilidad civil extracontractual (artículo 2043 del Código Civil), siempre que concurran dos requisitos: es necesario que el comportamiento del agente del daño sea doloso y que la violación del deber conyugal lleve consigo la lesión de intereses de la persona constitucionalmente protegidos. Véase FERRANDO, G., *Diritto di famiglia*, 3ª ed, Zanichelli Editore, Bolonia, 2017, pág. 85. Las causas que han llevado a tal cambio de orientación son, por un lado, la evolución del concepto de familia hacia un grupo de individuos iguales y la tendencia expansionista de la responsabilidad civil. A ello ha de añadirse una interpretación jurisprudencial amplia y constitucionalizada del artículo 2059 del Código Civil, dirigida a una tutela resarcitoria del daño no patrimonial concebido en un sentido amplio, comprensivo de todos los supuestos lesivos del valor de la persona. Sobre estas causas consúltese MAZZILLI, E., *La responsabilidad civil entre cónyuges y la tutela de sus derechos fundamentales. El contra ius constitucional y el daño moral*, Thomson Reuters Aranzadi, Cizur Menor, 2017, págs. 229 ss, 233-234 y 242. En idéntica dirección, en Francia, la vulneración del deber de fidelidad es sancionada en virtud de la responsabilidad extracontractual ex artículo 1382 del Código Civil. Consúltese MALAURIE, P./AYNÈS, L., *Droit de la Famille*, cit.pág. 691. Apunta MAZZILLI, E., *La responsabilidad civil entre cónyuges y la tutela de sus derechos fundamentales*, cit.pág. 260, que no hay, sin embargo, en este último ordenamiento un criterio de individualización de los daños que permita evitar el peligro de multiplicidad de demandas por razones banales o infundadas.

30   Subrayan, con base en el Marco Común de Referencia (DCFR), el carácter subsidiario del Derecho de Daños respecto de las normas especiales incluidas en

juicio, a una doble condición: primero, a que los remedios previstos en el Derecho de Familia que son, desde luego, los primeros a los que ha de acudirse, no otorguen, para el supuesto concreto en atención a sus específicas circunstancias, una satisfacción adecuada al interés del familiar dañado y, segundo, a que la aplicación de la normativa del Derecho de Daños no contradiga los principios y los objetivos concretos perseguidos por el Derecho de Familia cuando regula una determinada institución.

1. Condiciones para la aplicación del Derecho de Daños.

1.1. Tutela insuficiente del interés del familiar dañado a la luz del caso concreto.

En relación con la primera condición, aunque desde luego en abstracto y como punto de partida debe estimarse que las medidas adoptadas en la normativa reguladora de la familia son, en principio, las óptimas e idóneas para resolver un conflicto entre familiares en cuanto fruto de una decisión de política legislativa reflexiva, las circunstancias de cada conflicto concreto a veces desvelan que tales medidas, una vez aplicadas, no otorgan una satisfacción adecuada al interés del familiar dañado.

La STS de 30 junio de 2009 proporciona, a mi juicio, un buen ejemplo del significado de esta primera condición. Se trata de una sentencia relevante en cuanto es la primera del Tribunal Supremo español que condena a la madre a indemnizar al padre el daño moral que éste padece por la privación de la relación personal con el hijo[31]. Los hechos

---

cada rama del Derecho Privado MARTÍN CASALS M./RIBOT IGUALADA J., "Damages in family matters in Spain: Exploring uncharted new land or backsliding?", *The International Survey of Family Law*, Family Law, Jordan Publishing Limited, 2010, pág. 351.

31   Véase un comentario a la sentencia en RODRÍGUEZ GUITIÁN, A.M., "Indemnización del daño moral al progenitor por la privación de la relación personal con el hijo", *Anuario de Derecho Civil*, fascículo IV, 2009, págs. 1825 ss.

son los siguientes: El 23 de agosto de 1991 la madre se marcha con el menor a EEUU cuando éste tiene 9 años de edad, no regresando ya a España. De inmediato el progenitor no biológico, que había sido pareja de hecho de la madre y había reconocido al hijo de ésta como propio, Don Paulino, denuncia el hecho ante la vía penal, pero termina el procedimiento por auto de archivo el 3 de octubre de 1991. Posteriormente, un auto del Juzgado de Primera Instancia de 13 de octubre de 1992 acuerda, a solicitud del padre, dentro del procedimiento de medidas cautelares contra la madre, la atribución al padre de la guarda y custodia sobre el menor, hasta ese momento otorgada a la madre. Dicho auto es confirmado por la sentencia del propio Juzgado de 28 de junio de 1993. Apelada esta última sentencia por la madre, el contenido de la misma es igualmente confirmado por la sentencia de la Audiencia Provincial de 13 de enero de 1995. Es decir, aquí se solicita por el perjudicado y, se acuerda por los tribunales, la modificación del régimen de guarda, que es una de las medidas previstas desde el Derecho de Familia ante los incumplimientos reiterados del régimen de visitas, bien sea por parte del progenitor guardador como del no guardador[32].

Sin embargo, tal medida, que es lógico solicitar y conceder, en primer lugar, debido al carácter principal del Derecho de Familia para la resolución de los conflictos familiares, se ve abocada al fracaso en cuanto que Don Paulino trata de ejecutar la sentencia en Estados Unidos y no lo consigue debido a su situación económica. Es decir, tal medida no se manifiesta como idónea para satisfacer, a la luz de las circunstancias del supuesto, el interés concreto del padre. Ha de caerse en la cuenta, además, de que esta misma medida de la modificación de la guarda en favor del progenitor no conviviente puede ser, incluso, perjudicial para el menor en algún caso, debiendo aplicarse con cautela. Es difícil afir-

---

32   Consúltese el artículo 776.3ª de la Ley de Enjuiciamiento Civil. Igualmente, el artículo 158. 6ª CC prevé la posibilidad de que el juez adopte las medidas que considere oportunas a fin de apartar al menor de un peligro o de evitarle perjuicios en su entorno familiar.

mar, por ejemplo, que se corresponde con el interés superior del menor, principio que hoy vertebra el Derecho de Familia, la atribución de la custodia del menor a un progenitor no conviviente con el que quizás éste no ha tenido relación en varios años, sobre todo si el menor, como es de suponer, está ya integrado en un determinado entorno familiar y social. El uso de estas medidas ha de ser, pues, prudente porque pueden implicar un daño para el hijo[33].

Tras el fracaso de la medida consistente en la modificación del régimen de la custodia y tras la formulación, también sin éxito, de varias reclamaciones por parte del padre ante varias instituciones y organismos administrativos, Don Paulino ejercita la acción de responsabilidad extracontractual ex artículo 1902 CC solicitando que se condene a los demandados (Doña Remedios, el Centro de Mejoramiento Personal A.C. y la Asociación Civil Dianética, pertenecientes a la Iglesia de la Cienciología), a pagar solidariamente la indemnización de 35 millones de las antiguas pesetas (equivalentes a 210.354, 24 euros) por el daño moral causado al demandante al ser captada Doña Remedios por los citados centro y asociación, y ser privado en contra de su voluntad de su hijo desde el 23 de agosto de 1991, sin que en ningún momento la madre y el hijo hayan regresado de Estados Unidos. La sentencia del Juzgado de Primera Instancia de 2 de abril de 2003 desestima la demanda y acoge la excepción de prescripción formulada por los demandados. Don Paulino presenta recurso de apelación contra dicha sentencia, que es confirmada por la de la Audiencia Provincial de Madrid de 27 de octubre de 2004. El padre interpone recurso de casación y el TS declara haber

---

33   En este sentido MARÍN GARCÍA DE LEONARDO, M.T., "Aplicación del derecho de daños al incumplimiento del régimen de visitas", *Daños en el Derecho de Familia*, De Verda (coord.), Thomson Aranzadi, Navarra, 2006, pág. 192 y 193, y en la doctrina argentina KEMELMAJER DE CARLUCCI, A., "Daños y perjuicios causados al progenitor por la obstaculización del derecho a tener una adecuada comunicación con un hijo. Una interesante sentencia italiana", *Revista de Derecho de Daños,* nº2, Rubinzal-Culzoni, Buenos Aires, 2001, págs. 307-308.

lugar al mismo, y condena a Doña Remedios a indemnizar el daño moral a Don Paulino con la cantidad de 60.000 euros, pero absuelve a los codemandados Centro de Mejoramiento Personal A.C. y Asociación civil Dianética.

El TS resuelve, primero, el problema de la prescripción de la acción de daños, entendiendo, a diferencia de lo mantenido por las sentencias de instancia, que no ha prescrito la acción. Sostiene que el daño experimentado por el padre es de naturaleza continuada, en la medida en que la privación de la relación con el hijo ha ido manteniéndose durante la minoría de edad de éste. Puede fijarse la determinación del *dies a quo* para el ejercicio de la acción una vez que el progenitor conoce de modo cierto el alcance exacto de los daños, de modo que el daño únicamente se consolida cuando el padre conoce ya de forma definitiva que se le ha privado de comunicarse con el menor y de ejercer la guarda y custodia (momento de la mayoría de edad del hijo).

Una vez superado el obstáculo de la prescripción de la acción de daños, el TS entiende que se dan los presupuestos para que surja la responsabilidad civil de la madre: primero, una acción u omisión culpable. La sentencia mantiene que la madre realiza un acto contrario a derecho porque, por una parte, impide que el hijo menor se relacione con el padre vulnerando el artículo 160.1 CC[34] y, por otra parte, porque se opone a la ejecución de la sentencia que otorga la guarda y custodia al padre, considerando como hecho probado que conocía el contenido de aquella porque había presentado en su momento los oportunos recursos contra la sentencia. También aprecia, en segundo lugar, la existencia de daño, que el tribunal califica como moral, consistente en la imposibilidad del progenitor de tener relaciones con el hijo por impedirlo quien convive de hecho con el menor. Por último, hay imputación objetiva respecto a

---

34   *"Los hijos menores tienen derecho a relacionarse con sus progenitores, aunque éstos no ejerzan la patria potestad* (…)".

la madre; el origen del daño sólo cabe atribuirlo a ésta en cuanto es la persona que ostenta la obligación legal de colaborar para que el padre pueda ejercer sus facultades en cuanto titular de la patria potestad y de la guarda y custodia del menor.

Por consiguiente, volviendo al hilo argumental del razonamiento, la medida prevista desde el Derecho de Familia, esto es, la modificación del régimen de guarda, para este caso particular y en virtud de sus específicas circunstancias, no reviste utilidad para la satisfacción del interés del familiar. Cabe hacer tres reflexiones en cuanto a la admisión de la medida concreta de la acción de daños: La primera es que la aplicación del Derecho de Daños debe, además, supeditarse a una condición ulterior (vid *infra*) que aquí se cumple, referida a que la condena a la madre a indemnizar el daño moral al padre no conculca ningún principio ni objetivo perseguido por la normativa reguladora del Derecho de Familia. La segunda observación es que, seguramente, el TS ha decidido acceder a la indemnización del daño ante el fracaso de todos los remedios anteriores planteados por el padre para poner fin a su situación. Si hubieran tenido éxito quizás la respuesta a la demanda de daños hubiera sido diferente. La tercera reflexión es que, en cualquier caso, la STS 30 de junio de 2009 únicamente se refiere a un supuesto muy concreto de daños en el ámbito de la familia, esto es, los ocasionados por un progenitor que impide al otro la relación personal con el hijo, de modo que, debido a las características singulares de esta hipótesis, no cabe deducir de esta sentencia la aplicación indiscriminada de la responsabilidad civil a todas y cada una de las hipótesis de daños entre familiares[35]. Es más,

---

35   En este sentido MARTÍN CASALS, M. y RIBOT IGUALADA, J., "Damages in family matters in Spain: Exploring uncharted new land or backsliding?", cit. págs. 348-349, expresan su temor de que la STS 30 junio 2009 sea interpretada, a su juicio de modo erróneo, como un cambio de rumbo en la posición del TS respecto a su tesis de 1999 denegatoria de la responsabilidad civil por incumplimiento del deber de fidelidad y atribución indebida de paternidad, de modo que se convierta tal decisión de 2009 en un instrumento que sirva para confirmar la doctrina que postula la indiscriminada aplicación de la normativa de

la sentencia no realiza ninguna apreciación de carácter general sobre el problema de la extensión del Derecho de Daños al ámbito familiar.

1.2. No contradicción de la finalidad perseguida por el legislador en la regulación de una determinada institución familiar.

En relación con esta segunda condición, donde se han planteado y se plantean grandes objeciones al juego de la responsabilidad civil en el ámbito de la familia es en las hipótesis de los incumplimientos de deberes conyugales, sobre todo en ordenamientos como el español, o recientemente el argentino, en los que el legislador ha descausalizado la ruptura matrimonial.

La relevante STS de 30 de julio de 1999[36] apoya su negativa a indemnizar el daño moral al ex marido, que ha creído de forma errónea en la paternidad de su hijo, habido constante matrimonio, en el argumento principal de que la única consecuencia jurídica ante el incumplimiento de los deberes conyugales es servir como causa de separación judicial o de divorcio. Es decir, viene a afirmar que los remedios previstos en el Derecho de Familia para resolver este tipo de conflictos entre cónyuges poseen carácter exclusivo y excluyente. Desde luego hoy esta afirmación ha quedado vacía de sentido, ya que tras la Ley 15/2005 de 8 de julio, que modifica el Código Civil y la Ley de Enjuiciamiento Civil en materia de separación y divorcio, cabe que cualquiera de los cónyuges solicite la separación o el divorcio sin necesidad de alegar ninguna causa determinada para ello; basta con su mera voluntad. Por ello, en la actualidad, no puede decirse que la separación o el divorcio sean ya

---

la responsabilidad civil a los conflictos familiares, ignorándose las particulares circunstancias de cada caso. Sobre las razones por las que no debe aplicarse de forma automática la responsabilidad civil a cualquier hipótesis de daños entre familiares consúltese RODRÍGUEZ GUITIÁN, A.M.: "Luces y sombras de la aplicación del Derecho de Daños al ámbito de la familia", *LA LEY Derecho de Familia*, n° 8, octubre-diciembre 2015, págs. 9 ss.

36   RJ 1999/5726.

consecuencia jurídica del incumplimiento de los deberes matrimoniales y ello ha traído el inevitable debate sobre la merma de la transcendencia jurídica de los deberes conyugales. Entonces, ¿ello significa que queda abierta la vía de la responsabilidad civil ante el silencio actual de la normativa de Derecho de Familia sobre los remedios (al menos sobre el remedio principal) ante el incumplimiento de los deberes conyugales?[37]

Desde un sector doctrinal[38] se ha mantenido que la eliminación del principal efecto jurídico del incumplimiento de los deberes conyugales quizás tenga como consecuencia que los tribunales otorguen, a partir de la reforma de 2005, como remedio, una indemnización de daños y perjuicios ante dicho incumplimiento (siempre que quede acreditada, claro, la existencia de un daño y se den los demás requisitos para que surja la responsabilidad civil) y que, incluso, la responsabilidad civil permitirá reafirmar en la actualidad el valor jurídico de los deberes conyugales. Frente a ello, otro sector doctrinal estima que, además de que los deberes matrimoniales han quedado reducidos a meros deberes morales, la aplicación de la responsabilidad civil en el incumplimiento de los deberes conyugales contraría la finalidad o los objetivos concretos perseguidos por el Derecho de Familia[39]. Esto es, la admisión de la

---

37   Es cierto que quedan vigentes remedios residuales, como servir de causa de desheredación (art. 855.1ª CC) o servir como causa de cesación de la obligación de alimentos (art. 152.4 CC).

38   Por todos, ATIENZA NAVARRO, M.L., "La incidencia de las reformas de 2005 en materia de efectos personales en el matrimonio", en DE VERDA (coord.), *Comentarios a las reformas del Derecho de Familia de 2005*, Thomson Aranzadi, 2006, págs. 160-161.

39   Argumento al que ha de añadirse de forma previa, según entienden MARTÍN CASALS M./RIBOT IGUALADA J., "Damages in family matters in Spain: Exploring uncharted new land or backsliding?", *The International Survey of Family Law*, Family Law, Jordan Publishing Limited, 2010, pág. 351, que donde las normas de Derecho de Familia no contemplen una regulación específica para los conflictos familiares no puede hablarse de un hueco que deba llenarse con las normas de la responsabilidad civil. El silencio de la normativa respecto a una posible indemnización como remedio a los daños entre familiares constituye una opción de política legislativa, correspondiente con los principios en los que

responsabilidad civil en este tipo de hipótesis podría constituir una medida en contra del espíritu del legislador, que ha querido descausalizar definitivamente la ruptura matrimonial, de modo que la condena a pagar una indemnización supondría sancionar, por una vía alternativa, al cónyuge incumplidor del deber conyugal, con la consecuencia negativa de aumentar la conflictividad en las crisis matrimoniales[40].

Sin duda, se trata éste último de un argumento de mucho peso, al que quizás se podría responder afirmando que se está ante pretensiones de naturaleza diferente, que obedecen, por tanto, a finalidades distintas. La regulación actual del divorcio o de la separación persigue que una persona pueda ejercitar su derecho a no seguir casado con otra, con independencia de cuál haya sido su comportamiento dentro del matrimonio (y el de su cónyuge). La causa concreta por la que adopta dicha decisión de desligarse del vínculo conyugal, sustentada en el ejercicio del libre desarrollo de la personalidad, es irrelevante para el ordenamiento jurídico en aras de solicitar el divorcio o la separación, pero puede no serlo a otros efectos distintos (por ejemplo, servir como causa de desheredación o causa de cesación de la obligación de alimentos). La indemnización solicitada por el cónyuge perseguiría, no la sanción del cónyuge incumplidor, sino la reparación del daño sufrido por el primero. No obstante, como ya he apuntado al inicio de este trabajo, no todo

---

dicha normativa reguladora de la familia se basa.

40   Sostienen tal tesis LÓPEZ DE LA CRUZ, L., "El resarcimiento del daño moral ocasionado por el incumplimiento de los deberes conyugales", *In Dret* 4/2010, págs. 15 ss (www.indret.com) y MARTÍN CASALS M./RIBOT IGUALADA J., "Daños en el Derecho de Familia", *Anuario de Derecho Civil*, fascículo II, 2011, págs. 530, 540-545 y 561. En el Derecho argentino, en esta misma línea, HERRERA M.,"El lugar de la justicia en la ruptura matrimonial según la legislación que se avecina. Bases para leer el régimen de divorcio incausado", en GRAHAM/HERRERA (dirs.), *Derecho de las Familias, Infancia y Adolescencia. Una mirada crítica y contemporánea*, Infojus, Buenos Aires, 2014, págs. 287, 290 y 295-301. Muy significativo, en este sentido, es el artículo 431 del Código Civil y Comercial de Argentina de 2014, en cuanto califica ya el deber de fidelidad como "moral".

daño debe ser objeto de reparación, en especial, cuando forma parte del riesgo general de la vida, como seguramente es el caso del incumplimiento de deberes conyugales.

El TS español se ha decantado por la tesis contraria al juego de la responsabilidad civil en este ámbito. Así, los cinco casos que ha dictado en esta materia concreta hasta el momento (dos en 1999, el tercero en 2010, el cuarto en 2012 y el quinto en 2018) han denegado la indemnización de los daños morales al ex marido, tratándose todos ellos de casos en los que la infidelidad iba acompañada de una atribución indebida de la paternidad biológica del hijo. Las sentencias de 14 de julio de 2010 y de 18 de junio 2012[41] se limitan a desestimar la acción de daños por prescripción de la misma, sin entrar en el fondo del asunto, pero las dos de 1999 y la de 2018 alegan razones sustantivas para apoyar tal negativa. La STS de 22 de julio de 1999[42] deniega la responsabilidad civil extracontractual de la esposa en cuanto señala que ésta no ha incurrido en una conducta dolosa, ya que quien impugna la paternidad del marido es el propio hijo[43]. Esta decisión se ha interpretado posteriormente por la mayoría de las sentencias de las Audiencias Provinciales en el sentido de que la responsabilidad civil entre cónyuges requiere necesariamente dolo y no culpa.

---

41   RJ 2010/5152 y RJ 2012/6849, respectivamente. La primera comentada por RODRÍGUEZ GUITIÁN, A.M., "De nuevo sobre la reparación de los daños en el matrimonio (A propósito de la STS de 14 de julio de 2010)", *La Ley*, núm. 7582, 4 de marzo de 2011, págs. 7 ss.

42   RJ 1999/5721.

43   Señala BARCELÓ DOMÉNECH, J., "La responsabilidad por dolo en las relaciones familiares", *Actualidad Jurídica Iberoamericana*, IDIBE, número 4 *ter*, julio 2016, págs. 294 y 296-298, que detrás de la exigencia de que debe requerirse dolo (e incluso culpa grave) para apreciar responsabilidad civil en el ámbito familiar subyace la idea de que supone un cambio muy brusco pasar de un régimen de inmunidad a la responsabilidad por un comportamiento conyugal meramente negligente, junto a la afirmación de que criterios más rigurosos suponen un freno a la proliferación de demandas entre familiares.

Por su parte, las ya citadas SSTS de 30 de julio de 1999 y de 13 de noviembre de 2018 (que se apoya, en buena medida, en la primera) parecen sustentar su negativa, esencialmente, en los argumentos de la aplicación exclusiva y excluyente de los remedios del Derecho de Familia (que son la solicitud del divorcio o de la separación), del carácter moral y no jurídico de los deberes conyugales, del peligro de ruptura de la paz familiar y de la aparición de pleitos futuros similares. Pero no cabe afirmar que estas dos últimas sentencias hayan sentado jurisprudencia en el sentido del artículo 1.6 CC, en la medida en que en la primera el ex marido demandante plantea la demanda en virtud de la responsabilidad contractual (artículo 1101 CC), alegando, por tanto, que el daño deriva del incumplimiento del deber legal de fidelidad y, en cambio, en la segunda en virtud de la responsabilidad extracontractual (artículo 1902 CC), aduciendo el daño por atribución indebida de la paternidad. Por consiguiente, la negativa del Tribunal en cada caso se basa en un fundamento distinto, aunque los hechos de ambas sean, desde luego, similares[44].

Estos dos pronunciamientos del TS no profundizan en su argumentación en la diferenciación entre el daño derivado del engaño sobre la paternidad biológica y el daño causado por el incumplimiento del deber de fidelidad conyugal, y muy probablemente sea interesante plantearse si se trata de daños autónomos que debieran recibir, por ello, un tratamiento distinto. Entre otras razones porque, a partir de 2004, se dictan ya sentencias de Audiencias Provinciales que reconocen la indemnización de los daños morales al ex marido, algunas no sólo frente al cónyuge sino también frente al progenitor biológico[45], que puntualizan que tal indemnización se concede, no por el incumplimiento de deber de fidelidad conyugal, sino por el engaño u ocultación sobre la paternidad

---

44   Sobre ello NEVADO CATALÁN, V.: "Imposición de paternidad al marido", cit.pág. 967.

45   Consúltese RODRÍGUEZ GUITIÁN, A.M., "La responsabilidad civil en las relaciones familiares", op.cit.págs. 853-858.

biológica. Frente a estas decisiones de las Audiencias Provinciales, no parece entender, sin embargo, la última de las sentencias dictadas por el TS, la de 13 de noviembre de 2018, que se esté ante daños autónomos. Este pronunciamiento considera aplicable el artículo 1902 CC exclusivamente a los comportamientos constitutivos de delito y a los lesivos de derechos fundamentales. Pero excluye aquellos daños que tienen su origen en el incumplimiento de los deberes del matrimonio (fundamento 4º), de modo que tales daños tienen, como respuesta jurídica en la normativa reguladora del matrimonio, únicamente las medidas de la separación o el divorcio, pero dicha normativa no prevé en ningún caso la reparación del daño moral causado a uno de los cónyuges por la infidelidad y por la ocultación de la condición extramatrimonial del hijo. Es decir, al mantener que no son daños autónomos, el tribunal argumenta la denegación de la reclamación de daños por atribución indebida de paternidad como si se tratara de una demanda por infidelidad[46].

Es cierto que en las hipótesis en las que el daño proviene de la infidelidad entre esposos y el demandante es el marido o ex marido es más complicado vislumbrar la independencia entre ambos tipos de daños, pero quizás en otras hipótesis no lo es tanto. El carácter autónomo del daño derivado de un engaño sobre la paternidad resulta más claro, pues, en casos en que la infidelidad no es presupuesto necesario para que ten-

---

46   MARTÍN CASALS M./RIBOT IGUALADA J., "Daños en Derecho de Familia", op.cit.pág. 558, califican la separación entre ambos tipos de daños como una incoherencia interna, en la medida en que la solicitud de pretensión de indemnización por engaño sobre la paternidad sólo puede fundamentarse en la infidelidad. En idéntico sentido LÓPEZ DE LA CRUZ, L., "Responsabilidad por los daños ocasionados en el ámbito familiar a consecuencia de la ocultación de la paternidad", *Revista de Derecho Patrimonial*, número 48, Thomson Aranzadi, 2019, pág 8 (consulta de la edición electrónica) (http://proview.thomsonreuters.com), que señala que, si se reparan este tipo de daños por atribución indebida de la paternidad, se estaría castigando a la esposa por un comportamiento que, a su juicio, no posee carácter ilícito y que se halla directamente en relación con la infidelidad.

ga lugar tal atribución indebida de la paternidad[47]. Así, por ejemplo, se trata de un daño posible en parejas de hecho. El compañero de la madre podría ser indemnizado por engaño acerca de su paternidad en la medida en que se vulnera uno de sus derechos fundamentales, como puede ser la lesión de su integridad física o psíquica[48]. Entre parejas de hecho desde luego no cabe hablar de incumplimiento del deber jurídico de fidelidad; tampoco en caso de atribución por la mujer a una nueva pareja de un embarazo fruto de una relación anterior. En segundo lugar, es posible sostener, aunque sea solo como posibilidad teórica, la demanda de daños del propio hijo frente a la madre que le ha ocultado durante tiempo la verdad sobre la identidad de su padre biológico. Tal comportamiento puede ser susceptible de lesionar tanto su derecho a la integridad física o moral como el derecho de toda persona a conocer sus orígenes[49]. De nuevo se plantearía aquí un problema de ponderación de derechos fundamentales entre el derecho a la intimidad personal de la madre, que conduciría a sostener su derecho a no revelar el nombre

---

47   En este sentido NEVADO CATALÁN, V., "Responsabilidad civil derivada de la indebida atribución de paternidad", *InDret* 4/2018, págs. 12 y 13.

48   FARNÓS AMORÓS E., "Remedios jurídicos ante la falsa atribución de paternidad", *Derecho Privado y Constitución*, núm, 25, 2011, pág. 36.

49   Consúltese RODRÍGUEZ GUITIÁN A.M., "Tipología de los daños en el ámbito de las relaciones paterno-filiales", Tratado de Derecho de la Familia, YZ-QUIERDO/CUENA (dirs), Volumen 6º, 2ª edición, Thomson Reuters Aranzadi, 2017, pág. 957. El derecho de toda persona a conocer su origen biológico o genético se encuentra ínsito en el artículo 39.2 CE cuando establece que la ley posibilitará la investigación de la paternidad. Además, el Tribunal Europeo de Derechos Humanos ha reconocido en varias sentencias que tal derecho se engloba en el derecho a la vida privada consagrado en el artículo 8 del Convenio para la Protección de los Derechos Humanos y de las Libertades Fundamentales de 1950 [a título ejemplificativo, en Backlund v. Finlandia, 4ª, de 6 de julio de 2010 (TEDH 2010/81)]. Explica FARNÓS AMORÓS, E., "La regulación de la reproducción asistida: problemas, propuestas y retos", en COHEN/FARNÓS (ed), Derecho y Tecnologías Reproductivas, Fundación Coloquio Jurídico Europeo, 2014, págs. 106-108, la función tan relevante que ha tenido el TEDH en la configuración del derecho a conocer los orígenes como un derecho fundamental para el desarrollo de la identidad; derecho que no ha de tender, de modo necesario, al reconocimiento del vínculo jurídico con el progenitor.

del verdadero progenitor, y el derecho del hijo a conocer su filiación biológica.

Pero qué duda cabe también de que la admisión de la reparación de daños morales en las hipótesis de atribución indebida de paternidad llevada a cabo por buena parte de las Audiencias Provinciales abre muchas dudas e interrogantes, en ocasiones difíciles de responder y que aquí, por razones lógicas de espacio, me limito a apuntar[50]:

---

50   Remito a mi estudio amplio de estas cuestiones en RODRÍGUEZ GUITIÁN, A.M., "La responsabilidad civil en las relaciones familiares", op.cit.págs. 842 ss. Debido precisamente a la complejidad de las acciones de daños morales y como reemplazo a las mismas, se ha afirmado por *Farnós Amorós* que sería más adecuado admitir solo el reembolso al ex marido de las cantidades pagadas en concepto de alimentos. Propone que la acción para reclamar tal reembolso, en particular al padre biológico, debería retrotraerse al nacimiento del menor si se acreditan los pagos llevados a cabo desde tal momento. Podría aplicarse para facilitar la determinación de la cuantía de los alimentos un sistema de tablas graduables de acuerdo con la edad del hijo. El plazo de prescripción de la acción de reembolso empezaría a contar, como regla general, desde la sentencia firme que declara la impugnación de la paternidad. Sobre tal propuesta consúltese el trabajo de la anterior autora en "Impugnaciones inesperadas, determinaciones tardías y abono de alimentos", *Retos actuales de la filiación*, Asociación de Profesores de Derecho Civil, Tecnos, 2018, págs. 280 y 284-285. Pero el TS español ha denegado el reembolso al ex marido de las cantidades en concepto de alimentos, pagadas antes de la sentencia firme estimatoria de la impugnación de la filiación, tanto en virtud de la acción del cobro de lo indebido ex artículo 1895 CC, como en virtud de la acción de responsabilidad civil extracontractual ex artículo 1902 CC, en sus decisiones de Pleno de la Sala de lo Civil de 24.4.2015 (RJ 2015/1915) y en la ya citada de 13.11.2018, respectivamente. De este modo el TS se adhiere a la línea denegatoria del reembolso de alimentos, tradicionalmente sostenida por los tribunales españoles, que se fundamenta, por una parte, en la producción de efectos de la filiación, en beneficio del menor, durante el tiempo que está determinada (arts. 110, 112.1° y 113.2° CC) y, por otra parte, en la configuración legal del derecho-deber de alimentos, ligado a la satisfacción de las necesidades básicas (art. 148.1 CC). Lo que en cualquier caso parece cierto es que tal negativa va a incrementar el peso en las demandas de responsabilidad civil por daños morales. MARTÍN CASALS, M./RIBOT IGUALADA, J.: "Exclusión de la responsabilidad civil en la ocultación por la madre de las dudas sobre la paternidad biológica de un hijo. Comentario a la STS de 13 de noviembre de 2018 (RJ 2018, 5158)", *Cuadernos Civitas de Jurisprudencia Civil*, núm. 110, 2019, p. 4 (consultado en versión on line) (http://proview.

No es discutida por parte de la mayoría de las decisiones de las Audiencias Provinciales la existencia de responsabilidad civil en caso de dolo, esto es, en los supuestos de conocimiento cierto por la esposa de la falsa paternidad del marido. Pero cabe plantearse la conveniencia de que dicha responsabilidad se restrinja de modo exclusivo a las hipótesis de concurrencia de engaño activo flagrante por parte de la esposa (por ejemplo, ante las dudas del marido, interrogándola directamente acerca de la paternidad, ella miente), o bien se extienda también a los casos de mera ocultación de hecho de la paternidad (pasan los años y la esposa guarda silencio)[51]. La admisión de la responsabilidad civil por las Audiencias en estos supuestos presupone la existencia de un deber por parte de la esposa de dar a conocer al otro cónyuge su infidelidad al tener que revelar la verdad sobre la paternidad biológica. El reconocimiento de tal deber no deja de ser muy polémico en cuanto llevaría consigo, tal y como se ha apuntado, una intromisión desproporcionada en el derecho a la intimidad personal y una ignorancia de las razones concretas por las que la esposa ha silenciado la verdad, vinculadas en muchos casos a la protección de los propios hijos[52].

---

thomsonreuters.com) se plantean la posibilidad de éxito de la interposición de una acción de enriquecimiento injusto contra el padre biológico para obtener los alimentos abonados por el padre putativo, pero concluyen que tal acción en el ordenamiento español se encuentra con problemas insalvables. Primero, porque con frecuencia el demandante no conocerá la identidad del padre biológico, ya que la madre podrá alegar su derecho a la intimidad para no revelarlo. En segundo lugar, porque para poder reclamar alimentos al padre biológico es preciso que éste tenga ya la condición de padre legal, y en el código civil español el padre putativo carece de legitimación activa para reclamar la paternidad biológica.

51   En el *Common Law* no se reparan los daños al marido que descubre que los hijos que él creía suyos no lo son cuando la mujer simplemente ha silenciado el hecho durante un tiempo. Por el contrario, sí se han indemnizado, o se han llevado al jurado, los daños del marido cuya esposa, durante el procedimiento de divorcio, revela que él no es el verdadero padre de su hijo único en cuanto se considera un caso particularmente ultrajante. Consúltese DOBBS D.B., *The Law of Torts,* West Group, St. Paul, Minnesota, 2000, pág. 758.

52   En este sentido FARNÓS AMORÓS E., "Daño moral en las relaciones familiares", en GÓMEZ POMAR/MARÍN (dirs), *El daño moral y su cuantificación,* 2ª

Mayor interrogante suscita aún la cuestión de si la esposa ha de responder por culpa grave. La mujer que duda acerca de la paternidad biológica del hijo, ¿ha de tomar las medidas que están dentro de lo razonable para aclarar dicha paternidad desde el nacimiento, con el fin de evitar que el marido siga siendo considerado como padre como consecuencia del juego de la presunción legal de paternidad?[53] En España hay ya pronunciamientos de Audiencias Provinciales que afirman el deber de reparar de la esposa por haber incurrido en un comportamiento gravemente negligente consistente en haber mantenido relaciones sexuales simultáneas con su marido y otro hombre y no haber tomado las medidas oportunas para aclarar la determinación de la paternidad[54].

---

edición, Bosch, Barcelona, 2017, págs. 492 y 510. En Alemania se ha planteado esta cuestión en la medida en que se admite la acción de reembolso de los alimentos pagados por parte del padre putativo al padre biológico. Para evitar la imposibilidad de acudir a tal remedio por ignorancia de la identidad del padre biológico, un Proyecto de Ley de 31 de agosto de 2016, del que da cuenta la anterior autora ("El derecho ante los casos de engaño o incertidumbre sobre la paternidad", cit.p. 449), establecía el deber de las madres de revelar la identidad del padre biológico de sus hijos, salvo que hubiese una razón de peso a valorar por la autoridad judicial. Tal proyecto fue objeto de muchas críticas alegando su posible inconstitucionalidad por su intromisión ilegítima en la intimidad de la madre. Con anterioridad al citado proyecto, el BGH entendió que el parágrafo 242 BGB, que mantiene el deber genérico del deudor de actuar de buena fe, permitía apoyar el deber de información de la madre sobre tal extremo, pero posteriormente el BVerfG rechazó tal argumentación por ausencia de fundamento legal para tal deber. Sobre ello también NEVADO CATALÁN, V., "Responsabilidad civil derivada de la indebida atribución de paternidad", cit. pág. 32. Recientemente la SAP de Madrid de 24 de mayo de 2019 (LA LEY 94472/2019) entiende que es contrario a la buena fe no comunicar por la novia al novio sus dudas sobre la paternidad del hijo al haber mantenido relaciones sexuales esporádicas con un tercero. Pero, por el contrario, considera que dicho tercero no será responsable civil de los daños morales ocasionados al falso padre pues "(…) ninguna obligación tenía de comunicar al Sr. José Ángel las dudas y/o posterior certeza sobre su paternidad biológica, no estando obligado tampoco a interponer la demanda de determinación de la filiación en el momento en que tuvo conocimiento de los hechos (…)" (FJ 3º).

53   FARNÓS AMORÓS E., "Remedios jurídicos ante la falsa atribución de la paternidad", cit.pág. 26, apunta que un factor a tener en cuenta en este sentido sería la facilidad actual para el acceso a las pruebas de ADN.

54   Un ejemplo es la SAP Cádiz de 3 de abril de 2008 (JUR 2008/234675). Detalla

Muy problemática es, por último, la cuestión de la valoración del daño moral. Un grupo de sentencias de las Audiencias Provinciales en España, a la hora de fijar la cuantía de la indemnización por el daño moral sufrido por el padre putativo, equiparan tal daño con la pérdida por muerte de un hijo[55]. Por una parte, para que fuera correcta tal equiparación sería necesario, en todo caso, que la relación entre el padre putativo y el menor finalizara para siempre. Por otra parte, tal planteamiento parte de un concepto de filiación con un fundamento exclusivamente genético que presume que, una vez probada la paternidad biológica, la relación con el padre putativo queda rota; además de que se concilia poco con el concepto actual de familia y de relaciones familiares donde la paternidad social sustituye, en ocasiones, a la paternidad biológica[56]. Por una parte, sería deseable que los tribunales tuvieran en cuenta, a la hora de fijar la indemnización del daño moral, otros factores, como la subsistencia posterior de la relación entre el ex marido y el menor, el número de hijos respecto del que se oculta la paternidad o el tiempo de convivencia efectiva del hijo con el demandante. Ya hay pronunciamientos judiciales que avanzan hacia la no equiparación entre el daño moral sufrido por el padre putativo y la pérdida definitiva del hijo[57].

FARNÓS AMORÓS, E., "El derecho ante los casos de engaño o incertidumbre sobre la paternidad", cit.pág. 445, que al menos diez sentencias de las AP han basado la responsabilidad de la mujer en que esta "sabe o puede saber que existe más de una paternidad posible".

55 BENAVENTE MOREDA, P./RODRÍGUEZ GUITIÁN, A.M., "Daños por engaño sobre la paternidad con ocasión del uso de las técnicas de reproducción asistida", *Revista de Derecho de Familia*, octubre 2015, Abeledo Perrot, Buenos Aires, págs. 287-303. El objeto de este trabajo es el comentario de una sentencia británica que también decide en el mismo sentido que las AP españolas.

56 En este sentido FARNÓS AMORÓS E., "Daño moral en las relaciones familiares", op.cit.págs. 505-506.

57 Así, el Auto de la Sala 1ª del Tribunal Supremo español de 9 de septiembre de 2014 (JUR 2014/245986), que señala, en cuanto al daño causado al padre putativo, que *"el golpe mortal doloroso que sin duda sufrió no resulta equiparable a la muerte pues no impide una fuerte recuperación de la relación"* (FJ 2.º C). En similar dirección la SAP Barcelona de 29.5.2018 (JUR 2018/1680065), que reduce la indemnización por el daño moral solicitada por el ex marido al mantener a éste en el

V. CUARTA REFLEXIÓN:
BREVE APUNTE SOBRE LAS FUNCIONES
DE LA RESPONSABILIDAD CIVIL EN
EL ÁMBITO DE LAS RELACIONES FAMILIARES

La cuarta reflexión va dirigida a cuestionarse si la indemnización concedida a un familiar, a causa de un daño que otro miembro de la familia le ocasiona, no cumple las funciones propias de la responsabilidad civil (esto es, preventiva y, sobre todo, compensatoria) y, en cambio, introduce la función punitiva, excluida hoy por hoy del ordenamiento español y, en general, de los sistemas jurídicos de *Civil Law*. Señala *Patti* que las relaciones familiares constituyen un interesante ángulo visual desde el que analizar las funciones de la responsabilidad civil[58].

Un cierto sector doctrinal norteamericano[59], partidario de llevar a cabo un análisis económico del derecho, en particular en relación a los daños entre cónyuges, alega que tal indemnización, ni realiza una función disuasoria de futuros comportamientos vulneradores de la relación familiar (es decir, no cumple una función preventiva), ni una función compensatoria (para tales autores distributiva), porque al no estar asegurados tales clases de daños no se trasladan las pérdidas económicas del demandante dentro de la compañía aseguradora del familiar demandado. Con la indemnización sólo se logrará, pues, la redistribución de la riqueza entre los familiares. No comparto esta opinión doctrinal que explica el papel de la compensación en el Derecho de Daños en cuanto función distributiva de las pérdidas. Ello supone olvidar la función que ha tenido desde su origen el Derecho de Daños consistente en

---

régimen de relaciones personales con el hijo. Con acierto afirma esta sentencia que el daño moral tiene su causa exclusivamente en el engaño por parte de la ex esposa, pero no en la pérdida de la relación con el hijo (FJ 4º). En el mismo sentido la ya citada SAP de Madrid de 24 de mayo de 2019.

58   *Famiglia e responsabilitá civile*, Dott. A. Giuffré Editore, Milano, 1984, pág. 288.

59   ELLMANN, I.M. y SUGARMAN, S.D., "Spousal emotional abuse as a Tort?", 55 *Maryland Law Review* 1288-1290 (1996).

el logro de la justicia conmutativa entre dañante y dañado[60], objetivo que desde luego sí puede conseguirse, al menos en algunas hipótesis, con la reparación de los daños entre familiares.

Un ejemplo claro de cómo puede cumplirse la función compensatoria, e incluso preventiva, es la famosa sentencia, ya aludida en un epígrafe anterior, del Tribunal Supremo de 30 junio 2009. A mi juicio, la finalidad de la concesión de la indemnización de 30.000 euros, por el daño moral causado al padre por la privación de la relación con el menor, no es tanto sancionar a la madre cuanto intentar una "cierta reparación" del daño sufrido por el padre, como último remedio ya ante el fracaso del conjunto de medidas intentadas por éste. El propio tribunal señala que el daño es irreversible y de difícil valoración. Afirma también el TS que hubiera podido indemnizarse el daño patrimonial, pero que no ha podido hacerlo al no solicitarse por el actor en la demanda.

A mi juicio, junto a la función compensatoria, también se cumpliría en el caso de esta decisión judicial la función preventiva. La indemnización a pagar por el progenitor custodio que obstaculiza la relación personal del no conviviente con el menor puede llevar consigo una función disuasoria de futuros comportamientos análogos, ya no sólo dentro del propio ámbito familiar sino sobre todo hacia el exterior. Por el contrario, hay otras hipótesis de daños en las que la indemnización puede no cumplir una función disuasoria de futuros comportamientos semejantes, pero al fin y al cabo la función preventiva únicamente juega de una forma indirecta. Así ocurre, por ejemplo, los daños derivados del incumplimiento negligente de los deberes paterno-filiales. La función

---

60   PANTALEÓN PRIETO F., "Cómo repensar la responsabilidad civil extracontractual (también la de las Administraciones Públicas)", *Anuario de la Facultad de Derecho de la Universidad Autónoma de Madrid*, 4 (2000), Madrid, 2001, págs. 174-175, señala que es un error mantener que sólo es socialmente útil lo que mejora la eficiencia en la asignación de recursos; también la realización de la justicia conmutativa que persigue la responsabilidad civil puede considerarse útil desde el punto de vista social.

preventiva seguramente puede lograrse por otros medios distintos a la fijación de una indemnización: la tristeza o la pena que sufre el progenitor que ha causado de forma negligente un daño al hijo puede ser, como regla general, una razón suficiente que contribuya a prevenir el daño[61].

---

61   En este sentido SALVADOR CODERCH P./RAMOS GONZÁLEZ S./ LUNA YERGA A., "Un ojo de la cara (1)", *InDret* 3/2000, pág. 9 (www.indret. com).

2. RESPONSABILIDAD CIVIL Y RELACIONES MATRIMONIALES EN EL DERECHO BRASILEÑO

Luciana Fernandes Berlini[1]

SUMARIO. I. INTRODUCCIÓN. II. LA DISOLUCIÓN DE LAS RELACIONES MATRIMONIALES. III. INFIDELIDAD. 1. Omisión de la crianza de los hijos. 2. Del perdón tácito. IV. LA REFORMULACIÓN DE LA RESPONSABILIDAD CIVIL EN LAS RELACIONES MATRIMONIALES. V. CONSIDERACIONES FINALES.

RESUMEN

Este documento tiene como objetivo analizar la responsabilidad civil aplicada a las relaciones matrimoniales brasileñas. La incidencia de la responsabilidad civil en las relaciones familiares es un desafío que aún debe considerarse. El desafío a menudo radica en la resistencia jurisprudencial a la aplicación de la responsabilidad civil. Exactamente por

1   Post-doctorado en Derecho de Relaciones Sociales en UFPR. Doctor y Master en Derecho Privado por PUC / Minas. Profesor Asistente y Coordinador del Curso de Derecho de la Universidad Federal de Lavras. Profesor del Curso de Derecho Médico en IEC - PUC / Minas. Miembro de IBERC. Presidente de la Comisión de Responsabilidad Civil de OAB/MG. Miembro de IBDFam. Autor de libros y artículos legales. Abogada. Lattes: http://lattes.cnpq.br/8274959157658475. Orcid: https://orcid.org/0000-0001-5379-974X. Correo electrónico: luciana@berlini.com.br.

esto, usando metodología dialéctico-deductivo de naturaleza legal, la investigación presentó el escenario brasileño actual de responsabilidad civil, y luego presentó posibles soluciones. Esto se debe a que se entiende pacíficamente que la disolución de una sociedad conyugal por sí sola no genera compensación, pero y en las hipótesis en las que hay un incumplimiento de un deber conyugal, más específicamente cuando hay infidelidad, omisión de la paternidad o violación del bien fe objetiva?

¿Los daños causados en estas hipótesis son indemnizables? Para hacer frente a la problematización presentada, se analizaron la doctrina, la legislación y la jurisprudencia y, a partir de ese momento, una renuncia a la responsabilidad civil en la conyugalidad. Para demostrar que las relaciones afectivas no pueden mitigar los derechos fundamentales de los cónyuges y que la buena fe objetiva también debe respetarse en un contexto de amplio ejercicio de autonomía.

PALABRAS CLAVE

Matrimonio; Indemnización; Infidelidad.

RESUMO

O presente trabalho tem por objetivo analisar a responsabilidade civil aplicada às relações conjugais brasileiras. A incidência da responsabilidade civil nas relações familiares é um desafio que ainda precisa ser pensado. O desafio está muitas vezes na resistência jurisprudencial em se aplicar a responsabilidade civil. Exatamente por isso, utilizando de metodologia dialética-dedutiva de cunho jurídico, a pesquisa apresentou o atual cenário brasileiro de responsabilidade civil, para depois apresentar as soluções possíveis. Isso porque, entende-se de forma pacífica que a dissolução de uma sociedade conjugal por si só não gera indenização, mas e nas hipóteses em que há o descumprimento de um dever conjugal, mais especificamente quando há infidelidade, omissão de parentalidade ou violação à boa-fé objetiva? Será que os danos causados nessas hipóteses são indenizáveis? Para enfrentar a problematização apresentada, doutrina, legislação e jurisprudência foram analisadas e a partir daí apresentada uma ressignificação das responsabilidade civil na conjugalidade. De modo a demonstrar que as relações afetivas não podem mitigar os direitos fundamentais dos cônjuges e que a boa-fé objetiva também precisa ser respeitada em um contexto de amplo exercício de autonomias.

PALAVRAS-CHAVE

Casamento; Indenização; Infidelidade.

I. INTRODUCCIÓN

Este artículo tiene como objetivo analizar la responsabilidad civil aplicada a las relaciones matrimoniales en Brasil. Esto se debe a que, aunque la incidencia de la responsabilidad civil en el derecho de familia es una demanda antigua y mundial, todavía trae nuevos reclamos y, en consecuencia, la necesidad de confrontación.

El desafío de aplicar la responsabilidad civil en el derecho de familia es doble y doble, con diferentes soluciones. El primero se refiere a la responsabilidad civil entre cónyuges y parejas. El segundo se refiere a la relación parental. El objetivo de este artículo, en esta perspectiva, es analizar la responsabilidad derivada del matrimonio y la unión estable, considerando que abordar la responsabilidad parental daría lugar a un nuevo artículo o perjudicaría la profundidad que se pretende lograr.

Por lo tanto, el enfoque metodológico presentado se refiere a la responsabilidad por daños causados por o en la constancia del vínculo conyugal. Por lo tanto, se abordará la disolución del vínculo conyugal, la infidelidad y sus consecuencias, como la omisión de la paternidad. Metodológicamente, la investigación jurídica tiene una naturaleza dialéctica-deductiva, utilizando doctrina, legislación y jurisprudencia.

El tema no tiene precedentes, pero su enfoque sí. Por lo tanto, se pretende presentar el escenario actual de responsabilidad civil, sin contentarse con las soluciones existentes.

Sin pretender agotar el tema, la investigación estudiada aquí trae la problematización necesaria para la construcción de una nueva perspectiva de la relación matrimonial, en la que se respeta la confianza entre las parejas desde el ejercicio de las mismas libertades. Por lo tanto, la responsabilidad civil se hace posible cuando hay abuso de derechos por violación de buena fe, sin la necesidad de redimir la atribución de la culpa ya extirpada de los procedimientos de divorcio.

Por lo tanto, para proteger las relaciones de afecto y confianza, debe considerarse la responsabilidad civil y no negarse a quienes eligen vivir la convivencia.

II. LA DISOLUCIÓN DE LAS RELACIONES MATRIMONIALES

Quien se casa o constituye una unión de hecho[2] No está destinado a disolver el vínculo matrimonial, pero los matrimonios y uniones estables

---

2   En Brasil, una unión de hecho se equiparaba con el matrimonio, por lo que los motivos aquí presentados serán iguales para ambos casos. La diferenciación duró hasta mayo de 2017, cuando la Corte Suprema Federal concluyó el voto de RE 878,694, por el Relator del Ministro Barroso, para declarar la inconstitucionalidad del art. 1790 del Código Civil, que regía la sucesión entre los compañeros. Con la decisión se aprobó la siguiente tesis: "En el sistema constitucional actual se diferencia el régimen de sucesión entre cónyuges y parejas y debe aplicarse en ambos casos el régimen establecido en el art. 1.829 del Código Civil ".

llegan a su fin. Según datos de Instituto Brasileño de Geografía y Estadística, cada tres matrimonios se produce un divorcio.[3]

Esta alta tasa de divorcios se puede atribuir al cambio en la familia. Hoy se debe pensar en la familia desde su perspectiva eudemonística, en la que cada miembro de este núcleo debe haber reconocido su derecho a la felicidad en ese sentido. *locus* de afecto En otras palabras, la familia de hoy debería estar donde las personas actúan, no donde deberían renunciar a su propia felicidad.

Por lo tanto, no se puede exigir un vínculo matrimonial o una unión de hecho en detrimento de la felicidad de los cónyuges / parejas y sus hijos, ya que esto violaría la dignidad, la libertad y los derechos fundamentales de las personas involucradas.

Exactamente por esta razón, el divorcio surge en el sistema brasileño, como una medida legal capaz de garantizar los derechos establecidos en la Constitución brasileña para proteger la dignidad del individuo y su autonomía, como resultado de la libertad humana de autodeterminación.

Cada consorte por lo tanto pasa tener el derecho potestativo a disolver el vínculo matrimonial. Y pueden disolverse por una variedad de razones. Actualmente no hay necesidad de dar una razón, justificar o culpar a la otra. No siempre fue así. En Brasil hasta 2010. En España, por ejemplo, esto duró hasta 2005. En Portugal persiste la necesidad de justificar.

La doctrina brasileña, a su vez, entiende como un logro importante la retirada por parte del poder constituyente de la necesidad de una separación previa de facto (durante al menos 2 años) o una separación

---

3   BRASIL. Instituto Brasileño de Geografía y Estadística. Disponible: https:// agenciadenoticias.ibge.gov.br/agencia-noticias/2012-agencia-de-noticias/ noticias/22866-casamentos-que-terminam-em-divorcio-duram-em-media-14-anos-no- padres . Acesso em: 21 nov. 2019.

judicial previa con el propósito de divorciarse. Esto se debe a que, en el Código Civil brasileño, la separación judicial [4] fue a través de la discusión de la culpa.

Por lo tanto, debido a la situación actual del divorcio en Brasil, la simple expresión de voluntad (unilateral) es suficiente para el decreto de divorcio. Con esto, el primer control aquí será: ¿Es posible responsabilizar al cónyuge o pareja por el divorcio o la disolución de una unión de hecho? Sin rodeos, la respuesta es no, generalmente no. No es que el divorcio no pueda causar daño. Es un daño. El divorcio termina un proyecto de vida, un sueño que fue planeado para dos. Se disuelve mucho más que un vínculo legal, que una expectativa legítima, es el final de una vida para dos, a menudo tres o más, porque el divorcio también afecta a los niños.

Pero el divorcio es un derecho, como una suposición del derecho fundamental a la libertad, un derecho potestativo que le permite a uno alcanzar unilateralmente la esfera legal de otra persona. Y así es porque la afectividad que une a las parejas, o al menos se imagina, es una manifestación autónoma de un sentimiento, que por su propia naturaleza no implica imposición. Es liberalidad y, como tal, no está compuesto por obligación. No hay forma de medir, no hay forma de cuantificar.

Y quizás por esto, prevenir el divorcio causa más daño que autorizarlo. Esto no quiere decir que la falta de afecto autorice que cualquier persona haga daño, pero mantener un vínculo matrimonial a través de la aplicación de la ley refuerza el descontento y quizás mata la alegría de vivir la convivencia.

La vida no está libre de daños y problemas, por lo que no todos los daños son indemnizables. Y dado que el divorcio está autorizado por la

---

4   La Corte Suprema Federal pronto decidirá si la separación judicial se ha terminado o no en Brasil.

ley, el divorcio en sí mismo no es un daño indemnizable. Debido a que es un derecho potestativo, puede calificarse como el ejercicio regular de un derecho.

En ese sentido:

> Indemnización. DAÑOS MORALES Y MATERIALES. Rompiendo relaciones amorosas. NO ACTO ILEGAL. La ruptura de una relación de amor, cualquiera que sea su nombre, matrimonio, unión estable, no constituye en sí mismo un acto ilegal en el sentido de que nadie está obligado a permanecer unido con otro. El mero hecho de que la demandante alegue haber sido abandonada por su pareja no significa que deba ser indemnizada, ya que el supuesto daño moral debe ser el resultado de un acto ilegal real. (A. Civil No. 1,0878.05.008902-7 / 001 (1), TJMG, Rel. RENATO JACOB, Sentencia 3 de abril de 2008).

Como se señaló, la jurisprudencia brasileña entiende que no existe un acto ilegal por divorcio o disolución de la unión de hecho. Sin embargo, lo que más se debate es si el acto ilícito existiría o no si fuera más allá del daño si se prueba su culpabilidad en el divorcio. La doctrina generalmente rechaza esta posibilidad, por temor a rescatar esta discusión que tardó mucho en ser enterrada. Se entiende que la reanudación de la culpa en el contexto familiar es perjudicial y, por lo tanto, se enfrentaría a un revés.

Para favorecer el debate, primero debe concluirse que no hay indemnización por divorcio o disolución de una unión de hecho. Pero aún tenemos que pensar en el divorcio cuando hay una violación de un deber matrimonial o el daño a un cónyuge. Además del divorcio, ¿hay compensación por las relaciones matrimoniales?

La doctrina no está unificada. Ante el estancamiento, ya sea que la responsabilidad civil por el incumplimiento de los deberes matrimoniales se ajuste o no, la defensa aquí será por parte de los infames depende. Pero antes de que el lector se desanime, es necesario explicar cuándo existe y cuándo no hay posibilidad, presentando los fundamentos legales capaces de respaldar la tesis ahora defendida.

Se sabe que los deberes matrimoniales son recíprocos y, como tales, se asumieron en igualdad de condiciones para ambos cónyuges. Lo que se quiere decir con esto es que los deberes deben cumplirse, ya que se asumieron en el ejercicio de la libre autonomía de la pareja. Sin embargo, se entiende que los cónyuges, al igual que tenían autonomía para asumir tales deberes, también tienen autonomía para relativizar dichos deberes, como suele suceder con el deber de convivencia, en el que los cónyuges juntos elige vivir en casas separadas.

Por lo tanto, lo que se argumenta es que si la violación del deber marital se produjo conjuntamente, con el consentimiento de ambos, no hay necesidad de hablar de violación. Porque hubo respeto, autonomía ejercida conjuntamente y no hay necesidad de hablar sobre abuso de confianza.

Pero, antes de pasar a la conclusión del razonamiento, debemos abordar la parte más controvertida del incumplimiento del deber marital, para enriquecer el debate con la parte más sensible de la discusión sobre la responsabilidad civil entre los cónyuges, es decir, el deber de fidelidad.

III. INFIDELIDAD

El Código Civil brasileño incluye en su artículo 1.566 una lista de deberes matrimoniales, incluida la fidelidad recíproca.

El sistema legal brasileño no permite la poligamia, ni asigna derechos a las relaciones poliafectivas o uniones simultáneas. Sin entrar en esta discusión, lo que importa en este artículo es la responsabilidad civil por infidelidad.

El análisis doctrinal y jurisprudencial muestra que la infidelidad en sí misma no genera el deber de indemnizar.

> Acción por daños y perjuicios por daños morales - Infracción de la infidelidad - Unión estable - Incumplimiento de deberes previstos en el art. 1724 CÓDIGO CIVIL - DAÑO MORAL. Violación de los deberes impuestos por la ley en la unión estable, previstos en el art. 1724 del Código Civil no constituyen, por sí mismos, un delito contra los derechos de la personalidad, capaces de dar lugar a la obligación de indemnizar. (TJMG - Apelación civil 1.0607.17.005920-0 / 001, Relator: Des. (Luciano Pinto, 17ª CÁMARA CIVIL, Sentencia el 04/04/2019, publicación del precedente el 16/07/2019).

Lo que se ha observado es que la infidelidad que hace que el daño sea indemnizable es la que se acompaña de la exposición de la traición y sus repercusiones.

> En relación con la condena por daños morales, debido a una supuesta infidelidad, las meras molestias derivadas de las decepciones en las relaciones amorosas, que pueden estar marcadas por el sufrimiento y la frustración, como es el caso en el caso, no necesariamente resultan en indemnización por daños morales. Esto se debe a que, además de la perturbación psíquica y moral de la víctima, también era necesario que el acusado tuviera la intención de causar tal sufrimiento al ex cónyuge, lo que no se demostró. (Apelación civil, No. 70081027435, Octava Cámara Civil, TJRS, Relator: José Daltoe Cezar, Juzgado: 26-09-2019)

En general, se observa en la jurisprudencia brasileña que, además de la infidelidad conyugal, sería necesario probar la intención del traidor de dañar al traicionado. Esta recurrencia es algo problemática, primero porque ahora requiere engaño para fines de responsabilidad civil, y la culpa es suficiente para responsabilizarlo. Segundo, porque el Código Civil brasileño al determinar la fidelidad como un deber no hizo reservas, ni si es fiel o no. La intención de causar el daño no debe ser el parámetro.

Además, la posición del Tribunal Superior de Justicia al negar la posibilidad de responsabilidad del tercero (amante) establece que la fidelidad es un deber y que para el tercero esta responsabilidad no se extiende, precisamente porque no es para el tercero. Deber. De esta lectura, la interpretación más simple sería que para los cónyuges la infidelidad genera responsabilidad y para el tercero no.

> FAMILIA DAÑOS MATERIALES Y MORALES. FALLA DE RESPONSABILIDAD. Imputación a la traición de la traición.
>
> El deber de fidelidad recíproca de los cónyuges es un atributo básico del matrimonio y no se extiende al cómplice de la traición a quien no se puede culpar por el fracaso de la sociedad conyugal por falta de disposiciones legales.
>
> (EDcl en REsp 922.462 / SP, Rel. Ministro RICARDO VILLAS BÔAS CUEVA, DJe 14/04/2014).

Al final resultó que, sin embargo, esta no es la interpretación del poder judicial brasileño, también en relación con los cónyuges y parejas, la responsabilidad no se ha aplicado a los infieles, a menos que se haya demostrado la intención de exponer la infidelidad.

1. Omisión de la crianza de los hijos

Cuando se trata de la infidelidad que resulta en la omisión de la paternidad, la jurisprudencia cambia totalmente su posición. Termina declarando que la fidelidad es un deber matrimonial y que el daño es indemnizable.

> FALLA DE RESPONSABILIDAD. OMISIÓN SOBRE LA VERDADERA PATTERNIDAD BIOLÓGICA DE LOS NIÑOS NACIDOS EN CONSTANCIA DEL MATRIMONIO.
>
> El deber de fidelidad recíproca de los cónyuges es un atributo básico del matrimonio y no se extiende al cómplice de la traición a quien no se puede culpar por el fracaso de la sociedad conyugal por falta de disposiciones legales.
>
> El cónyuge que omite deliberadamente la verdadera paternidad biológica del hijo nacido en la constancia del matrimonio viola el deber de buena fe, perjudicando la dignidad de la pareja engañosa (honor subjetivo) sobre el aspecto muy relevante de la vida que es el ejercicio de la paternidad, cierto. Proyecto de vida.
>
> (REsp 922.462 / SP, rel. Ministro RICARDO VILLAS BÔAS CUEVA, juzgado el 04/04/2013, DJe 13/05/2013)

La decisión anterior no deja esto muy claro, pero se cree que hay dos daños distintos que deben abordarse. El primero es la infidelidad, con los fundamentos presentados inicialmente. El segundo, la omisión de la paternidad. Tratar a los dos como uno genera la inconsistencia metodológica ya señalada, en la que parece que a veces la jurisprudencia entiende la infidelidad como un daño indemnizable, a veces no entiende.

El hecho es que, por omisión de la crianza de los hijos, se entiende que la esposa tendrá el deber de compensar el daño causado al esposo que asumió la paternidad al creer en el vínculo biológico y por la presunción de paternidad derivada del matrimonio.

2. Del perdón tácito

Otra incongruencia, aún dentro de este tema, se refiere al perdón tácito. El perdón tácito aparece en la jurisprudencia como un instituto capaz de descartar la posibilidad de responsabilidad civil por omisión de la paternidad cuando el esposo perdona y continúa el matrimonio, solo cuestionando judicialmente la omisión de la paternidad algún tiempo después.

> Hay fuertes indicios de que el cónyuge sabía que la paternidad biológica de la hija era la tercera. HIJA QUE NACIÓ CUATRO MESES DESPUÉS DE LA PRIMERA RELACIÓN SEXUAL DE LA PAREJA.

> La infidelidad, así como la omisión de información esencial, a pesar de que constituye una violación de un deber matrimonial, en sí misma no genera daño moral. La verificación de la paternidad de terceros después de 23 años después del nacimiento, cuando hay evidencia de incertidumbre en ese momento, no constituye una perturbación moral, especialmente porque la práctica del perdón tácito es evidente. (TJSC. Recurso 2011.000520-0, j. 02/02/2012)

Y la incongruencia se refiere precisamente a esta no división entre infidelidad y omisión de paternidad, porque es posible perdonar la infidelidad y no perdonar la omisión de paternidad o lo contrario. Son daños distintos.

> ACCION INDEMNATORIA. Cónyuges La paternidad de la hija mayor de la pareja, que en el examen de ADN fue negati-

va, causó una fuerte sacudida psíquica masculina y una situación irritante ante familiares y amigos. Continuación del matrimonio. por otro año después de conocer el hecho, lo que constituye el perdón tácito. Separación que resultó de otra traición de la esposa-esposa, lo que llevó al recurrente a buscar una compensación por el daño moral y la imagen sufrida, sabiendo que él no era el padre biológico de la hija. Ausencia de demostración del daño, desestimación del reclamo de indemnización del apelante. TJRS, 7 ° AC 70021802244, j. 05/11/2008.

Además, la decisión anterior muestra que la primera traición fue perdonada y, sin embargo, un año después hubo una nueva traición. Si se trata de otra traición, se cree que hay otro daño y que el cónyuge traicionado tiene la facultad de perdonar una traición y no perdonar a otra, no debe imponerse lo que una vez tolerado, debe aceptar cada vez.

Ante tales inconsistencias, queda por investigar nuevas soluciones.

IV. LA REFORMULACIÓN DE LA RESPONSABILIDAD CIVIL EN LAS RELACIONES MATRIMONIALES

Brevemente presentado el actual escenario brasileño de responsabilidad civil entre cónyuges, se encontró que la jurisprudencia, en su mayor parte, no es coherente en la justificación de los motivos para descartar la responsabilidad civil entre cónyuges y parejas.

Ahora admite que la fidelidad es un deber, mientras que afirma que su incumplimiento no debería tener consecuencias legales.

Los principales argumentos para descartar la responsabilidad civil entre los cónyuges, en resumen, son:

a) no se reanuda la culpa en las relaciones matrimoniales;

b) impedimentos de la monetización de las relaciones afectivas;

c) el divorcio como solución legal;

d) El mantenimiento de la paz familiar.

Con el debido respeto a la posición de doctrina y jurisprudencia, tales argumentos no merecen prosperar.

Esto se debe a que no es necesario recuperar la culpa para ser responsable de la que causa daño al cónyuge, si uno se enfrenta a la práctica abusiva de la ley. Quien abusa de la confianza del otro cónyuge excede los límites impuestos por la buena fe y, por lo tanto, comete actos ilegales, independientemente de la necesidad de verificar el elemento de culpa.[5]

Por lo tanto, se entiende que cuando hay una violación de los deberes matrimoniales hay una violación de la confianza, una violación de la buena fe. Sin embargo, si el daño fue causado sin violar uno de los deberes matrimoniales[6], sin caracterizarse como abuso de derechos y, sin embargo, no hay exclusión de responsabilidad, debe aplicarse la teoría general de responsabilidad. Incluyendo incluso culpar. En este caso, la discusión sobre la culpabilidad en el derecho de familia no sería rotativa, sino que también trataría a los cónyuges como sujetos de derechos,

---

5   Art. 187 También comete un acto ilegal del titular de un derecho que, al ejercerlo, excede manifiestamente los límites impuestos por su propósito económico o social, buena fe o buena moral. (Código Civil brasileño).

6   Art. 1.566. Los deberes de ambos cónyuges son:

I - fidelidad recíproca; II - vida en común, en el domicilio conyugal; III - asistencia mutua; IV - manutención infantil, cuidado y educación; V - respeto mutuo y consideración. (Código Civil brasileño).

independientemente del vínculo matrimonial que establezcan. No sería una reanudación de la culpa del divorcio.

> Específicamente con respecto al daño moral, su incidencia en el área de la conyugalidad ocurrirá como en cualquier otro cuadrante del derecho civil, y es necesario caracterizar una violación de un interés existencial que merece protección. De hecho, la familia es un lugar relevante donde las personas desarrollan vínculos afectivos, forjan su privacidad y establecen proyectos comunes.[7]

Tampoco es el caso de la monetización del afecto, sino la compensación por el daño causado, incluso en las relaciones afectivas. Como sucede, por ejemplo, en las hipótesis de incumplimiento del deber de cuidado (abandono emocional).

Parte de la doctrina considera que la consecuencia jurídica del incumplimiento de los deberes matrimoniales debería ser el divorcio. Cuando se afirma que el divorcio es la solución para el incumplimiento de los deberes matrimoniales, parece ignorar que los cónyuges tienen derechos fundamentales. O sería algo como esto, si un amigo te hace daño, deja de ser su amigo, si un vecino hace que el daño se mueva, si tu jefe te hace daño al dejar su trabajo.

El divorcio no compensa el daño sufrido, ni es una forma de responsabilidad civil. Es por eso que no se ve en este documento como una solución legal al daño causado a las relaciones matrimoniales.

Además, la paz familiar ya ha sido perturbada por el autor y no debe utilizarse como base para descartar la responsabilidad civil.

---

7   BRAGA NETTO, Felipe; FARIAS, Cristiano Chaves de; ROSENVALD, Nelson. Novo tratado de responsabilidade civil. - 2 ed. São Paulo: Saraiva, 2017. p.936.

Por lo tanto, para desarrollar mejor estas premisas, primero debemos abordar algunas evidencias. La primera es que las personas no pierden sus derechos cuando se casan, ni sufren sus daños o consecuencias. Un ejemplo que se puede usar es cuando el cónyuge transmite la enfermedad.

Es interesante pensar aquí que la solución es bastante simple, ni necesitaría tener una relación matrimonial para hablar sobre la responsabilidad por la transmisión de la enfermedad, pero lo curioso es exactamente eso.

Cuando se trata de las relaciones familiares, el daño parece ser permisible, y es curioso precisamente porque hay una paradoja, comprensible, pero una paradoja de todos modos. Aquí el daño lo hacen aquellos que aprecian una relación de amor, o al menos respeto.

Esto es exactamente por qué la extensión del daño es probablemente mayor que en una relación contractual (con respecto al daño fuera del balance). Aún así, en la mayoría de los casos se entiende que no se hace responsable de ser una relación afectiva. El daño ni siquiera debería ocurrir en estas relaciones, pero a menudo es en nombre de este afecto que uno abusa de la confianza del otro. En cualquier caso, no parece haber una base legal suficiente para excluir dicha responsabilidad.

El escenario necesita ser cambiado por las razones ya dadas. Queda entonces por proponer nuevas soluciones que sean más coherentes con los cimientos construidos hasta ahora.

El primero de ellos se refiere a la expansión de la autonomía en el pacto antenupcial. Las normas del derecho de familia se consideran orden público, lo que significa que no pueden relativizarse mediante la manifestación de la voluntad de las partes. A este respecto, por ejemplo, las estipulaciones prenupciales que establecen valores de indemnización en caso de traición no se consideran válidas, ya que la fidelidad se considera un deber. Pero, como se ha demostrado, cuando este "deber" no se cumple, no hay atribución de efectos, como si no se cumpliera.

El aumento de la autonomía matrimonial ciertamente minimizaría el daño, ya que las expectativas se construirían legítimamente en un espacio de iguales libertades y, como en una relación contractual, la pareja podría establecer el modelo de vida conyugal más apropiado para cumplir como individuos, pero en perspectiva. de convivencia.

Además, así como es posible cambiar el régimen de propiedad en cualquier momento, también se deben permitir cambios en el modelo de matrimonio. Sobre aspectos relacionados con la fidelidad, la convivencia, los derechos de herencia. Por supuesto, cumplir con los requisitos legales existentes para el cambio [8].

> Se puede inferir que en la actualidad el deber de fidelidad como elemento intrínseco de mantener una conyugalidad ya no es necesariamente necesario, ya que, si lo fuera, el matrimonio surgiría como un instrumento de coerción y represión sexual. La fidelidad formal vertida en lealtad sustancial. [...] Y, además, lealtad a un proyecto de vida que no vive en la predicción normativa fría, sino en el deseo y la voluntad de aquellos que juegan un proyecto de este tipo, y que buscan construir sus vidas en él.[9]

---

[8]   Art. 1.639. Es legal para la pareja, antes de que se celebre el matrimonio, estipular su propiedad como les plazca.

Párrafo 1. El régimen de propiedad entre los cónyuges comienza a aplicarse a partir de la fecha del matrimonio.

Párrafo 2. Está permitido cambiar el régimen de propiedad, mediante autorización judicial en una solicitud motivada de ambos cónyuges, determinando los méritos de los motivos invocados y los derechos de terceros.

[9]   FACHIN, Luiz Edson. Famílias: entre o público e o privado. In: PEREIRA, Rodrigo da Cunha (Org.). Família: entre o público e o privado. Porto Alegre: Magister/IBDFAM, 2012. p.163.

Se cree que al extender la autonomía de los cónyuges, pueden elegir fidelidad o una relación abierta, previa y consensuada. Por lo tanto, ha brá una responsabilidad previa para el modelo a seguir, lo que aumenta la confianza y la seguridad de los involucrados.

Además, pueden, de acuerdo con sus expectativas legítimas y no por convención estatal, determinar las reglas de una relación afectiva.

El aumento de esta autonomía amplía la responsabilidad al garantizar que no solo las relaciones contractuales sino también las relaciones afectivas se guíen por la buena fe objetiva, un sistema afectivo de cooperación, confianza y lealtad.

Si este no es el caso, entonces la responsabilidad civil y la indemnización por daños cometidos como resultado de la relación matrimonial deben estar cubiertos.

V. CONSIDERACIONES FINALES

Este documento propone una reflexión diferente sobre un tema que ha sido discutido en los más diversos sistemas legales.

Lo que se observa es que el daño causado en la familia, más precisamente entre cónyuges y parejas, no puede relativizarse, con el argumento de que la rendición de cuentas podría comprometer la relación y la paz familiar, o porque dañaría la relación con los hijos. o porque no se debe reanudar la discusión atrasada de la culpa en los procedimientos de divorcio.

La responsabilidad civil en las relaciones familiares no puede mitigarse por el simple hecho de que las personas no pierden sus derechos fundamentales cuando se casan y, por lo tanto, la violación de los derechos fundamentales debe rechazarse, por lo que no se puede ignorar la responsabilidad civil.

La ley se está moviendo cada vez más hacia la expansión de los derechos del individuo. En el derecho de familia brasileño, esta comprensión es más lenta que en relación con el contrato o la propiedad. Se afirma fácilmente que los contratistas deben mantener una buena fe entre ellos, que deben cooperar, que la relación contractual es una relación de lealtad y confianza. En el derecho de familia, lo contrario generalmente se afirma que la infidelidad no es una causa de responsabilidad civil, que no viola el derecho del otro, o que la responsabilidad civil por infidelidad solo debe mencionarse si hay evidencia de intención de causar daño.

Sin embargo, la construcción teórica presentada muestra que las relaciones matrimoniales, con muchas más razones para ser hasta las relaciones contractuales, son relaciones que deberían basarse en la confianza, incluso porque son relaciones afectivas. Y para eso no es necesario rescatar la discusión de la culpa.

Según lo presentado, se entiende que la violación de los deberes matrimoniales es una forma de abuso de derechos, por la violación del principio de buena fe objetiva y, por lo tanto, requiere responsabilidad civil. Con respecto a esta buena fe, que se considera aquí como confianza, lealtad y el deber de cooperar entre la pareja, se argumentó que la autonomía de los cónyuges en la preparación del acuerdo prenupcial se extendió, incluso para tratar de ser coherente con la jurisprudencia, que no ve los deberes matrimoniales como deberes, cuando se trata de responsabilidad civil.

Por lo tanto, no sería coherente defender el aumento del espectro de autonomía sin su correspondiente responsabilidad. La ley debe garantizar

que las parejas sean libres de unirse, establecer sus reglas, cambiarlas a
su antojo, reinventarse e incluso divorciarse, independientemente del
daño causado. Pero si no, si ocurre tal daño, si hay abuso de confianza,
lealtad o falta de respeto, el cónyuge de la víctima será compensado.
Puede que el amor no sea una elección, pero la forma de relacionarlo
es, y que el derecho no interfiere con las elecciones legítimas, sino que
protege a quienes legítimamente eligieron relacionarse amorosamente
porque, sin embargo, son titulares de derechos debido a matrimonio o
unión de hecho.

3. TENDENCIAS DE LA JURISPRUDENCIA SOBRE EL RECONOCIMIENTO DE LA RESPONSABILIDAD CIVIL EN ASUNTOS FAMILIARES EN COLOMBIA[1]

Yadira Elena Alarcón Palacio[2]
*Profesora Asociada del Departamento de Derecho
Privado de la Pontificia Universidad Javeriana - Bogotá, Colombia*

SUMARIO: I. INTRODUCCIÓN. II. INDEMNIZACIÓN DE PERJUICIOS POR PROCEDENCIA DE LA ACCIÓN DE PATERNIDAD EN EL MARCO DE LA FILIACIÓN MATRIMONIAL. HIJO QUE NACE 11 MESES DESPUÉS DE LA SEPARACIÓN. III. REPARACIÓN DE PERJUICIOS POR IMPUGNAR LA PATERNIDAD POR COMPLACENCIA. PROCEDE LA ACCIÓN DE AMPARO POR EL DERECHO A CONOCER LA VERDAD BIOLÓGICA Y LA VERDADERA FILIACIÓN. IV. INDEMNIZACIÓN DE PERJUICIOS DERIVADA DE LA VIOLENCIA PROBADA COMO CAUSAL DE DIVORCIO. V. CONCLUSIONES.

---

1   El presente trabajo corresponde al desarrollo del proyecto de investigación Nuevas tendencias en Derecho de Familia en el marco del Estado constitucional de Derecho cuya contribución pertenece al Grupo de Investigación en Derecho Privado de la Pontificia Universidad Javeriana.

2   Profesora Asociada del Departamento de Derecho Privado de la Pontificia Universidad Javeriana - Bogotá, Colombia. Doctora en Derecho por la Universidad Autónoma de Madrid. Investigadora Senior de Colciencias. Líder del Grupo de Investigación en Derecho Privado de la Pontificia Universidad Javeriana (COL0035903, categoría A, Convocatoria 781 de 2017). Contacto: yalarcon@javeriana.edu.co. https://orcid.org/0000-0002-8635-6264

RESUMEN

El tema que se aborda en este trabajo pretende poner en evidencia que el Derecho de Daños está siendo tendencia en Derecho de Familia en Colombia. Tanto supuestos consagrados en la norma, como posturas jurisprudenciales de interpretación, que dan viabilidad a las reparaciones de daños producidos en las relaciones familiares, muestran cómo se está considerando un escenario en el que los principios de la responsabilidad se encuentran presentes en la esfera más íntima de la familia. Estudiaremos un supuesto de indemnización de perjuicios por procedencia de la acción de impugnación de la paternidad en el marco de la filiación matrimonial; analizaremos un supuesto que ordena la reparación de perjuicios por impugnar la paternidad por complacencia y por último, nos detendremos en un supuesto de solicitud de indemnización de perjuicios derivada de la violencia probada como causal de divorcio, para concluir que el camino a la reparación está abierto, pero quedan muchas preguntas con relación a las vías procesales adecuadas y al alcance de la tasación de los perjuicios.

PALABRAS CLAVE

Daños en derecho de familia; responsabilidad en la impugnación de la paternidad; causales de divorcio; daños por imputación de paternidad por complacencia.

ABSTRACT

The topic addressed in this paper aims to evidence that the Law of Damages is currently a trend in Colombian Family Law. Both, the norms and the judicial interpretation consider viable the claims for damages taking place inside family relationships. This concept reveals how the legal principles of torts and civil liability are evident in the most intimate sphere of the family. This paper studies one case concerning the reparation of damages deriving from disputes concerning parentage within marriage, another case concerning the reparation of damages for disputing the parentage that was legally assumed knowing that the person was not the biological parent, and lastly, this study emphasizes a case ordering the reparation of damages deriving from the violence as the legal ground for divorce. These cases' study purports to conclude that the path for claiming damages is opened inside family relations, however, there are remaining questions related to the adequate procedures and the assessment of the damages.

KEYWORDS

Damages in family law; torts and civil liability in misattributed paternity; grounds for divorce; damages for paternity fraud or misattributed paternity.

I. INTRODUCCIÓN

En Colombia, como en la mayoría de los países con códigos decimonónicos, no existen acciones concretas que reconozcan la responsabilidad civil entre miembros de una pareja, salvo algunos casos de señalamiento explícito de procedencia de la indemnización de perjuicios. La teoría de la inmunidad conyugal[3] en la esfera de responsabilidad civil ha sido una constante en el tratamiento de las relaciones de pareja y tampoco existen antecedentes determinantes en cuanto a las relaciones paterno o materno filiales. Sin embargo, los casos de consagración explícita han dado lugar a algunos pronunciamientos de la sala Civil de la Corte Suprema de Justicia en los últimos años, que podemos considerar análisis de los supuestos típicos de responsabilidad civil que indican la viabilidad de este tipo de acciones pese al poco activismo que normas tan antiguas

---

3   Uno de los casos más conocido se da en Alabama en 1981. Fulgham v. State, 46 Ala. 143 (1871), Supreme Court of Alabama.

han presentado desde su consagración en 1887. Esta apertura sigue en tendencia más recientemente, tanto en la esfera de las relaciones de pareja como en las relaciones paterno o materno filiales, en supuestos que podemos considerar atípicos por que surgen del análisis de los daños acaecidos en un problema determinado de índole familiar, pero que no encuentran asidero en una norma explícita que consagre el derecho a la reparación más allá de las normas generales sobre responsabilidad civil.

II. INDEMNIZACIÓN DE PERJUICIOS POR PROCEDENCIA DE LA ACCIÓN DE PATERNIDAD EN EL MARCO DE LA FILIACIÓN MATRIMONIAL. HIJO QUE NACE 11 MESES DESPUÉS DE LA SEPARACIÓN

La Corte Suprema de Justicia, Sala de Casación Civil, en Sentencia del 16 de agosto de 2012[4], conoció de un supuesto de impugnación de paternidad por un hijo nacido 11 meses después de la separación de la pareja. El camino tortuoso que tuvo que recorrer el accionante para demostrar su NO paternidad sirvieron para que éste alegara el derecho a la indemnización de perjuicios tanto de índole moral como de carácter patrimonial. Y es que tuvo que someterse a dos trámites judiciales en lo civil, pasar por un proceso penal de inasistencia alimentaria y llegar hasta el recurso extraordinario de casación. En el caso, el afectado procede a impugnar la paternidad en un primer proceso en que se dictamina la caducidad de la acción y se archiva sin sentencia de fondo. Luego la progenitora, con la firmeza de la paternidad legítima, por estar el hijo registrado con los apellidos del afectado, inicia un proceso de

---

4   COLOMBIA. Corte Suprema de Justicia. Sentencia Ref.: Exp. 1100 131100132006-01276-01 del 16 de agosto de 2012, Magistrado Ponente Fernando Giraldo Gutiérrez. Disponible en: Todas las sentencias de la Corte Suprema de Justicia colombiana pueden verse online en la página oficial http://consulta-jurisprudencial.ramajudicial.gov.co:8080/WebRelatoria/csj/index.xhtml

inasistencia alimentaria por la vía penal en la que el demandado logra la prueba biológica de exclusión de paternidad. El accionante aprovechando un cambio normativo[5], reinicia la acción y pierde en primera y segunda instancia. La parte demandada había alegado cosa juzgada que no procedió pues se determinó caducidad. El demandante interpone el recurso extraordinario de casación y logra que la Corte Suprema CASE la sentencia en el entendido de que no fueron aplicables las normas transitorias que revivían la oportunidad de acción de impugnación cuando la negativa a la misma era por caducidad.

Además del conflicto de caducidad de la acción que se resuelve bajo la ley transitoria, el demandante reclama lo dispuesto en el art. 224 del Código Civil, modificado por el art. 10 de la Ley 1060 de 2006, que reza "Durante el juicio de impugnación de la paternidad o la maternidad se presumirá la paternidad del hijo, pero cuando exista sentencia en firme el actor tendrá derecho a que se le indemnice por todos los perjuicios causados". Al respecto la Corte dictamina que es otro el escenario el adecuado para plantear la pretensión indemnizatoria, bajo la premisa de que la sentencia de no paternidad es constitutiva o modificativa no condenatoria y no empareja el reconocimiento de una sanción[6].

---

5   El avance en la determinación genética de la paternidad hizo que se produjese un cambio normativo en las acciones de impugnación. La caducidad en el antiguo sistema estaba señalada con un plazo de 60 días siguientes a que el supuesto padre biológico tuvo conocimiento del parto. La reforma introducida por la Ley 1060 de 2006, parágrafo transitorio del artículo 14, revivió la posibilidad de reintento de la demanda de impugnación en aquellos casos en los que esta hubiese sido decidida adversamente por efectos de encontrarse caducada la acción. La interpretación que realiza la Corte Suprema de Justicia en la sala civil, es que acudiendo a una interpretación sistemática, la ley otorgó una nueva oportunidad, restringida en el tiempo, para quienes a pesar de haber puesto en marcha la administración de justicia para atacar la relación de parentesco desvirtuada con la práctica de exámenes de ADN, resultaron vencidos en juicio, caducándoles su derecho o que promovieron la acción, estando configurada la dicha figura, pero sin decisión de fondo para la fecha en que entró a regir la ley.

6   COLOMBIA. Corte Suprema de Justicia. Sentencia SC5630 del 8 de mayo de 2014, Magistrado Ponente Fernando Giraldo. Sustitutiva de la Sentencia de 11 de julio de 2011 proferida por la Sala de Familia del Tribunal Superior del Distrito

Sin embargo, desde el punto de vista del derecho de daños, habría que preguntarse si, establecida en la norma, la procedencia de la reparación no es dable al juez de conocimiento establecer el cálculo de la indemnización, o si lo que procede es una nueva acción de responsabilidad civil donde se fije ya no la existencia del daño, ni del nexo causal, sino la forma de tasarlo y el alcance de la reparación de perjuicio, en términos de daño moral y daño patrimonial[7] que, en este caso, además de las consecuencias personales y sociales de tipo moral, conlleva el sometimiento que tuvo el actor a dos trámites en lo civil hasta llegar a casación y el pasar por un proceso penal de inasistencia alimentaria.

III. REPARACIÓN DE PERJUICIOS POR IMPUGNAR LA PATERNIDAD POR COMPLACENCIA. PROCEDE LA ACCIÓN DE AMPARO POR EL DERECHO A CONOCER LA VERDAD IOLÓGICA Y LA VERDADERA FILIACIÓN

En Sentencia STC16969 de 2017, la Corte Suprema de Justicia decide un recurso de amparo en el que el demandante había reconocido a la hija de su pareja a sabiendas de que no era su hija biológica. En la demanda el padre alega la prueba biológica y en el trámite de no paternidad se

---

Judicial de Bogotá.

[7] Es posible que el Juez de Familia pueda ser más apropiado para la tasación de los daños derivados de las relaciones familiares, que el juez civil, dada la naturaleza de parentesco de los implicados y de las connotaciones sociales que circundan los casos de familia. En este sentido se ha sostenido que "Bajo estos perjuicios, por lo tanto, corresponde al operador judicial conciliar diferentes aspectos al momento de pronunciarse, tales como grado de afectación sufrida y de las secuelas físicas o morales que acompañan a la víctima, la entidad de la vejación, la humillación o la vergüenza sufridas, las condiciones sociales del afectado, y la incidencia del daño en esa esfera, etc." HINCAPIÉ GÓMEZ, *Responsabilidad civil por perjuicios ocasionados con ocasión de las relaciones de familia*, Sello Editorial Universidad de Medellín, Medellín, 2015, pág. 106.

hace comparecer al presunto padre biológico, quien resulta positivo en la prueba genética y es descartada la paternidad biológica del demandante.

La Corte resuelve que bajo los principios del interés superior del niño y los lineamientos internacionales en favor de la niñez se imponía una ponderación de derechos entre estos y la caducidad generada en la acción de impugnación a favor de los primeros, determinando la paternidad respecto del verdadero padre biológico y la no paternidad del demandante.

El promotor pretendía la protección constitucional de su derecho fundamental al debido proceso, que decía vulnerado por las autoridades judiciales accionadas con la expedición de las sentencias de primera y segunda instancia. El accionante adujo que promovió proceso de impugnación de la paternidad en contra de su hija, Paula Alejandra Solano Tovar, representada por su progenitora Maritza Tovar Perdomo, ante el Juzgado accionado. Agregó que en el aludido juicio fue practicada la prueba de ADN, dando como resultado su exclusión como progenitor de la convocada. Sin embargo, una vez agotadas las etapas de rigor, los estrados judiciales dictaron sentencias de primera y segunda instancia, en las que desestimaron su pretensión porque caducó la acción. Alegó su derecho al debido proceso, en la medida en que desconocieron la expericia aludida, a pesar de su valor científico, al punto que la ley 1060 de 2006 consagró como obligatoria su práctica. Quiso utilizar a su favor que el término de 140 días previsto en el ordenamiento jurídico para impugnar la filiación paterna se contabiliza desde cuando se tiene el conocimiento certero de no ser el padre, lapso que en el litigio cuestionado no había vencido, si se tiene en cuenta que sólo hasta cuando fue practicado el referido medio de convicción tuvo tal seguridad.

La Corte, del examen de la demanda de amparo, establece que a través de ella se cuestiona la sentencia de 3 de mayo de 2007, proferida por el Tribunal criticado dentro del proceso de investigación de la paternidad censurado, la cual declaró la caducidad de la impugnación promovida por Jhon Jairo Solano Trujillo respecto de la menor Paula Alejandra Solano Tovar.

Acusa como necesaria la intervención del Juez Constitucional, en orden a salvaguardar el derecho al debido proceso de la infante aludida, por cuanto los menores gozan de prerrogativas para asegurar su adecuada formación y desarrollo, en resultas del concepto de su interés superior.

Para el Juez Constitucional, resulta importante destacar la necesidad de definir la verdadera filiación de los niños y adolescentes, en concordancia con el artículo 25 del Código de la Infancia y la Adolescencia (Ley 1098 de 2006), que al respecto prescribe: *«os niños, las niñas y los adolescentes tienen derecho a tener una identidad y a conservar los elementos que la constituyen como el nombre, la nacionalidad y filiación conformes a la ley. Para estos efectos deberán ser inscritos inmediatamente después de su nacimiento, en el registro del estado civil. Tienen derecho a preservar su lengua de origen, su cultura e idiosincrasia».*

Se detiene en la necesaria vinculación del posible progenitor biológico, sosteniendo que el artículo 218 del Código Civil, modificado por el canon 6° de la ley 1060 de 2006, dispone "la forzosa vinculación de los presuntos padres biológicos, al prever que *«(e)l juez competente que adelante el proceso de reclamación o impugnación de la paternidad o maternidad, de oficio o a petición de parte, vinculará al proceso, siempre que fuere posible, al presunto padre biológico o a la presunta madre biológica, con el fin de ser declarada en la misma actuación procesal la paternidad o la maternidad, en aras de proteger los derechos del menor, en especial el de tener una verdadera identidad y un nombre.»"*

Concretamente se citan jurisprudencias que le preceden en torno al alcance del derecho a la verdadera filiación y su relación con las acciones de impugnación de la paternidad.

"cuando se impugna la paternidad o la maternidad, no simplemente está en disputa la verdadera filiación de una persona, sino todo lo que ello implica, como es el derecho al nombre y a una familia, así como la efectiva protección que ordena la Constitución para con los menores y para con la familia, como núcleo esencial de la sociedad, por tal razón y, <u>siempre que sea posible,</u> el juez a petición de parte <u>vinculará a los presuntos padres biológicos, para que la paternidad o la maternidad, según el caso, sea reconocida en el proceso</u>" (se subraya).

El sentido de la legislación nacional es coherente con lo dispuesto por algunos instrumentos internacionales, v.gr., la Convención Internacional de los Derechos del Niño, aprobada por las Naciones Unidas en el mes de noviembre de 1989, en cuyo artículo 7.1 se dispone que "[e]l niño será inscrito inmediatamente después de su nacimiento y tendrá derecho desde que nace a un nombre, a adquirir una nacionalidad y, en la medida de lo posible, a conocer a sus padres y a ser cuidado por ellos". (CSJ, SC, 28 feb. 2013, rad. 2006-00537-01)".

Destacándose que la filiación es un atributo de la personalidad puesto que está íntimamente ligada al estado civil de la persona (C.C. C-109/95).

En el caso de estudio se observó que el demandante inició el juicio de impugnación del reconocimiento filiar que hizo en favor de la menor Paula Alejandra Solano Tovar; que dicha inscripción él la hizo a sabiendas de que no era el progenitor -según quedó establecido en el litigio materia del reclamo constitucional-; y que fue desestimada su pretensión por los juzgadores de instancia al colegir que la acción caducó. Pero adicionalmente, Robinson Vega Cerquera fue vinculado a dicho proceso, como supuesto padre biológico de la menor, lo cual dio lugar al examen de ADN que dio como resultado la exclusión del demandante y, de otro, que Vega Cerquera tenía una probabilidad del 99,999%.

El Juez Constitucional censura que era deber del Juez de Familia pronunciarse en relación con la situación de este, a fin de poder establecer la real filiación de la menor, por lo que ordena retrotraer la sentencia cuestionada, ponderando a favor de los derechos a la personalidad jurídica de la infante y a su estado civil, que se encontraban enfrentados con la caducidad de la acción de impugnación. Soluciona el conflicto fijando el lapso concedido legalmente para ejercer aquella pretensión a partir de la práctica de la prueba de ADN evacuada en ese pleito, atendiendo la jurisprudencia que sobre el punto ha edificado la Corte Constitucional (T-532 de 2012).

Enfatiza en que el reconocimiento hecho por el demandante a sabiendas de que Paula Alejandra no era su hija biológica, bajo la promesa dirigida a la madre de estar enamorado, no puede generar el desconocimiento de los derechos fundamentales de la niña, relativos a su nombre, a la personalidad jurídica, al estado civil y a conocer su verdadera familia. Pero tampoco puede quedar sin sanción. Por lo que el juez de amparo impone que tal impugnación da lugar a la indemnización de perjuicios a favor de la menor, ahora adolescente, en contra de quien procedió a su reconocimiento voluntario y ahora la repele. Para ello hace uso de las facultades derivadas del parágrafo 1° del artículo 281 del Código General del Proceso[8], a cuyo tenor «*(e)n los asuntos de familia, el juez podrá fallar ultra-petita y extra-petita, cuando sea necesario para brindarle protección adecuada a la pareja, el niño, la niña o adolescente, a la persona con discapacidad mental o de la tercera edad, y prevenir controversias futuras de la misma índole*».

En términos del daño producido, cita el Juez Constitucional, pudo generarse "una afectación psicológica a la menor demandada, entre otros daños, originada en la ruptura de los lazos afectivos creados durante años de convivencia familiar, truncados súbitamente no más que por

---

8   CÓDIGO GENERAL DE PROCESO, Ley 1564 De 2012 (julio 12), Diario Oficial No. 48.489 de 12 de julio de 2012.

el cambio de parecer del ascendiente que, a modo de retracto, decide no sólo romper el vínculo afectivo que voluntariamente auspició sino rechazar la filiación de quien una vez acogió en su seno, cual mercancía que, dependiendo del estado de ánimo, puede ser desechada". Y concluye que, por ello, procede la reparación del daño, a lo sumo psicológico.

El Juez Constitucional, haciendo énfasis en el desarrollo del tema en el derecho comparado[9], a su ausencia en los fallos en Colombia y con base en la teoría de los actos propios (*venire contra factum propriam non valet*), reprocha la aspiración del accionante señalando que desdice del principio de la confianza legítima y de la buena fe.

En conclusión, en esta sentencia, la impugnación de la paternidad por complacencia, es decir, la paternidad que se da al reconocer en forma complaciente a quien se sabe a ciencia cierta que no es el hijo, si bien puede dar al traste con la filiación previamente establecida, se considera una conducta antijurídica de la que resulta una vulneración al derecho a la identidad de la parte interesada y, por tanto, susceptible de generar una reparación[10].

---

9 Citando: Reparación de daños a la persona, Rubros indemnizatorios, Responsabilidades Especiales; Félix A. Trigo Represas y María I. Benavente -Directores-, Ariel I. Fognini -Coordinador-; Tomo IV, Supuestos especiales de responsabilidad civil; Alonso, Barbado, Barbieri, Barletta, Cafferatta, Capua, Chamatropulos, Crovi, Famá, Fernández, Ferrer, Fortuna, Pirota, Plaza, Taraborrelli, Vibes –coautores-; Editorial Thomson Reuters La Ley; 2014; págs. 386 a 412.

10 Para una completa revisión de la responsabilidad civil derivada de la filiación, Cf. RODRÍGUEZ GUITIÁN, *Responsabilidad civil en el Derecho de Familia: Especial referencia al ámbito de las relaciones paterno-filiales*, Civitas, Madrid, 2009 y *MARTÍNEZ RAMOS. El fraude de paternidad y la acción de daños y perjuicios*. Revista Jurídica Universidad de Puerto Rico, Vol. 88, pág. 448-472. Disponible en: http://revistajuridica.uprrp.edu/wp-content/uploads/2019/06/El-fraude-de-paternidad.pdf

IV. INDEMNIZACIÓN DE PERJUICIOS DERIVADA DE LA VIOLENCIA PROBADA COMO CAUSAL DE DIVORCIO

En Colombia, aún subsiste el sistema causal del divorcio, representado en causas de tipo remedio o de tipo sanción[11]. La consecuencia ineludible de que se decrete probada una causal de divorcio de tipo sanción es la revisión por parte del juez de conocimiento de la posible condena de alimentos a favor del cónyuge inocente y a cargo del cónyuge culpable[12]. En este caso, nuevamente, por vía del recurso de amparo o de tutela, la Sala Civil de la Corte Suprema de Justicia conoce de la Sentencia STC10829 de 2017[13], acción de tutela contra la sentencia de la Sala de Familia del Tribunal Superior del Distrito Judicial de Bogotá, por su derecho a ser resarcida, reparada y/o compensada por el daño que se le causó por el desconocimiento de su derecho fundamental a vivir libre de violencia, discriminación de género y violencia intrafamiliar.

El caso inicia cuando la demandante instaura el proceso de cesación de efectos civiles del matrimonio religioso. Lo hace por varias de las causales del art. 154 del Código Civil, modificado por la Ley 25 de 1992. El juzgado de instancia decreta la terminación del vínculo y de la sociedad conyugal respectiva, declarando probado el grave e injustificado incumplimiento de los deberes de esposo y padre (numeral 2° de la norma).

No obstante, a la solicitud de reparación por vía del art 414, numeral 4°, por alimentos del cónyuge inocente en contra del cónyuge culpable, se le deniega su procedencia al no demostrase la necesidad que requiere para ser acreedora alimentaria.

---

11   Cf. PARRA BENÍTEZ, Derecho de Familia, Editorial Temis, 2ª ed., Bogotá, 2017, págs. 278 y ss.

12   Artículo 411, numeral 4 del Código Civil.

13   COLOMBIA. Corte Suprema de Justicia. Sentencia STC10829 del 25 de julio de 2017, Magistrado Ponente Luis Armando Tolosa.

La actora recurre la sentencia solicitando la inclusión de la causal tercera de divorcio y la condena en alimentos periódicos en contra del demandado.

La sala de apelación adiciona dicha causal en el entendido de que estaba demostrada la "violencia psicológica" sufrida por la querellante a mano de su expareja, pero se mantiene en la negativa de la fijación de alimentos por no quedar demostrada la necesidad de la demandante.

La Corte en sede de tutela cuestiona los fallos. En primer lugar, comparte la improcedencia de los alimentos por no darse los elementos constitutivos de dicha prestación, pero en segundo lugar proscribe los actos de violencia de género y de violencia intrafamiliar, trae a colación las normas internacionales, tales como la declaración sobre la eliminación de la violencia contra la mujer (art. 4º, literal d) y la Convención Interamericana para sancionar y erradicar la violencia contra la mujer (Belem Do Pará, art. 7º, literal g). Así mismo trae a colación la Constitución Política de 1991 respecto a los derechos a la igualdad, a la familia, la homogeneidad entre hombre y mujer y la protección reforzada de los niños, adolescentes y personas de la tercera edad.

Acusa al ad quem de no haber aplicado el enfoque de género y de no haber hecho uso de las facultades de fallo ultra y extra petita conforme se autoriza en el parágrafo 1º de la art. 281 del Código General del Proceso, para buscar la condena y reparación de la violencia al interior del seno familiar, lo que permite la posibilidad de establecer medidas indemnizatorias en procesos de divorcio.

Alude a que el matrimonio y sus fines pueden terminar por causas de violencia física o moral o por el menoscabo personal, económico o familiar, causando perjuicios de diversa índole a uno de los cónyuges y cuando ello ocurre por causas atribuibles a unos de los compañeros o consortes, el otro puede pedir una indemnización, constituyéndose así una vía de hecho, por ello concede la tutela y revoca el fallo constitucionalmente impugnado.

La sentencia transcurre con salvamento de voto que considera que la declaratoria de culpabilidad abre la posibilidad de demandar los alimentos en caso de que acaezca el estado de necesidad, pero también podría dar lugar a una posterior condena en perjuicios o, incluso, hubiera sido viable, en caso de solicitud expresa distinta a la vía de alimentos y previa prueba de los daños ocurridos, cosa que en su opinión no acontece en el caso.

En demanda de impugnación al fallo de tutela, conoce la Sala Laboral de la Corte Suprema de Justicia (STL16300-2017)[14], en la que se revisan los hechos ya narrados y se concluye, respecto de los alimentos, que es razonable la absolución y, así mismo, que al ser estos los demandados por vía de resarcimiento, en cuanto a la condición de culpabilidad del ex cónyuge, no se edifica una prestación indemnizatoria en perspectiva de reparación de daños, lo cual se corrobora por la Sala de Casación Civil al negar la procedencia de los mismos. Por tanto, al pretender consecuencias indemnizatorias originadas en responsabilidad contractual o extracontractual ha debido expresarse en las pretensiones de la demanda, lo cual no ocurrió. En relación con las facultades *ultra* y *extra petita* ellas solo son procedentes derivadas de lo que resulte probado en el juicio, en aras del derecho a la defensa y el debido proceso. Si bien se demostró en el caso un maltrato psicológico, no se probó el valor de los perjuicios ocasionados a efectos de tasar la eventual indemnización, ello por cuanto ni siquiera fueron estimados por la tutelante. Queda abierta así la posibilidad de acudir a otras causas procesales en procura del resarcimiento, lo cual no constituye el desconocimiento de los derechos fundamentales de la actora.

---

14   COLOMBIA. Corte Suprema de Justicia. Sentencia STL16300-2017 del 27 de septiembre de 2917, Magistrado Ponente Fernando Castillo Cadena.

Con salvamento de voto de la magistrada Claudia Cecilia Dueñas, quien considera que por las obligaciones internacionales que conforman el bloque de constitucionalidad y citando la sentencia T-967/2014[15], que resumió los estándares legales de protección de la mujer en Colombia, obligaban a incluir en el fallo el enfoque de género, por lo que se aparta de la mayoría[16].

Este caso ha generado una profunda discusión en Colombia, acerca no sólo de las situaciones de violencia de género que se producen al interior del hogar, sino además de la afectación de la misma en todos los niveles sociales. Así como también en el valor que deben cobrar las mujeres víctimas de dicha violencia para enfrentar al victimario y poner en movimiento todo el aparato judicial en defensa de su condición. En materia de reconocimiento del daño queda probada la violencia en este caso. El Juez Constitucional en primera instancia plantea la posibilidad del resarcimiento dentro del mismo trámite del divorcio y a manera de facultades *ultra y extra petita*. El juez de impugnación de tutela plantea la necesidad de reiniciar la vía civil para llegar a una nueva sentencia condenatoria en materia de reparación de perjuicios. La discusión además de ser un tema de quien es el juez competente, alcanza el carácter resarcitorio que podría tener una condena de alimentos para quien, no teniendo necesidad de manutención, demanda los mismos como forma de reparación. La inexistencia en Colombia de una tradición en materia de reconocimiento de daños en las relaciones de pareja y

---

15   COLOMBIA. Corte Constitucional. Sentencia T-967/2014 del 15 de diciembre de 2014, Magistrada Ponente Gloria Stella Ortiz Delgado.

16   Al cierre de esta contribución el asunto en cuestión se encuentra para revisión en sesión extraordinaria de la Sala Plena de la Corte Constitucional. EXPEDIENTE T-6.506.361 (M.P. José Fernando Reyes Cuartas) Acción de tutela instaurada por Stella Conto Díaz del Castillo contra el Tribunal Superior de Bogotá, Sala de Familia Vence: término suspendido1 Conjueces: Natalia Ángel Cabo, Carlos A. Atehortúa Ríos, Juan Carlos Henao Pérez, Humberto A. Sierra Porto. Pendiente comunicado de prensa. Disponible en: https://www.corteconstitucional.gov.co/ordendeldia/Orden%20del%20dia%2013-02-20.pdf. Consultado: 18/02/2020.

la inexistencia de figuras como la pensión compensatoria[17], dejaría a los *alimentos* como una posible opción de reparación en mesadas, que a modo de indemnización respondan a la naturaleza de culpabilidad de la causal de alimentos, derivada del artículo 411, numeral 4 del Código Civil[18]. Pero tal no ha sido la opción de los juzgadores de tutela, con lo cual la reparación parece que se dificulta, revictimizando a las mujeres víctimas de violencia de género.

V. CONCLUSIONES

La Responsabilidad Civil en las relaciones familiares sufrió una fuerte tendencia a su desconocimiento. Esta tendencia de reconocimiento actual muestra un camino que parece irreversible. Causar daños siempre ha estado proscrito. Pero causar daños en las relaciones más íntimas de la vida de los seres humanos, debe ser considerado como agravante y debe ser condenado de manera contundente tanto desde el punto de vista penal pero también desde el punto de vista civil. Es cierto que no todas las conductas en las relaciones de pareja o entre padres e hijos que causen daño deben ser reparadas. Por lo cual, corresponde a la doctrina y a la jurisprudencia el papel de delimitación de los supuestos en los que las conductas entre parientes se consideren antijurídicas y por tanto constituyan supuestos susceptibles de reparación.

La tendencia en los casos que hemos analizado del derecho colombiano muestra un interés de protección tanto a los menores de edad y su interés superior, como a las relaciones entre los miembros de la pareja que deben estar libres de violencia. Pero también reflejan que el Derecho de

---

17   En el fallo se alude a las respuestas en este sentido de Argentina, Chile, España y Perú, ob. cit., pág. 11.

18   CÓDIGO CIVIL COLOMBIANO. Ley 84 de 1873 (26 de mayo), Diario Oficial No. 2.867 de 31 de mayo de 1873.

Familia no permite abusos, y que las personas que la conforman también están sujetas a unas reglas adecuadas de conducta que implican la buena fe y la defensa de la verdad por encima de los intereses egoístas y acomodados de quienes pretenden mentir en la constitución de los lazos filiales. Que tales conductas producen daños inadmisibles y que estos daños deben ser reparados. Quedan muchas cuestiones por resolver entorno a cómo se entiende una reparación integral en este tipo de daños y a cuáles son las vías adecuadas para accionar y lograr una oportuna y adecuada reparación de los mismos.

VI. LA RESPONSABILIDAD MÉDICA

1. RESPONSABILIDAD CIVIL SANITARIA Y CONSENTIMIENTO INFORMADO EN PORTUGAL EN LA JURISPRUDENCIA RECIENTE[1]

André Gonçalo Dias Pereira[2]
Profesor de la Facultad de Derecho, Universidad de Coimbra (Portugal)

SUMARIO: I. MARCO NORMATIVO DE RESPONSABILIDAD MEDICA EN PORTUGAL. 1. La responsabilidad civil sanitaria: medicina privada y medicina publica. 2. El Tribunal Europeo de Derechos Humanos y la responsabilidad médica en Portugal. 3. Derecho comparado. II. EL CONSENTIMIENTO INFORMADO Y LA RESPONSABILIDAD SANITARIA. III. CUATRO SENTENCIAS PARADIGMÁTICAS DEL *SUPREMO TRIBUNAL DE JUSTIÇA*. 1. *Supremo Tribunal de Justiça* 2.6.2015 – derecho al consentimiento. 2. ¿Consentimiento informado y perdida de oportunidad?. 3. STJ 22.3.2018 – deber de información y el criterio del paciente concreto. 4. Supremo Tribunal de Justiça, 24-10-2019 - violación del deber de información como fuente autónoma

---

1   Texto de la ponencia de 28 de octubre de 2019, en el I Congreso Iberoamericano de Responsabilidad Civil, Universidad Carlos III de Madrid (Campus Puerta de Toledo). Agradezco al Prof. Dr. Pedro del Olmo la amabilidad de su invitación y al Prof. Dr. Javier Barceló Domenech (Univ. Alicante) la ayuda con la traducción.

2   Profesor de la Facultad de Derecho de la Universidad de Coimbra; Director del Centro de Derecho Biomédico; Investigador Integrado del Instituto Jurídico; *Fellow do European Centre of Tort and Insurance Law;* Asociado Internacional del Instituto Brasileiro de Estudos de Responsabilidade Civil (IBERC); Miembro de la *European Association on Health Law;* Miembro de la Asociación Mundial de Derecho Médico/ World Association for Medical Law; Miembro de la Asociación Internacional de Derecho Comparado.

Ciencia ID: 951E-7E45-3E7F - andreper@fd.uc.pt

de responsabilidad civil médica. V. RECIENTES LEYES SOBRE EL CONSENTIMIENTO. 1. Ley 31/2018 – de derechos de las personas con enfermedad avanzada y al final de vida. 2. Ley nº 49/2018 – derechos civiles de los discapacitados.

RESUMEN

Después de un breve apunte crítico sobre la responsabilidad sanitaria en Portugal en general, donde se pone de manifiesto que el Tribunal Europeo de Derechos Humanos ha condenado Portugal por su débil sistema de responsabilidad médica, en este trabajo explicamos la consagración del derecho al consentimiento y del derecho a la información del paciente en la jurisprudencia portuguesa. Además, se critica la posibilidad de utilizar la teoría de la perdida de oportunidad en el contexto del consentimiento informado, por razones lógicas y dogmático-jurídicas. Finalmente, se hace referencia a recientes leyes que afectan el consentimiento al final de la vida: la Ley 31/2018, de 18 de julio, de derechos de las personas con enfermedad avanzada y en el final de vida), y la Ley 49/2018, del 14 de agosto, de régimen jurídico del mayor acompañado.

PALABRAS CLAVE

responsabilidad civil, derecho sanitario, consentimiento informado, jurisprudencia portuguesa

ABSTRACT

After a brief critical note on health responsibility in Portugal in general, where it is clear that the European Court of Human Rights has condemned Portugal for its weak system of medical responsibility, in this article we explain the consecration of the right to consent and the right to information in Portuguese jurisprudence. In addition, the possibility of using the theory of lost opportunity in the context of informed consent is criticized, for logical and dogmatic-legal reasons. Finally, recent laws that affect consent at the end of life (Law 31/2018, of July 18 (rights in the context of advanced disease and at the end of life) and Law No. 49/2018, of 14 August (new legal regime of the "accompanied adult") are briefly analyzed.

KEYWORDS

medical liability, health law, informed consent, portuguese case law

I. MARCO NORMATIVO DE RESPONSABILIDAD MEDICA EN PORTUGAL

1. La responsabilidad civil sanitaria: medicina privada y medicina publica

La medicina privada es regulada por el Código Civil, siendo competentes los Tribunales judiciales. En la medicina privada hay un contrato civil, que no es un acto de comercio, celebrado *intuitu personae*, y es un contrato de consumo y, por tanto, merecedor de la aplicación de las reglas de protección de los consumidores. Es un contrato socialmente típico, el contrato de servicios médicos. Las reglas de *integración contractual* (art. 239 C.c.) son muy importantes porque normalmente los médicos y pacientes no regulan específicamente el contenido del contrato. Se deben respetar las *reglas legales imperativas*, particularmente las impuestas por la regulación de la profesión médica y por la protección de los consumidores y las normas que atribuyen derechos y deberes a los pacientes, la *costumbre, normas deontológicas* y *usos* (que no contravengan las normas legales imperativas) y las normas de los *contratos de mandato* o de *obra* (en la medida en que exista suficiente analogía)[3].

---

3   El art. 1.156 del Código Civil portugués, del 1966, (contrato de servicios) nos

En el Derecho portugués se permite la acumulación de la responsabilidad contractual y extracontractual. La doctrina del "*non-cumul*" (de origen francés) es minoritaria. Algunos defienden la tesis de la opción, pero a mi juicio la teoría de la acumulación, es decir, la tesis del concurso de responsabilidades – la teoría de la acumulación de responsabilidad contractual y extracontractual - es adecuada.

Como afirma la sentencia del *Supremo Tribunal de Justiça* de 24 de octubre de 2019, "son acumulables las reglas de responsabilidad fundada en la violación contractual o en otro tipo de ilícito, por cuanto con el contrato las partes no han pretendido renunciar a la tutela general o sustraerse a los deberes que la ley les impone, sino reforzar sus obligaciones y derechos inherentes."

El paciente puede seleccionar las normas que más le convengan. Puede demandar daños morales (496) y el régimen de solidaridad pasiva (498), previstas en las reglas de responsabilidad extracontractual, y las reglas de inversión de la carga de la prueba (799) y el plazo de prescripción (309) de 20 años, previstas en la responsabilidad contractual.

La responsabilidad civil en la medicina pública se entiende que está asociada al Estado Social y a su función administrativa. Aquí son los Tribunales Administrativos los competentes[4] y la Ley 67/2007, de 31

---

remite a las disposiciones sobre el mandato.

4   La Constitución de la República Portuguesa de 1976 consagra una garantía institucional que tiene como objeto una *jurisdicción administrativa y fiscal autónoma y separada* de la jurisdicción de los tribunales judiciales. Jurisdicción autónoma que tiene al Tribunal Administrativo Supremo como órgano superior [artículo 209, párrafo 1, punto b) y artículo 212, párrafo 1 de la Ley Fundamental], constituido por un solo cuerpo de jueces sujetos a un estatuto y un órgano de administración, con su propia disciplina, el Consejo Superior de los Tribunales Administrativos y Tributarios (artículo 217, párrafo 2 de la Constitución). La existencia de una jurisdicción administrativa, que se supone que es la jurisdicción común en términos de relaciones jurídico-administrativas (artículo 212, párrafo 3 de la Constitución) es, por lo tanto, una jurisdicción impuesta consti-

de diciembre, sobre la responsabilidad extracontractual del Estado y otros entes públicos es aplicable. En la medicina pública se parte de un concepto de *función administrativa*, por lo que se trata de una *relación de servicio público*, debiendo aplicarse las reglas de la *responsabilidad aquilina* del Estado u otros entes públicos. En el plano procesal, la acción deberá ser ejercitada en el Tribunal Administrativo territorialmente competente y solamente contra la entidad hospitalaria. En el caso de «haber actuado con diligencia y celo manifiestamente inferiores a los que eran debidos por razón del cargo» (art. 8, número 1, de la Ley 67/2007), deberá el médico ser demandado por la Administración hospitalaria en ejercicio de su derecho de regreso, que es obligatorio (art. 6°, número 1).

El régimen incorporado en la Ley 67/2007 es, en cierta medida, el que mejor cumple con los requisitos especiales del Derecho sanitario. De hecho, esta ley impone menos presión sobre el profesional y enfatiza la responsabilidad de la entidad, con el instituto de *falta de servicio* y con un derecho de regreso solo por *culpa grave*. Es decir, el médico solo responde en vía de regreso y si ha violado con celo manifiestamente inferior a sus deberes objetivos de conducta.

Así, este régimen de responsabilidad civil cumple el objetivo de compensar los daños a los perjudicados, sin crear una relación de conflicto directo entre el médico y el paciente. Este esquema evita, en definitiva, la medicina defensiva, la no presunción de error y la ausencia de notificación de evento adverso; impide o debería impedir un clima de desconfianza entre los actores del mundo de la salud. Los programas de gestión de riesgos (*clinical governance*) y los sistemas de notificación de los eventos adversos, que son fundamentales para una visión moderna del Derecho Sanitario, serán más fáciles de aplicar con un régimen

---

tucionalmente, obligatoria desde la revisión constitucional de 1989, junto con la jurisdicción de los tribunales judiciales, que son tribunales comunes en materia civil y penal, la jurisdicción del Tribunal Constitucional y la jurisdicción del Tribunal de Cuentas (Artículo 209, párrafo 1 de la Constitución).

que busque no la culpa individual, sino la responsabilidad institucional.
En una lectura que atienda a los intereses de seguridad del paciente y
al mantenimiento de una relación de solidaridad existencial y de confianza médico-paciente, estamos de acuerdo con el mantenimiento del
régimen de la Ley 67/2007, según el cual el profesional sanitario (que
trabaja en los hospitales públicos *lato senso*) no debe responder civilmente, salvo en caso de *negligencia grave*. Solamente existe responsabilidad
personal y directa del médico cuando ha actuado con dolo [aquí la
Administración hospitalaria responde solidariamente (art. 8, número
1, de la Ley 67/2007)] o «cuando hubiere excedido los límites de sus
funciones» [caso en que la institución no responde (art. 8, número 2)].
La responsabilidad por *culpa por mal funcionamiento del servicio* está prevista
en el art. 7 de la Ley 67/2007: «el Estado y demás personas jurídicas de
Derecho público son incluso responsables cuando los daños no sean resultado del comportamiento concreto del titular del órgano, funcionario
o agente determinado, o no sea posible probar la autoría personal de la
acción u omisión, pero deban ser atribuidos a su funcionamiento." La
Ley nos aclara que «existe funcionamiento anormal del servicio cuando, atendiendo a las circunstancias y a los padrones medios de resultado, fuese razonablemente exigible al servicio una actuación susceptible
de evitar los daños producidos».

La *"faute de service"* incluye la mala organización o el mal funcionamiento de un servicio público, fallido, defectuoso o anormal que, cuando
causa daño a un particular, hace nacer acciones judiciales orientadas al
pago de las indemnizaciones correspondientes.

Cuando hay defectos en la organización de las estructuras de salud, en
el mantenimiento y funcionamiento de los equipos, y se deriva un daño,
hay posibilidad de pedir una indemnización con base en el funcionamiento anormal de los servicios. Esto es muy importante, sobre todo
en los casos de omisión ilícita, cuando no es posible identificar al sujeto
responsable.

Hay diferencias entre la responsabilidad por daños en la medicina pública y en la medicina privada. Las mas importantes son que:

(1) En la responsabilidad extracontractual del Estado y otros entes públicos, la carga de la prueba de la culpa recae sobre el paciente. En la responsabilidad contractual, prevista en el Código Civil, hay una presunción de culpa (799/ 1 CC), aunque se considere que el médico tiene una obligación de medios, por lo que el paciente tiene que probar el incumplimiento de los deberes profesionales.

(2) El plazo para el ejercicio de la acción es de 3 años en la responsabilidad extracontractual (de los hospitales públicos); el plazo para el ejercicio de la acción en medicina privada (médicos o clínicas privadas) se considera el plazo ordinario que es de 20 años (art. 309.º CC).

Así, pues, es criticable que haya un sistema con tribunales diferentes y leyes distintas, y regímenes jurídicos diferenciados para regular la misma realidad material.

2. El Tribunal Europeo de Derechos Humanos y la responsabilidad médica en Portugal

Portugal ha sido condenado por el Tribunal Europeo de Derechos Humanos, no solo por los retrasos en la administración de la justicia[5], sino también por la débil protección del derecho a la vida, por lo menos en

---

5   Desde que el Tribunal Europeo de Derechos Humanos (TEDH) abrió sus puertas, Portugal ha sido objeto de 345 casos. En más del 75% de los casos (262), la decisión fue desfavorable para el Estado portugués, y los jueces encontraron al menos una violación del Convenio Europeo de Derechos Humanos. La duración de los procedimientos judiciales en los tribunales portugueses es la principal violación señalada al país (143).

su dimensión procedimental. Así, destacamos las siguientes sentencias del Tribunal Europeo de Derechos Humanos:

(1) La sentencia del 25 de julio de 2017 (CARVALHO PINTO DE SOUSA v. PORTUGAL). El Tribunal Administrativo Supremo redujo la indemnización a una mujer a causa de una negligencia médica en una operación que le causó problemas en su vida íntima, lo que la llevó a presentar una queja por discriminación de género y edad. El Tribunal portugués argumentó que "en la fecha de la operación, la demandante ya tenía 50 años y dos hijos, es decir, una edad en la que *el sexo no es tan importante* como en la juventud, su importancia disminuye con la edad". En la decisión sobre el caso, en la cual el TEDH dictaminó a favor de la demandante, "es notable que esta sea la primera ocasión en que el Tribunal condena el lenguaje utilizado por un Tribunal nacional, en este caso, un Tribunal superior, cuando se refiere a la edad y condición de la litigante."

(2) LOPES DE SOUSA FERNANDES V. PORTUGAL, decisión final de la *Grand Chamber* el 19 de diciembre de 2017. La violación del derecho a la vida motivada por fallos en el sistema hospitalario permitió la concesión de una indemnización por parte del Plenario del Tribunal Europeo de Derechos Humanos por un importe de 23.000 € (en primera instancia, se había fijado un importe de 39,000 €). Portugal es finalmente condenado en el Tribunal Europeo de Derechos Humanos (TEDH) por violar el derecho a la vida, *en la dimensión procesal*, absolviéndose de la violación del derecho a la vida, en la dimensión material, con un importante voto particular del juez portugués Paulo Pinto de Albuquerque.

(3) Sentencia de 31 enero de 2019, de la *Grand Chamber* - FERNANDES DE OLIVEIRA V. PORTUGAL. Una vez más, la *Grand Chamber* revisó la decisión y consideró que solo había una violación de *la dimensión procesal del art. 2*, dado que el proceso duró más de 11 años en dos niveles de

jurisdicción, y se ordenó al Estado portugués pagar una indemnización de 10.000 € por daños morales.

3. Derecho comparado

Para situar de manera rápida al lector, se pueden sintetizar algunos aspectos de la responsabilidad sanitaria en Portugal, desde una perspectiva comparada:

- El Derecho de responsabilidad civil regula la responsabilidad sanitaria en el Código Civil, con auxilio de la legislación específica de derechos de los pacientes;

- El Derecho de responsabilidad administrativa existe en Portugal, pero sujeto al principio de culpa, es decir, no hay una regla general de responsabilidad objetiva[6].

- A diferencia del Derecho español[7], no hay normas específicas de responsabilidad civil en el Código Penal; ahora bien, juega el principio de acumulación, por lo que la responsabilidad civil será juzgada, por regla general, en el mismo Tribunal que trata de la responsabilidad criminal.

---

6   Solo hay responsabilidad independientemente de culpa en caso de actividades especialmente peligrosas – art. 11 de la Ley 67/2007. Artículo 11 (Responsabilidad del riesgo) 1 - El Estado y otras personas jurídicas regidas por el Derecho público serán responsables de los daños resultantes de actividades administrativas, cosas o servicios particularmente peligrosos, excepto cuando, en términos generales, se demuestre que hubo fuerza mayor o culpa causada por la parte lesionada, y el tribunal, en este último caso, teniendo en cuenta todas las circunstancias, reduzca o excluya la compensación. 2 - Cuando un acto culpable de un tercero ha contribuido a la producción o agravamiento de los daños, el Estado y las demás personas jurídicas de Derecho público responden solidariamente con el tercero, sin perjuicio del derecho de repetición.

7   Cf. PEREIRA, André Dias/ BARCELÓ DOMENECH, Javier, *Marco Normativo y Jurisdiccional de la Responsabilidad Médica en España y Portugal*, LA LEY 1572/2016.

- El derecho de consumidor, al contrario de lo que pasa en Brasil, no es tan importante en este campo, porque no hay reglas de responsabilidad civil distintas en las leyes del consumidor.

II. EL CONSENTIMIENTO INFORMADO
Y LA RESPONSABILIDAD SANITARIA

En el ámbito médico, se distinguen dos *tipos* fundamentales de responsabilidad:

i) la responsabilidad por mala praxis o negligencia médica, es decir, una violación de las *leges artis* y

ii) la responsabilidad por violación del consentimiento informado,[8] que acontece cuando hay falta de información o un consentimiento invalido[9].

El consentimiento informado tiene como bases filosóficas los principios de bioética, el principio de autonomía, que se añade a los principios tradicionales de no maleficencia, beneficencia y justicia[10].

En Portugal, el Código Penal de 1982 prevé un tipo de delito de intervenciones arbitrarias médico-quirúrgicas. El artículo 156 afirma: "1.

---

8   PEREIRA, André Gonçalo Dias, *Direitos dos Pacientes e Responsabilidade Médica*, Publicações do Centro de Direito Biomédico, 22, Coimbra, Coimbra Editora, 2015. (acessível em: https://estudogeral.sib.uc.pt/handle/10316/31524

9   Cf. Javier BARCELÓ DOMENECH, "Consentimiento Informado Y Responsabilidad Médica", *Actualidad Jurídica Iberoamericana*, 2017, ISSN 2386-4567, IDIBE, núm. 8, feb. 2018; Manuel ORTIZ FERNÁNDEZ, "La responsabilidad civil en el ámbito sanitario derivada del consentimiento informado", *Actualidad Jurídica Iberocamericana* N.º 10 bis, junio 2019, ISSN: 2386-4567, p. 559.

10   Cf. BEAUCHAMP, Tom L. / CHILDRESS, James G, *Principles of Biomedical Ethics*, Sixth Edition, New York, Oxford: Oxford University Press, 2009, p. 99 ss.

Las personas a ... (médicos) que, en vista de los fines ... (terapéuticos), realicen intervenciones o tratamientos *sin el consentimiento del paciente* serán castigados con prisión de hasta 3 años o con una multa." El art. 157.º del Código Penal prevé el deber de información: "*el consentimiento solo es eficaz* cuando el paciente haya sido debidamente *informado* sobre el diagnóstico y la índole, alcance, envergadura y posibles consecuencias de la intervención o del tratamiento...*"

En 1995, el Profesor Guilherme de OLIVEIRA publica "O Fim da "Arte Silenciosa" (o dever de informação dos médicos), en la *Revista de Legislação e Jurisprudência* (ano 128). Este civilista introduce en la literatura jurídica estas cuestiones y desarrolla profundamente los temas de los derechos de los pacientes en el Centro de Derecho Biomédico, que hubiera fundado en el 1988. En 2009 ee dirige un grupo de trabajo que elabora una propuesta de ley de derecho a la información y al consentimiento informado, en lo que yo tuve el honor de participar[11].
Ya en 2001, el Convenio de Oviedo es ratificado por Portugal, donde destaca el Capítulo II sobre el Consentimiento, en particular el Artículo 5 (Regla general):

"Una intervención en el ámbito de la sanidad sólo podrá efectuarse después de que la persona afectada haya dado su libre e informado consentimiento.

Dicha persona deberá recibir previamente una información adecuada acerca de la finalidad y la naturaleza de la intervención, así como sobre sus riesgos y consecuencias. En cualquier momento la persona afectada podrá retirar libremente su consentimiento."

---

11   OLIVEIRA, Guilherme/ MONIZ, Helena/ PEREIRA, André, "Consentimento Informado e Acesso ao Processo Clínico – Um Anteprojeto de 2010", *Lex medicinae – Revista Portuguesa de Direito da Saúde*, Ano 9, n.º 18, Julho/Dezembro 2012, p. 13-33.

El Código Deontológico de los Médicos prevé normas muy completas sobre la materia[12] y hay muchas otras disposiciones particulares[13] que sería demasiado extenso mencionar. Destacaremos solo la *Ley 15/2014, de 21 de marzo – Ley refundidora de la legislación en materia de derechos y deberes del usuario en los servicios sanitarios* – que consagra (art. 3.º Consentimiento o rechazo), siendo claro que en el ordenamiento jurídico que la falta de consentimiento informado tiene consecuencias jurídicas graves. La intervención médica es ilícita y hay responsabilidad criminal (arts. 156 y 157 Código Penal), disciplinaria[14] y civil (art. 70 C. Civil, que configura una violación del derecho a la autodeterminación en la atención de salud y a la integridad física y moral del paciente).

Esto es muy claro en la jurisprudencia de los últimos 10 años[15].

El *Supremo Tribunal de Justiça* ha decidido en la sentencia de 18-3-2010[16] que puede haber responsabilidad civil por daños causados por una intervención médica no precedida por la información necesaria, ya sean los daños derivados de la violación de la libertad o los daños correspon-

---

12   Artigo 20.º - Consentimento do doente. 1 — O consentimento do doente só é válido se este, no momento em que o dá, tiver capacidade de decidir livremente, se estiver na posse da informação relevante e se for dado na ausência de coações físicas ou morais. 2 — Entre o esclarecimento e o consentimento deverá existir, sempre que possível, um intervalo de tempo que permita ao doente refletir e aconselhar-se. 3 — O médico deve aceitar e pode sugerir que o doente procure outra opinião médica, particularmente se a decisão envolver riscos significa-tivos ou graves consequências para a sua saúde e vida.

13   La Dirección General de Salud publicó la Norma 15/2013 (actualizada el 04/11/2015) relativa al consentimiento informado, libre y por escrito.

14   Código Deontológico da Ordem dos Médicos (Regulamento n.º 707/2016, de 21 de julho) e Regulamento Disciplinar da Ordem dos Médicos (Regulamento n.º 631/2016, de 7 de agosto)

15   PEREIRA, André Gonçalo Dias, "A consagração do direito ao consentimento informado na jurisprudência portuguesa recente", in *Direito da Saúde - Estudos em Homenagem ao Prof. Doutor Guilherme de Oliveira, Volume 3 - Segurança do paciente e consentimento informado*, Coimbra, Almedina, 2016, p. 161-179. (ISBN: 9789724065663).

16   Processo n.º 301/06.4TVPRT.P1.S1; Relator Pires da Rosa.

dientes a la violación de la integridad física y mental. El Supremo ha reconocido que el incumplimiento del deber de informar conduce a un consentimiento no válido, por lo que las lesiones a la integridad física y la libertad son ilegales, lo que determina *la obligación de compensar los daños patrimoniales y no patrimoniales sufridos por el paciente.*

El Supremo Tribunal de Justiça en 9-10-2014[17] añade que *"la referencia en un documento firmado por médico y enfermo al que se explicó de forma adecuada e inteligible, entre otras cosas los riesgos y complicaciones de una cirugía, no permite juzgar la adecuación e inteligibilidad y así los riesgos concretamente indicados por lo que es manifiestamente insuficiente."*

La sentencia del *Supremo Tribunal de Justiça* de 16-06-2015[18] explica las reglas sobre carga de la prueba de la información: "en principio e independientemente de hacer especial hincapié en el *principio de la colaboración procesal* en materia de prueba, *corresponde al médico probar que ha prestado la información debida."* La carga de la prueba de la información recae sobre el médico, debido al principio de igualdad de armas, la igualdad de aplicación de la ley. Por otro lado, la doctrina procesalista de la dificultad de la prueba del hecho negativo, la llamada prueba diabólica, tiene aquí aplicación, una vez que el enfermo tendría que probar que *no* había recibido información. Finalmente, el argumento dogmático o sustancial que nos enseña que el consentimiento (informado) es una causa justificación de ilegalidad (342/2 CC), por lo que es aquel que quiera valerse de ese hecho impeditivo (el médico) el que tiene que probar que el consentimiento es valido, o sea, que ha sido debidamente informado.

---

17   Processo n.º 3925/07.9TVPRT.P1.S1; Relator João Bernardo.
18   Processo n.º 308/09.0TBCBR.C1.S1; Relator Mário Mendes

Esta tesis[19] ha influenciado también el *Superior Tribunal de Justiça* de Brasil (Recurso Especial nº 1.540.580 –DF).[20] Escribió el Ministro la Corte Suprema, Luis Felipe Salomão: *"André Gonçalo Dias Pereira añade que este es el entendimiento vigente en Europa, desde el presupuesto de que la acción del médico solo es legal si demuestra que la intervención tenía un consentimiento justificativo en su base. (...) De conformidad con el principio de colaboración procesal, cada parte debe contribuir con la evidencia que puede exigirse más fácilmente."*

III. CUATRO SENTENCIAS PARADIGMÁTICAS DEL *SUPREMO TRIBUNAL DE JUSTIÇA*

1. *Supremo Tribunal de Justiça* 2.6.2015 – derecho al consentimiento

Regresando a Portugal, el 2 de junio de 2015, por fin, hay una condena de un médico por ausencia de consentimiento. Con la sentencia del *Supremo Tribunal de Justiça* (Relatora: Clara Sottomayor) el derecho al con-

---

19   Hemos introducido estos argumentos en la doctrina portuguesa en el 2003, en nuestra tesis: PEREIRA, André Gonçalo Dias, *O Consentimento Informado na Relação Médico-Paciente. Estudo de Direito Civil,* Publicações do Centro de Direito Biomédico, 9, Coimbra, Coimbra Editora, 2004.

20   En este fallo, los hechos (dramáticos) son los siguientes: un joven había sido víctima de un accidente automovilístico a la edad de 15 años (1994) y sufrió una lesión cerebral traumática, estuvo 4 meses en coma, permaneció con secuelas neurológicas, déficit motor, caracterizado, entre otros, por discapacidad total en la extremidad superior (mano garra) e inferior y temblor en la extremidad superior derecha. Durante la consulta médica, se le indicó intervención quirúrgica (talamotomía y subtalamotomía). El paciente y sus padres fueron informados de que era un *procedimiento simple,* con anestesia local, sin la necesidad de más pruebas o exámenes, y que duraría un máximo de 2 horas. El joven se sometió a un procedimiento quirúrgico para mejorar su situación de salud, *y finalmente perdió su capacidad para realizar actividades básicas y se volvió dependiente de una silla de ruedas, entre otras secuelas.* En este fallo, el enfermo perdió la capacidad de actividades cotidianas, depende de una silla de ruedas y tiene muchos otros daños causados por la intervención de cirugía y – alega el enfermo – no había sido debidamente informado sobre estos riesgos.

sentimiento informado se hizo oír en el Supremo Tribunal de Justicia. Los hechos son: "una lipoaspiración programada con el consentimiento de la autora... El médico decidió en el curso de la operación aprovechar algún tejido adiposo que había sido extraído de la demandante e inyectarlo en los grandes labios de la misma, ...

Vulvoplastia no había sido advertida... no prestando así su consentimiento.

El Supremo Tribunal condeno a una indemnización de €26.000.

En la argumentación el Supremo Tribunal afirma – sobre el deber de informar los riesgos previsibles y serios – que cuando la intervención no tiene intención terapéutica, el deber de informar es más exigente.

El Supremo Tribunal sigue la doctrina[21] que apunta que la divulgación de riesgos debe seguir los siguientes criterios o "topoi": la urgencia, la necesidad de intervención, la distinción tras Intervenciones no terapéuticas (p. ej., cirugía estética) y invervenciones terapéuticas; la frecuencia y la gravedad del riesgo.

Afirma: "Entendemos que los riesgos a informar deben ser los riesgos tenidos como *previsibles y serios*, admitiendo además que en intervenciones de particular grado de riesgo se comuniquen al paciente los riesgos graves de esa misma intervención (muerte o invalidez permanente) aunque de ocurrencia excepcional."

---

21   André Dias PEREIRA, *O Consentimento Informado....* 2004.

2. ¿Consentimiento informado y perdida de oportunidad?

En la sentencia del 02/11/2017[22] declara: "(…) como regla y como condición de la licitud de una injerencia médica en la integridad física de los pacientes (…) que éstos consientan esa injerencia; y que el consentimiento sea prestado con las informaciones relevantes sobre el acto a realizar, teniendo en cuenta las concretas circunstancias del caso, bajo pena de no poder servir consentimiento legitimador de la intervención. El riesgo de lesión del nervio lingual está incluido en la obligación de informar, por la ley y por el contrato. La cirugía dentaria *no era urgente*, existiendo el deber de información del *riesgo de lesión del niervo lingual*.

En esta sentencia, el *Supremo Tribunal de Justiça* se distancia de la doctrina consolidada en Portugal y en la mayor parte de los países europeos de nuestro entorno dogmático, señalando:

"Es exacto que no se puede afirmar que, naturalmente, fue la falta de información - que, en el caso, está probada (…) y tiene como objeto la comunicación del riesgo que la extracción del siso incluido implica para el paciente -, que provocó "la lesión del nervio lingual derecho" (…)) y demás daños que vienen probados; desde luego, *ni siquiera se ha demostrado que, si conocía el riesgo que la intervención implicaba, la actora no habría consentido en su realización (…).*" La sentencia recurre a la teoría de pérdida de oportunidad en el contexto del consentimiento informado:

"La perspectiva legal correcta para evaluar la existencia del derecho a compensación, en este caso, es más bien determinar si el daño concreto que consiste en la pérdida de la oportunidad de decidir correr el riesgo de daño nervioso y sus consecuencias, deben ser compensadas."

---

22   Processo n.º 23592/11.4T2SNT.L1.S1; Relatora: Maria Dos Prazeres Pizarro Beleza.

En el sumario de la sentencia se dice: "Tal pérdida de oportunidad, en sí misma, como daño causado por la falta de información debida, en resumen, puede ser compensada, teniendo su protección como material de apoyo el derecho a la integridad física y al libre desarrollo de la personalidad (arts. 25. 1 y 26 (1) de la Constitución y el artículo 70 (1) del Código Civil), incluido en su contenido, a saber, el poder del titular para consentir las agresiones a su integridad física, eliminando así la ilegalidad de las intervenciones no permitidas (cf. no. 2 del art. 70 y art. 81 del Código Civil)."

En mi opinión, utilizar la perdida de oportunidad de rechazar la intervención es un camino incorrecto del punto de vista dogmático y es un peligro para el efectivo derecho a la información del paciente. De hecho, el Tribunal condena a € 18.000,00, lo que es solo una parte del daño probado en este fallo.

Veamos, de un punto de vista lógico y dogmático-jurídico:

i. La cirugía carece de consentimiento;

ii. el consentimiento solo es válido si es informado;

iii. se demostró que no se ha transmitido la información de un riesgo grave (*rectius*, no se ha probado que la ha transmitido);

iv. el paciente no consiente válidamente, es decir, da un consentimiento invalido;

v. por tanto, la intervención no está justificada por el consentimiento;

vi. en consecuencia, la intervención corporal es ilícita;

vii. si la intervención sobre el cuerpo del paciente es ilícita, hay un deber de indemnizar los daños patrimoniales y no patrimoniales causados;

viii. No hay razón para disminuir la indemnización.

i) El consentimiento hipotético

La sentencia menciona el problema, sin identificarlo, cuando afirma: "desde luego, *ni siquiera se ha demostrado que, si hubiese conocido el riesgo que la intervención implicaba, la actora no habría consentido en su realización.*"

A nuestro juicio, la posibilidad de defensa del médico no es la teoría de la perdida de oportunidad. El paciente no ha perdido una oportunidad; *ha visto violada su integridad física por una acción directa sobre su cuerpo sin justificación.* Una intervención ilícita

El hecho de que uno es médico o dentista no da el derecho de invadir la esfera físico-psíquica de otras personas, salvo si: (1) hay consentimiento valido, (2) hay un consentimiento presunto, del que destaca la situación de urgencia; (3) hay una autorización legal, de que destaca el internamiento forzoso de los enfermos mentales.

A su vez, el médico podrá intentar defenderse alegando que el paciente hubiera consentido incluso conociendo el riesgo grave. Es el consentimiento hipotético. De todos modos, es el médico el que tiene el *onus probandi* de esta justificación y al paciente le basta probar que se quedaría en una situación de conflicto de decisión (*Entsheidungskonflikt*). ¡Y jamás este consentimiento hipotético se puede utilizar cuando hay una violación grosera del deber de información de un riesgo grave! ¡Si no, sería un logro del deber de información![23]

---

23   Cf. PEREIRA, André G. D., *Direitos dos Pacientes e Responsabilidade Médica*, 2015,

3. STJ 22.3.2018 – deber de información y el criterio del paciente concreto

La sentencia del 22-3-2018[24] versa sobre una colonoscopia y el riesgo acentuado de perforación, por causa de la edad y condición de salud. La actora demanda una indemnización por *i). daños patrimoniales, la cuantía de € 8. 746, 98, añadida de intereses de mora; y ii). daños no patrimoniales, la cuantía de € 28. 000, 00.*

Una vez mas, el Supremo Tribunal opta por la responsabilidad contractual, por ser más favorable y afirma que: (…) "Tanto el derecho nacional, como instrumentos internacionales, imponen, como condición de la licitud de una injerencia médica en la integridad física de los pacientes, que éstos consientan esa injerencia y que ese consentimiento sea prestado de forma consciente, es decir, siendo sabedores de los datos relevantes en función de las circunstancias del caso, entre los que se *incluye la información sobre los riesgos propios de cada intervención médica."*

Lo que es más importante en este fallo es que el Supremo Tribunal opta por el criterio de la información actual y para el *enfermo concreto*. Así, el consentimiento del paciente prestado de forma genérica no reúne, por sí mismo, las condiciones del consentimiento informado y, además, es necesario, en caso de repetición de intervenciones, que dichas informaciones sean actualizadas, teniendo en cuenta, en particular, que los riesgos se pueden agravar con el paso del tiempo.

Estando prevista la realización de un examen de colonoscopia, sin función curativa, del cual nace una *obligación de resultado* (obtención de los datos clínicos del examen), produciéndose una perforación del colon del paciente,

---

p. 498 ss; RIBOT, Jordi, "Consentimiento informado y responsabilidad civil médica en la reciente jurisprudencia del Tribunal Supremo español", *Lex Medicinae-Revista Portuguesa de Direito da Saúde*, Ano 2, n.º3, 2005.

24   Processo n.º 7053/12.7TBVNG.P1.S1; Relatora: Maria da Graça Trigo.

(i) la perforación del colon basta para configurar la ilicitud, ya que una lesión de la integridad física del paciente, no exigida por el cumplimiento del contrato, implica su verificación (ilicitud del resultado), en cuyo caso habrá que ponderar la exclusión de la ilicitud por el consentimiento informado de aquél en cuanto a los riesgos propios de aquella colonoscopia (cfr. art. 340, apartado 1, del CC);

(ii) incumbe al paciente lesionado probar la ilicitud de la conducta del médico, es decir, la falta de cumplimiento del deber objetivo de diligencia o de cuidado, impuesto por las *leges artis*, que integra la necesidad de que, en el curso de la intervención médica, haga todo lo posible para no afectar la integridad física de aquel (ilícito de la conducta), en cuyo caso, aunque no se pruebe la violación de ese deber, aún así, *siempre se tendrá que averiguar si se ha cumplido debidamente el deber de informar al paciente de los riesgos inherentes a la intervención médica y si éste los aceptó.*

La circunstancia de haber probado que la A., paciente, antes de la realización del examen hecho por el R. médico firmó un impreso del Hospital con el título «Consentimiento Informado», conteniendo una declaración en la que afirma estar "perfectamente informada y consciente de los riesgos, complicaciones o secuelas que puedan surgir ", y aunque conocía los riesgos inherentes a la realización de un examen de colonoscopia, incluida la posibilidad de perforación, *no es suficiente para cumplir las exigencias del consentimiento debidamente informado*, ya que, *en el caso de autos, siendo los riesgos de perforación superiores a los normales debido a la edad y a los antecedentes clínicos de la A., era imperativo que el R. aportara la prueba de que A. había sido más informada de estos riesgos.*

Existiendo violación del deber de información del paciente, con consecuencias accesorias desventajosas, es decir, la perforación del colon, y con agravamiento del estado de salud, los bienes jurídicos protegidos son la libertad y la integridad física y moral, y los daños resarcibles tanto son los daños patrimoniales como los daños no patrimoniales.

Por consiguiente, bien si se sigue la concepción de la ilicitud del resultado o la concepción de la ilicitud de la conducta, el R. médico y la respectiva aseguradora se encuentran solidariamente obligados a reparar los daños patrimoniales y no patrimoniales sufridos por la A. con fundamento en falta de consentimiento debidamente informado para la realización de la colonoscopia, que incluye los daños morales, en el importe de 28. 000 €

Por tanto, el hecho de firmar un formulario no es prueba suficiente y el STJ exige el criterio del *paciente concreto*. El Tribunal condena al resarcimiento de los daños patrimoniales y no patrimoniales por violación del consentimiento informado.

4. Supremo Tribunal de Justiça, 24-10-2019[25] - violación del deber de información como fuente autónoma de responsabilidad civil medica

Esta sentencia tiene origen en un recurso extraordinario[26] y es muy importante para determinar la dirección del Derecho portugués. Se trata de un fallo de tratamientos odontólogos que han conducido a la verificación de riesgos graves, en la capacidad de hablar y en prejuicios estéticos y morales graves.

Se determina que "la responsabilidad civil derivada de la realización de un acto médico, incluso si demuestra que no hay error o negligencia médica, puede originarse en la violación del deber de informar al paciente sobre los riesgos y daños eventualmente derivados de la realización del acto médico".

---

25   Processo n.º 3192/14.8TBBRG.G1.S2; Relator: Acácio das Neves.

26   El autor presentó este recurso de revisión excepcional, basado en el del art. 672 del Código de enjuiciamiento Civil.

"La jurisprudencia, y en particular la jurisprudencia del STJ, de acuerdo con el planteamiento seguido en la sentencia recurrida, ha tomado una posición clara hacia la doble sede de responsabilidad médica: basada en un error médico (contractual) o en el incumplimiento del deber de informar, es decir, consentimiento informado, planteamiento que respaldamos completamente" – ha decidido el Supremo Tribunal. Con este desarrollo del derecho al consentimiento informado, los derechos humanos y su protección por la responsabilidad civil se está abriendo paso. El Convenio de Oviedo postula en el artículo 24. Reparación de un daño injustificado: *"La persona que haya sufrido un daño injustificado como resultado de una intervención tendrá derecho a una reparación equitativa en las condiciones y modalidades previstas por la ley.*

En definitiva, una visión actual de la relación médico-paciente incluye en los deberes de prestación del profesional, el respeto por las *leges artis*, el respeto por el *consentimiento informado*, que incluye de forma distinta el deber de información y el deber de obtener el consentimiento y respetar el rechazo, el deber de mantener una completa documentación clínica, el deber de *sigilo y protección de datos*. Es decir, todos estos deberes forman parte de la *lex artis* en sentido amplio y su infracción es fuente de la responsabilidad civil.

V. RECIENTES LEYES SOBRE EL CONSENTIMIENTO

Finalmente, merece un pequeño apunte las recientes leyes que afectan el consentimiento al final de la vida: la Ley 31/2018, del 18 de julio, de derechos de las personas con enfermedad avanzada y al final de vida, y la Ley 49/2018, del 14 de agosto, de régimen jurídico del mayor acompañado.

1. Ley 31/2018 – de derechos de las personas con enfermedad avanzada y al final de vida.

La Ley 31/2018 se encuadra en el contexto del debate sobre la eutanasia que, en Portugal, se está haciendo de forma muy intensa en los últimos años. En mayo de 2018, los distintos proyectos de ley sobre la eutanasia han sido rechazados, pero una propuesta del partido conservador (CDS-PP – Centro Democrático Social/ Partido Popular) ha sido aprobada por unanimidad.

En esta ley se combate la *obstinación terapéutica y diagnóstica*, se refuerzan los derechos al consentimiento informado, a las directrices anticipadas de voluntad, a los cuidados paliativos y a otros derechos.

Además, se regula la contención física o química de los enfermos terminales. Lo más importante es que es Ley de 2018 admite la sedación profunda y terminal (artículo 8/1)[27] y el derecho al rechazo de alimentación y hidratación en los últimos días de vida, incluso el rechazo de cuidados de higiene (8/3)[28]

2. Ley nº 49/2018 – derechos civiles de los discapacitados

La Ley nº 49/2018, de 14 de agosto, introdujo el régimen de los mayores acompañados (los casos de discapacidad), revocando los clásicos institutos de interdicción e inhabilitación. Subyacente a esta reforma está la mejora de la dignidad de la persona y la atribución de la primacía a la

---

27   Art. 8.º, 1: Las personas con un pronóstico vital estimado en semanas o días, que muestran síntomas de sufrimiento no controlados (…), tienen derecho a recibir *sedación paliativa* con medicamentos sedantes adecuadamente titulados y ajustados exclusivamente a propósito del tratamiento del sufrimiento, de acuerdo con los principios de buena práctica clínica y *leges artis*.

28   Art. 8.º, 3 – La persona en los últimos días de vida tiene garantizado el *derecho a rechazar alimentos* o ciertos cuidados de higiene personal, respetando así el proceso natural y fisiológico de su condición clínica.

autonomía del *mayor acompañado*, es decir, a través del ejercicio personal, de la manera más amplia posible, de sus derechos y el cumplimiento de sus deberes.

Esta reforma modificó sustancialmente la Parte General del Código Civil, adaptándola al Derecho internacional, a saber, la Convención de las Naciones Unidas sobre los Derechos de las Personas con Discapacidad (Nueva York, 2007)[29] [30]y también al *Convenio de Oviedo* del Consejo de Europa[31]. La discapacidad se considera un problema relacionado con factores estructurales, sociales y culturales de la sociedad misma, que debe adaptarse a las personas con discapacidad y no al revés[32].

Con la entrada en vigor de este nuevo régimen legal, todas las personas discapacitadas tienen el status de "personas mayores acompañadas" y los tutores y los fideicomisarios designados se han convertido en "per-

---

29   Adoptada en la Asamblea General de las Naciones Unidas en Nueva York, el 13 de diciembre de 2006. Las resoluciones de la Asamblea de la República nº56 / 2009 y nº57 / 2009, que aprueban la Convención sobre los Derechos de las Personas con Discapacidad, se publicaron en *Diário da República,* adoptado en Nueva York el 30 de marzo de 2007, y su Protocolo Facultativo. También se publicaron los decretos del Presidente de la República 71/2009 y 72/2009, que ratifican dicho Convenio y Protocolo Facultativo.

30   El 9 de diciembre de 1975, la Asamblea General de Organizaciones de las Naciones Unidas - ONU (2018) aprobó la Resolución 30/84, titulada Declaración de los derechos de las personas con discapacidad, expresando el término "personas con discapacidad" que se refiere a cualquier persona incapaz de proveer para sí misma, total o parcialmente, las necesidades de una vida individual o social normal, debido a una discapacidad, congénita o no, en sus capacidades físicas o mentales.

31   Aprobado para ratificación por la Resolución de la Asamblea de la República n. ° 1/2001, de 03/01 y ratificado por el Decreto del Presidente de la República n. ° 1/2001, de 03/01, publicado en Diário da República IA, n. ° 2, del 01/03/2001.

32   Paz, Margarida, A Capacidade Jurídica na Convenção sobre os Direitos das Pessoas com Deficiência, in Direitos das Pessoas com Deficiência 2017 – Coleção Formação Contínua, Centro de Estudos Judiciários, Lisboa, 2017, p.37. Disponível na Internet: http://www.cej.mj.pt/cej/recursos/ebooks/civil/eb_DireitoPessoasD2017.pdf

sonas acompañantes", con poderes generales de representación en el primer caso, mientras que en el segundo son responsables de autorizar los actos presentados previamente a la aprobación del curador.

Define nuestro Código Civil, en su art. 138°, que el "adulto acompañado" es la persona, mayor de edad, que está discapacitada por razones de salud (el caso de enfermedades crónicas, como la epilepsia), discapacidad o por su comportamiento (por ejemplo, prodigalidad, abuso bebidas alcohólicas o drogas), para ejercer plena, personal y conscientemente sus derechos o, en los mismos términos, para cumplir con sus obligaciones, beneficiándose así de un conjunto de medidas de acompañamiento planificadas.[33]

La ley también se ocupó de establecer que, por decisión judicial, se nombra un "compañero", que reemplazará a las figuras anteriores del tutor y el curador, y que también deberá ser una persona física, mayor de edad, en el pleno ejercicio de sus derechos, elegidos por el "mayor / acompañado", o por su representante legal (arts. 139 y 143 del Código Civil).

El artículo 147 (bajo el título Derechos personales y negocios de la vida cotidiana) procede a reafirmar la capacidad de los mayores, ya que establece que "el acompañado puede libremente ejercer sus derechos personales y la conclusión de los negocios" de la vida corriente, a menos que exista una disposición de la ley o una decisión judicial en contrario"[34].

---

33   BARBOSA, Mafalda Miranda, *Maiores Acompanhados – Primeiras Notas depois da Aprovação da Lei N° 49/2018, de 14 de agosto,* Gestlegal, Coimbra, 2018; Cf. MONTEIRO, António Pinto, "Das Incapacidades ao Maior Acompanhado: breve apresentação da lei n.° 49/2018", in Cadernos do CEJ: O *Novo regime Jurídico do Maior Acompanhado* - http://www.cej.mj.pt/cej/recursos/ebooks/civil/eb_Regime_Maior_Acompanhado.pdf

34   Art. 147.2: «Son personales, entre otros, los derechos de casarse o constituir situaciones de unión, procrear, procrear o adoptar, cuidar y educar a los niños o adoptados, elegir una profesión, mudarse en el país o al extranjero, establecer domicilio y residencia, establecer relaciones con quien quieran y otorgar un

La ley no trata directamente los asuntos médicos o el ejercicio de los derechos de la personalidad en el campo de la salud. Sin embargo, es importante tener en cuenta que la ley no es exhaustiva ("son personales, entre otros"). Por lo tanto, y retomando lo que ya se ha dicho, si partimos de la idea de capacidad y si no se ha restringido a la práctica de actos médicos, entonces es porque el *adulto* es, salvo excepciones, plenamente capaz de ejercer los derechos de la personalidad en el área de la salud[35].

Esta ley cambia el régimen del consentimiento informado de las personas adultas discapacitadas, lo que es cada vez mas importante en una sociedad envejecida[36].

---

testamento."

35   Vítor, Paula Távora, Os Novos Regimes de Proteção das Pessoas com Capacidade Diminuída, in Autonomia e Capacitação – Os Desafios dos Cidadãos Portadores de Deficiência, Universidade do Porto, Porto, 2018.

36   Cf. PEREIRA, André G. Dias/ CAMPOS, Juliana "O envelhecimento: apontamento acerca dos deveres da família e as respostas jurídico-civis e criminais, in *Revista da Faculdade de Direito e Ciência Política da Universidade Lusófona do Porto*, (ISSN 2184-1020), 2018, pp. 61-80.

2. LA PÉRDIDA DE OPORTUNIDAD EN LA RESPONSABILIDAD CIVIL MÉDICA. NOTAS DESDE EL ORDENAMIENTO CHILENO

Darío Parra Sepúlveda[1*]

Profesor de Derecho Civil, Universidad de Austral de Chile

SUMARIO. I. PLANTEAMIENTO. II. LA PÉRDIDA DE OPORTU-NIDAD DE CURACIÓN Y/O SUPERVIVENCIA. DOCTRINA. III. LA PÉRDIDA DE OPORTUNIDAD DE CURACIÓN Y/O SUPER-VIVENCIA. JURISPRUDENCIA CHILENA. IV. REFLEXIONES FINALES

RESUMEN

Este trabajo presenta un breve diagnóstico sobre la recepción e incipiente desarrollo que la doctrina de la pérdida de oportunidad, aplicada a la responsabilidad civil de los profesionales de la salud, ha tenido en el ordenamiento jurídico chileno.

PALABRAS CLAVES

Pérdida de chance, responsabilidad médica, pérdida de oportunidad.

---

1   Profesor de Derecho Civil Universidad de Austral de Chile (Chile), Doctor en Derecho y Máster en Derecho Privado por la Universidad Carlos III de Madrid (España). Coordinador del Grupo de Trabajo para el Derecho de Daños en Iberoamérica, correo electrónico: dario.parra@uach.cl

ABSTRACT

This paper presents a brief diagnostic on the reception and incipient development that the doctrine of the loss of opportunity, applied to the civil responsibility of health professionals, has had in the Chilean legal system.

KEYWORDS

Loss of chance, medical responsibility, loss of opportunity.

I. PLANTEAMIENTO

Hablar de responsabilidad civil por pérdida de oportunidad se ha convertido en los últimos años en un tema recurrente para la dogmática civil chilena[2], prueba de ello es que resulta prácticamente imposible en-

---

2   Por todos, véase a: BARRÍA DÍAZ, *"La pérdida de una oportunidad en la Jurisprudencia de la Corte Suprema sobre juicios indemnizatorios derivados del terremoto y tsunami de 27 de febrero de 2010"*, Revista de Derecho (Concepción), número 245, enero-junio 2019, págs. 235 a 269; MEJÍAS, "La pérdida de una chance. Una revisión a partir de los requisitos del daño indemnizable", en GÓMEZ DE LA TORRE/HERNÁNDEZ/LATHROP/TAPIA (ed.), *Estudios de Derecho Civil XIV,* Thomson Reuters, Santiago, 2019, págs. 1067 a 1081; CÁRDENAS, "La pérdida de la chance en la reciente jurisprudencia médica", en GÓMEZ DE LA TORRE/HERNÁNDEZ/LATHROP/TAPIA (ed.), *Estudios de Derecho Civil XIV,* Thomson Reuters, Santiago, 2019, págs. 1027 a 1039; TAPIA RODRÍGUEZ, *"Pérdida de una chance.* Su indemnización en la jurisprudencia chilena", Revista de Derecho Escuela de Postgrado, 2012, N° 2, págs. 251-264; RÍOS, "¿Quién carga con el peso de la incertidumbre causal?", en VIDAL/SEVERÍN/MEJÍAS (ed.), *Estudios de Derecho Civil X,* Thomson Reuters, Santiago, 2014, págs. 861 y ss.; BARROS, *Tratado de responsabilidad extracontractual,* Editorial Jurídica de Chile, Santiago, 2006, págs. 378 a 383; CORRAL, *Lecciones de responsabilidad civil extracontractual,* Thomson Reuters, Santiago, 2013, págs. 136 y ss; TAPIA, "Pérdida de una chance: ¿Un perjuicio indemnizable en Chile?", en ELORRIAGA (coord.), *Estudios de Derecho Civil VII,* Thomson Reuters, Santiago, 2012, págs. 645 a 674; MUNITA MARAMBIO, *"La pérdida de una chance. Notas desde una*

contrar en nuestro país alguna oferta de postgrado, seminario, jornada, congreso u obra colectiva dedicada a la responsabilidad civil donde no se haga referencia o anuncie un intenso debate en torno a la figura que nos convoca.

A lo anterior, cabe agregar que el notorio interés por la denominada pérdida de chance[3] no solo ha de circunscribirse al ámbito académico, destacándose también un creciente reconocimiento y utilización – aunque todavía incipiente y no ajeno a correcciones–, por parte de los tribunales superiores de justicia chilenos en la resolución de casos en donde debido a la falta de diligencia del agente dañoso, la víctima es privada de una seria y razonable chance, expectativa o esperanza de lograr un resultado favorable o de evitar uno desfavorable[4].

No obstante el auspicioso diagnóstico anterior, cabe precisar que el subrayado interés que ha suscitado la mentada "teoría" en el ordenamiento jurídico chileno es de data reciente, puesto que como ha sucedido en prácticamente todos los sistemas que han dado cabida a la responsa-

---

　　　perspectiva comparada", Actualidad Jurídica, 2013, N° 28, págs. 395 a 436; RÍOS y SILVA, *Responsabilidad civil por pérdida de la oportunidad*, Editorial Jurídica de Chile, Santiago, 2014; RÍOS ERAZO y SILVA GOÑI, *"La teoría de la pérdida de la oportunidad según la Corte Suprema"*, Revista de Derecho Escuela de Postgrado, 2015, N° 7, págs. 165 a 178. DOMÍNGUEZ ÁGUILA, *"Consideraciones en torno al daño en la responsabilidad civil: Una visión comparatista*, N° 188, 1990"*, Revista de Derecho (Concepción), número 188, 1990, págs. 150 y ss.

3　　Sobre la diferencia entre chance y oportunidad, véase los interesantes trabajos de los profesores RÍOS y SILVA, ob. cit., págs. 21 a 48, y MEDINA, *La teoría de la pérdida de oportunidad: estudio doctrinal y jurisprudencial de Derecho de daños público y privado*. Civitas, Madrid, 2007, págs. 61 y 62. No obstante compartir buena parte de sus observaciones, en lo que sigue, utilizaremos las expresiones chance y oportunidad indistintamente en su acepción más amplia.

4　　En este sentido TAPIA, ob. cit., pág. 650; CÁRDENAS, ob. cit., pág. 1027 y MAZEAUD, MAZEAUD y TUNC, *Traité théorique et pratique de la responsabilité civile délictuelle et contractuelle*, Tomo I, 6ª Ed., Éditions Montchrestien, Paris, 1965 pág. 307, entre otros.

bilidad civil por pérdida de oportunidad[5], también se observa en este
sistema una marcada primera etapa donde toda posibilidad de resarcimiento del chance, esperanza u oportunidad perdida era negada por
entender que faltaba el requisito de certeza del daño[6], no apreciándose,
en ese entonces, que una probabilidad tuviese en sí un valor económico
merecedor de atención por parte de los tribunales al momento de determinar los daños susceptibles de ser reparados –y/o compensados–[7].
En este orden de ideas, compartimos con quienes plantean que la palabra chance, en cuanto oportunidad, encierra un conjunto de elementos
aptos para conseguir un determinado efecto, el que normalmente será
positivo, una oportunidad para algo. Es así como la chance engloba dos
realidades distintas, por una parte, una posibilidad y una concreción de
esa posibilidad; y por otra, una idea de azar, de imprevisibilidad y de incerteza. Esta doble dimensión en la que se configuraría la chance plantea la interrogante si la pérdida de una mera posibilidad o esperanza de
alcanzar un resultado beneficioso y/o de evitar un resultado perjudicial
tiene entidad suficiente que la haga merecedora de tutela resarcitoria, o
si tal tutela está reservada sólo para la pérdida de un resultado cierto[8].

Sobre el particular, puede observarse una interesante evolución del moderno derecho de daños, la cual parece venir de la mano con el correcto
entendimiento, y reconocimiento en los distintos ordenamientos, del
principio *pro damnato* o *favor victimae*[9]. Así, mientras tradicionalmente se

---

5   Sobre los orígenes franceses de esta teoría véase a: CHABAS, *"La perte d'une
     chance en droit français"*, Colloque sur les Développements récents du droit de
     la responsabilité civile, publications du Centre d'études européennes, Genève,
     1991, págs. 131 y ss. y DOMÍNGUEZ ÁGUILA, ob. cit., págs. 150 y ss.

6   Por todos, ALESSANDRI, *De la responsabilidad extracontractual en el derecho civil
     chileno*, Editorial Jurídica de Chile, Santiago, 2005, pág. 159.

7   Con mayor detalle se refieren a esta etapa: TAPIA, ob. cit., pág. 658; RÍOS y
     SILVA, ob. cit., págs. 212 a 216.

8   Así, CHABAS, ob. cit., págs. 135 y ss.

9   Así el tratadista español Luis Diez-Picazo identifica al moderno derecho de
     daños con el reconocimiento del citado principio, explicando que *"la evolución
     experimentada por la jurisprudencia en el curso de los últimos años, hace más claro ese nuevo*

había defendido que para activar los engranajes de la responsabilidad civil el perjuicio sufrido por la víctima debía cumplir rigurosamente con el requisito de certidumbre, hoy, pareciere existir acuerdo en torno a entender que la exigencia de certidumbre del perjuicio ha sido morigerada por el principio *pro damnato*, permitiendo así, la reparación de aquel daño que se traduce en el impedimento que padece la víctima –a raíz de una acción u omisión negligente del agente dañoso– de obtener un resultado que razonablemente esperaba que se produjese, o de evitar un resultado adverso que razonablemente era evitable.

En el mismo sentido, nos interesa dejar en claro que cuando se habla de reparar la pérdida de oportunidad, no se pretende que se repare la oportunidad perdida en su total valor, como si hubiese sido efectivamente adquirida, sino de atribuir un valor a esa posibilidad perdida. De este modo: la imposibilidad de presentarse a una licitación, a un examen, a una oposición, la imposibilidad de acceder a un tratamiento médico, a un medicamento específico, serán perjuicios reparables en la medida que existía una seria y razonable esperanza de obtener y/o evitar un determinado resultado, reconociendo en esa chance u oportunidad un valor económico transable comercialmente con entidad suficiente como para ser objeto de tutela por parte del ordenamiento jurídico[10].

---

sistema de la responsabilidad civil, que hoy, lejos de buscar una moralización de las conductas, trata de asegurar la reparación de los perjuicios de las víctimas. Es lo que hemos llamado el principio pro damnato o la idea de que por regla general todos los perjuicios y riesgos que la vida social ocasiona, deben dar lugar a resarcimiento, salvo que una razón excepcional obligue a dejar al dañado sólo frente al daño… (el destacado es nuestro). DIEZ-PICAZO Y PONCE DE LEÓN, *"La responsabilidad civil hoy"*, Anuario de Derecho Civil, vol. 32, número 4, 1979, pág. 734.

10   En igual sentido también se pronuncia VICENTE, "El daño", en REGLERO (coord.), *Tratado de responsabilidad civil*, T. I, 4º Ed., Aranzadi, Cizur menor, 2008, pág. 321. Sobre el particular se ha destacado que de manera abstracta se entiende que la chance o eventualidad de ganancia tiene un valor patrimonial, es una expresión matemática, pues *"al menos, la eventualidad vale lo que darían por ella en el mercado, en el caso de que no se hubiera perjudicado"*. *LACRUZ, SANCHO y LUNA, Elementos de Derecho Civil*, Tomo II. Vol. II, 4º Ed., Dykinson, Madrid, 2009, pág. 459.

Concluida la brevísima referencia a la problemática de la pérdida de
oportunidad en general, en lo que sigue, circunscribiremos nuestro estudio a la recepción que ha tenido en el derecho chileno esta figura,
centrándonos en aquellos juicios donde a raíz de la omisión u actuación
negligente del profesional de la salud se le genera a la víctima (paciente)
un especial perjuicio consistente en la privación de la razonable oportunidad que tenía de curar su enfermedad o de evitar un empeoramiento
de su salud. Esto es lo que en doctrina se ha denominado "pérdida de
oportunidad de curación y/o sobrevida". Dicho de otro modo, en las
páginas posteriores centraremos nuestra exposición en la recepción que
la pérdida de chance, aplicada exclusivamente a la responsabilidad civil
de los profesionales de la salud, ha tenido en la doctrina y jurisprudencia chilena.

II. LA PÉRDIDA DE OPORTUNIDAD
DE CURACIÓN Y/O SUPERVIVENCIA. DOCTRINA

Respecto de la recepción por la doctrina chilena de la pérdida de oportunidad de curación y/o sobrevida, resulta importante apreciar que en
términos generales los autores parecen dividirse en dos grandes visiones
sobre su utilidad y ubicación dentro del estudio de la responsabilidad
civil. De esta forma, para algunos la pérdida de chance ha entenderse
como una clara hipótesis de daño[11], configurándose, así como una nueva categoría de perjuicio indemnizable, perfectamente distinguible de
categorías más familiares como: daño emergente, lucro cesante, daños

---

11   Así parecen pronunciarse: CÁRDENAS 2019, ob. cit., págs. 1029 y ss.; ME-
      JÍAS ob. cit., págs. 1067 y ss.; TAPIA, ob. cit., págs. 645 y ss.; BARRÍA DÍAZ,
      ob. cit., págs. 261 y 262; PIZARRO, "Controversias jurisprudenciales de la res-
      ponsabilidad de los servicios públicos de salud", en DE LA MAZA (comp.),
      Cuadernos de análisis jurídico. Responsabilidad Médica, Ediciones Universidad Diego
      Portales, Santiago, 2010, pág. 198.

corporales o daño moral[12]. En cambio, para otro sector de la doctrina nacional la teoría en comento tendría mucha más utilidad para resolver problemas de incertidumbre causal, por lo que al momento de estudiarla la ubican dentro del elemento causalidad de la responsabilidad civil[13].

Defienden estos últimos autores la manifiesta utilidad de la pérdida de oportunidad de curación y/o sobrevida, principalmente en aquellos casos de dificultad o imposibilidad probatoria de la relación de causalidad –la cual liga la conducta negligente del profesional de la salud con la consecuencia dañosa para el paciente–, sobre todo en aquellas situaciones donde pareciera contrario al principio *pro damnato* que la víctima deba soportar, además, todo el peso de dicha incertidumbre causal[14].

Así, esta doctrina plantea que la relación de causalidad estaría construida sobre una base incierta, la cual ha de responder la pregunta sobre ¿qué habría pasado si el profesional de la salud no hubiera incurrido en el hecho negligente? En este sentido, la cuestión se reduce a la alternativa de todo o nada, en el sentido que sólo si se logra acreditar el nexo causal entre la conducta negligente del profesional de la salud y el resultado dañoso que padece la paciente, este tendrá derecho a que se le indemnice todo el daño sufrido. Es aquí donde la pérdida de oportunidad adquiere importancia puesto que contribuye a configurar el criterio de "probabilidad razonable o significativa", cuya aplicación vendría a dar por sentada la respectiva causalidad[15].

---

12   Mayores argumentos en RÍOS y SILVA, ob. cit., págs. 91 y ss.

13   Por todos véase a: BARROS, ob. cit., págs. 378 a 383; MUNITA MARAMBIO, ob. cit., págs. 395 a 436; BARCIA, "Algunas consideraciones de la relación de causalidad material y jurídica en la responsabilidad civil médica", en DE LA MAZA (comp.), *Cuadernos de análisis jurídico. Responsabilidad Médica*, Ediciones Universidad Diego Portales, Santiago, 2010, págs. 92 y 93.

14   CÁRDENAS 2019, ob. cit., pág. 1029. Algunas notas sobre el principio *pro damnato*, véase a: DIEZ-PICAZO Y PONCE DE LEÓN, ob. cit., págs. 734 a 738.

15   CÁRDENAS 2019, ob. cit., pág. 1029; BARROS, ob. cit., pág. 378.

Por nuestra parte, compartimos la visión de aquellos que ubican la discusión sobre la pérdida de oportunidad de curación y/o sobrevida dentro del estudio del daño como elemento de la responsabilidad civil, asumiendo que la determinación de los perjuicios que sufre el paciente con ocasión de la prestación de servicios médicos, no es una cuestión de reciente data, ni mucho menos de resolución sencilla, más aún si constatamos la sostenida y vertiginosa evolución que la responsabilidad civil ha tenido en el ordenamiento jurídico chileno en las últimas décadas, la cual plantea una constante invitación a repensar las clásicas reglas que hasta hace poco gobernaban sin mayores cuestionamientos esta materia. Prueba clara de esta evolución es el reciente interés por parte de la doctrina, y jurisprudencia nacional en la figura objeto del presente estudio.

En este sentido, nos interesa subrayar como concepto base que al adentrarnos en el estudio de la responsabilidad civil de los profesionales de la salud en general, y de los médicos en particular, cabe hablar de pérdida de oportunidad de curación y/o sobrevida, cuando a raíz de la actuación negligente del profesional sanitario el paciente se ve privado de la seria y razonable oportunidad –considerada a la luz de la ciencia médica–, de lograr la curación o mejoría de su patología (obtener un beneficio), o de impedir un deterioro de su salud (evitar una pérdida).

En el mismo orden de ideas, cabe sostener que cuando se trata de reparar la pérdida de oportunidad de curación y/o sobrevida, no se pretende que se repare ese derecho eventual del paciente como si hubiese sido efectivamente adquirido, sino de atribuir un valor a esa posibilidad perdida, de este modo: la imposibilidad de someterse a un tratamiento médico determinado, de acceder a tiempo a un medicamento específico o de optar entre varias opciones médicas recomendadas, serán reparables en la medida en que existía una seria y razonable esperanza de obtener dicho beneficio o de evitar un resultado adverso, cumpliéndose así con la ineludible exigencia de certeza del daño, la cual, como ya adelantamos, viene a morigerarse por aplicación del principio *pro damnato*.

De esta forma se presenta la pérdida de oportunidad de curación y/o sobrevida como un perjuicio distinto del denominado daño final[16], si bien con una entidad inferior, pero suficiente para ser tutelada por el ordenamiento jurídico, puesto que como bien se ha expresado *"las probabilidades que se han perdido no son siempre castillos en el aire, a veces son reales, pues ciertamente la víctima aduce un perjuicio que contenía una virtualidad (…)"*[17]. En otras palabras, *"existía una chance y se ha perdido definitivamente, ha salido del patrimonio del perjudicado"*[18]. Es así como cabe resaltar que el daño que se busca reparar con la pérdida de chanche es la pérdida de oportunidad y no la oportunidad perdida[19].

Una última característica a resaltar cuando hablamos de la aplicación de la pérdida de oportunidad a la responsabilidad civil de los profesionales de la salud, dice relación con la forma en la que se generaría el perjuicio para el paciente. Así, hay quienes plantean que en este particular caso nos encontraríamos bajo hipótesis de daño pasivo, que vendrían a ser aquellos perjuicios que acontecen no por la acción directa del facultativo, sino que debido a omisiones en el tratamiento o a errores

---

16   MARTÍN-CASALS, *La modernización del Derecho de la responsabilidad extracontractual*, Ponencia presentada en las XV Jornadas de la Asociación de Profesores de Derecho Civil, celebradas los días 8 y 9 de abril de 2011 en la Coruña. Disponible en: http://www.derechocivil.net/jornadas/APDC-2011-Ponencia-CASALS.pdf, última visita: 30 de diciembre de 2011, págs. 42 y 43; GALÁN, *Responsabilidad civil médica*, 6º Ed., Aranzadi, Cizur Menor, 2018, pág. 983; VICENTE, ob. cit., págs. 263 y 278; LLAMAS, *El daño por pérdida de oportunidad*, Prácticas de derecho de daños, año VII, número 69, 2009, pág. 4.

17   MAZEAUD, MAZEAUD y TUNC, ob. cit., pág. 278; En el mismo orden de ideas LALOU, *Traité pratique de la responsabilité civile*, 6ª edición, Dalloz, Paris, 1962, págs. **99 y 100** señala que *"el perjuicio no deja de ser menos cierto, el caballo tenía una probabilidad de llegar, esa probabilidad es la que ha perdido, y esa probabilidad en el momento de la carrera, tenía cierto valor, que aun cuando sea difícil de avaluar no deja de ser menos indiscutible. El valor de esa probabilidad o de esas probabilidades similares, es el que deberán esforzarse por evaluar los tribunales"*.

18   VICENTE, ob. cit., págs. 263 y ss.; LLAMAS, ob. cit., pág. 4.

19   GALÁN, ob. cit., pág. 983.

de diagnóstico que privan al paciente de los cuidados médicos debidos[20] y que comportan un empeoramiento de su estado de salud.

Ya para ir concluyendo este apartado, nos parece importante reiterar que no podemos desconocer el deber que tiene el ordenamiento jurídico de entregar una solución válida también a aquella víctima que, normalmente debido a errores de diagnóstico o a omisiones médicas, sufre la pérdida de aquellas probabilidades que según la ciencia médica tenía de recuperarse de su enfermedad o de llevar sus últimos días con dignidad. De este modo, y no obstante su configuración meramente probabilística, resulta a todas luces que la chance perdida por el paciente se presenta como un perjuicio susceptible de reparación, que de no ser tutelado por el ordenamiento jurídico necesariamente deberá ser asumido por la víctima, lo cual atenta con la correcta comprensión del ya referenciado principio *pro damnato*.

III. LA PÉRDIDA DE OPORTUNIDAD DE CURACIÓN Y/O SUPERVIVENCIA. JURISPRUDENCIA CHILENA

A diferencia del interés que la pérdida de oportunidad ha despertado en la doctrina chilena, donde cabe ubicar en el año 1990 al primer trabajo que expone la problemática de la *perte d´ une chance* en nuestro país[21], la jurisprudencia nacional ha iniciado recientemente su primer acercamiento a la figura en comento. En este sentido, cabe destacar al año 2011 como la época en que la Corte Suprema –sentencia pronunciada en 2008 por la Corte de Apelaciones de Valparaíso y confirmada en 2011 por la Corte Suprema– reconoce expresamente la aplicación de

---

20   LUNA YERGA, *"Oportunidades perdidas: La doctrina de la pérdida de oportunidad en la responsabilidad civil médico-sanitaria"*, Revista Indret, n° 288, (mayo 2005), pág. 2.

21   Véase a DOMÍNGUEZ ÁGUILA, ob. cit., págs. 150 y ss.

la pérdida de oportunidad en la resolución de aquellos casos que versen sobre responsabilidad civil médica[22].

Luego de este primer hito, es importante resaltar que en los años venideros nuestros tribunales superiores de justicia han seguido resolviendo asuntos razonando en clave de pérdida de oportunidad, sin embargo, y por las limitaciones propias de este trabajo, no realizaremos un análisis pormenorizado de toda la jurisprudencia relativa a la responsabilidad civil de los profesionales de la salud, si no que más bien presentaremos algunas de las decisiones que a nuestro parecer grafican de mejor forma la situación actual de la recepción de la pérdida de oportunidad de curación y/o sobrevida en nuestro país.

Así las cosas, las sentencias seleccionadas serán agrupadas bajo los mismos criterios con que fue expuesta la recepción de esta teoría por parte de la doctrina nacional.

De esta forma, cabe apreciar un primer grupo de sentencias donde la teoría de la pérdida de chance, aplicada en la resolución de aquellos casos en donde se discute la responsabilidad civil de los profesionales de la salud, pareciere ser utilizada por los tribunales de justicia chilenos como herramienta útil en la resolución de problemas de incertidumbre causal.

- La primera sentencia a destacar se refiere al caso en el que una mujer concurre a extirparse un lunar ubicado en la zona del esternón –junio de 2003–, una vez realizada la intervención quirúrgica la muestra es envíada a análisis (biopsia), el cual no arroja en su informe resultados malignos. Tiempo después –julio 2004–, la paciente sufre un cuadro de dolor agudo en el área de la intervención, en septiembre del mismo año acude nuevamente al centro

---

22   Sentencia 20 enero 2011 dictada por la Corte Suprema, rol 2.074 –2009, disponible en www.pjud.cl.

asistencial producto de un aborto espontáneo. En Octubre de
2004, luego de realizarse unos exámenes de rutina se le detecta
un melanoma maligno que termina con su vida en el mes de
febrero del año 2005. Sobre esta sentencia en particular nos interesa destacar dos considerandos: el noveno y el décimo tercero.

CONSIDERANDO NOVENO: *"(…) lo que lleva aconcluir que no
se ha acreditado que entre la muerte de doña Karen Ojeda y la realización de
una biopsia en forma negligente exista un nexo causal que permita demandar
indemnización por su fallecimiento. Sin embargo, es un hecho de la causa
que a raíz de este error en el diagnóstico la paciente no tuvo conocimiento, ni
atención médica derivada de la enfermedad que padecía, sino hasta más de un
año después, viéndose afectada por ende su proyección de vida, como también
el derecho a saber acerca de la enfermedad que la aquejaba"*.

CONSIDERANDO DÉCIMO TERCERO: *"Que si bien del mé-
rito de autos, no aparece que se haya rendido prueba útil, que acredite que
efectivamente de haberse diagnosticado a doña Karen Ojeda oportunamente la
enfermedad que padecía, con toda seguridad, habría vivido más tiempo del que
vivió, lo cierto es que por una parte como ya se dejó establecido precedentemente, el error culpable en el diagnóstico de que fue objeto la privó durante más de
un año de acceder a un tratamiento que pudo darle una mejor calidad de vida
en su enfermedad lo que constituye un hecho notorio y que emana del sentido
común, puesto que ante cualquier dolencia que cause aún pequeñas molestias,
no cabe duda que el paciente se sentirá mejor si aquella es tratada, lo que
permite idealmente dimensionar el significado que pudo tener en esa enferma
la omisión producida, estando inserta en la realidad esta última afirmación en
el informe médico guardado en custodia, emanado del doctor Pablo González
Mella, médico tratante suyo, donde deja constancia que ya en julio de 2004
presentaba dolores progresivos y que tan sólo en el mes de noviembre de ese año
una vez que se detectó la enfermedad al realizarse la biopsia al esternón se
comenzó con radioterapia analgésica por cuadro doloroso severo ; habiéndosele
privado también de haber podido aspirar a una sobrevida, aún cuando inexo-*

rablemente por la enfermedad que padeció iba a morir, todo lo cual permite concluir que en la especie existió para ella una pérdida de chance".

En definitiva, se otorga una indemnización, bajo el concepto de daño moral, de 25.000 euros a su viudo, 25.000 euros a cada padre y 12.000 euros a cada uno de sus dos hermanos[23].

• La segunda sentencia que traemos a colación dentro de este grupo, se pronuncia respecto del caso en que un recien nacido –de 16 días– que fue diagnosticado con bronquitis obstructiva leve –23 de julio 2011–, el profesional tratante le prescribió salbutamol e ibuprofeno, sin solicitar examenes. En control de 25 de julio mantuvo el diagnóstico, citándolo para nuevo control el día 29 de julio. Ante la nula evolución de su hijo, los padres concurren el día 26 de julio a un pediatra particular, quien los deriva con urgencia al Hospital Guillermo Grant Benavente, ingresando el recien nacido a la UCI donde se le diagnostica neumonía multifocal y coqueluche. El lactante fallece el día 29 de julio de 2011 a raíz de una falla orgánica múltiple y coqueluche grave. Cabe destacar, en dicha época, un brote de coqueluche en la zona, el que había sido notificado a los establecimientos de salud por las autoridades competentes, recomendándose la hospitalización en recién nacidos y lactantes que presenten cuadro de coqueluche, el que en su etapa iniciaría asimila los síntomas a los de un resfrio. Sobre esta sentencia cabe destacar a lo expresado en su considerando noveno.

CONSIDERANDO NOVENO: *"(...) En el caso concreto, existen dificultades para establecer el vínculo causal, atendido los grados de incer-*

---

23   Sentencia 20 enero 2011 dictada por la Corte Suprema, rol 2.074 –2009, disponible en www.pjud.cl.

tidumbre en relación a la evolución médica de la paciente. En efecto, una vez establecido que el servicio prestado a Juan Pablo Contreras Sanchez fue deficiente, no debe perderse de vista que, en definitiva, el reproche que se formula a la Administración es no haber entregado un diagnóstico y tratamiento oportuno, razón por la que no es posible establecer el vínculo de causalidad entre la falta de servicio asentada y la muerte del paciente (…)".

Se condena en definitiva al agente dañoso a indemnizar, nuevamente por concepto de daño moral, 12.500 euros para cada padre[24].

El segundo grupo de sentencias seleccionadas, dictadas con posterioridad al año 2018, parecieren entender a la pérdida de oportunidad de curación y/o sobrevida más bien como una hipótesis de daño autónomo, distinto del daño final. Aquí, no parecieren existir dudas para los sentenciadores respecto del nexo causal, el que aparece ligando la actuación negligente del profesional de la salud con el perjuicio sufrido por el paciente, que en este caso no es el daño final, si no que la pérdida de oportunidad de curar su enfermedad o de vivir sus los últimos días con dignidad.

Los hechos de la primera sentencia de este grupo son los siguientes: La paciente de 57 años, con antecedentes de hipotiroidismo, presentó durante enero de 2013 volumen bilateral en ambas extremidades, practicándole exámenes que advierten que su función renal esta alterada, debiendo ser hospitalizada el 17 de enero de ese mismo año en el Hospital Higueras de Talcahuano. Posteriormente, en febrero de 2013 se le diagnosticó insuficiencia renal crónica. El 9 de mayo de 2013 se le realizó procedimiento de implantación de catéter venoso central (CVC) en la

---

24   Sentencia 09 noviembre 2017 dictada por la Corte Suprema, rol 1.745 –2017, disponible en www.pjud.cl.

yugular interna de la paciente para iniciar un tratamiento de hemodiálisis, procedimiento fallido en el primer intento, por lo que tuvo que ser practicado por un médico especialista en nefrología, tal como lo exigen los protocolos. Luego de instalar el catéter venoso se inició diálisis y, una vez terminada, la paciente expresó padecer de dolor de espalda. Los exámenes practicados dieron cuenta de severo compromiso hemodinámico, y luego de una intervención quirúrgica se constató colección de sangre en el hemitórax derecho, producto de la lesión en la vena yugular interna derecha en relación con el catéter de diálisis, la que se procedió a ligar. El 28 de junio de 2013 se instala a la paciente un nuevo catéter, indicándosele fármacos y se le derivó a un tratamiento ambulatorio de diálisis. Finalmente, el 30 de septiembre de 2013, acude al Hospital Higueras de Talcahuano con compromiso del estado general, dificultad respiratoria, y una infección en la herida operatoria del tórax, falleciendo el 10 de octubre de 2013, a causa de un shock séptico refractario. Los considerandos que citaremos son el décimo tercero y décimo sexto.

CONSIDERANDO DÉCIMO TERCERO: *"Que en el caso concreto, el vínculo de causalidad se relaciona estrechamente con la teoría en análisis, pues aplicando las ideas expuestas en los considerandos anteriores se concluye que la relación causal no se vincula con la muerte del paciente pues existen grados de incertidumbre que impiden establecer el nexo causal-, sino que con la circunstancia de privar a la paciente de la oportunidad de obtener un tratamiento eficaz y una adecuada recuperación, minimizándose los riesgos tal como fue previsto en los propios protocolos médicos. En efecto, la falta de la debida diligencia en el procedimiento médico sólo puede relacionarse causalmente con la pérdida de la oportunidad de una posible sobrevida que se le habría entregado al paciente, pues de no mediar la falta de servicio establecida en autos, aquella habría tenido la chance de no haberse contagiado con una infección, y probablemente no habría fallecido como consecuencia de ella".*

CONSIDERANDO DÉCIMO SEXTO: *"Que, atendido a que como se señaló, la falta de servicio no privó de la vida a Patricia Pincheira Sepúlveda, sino que de la opción de tener un tratamiento médico adecuado que eventualmente le habría puesto en una posición de luchar por su vida, oportunidad de la que también fueron privados sus familiares directos, actores de estos autos, quienes no pudieron contar por un tiempo mayor con su presencia".*

Se condena a la parte demandada a pagar 25.000 euros, por concepto de daño moral, al cónyuge y 15.500 euros a cada hijo[25].

• La siguiente sentencia que destacaremos dice relación con la tardanza en el diagnóstico del cáncer que padecía el hijo del actor, enfermedad que lo llevó a la muerte. Los hechos del caso apuntan a que el paciente Hans Enrique Loayza Pate concurrió al Hospital Hanga Roa de Isla de Pascua, el día 20 de abril de 2009, debido a una dolencia en su pie izquierdo, oportunidad en la que se le diagnosticó hiperqueratosis. Al día siguiente le fue extraída la protuberancia desechando el médico someter dichos tejidos a una biopsia debido a que en su opinión padecía de una patología benigna. No obstante, la herida de la intervención no cicatrizó adecuadamente y el 4 de febrero de 2010 se diagnosticó una recidiva de la señalada hiperqueratosis, oportunidad en la que tampoco se dispuso la práctica de una biopsia o de algún otro análisis, pese a la anotada falta de cicatrización. El 2 de agosto de 2010 Hans Loayza participó de un operativo médico realizado por la Fuerza Aérea de Chile, en dicha oportunidad se le diagnosticó un fibroma y se ordenó realizar exámenes, así, el 11 de agosto de 2010 Hans Loayza es derivado a Santiago siendo internado en el Hospital El Salvador, lugar donde se le practicó

---

25 Sentencia 27 febrero 2018 dictada por la Corte Suprema, rol 21.599 –2017, disponible en www.pjud.cl.

una primera biopsia que demostró que sufría de un sarcoma de células claras, padecimiento que finalmente causó su muerte el 16 de diciembre del 2012. Destacaremos en este pronunciamiento de la Corte Suprema los considerandos undécimo y décimo cuarto.

CONSIDERANDO UNDÉCIMO: *"Que en las anotadas condiciones resulta evidente que el negligente proceder del equipo médico privó al paciente Loayza Pate, sin duda alguna, de la oportunidad de luchar por su vida, pérdida cierta y real que obliga al demandado a indemnizar los perjuicios derivados de la misma".*

CONSIDERANDO DÉCIMO CUARTO: *"Que entendidas así las cosas, estos sentenciadores han llegado al convencimiento de que, como consecuencia de la falta de servicio en que incurrió el demandado, Hans Loayza Pate no se vio privado de la vida sino que de la oportunidad de luchar dignamente por ella, contexto en el que, además, tienen en especial consideración las circunstancias en que ocurrió su fallecimiento, particularmente gravosas dada su juventud y lo que significa para su padre que, pese a sus esfuerzos por velar por la salud de su hijo, el demandado haya actuado con desidia en su atención, hasta el punto de que el correcto diagnóstico de su enfermedad sólo se haya logrado diecisiete meses después de la primera atención que se le prestó y debido a la intervención del personal de otras instituciones, distintas del Hospital Hanga Roa. Tales antecedentes llevan a esta Corte a regular el monto de la indemnización que el demandado deberá pagar en una suma considerablemente inferior a la solicitada por el actor, pues se estima que no resulta posible avaluar la pérdida establecida en el mismo monto en que lo sería la muerte del paciente. Por fin, considerando que el de autos es un daño moral y haciendo uso de las atribuciones que son propias de estos falladores, se establece prudencialmente su monto en la cantidad de $25.000.000".*

Corte condena al demandado a pagar al padre de la víctima la suma prudencial de 33.000 euros, por concepto de daño moral[26].

IV. REFLEXIONES FINALES

La tradicional visión de la responsabilidad civil que ponía su hincapié en una mirada más bien restrictiva de la exigencia de certeza del daño, ha sufrido una interesante evolución de la mano de una correcto entendimiento del principio *pro damnato*, pasando desde una absoluta rigidez y negativa, a la admisión, cada vez más frecuente, de la reparación de aquellos daños cuya entidad se encuentra entre la certeza y eventualidad, perjuicios que hasta hace un tiempo atrás eran completamente invisibles para nuestros tribunales de justicia, con las permitentes consecuencias que de ello se deriva para las víctimas.

Por último, cabe subrayar que, a nuestro entender, la pérdida de oportunidad de curación y/o sobrevida presenta una entidad suficiente para entenderla como categoría indemnizatoria autónoma, ubicándose así dentro de la clasificación del daño —elemento de la responsabilidad civil–, como un perjuicio que se distingue del daño emergente, lucro cesante, daño corporal y daño moral, debiendo condicionarse su calificación jurídica al concreto interés que resulte frustrado, pudiendo en consecuencia ser de naturaleza patrimonial o extrapatrimonial.

---

26   Sentencia 25 junio 2018 dictada por la Corte Suprema, rol 30.264 –2017, disponible en www.pjud.cl.

3. EL DAÑO A LA AUTODETERMINACIÓN DE LOS PACIENTES Y LA RESPONSABILIDAD POR LA VIOLACIÓN DE SU CONSENTIMIENTO

Adriano Marteleto Godinho
Profesor de Derecho Civil de la Universidad Federal de Paraíba (UFPB), Brasil

SUMARIO. I. CONSIDERACIONES INICIALES. II. LA AUTO-NOMÍA PRIVADA EN LAS RELACIONES MÉDICO-PACIENTE. III. EL CONSENTIMIENTO INFORMADO. IV. LA RESPONSABI-LIDAD CIVIL DE LOS PROFESIONALES DE LA SALUD POR LA VIOLACIÓN DE LA AUTONOMÍA DE LOS PACIENTES. V. EL CONSENTIMIENTO PRESUNTO COMO FACTOR EXCLUYEN-TE DE RESPONSABILIDAD. VI. CONCLUSIONES

RESUMEN

preservar la autonomía de los pacientes para la libre elección de los tratamientos a los que se someterá es crucial para darles el espacio necesario de libertad en la relación médico-paciente. Dicha autonomía se manifiesta por el consentimiento informado, que requiere que el profesional de la salud no solo aclare adecuadamente al paciente sobre las circunstancias relacionadas con la intervención médica, sino que también respete la toma de decisiones del paciente. Con base en estas premisas, se debate en qué situaciones el médico puede ser civilmente responsable por la violación de la autonomía del paciente y bajo qué circunstancias se puede presumir el consentimiento del paciente a la práctica médica.

PALABRAS CLAVE

autonomía privada; consentimiento informado; presunto consentimiento; responsabilidad civil.

ABSTRACT

To preserve the patient's autonomy to freely choose which treatments they will undergo is crucial to give them enough room of freedom in the doctor-patient relationship. Such autonomy presentes itself through the informed consente, which requires not only the adequate clarification about the circumstances related to the medical intervention, but also the respect towards the patient's decision. Based on these premises, one must debate in which situations the doctor may be held responsible for violating the patient's autonomy and under which circumstances it is allowed to presume the patient's consente to medical practice.

KEYWORDS

private autonomy; informed consent; presumed consent; civil liability.

I. CONSIDERACIONES INICIALES

Abordar la responsabilidad civil de los médicos implica, en general, discutir si en virtud de un error médico es posible imputarles el deber de responder por los daños causados a sus pacientes. Sin embargo, también es posible considerar culpar a los profesionales de la salud por la simple violación a la autonomía de sus pacientes. Se discutirá, así, la posibilidad de imputar responsabilidad civil a los médicos, quienes, incluso cuando emprendan adecuadamente las mejores técnicas disponibles para preservar la vida y la salud de los pacientes – es decir, independientemente de algún error cometido –, actúan contra el libre albedrío de ellos.

Para este fin, primero será necesario definir el significado que se le dará a la conocida expresión *consentimiento informado* y verificar cuales son los requisitos hasta el reconocimiento de su validez y plena efectividad. Adelante, se atestiguarán las circunstancias bajo las cuales los pacientes podrán consentir – y disentir – a los procedimientos de salud y tera-péuticos que les sean propuestos. Por fin, se verificará la posibilidad de imputar responsabilidad civil a los profesionales que, incluso cuando actúan en estricto cumplimiento de la técnica propia de su oficio, violen los límites del consentimiento otorgado por sus pacientes.

II. LA AUTONOMÍA PRIVADA EN LAS RELACIONES MÉDICO-PACIENTE

En el ámbito de las relaciones establecidas entre los médicos y sus pa-cientes, el consentimiento informado – término creado para identificar que la declaración de voluntad del paciente es libre y aclarada – es la expresión de su autonomía para aceptar o rechazar ciertos tratamientos o intervenciones, basado en las informaciones proporcionadas sobre los riesgos y los procedimientos a seguir. Dicha autonomía, en un sentido técnico, se toma como el derecho al ejercicio de la propia libertad per-sonal, sea en el contexto de los negocios de naturaleza patrimonial o, como está más estrechamente relacionado con el objeto de este texto, en el dominio de los actos jurídicos existenciales.

La noción simplificada de Josefina del Río,[27] para quien la autonomía consiste en la posibilidad de que los sujetos puedan tomar decisiones

---

27   DEL RÍO, Josefina Alventosa, "El derecho a la autonomía de los pacientes', en CABANILLAS SÁNCHEZ *et al* (org.), *Estudios jurídicos en homenaje al Profesor Luiz Díez-Picazo*, t. 1, Thomson-Civitas, Madrid, 2003, pág. 173.

libres y conscientes sobre su propia persona y sus bienes, tiene el mérito de extender la libertad de acción del individuo más allá de la disposición de su patrimonio. La autonomía privada es así una consecuencia de una noción más amplia de libertad, que toca en fin la dignidad humana.

Si se reconoce a cada individuo la prerrogativa de ser y convertirse en lo que parezca, la autonomía privada tiene un papel noble que desempeñar: permitir a cada persona, con respeto a su individualidad, dar forma al significado de su existencia, anclado en sus valores, creencias, cultura y aspiraciones. Hay pues que concebir la autonomía no sólo como un medio de contraer obligaciones, sino también de desarrollar y realizar la propia personalidad humana.

Para esto, es crucial consagrar la libertad para actuar en el ámbito de los derechos de la personalidad, donde se incluyen los derechos a la vida, la integridad psicofísica y la salud, entre otros. La salud también se toma como un derecho fundamental; su respaldo exige, en virtud del principio de la protección, una postura más activa del Estado en relación con posibles abusos y violaciones a la salud de los ciudadanos.[28]

Particularmente cuanto a los actos médicos, la conquista de la autonomía de los pacientes se logró gradualmente. El giro de un modelo estrictamente paternalista hasta el reconocimiento de un espacio de libertad de los pacientes representó el respeto a sus intereses, según las intervenciones que les parezcan más adecuadas. De esto surge, entonces, el significado del mencionado consentimiento informado, expresión mayor de la autonomía otorgada al paciente para aceptar o rechazar ciertos procedimientos, en base a las aclaraciones proporcionadas por el médico sobre la naturaleza de la intervención, los riesgos, las posibles

---

28   FARIAS, Cristiano Chaves; ROSENVALD, Nelson; BRAGA NETO, Felipe. *Novo tratado de responsabilidade civil*, 2. ed, Saraiva, São Paulo, 2017, pág. 1.107.

contraindicaciones y ventajas esperadas, además de los otros elementos que pueden ser relevantes para la formación de su convicción libre.

Actualmente, prevalece la noción de que la declaración del paciente para consentir con el acto médico es obligatoria, independientemente de la magnitud de la intervención y sus procedimientos y riesgos. En las relaciones médico-paciente, la libertad de tomar decisiones sobre los tratamientos a que el paciente desea o no someterse contribuye al reconocimiento de su condición de persona en lugar de ser mero objeto de la actividad médica. Por lo tanto, la relevancia atribuida a la autonomía del paciente aumenta y se reafirma la importancia del consentimiento informado.

Así, se supera una concepción manifiestamente paternalista de la medicina tradicional, según la cual el médico pudo decidir unilateralmente sobre el tratamiento a seguir, sin tener en cuenta los deseos, miedos e intereses del paciente.[29]

Queda por ver, entonces, cómo se expresa la autonomía de los pacientes y cuáles son los requisitos para que se revele de manera válida.

III. EL CONSENTIMIENTO INFORMADO

Del análisis de la Ley n. 3/2001, promulgada en la Comunidad Autónoma de Galicia, España,[30] es posible extraer un concepto preciso de consentimiento informado. El artículo 3/1 así establece: "a los efectos

---

[29]   ANDORNO, Roberto, "'Liberdade' e 'dignidade' da pessoa: dois paradigmas opostos ou complementares na bioética?", en MARTINS-COSTA/*MÖLLER* (Org.), *Bioética e responsabilidade*, Forense, Rio de Janeiro, 2009, pág. 76.

[30]   Ley 3/2001, de 28 de mayo, reguladora del consentimiento informado y de la historia clínica de los pacientes.

de la presente ley, se entiende por consentimiento informado el prestado libre y voluntariamente por el afectado para toda actuación en el
ámbito de su salud y una vez que, recibida la información adecuada,
hubiera valorado las opciones propias del caso". Este mismo artículo
(3/2) establece que "la prestación del consentimiento informado es un
derecho del paciente y su obtención un deber del médico".

Jurídicamente, el consentimiento informado es una consecuencia de
la buena fe, y los médicos deben proporcionar al paciente, con transparencia, las informaciones relevantes a su disposición. Es importante
reconocer la naturaleza contractual del vínculo legal establecido entre
médicos y pacientes, aunque también se deba enfatizar su contenido existencial, ya que se basa en la idea de la dignidad inherente a las partes.[31]
Sin embargo, no debe decirse que el deber de informar adecuadamente
al paciente se deriva únicamente del hecho de que existe entre ellos una
relación contractual. Hay que pensar en primer plano en la seguridad
del propio paciente, que es un componente de su derecho a la integridad física y moral.

Debido a esto, es posible atestiguar que la obligación atribuida al médico de no intervenir en la integridad física del paciente sin su debido
consentimiento es preexistente al surgimiento del vínculo negocial que
los une; es decir, el deber de obtener el consentimiento informado del
enfermo se basa en un derecho innato de personalidad y no depende de
la estructura contractual en la que se realiza el acto médico.[32]

---

31   NAVES, Bruno Torquato de Oliveira; SÁ, Maria de Fátima Freire de, "Da
     relação jurídica médico-paciente: dignidade da pessoa humana e autonomia
     privada", en SÁ, Maria de Fátima Freire de (Coord.), *Biodireito*, Del Rey, Belo
     Horizonte, 2002, pág. 115.
32   OLIVEIRA, Guilherme, "Estrutura jurídica do acto médico, consentimento in-
     formado e responsabilidade médica", Temas de Direito da Medicina 1 – Centro
     de Direito Biomédico, Ed. Coimbra, Coimbra, 1999, pág. 63.

En este ámbito, se debe suponer que el paciente es la parte vulnerable en la relación establecida con el médico, exactamente porque ignora los aspectos técnicos de la medicina. Por eso, el consentimiento informado exige que el paciente tenga plena conciencia de la naturaleza de los procedimientos propuestos y de los riesgos que les sean inherentes, cuando podrá, si fuera el caso, autorizar la práctica del acto médico. Dicha autorización se otorga, en general, por medio de la firma del formulario de consentimiento informado, documento que deberá especificar, en lenguaje claro y accesible al paciente, las informaciones indispensables a la formación de su libre convicción. Al firmar dicho formulario, el paciente declara estar consiente de su contenido, asumiendo libremente los riesgos indicados.

Finalmente, superada la idea de que el paciente no tiene nada a decir sobre los tratamientos médicos que le sean propuestos, cumple admitir que cada individuo se convierte en el dueño de las decisiones sobre sí mismo. Hay que romper con la idea demasiado paternalista (que permite al Estado intervenir vigorosamente en las libertades individuales en nombre de la supuesta protección de las personas) y minimalista (que reduce drásticamente el alcance de la autonomía privada) en torno al ejercicio de los derechos existenciales de la persona humana. Sin que se reconozca a la persona algún espacio de libertad sobre tales derechos, se le niega una característica propia a la naturaleza del hombre: la necesidad de afirmarse y superar a sí mismo. La autonomía para las elecciones que guían la existencia de una persona es un medio de preservar la identidad de cada individuo, que vive en torno de sus principios: no se puede negarlos sin negarse a sí mismo.[33] Por supuesto, esta autonomía encuentra su ápice en el reconocimiento de la estricta necesidad de cumplimiento y respeto a los límites del consentimiento otorgado por los pacientes.

---

33   OLIVEIRA, Nuno Manuel Pinto, "The right to bioethical self-determination in the charter of fundamental rights of the European Union", Boletim da Faculdade de Direito da Universidade de Coimbra, v. LXXX, Coimbra, 2004, pág. 632.

IV. LA RESPONSABILIDAD CIVIL DE LOS PROFESIONALES DE SALUD POR LA VIOLACIÓN DE LA AUTONOMÍA DE LOS PACIENTES

Debidamente sustentados los argumentos que demuestran la indispensabilidad del respeto a la autonomía de los pacientes, queda por ver cómo los profesionales de la salud – en particular, pero no exclusivamente, los médicos – pueden ser considerados responsables de cualquier incumplimiento de los límites del consentimiento otorgado por sus pacientes. Como ya se ha señalado, sólo es posible hablar de una verdadera manifestación de voluntad si el paciente puede comprender el contenido del formulario de consentimiento informado, cuyo vocabulario médico debe ser suficientemente preciso y comprensible al paciente, para proporcionar una completa comprensión de sus términos. Por lo tanto, es necesario que el médico promueva una efectiva interacción con sus pacientes, observando las condiciones y limitaciones específicas de cada uno, explicándoles cada aspecto del contenido del formulario, para que pueda ser una fuente de seguridad para ambos.

El postulado mencionado es esencial para establecer que el consentimiento sólo será válido si la información transmitida a los pacientes sea suficiente para formar su convicción. En el caso de ausencia de información, o cuando sea incompleta o inexacta para respaldar un consentimiento debidamente informado, se puede afirmar que, aunque el paciente haya colocado su firma en el formulario presentado, el consentimiento obtenido se considerará inválido y la conducta médica será considerada como un procedimiento no autorizado;[34] de ahí en adelante, son aplicables las reglas que le imputen la responsabilidad civil (y mismo penal) por la intervención no permitida en la integridad física de terceros.

---

34   PEREIRA, André Gonçalo Dias, "O consentimento para intervenções médicas prestado em formulários: uma proposta para o seu controlo jurídico", Boletim da Faculdade de Direito da Universidade de Coimbra, v. LXXVI, Coimbra, 2000, pág. 451.

Del mismo modo, si se demuestra que el propio médico llevó el paciente a dar su consentimiento, haciendo uso de medios inadecuados, sea por inducción maliciosa capaz de tergiversar la realidad de los hechos, sea por la amenaza por coerción injusta, podrá responder civil o penalmente al actuar en la integridad física del paciente sin la manifestación necesaria y válida para hacerlo.

Sin embargo, averiguar qué circunstancias encajarían con el comportamiento inadecuado del médico requiere precaución. No se puede acusar al profesional de actuar ilegalmente cuando sugiere fuertemente que su paciente se someta a cierta intervención médico-quirúrgica, siempre que el paciente tenga la libertad suficiente para rechazar el tratamiento propuesto. El mero intento de persuasión no induce la presencia de algún vicio de la voluntad, como el error, el dolo y la intimidación o violencia.

Otra será la circunstancia caso el médico venga a reducir la capacidad de resistencia del paciente, al obtener su consentimiento tras la ingestión de analgésicos, sedantes u otros fármacos que le comprometan el juicio.[35] En este caso, será indudable la ausencia de voluntad, lo que representa inaceptable falta de respeto a la autonomía del paciente, capaz de generar la responsabilidad civil del profesional.

En estos casos, aunque no haya daños a la integridad física, se debe atestiguar, al menos, la existencia de un acto ilegal contra el derecho de autodeterminación del paciente. Por lo tanto, es necesario poner un postulado esencial en este ámbito: no es exigido un daño a la salud del paciente para que el profesional incurra en responsabilidad personal; la falta de respeto por la autonomía del paciente ya justifica el

---

35   SILVA, Marcelo Sarsur Lucas da, "Considerações sobre os limites à intervenção médico-cirúrgica não consentida no ordenamento jurídico brasileiro", *Revista da Faculdade de Direito da Universidade Federal de Minas Gerais*, n. 43, Belo Horizonte, 2004, pág. 100.

reconocimiento de un daño a la libertad de elección del paciente. En tales circunstancias, incluso si se demuestra que el profesional actuó en estricto cumplimiento de las normas técnicas propias de su profesión, le corresponderá reparar el daño, que consiste en la violación de un espacio necesario de autonomía del paciente, quien debe elegir sobre las instrucciones a seguir con respecto a su salud.

V. EL CONSENTIMIENTO PRESUNTO COMO FACTOR EXCLUYENTE DE RESPONSABILIDAD

A pesar de la necesidad de externalizar el consentimiento del paciente, como primer elemento para la práctica de cualquier intervención médica, existen situaciones excepcionales que le permiten al médico actuar de inmediato, independientemente del consentimiento del paciente o de autorización de sus representantes legales. De hecho, en caso de peligro inminente para la vida o de lesiones graves e irreversibles, cuando el paciente no puede dar su consentimiento, la urgencia de intentar preservar la vida o la integridad física justifica la intervención médica inmediata.

En una situación diferente, cuando el paciente no puede dar su consentimiento en situaciones de riesgo intermedio, pero no tiene o no es encontrado el tutor legal que puede autorizar la intervención, también se entiende que el médico tiene derecho a actuar con prontitud, por igual para salvaguardar la seguridad del paciente, cuando parece irracional esperar la eventual mejora del enfermo o el contacto con su familia o representantes. Éste es el llamado privilegio terapéutico, que consiste en la facultad de práctica médica ante situaciones de enfermedad inminente, sin que sea necesario recurrir al consentimiento previo del paciente.[36]

---

36   RODRIGUES, João Vaz, *O consentimento informado para o acto médico no ordenamento jurídico português: elementos para o estudo da manifestação da vontade do paciente*, Faculda-

La necesidad de actuar de inmediato, en tales circunstancias, justificará algún sacrificio de la autonomía del paciente sobre su integridad física, con una especie de inversión de la regla del consentimiento, todo para que, en nombre del principio *in dubio pro vita*, sea posible salvar la vida o la salud del paciente.[37]

En dichas circunstancias, no se puede decir que hay un acto ilegal y tampoco un daño, actuando el profesional amparado por el consentimiento presunto del paciente. Es la omisión del médico, en los casos en que puede salvar la vida del paciente, que será objeto de reparación civil y de sanciones, en los ámbitos administrativo y penal.

La decisión de actuar de oficio, sin obtener el consentimiento del paciente para la intervención en su integridad física, tiene carácter subsidiario: sólo será legítima dicha conducta si el paciente es realmente incapaz de expresar su voluntad. En este dominio, la urgencia de la intervención también será preponderante: no es admitido el procedimiento médico si es posible esperar la decisión de quien, aunque pueda dar su consentimiento en condiciones normales, sólo se ve privado momentáneamente de hacerlo. En otras palabras, el recurso al presunto consentimiento sólo se justificará cuando, en vista de las posibles consecuencias del retraso, parezca insostenible esperar la decisión de la persona enferma.[38]

En las situaciones mencionadas, será necesario atestiguar la presencia de una presunción de consentimiento. Se supone que, si el individuo

---

de de Direito da Universidade de Coimbra: Centro de Direito Biomédico, Ed. Coimbra, Coimbra, 2001, pág. 279.

[37] CUNHA, Maria da Conceição Ferreira da, "Das omissões lícitas no exercício da medicina", en COSTA/GODINHO, *As novas questões em torno da vida e da morte em direito penal: uma perspectiva integrada*, Ed. Coimbra, Coimbra, 2010, págs. 103-104.

[38] FRISCH, Wolfgang, "Consentimento e consentimento presumido nas intervenções médico-cirúrgicas", en DIAS, Jorge de Figueiredo (Dir.), *Revista Portuguesa da Ciência Criminal*, a. 14, ns. 1 e 2, Ed. Coimbra, Coimbra, 2004, pág. 108.

estuviera en condiciones de hablar, autorizaría, desde el principio, las intervenciones necesarias para preservar su vida y su salud. La piedra angular de esta figura, por lo tanto, radica en el recurso a la "voluntad hipotética" del enfermo,[39] basado en un juicio de probabilidad que tiene en cuenta lo que la persona presumiblemente haría si pudiera expresar libremente su voluntad.

Este régimen muy especial de ausencia de ilegalidad y responsabilidad, dada la falta de consentimiento expreso, sólo se justifica por la naturaleza esencial de los derechos a preservar. Ni siquiera importará que el paciente, cuando esté curado y listo para manifestarse, declare su desacuerdo sobre los tratamientos dados a su salud: la intervención sobre su cuerpo está justificada, prevaleciendo la exclusión de la ilegalidad, incluso si después se ve que la verdadera intención del enfermo era diferente.[40]

Otra circunstancia en la que la conducta médica puede ser legítima, independientemente del consentimiento previo del paciente, es cuando la operación debe extenderse. Según Wolfgang Frisch,[41] esta extensión es adecuada cuando el paciente da su consentimiento para una intervención médica de cierta naturaleza y después se descubre que sería aconsejable extender la cirugía, más allá de los límites del consentimiento otorgado; en este momento, ya no es posible obtenerlo porque el enfermo está sedado y anestesiado.

Éste fue el caso ante el Tribunal Federal Alemán donde el médico había obtenido el consentimiento de su paciente para extirpar un tumor en

---

39   ANDRADE, Manuel da Costa, *Direito penal médico. SIDA: testes arbitrários, confidencialidade e segredo*, Ed. Coimbra, Coimbra, 2004, pág. 58.

40   ANDRADE, Manuel da Costa, "Consentimento em direito penal médico – o consentimento presumido", en DIAS, Jorge de Figueiredo (Dir.), *Revista Portuguesa da Ciência Criminal*, a. 14, ns. 1 e 2, Ed. Coimbra, Coimbra, 2004, pág. 132.

41   FRISCH, Wolfgang, *Ob. cit.*, págs. 110-112.

el útero. Durante la cirugía, fue esencial extraer todo el órgano para contener la propagación del tumor, y esta información no se llevó al paciente de manera oportuna, lo que hizo que el procedimiento no fuera consentido. En estas hipótesis de riesgo de vida o lesiones corporales graves, sin medios para informar al paciente de la necesidad de extender el procedimiento, puede admitirse que el uso del presunto consentimiento legitima la conducta del médico, que no debe responder civil o penalmente.

Otro caso similar, reportado por Manuel da Costa Andrade,[42] fue decidido en 1988, también en Alemania, donde había una supuesta justificación legítima para que un médico evaluase el consentimiento presunto de una paciente. Mientras que el parto por cesárea ocurría en una mujer que ya tenía dos hijos nacidos, se observaron anomalías graves que, en el caso de un nuevo embarazo de la paciente, podrían causar la ruptura del útero y como consecuencia su muerte. Suponiendo que se debería evitar un nuevo embarazo a toda costa, el médico procedió a esterilizar a la paciente, supuestamente preservando su vida e incluso la del futuro hijo.

Esta vez, sin embargo, fue imperdonable la conducta del médico, que nunca podría haber tomado, en nombre de la mujer, la decisión de someterse a un futuro embarazo. Hay dos razones que hacen que la decisión médica sea objetable: no sólo la esterilización no era la única forma de prevenir un nuevo embarazo, sino que tampoco era una medida urgente, ya que los posibles riesgos sólo se materializarían con la eventual ocurrencia de un nuevo embarazo. La prueba definitiva del error del médico llegó cuando la paciente, aunque se sometió a un procedimiento de esterilización, volvió a quedar embarazada y dio a luz a su cuarto hijo, a pesar de algunas complicaciones en el parto.

---

42   ANDRADE, Manuel da Costa, *Ob. cit.*, págs. 59-60.

Es necesario, entonces, que el profesional de la salud actúe con gran precaución para evaluar la presencia de situaciones de consentimiento presunto; éstas sólo se manifiestan si la intervención es absolutamente necesaria y urgente. Cuando el profesional actúa dentro del límite estricto de la necesidad terapéutica, la imputación de cualquier responsabilidad por su conducta será inapropiada, y el presunto consentimiento sirve como un verdadero factor de exclusión de responsabilidad civil.

VI. CONCLUSIONES

Desde el momento en que se concibió que el anticuado modelo del paternalismo médico exacerbado dio paso a la consagración de la autonomía del paciente, se hizo necesario revisar el significado de las relaciones personales y jurídicas establecidas en el ámbito de la salud.

Siendo indudable la primacía de la libertad del paciente, se reconocerá como consecuencia que la falta de respeto a sus elecciones en cuanto a los procedimientos a adoptar con relación a su salud dará lugar a un daño a su autonomía y a la responsabilidad del profesional, incluso si él actúa en estricto cumplimiento de las reglas de su oficio y que no haya daños a la vida, salud o seguridad del paciente.

Sin embargo, hay que reconocer el advenimiento de circunstancias en las que prevalece la urgencia de adoptar medidas médicas; en tales casos, si no es posible obtener la manifestación de voluntad del propio paciente o de sus representantes legales, surgirá la figura del consentimiento presunto, eximiendo el profesional de cualquier responsabilidad por su conducta, aunque posteriormente se pruebe que la práctica médica contradice, de alguna manera, la verdadera intención del enfermo. Lo que se impone, en todo caso, es el celo excesivo para evaluar el problema. Los profesionales de la salud se ocupan habitualmente de situaciones incesantes delicadas y a menudo extremas, y su responsabilidad debe ser atribuida con parsimonia.

En cualquier caso, al observar la falta de respeto a los límites del consentimiento otorgado por los pacientes, será inevitable atestiguar una verdadera violación de su libertad, que se caracteriza como una conducta de violencia contra el espacio de manifestación de individualidad de las personas que, incluso en circunstancias de extrema vulnerabilidad, deben decidir las direcciones de sus propios destinos.

4. EL PROGRAMADO BAREMO SANITARIO Y LAS CARACTERÍSTICAS BÁSICAS QUE DEBERÍA TENER, A LA VISTA DE LA FUERZA EXPANSIVA Y EXPERIENCIA PROPORCIONADAS POR EL BAREMO DE CIRCULACIÓN[1]

Antonio Javier de la Cruz Martínez
Doctor en derecho, Universidad Carlos III de Madrid

SUMARIO. I. EL PROGRAMADO BAREMO SANITARIO. II. LA FUERZA EXPANSIVA DEL BAREMO DE CIRCULACIÓN AL ÁMBITO SANITARIO. III. LÍNEAS GENERALES SOBRE CÓMO DEBERÍA SER EL BAREMO SANITARIO TRAS LA EXPERIENCIA DEL BAREMO DE CIRCULACIÓN.

RESUMEN

En los últimos años se ha previsto en el sistema jurídico español la elaboración de un baremo de valoración de daños personales causados en el ámbito de la actividad sanitaria que tomará como base el baremo de circulación, debido a su fuerza expansiva. Los trabajos de elaboración de aquel baremo deben evitar los errores del baremo que tomará como referencia, de los cuales se han derivado injusticias manifiestas, algunas

1   Este trabajo ha sido elaborado en el seno del Proyecto "Las fronteras del Derecho del enriquecimiento injustificado" (DER2017-85594-C2-1-P; IP Pedro del Olmo), financiado por la Agencia Estatal de Investigación dependiente del Ministerio de Economía, Industria y Competitividad (Gobierno de España)

de las cuales llegaron incluso a motivar su declaración de inconstitucionalidad parcial.

PALABRAS CLAVE

Responsabilidad civil, valoración de daños, daños personales, daños no
patrimoniales, baremo de daños, daños por negligencia médica baremo
de circulación.

ABSTRACT

In the last years there have been works in the Spanish legal system with
the aim of creating a scheme on the assessment of personal damages
caused by medical malpractice. This scheme will take as a reference
the current Spanish scheme on the assessement of damages caused in
traffic accidents, due to its expansive force. This works should avoid the
errors incurred by this last scheme that led to notorious injustices, some
of which even caused a declaration of partial unconstitutionality.

KEYWORDS

Liability, assessment of damages, personal damages, non economic damages, scheme for the assessment of damages, damages caused by medical malpractice, damages caused in trafic accidents.

I. EL PROGRAMADO BAREMO SANITARIO

Con el precedente de un intento frustrado de tasación legal de daños
personales causados en el ámbito de la negligencia médica[2], posible-

---

2   En el año 2013, en el seno del Consejo Asesor de Sanidad, del Ministerio de
     Sanidad, Servicios Sociales e Igualdad, comenzaron trabajos de elaboración de

mente incentivado por insinuaciones previas del Tribunal Supremo sobre la conveniencia de establecer un sistema tasado de valoración de daños personales en dicho ámbito[3], la creación de un baremo indemnizatorio para los daños y perjuicios sobrevenidos con ocasión de la actividad sanitaria fue una de las líneas estratégicas del Ministerio de Sanidad, Servicios Sociales e Igualdad del primer Gobierno de España de la XII legislatura, como así se anunció expresamente en comparecencia de la Ministra de Sanidad de dicho Gobierno ante la Comisión de Sanidad y Servicios Sociales del Congreso de los Diputados, el día 20 de diciembre de 2016[4]. El motivo dado en esta comparecencia para justificar la creación de dicho baremo fue "favorecer [...] la seguridad de los pacientes, de los profesionales y de las instituciones sanitarias", esto es, ofrecer una herramienta útil a través de la cual, los pacientes, los profesionales de la salud, del derecho, y las instituciones sanitarias, puedan disponer de un parámetro a través del cual valorar daños que, por su naturaleza, no admiten traducción objetiva a términos económicos y que, tradicionalmente, se han encontrado, en defecto de tal parámetro, sujetos a criterios subjetivos de valoración, con la consiguiente incertidumbre que ello necesariamente provoca en todos los interesados.

Los trabajos de elaboración del referido baremo se pusieron en marcha tras dicha comparecencia. Es notorio que la Secretaría General de Sa-

---

un baremo sanitario, como resulta de PFLUEGER TEJERO, *La responsabilidad sanitaria y el nuevo baremo de daños de circulación*, Actualidad del Derecho Sanitario, nº 230, 2015, pág. 689. Los trabajos de elaboración de este baremo no fueron en balde, pues sobre su base comenzaron posteriores trabajos, tal como se describe en la prensa médica especializada https://www.diariomedico.com/normativa/sanidad-fija-la-lista-de-los-que-formaran-el-comite-del-baremo.html

3   Lo ha hecho, por ejemplo, en la STS 1002/2005, de 21 de diciembre de 2005 (RJ 2005/10149), Fundamento de Derecho 8º y, por remisión a la anterior, en la 58/2006, de 10 de febrero (RJ 2006/674), Fundamento de Derecho 2º.

4   Nota de prensa publicada por el Gabinete de Prensa del Ministerio de Sanidad en la página web del Ministerio de Sanidad el día 20 de diciembre de 2016. Puede encontrarse dicha nota de prensa en https://www.mscbs.gob.es/gabinete/notasPrensa.do?id=4067, consultada el día 19 de junio de 2019.

nidad y Consumo envió en el año 2018 un cuestionario elaborado por un comité de expertos a diferentes asociaciones e instituciones del sector sanitario con objeto de conocer la opinión de éstas sobre diferentes cuestiones jurídicas relativas al futuro baremo[5]. Se pretendía así obtener un baremo de consenso, a modo del conseguido por la comisión de expertos que elaboró el baremo de la Ley de Responsabilidad Civil y Seguro en la Circulación de Vehículos a Motor (en adelante, "LRCS-CVM") en su versión del año 2015[6]. Sin embargo, todo apunta a que el comité encargado de elaborar ese baremo sanitario ni contaba con suficiente participación de todas las entidades afectadas, especialmente de las más importantes, que a nuestro entender son las que representan a las víctimas, ni parecía estar elaborando el baremo a través de un proceso transparente[7].

---

5   Dicho Comité del Baremo Sanitario fue constituido en Septiembre de 2017, como consta en https://www.gacetamedica.com/politica/sanidad-pone-en-marcha-un-comite-para-la-elaboracion-del-baremo-sanitario-DE1152234

6   Formalmente es la "Comisión de Expertos para informar sobre la modificación del Sistema para la valoración de los daños y perjuicios causados a las personas en accidentes de circulación", constituida oficialmente en el año 2011 por Orden Comunicada de los Ministerios de Economía, Hacienda y Justicia, de 12 de julio de dicho año.

7   En el Diario de Sesiones del Congreso de los Diputados, Núm. 497, de 18 de abril de 2018, el portavoz del Grupo Ciudadanos manifestó su "preocupación por la no participación *[en el comité de expertos de elaboración del baremo sanitario]* de asociaciones de pacientes, de asociaciones de afectados" y su temor por no conseguir un baremo con el consenso suficiente. Puede consultarse dicha sesión en http://www.congreso.es/public_oficiales/L12/CONG/DS/CO/DSCD-12-CO-497-C1.PDF. Se menciona también la ausencia del punto de vista de los pacientes en la prensa médica especializada, entre otras publicaciones en https://www.diariomedico.com/normativa/sanidad-fija-la-lista-de-los-que-formaran-el-comite-del-baremo.html. Desde las propias asociaciones de víctimas se ha criticado también que en dicho comité no han tenido representación, llegándose a manifestar la preocupación de que el cuestionario mencionado fuese enviado "a última hora", sin otro objetivo que el de "hacer ver que el Baremo de Daños Sanitarios ha sido elaborado con la participación y consenso también de las asociaciones de pacientes y de víctimas, cuando no es así", como se publicó en https://asociaciondia.org/comite-expertos-baremo-danos-sanitarios-pide-aportaciones-ultima-hora. Por lo que se refiere a la falta de transparencia en los trabajos iniciales de elaboración del baremo, el Partido Socialista Obrero

Dichos trabajos continúan en marcha en fase "muy previa", como lo ha indicado recientemente la Ministra de Sanidad en funciones en reunión preparatoria del Consejo Interterritorial del Sistema Nacional de Salud, celebrada el día 6 de mayo de 2019, en la que se abrió las puertas a mantener debates sobre el baremo sanitario en el seno de las Comunidades Autónomas con vistas a la preparación de un futuro anteproyecto de ley[8].

Estos trabajos preparatorios no pueden olvidarse de la experiencia del baremo de la LRCSCVM (en adelante, "baremo de circulación"). No pueden, en primer lugar, porque la propia ley obliga a que el nuevo baremo tome como referencia el baremo de circulación. Y no pueden, en segundo lugar, porque la exitosa historia del baremo de circulación ha puesto de manifiesto, no solo los indudables beneficios de la baremación de los daños personales, sino también las injusticias derivadas de una baremación mal planteada, o que exceda de los límites permitidos al legislador. Por tanto, es esta una ocasión ideal para recordar brevemente la experiencia del baremo de circulación y, mediante ella, aprovechar sus enseñanzas para que, en la medida de lo posible, no vuelvan a repetirse algunos de sus errores más notorios. Con ese objeto se escriben estas líneas.

Español así lo puso de manifiesto, como resulta de https://www.consalud.es/politica/parlamentos/el-psoe-acusa-a-sanidad-de-actuar-con-opacidad-con-el-baremo-sanitario_50506_102.html. También desde las filas del Grupo Parlamentario Popular se ha expresado preocupación por la "poca información" que había trascendido sobre el baremo desde el cambio de gobierno derivado de la moción de censura de junio de 2018, como resulta de la Exposición de Motivos de la Proposición no de Ley de 30 de agosto de 2019, publicada en el Boletín Oficial de las Cortes Generales Núm. 48, de 11 de septiembre de 2019, por la que se insta al Gobierno a concluir la elaboración del baremo. En esta misma Exposición de Motivos se indica que la referida Comisión de Expertos se había reunido, a finales de abril de 2018, "desde la confidencialidad", en ocho ocasiones.

8   Así consta en https://www.diariomedico.com/politica/el-anteproyecto-de-baremo-de-danos-sanitarios-sale-del-interterritorial-sin-novedades.html.

II. LA FUERZA EXPANSIVA DEL BAREMO
DE CIRCULACIÓN AL ÁMBITO SANITARIO

Hasta la entrada en vigor, en 1995, del baremo obligatorio de circulación, la valoración de daños personales causados en cualquier contexto o ámbito de actividad estaba sometida, en el sistema jurídico español, a lo que se ha llamado "lotería indemnizatoria", con los consiguientes problemas de inseguridad e incerteza jurídicas que de ello se derivaban. El baremo de circulación nació con el principal objeto de acabar con esta lotería, proporcionando a los órganos judiciales, víctimas, causantes de daños y compañías aseguradoras, un parámetro con el que poder valorar daños no patrimoniales en el ámbito de la circulación de vehículos a motor, dando solución, entre otras cosas, a la incertidumbre que ocasionaba anteriormente el que los órganos judiciales pudiesen valorar similares daños personales de forma muy diferente, como en la práctica ocurría, por no poder traducirlos a términos económicos de forma objetiva[9].

Tras casi 25 años de existencia, puede afirmarse que el baremo de circulación ha sido un rotundo éxito en términos de su repercusión práctica, expandiendo su área de influencia a daños personales causados en cualquier contexto. En efecto, el carácter vinculante del baremo de circulación en orden a la determinación del importe correspondiente al resarcimiento de daños personales causados en accidente de circulación no obstó para que muchos órganos judiciales lo aplicasen de forma orientativa, también, a daños causados por agente lesivo diferente de

---

9   La lotería indemnizatoria previa al baremo de circulación y los problemas de
     inseguridad que provocaba se analizan en DE LA CRUZ MARTÍNEZ, *Responsabilidad civil por daños personales. Baremos de valoración y sus principales problemas en derecho español*, Tesis Doctoral, Universidad Carlos III de Madrid, 2017, págs. 40
     y ss.

vehículo a motor[10] y en todos los órdenes jurisdiccionales[11]. Estos movimientos expansivos de los tribunales no eran nuevos, pues se habían iniciado ya con el baremo orientativo de circulación de 1991[12], que por no ser vinculante no tuvo el éxito esperado.

La utilización del baremo de circulación a cualesquiera ámbitos no debe sorprender, pues en defecto de otro sistema similar, la tentación, para los órganos judiciales y cualesquiera interesados, de recurrir al baremo de circulación, es difícilmente resistible[13].

Y dentro de esos ámbitos se encuentra el de la actividad sanitaria, pues en la práctica de los tribunales, y tal como ocurría en el ámbito circulatorio, también se ha puesto tradicionalmente de manifiesto la existencia de cuantías indemnizatorias muy diferentes para compensar daños personales similares[14]. Ante la ausencia de un específico baremo aplicable al ámbito médico, el Tribunal Supremo no ha dudado en admitir en numerosas ocasiones el uso del baremo de circulación en la valoración de daños causados en la actividad sanitaria[15], como es lógico, en aras de la

---

10   SÁNCHEZ GONZÁLEZ, *El daño moral. Una aproximación a su configuración jurídica*, Revista de derecho privado, n° 90, 2006, pág. 45; SABATER BAYLE, *El baremo para la valoración de los daños personales*, Aranzadi, 1998, págs. 77 y 78; DOMÍNGUEZ MARTÍNEZ, Reflexiones sobre el resarcimiento digno para los grandes inválidos del tráfico rodado, Documentos de Trabajo. Seminario Permanente de Ciencias Sociales, n° 5, 2010, pág. 8.

11   GÁZQUEZ SERRANO, «La indemnización del daño corporal», en AA.VV., *Homenaje al Profesor Carlos Vattier Fuenzalida*, Aranzadi, 2003, págs. 601 y 602.

12   SOTÉS GARCÍA, *A propósito de la Ley sobre Responsabilidad Civil y Seguro en la Circulación de Vehículos a Motor*, Revista Jurídica de Navarra, n° 25, 1998, pág. 309; GÁZQUEZ SERRANO, ob.cit., pág. 592.

13   DESDENTADO BONETE, *El daño y su valoración en los accidentes de trabajo*, Revista del Ministerio de Trabajo e Inmigración, n° 79, 2009, pág. 97.

14   PARRA SEPÚLVEDA, *La responsabilidad civil del médico en la medicina curativa*, Tesis Doctoral, Universidad Carlos III de Madrid, 2014, pág. 383.

15   Lo hace, por ejemplo en la STS 62/2011, de 11 de febrero de 2011 (EDJ 2011/8438), con relación a un supuesto de muerte de feto en parto; en la STS 262/2015, de 27 de mayo de 2015 (ROJ 2565/2015), relativo a caso de gran in-

seguridad jurídica y coherencia en la valoración de daños personales[16]. No obstante, el sanitario formalmente es un ámbito que continúa rigiéndose por la discrecionalidad de los órganos judiciales que, por tanto, pueden o no acogerse a la orientación del baremo de circulación, por lo que la referida situación de incertidumbre e inseguridad jurídica para los interesados se mantiene hoy día[17].

Ante esta situación de incertidumbre, no solo en el ámbito de la actividad sanitaria, sino en casi cualesquiera ámbitos de la responsabilidad civil diferentes del de la circulación de vehículos a motor, en los que no es posible saber a ciencia cierta si el órgano judicial usará o no el baremo de tráfico como sistema de valoración, se ha propugnado por algunos autores, bien que se elabore un nuevo baremo de aplicación general y obligatoria (aunque flexible, especialmente con relación a los perjuicios

---

validez causado con ocasión de actividad sanitaria; en la STS 480/2013, de 19 de julio de 2013 (RJ 2013/5003), sobre daños cerebrales a recién nacido; o en el ATS de 30 de mayo de 2018 (ROJ 5830/2018, con relación a daños derivados del tratamiento negligente de una hernia discal.

16   Ya en 1995, SOTO NIETO sostenía, refiriéndose al proyectado baremo de circulación y en vistas de una anunciada elaboración de un baremo para fijar las cuantías indemnizatorias por responsabilidad médica que podía "vaticinarse que a la hora de fijar la responsabilidad médica, e inexistente todavía el aspirado baremo propio (...) no ser[ía] dudoso que se acud[iese] a las tablas ofrecidas por la nueva Ley...", añadiendo que es "lógico que se expanda y deje sentir su influencia en los coeficientes de aciertos que se le reconozcan" SOTO NIETO, Daños derivados de negligencia médica. *Tendencia progresiva hacia el establecimiento de un sistema de baremos*, La Ley: Revista jurídica española de doctrina, jurisprudencia y bibliografía, nº 2, 1995, pág. 826 a 843, consultado en base jurídica de datos La Ley - Wolters Kluwer, Ref. La Ley 12326/2001, documento en formato pdf de 26 páginas, p. 15.

17   PARRA SEPÚLVEDA, Ob. Cit., págs. 380 y ss.; FERNÁNDEZ RUIZ. *Análisis doctrinal y jurisprudencial del daño en la responsabilidad civil médica*, Tesis doctoral, Universidad de Valencia, 2016, pp. 379. Este último autor afirma, en la obra citada, p. 347, en estudio realizado por el autor que tiene en cuenta cien sentencias del Tribunal Supremo de los años 2010 a 2015 relativas a responsabilidad civil por negligencia médica que, frente a la sensación que se tiene en la práctica forense, en realidad solo un 12% de los asuntos empleaban, hasta la fecha del estudio, el baremo de tráfico para valorar la cuantía de los daños causados en dicho ámbito.

patrimoniales) a todos los daños personales en cualquier área de la responsabilidad civil, bien la reconversión formal del baremo de circulación en referente de valoración de cualesquiera daños personales[18].

Hasta cierto punto esta última opción es la que se va imponiendo en la práctica, poco a poco[19], pues la fuerza expansiva del baremo de circulación no se ha limitado a un bienvenido efecto del quehacer del poder judicial, sino que se ha ido apreciado ya, a través de un goteo normativo, en la actividad del poder legislativo en varios ámbitos, dentro del que se encuentra el de la actividad sanitaria[20].

---

18 Se menciona copiosamente la doctrina en uno y otro sentido en DE LA CRUZ MARTÍNEZ, Ob. cit. págs. 135 y 136.

19 GÁZQUEZ SERRANO en GÁZQUEZ SERRANO, «Introducción al Sistema para la valoración de los daños y perjuicios personales en accidentes de circulación», en LÓPEZ Y GARCÍA DE LA SERRANA, *Manual para la aplicación del Sistema de valoración de daños de la Ley 35/2015*, Sepin, 2015, pág. 42, opina, como también hace MARTÍN CASALS (presidente de la Comisión de Expertos que elaboró la reforma del baremo de circulación en 2015), en MARTIN CASALS, *Sobre la Propuesta del nuevo "Sistema de valoración de los daños y perjuicios causados a las personas en los accidentes de circulación": exposición general y crítica*, en Revista de la Asociación Española de Abogados Especializados en Responsabilidad Civil y Seguro, nº 50, Segundo trimestre, 2014, pág. 44, que se ha perdido una oportunidad única para ampliar la aplicabilidad del baremo a otros sectores.

20 Con relación al primero, la Ley de Solidaridad con las Víctimas del Terrorismo remite expresamente, para valorar lesiones permanentes causadas por dicha actividad, a la cuantificación que resulta del sistema de valoración de la LRCS-CVM. Así resulta del Anexo de la Ley 32/1999, de 8 de octubre, de Solidaridad con las Víctimas del Terrorismo, que dispone que "Las cuantías de estas indemnizaciones *[refiriéndose a las indemnizaciones por lesiones permanentes no invalidantes]* serán las que resulten de la aplicación del baremo de lesiones permanentes no invalidantes establecido por la Ley de Responsabilidad Civil y Seguro del Automóvil". Con relación al segundo, el artículo 11.1.a. de la Ley 12/2011, de 27 de mayo, sobre Responsabilidad Civil por Daños Nucleares o Producidos por Materiales Radiactivos dispone que los "daños por muerte y daños físicos causados a las personas (...) se podrán cuantificar, en la medida en que ello sea posible y en ausencia de otros baremos específicos", con arreglo al baremo de circulación, por lo que este es aplicable para la valoración de los producidos en el ámbito de la explotación de instalaciones nucleares. Al respecto, véase CO-SIALLS UBACH, *La responsabilidad civil derivada de sustancias nucleares y radiactivas en España*, Indret: Revista para el Análisis del Derecho, nº 4, 2012, pág. 26.

En efecto, el baremo de circulación, en su versión de 2015, introduce
por primera vez la previsión expresa de que el mismo sirva de referencia
futura para la valoración de los daños personales acaecidos en la actividad sanitaria. En este sentido, la Ley 35/2015, de 22 de septiembre,
de reforma de la LRCSCVM, en su Disposición Adicional tercera, con
el encabezamiento "Baremo indemnizatorio de los daños y perjuicios
sobrevenidos con ocasión de la actividad sanitaria", dispone que "El
sistema de valoración regulado en esta Ley servirá como referencia para
una futura regulación del baremo indemnizatorio de los daños y perjuicios sobrevenidos con ocasión de la actividad sanitaria"[21]. Con ello,
se pretende extender, de forma expresa, los efectos del baremo de circulación al ámbito más importante en término de número de dañados
junto al de circulación, que es el sanitario. Se anunciaba así la intención
formal del legislador de elaborar un futuro baremo de valoración de
daños personales en el ámbito de la actividad sanitaria sobre la base
del baremo de circulación, por lo que es previsible que los trabajos de
elaboración del baremo sanitario, antes anunciado, pretendan cumplir
con el mandato legal.

---

21 Es interesante reseñar aquí cómo la técnica de ampliar la posible aplicación al
    baremo a otros sectores a través de una Disposición Adicional había sido suge-
    rida ya en su momento por MAGRO SERVET, que proponía en 2004 extender
    la aplicación del baremo de tráfico, con dicha técnica, con las modificaciones
    y adaptaciones oportunas, al resarcimiento de los daños derivados de violencia
    doméstica en MAGRO SERVET, *La violencia económica en la violencia doméstica y de
    género ¿hacia un baremo indemnizatorio para las víctimas?*, La Ley: Revista jurídica es-
    pañola de doctrina, jurisprudencia y bibliografía, n° 3, 2004, págs. 1698 a 1706,
    consultado en base jurídica La Ley - Wolters Kluwers, Ref. La Ley 2275/2004,
    documento en formato pdf de 14 páginas.

III. LÍNEAS GENERALES SOBRE CÓMO DEBERÍA SER EL FUTURO BAREMO SANITARIO TRAS LA EXPERIENCIA DEL BAREMO DE CIRCULACIÓN

Elegida pues la técnica de la expansión normativa del baremo de circulación, si bien solo a modo de parámetro o referencia sobre la que debe elaborarse el baremo sanitario, este debería beneficiarse de sus elementos positivos, evitando incurrir en los errores más evidentes en los que incurrió aquél, que causaron (y algunos de ellos aún causan porque no han sido subsanados del todo) problemas notorios, algunos de ellos de relevancia constitucional[22].

En este sentido, el nuevo baremo sanitario, partiendo de que se aplicará exclusivamente a daños causados de forma negligente (a diferencia del de circulación, que obedece a un sistema de responsabilidad objetiva, aplicable tanto a daños causados culpablemente como sin culpa)[23],

---

22　La publicación del baremo de valoración de daños personales de la LRCSCVM y las limitaciones y exclusiones de responsabilidad del mismo, pusieron de manifiesto que un sector tradicionalmente regulado exclusivamente por normas de derecho privado no puede desconocer el contenido de determinadas normas y principios de alcance constitucional, a pesar de no regular la Constitución el instituto de la responsabilidad civil. Las dudas de constitucionalidad que suscitó el baremo de de circulación tienen principalmente relación con la igualdad, el principio de interdicción de la arbitrariedad, el derecho a la vida e integridad física y moral y el derecho a la tutela judicial efectiva; secundariamente, con el valor superior Justicia, el ejercicio exclusivo de la potestad jurisdiccional reconocido a los Juzgados y Tribunales, la dignidad, el derecho a la propiedad, y el derecho a la salud. Se trata con detalle el tema en DE LA CRUZ MARTÍNEZ. Ob.cit. Es previsible que, si el baremo sanitario llegara a dar lugar a problemas similares por contener limitaciones y/o exclusiones de responsabilidad, los debates sobre el derecho a la salud, que fueron residuales en las discusiones sobre el baremo de circulación, cobren más peso sobre el resto de derechos constitucionales potencialmente afectados.

23　Se hace esta afirmación porque el legislador tiene un margen muy amplio para el establecimiento de techos, límites, exclusiones y máximos de responsabilidad en sistemas de responsabilidad objetiva, para supuestos no culpables, en tanto que en los sistemas de responsabilidad subjetiva dicha libertad se encuentra muy limitada, en relación íntima con el principio de reparación íntegra que rige

debería tener las siguientes características, con objeto de evitar dichos problemas:

1. No debería "baremar" perjuicios patrimoniales derivados de daños personales, pues aquellos, por admitir prueba, no necesitan de baremación[24], ni debería imponer límites o techos de responsabilidad al resarcimiento de daños patrimoniales derivados de los daños personales bajo la excusa del sostenimiento económico del sistema asegurador[25]. El establecimiento de techos y límites de responsabilidad a perjuicios patrimoniales incluso podría llegar a cuestionar la constitucionalidad parcial del baremo, por posible vulneración del derecho a la tutela judicial efectiva

---

en estos últimos, como se detalla en DE LA CRUZ MARTÍNEZ, Ob. cit., págs. 298 y ss.

24 La baremación de los daños patrimoniales indirectos no obedece a razones que se hayan dado para la creación de un baremo sanitario, pues este obedece a la dificultad de poner una cuantificación económica a los daños no patrimoniales, por carecer estos de equivalente económico en el mercado, problema que no se da en los daños patrimoniales, que admiten prueba de su cuantificación sin necesidad de baremo alguno.

25 Todo indica que la "baremación" de daños patrimoniales en el baremo de circulación y, en general, todas las exclusiones y limitaciones indemnizatorias contempladas en el mismo es el resultado de la presión o influencia del sector asegurador, y posiblemente esa influencia se deje notar de nuevo en la baremación de los daños sanitarios. Pues bien, sostenemos que los motivos de interés económico de las compañías aseguradoras no deberían prevalecer, a costa del patrimonio de las víctimas, sobre los intereses de estas, precisados de mayor protección. Aunque se aceptase un hipotético beneficio de las limitaciones y exclusiones referidas, consistente en proporcionar cierta utilidad económica a las compañías aseguradoras, existe una manifiesta falta de proporcionalidad entre la medida (las limitaciones y exclusiones de responsabilidad), que perjudica a las víctimas y da lugar a graves injusticias para ellas y sus familiares y allegados, y los fines subyacentes perseguidos por dicha medida (una mera e innecesaria utilidad económica de compañías aseguradoras ajena a los motivos que se han dado para justificar la existencia de los baremos de valoración de daños), que pueden alcanzarse con otras medidas menos gravosas para las víctimas. Se trata del tema en detalle en DE LA CRUZ MARTÍNEZ, Ob. cit., págs. 408 a 414.

de las víctimas en relación con el principio de interdicción de la arbitrariedad, como ocurrió con el baremo de circulación[26].

2. Debería ser obligatorio, para evitar inseguridad jurídica y compensaciones discriminatorias (esto es, diferentes para similar tipo de daños o iguales, para daños de diferente entidad).

3. La valoración de daños personales que realice no debería diferir de la valoración de los daños personales prevista en el baremo de circulación, disminuyendo de esa forma la injusticia de que iguales daños no patrimoniales causados de forma culpable reciban compensaciones diferentes en función de la naturaleza del accidente que provoca el daño (una para accidentes de circulación, otra para negligencia médica, otra para daños no patrimoniales derivados de accidente de otro tipo)[27].

4. No debería excluir de indemnización ningún daño a la integridad física o psíquica probado, aunque no esté expresamente previsto en el baremo de circulación o en el propio baremo sanitario[28].

---

26 En efecto, la STC 181/2000, de 26 de junio, declaró la inconstitucionalidad parcial del baremo de circulación, en su versión de 1995, por este motivo. Se trata en detalle del tema en DE LA CRUZ MARTÍNEZ, Ob. cit., págs. 60 y ss., 495 y ss.

27 Se cuestiona si dicha diferencia puede ser inconstitucional, por vulneración de la igualdad en alguna de sus vertientes (valor, principio o derecho), o por vulneración del principio de interdicción de la arbitrariedad. Se trata detalladamente del tema en DE LA CRUZ MARTÍNEZ, Ob. cit., págs. 355 y ss.

28 Esto lo exige expresamente así el Tribunal Constitucional en la mencionada STC 181/2000, de 26 de junio, pues lo contrario supondría, en opinión del tribunal, una desprotección de los derechos a la integridad física y moral del artículo 15 CE. Véase al respecto DE LA CRUZ MARTÍNEZ, Ob. cit. págs. 415 y ss.

5. No debería ser omnicomprensivo y excluyente, debiendo admitir (a diferencia de lo que ocurre con el baremo de circulación) acudir al artículo 1902 del código civil con objeto de respetar, y no solo reconocer, el principio de resarcimiento íntegro del daño causado con culpa o negligencia, caso de ser necesario por existir eventuales daños personales probados (o perjuicios económicos, si el baremo comete el error de baremarlos) diferentes de los previstos en el baremo o que su intensidad y/o gravedad, merezcan una indemnización superior o diferente.

6. La indemnización de daños personales que prevea debería respetar, siempre, la dignidad de la persona, de manera que debe evitarse la concesión de indemnizaciones notoriamente bajas[29].

7. Si, como hace el baremo de circulación, tasa el elenco de posibles perjudicados, debería, no solo reconocer el resarcimiento de perjudicados por analogía, sino que debería permitir el resarcimiento de daños personales y/o patrimoniales indirectos causados a cualesquiera otros perjudicados, cuando el juez, atendidas las circunstancias de cada caso, considere que el concreto daño o perjudicado en cuestión merece un tratamiento individualizado que lleve a una solución más justa que la que resulte de la aplicación automática de una tabla de valoración[30].

---

29   Así lo exige también el Tribunal Constitucional en la referida sentencia 181/2000, de 26 de junio. Lo contrario supondría la posible vulneración del artículo 10 de la Constitución, en relación con su artículo 15, según afirma.

30   Se analiza la cuestión en DE LA CRUZ MARTÍNEZ, Ob. cit. págs. 453 y ss. y 537 y ss.

VII. RESPONSABILIDAD CIVIL Y NUEVAS TECNOLOGÍAS

1. VEHÍCULOS AUTÓNOMOS. DESPLAZAMIENTO DE LAS REGLAS DE RESPONSABILIDAD CIVIL DEL PROPIETARIO AL FABRICANTE. CRÍTICAS A LA PROPUESTA. EL RIESGO DE LA CIRCULACIÓN SEGUIRÁ EXISTIENDO

Idoia Elizalde Salazar

Investigadora Predoctoral de la Universidad Pompeu Fabra (Barcelona, España)

SUMARIO: I. INTRODUCCIÓN. II. DESPLAZAMIENTO DE LAS REGLAS DE RESPONSABILIDAD CIVIL DEL CONDUCTOR Y/O PROPIETARIO AL FABRICANTE DE VEHÍCULOS AUTÓNOMOS. 1. Limitaciones de la propuesta. *1.1. No todos los accidentes serán consecuencia de un defecto en el vehículo o en la vía. 1.2. La carga de la prueba y acción directa. 1.3. Extinción de la responsabilidad del fabricante 1.4. Posible insolvencia de los fabricantes. 1.5 No cubre los daños en el producto defectuoso.* 2. Presunción de defecto en el vehículo autónomo. III. CONCLUSIONES.

RESUMEN

Con la introducción de los vehículos autónomos en el mercado es claro que el rol del conductor va a disminuir y, por lo tanto, el error humano como principal causa de los accidentes de circulación desaparecerá. Es por ello, que hay quien defiende que llegados al momento en que no haya intervención humana todos los accidentes causados con un vehículo autónomo podrán ser resueltos bajo las reglas de responsabilidad civil del fabricante. Defienden el desplazamiento de las reglas de responsabilidad civil del conductor o propietario al fabricante. En esta comunicación pretendo analizar esta propuesta, así como apuntar las limitaciones que plantea. No creo que, a día de hoy, se pueda afirmar que todos los accidentes de circulación que vayan a ocurrir con vehículos autónomos vayan a ser consecuencia de un defecto en el producto, pues otras causas como, el cúmulo de extrañas circunstancias o el caso fortuito, entre otras, podrán también serlo. Causas bajo las cuales las víctimas no quedarían protegidas bajo el actual régimen de responsabilidad del fabricante. Así, desplazar las reglas de responsabilidad civil al fabricante no parece que vaya a facilitar a las víctimas el procedimiento de reclamación de los daños.

PALABRAS CLAVE

vehículos autónomos, riesgo de la circulación, producto defectuoso, responsabilidad civil del fabricante

ABSTRACT*

The human error as a main cause of car accidents will, obviously, disappear when autonomous vehicles enter the market. There are those who think that civil liability issues concerning autonomous vehicles will be solved through manufacturers civil liability rules. They consider that liability for car accidents might shift from the driver or owner to the manufacturer of the car. In this paper I analyze this proposal and I tried to point its limitations. I do not think that all autonomous vehicles accidents will be as a consequence of a defective product. Other possible circumstances, as corner accidents or unforeseeable circumstances, could be the cause of the accident. Under the current manufacturer civil liability regime, the victims would not be compensated causes from other than defective product. It does seem that the proposal makes more difficult the compensation of victims.

KEYWORDS

Autonomous vehicles, circulate risk, defective product, manufacturers civil liability.

I. INTRODUCCIÓN

La LRCSCVM[1], prevé un amplio concepto de riesgo de la circulación incluyendo tanto los riesgos de la circulación en sentido estricto[2], como los derivados de defectos en el vehículo[3] o del estado de la infraestructura[4].

Se prevé que, con la circulación de vehículos automatizados y autónomos[5], sobre todo durante los primeros años de su comercialización,

---

1   * Esta comunicación tiene por objeto una de las cuestiones analizadas en mi tesis doctoral en curso titulada "Vehículos autónomos. Reglas de responsabilidad civil y del seguro" dirigida por el Dr. Pablo Salvador Coderch y la Dra. Sonia Ramos González. Los errores son sólo míos.

    LRCSCVM; Real Decreto Legislativo 8/2004 , de 29 de octubre, por el que se aprueba el texto refundido de la Ley sobre responsabilidad civil y seguro en la circulación de vehículos a motor.

2   Entendiéndose estos como aquellos derivados de causas distintas a un defecto en el propio vehículo o en la infraestructura.

3   Téngase en cuenta que los defectos del vehículo ni la rotura o fallo de alguna de sus piezas o mecanismos no son considerados supuestos de fuerza mayor. Así, los accidentes derivados de defectos del vehículo son también considerados como consecuencia del riesgo creado por la conducción de los vehículos a motor.

4   El debate sobre si accidentes derivados de manchas de aceite u obstáculos en la calzada, barreras de seguridad en mal estado, etc. son riesgos de la circulación o casos de fuerza mayor ya ha sido superado por la Sala 3ª; véanse STS 02-12-16 (RJ\2016\6164) sobre la inadecuada colocación de un alcantarillado de hormigón por parte de la Administración o STS 31-01-02 (RJ\2002\5055) sobre la caída de piedras de la ladera en la calzada, entre otras.

5   Cabe diferenciar entre vehículos automatizados y autónomos. Los primeros re-

disminuyan los accidentes por causa humana y que, por tanto, los que se produzcan estén relacionados con el funcionamiento del vehículo. Se prevé que los defectos en los vehículos como causa de los accidentes aumenten. Sin embargo, no puede afirmarse que todos los accidentes causados por vehículos automatizados o autónomos vayan a ser consecuencia de un defecto en el vehículo o en la vía como así lo plantean algunos autores[6] que proponen el desplazamiento de las reglas de responsabilidad civil del conductor y/o propietario[7] al fabricante o a la administración pública. De esta manera, todos los accidentes con vehículos autónomos se resolverían mediante las reglas de responsabilidad civil del fabricante por producto defectuoso previstas en la Directiva

---

quieren de la intervención, aunque sea mínima, de un humano. Los segundos prescinden totalmente de la figura del "conductor". La presente comunicación se centra, principalmente, en los primeros años de comercialización de los segundos pues es durante este período en el que existe más incerteza sobre su funcionamiento. Cuantos más kilómetros circulen los vehículos autónomos más nos aproximaremos al estadio que he llamado "utópico", al que me refiero más adelante.

6   ABRAHAM AND RABIN, "Automated vehicles and manufacturer responsability for accidents: a new legal regime for a new era, 105 Virginial LAW REVIEW, 2019, p.127; RAMOS GONZÁLEZ, SALVADOR CODERCH, ATIENZA JIMÉNEZ, FORCADA RUBIO, ELIZALDE SALAZAR y BUERA POTAU, "Accidentes cero. Incidencia en derecho de daños de políticas regulatorias de eliminación de accidentes de circulación mortales y muy graves", InDret 2/2018, 1- 33, 2019, pp. 3, 5 y 29; ANDERSON, KALRA, STANLEY, SORENSEN, SAMARAS and OLUWATOLA, "Autonomous Vehicle Technology: A Guide for Policymakers", RAND Corporation, 2016, p. 118 y anteriormente KALRA, ANDERSON and WACHS, "Liability and Regulation of Autonomous Vehicle Technologies", California Path Program. Institute of Transportation Studies. University of California, Berkley, Final Report, 2009; VLADECK, "Machines without principals: liability rules and artificial intelligence, 89 Washingtong Law Review, 117, 2014, p. 147; MARCHANT and LINDOR, "The coming collision between autonomous vehicles and the liability system", 52 Santa Clara Law Review, 1321, 2012, p.1334.

7   El responsable de un accidente de circulación es en la actualidad, y en la mayoría de los países de la Unión Europea, el conductor o el propietario del vehículo a motor, según la ley nacional en materia de responsabilidad civil en accidentes de circulación de cada Estado Miembro de la Unión Europea.

85/374/CEE[8] (en adelante, Directiva) y, en el caso de España, en los artículos 135-146 del TRLGDCU[9].

II. DESPLAZAMIENTO DE LAS REGLAS DE RESPONSABILIDAD CIVIL DEL CONDUCTOR Y/O PROPIETARIO AL FABRICANTE DE VEHÍCULOS AUTÓNOMOS

Los defensores de que los problemas que plantean los daños causados por vehículos autónomos pueden ser resueltos con el desplazamiento de las reglas de responsabilidad civil del conductor y/o del propietario al fabricante de vehículos autónomos o a la administración pública. Prescindiendo así del actual sistema de responsabilidad civil previsto para accidentes de circulación y consecuentemente, prescindiendo, también, del seguro obligatorio de automóviles asociado a esta responsabilidad. Sin embargo, esta propuesta presenta algunas limitaciones.

1. Limitaciones de la propuesta

1.1. No todos los accidentes serán consecuencia de un defecto en el vehículo o en la vía

A mi parecer, el mayor argumento para apostar por otros mecanismos distintos al desplazamiento de las reglas de responsabilidad civil al fabricante para resolver las cuestiones de responsabilidad civil para los daños causados por un vehículo autónomo es que no se puede afirmar

---

8   Directiva 85/374/CEE del Consejo, de 25 de julio de 1985, relativa a la aproximación de las disposiciones legales, reglamentarias y administrativas de los Estados Miembros en materia de responsabilidad por los daños causados por productos defectuosos.

9   TRLGDCU: Real Decreto Legislativo 1/2007, de 16 de noviembre, por el que se aprueba el texto refundido de la Ley General para la Defensa de los Consumidores y Usuarios y otras leyes complementarias.

que todos los accidentes serán consecuencia de un defecto del producto. El riesgo de la circulación seguirá existiendo. Si bien es cierto, pero, que todo indica que los accidentes como consecuencia de un defecto en el producto aumentarán mientras que los accidentes derivados del propio riesgo de la circulación disminuirán. Sin embargo, por pocos que sean los accidentes que ocurran derivados del riesgo de la circulación en sentido estricto, estos necesitaran de un mecanismo mediante el cual la víctima del accidente pueda reclamar por los daños sufridos, como sucede actualmente. De lo contrario, las víctimas perderían protección en comparación con el actual sistema de responsabilidad civil.

Accidentes infrecuentes

Seguirán ocurriendo accidentes provocados por un cúmulo de extrañas circunstancias. Conocidos este tipo de accidentes como *freakish, freak, corner, unforeseen accidents* en la literatura americana (accidentes extraños, absolutamente infrecuentes o erráticos). Los escenarios previstos por los programadores del software de los vehículos autónomos son limitados, pues es imposible crear una orden para cada uno de los infinitos escenarios posibles ante los que los vehículos autónomos tendrán que tomar una decisión. Los fabricantes alegaran que el accidente era inevitable, pues era muy improbable. Parece tener sentido que el vehículo no se considere defectuoso por el simple hecho de no evitar todos y cada uno de los infinitos escenarios posibles a los que se enfrenta[10]. Los daños sufridos en estos accidentes no quedarán cubiertos bajo las reglas de responsabilidad del fabricante por producto defectuoso – pues es requisito para ello que exista defecto - y por ello,

---

10   Bajo el test de las expectativas razonables del consumidor, criterio previsto en
      la Directiva 85/374/CEE, este no puede esperar que el vehículo sea perfecto y
      nunca falle. Tampoco puede esperar que el programador del software del vehí-
      culo prevea cada uno de los infinitos posibles escenarios con los que el vehículo
      autónomo puede topar. El consumidor, por el contrario, sí que puede esperar
      que el programador prevea aquellos escenarios más comunes o previsibles.

la víctima necesitara de un mecanismo alternativo mediante el cual pueda ser indemnizada.

Este tipo de accidentes, no obstante, disminuirán a medida que aumenten los kilómetros circulados[11].

Estado de los conocimientos en el momento de la puesta en circulación

> *Es posible, también, que el estado de los conocimientos en el momento de la puesta en circulación no permita al fabricante haber evitado la causa del accidente y consecuentemente, que el vehículo no pueda ser considerado defectuoso y el fabricante responsable[12].*

Caso fortuito

Se incluyen en el concepto de riesgos de la circulación en sentido estricto los accidentes en los que concurre caso fortuito[13] por provenir del propio riesgo circulatorio, como los casos de rotura o fallo de piezas

---

11   National Highway Traffic Safety Administration U.S., Department of Transport, "Automated vehicles policy: accelerating the next revolution in roadway safety, 2016: "human driver may repeat the mistakes as millions before them, an autonomous vehicle can benefit from the data and experience drawn from thousands of other vehicles on the road", sobre el concepto de *machine-learning*.

12   No cabe confundir estos con los anteriores. Mientras que los primeros son infrecuentes, estos no tienen por qué serlo sino que el estado de los conocimientos en el momento de la puesta en circulación permitía o no al fabricante haber evitado la causa del accidente. En la tesis, en curso, discuto detalladamente si esta causa de exoneración de responsabilidad del fabricante debería ser aplicable para los accidentes con vehículos autónomos.

13   No entro a analizar en este trabajo la ya superada discusión sobre las diferencias entre caso fortuito y fuerza mayor ni tampoco esta segunda en detalle, pues a efectos de responsabilidad civil no implica ningún cambio, puesto que las actuales reglas de responsabilidad civil ya prevén la fuerza mayor como causa de exoneración de responsabilidad.

o mecanismos como frenos[14] o ruedas[15], la irrupción de una piara de jabalíes en la calzada[16], accidentes derivados de las condiciones meteorológicas como heladas, granizadas, nieves o tormentas[17], por la intervención de un tercero[18]. Aunque desconozco el alcance de los futuros sistemas de los vehículos autónomo para anticiparse a accidentes que hasta ahora han sido considerados caso fortuito, entiendo que poco a poco se irán perfeccionando hasta incluso impedir el arranque del vehículo cuando su sistema detecte un fallo en los frenos o en las ruedas[19], así como hasta detectar, mediante sensores, animales a cierta distancia o placas de hielo en la calzada[20]. Así, entiendo que seguirán existiendo accidentes que serán considerados caso fortuito, aunque con la circulación de vehículos autónomos muchos de los considerados como tal actualmente serán evitados.

Riesgo de la circulación

Otras causas distintas a las anteriores podrán ser causa de accidentes de circulación por el propio riesgo de la circulación como tal[21].

---

14   STS, 21-11-89.

15   STS, 19-10-88.

16   STSS, 11-02-16 (RJ\2016\247) o 04-02-15 (RJ 2015\2075); sobre la responsabilidad del conductor que, como consecuencia de la interrupción por animales en la calzada durante su conducción, causa daños a terceros.

17   STS, de 26 de octubre de 1968 en el que el vehículo cae por un terraplén por encontrarse la carretera resbaladiza.

18   SAP de Madrid, 09-02-94 en el que un tercero ejecuta un cambio de sentido de circulación indebidamente con el que el actor colisiona. La audiencia considera que el caso no es ajeno al ámbito de la circulación de vehículos, sino que precisamente forma parte del riesgo de circular.

19   Mediante sistemas de bloqueo del interruptor de arranque parecidos al ignition interlock device que impide que el vehículo arranque si el conductor da positivo en el resultado de alcoholemia.

20   Para entender qué tipo de accidentes evitan los vehículos automatizados, véase, por ejemplo, el vídeo "TESLA Autopilot Predicts CRASH, Compilation 2019" disponible en https://www.youtube.com/watch?v=1uN-ZYoU57o.

21   SAP de Jaén, 22-02-19 (JUR\2019\108521), que considera que el despren-

Parece que en materia de accidentes de circulación con vehículos autónomos el debate se centrara en identificar si se trata de un accidente infrecuente, de un accidente derivado de la limitación del estado de los conocimientos, de un caso fortuito, de accidente causado por fuerza mayor o de un riesgo propio de la circulación. Serán los jueces quienes deberán analizarlo caso a caso. Lo que parece claro es que no puede afirmarse que todos los accidentes con vehículos autónomos serán consecuencia de un defecto del vehículo, sino que el riesgo de la circulación en su sentido más amplio seguirá existiendo con la circulación de estos.

1.2. La carga de la prueba y acción directa

El desplazamiento de las reglas de responsabilidad civil del fabricante implicaría que la víctima que sufre un daño en un accidente con un vehículo autónomo se vería obligada a demandar al fabricante del vehículo soportando los costes que ello supone.

En materia de productos defectuosos la carga de la prueba corresponde al perjudicado[22]. Y aunque los dispositivos incorporados en los vehículos autónomos como, por ejemplo, cámaras interiores o exteriores[23],

---

dimiento de la banda de rodadura de la rueda del vehículo no constituye un supuesto de fuerza mayor ni de caso fortuito, sino un riesgo creado por la conducción.

22 En virtud del artículo 4 de la Directiva o del art. 139 TRLGDCU. No obstante, la jurisprudencia es clara en que corresponde al fabricante acreditar la idoneidad del producto y la concurrencia de otras causas que pudieran exonerarle de responsabilidad, bastando al perjudicado acreditar el daño sufrido y el enlace causal (SSTS, 14-09-18 (RJ\2018\3995), 30-04-08 (RJ\2008\2686) o 21-02-03 (RJ\2003\2133), sobre responsabilidad por productos defectuosos).

23 En China es común tener instalada una cámara en el vehículo con el fin de evitar que peatones que se arroyan al capó aleguen que han sido atropellados por la conducta negligente del conductor. Es común este tipo de fraude a los seguros en China o, por ejemplo, la marca de vehículos Tesla instala en sus vehículos un sensor avanzado compuesto por ocho cámaras que ofrecen una visión 360 grados alrededor del vehículo con un alcance de hasta 250 metros. Complementariamente, se instalan doce sensores ultrasónicos que detectan objetos

facilitaran a la víctima y a las compañías de seguro resolver cuestiones sobre los hechos del accidente, no darán respuesta sobre el carácter defectuoso del producto. Para ello, sería preciso que la víctima contratara peritos expertos.

De esta manera únicamente se complica el procedimiento de cobro para las víctimas pues ahora basta con reclamar a la compañía del vehículo causante del daño, sin perjuicio de que esta repita contra el tercero responsable como, por ejemplo, el fabricante. El actual sistema de responsabilidad civil por accidentes de circulación, al menos en España, presume incluso la causalidad en colisiones recíprocas[24] en los que la víctima cobrará la indemnización correspondiente a excepción de que la compañía aseguradora pruebe, por ejemplo, fuerza mayor extraña a la conducción. Este sistema de responsabilidad civil es muy proteccionista para las víctimas y desplazarlo únicamente al fabricante sería complicar el procedimiento de cobro para ellas.

Actualmente, ya es posible que la víctima reclame directamente al fabricante si la causa del accidente es un defecto en el vehículo, sin embargo, suele ser ejercida solamente por las víctimas del vehículo causante del daño y no por el tercero[25], puesto que para este es más sencillo reclamar

---

sólidos y blandos, así como un radar delantero con procesamiento mejorado que brinda datos incluso con lluvia intensa, neblina o polvo. (https://www.tesla. com/es_ES/autopilot?redirect=no. Consultado el 26/09/2018).

24 En relación a los daños materiales, STS del Pleno, nº 294/2019 de 27 de mayo (JUR/2019/175382) en la que el tribunal estima que en una colisión recíproca sin determinación del grado de culpa de cada conductor, cada una de las partes asumirá la indemnización de los daños del otro vehículo en un 50%. Y en relación a los daños personales, SSTS del Pleno, nº 536/2012 de 10 de septiembre (RJ\2012\11046) o de la Sala 1ª, nº 312/2017 de 18 de mayo (RJ\2017\2225), entre otras, en las que el Tribunal estima que ambos conductores responden del total de los daños personales causados a los ocupantes del otro vehículo cuando ninguno de los conductores logra probar su falta de culpa o negligencia en la causación del daño, con arreglo a la doctrina llamada de las indemnizaciones cruzadas.

25 Salvador Coderch (ed.), "Guía InDret de Jurisprudencia sobre responsabilidad

directamente a la compañía del vehículo causante del daño y en su caso, que esta repita posteriormente contra el fabricante. Para el tercero, probar que el vehículo que le ha causado el daño es defectuoso es costoso y complejo. El tercero que sufre daños por un vehículo defectuoso, entre la acción directa contra la compañía del vehículo causante del daño o la acción directa contra el fabricante, escoge la primera.

Por todo ello, parece un poco arriesgado obligar a la víctima a reclamar directamente al fabricante del vehículo teniendo en cuenta que actualmente puede hacerlo, pero nunca opta por ello[26].

1.3. Extinción de la responsabilidad del fabricante

Las víctimas de daños por un producto defectuoso únicamente pueden demandar al fabricante en el plazo de diez años desde la puesta en circulación del producto[27]. Una vez transcurrido el plazo, sin que se haya ejercitado la acción, el fabricante demandado puede oponer su transcurso como excepción para denegar la reclamación de responsabilidad por producto defectuoso[28].

---

de producto", 4ª ed. Grupo de responsabilidad de producto, InDret 4/2004, 2004, págs. 74 y ss.; recopila sentencias sobre airbags, asientos, cinturones de seguridad, correas de distribución, frenos, neumáticos y sistemas eléctricos defectuosos en los que se observa que los actores, principalmente, son las víctimas del propio vehículo defectuoso y no terceros.

26 SCHELLEKENS, "No-fault compensation schemes for self-driving vehicles", 10 (2) Law, Innovation and Technology, 2018, págs. 317 y 328: "in the EU, there are not many cases about product liability. It is not clear why product liability is relatively unpopular with claimants. It appears risky to make victims of road accidents with self-driving cars dependent upon an «unpopular» legal action" y "if the fact that there are relatively few product liability cases in the EU is an indication that product liability cases are perceived as difficult or risky"; Abraham and Rabin (2019), ob.cit. pág. 133: "Products liability on the part of auto manufacturers is a very secondary source of liability and compensation for auto-related injuries".

27 En virtud del artículo 144 del TRLGDCU, ley que se analiza más detalladamente en el Capítulo 4.

28 Sobre el plazo de extinción de la responsabilidad, también llamado plazo de

De aplicar el régimen de responsabilidad del fabricante para todos los accidentes con vehículos autónomos implicaría que los daños sufridos en accidentes que tuvieran lugar después de los diez años desde la puesta en circulación del vehículo no podrían ser reclamados, salvo reforma de la Directiva. Este período de preclusión es de especial importancia para productos que tienen una vida útil de más de diez años como puede ser el caso, por regla general, de los vehículos[29].

1.4. Posible insolvencia de los fabricantes

En tanto que los fabricantes no tienen la obligación de suscribir un seguro obligatorio de responsabilidad civil podría suceder que el fabricante de vehículos fuera insolvente y no pudiera hacer frente a la indemnización de la víctima en caso de accidente con un vehículo de su marca.

Para asegurar que las víctimas de los accidentes de circulación con vehículos autónomos cobraran, sería preciso que se obligara a suscribir un seguro de responsabilidad civil del fabricante o bien, crear un fondo de compensación común en el que todos los fabricantes tuvieran la obligación de contribuir[30]. Ambas alternativas implican cambios legislativos.

---

preclusión o de decadencia, consúltese Lamarca i Marqués "Extinción de la responsabilidad" en SALVADOR CODERCH y GÓMEZ POMAR (ed.), *Tratado de responsabilidad civil*, 2008, Civitas, Madrid, 831- 852.

29   Según datos de la DGT, el 62% de los turismos de España en el año 2017 tenían una antigüedad de más de 10 años: DIRECCIÓN GENERAL DE TRÁFICO, "Anuario Estadístico General", 2017, pág. 80.

A pesar de que se prevé que con la introducción de los vehículos autónomos aumentarán las compañías de transporte compartido (*carsharing*) y estas suelen renovar a menuda sus flotas, no creo que la propiedad privada de vehículos por parte de particulares desaparecerá completamente y, consecuentemente, que no circularan vehículos de más de 10 años de antigüedad.

30   Sobre la creación de un fondo de compensación común, véase RESOLUCIÓN DEL PARLAMENTO EUROPEO, "Normas de Derecho civil sobre robótica, de 16 de febrero de 2017, con recomendaciones destinadas a la Comisión sobre normas de Derecho civil sobre robótica (2015/2103(INL)", 2017, parraf. 58 y 59.

O bien una reforma en la Directiva que establezca la obligatoriedad de contratar un seguro de responsabilidad civil para los fabricantes de vehículos autónomos o bien redactar una regulación sobre el fondo de compensación. Sin embargo, reformar la directiva para obligar a estos fabricantes a contratar un seguro de responsabilidad civil parece un tanto improbable puesto que la Directiva no lo exige para ningún fabricante de otro producto. La Directiva es de aplicación para todo tipo de producto y no recoge especificaciones para uno concreto. Si el legislador quisiera imponer un seguro de responsabilidad civil obligatorio para el fabricante de vehículos autónomos una reforma de la Directiva, quizás, no sería la vía más oportuna, sin perjuicio de que pudiera hacerlo mediante otras vías como la aprobación de una ley específica sobre la comercialización de vehículos autónomos en la que se incluyera como requisito para su venta la suscripción de un seguro obligatorio por parte del fabricante[31]. En cualquier caso, es posible que los fabricantes tengan interés en contratar un seguro voluntario de responsabilidad civil, pues es previsible que el número de demandas por producto defectuoso aumenten y que también lo hagan las demandas de las compañías de seguro de los vehículos mediante la acción de repetición.

1.5. No cubre los daños en el producto defectuoso

En materia de responsabilidad por los daños causados por productos defectuosos, se excluye del daño indemnizable el daño en el propio producto defectuoso[32]. Esto implica que los daños en los vehículos autóno-

---

31   En esta línea, véase, Resolución del Parlamento Europeo (2017), ob.cit., pág.19: "Sería conveniente establecer un régimen de seguro obligatorio, que podría basarse en la obligación del productor de suscribir un seguro para los robots autónomos por él fabricados".

32   En virtud del artículo 9 de la Directiva85/374 /CEE o del artículo 142 del TRLGDCU en España: "se entiende por daños (...) los causados a una cosa o la destrucción de una cosa, que no sea el propio producto defectuoso" y "los daños materiales en el propio producto no serán indemnizables conforme a lo dispuesto en este capítulo, tales daños darán derecho al perjudicado a ser indemnizado

mos causados como consecuencia de un defecto no quedarían cubiertos bajo las reglas de responsabilidad civil del fabricante, sin perjuicio de la obligación del fabricante de retirar o sustituir un producto puesto en circulación cuando se tenga indicios suficientes de que es defectuoso[33].

Los propietarios de los vehículos autónomos deberían contratar un seguro de daños que cubriera los daños del propio vehículo en caso de accidente[34]. Primero, que las reparaciones de los vehículos autónomos se estiman elevadas. Segundo, que el propietario del vehículo tendrá interés en que el vehículo dañado sea reparado con la finalidad de seguir utilizándolo, a diferencia de otros casos en los que se estima un defecto, por ejemplo, la explosión repentina de una botella o de un cohete[35], en los que los demandantes no tienen especial interés en ser indemnizados por los daños materiales del propio producto defectuoso, pues su uso es desechable y su valor escaso.

2. Presunción de defecto en el vehículo autónomo

El desplazamiento de las reglas de responsabilidad civil del conductor y/o propietario al fabricante de vehículos autónomos o a la administración pública puede plantearse si se presume un escenario idílico o utópico en el que el riesgo derivado de la actividad de circular no existe.

---

conforme a la legislación civil y mercantil", respectivamente.

33   En virtud de la Directiva 2001/95/CE del Parlamento Europeo y del Consejo, de 3 de diciembre de 2001, relativa a la seguridad general de los productos y el Real Decreto 1801/2003, de 26 de diciembre, sobre seguridad general de los productos.

34   Si bien es cierto que bajo las reglas de responsabilidad civil y el seguro obligatorio el daño sufrido por el vehículo causante del daño –independientemente de la culpa del conductor– tampoco queda cubierto, sin perjuicio que se tenga un seguro complementario de daños contratado.

35   Véase *infra* n.38, sobre las sentencias relacionadas con explosiones repentinas de botellas o cohetes.

Se asume que todos los accidentes que ocurran serán consecuencia de un defecto del producto o de un defecto en la infraestructura vial[36].

Se presume que la tecnología es perfecta y que debería detectar, prever y evitar cualquier accidente. Consecuentemente, en caso de producirse un accidente el único responsable del accidente sería el fabricante al considerar que el vehículo autónomo es defectuoso por no haber detectado, previsto y evitado la causa del accidente. Dada la experiencia y el estado de los conocimientos podríamos hablar de una presunción de defecto del vehículo o de la infraestructura vial)[37].

---

36   La House of Commons del Reino Unido ha manifestado que ello ocurrirá cuando todo el parque de vehículos esté formado por vehículos autónomos. Aunque reconoce que es un escenario que tardara en llegar, HOUSE OF COMMONS, "Automated and Electric Vehicles Act 2018", Briefing Paper. Number CBP 8118, 15 August 2018, 2018, pág. 6: "In a world where all vehicles are fully automated, and require no human input at all, it would be easy to place liability on the manufacturer (i.e. product liability) and let them deal with claims arising from a collision. Collisions should be rarer than they are today because the vehicles will be programmed to drive more safely than humans tend to. As noted in the introduction, it is likely to take a significant amount of time before these vehicles come to market".

37   Como así se presume para algunos productos que causan daños. Véase, en la jurisprudencia americana el caso Escola v. Coca-Cola Bottling Co. of Fresno, sobre la explosión repentina de una botella de Coca-Cola en manos de un camarero. Consulte los hechos y el análisis en HENDERSON, TWERSKI and KYSAR, *Products liability: problems and process*, 8th ed. Aspen Publishers, 2016, págs. 9 y ss.

Sobre casos sobre la explosión repentina de una botella en la jurisprudencia española consúltese la recopilación de sentencias de SALVADOR CODERCH (ed.), "Guía InDret de jurisprudencia sobre responsabilidad de producto (I): alimentos y botellas", 5ª ed. Grupo de responsabilidad de producto, InDret 2/2007, 2007, págs. 16 -21.

Recientemente, también, SAP Cantabria, Secc. 2ª., 14-12-18 (JUR 2019\12912), la audiencia confirma la sentencia del juzgado de primera instancia que concluye que el único motivo de la explosión fue que la botella era defectuosa: "la botella era defectuosa y que por eso se produjo un estallido, rompiendo de dentro hacia afuera y saliendo disparados los cristales rotos". El TSJC informa sobre el fallo el 13 de febrero de 2019.

También se ha presumido el defecto de un producto en el caso de una explosión de un cohete pirotécnico a la altura de la cara del usuario, STS23-11-06

Solamente llegado este momento, podríamos hablar de un desplazamiento en las reglas de responsabilidad civil del conductor y/o propietario al fabricante del vehículo autónomo o a la administración pública. La victima podría reclamar directamente al fabricante por vía de
la doctrina *res ipsa loquitur* - "las cosas hablan por sí mismas"-, en cuya
virtud si el accidente ha tenido lugar en circunstancias tales que, normalmente y a ojos de un observador razonable, accidentes de índole
similar ocurren precisamente por negligencia del demandado, entonces
la existencia de esta última se presume salvo prueba en contrario[38].

En este escenario - que hemos denominado "utópico" – cualquier sistema distinto a la reclamación directa contra fabricante dejaría de tener
sentido puesto que, de lo contrario, la víctima tendría que reclamar la
indemnización a la compañía aseguradora del vehículo causante para

---

(RJ\2007\8122): "A la convicción y, por ende, demostración de que un producto es defectuoso, se puede llegar, en ausencia de pruebas directas, a través
de la prueba de presunciones, habida cuenta que, en muchas ocasiones, como
sucedió en el presente caso, el daño se produce por la destrucción del propio
producto, con lo que se imposibilita, a su vez, el análisis del mismo".

Téngase en cuenta que la presunción de defecto no implica la responsabilidad absoluta
del fabricante. Bajo un régimen de responsabilidad absoluta no es necesario que
exista un defecto para que el fabricante responda, sino que lo hace por todos los
daños causados por un producto. Lo que aquí se propone, para este último escenario "utópico", es la presunción de defecto en el que seguiría siendo necesario
que el producto fuera defectuoso para activar la responsabilidad del fabricante,
sin perjuicio de que este pueda probar lo contrario. Véase Gurney, "Sue my
car not me: product liability and accidents involving autonomous vehicles", 2
Journal of law, technology and policy, 2013, pág. 259, donde plantea, de una
forma parecida, la malfunction doctrine como posible solución para los daños
causados con vehículos autónomos. Sin embargo, esta doctrina plantea algunas
limitaciones como, por ejemplo, que no es aplicada en todas las jurisdicciones
norteamericanas o que se suele aplicar solamente a productos nuevos.

38   Sobre el concepto de la doctrina *res ipsa loquitur* v. Salvador Coderch, Gomez
      Ligüerre, Ramos Gonzalez, Rubí Puig y Luna Yerga, Derecho de Daños,
      7ª ed., InDret, 2018, pág.101; Salvador Coderch, Piñeiro Salguero y Rubí
      Puig, "Responsabilidad civil del fabricante por productos defectuosos y teoría
      general de la aplicación del Derecho (Law enforcement)", Anuario de Derecho
      Penal y Ciencias Penales, vol. LV, 39, 2002, pág. 45.

que esta tuviera, siempre, que repetir contra el fabricante del vehículo o a la administración pública. La víctima podría reclamar directamente al fabricante o a la administración pública sin tener que incurrir en elevados costes para probar, primero, el defecto y, segundo, la relación causal entre el defecto y el daño[39], debido a la presunción de defecto.

Llegados a ese punto, los accidentes de circulación se resolverán aplicando el régimen de responsabilidad de fabricante por producto defectuoso y, en menor medida, mediante el régimen de responsabilidad de la administración pública por fallos en la infraestructura vial. Hasta entonces, pero, es necesario reformar el actual sistema de responsabilidad civil en materia de accidentes de circulación o implementar otras alternativas para dar respuesta a los accidentes con vehículos automatizados o autónomos.

III. CONCLUSIONES

Mientras no se pueda afirmar que todos los accidentes vayan a ser consecuencia de un defecto en los vehículos parece tener sentido mantener un sistema de reclamación alternativo a la acción directa contra el fabricante. Las víctimas necesitarán un sistema de protección amplia que indemnice más allá de los daños causados por defectos en los vehículos o, al menos, hasta que se pueda presumir que todos los accidentes con vehículos autónomos son consecuencia de un defecto en el vehículo.

---

39   Sobre los problemas que plantea la aplicación de la Directiva para los consumidores en materia de probar el defecto y la relación causal entre este y el daño, véase, de COCK BUNING and DE BRUIN, "Autonomous intelligent cars: proof that the EPSRC Principles are future-proof", 29 (3) Connection Science, 2017, pág. 191; DE BRUIN, "Autonomous intelligent cars on the european intersection of liability and privacy", 3 European Journal of Risk Regulation, 2016, pág. 495.

Las víctimas de accidentes de circulación cuya causa sea distinta al defecto del vehículo autónomo necesitaran de un mecanismo de defensa mediante el cual puedan reclamar la correspondiente indemnización por los daños sufridos. Esta es la principal limitación que identifico de la propuesta de algunos autores de desplazar las reglas de responsabilidad civil del conductor y/o propietario al fabricante de vehículos autónomos. No todos los accidentes serán consecuencia de un defecto en el vehículo. Los accidentes derivados por el propio riesgo de la circulación seguirán existiendo y las actuales reglas de responsabilidad civil del fabricante son insuficientes para dar solución a los mismos. Las víctimas necesitara de un sistema de protección ante los accidentes que tengan una causa distinta a un defecto en el producto. De lo contrario, las victimas perderían protección en comparación con la que gozan actualmente, puesto que dejarían de poder reclamar indemnizaciones por accidentes que, bajo el actual sistema de reglas de responsabilidad civil por accidentes de circulación y junto al seguro obligatorio de automóviles, sí que pueden.

Las distintas alternativas para dar solución a las limitaciones que el desplazamiento de las reglas del conductor o propietario al fabricante plantea no ha sido objeto de análisis en esta comunicación, sino que lo son en mi tesis doctoral en curso. Solamente las menciono aquí: mantener las reglas de responsabilidad civil, crear un nuevo sistema de seguro basado en régimen de seguro sin determinación de culpabilidad o, incluso, crear una personalidad jurídica propia de los vehículos autónomos para que estos sean responsables de los daños que causen[40].

---

40   En la tesis doctoral en curso analizo en detalle las ventajas y las desventajas de las tres posibles alternativas. Adelanto ya, pero, que las alternativas más plausibles parecen ser la primera y la segunda. La tercera, en mi opinión, parece ser totalmente innecesaria.

2. RESPONSABILIDAD POR PRODUCTOS ELABORADOS EN IMPRESORAS LÁSER

José Miguel Torres Pineda

Master de Responsabilidad Civil – UC3M

SUMARIO. I. INTRODUCCIÓN. II. IMPRESIÓN 3D: APLICACIÓN PRÁCTICA Y RESPONSABILIDAD POR PRODUCTOS. 1. Productos 3D adquiridos en el ámbito de una relación comercial. 2. Productos fabricados mediante tecnología de impresión 3D por el propio consumidor. III. CONSIDERACIONES FINALES.

RESUMEN

La tecnología de impresión láser ("fabricación aditiva") ha causado una disrupción en dos sectores económicos diferentes, de un lado, en los sistemas tradicionales de fabricación de productos en masa, y, de otro, en el ámbito personal del consumidor, cuando conscientemente asume la calidad de "autofabricante" y elabora un producto. El presente estudio tiene como principal propósito determinar si nuestro vigente régimen de responsabilidad por productos tiene la capacidad de tutelar eficazmente al perjudicado cuando en cualquiera de ambos procedimientos productivos se fabrica un producto defectuoso que, finalmente, le ocasiona daños a su salud o integridad física.

Se trata, en primer lugar, de analizar la cuestión desde un método casuístico en orden a establecer cuáles podrían ser las consecuencias de un producto defectuoso que se elabora a través de los sistemas tradicionales de manufactura, vale decir, cuando el fabricante se desenvuelve en una relación empresarial o profesional, así como cuando el producto es elaborado directamente por el consumidor fuera de un contexto comercial, esto es, para satisfacer alguna necesidad personal.

Los resultados muestran que en lo que respecta a los grandes sectores de la industria, los productos defectuosos que, eventualmente, se pueden fabricar mediante el uso de la "fabricación aditiva", en esencia, no generarían inconvenientes en torno a determinar su carácter defectuoso y la persona que debe responder como fabricante, conforme a la normativa actual de responsabilidad por productos. Sin embargo, cuando el producto final es fabricado por el propio consumidor fuera del ámbito empresarial, dicho autofabricante no será responsable por los daños que cause a cualquier tercero el carácter defectuoso de su producto, de manera que en estos casos el régimen de responsabilidad por productos sería insuficiente para tutelar al perjudicado, debiéndose recurrir a las normas generales de responsabilidad civil a efectos de obtener el resarcimiento de los daños sufridos, con los consiguientes costes que aquello genera.

PALABRAS CLAVE

Productos defectuosos, impresión láser, impresión en tecnología 3D, fabricación aditiva, autofabricante.

ABSTRACT

Laser printing technology ("additive manufacturing") has caused a disruption in two different economic sectors, on one hand, in traditional mass-product manufacturing systems, and, on the other, in the personal sphere of the consumer, when consciously assumes the quality of "self-manufacturer" and develop a product. The purpose of this study is to determine if our current product liability regime has the capacity to effectively protect the injured party when a defective product is manufactured in either of the two productive procedures, which ultimately causes damage to their health or physical integrity.

First of all, we analyze the issue from a casuistic method in order to establish what could be the consequences of a faulty product that is made through traditional manufacturing systems, this means, when the manufacturer operates in a business or professional relationship, as well as when the product is made directly by the consumer outside a commercial context, to satisfy a personal need.

The results show that what refers to the large industry sectors, faulty products that, eventually, can be manufactured through the use of "additive manufacturing", in essence, would not cause any inconvenience in determining their defective nature and the person who must assume responsibility as a manufacturer, in accordance with the current product liability regulations. However, when the final product is manufactured by the consumer itself outside the business environment, that self-manufacturer will not be liable for any damage caused to any third party by the defective nature of its product, that's why in those cases the product liability regime it would be insufficient to protect the injured party, making useful the general rules of civil liability in order to obtain compensation for the damages, with the consequent costs that this generates.

KEYWORDS

Defective products, laser printing, 3D technology printing, additive manufacturing, self-manufacturing.

I. INTRODUCCIÓN

Actualmente vivimos en una sociedad que se caracteriza, en esencia, por grandes revoluciones tecnológicas en sectores importantes como la industria, el comercio, la medicina, el transporte, entre otros. Este "tsunami tecnológico"[1] viene conformado por tecnologías como la inteligencia artificial, la nanotecnología, el internet de las cosas, los vehículos autónomos y, lo que interesa para el presente trabajo, la impresión láser, conocida técnicamente como "fabricación aditiva", la cual permite la producción de objetos tridimensionales con características complejas, previamente diseñados en un software, a través de la acumulación de capas y capas de material de impresión.

¿Cómo funciona la impresión 3D? Principalmente, requiere de tres elementos:

1. El diseño digital: es un "archivo creado usando el software Computer Aided Design (CAD), el cual contiene toda la necesaria información acerca del producto a ser impreso."[2].

2. La impresora 3D: es el dispositivo que "interpreta el archivo CAD conteniendo el diseño"[3] para dar lugar a un objeto físico y tangible.

3. El material de impresión: hoy en día casi cualquier elemento puede ser procesado en orden a servir como material de impresión. Así, por ejemplo, se viene utilizando el plástico, el metal, el vidrio, la madera, etc.

---

1   BONET CODINA. *El Tsunami Tecnológico (¡Y cómo surfearlo!)*, Deusto, Barcelona, 2018, pág. 13.

2   TWIGG-FLESNER, "Conformity of 3D prints – can current sales law cope?", en SCHULZE/ STAUDENMAYER (coord.), *Digital Revolution: challenges for contract law in practice*, Nomos, Baden Baden, Berlín, 2016, pág. 36.

3   TWIGG-FLESNER. Ob. Cit., pág. 37.

La impresión 3D no es una tecnología destinada exclusivamente a las grandes industrias en orden a revolucionar los actuales sistemas de manufactura. Todo lo contario, también está dirigida a personas como nosotros, aficionados, emprendedores o entusiastas, que en nuestros ratos libres podemos crear el diseño de un determinado producto y, luego, imprimirlo con el propósito de satisfacer alguna necesidad en el hogar o en el ámbito personal, piénsese, por ejemplo, en la fabricación de una pieza de repuesto para productos domésticos, de un presente para algún amigo, entre otros.

Por esta razón, varios autores afirman que la impresión láser o en 3D ofrece un gran potencial para lograr la "democratización de los procesos de producción", pues con su uso "cualquier persona puede convertirse en fabricante de los productos que ellos mismos han diseñado"[4]. Aquello podría significar un quiebre con el modelo tradicional de fabricación de productos en masa, cuya característica esencial reside en la actuación separada e independiente de cada sujeto que participa en la cadena de producción y distribución: de una parte, el diseñador del producto y el fabricante, y de otra, el vendedor y el consumidor final.

En síntesis, la tecnología de impresión 3D permite la fabricación de "productos terminados", de forma similar a lo que ocurre con el sistema tradicional de manufactura de productos en masa, siendo un hecho innegable que aparecerán en el mercado – o, quizás, ya aparecieron – productos defectuosos elaborados en esta tecnología, que no cumplen con el estándar de seguridad que mínimamente cabría esperar, y que, evidentemente, son un riesgo potencial para la salud de los consumidores y usuarios.

---

4   GERAINT HOWELLS y CHRIS WILLET, "Conformity of 3D prints – can current sales law cope?", en SCHULZE/ STAUDENMAYER (coord.), *Digital Revolution: challenges for contract law in practice*, Nomos, Baden Baden, Berlín, 2016, pág. 67.

Teniendo en consideración la naturaleza de la impresión 3D y sus aplicaciones, la cuestión que intentamos determinar en el presente trabajo es si nuestro vigente sistema de responsabilidad por productos defectuosos, contenido en el Texto Refundido de la Ley General para la Defensa de los Consumidores y Usuarios y otras leyes complementarias[5] (en adelante, el TRLGDCU), tiene la capacidad de afrontar estos nuevos desafíos tecnológicos, o, por el contrario, si la legislación actual tiene algunas deficiencias en orden a brindar tutela resarcitoria a favor de los consumidores o terceros que, eventualmente, puedan ser perjudicados por el uso de un producto defectuoso impreso en 3D.

II. IMPRESIÓN 3D: APLICACIÓN PRÁCTICA Y RESPONSABILIDAD POR PRODUCTOS

La impresión 3D es una tecnología emergente que tiene como principales destinatarios a dos sectores importantes: de una parte, las grandes industrias con el propósito de revolucionar los actuales sistemas de manufactura, y de otra, las personas como nosotros, emprendedores o entusiastas, que de forma eventual podemos fabricar algún objeto para satisfacer alguna necesidad personal.

En rigor, un producto elaborado mediante "manufactura aditiva" puede ser fabricado en dos (02) ámbitos diferentes:

- En el marco de un proceso productivo en sectores industriales como el automovilístico, el médico, la aviación, entre otros, donde se ha decidido introducir esta tecnología en los procesos de fabricación de productos en masa, habida cuenta sus grandes be-

---

5   Real Decreto Legislativo 1/2007, de 16 de noviembre, por el que se aprueba el texto refundido de la Ley General para la Defensa de los Consumidores y Usuarios y otras leyes complementarias (BOE núm. 287, de 30 de noviembre de 2007).

neficios (personalización de productos, abaratamiento de costes de fabricación, etc.)

• En un ámbito estrictamente personal, cuando un particular usa la tecnología de impresión 3D para crear un objeto tridimensional y así satisfacer una necesidad privada.

Consideramos oportuna hacer esta distinción, pues las consecuencias en torno a la responsabilidad por productos en uno y otro caso pueden ser distintas desde el punto de vista de la tutela resarcitoria que debería surgir a favor de la víctima o perjudicado, conforme analizaremos a continuación:

1. Productos 3D adquiridos en el ámbito de una relación comercial

En nuestra opinión, cuando el producto es elaborado en el marco del sistema tradicional de fabricación en masa, a través del procedimiento de "fabricación aditiva", no existen inconvenientes para determinar el carácter defectuoso del producto, de acuerdo a la regla contenida en el artículo 137 del TRLGDCU (concepto legal) y atribuir responsabilidad objetiva al fabricante, conforme al actual régimen de responsabilidad por productos contemplado en dicha legislación especial.

Cabría argumentar, además, dos principales razones de política económica para continuar imputando responsabilidad objetiva a dichos fabricantes, que incorporan la "manufactura aditiva" a sus procedimientos, a saber:

• El fabricante del producto, generalmente, es "el causante de los defectos de los productos y quien, por tanto, está en mejores condiciones de prevenirlos y evitarlos"[6].

---

6   PARRA LUCÁN. *La protección del consumidor frente a los daños: Responsabilidad civil*

• El fabricante es "quien está en mejores condiciones de absorber el daño a través del sistema de los precios y de la repercusión en el seguro que concierte"[7].

2. Productos fabricados mediante tecnología de impresión 3D por el propio consumidor

En este segundo escenario la cuestión, particularmente, es más compleja, debido a los diversos actores y elementos que pueden intervenir en el proceso de fabricación de un producto en tecnología 3D, de manera que desde la posición jurídica de la persona perjudicada, sea el propio consumidor "autofabricante" o un tercero, podrían suscitarse, principalmente, dos (02) casos con diferentes resultados en orden a obtener tutela resarcitoria.

Caso I: el consumidor "autofabricante" sufre daños por el carácter defectuoso del producto fabricado en tecnología de impresión 3D

Imaginemos que el consumidor, mediante el uso de la impresora 3D, fabricó un casco para bicicleta y, días después, practicando ciclismo sufre una caída y el casco se rompe al contacto con el suelo, causándole daños personales. Ciertamente, dicho producto puede ser calificado como defectuoso, toda vez que no cumple con la seguridad que legítimamente un consumidor razonable podría esperar, pues un consumidor adquiere o, en nuestro caso, fabrica un casco en la confianza que será lo suficientemente resistente para evitar que se rompa y cause lesiones al ciclista.

En el ejemplo anterior el consumidor actuó como "autofabricante" del producto, sin embargo, a efectos de obtener tutela resarcitoria, como es

---

del fabricante y del prestador de servicios (Derecho del consumo), Reus, Madrid, 2011, pág. 147.

7   PARRA LUCÁN. Ob. Cit., pág. 148.

obvio, éste no planteará una demanda de responsabilidad por productos contra sí mismo, sino que intentará demostrar que la materia prima o los elementos usados en la impresión fueron la causa del defecto en el "producto final". Ello con la finalidad de atribuir responsabilidad objetiva al fabricante de cualquiera de esos elementos integrantes, conforme dispone el artículo 138.b del TRLGDCU.

Desde luego, el "autofabricante" tiene la carga de probar cuál fue el elemento causante del defecto (impresora 3D, archivo digital o material de impresión), habida cuenta que el productor de los referidos productos únicamente responderá por los daños que cause directamente el defecto en su producto, y no si este es imputable a cualquier otro elemento o instrumento utilizado en el procedimiento de impresión, según lo establecido por el artículo 140.2 del TRLGDCU[8].

A continuación analizaremos cada elemento o instrumento que interviene en el procedimiento de impresión 3D como posible causa del defecto en el "producto terminado":

La impresora 3D como causa del defecto en el "producto final"

En este primer caso, el "autofabricante" deberá "demostrar no simplemente que la impresora elaboró un producto defectuoso, sino que, a

---

8   Cabe mencionar, que el perjudicado no tiene que probar la causa concreta del defecto en el producto, siendo suficiente que a partir de los medios probatorios aportados al proceso judicial, pueda crear convicción en el juez de que el producto en sí mismo era inseguro y, de esta forma, asegurarse el éxito de la pretensión indemnizatoria. En otras palabras, "no es preciso que la víctima identifique la causa o el origen del defecto del producto. La STS de 19 de febrero de 2007 (RJ 2007/1895), STS de 30 de abril de 2008 (RJ 2008/2686)".

SANTOS MORÓN, "Responsabilidad por productos defectuosos", en SOLER/DEL OLMO (coords.), *Practicum Daños 2019*, Thomson-Reuters, Cizur Menor (Navarra), 2019, pág. 481.

su vez, la impresora era defectuosa"[9], situación que "ha de valorarse, precisamente, en relación al momento en que el producto se puso en circulación"[10], esto es, "cuando el producto sale del proceso de fabricación establecido por el productor y entra en el proceso de comercialización quedando a disposición del público con el fin de ser utilizado o consumido"[11].

Con carácter preliminar procede mencionar, que la impresora 3D utilizada por el "autofabricante" no causa de forma directa e inmediata los daños que el consumidor padece, no obstante, sí los ocasiona "indirectamente" al dar lugar a un producto inseguro ("producto terminado" obtenido a través del procedimiento de impresión), de manera que – en nuestro ejemplo – el fabricante responderá por los daños causados indirectamente por la impresora 3D, siempre que se logre demostrar que el defecto en el "producto terminado" tuvo su origen en el defecto de dicha impresora.

¿Cuáles podrían ser estos supuestos? En la práctica, ello podría acontecer cuando uno de los componentes internos de la impresora 3D, por ejemplo, el extrusor o el inyector[12] estén incorrectamente diseñados, por lo que el material de impresión no puede ser fundido a la temperatura adecuada para obtener un producto final resistente (defecto de diseño o fabricación). También cuando no se brinda instrucciones al consumidor

---

9   FREEMAN ENGSTROM, "3-D Printing and product liability: identifying the obstacles", *University of Pennsylvania Law Review Online*, 162, 2013, pág. 38.

10   PARRA LUCÁN. Ob. Cit., pág. 129.

11   Sentencia del Tribunal de Justicia (Sala Primera), de 9 de febrero de 2006 (asunto C-127/2004).

12   El extrusor de la impresora 3D que tiene como propósito tirar el filamento o material de impresión que se usa, para luego ser fundido y depositado en la cama caliente y crear el objeto en impresión 3D. El inyector es la parte de la impresora 3D que se encarga de derretir el filamento plástico con el cual se imprime.

El Mundo 3D, "Extrusor: Componentes impresora 3D", julio de 2018, https://elmundo3d.com/extrusor/.

sobre el uso de la impresora y, particularmente, respecto al procedimiento correcto de fabricación de los productos (tiempo de uso máximo al día, instrucciones de vigilancia).

El diseño digital como causa del defecto en el "producto final"

En nuestra opinión, en este punto podrían suscitarse diversas cuestiones en orden a imputar responsabilidad al diseñador del producto. Así, podemos mencionar:

Determinar si el diseñador del archivo digital actuó en el marco de una actividad empresarial

Como sabemos, para que se pueda aplicar el régimen de responsabilidad contenido en el TRLGDCU, sea en casos de responsabilidad por productos y/o servicios defectuosos, se requiere como "conditio sine qua non" que el fabricante del producto y el empresario que presta un servicio, actúen con un propósito relacionado con su actividad comercial, empresarial, oficio o profesión (artículo 4 del TRLGDCU[13]), de modo que se excluye "la aplicación del régimen específico recogido en el TRLGDCU cuando el producto defectuoso no ha sido fabricado en el marco de una actividad empresarial[14] o el servicio se ha prestado por un sujeto que no actúa como empresario (cfr. artículo 147 y ss. del TRLGDCU).

¿Qué sucede normalmente en el caso de los diseños 3D? En los últimos años han aparecido diversas plataformas digitales como "Cults3D", "Thingiverse", "YouMagine", entre otras, que promueven la creación

---

13   Artículo 4 del TRLGDCU. Concepto de empresario: (…), se considera empresario a toda persona física o jurídica, (…), con un propósito relacionado con su actividad comercial, empresarial, oficio o profesión.

14   Cabe mencionar, que en el caso concreto de productos defectuosos el artículo 140 del TRLGDCU contempla como causa de exoneración "la fabricación no para la venta u otra finalidad económica ni en un ámbito empresarial".

de una comunidad de usuarios, aficionados a la tecnología de impresión 3D ("makers"), con el propósito que compartan, mejoren y modifiquen sus diseños digitales, muchos de los cuales pueden ser descargados gratuitamente y otros son de pago.

Gran parte de los diseñadores que interactúan en la red son aficionados que comparten gratuitamente sus modelos digitales 3D, vale decir, no actúan en el marco de una relación profesional, comercial o empresarial, por lo que no será posible atribuirles la responsabilidad por productos recogido en el TRLGDCU, a pesar que su diseño 3D (archivo digital) sea la verdadera causa del defecto en el "producto terminado".

Determinar si el diseño digital (CAD file) es un producto o servicio

El artículo 136 del actual TRLGDCU regula el concepto legal de producto, calificándolo como "cualquier bien mueble, aun cuando esté unido o incorporado a otro bien mueble o inmueble", vale decir, como un bien de naturaleza corporal y tangible. En ese mismo sentido, el Restatement (Third) of Torts[15] define como productos a aquellos "bienes tangibles" que son comercialmente distribuidos para su uso o consumo. Bajo dicha definición legal, no podríamos considerar al diseño 3D (software) como "producto" pues carece de un contenido material o físico, por lo que no podríamos analizar su carácter defectuoso a la luz de las normas de responsabilidad por productos y tampoco cabría la posibilidad de atribuir responsabilidad objetiva a su diseñador en caso el archivo digital sea la causa del defecto en el "producto terminado".

Sin perjuicio de ello, cabe plantearse la posibilidad que el diseño digital se ponga a disposición del consumidor en el marco de la prestación de un servicio, de modo que conforme al artículo 147 del TRLGDCU,

---

15   Restatement (Third) of Torts: § 19 Definition of "Product" For purposes of this Restatement: (a) A product is tangible personal property distributed commercially for use or consumption. (…).

podría atribuirse a su diseñador responsabilidad por culpa presunta en caso el archivo digital sea defectuoso, claro está, siempre que reúna la condición de empresario según dicho texto legal. En tal caso, el perjudicado podría argumentar que el diseñador actuó negligentemente por no haber realizado las comprobaciones necesarias al diseño digital en orden a que el "producto terminado" sea seguro, presumiéndose su culpabilidad, salvo que logre demostrar que actuó con la diligencia debida en la creación del archivo.

Determinar quién fue el usuario que creó el diseño digital defectuoso

En las plataformas digitales sobre tecnología de impresión 3D, frecuentemente, los modelos digitales subidos a la red son corregidos, modificados o complementados por otros usuarios de cualquier parte del mundo que forman parte de la comunidad virtual. Dado que un mismo diseño digital puede ser modificado en innumerables oportunidades, el consumidor "autofabricante" tendrá una ardua labor al intentar establecer quién fue usuario que modificó el diseño e introdujo el defecto, causando que el "producto terminado" no sea seguro[16].

Ciertamente, aquello genera también inconvenientes desde el punto de vista de la relación de causalidad, toda vez que no será fácilmente identificable cuál fue la causa eficiente (responsable de modificar el modelo 3D), que de no haber ocurrido, habría generado un solo efecto o consecuencia: que el diseño y posterior producto no sean defectuosos, evitándose así los daños que afectaron al consumidor.

En nuestra opinión, en varios escenarios el perjudicado no podrá cumplir con su carga de la prueba en aras a lograr tutela resarcitoria, esto es, de

---

16   Sobre el particular, también debe considerarse que ocasionalmente la información en línea puede ser "pirateada" por terceras personas, perjudicándose así la posibilidad de establecer al diseñador responsable del archivo defectuoso.

mostrar el defecto en el producto, el daño y, particularmente, <u>la relación de causalidad</u>, conforme lo dispuesto por el artículo 139 del TRLGD-CU.

El material de impresión como causa del defecto en el "producto final"

En cuanto al material de impresión la cuestión no es tan controvertida como en el caso de los elementos antes analizados. En nuestro ejemplo del casco para bicicletas, consideramos que, frecuentemente, estos casos podrían sustentarse en defectos de diseño o defectos de información.

En lo que respecta al defecto de diseño en la fabricación del producto, cabría la posibilidad de considerar defectuoso el material de impresión si está compuesto por alguna sustancia tóxica para la salud de las personas, de modo que el "producto terminado" obtenido a partir del uso del referido material adolecerá también de dicha característica de inseguridad. Así también, cuando el material de impresión es inadecuado para determinados usos para los que se ofrece en el mercado, imaginemos que se comercializa como un material para la fabricación de productos de carácter general, tanto de uso doméstico como industrial, sin embargo, el objeto que se obtiene no es resistente si lo utilizamos como repuesto o para sustituir alguna pieza mecánica de nuestro vehículo.

Para el caso del defecto de información, el fabricante del material podría responder cuando no haya cumplido con brindar instrucciones o advertencias suficientes y razonables respecto al uso del material y su manipulación para obtener "productos terminados" seguros, así por ejemplo, cuando no se informó que el material de impresión está especialmente diseñado para trabajar con determinadas impresoras 3D, por el grado de fundición que estas tienen para obtener un producto resistente (200 a 250 grados centígrados).

Caso II: un tercero sufre daños por el carácter defectuoso del producto fabricado en tecnología de impresión 3D

Imaginemos que el consumidor "autofabricante" mediante el uso de la impresora 3D fabrica una silla de bebé para utilizarlo en su vehículo. Días después, sufre un accidente de circulación moderado, sin embargo, la silla no resiste el impacto y se rompe, causando graves daños personales al sobrino del consumidor que en ese momento viajaba con él. Sin duda, el producto puede ser calificado como defectuoso en la medida que no cumple con la seguridad que legítimamente un consumidor razonable podría esperar.

¿Debe responder el autofabricante conforme a las normas de responsabilidad por productos? Desde la óptica estrictamente legal, el consumidor "autofabricante" se encuentra exonerado de responsabilidad objetiva por productos, pues actuó en un ámbito personal y sin una finalidad lucrativa. En efecto, el artículo 140.c del TRLGDCU[17] libera de responsabilidad al fabricante cuando el producto no fue fabricado para su venta y en el marco de una actividad profesional o empresarial[18], lo cual repercute negativamente en la posición del perjudicado, pues ya no podrá accionar directamente contra el "fabricante final" del producto en base a un criterio de imputación objetivo.

---

17   Artículo 140 del TRLGDCU: Causas de exoneración de la responsabilidad: (…), c) Que el producto no había sido fabricado para la venta o cualquier otra forma de distribución con finalidad económica, ni fabricado, importado, suministrado o distribuido en el marco de una actividad profesional o empresarial.

18   En ese mismo sentido, la autora Nora Freeman señala que "La responsabilidad objetiva aplica solo a vendedores comerciales – estos involucrados en los negocios de venta o distribución de productos. Ocasionales o casuales vendedores, (…), están fuera del alcance de la responsabilidad objetiva". (Traducción nuestra).

FREEMAN ENGSTROM. Ob. Cit., pág. 37.

Así, a efectos de obtener tutela resarcitoria, el perjudicado intentará demostrar que alguno de los elementos usados en la impresión fue la causa del defecto en el "producto final", toda vez que el artículo 138.b del TRLGDCU considera también como productor al fabricante de cualquier elemento integrado en un "producto terminado". Debe notarse, sin embargo, que en este caso tercero perjudicado deberá resolver todas las cuestiones anteriormente estudiadas en el "Caso I" (¿el diseño digital es un producto o servicio?, ¿quién fue el usuario que creó el diseño defectuoso?, ¿dicho usuario actuó en el marco de una actividad empresarial?, etc.).

¿Podría el perjudicado reclamar una indemnización directamente contra el consumidor "autofabricante"? Es importante considerar que en algunos casos el "producto final" podría terminar siendo defectuoso por un error en el procedimiento de "manufactura aditiva", imputable al consumidor "autofabricante" y no propiamente por un defecto en alguno de los elementos utilizados (impresora 3D, archivo digital o material de impresión). A manera de ilustración, en la práctica aquello podría suceder cuando el "autofabricante" no cumplió con las instrucciones para la manipulación correcta de la impresora 3D en pleno procedimiento de impresión, descargó un archivo digital de una plataforma no autorizada, no verificó diligentemente la seguridad del diseño, entre otros.

Como es obvio, la reclamación judicial no podría sustentarse en las normas de responsabilidad por productos, no obstante, sí podría justificarse en el régimen general de responsabilidad civil, contenido en la cláusula normativa del artículo 1902 del Código Civil, toda vez que el "autofabricante" actuó de forma negligente en el procedimiento de "fabricación aditiva".

III. CONSIDERACIONES FINALES

1. La impresión 3D ha causado una disrupción en dos sectores económicos diferentes y contrapuestos, de un lado, en los sectores industriales donde se ha decidido por conveniente introducir la impresión 3D dentro de los tradicionales procesos de fabricación de productos en masa, habida cuenta sus grandes beneficios (personalización de productos, abaratamiento de costes de fabricación, etc.) y, de otro, en el ámbito personal del consumidor, cuando conscientemente asume la calidad de "autofabricante" y produce un objeto tridimensional para satisfacer necesidades personales.

2. En lo que respecta a los grandes sectores de la industria, los productos defectuosos que se pueden fabricar mediante el uso de la "manufactura aditiva", en esencia, no generarían inconvenientes en torno a determinar su carácter defectuoso y la persona que debe responder como fabricante, de manera que – conforme ya hemos visto – la cuestión debería analizarse desde el actual régimen en materia de responsabilidad por productos (TRLG-DCU), atribuyéndole una responsabilidad objetiva al fabricante del "producto terminado".

3. Debe notarse, sin embargo, cuando el producto obtenido mediante "fabricación aditiva" es elaborado fuera del contexto comercial, empresarial o profesional, el consumidor "autofabricante" no será responsable por los daños que cause a cualquier tercero el carácter defectuoso del "producto terminado", situación que repercute negativamente en la posición del tercero perjudicado, pues no podrá obtener tutela resarcitoria de parte del "fabricante final" del producto en base a la legislación especial del TRLGDCU y, en particular, no podrá exigirle el resarcimiento de los daños a través de un criterio de imputación objetivo.

4. La regulación en materia de responsabilidad civil por productos se muestra insuficiente para tutelar la posición de la víctima cuando el "producto terminado" es elaborado directamente por el propio consumidor. La razón, por supuesto, se basa en que el régimen del TRLGDCU está exclusivamente diseñado para atribuir responsabilidad objetiva al fabricante que se desenvuelve en un ámbito empresarial o profesional, habida cuenta que está en mejor posición para absorber los daños a través del sistema de precios o los mecanismos del seguro, y no propiamente para atribuirle responsabilidad al consumidor que, ocasionalmente, se convierte en "autofabricante" y que actúa fuera del ámbito comercial o empresarial.

5. En estos casos, el tercero perjudicado y, claro está, también el "autofabricante" si fuera lesionado por el carácter defectuoso del producto obtenido a través del procedimiento de "fabricación aditiva", deberán demostrar cuál fue el elemento o instrumento causante del defecto (impresora 3D, archivo digital, material de impresión), toda vez que el fabricante de dichos elementos solo responderá por los daños que cause directamente el defecto en su producto y no si este es imputable a cualquier otro elemento utilizado en el procedimiento de impresión (artículo 140.2 del TRLGDCU). Para imputarle responsabilidad objetiva al fabricante de alguno de estos elementos, el perjudicado previamente deberá:

- Demostrar el carácter defectuoso de la impresora 3D o del material de impresión, de acuerdo a los presupuestos que exige el TRLGDCU, vale decir, que el defecto en el producto sea valorable en el momento de su puesta en circulación.

- Determinar si el diseñador del archivo digital actuó, estrictamente, en un ámbito comercial, empresarial o profesional y, en particular, que el diseño digital fue la causa del defecto en el "producto terminado".

6. En el escenario que el tercero perjudicado no pueda imputar responsabilidad objetiva al fabricante de uno de los elementos utilizados en el procedimiento de "manufactura aditiva", ya sea porque dicho fabricante no actuó en un ámbito empresarial o porque no se ha podido determinar objetivamente la causa del defecto en el "producto terminado", consideramos que el tercero damnificado podría recurrir a las normas generales de responsabilidad civil (artículo 1902° del Código Civil) para dirigirse contra el "autofabricante".

7. En principio, dado que la cláusula normativa de responsabilidad no presume la culpa del demandado, el tercero afectado debería demostrar la actuación negligente del "autofabricante" en la elaboración del producto, sin embargo, ésta obligación queda atenuada en virtud de las reglas de carga de la prueba contenidas en la Ley de Enjuiciamiento Civil y, en concreto, en el artículo 217 (disponibilidad y facilidad probatoria). Esto viene a decir, que el "autofabricante" deberá asumir la obligación de demostrar que el producto no era defectuoso o la causa del defecto es imputable a determinado elemento (impresora 3D, archivo digital, material de impresión), pues tiene proximidad con la fuente de prueba que causó el daño y, desde luego, conoce las características relevantes de los elementos o instrumentos utilizados en el procedimiento de impresión, de manera que si no logra desvirtuarlo, deberá resarcir los daños sufridos por el tercero perjudicado.

8. Al margen de lo complejo que puede ser en algunos casos para el perjudicado lograr el resarcimiento de los daños, consideramos que no sería conveniente restringir o limitar a los consumidores el acceso a la tecnología de "manufactura aditiva" o impresión 3D. Si bien es cierto es una tecnología emergente que aún no ha alcanzado cierto estándar de seguridad, no obstante, genera diversas ventajas y beneficios para la sociedad en su conjunto:

promueve la innovación, la descentralización de la producción, la fabricación de productos complejos y personalizados, entre otros.

9. Conforme se vaya consolidando la tecnología de "manufactura aditiva" probablemente, circularán diseños digitales cada vez más complejos e impresoras 3D capaces de imprimir objetos más sofisticados y, tal vez, ilegales (drogas, armas de guerra, explosivos, etc.) que, naturalmente, requerirán una regulación especial de parte del Estado, como pueden ser la promulgación de una nueva Directiva en materia de responsabilidad por productos o la imposición de un sistema de seguros para determinados productos peligrosos.

3. RESPONSABILIDAD POR DAÑOS CAUSADOS POR ROBOTS: ¿RESPONSABILIDAD OBJETIVA O GESTIÓN DE RIESGOS?

Valentina Manzur Toro

Máster de Responsabilidad civil- Uc3m

SUMARIO: I. INTRODUCCIÓN. II. ROBOTS, CARACTERÍSTI-CAS Y NATURALEZA JURÍDICA. 1. ¿Qué son los robots?. 2. Características de un robot inteligente. 3. Naturaleza jurídica de los robots: ¿Persona electrónica?. III. RESPONSABILIDAD POR DAÑOS CAU-SADOS POR ROBOTS. 1. Resolución del Parlamento Europeo, de 16 de febrero de 2017, con recomendaciones destinadas a la Comisión sobre normas de Derecho Civil sobre robótica. 2. Necesidad de regulación: ¿Responsabilidad objetiva o gestión de riesgos?. *2.1. Responsabilidad objetiva. 2.2. Gestión de riesgos. 2.3. Teoría ecléctica.* IV. CONCLUSIONES.

RESUMEN

En la actualidad el desarrollo de la tecnología se incrementa exponencialmente y uno de estas áreas con mayor crecimiento ha sido la robótica. No obstante, en materia de responsabilidad no existe una normativa que regule esta materia y la legislación vigente que se aplica para daños causados por robots parece ser insuficiente. Un primer problema identificado es que no existe un concepto unitario de robots, como tampoco existe consenso respecto a la creación de una personalidad electrónica para éstos. En este trabajo se analizará cuál es el sistema de responsabilidad que debiese regir en una futura y eventual legislación. Para ello, se toma como punto de partida la Resolución del Parlamento Europeo, de 16 de febrero de 2017, con recomendaciones destinadas a la Comisión sobre normas de Derecho Civil sobre robótica, la cual plantea, en líneas generales, que el futuro instrumento legislativo deberá aplicar el enfoque de responsabilidad objetiva o el de gestión de riesgos. En este artículo se defiende que esta eventual legislación debería contener elementos de ambos enfoques, pues estos no son excluyentes entre sí. En consecuencia, la fórmula que parece más acertada para alcanzar el equilibrio entre la innovación y la responsabilidad es emplear un régimen de responsabilidad objetiva que prescinda del elemento de culpabilidad, pero estableciendo ciertos matices – límite cuantitativo a la indemnización y establecimiento de un umbral bajo de riesgo–, complementado con un régimen de seguro obligatorio.

PALABRAS CLAVE

Responsabilidad civil. Responsabilidad por daños causados por robot. Responsabilidad objetiva. Gestión de riesgos. Daños. Robots. Persona electrónica.

ABSTRACT

Nowadays, the development of technology is increasing exponentially and one of these areas with greater growth has been robotics. However, in terms of liability, there is no legislation governing this matter and the legislation in force that applies to damage caused by robots appears to be insufficient. A first problem identified is that there is no unitary concept of robots, nor is there consensus regarding the creation of an electronic personality for robots. This paper will analyze which is the system of responsibility that should govern in future and eventual legislation. The starting point for this is the European Parliament Resolution dated February 16, 2017, which provides recommendations to the Commission regarding civil law rules on robotics, and broadly states that the future legislative instrument should apply the approach of strict liability or risk management. This article argues that any possible legislation should contain elements of both approaches, as these are not mutually exclusive. Consequently, the formula that seems most best suited to achieving a balance between innovation and liability is to apply a strict liability regime that disregards the element of guilt but establishes certain nuances – a quantitative limit to compensation and establishment of a low threshold of risk, supplemented by a compulsory insurance regime.

KEYWORDS

Civil liability. Liability for damage caused by robot. Objective liability. Risk management. Damage. Robots. Electronic person.

I. INTRODUCCIÓN

El desarrollo de la tecnología es hoy una realidad irreversible y una de sus grandes manifestaciones es el auge en materia de robótica.

Las nuevas tecnologías han traído beneficios que hace años eran inimaginables, por ejemplo, se han creado robots que buscan asistir a adultos mayores que padecen de Alzheimer, acompañar a niños autistas y personas dependientes; así como también se han creado robots industriales, con el objeto de aumentar la productividad o desarrollar labores que pueden resultar dañinas o peligrosas para los seres humanos, entre otros.

Este desarrollo tecnológico exponencial se ha entendido más que como una revolución, como una *"una verdadera "disrupción"(…)"*[1], es decir, una

---

1   MERCADER UGUINA, *El futuro del trabajo en la era de la digitalización y la robótica*, Tirant lo Blanch, Valencia, 2017, pág. 29

rotura o interrupción brusca; así *"lo disruptivo es, pues, la tecnología que altera el status quo existente e innova radicalmente la realidad productiva"*[2].

En relación al impacto de la robótica, se discuten diversos aspectos: ¿qué son los robots? ¿son personas electrónicas? ¿quién responde por los daños causados por robots? ¿es necesario su regulación? ¿qué régimen deberá seguirse para regular la responsabilidad?

Al respecto, el presente trabajo tiene por objeto analizar los aspectos relativos a la responsabilidad civil que se plantean en la Resolución del Parlamento Europeo de 16 de febrero de 2017, con recomendaciones destinadas a la Comisión sobre normas de Derecho Civil sobre Robótica (en adelante "Resolución"), para luego concluir qué sistema de responsabilidad se debería considerar en una futura y eventual legislación comunitaria respecto a la responsabilidad civil de los robots.

II. ROBOTS, CARACTERÍSTICAS Y NATURALEZA JURÍDICA

1. ¿Qué son los robots?

La definición del término robot no ha sido un tema pacífico en la doctrina, reconociéndose que es un concepto *"inevitablemente borroso, dependiente del lugar geográfico y la cultura donde se concibe, y además es variable en el tiempo"*[3].

---

2   MERCADER UGUINA, ob. cit., pág.30

3   GARCÍA –PRIETO CUESTA, "¿Qué es un robot?", en BARRIO ANDRES (director), Derecho de los Robots, La Ley Wolters Kluwer, Madrid, 2018, pág. 37

De manera genérica se ha señalado que el término robot *"alude a toda una serie de ingenios que comprenden, desde androides y otras formas de inteligencia artificial con aspecto humanoide cada vez más sofisticadas y aplicables a infinidad de tareas, hasta meras máquinas que realizan autónomamente algunas tareas domésticas"*[4]. A partir de esta definición, se incluirían en esta categoría múltiples formas de robot, como por ejemplo: sanitarios, drones, automóviles sin conductor, de uso industrial, etc.

Asimismo, se ha indicado que un *"robot strictu sensu"* sería *"aquel objeto mecánico que capta el exterior, procesa lo que percibe y, a su vez, actúa positivamente sobre el mundo"*[5].

Según la Enciclopedia Británica, se entiende por robot *"cualquier máquina operada automáticamente que reemplaza a la fuerza humana, aunque no se asemeje a los seres humanos en apariencia ni realiza sus funciones de la misma manera"*[6].

Por su parte, la Organización Internacional para la Estandarización entrega una definición de robot industrial en ISO 8373:2012, definiéndolo como *"un manipulador automáticamente controlado, reprogramable, multiuso, programable en dos o más ejes (lineales o rotatorios), con un grado de autonomía que pueden estar fijo o móvil para su uso en aplicaciones de automatización industrial"*[7]. En consecuencia, una primera dificultad que se identifica al momento de hablar de robótica es que no existe un consenso respecto al concepto de robot a nivel de los Estados Miembros de la Unión Europea (en

---

4   BARRIO ANDRÉS, "Del derecho de Internet al derecho de los robots", en BARRIO ANDRES (director), *Derecho de los Robots*, La Ley Wolters Kluwer, Madrid, 2018, pág. 69

5   BARRIO ANDRÉS, ob. cit., pág. 70

6   Cabe señalar que la Real Academia Española define robots de las siguientes maneras: *"1.m. Máquina o ingenio electrónico programable, capaz de manipular objetos y realizar operaciones antes reservadas solo a las personas. 2.m. robot que imita la figura y los movimientos de un ser animado. 3.m. Persona que actúa de manera mecánica o sin emociones. 4.m. Inform. Programa que explora automáticamente la red para encontrar información".*

7   Esta es la definición usada por la Federación Internacional de Robótica.

adelante UE), ni mucho menos a nivel planetario. Nos encontramos con diversas definiciones que no distinguen entre los diversos tipos de robots ni identifican las características de éstos.

2. Características de un robot inteligente

Algunos autores han planteado que *"(…) existiendo tantas definiciones es quizás más fácil entender qué es un robot mirando a sus habilidades"*[8].

Así lo ha entendido el Parlamento Europeo en cuya Resolución no desarrolla una definición en particular, sino que solicita a la Comisión que proponga definiciones europeas comunes de los conceptos de sistema ciberfísico, sistema autónomo, robot autónomo inteligente y sus distintas subcategorías, tomando en consideración las siguientes características de un robot inteligente:

a) Capacidad de adquirir autonomía mediante sensores y/o mediante el intercambio de datos con su entorno (interconectividad) y el intercambio y análisis de dichos datos

b) Capacidad de autoaprendizaje a partir de la experiencia y la interacción

c) Un soporte físico mínimo

d) Capacidad de adaptar su comportamiento y acciones al entorno

---

8   INSTITUTO CUATRECASAS DE ESTRATEGIA LEGAL EN RRHH, *Robótica y su impacto en los recursos humanos y en el marco regulatorio de las relaciones laborales*, La Ley Wolters Kluwer, Madrid, 2018, pág. 30. Estos autores destacan como principales habilidades de los robots: percepción, actuación, aprendizaje, razonamiento toma de decisiones, auto-localización y navegación, interacción física e interacción no-física (verbal, gestual).

e) Inexistencia de vida en sentido biológico

Al respecto, llama la atención que no se refiere a robots en sentido genérico, sino que la definición que interesa es la de un "robot autónomo inteligente".

3. Naturaleza jurídica de los robots: ¿Persona electrónica?

Una de los temas más debatibles que plantea la Resolución es la creación de una personalidad jurídica específica para los robots autónomos. El Parlamento Europeo pide a la Comisión que cuando realice el futuro instrumento legislativo, explore, analice y considere *"crear a largo plazo una personalidad jurídica específica para los robots, de forma que como mínimo los robots autónomos más complejos puedan ser considerados personas electrónicas responsables de reparar los daños que puedan causar, y posiblemente aplicar la personalidad electrónica a aquellos supuestos en los que los robots tomen decisiones autónomas inteligentes o interactúen con terceros de forma independiente"* [apartado 59, letra f)]. Por una parte, algunos autores señalan que es *"una cuestión de conveniencia la creación de una personalidad jurídica específica para los robots, dado que en un futuro, la sociedad contará con entes no humanos dotados de voluntad que realizaran actos susceptibles de crear derechos u obligaciones en el ámbito jurídico (...)"*[9].

Esta necesidad de crear una personalidad electrónica se explicaría porque a medida que, mayor autonomía adquieran los robots y sus actos se vuelvan impredecibles, será más difícil imputar responsabilidad a un agente humano, ya sea fabricante, operador, propietario o usuario. Además, se estima que en un futuro cercano la economía dependerá en gran parte del trabajo que desarrollarán los robots capaces de adoptar decisiones autónomas.

---

9   ERCILLA GARCÍA, *Normas de derecho civil y robótica. Robots inteligentes, personalidad jurídica, responsabilidad civil y regulación*, Aranzadi, Pamplona, 2018, pág. 17

Pero, por otra parte, hay autores que consideran que no sería útil la creación de esta personalidad jurídica, pues *"(…) el hecho de que los robots tengan cierta autonomía no es suficientes para hacerles responsables de los daños que puedan causar, al igual que los animales también tienen esa cierta autonomía e impredecibilidad, y quienes responden de los perjuicios que puedan causar son sus poseedores y las personas que se sirven de ello (art. 1905 CC)"*[10].

Asimismo, descartan que la creación de esta personalidad sea posible como una construcción análoga a la persona jurídica societaria, ya que en este caso siempre existen, al menos, una o varias personas físicas que se asocian, tomando decisiones o acuerdos que forman la voluntad de la persona jurídica y en quienes puede incidir, finalmente, la actividad específica de este tipo de persona[11].

Además, quienes niegan la personalidad electrónica de los robots, agregan la dificultad que implicaría actuar en contra de éstos en el caso de reclamar indemnización de daños, *"pues el robot carecería de propiedades a su nombre, salvo que estimemos que responde con su propio valor económico y como activo que pueda ser incautado, embargado o enajenado para que, con su precio, se pueda resarcir la persona que ha sufrido el daño, todo ello sin perjuicio, además, de los problemas procesales para reconocer legitimación pasiva a los robots en un procedimiento judicial"*[12].

En consecuencia, en el escenario actual, se considera que la creación de la personalidad jurídica específica de los robots para aquellos casos cuya autonomía les permita tomar decisiones autónomas inteligentes carece de utilidad práctica, por las razones ya esbozadas, pero, además, porque

---

10   DIAZ ALABART, *Robots y responsabilidad civil*, Editorial Reus, Madrid, 2018, págs.75 -76

11   GOMÉZ-RIESGO TABERNERO DE PAZ, "Los robots y la responsabilidad civil extracontractual", en BARRIO ANDRES (director), Derecho de los Robots, La Ley Wolters Kluwer, Madrid, 2018, pág. 115

12   GOMÉZ-RIESGO TABERNERO DE PAZ, ob.cit., págs. 115-116

hoy en día no existe este tipo de robots y la propia Resolución señala expresamente que se deberá garantizar que los seres humanos tengan en todo momento el control sobre las máquinas inteligentes, de modo que siempre tras su actuar deberá responder un agente humano, sujeto de derechos y obligaciones.

Finalmente, respecto a la naturaleza jurídica de los robots, cabe señalar que, frente a la negativa de la creación de una personalidad jurídica específica, los robots podrían considerarse como productos que cumplen estándares técnicos de diligencia. En consecuencia, cuando un robot cause daño se calificaría como un producto defectuoso. Pero, ¿un software puede calificarse como un producto? ¿una mala decisión es realmente un defecto? ¿cuándo un robot es defectuoso?

III. RESPONSABILIDAD POR DAÑOS CAUSADOS POR ROBOTS

Actualmente no existe regulación expresa relativa a la responsabilidad que nace de los daños causados por robots. Hoy, se aborda el problema desde: a) normativa de seguridad del producto; b) normativa de prevención de riesgos laborales; y c) normativas sobre responsabilidad, dentro de las cuales se incluyen las reglas tradicionales del Código Civil (artículos 1902 y 1903) y el Real Decreto Legislativo 1/2007, de 16 de noviembre, por el que se aprueba el texto refundido de la Ley General para la defensa de los Consumidores y Usuarios y otras leyes complementarias (en adelante TRLGDCU)[13].

---

13 RODRÍGUEZ SANZ DE GALDEANO. *Robótica y responsabilidad por daños.* En Primer Congreso Interdisciplinar Cambio Tecnológico y Futuro del Trabajo. Congreso llevado a cabo en Universidad Carlos III, Madrid, con fecha 28 de noviembre de 2018.

A continuación se analizarán las principales recomendaciones expuestas en la Resolución, para luego determinar qué enfoque – responsabilidad

objetiva o gestión de riesgos– parece más acertado para ser aplicado en una futura y eventual legislación sobre responsabilidad de los robots.

1. Resolución del Parlamento Europeo, de 16 de febrero de 2017, con recomendaciones destinadas a la Comisión sobre normas de Derecho Civil sobre robótica.

Esta Resolución reconoce expresamente que el marco normativo establecido en la Directiva 85/374/CEE del Consejo, de 25 de julio de 1985, relativa a la aproximación de las disposiciones legales, reglamentarias y administrativas de los Estados Miembros en materia de responsabilidad por los daños causados por productos defectuosos[14] (en adelante Directiva 85/374/CEE) es insuficiente, pues ésta sólo cubre los daños ocasionados por defectos de fabricación en un robot cuando el perjudicado pruebe el daño, el defecto y el nexo causal entre estos elementos[15] [apartado AH].

En este sentido, atendida la constante innovación que se desarrolla en materia de la robótica, donde en un futuro próximo se estima que un robot pueda tomar decisiones con mayor autonomía, actuando de modo imprevisible, se requiere una regulación jurídica que se ajuste a la realidad y que, a diferencia de la Directiva 85/374/CEE, asegure a la víctima la indemnización de todos los daños ocasionados, incluidos los morales.

---

14   Esta Directiva ha sido traspuesta a través de la Ley 22/1994, de 6 de junio, de responsabilidad civil por daños causados por productos defectuosos, hoy derogada e incorporada al Texto Refundido de la Ley General para la Defensa de los Consumidores y Usuarios y otras leyes complementarias, aprobado por el Real Decreto Legislativo 1/2007, de 16 de noviembre.

15   El artículo 139 TRLGDCU señala expresamente que: *"El perjudicado que pretenda obtener la reparación de los daños causados tendrá que probar el defecto, el daño y la relación de causalidad entre ambos"*.

Al respecto, las principales recomendaciones expuestas en la Resolución relacionadas con la responsabilidad civil de los robots son:

a) Pide a la Comisión que presente una propuesta de instrumentos legislativos sobre los aspectos jurídicos relacionados con el desarrollo y el uso de la robótica y la inteligencia artificial previsibles en los próximos 10 o 15 años, junto con instrumentos no legislativos (Párrafo 51)

b) Dicho instrumento legislativo no debería limitar el tipo o el alcance de los daños y perjuicios que puedan ser objeto de compensación, ni tampoco limitar la naturaleza de dicha compensación (Párrafo 52)

c) Considera que el futuro instrumento legislativo debe basarse en una evaluación en profundidad realizada por la Comisión que determine si debe aplicarse el enfoque de responsabilidad objetiva o el de gestión de riesgos (Párrafo 53)

d) En principio, una vez que las partes en las que incumba la responsabilidad última hayan sido identificadas, dicha responsabilidad debería ser proporcional al nivel real de las instrucciones impartidas a los robots y a su grado de autonomía, de forma que cuanto mayor sea la capacidad de aprendizaje o la autonomía y cuanto más larga haya sido la <<formación>> del robot, mayor debiera ser la responsabilidad de su formador (Párrafo 56)

e) Finalmente, pide a la Comisión que cuando realice una evaluación de impacto de su futuro instrumento legislativo, explore, analice y considere las implicaciones de todas las posibles soluciones jurídicas, tales como:

i) Establecer un régimen de seguro obligatorio.

ii) Establecer un fondo de compensación, que no solo garantice la reparación ante la ausencia de un seguro.

iii) Permitir que el fabricante, el programador, el propietario o el usuario puedan beneficiarse de un régimen de responsabilidad limitada si contribuyen a un fondo de compensación o bien si suscriben conjuntamente un seguro que garantice la compensación de daños causados por un robot.

iv) Decidir si conviene crear un fondo general para todos los robots autónomos inteligentes o crear un fondo individual para cada categoría de robot.

v) Crear un número de matrícula individual que figure en un registro específico de la UE.

vi) Crear a largo plazo una personalidad jurídica específica para los robots.

En definitiva, la Resolución esboza líneas generales respecto a la responsabilidad, pero no indica expresamente quién o quiénes deben responder en caso de que se produzcan daños ocasionados por los robots.

En las consideraciones introductorias se limita a señalar que en el actual marco jurídico, los robots no pueden ser consideradores responsables de los actos u omisiones que causan daños a terceros y que las normas vigentes en materia de responsabilidad contemplan los casos en los que es posible atribuir la acción u omisión del robot a un agente humano concreto, como el fabricante, el operador, el propietario o el usuario. No obstante, quedan abiertas muchas interrogantes, como por ejemplo: ¿quién debe responder por estos daños? ¿qué se entiende por operador? ¿qué daños se indemnizan? ¿sería posible incluir dentro de los daños indemnizables los daños reflejos? ¿existirán causales de exoneración de responsabilidad?

2. Necesidad de regulación: ¿Responsabilidad objetiva o gestión de riesgos?

Como se ha señalado, no existe una regulación expresa en la legislación española relativa a la responsabilidad por daños causados por robots. Estos vacíos ponen de manifiesto la necesidad de un nuevo marco jurídico actualizado donde se regule expresamente la responsabilidad civil, como ya advierte la Resolución.

En las próximas líneas se analizará brevemente ambos enfoques propuestos por la Resolución – responsabilidad objetiva o de gestión de riesgos– para luego concluir cuál enfoque es más acertado para una nueva legislación relativa a los daños causados por robots.

2.1. Responsabilidad objetiva

Por un lado, la Resolución propone un sistema de responsabilidad objetiva que únicamente exige probar que se ha producido un daño y el establecimiento de un nexo causal entre el funcionamiento perjudicial del robot y los daños o perjuicios causados a la persona que los haya sufrido (Párrafo 54).

La adopción de este tipo de régimen de responsabilidad se justificaría, básicamente, en virtud de los siguientes fundamentos[16]:

> I) Protección del tercero o consumidor, teniendo en cuenta que el origen del daño puede ser difícil de determinar debido a los múltiples intervinientes en la investigación, diseño, programación y utilización de un robot inteligente: fabricante, operario, propietario, programador, diseñador e incluso el instructor (en caso de robots con posibilidad de aprendizaje).

---

16   ERCILLA GARCÍA, ob. cit., págs. 70 - 72

ii) La previsión de un régimen de seguros habla a favor del régimen de responsabilidad objetiva.

iii) Elimina el problema de determinar cómo evaluar la responsabilidad sin un conductor u operador humano.

iv) Ha sido el régimen empleado para la responsabilidad en áreas tradicionalmente consideradas como altamente peligrosas.

No obstante, también se presentan argumentos en contra[17] para su adopción:

i) Desincentivo, tanto para el ejercicio de la propia actividad, como para la investigación y desarrollo del sector de la robótica, pudiendo significar un límite a la innovación en esta materia.

ii) Implicaría no permitir ningún tipo de riesgo.

iii) Aumento desproporcionado de reclamaciones *"y se produzca lo que se ha calificado como el problema de la <<teoría del saco sin fondo>> o de reclamación indiscriminadas a las compañías de seguros, al saber que existen mayores posibilidades de indemnización"*[18].

Si bien existen numerosos argumentos, tanto a favor como en contra, para aplicar un sistema de responsabilidad objetiva, éste, a diferencia de un sistema de tipo subjetivo, prescinde del elemento de culpabilidad, justificando la responsabilidad en los riesgos que genera la propia actividad. Pero, ¿es realmente una actividad de riesgo? Se ha señalado que los actos realizados por robots son potencialmente más seguros que cualquier experto en la materia, de tal forma que no tendría sentido

---

17   ERCILLA GARCÍA, ob. cit., págs. 69 - 75

18   GOMÉZ-RIESGO TABERNERO DE PAZ, ob.cit., pág. 126

tratar con mayor rigurosidad sistemas que son, estadísticamente, menos riesgosos[19]. En este sentido, se podría cuestionar la aplicación de un sistema de responsabilidad objetiva por carecer de uno de los elementos fundantes para su configuración, el riesgo.

Asimismo, establecer un régimen objetivo para los daños causados por robots podría significar instaurar un régimen de responsabilidad distinto en una misma actividad en razón a quien realice el acto, si es un robot o un humano. Por ejemplo, en el caso de la medicina, la responsabilidad de los médicos se ha considerado de tipo subjetiva (infracción a la lex artis); mientras que en el caso de los daños causados por robots médicos se aplicaría un régimen de responsabilidad objetiva.

2.2. Gestión de riesgos

Por otro lado, la Resolución también considera viable un sistema de responsabilidad basado en la teoría de la gestión de riesgos, la cual se centra en la persona que es capaz, en determinadas circunstancias, de minimizar los riesgos y gestionar el impacto negativo (Párrafo 55).

Pero, no se trata de un sistema contrapuesto a la responsabilidad objetiva, es decir, semejante a un régimen de responsabilidad subjetivo, sino que tiene un componente más bien administrativo, *"(…) más que un concepto jurídico es un concepto técnico-económico"*[20].

---

19   Tiantan Hospital de Pekin organizó una competencia médica en la que se enfrentaron un equipo de 15 prestigiosos médicos del país contra un sistema de inteligencia artificial capaz de elaborar diagnósticos médicos, siendo éste último el vencedor, dando cuenta que el margen de error en el caso de los robots médicos es menor.

Véase noticia en: https://cribeo.lavanguardia.com/estilo_de_vida/ 17806/un-robot-vence-a-15-medicos-en-una-competicion-sobre-diagnosticos.

20   DIAZ ALABART, ob. cit., pág. 68

Este enfoque *"no tiene por meta la eliminación total del riesgo, sino la reducción del mismo, asumiendo aquel que no rebase de un umbral de protección elegido, el riesgo aceptable"*[21], advirtiéndose que deberá ser la Comisión Europea la que deberá determinar el riesgo permitido en pos del progreso tecnológico. La gestión de riesgos implica realizar una evaluación de riesgo, confeccionar estrategias de desarrollo para manejarlo y adoptar medidas de mitigación de éste[22]; de modo que parece un enfoque se adapta perfectamente a la innovación propuesta por la robótica.

No obstante, esta teoría se encuentra limitada por el artículo 34.1. de la Ley 40/2015, de 01 de octubre, de Régimen Jurídico del Sector Público[23], el cual excluye de las indemnizaciones los daños que se deriven de hechos o circunstancias que no se hubiesen podido prever o evitar según el estado de los conocimientos de la ciencia o de la técnica existentes en el momento de producción de aquéllos, de modo que se excluirían los daños causados por robots inteligentes. Esto explicaría que la Resolución haya prevenido que, por ahora, la responsabilidad debía recaer en un humano, dado que, en este supuesto de caso fortuito, sería un caso de exclusión de la responsabilidad de la Administración[24].

2.3. Teoría ecléctica

A pesar del disyuntivo *"o"* empleado en la redacción de la Resolución (párrafo 53), los enfoques anteriormente expuestos no son incompati-

---

21   ERCILLA GARCÍA, ob.cit., pág. 96

22   ERCILLA GARCÍA, ob. cit., pág. 99

23   El artículo 34.1. Ley 40/2015, de 01 de octubre, de Regímen Jurídico del Sector Público, señala que: *"Sólo serán indemnizables las lesiones producidas al particular provenientes de daños que éste no tenga el deber jurídico de soportar de acuerdo con la Ley. No serán indemnizables los daños que se deriven de hechos o circunstancias que no se hubiesen podido prever o evitar según el estado de los conocimientos de la ciencia o de la técnica existentes en el momento de producción de aquéllos, todo ello sin perjuicio de las prestaciones asistenciales o económicas que las leyes puedan establecer para estos casos".*

24   ERCILLA GARCÍA, op. cit., pág. 115

bles o excluyentes entre sí, pudiendo plantearse una teoría ecléctica o intermedia que combine ambos enfoques: *"por una parte, la adopción del control de los riesgos derivados de la fabricación y puesta en el mercado de los robots (…) resulta esencial para las empresas. Por otra parte, es prioritario, garantizar a los propietarios o simples usuarios de los robots, la indemnización por los daños que puedan sufrir al utilizarlos, o incluso también a las personas que sin ser usuarios o propietarios de los robots sufren esos daños por la circunstancia de encontrarse cerca del robot en el momento del daño (…)"*[25].

En esta teoría intermedia existirá responsabilidad objetiva de los distintos agentes intervinientes en el proceso productor del robot inteligente, pero también deberá existir una actuación de gestión de riesgos de la Administración con el objeto de establecer los niveles mínimos de protección.

Finalmente, se concluye que, atendido que la teoría de gestión de riesgos es un concepto técnico-económico que busca minimizar los riesgos, son enfoques plenamente compatibles y, por tanto, un futuro instrumento legislativo deberá sustentarse en base a una teoría ecléctica.

Por un lado, en lo que respecta a la responsabilidad por daños causados por robots se propone seguir un enfoque objetivo que garantice la reparación de los daños sufridos por la víctima, prescindiendo de culpa. Pero, como ya se ha señalado, *"(…) los fabricantes de robots pueden desistir de seguir innovando si sus nuevas creaciones van a generarles unas responsabilidades imprevisibles y excesivas (…)"*[26], por lo tanto, sería prudente establecer algún límite cuantitativo a las indemnizaciones que no ponga en riesgo la reparación.

Y, por otro lado, para efectos de promover la innovación, que podría verse desincentivada por un modelo rígido de responsabilidad objetiva,

---

25 DÍAZ ALABART, op. cit. pág.70
26 GOMÉZ-RIESGO TABERNERO DE PAZ, ob.cit., pág. 126

debería emplearse un enfoque de gestión de riesgos; de modo que el establecimiento de un umbral bajo de riesgo facilitaría la innovación. Asimismo, a través de este enfoque de gestión de riesgos, también se deberían implementar medidas preventivas orientadas a la protección de las personas.

Por último, como reconoce la Resolución, se estima que será necesario, además, establecer algún tipo de seguro obligatorio para fabricantes y/o propietarios o usuarios del robot, que permita indemnizar los daños causados por éste, y que podrá complementarse con un fondo de compensación que garantice la reparación en caso de ausencia de una cobertura de seguros.

IV. CONCLUSIONES

Probablemente luego de leer este artículo al lector le surjan más inquietudes que respuestas, pues, como se ha señalado a lo largo de estas líneas, la responsabilidad por daños causados por robots no se encuentra regulada expresamente en ninguna normativa. Así, se ha dicho que no existe un concepto universal de robots, como tampoco existe consenso si los robots más autónomos deberían contar con una personalidad electrónica.

La legislación vigente, en especial la normativa relativa a productos defectuosos, presenta carencias en materia de responsabilidad robótica. Por lo tanto, el derecho, a nivel comunitario, deberá buscar nuevas respuestas para la nuevas tecnologías, teniendo presente la importancia del factor confianza, pues sin ésta los ciudadanos no accederán a sistemas vinculados con la inteligencia artificial.

Por su parte, la citada Resolución ha trazado las líneas generales respecto a la responsabilidad, pero, también, deja muchas interrogantes:

¿quién o quiénes son los sujetos responsables? ¿quiénes van a poder reclamar la indemnización? ¿serán indemnizables todo tipo de daños? ¿cuáles son las causales de exención de la responsabilidad?.

Respecto a la responsabilidad, la Resolución propone que la propuesta de instrumento legislativo sobre los aspectos jurídicos relacionados con el desarrollo y el uso de la robótica y la inteligencia artificial deba basarse en un sistema de responsabilidad objetiva o de gestión de riesgos. Ambos enfoques son compatibles, de modo que se considera que el nuevo instrumento legislativo debería emplear una teoría ecléctica: en lo que respecta a la reparación de los daños causados por robots se deberá emplear un enfoque de responsabilidad objetiva y para efectos de promover la innovación y la protección a las personas se deberá fomentar un sistema de gestión de riesgos, debiendo evaluarse los riesgos, regular el riesgo permitido y adoptar las medidas preventivas necesarias para su mitigación.

Así, el sistema de responsabilidad adecuado para un nuevo instrumento legislativo sería aquel que contemple suficientes medidas de seguridad y un buen sistema de reparación, unido a la exigencia de un seguro obligatorio, que puede ser complementado con un fondo de compensación que garantice la reparación en caso de ausencia de cobertura de seguro. A falta de una regulación expresa en la normativa comunitaria, el llamado es a que todos los sujetos implicados – ya sea fabricante, operador, propietario y usuarios – tomen conciencia de que las nuevas tecnologías robóticas requerirán adaptaciones para poder emplearlas positivamente. Pero, estas adaptaciones van más allá del ámbito jurídico, pues no bastará con la creación de una normativa de responsabilidad por daños causados por robots, sino que se requerirá de un trabajo multidisciplinario que vele también por su implementación en una sociedad donde los humanos no sólo coexistirán con robots, sino que interactuarán diariamente con éstos.

Por último, y admitiendo que es una realidad que los robots *"llegaron para quedarse"*, es importante señalar que se requerirá invertir fondos en educar a la sociedad respecto a la robótica y sus efectos, pues se trata de un fenómeno que impacta todos los aspectos de la vida humana: económico, social, laboral, ético, etc.

4. *FAKE NEWS* Y LA RESPONSABILIDAD DE LAS PLATAFORMAS

Luisa Gárate Rivera[1]
Italo Sotomayor Medina[2]

SUMARIO: I. LAS *FAKE NEWS* Y SU DIMENSIÓN ACTUAL. 1. ¿Qué son las *fake news*?. 2. ¿Qué pasa en España?. II. NOCIONES GENERALES DE LAS PLATAFORMAS Y LAS REDES SOCIALES. 1. Un breve acercamiento al concepto de plataforma y sus principales elementos. 2. Características comunes de las plataformas digitales. 3. Concepto y características de las redes sociales. III. LA RESPONSABILIDAD DE LAS PLATAFORMAS. 1. ¿Es suficiente el régimen de responsabilidad contenido en la LSSICE?. 2. El aparente olvido al sistema de responsabilidad civil vigente. 3. El hipotético escenario de hacer responsables a las plataformas.

RESUMEN

La disrupción tecnológica y el mundo digital en el que se desenvuelven las plataformas se encuentran en constante evolución, por lo que re-

---

1   Ecuador. Abogada por la Universidad de Especialidades Espíritu Santo (UEES), Máster en Derecho de las Telecomunicaciones, Protección de Datos, Audiovisual y Sociedad de la Información por la Universidad Carlos III de Madrid (UC3M).

2   Ecuador. Abogado por la Universidad de Especialidades Espíritu Santo (UEES), Máster en Responsabilidad Civil por la Universidad Carlos III de Madrid, Experto en Técnicas de Litigación en Juicio por la Universidad Internacional de La Rioja (UNIR).

quieren hacer uso de instituciones jurídicas modernas que se ajusten a sus requerimientos y desafíos actuales. Pese a la existencia de la vigente normativa nacional y comunitaria, ésta podría resultar insuficiente para solucionar fenómenos de difícil control, como lo constituye la proliferación de las denominadas *fake news*. La promulgación descontrolada de noticias e información que navega por la Red sin ser contrastada, ni verificada, vulnera la calidad del contenido que perciben y consumen los usuarios de las plataformas, sin que éstos puedan detectar, al menos no con la eficiencia esperada, si las mismas constituyen falsedades, ilícitos o si degradan los derechos e intereses de un particular.

El propósito del presente trabajo es el de colocar en evidencia la existencia de la desinformación que yace en las plataformas digitales y en base a aquello, analizar si resulta necesario encontrar soluciones normativas para contener a las mismas. En ese sentido, se efectuará un recorrido por el sistema de responsabilidad civil vigente con el ánimo de establecer su pertinencia para la problemática que se discute; así como también, sobre la posibilidad de intervención de los Estados y organismos internacionales para la promulgación de un marco común de gobierno de las propias plataformas que coadyuve a una mejor convivencia en el ecosistema digital.

PALABRAS CLAVE

noticias falsas, plataformas digitales, redes sociales, responsabilidad civil, desinformación.

ABSTRACT

Technological disruption and the digital world in which platforms operate are constantly evolving, so they need to make use of modern legal institutions that meet their current requirements and challenges. The existence of current national and European regulations could be insufficient to sol-

ve this phenomena, as is the proliferation of so-called fake news. The un-
controlled promulgation of news and information that surfs the Internet
without being verified, violates the quality of the content that platforms
users perceive and consume, without them being able to detect, at least
not with the expected efficiency, if they constitute falsehoods, illegal content or if they violate the rights and interests of an individual.

The purpose of this paper is to highlight the existence of the misinfor-
mation that lies on the digital platforms and based on that, analyze if it
is necessary to find regulatory solutions to contain them. In that sense,
the current civil liability system will be carried out in order to establish
its relevance to the problem; as well as, on the possibility of intervention of the states and international organisms for the promulgation of a
common frame of government of the own platforms that contribute to
a better coexistence in the digital ecosystem.

KEYWORDS

Fake news, digital platforms, social networks, civil liability, misinforma-
tion.

I. LAS *FAKE NEWS* Y SU DIMENSIÓN ACTUAL

1. ¿Qué son las *fake news?*

Las *fake news* y su dimensión actual, son posibles gracias a varios motivos: los sesgos ideológicos, su rápido esparcimiento en las redes y en los
filtros algorítmicos; y, porque se limitan a reforzar creencias y a negar
lo que acostumbramos a rechazar regularmente[3]. No es un fenómeno

---

3   NIGRO, P. Causes for the loss of trust in the practices of the press and strate-

actual, pero la Internet y las nuevas tecnologías las han proliferado en todo el planeta. Las redes sociales crean una dualidad para este fenómeno, pues, un simple usuario además de ser consumidor, puede ser productor de noticias falsas, creando así un círculo vicioso que puede replicarse en tan solo segundos.

Para el Diccionario Collins en su versión en línea, conceptualiza a las *fake news* como *"información falsa, a menudo sensacional, diseminadas bajo el pretexto de informar las noticias"*[4]. Para Amorós García (2018), las *fake news* son *"informaciones falsas diseñadas para hacerse pasar por noticias con el objetivo de difundir un engaño o una desinformación deliberada para obtener un fin político o financiero"*. La Unión Europea que, tras el efecto ruso de promulgación de información falsa en el continente, ha preferido apartarse del uso del término *fake news*, pues, a su criterio, dicha conjunción de palabras mantiene un alto contenido político. En esa línea, utiliza el término desinformación, entendiéndolo como *"lo falso, inexacto o información engañosa diseñada, presentada y promovida intencionalmente para causar daño público o con fines de lucro"*[5].

2. ¿Qué pasa en España?

Un estudio reciente sobre el impacto de las *fake news* en España[6] revela cifras sobre la información y datos que se consumen en el país y la falta

---

gies for its restoration in a context of uncertainty; Causas de la pérdida de la confianza en la prensa y estrategias para su restablecimiento en un contexto de incertidumbre. Hipertext.net, (17), Hipertext.net, 2018.

4   DICCIONARIO COLLINS, 2018. Recuperado de https://www.collinsdictionary.com/es/diccionario/ingles/fake-news

5   European Union. Final report of the High Level Expert Group on Fake News and Online Disinformation, 2018. Recuperado de https://ec.europa.eu/digital-single-market/en/news/final-report-high-level-expert-group-fake-news-and-online-disinformation

6   SIMPLE LÓGICA Y GRUPO DE INVESTIGACIÓN EN PSICOLOGÍA DEL TESTIMONIO DE LA UNIVERSIDAD COMPLUTENSE DE MADRID (UCM). I Estudio sobre el impacto de las fake news en España, 2017. Recuperado de https://d3vjcwm65af87t.cloudfront.net/novacdn/EstudioPescanova.pdf

de capacidad de la ciudadanía para distinguir lo verdadero de lo falso. En dicho estudio se indica que 6 de cada 10 españoles cree saber detectar una noticia falsa, sin embargo, se demuestra que el 86% confunde lo real de lo cierto, por lo que solo el 14% puede hacerlo con efectividad. Lo curioso del estudio es que previo al inicio del mismo, el 60% de personas de distintas comunidades autónomas del país, creían estar seguros de poder detectar *fake news,* pero los resultados evidencian una realidad contrapuesta.

En palabras del Director del Grupo de Investigación en Psicología del Testimonio de la Universidad Complutense de Madrid, *"las fake news a veces son contenidos claramente falso y en tono humorístico que no persiguen un condicionamiento del comportamiento. Otros, son informaciones falsas pero creíbles, creados de forma intencionada que busca sembrar dudas o crear realidades paralelas para influir en las personas".* De esa manera, argumenta que el giro de la desinformación podría condicionar el curso de la historia y la memoria individual de las personas.

II. NOCIONES GENERALES DE LAS PLATAFORMAS Y LAS REDES SOCIALES

1. Un breve acercamiento al concepto de plataforma y sus principales elementos

El Parlamento Europeo reconoció, en su Resolución del 15 de junio de 2017 sobre *Las plataformas en línea y el Mercado Único Digital,* que es muy difícil acordar una definición legal que abarque, en un enfoque universal para todo el marco de la Unión Europea, la complejidad estructural y la variabilidad de las plataformas[7]. Dado que *"las plataformas en línea pueden*

---

7   Resolución del Parlamento Europeo, de 15 de junio de 2017, sobre las plataformas en línea y el mercado único digital (2016/2276(INI)). Diario Oficial de la

adoptar numerosas formas y se pueden adoptar enfoques muy diferentes para identificarlas... "[8], la interpretación y regulación de las mismas se desarrolla, no de forma general, sino de acuerdo a la modalidad y funcionalidad que representan en determinado sector.

No obstante, sin perjuicio de lo expuesto, tomaremos como base la definición elaborada por la Comisión Europea en su *"Consulta pública sobre el entorno regulatorio para plataformas, intermediarios en línea, datos y computación en la nube y la economía colaborativa"* del 24 de septiembre de 2015, esto es, que las plataformas en línea son empresas que operan en mercados bilaterales o multilaterales, que utilizan Internet para permitir interacciones entre dos o más grupos de usuarios distintos pero interdependientes, a fin de generar valor para al menos uno de esos grupos [9].

Ahora bien, conviene abordar dos componentes fundamentales de las plataformas en línea, que nos permitirán comprender, a posteriori, su funcionamiento y naturaleza jurídica. En primer lugar, las plataformas digitales están integradas por un operador y una comunidad de usuarios/participantes. El operador es quién crea, administra y pone a disposición de los usuarios un soporte electrónico que sirve como canal de intermediación para su relación y comunicación. Asimismo, establece las reglas de acceso y comportamiento en la plataforma, y verifica el cumplimiento de las mismas aplicando sanciones previamente establecidas. Es decir, aunque el operador no mantiene una relación directa con los usuarios, provee servicios esenciales para el desarrollo de su actividad y el funcionamiento de la plataforma.

Unión Europea No. C 331, del 18 de septiembre de 2018, págs. 135–145.

8   Ob. cit., pág. 138.

9   Comunicación de la Comisión Europea: *Public consultation on the regulatory environment for platforms, online intermediaries, data and cloud computing and the collaborative economy*, del 24 de septiembre de 2015, pág. 5. Recuperado de https://ec.europa.eu/digital-single-market/en/news/public-consultation-regulatory-environment-platforms-online-intermediaries-data-and-cloud

Por su parte, se entiende por usuarios a todos los sujetos que acceden a la plataforma digital a través de una suscripción o membresía, funcionan como agrupación e interactúan entre sí siguiendo las condiciones fijadas por el operador. A diferencia de este último, que por su calidad de gestor realiza siempre una actividad comercial, la condición de los usuarios se basará en las características de las plataformas y la modalidad en la que ingresen a esta.

El segundo elemento viene dado por las relaciones que existen dentro de la plataforma. En esencia, el vínculo que une a los participantes de la plataforma es meramente contractual. Las reglas presentadas como términos y condiciones de acceso, así como las políticas de la plataforma (privacidad, *cookies*, entre otros) constituyen un verdadero ordenamiento regulatorio interno, cuya eficacia jurídica radica en el perfeccionamiento por el consentimiento de las partes. De ahí que, la determinación de derechos y obligaciones dota a la plataforma y sus participantes de autonomía frente a la aplicación de normas generales (*pacta sunt servanda*), constituyéndola en un entorno electrónico cerrado y organizado.

2. Características comunes de las plataformas digitales

Existen ciertos caracteres comunes que nos permiten identificar la dimensión institucional de las plataformas y su relevancia económica. Primeramente, son generadoras del efecto red, lo cual, quiere decir que el valor del servicio viene determinado por el número de usuarios que acceden al mismo, más que por la prestación en sí. En otras palabras, *"la presencia de usuarios en un lado de la plataforma incrementa el atractivo de ésta para que nuevos usuarios, en el mismo lado (efecto directo de red) o en el otro lado (efecto cruzado de red) se sumen, reforzando así su expansión"*[10].

---

10   OBSERVATORIO ADEI Y GOOGLE. *Plataformas digitales: una oportunidad para la economía española*, 2018. Recuperado de: http://www.observatorioadei.es/publicaciones/Nota-tecnica-ADEI_Plataformas-digitales-(1).pdf

Por otro lado, las plataformas permiten el tratamiento de un gran volumen de datos, beneficiándose así de una mayor productividad en la gestión de recursos. Estos datos son facilitados, en su mayoría, por lo propios usuarios de la plataforma y pueden referirse tanto a los aspectos técnicos de gestión y consumo individual de la aplicación, como a la información de carácter personal del participante de la red. La obtención de estos datos permite a la plataforma mejorar los rendimientos de su servicio (por un sistema basado en algoritmos de constante retroalimentación) y adaptar los productos que ofrece de acuerdo con las preferencias de cada usuario.

Así mismo, las plataformas digitales tienen la capacidad para reducir los grados de incertidumbre entre los usuarios, creando un entorno confiable para el libre intercambio comercial y/o para la interacción social de la propia comunidad en red. Este componente viene dado por la aceptación de las normas comunes y del modelo organizativo implementado por el operador de la plataforma, (mencionados en el acápite anterior). De modo que, la necesidad de información, que en el mundo analógico generaba altos costes, puede suplirse con la identificación de los usuarios en un mayor o menor grado de fiabilidad, las herramientas de notificación o experiencia y el diseño institucional de mecanismos de reputación[11].

Finalmente, estas entidades actúan sobre un ecosistema basado en las tecnologías de la información y comunicación, lo que permite el acceso rápido e inmediato de las funciones y servicios que ofrecen a todos los usuarios, sin importar su situación geográfica o el instrumento electrónico que empleen para su ejecución. Todo lo cual, dota a las plataformas

---

11   RODRÍGUEZ DE LAS HERAS BALLEL, T. *Confianza, reputación y responsabilidad en la Red: la función de los intermediarios y de las redes sociales.* Ponencia presentada en el VIII Congreso Internacional de Derecho Privado, organizado por el núcleo de derecho civil de la Facultad de Derecho de la Universidad de la República, Uruguay, 2012.

de valor digital, promoviendo la innovación en mercados plurifacéticos y la creación de dispositivos de alta tecnología, además de la participación activa de la sociedad en los procesos democráticos de la misma[12].

3. Concepto y características de las redes sociales

El Grupo de Trabajo del Artículo 29 (actual Comité Europeo de Protección de Datos), en su Dictamen 5/2009 del 12 de junio de 2009, definió a las redes sociales como aquellas *"plataformas de comunicación en línea que permiten a los individuos crear redes de usuarios que comparten intereses comunes.*[13]*"* En esencia, se trata de entornos digitales con recursos centralizados, administrados por los propios intervinientes y de acceso fácil e inmediato, que posibilitan la conexión de personas que se conocen o desean conocerse y el establecimiento de vínculos de amistad, creencias, tendencias, relaciones económicas, entre otros.

Según el Estudio Anual de Redes Sociales de IAB Spain[14], más de 25.5 millones de españoles entre los 16 y 65 años de edad utilizan redes sociales. Facebook, Instagram y Twitter son, en este orden, las plataformas más mencionadas y conocidas por los internautas; y, además, *"para un 55% de los usuarios, las Redes Sociales son una fuente de información más y es por eso que participan de forma activa mediante comentarios.*[15]*"*

---

12   Comunicación de la Comisión al Parlamento Europeo, al Consejo, al Comité Económico y Social Europeo y al Comité de las Regiones, del 25 de mayo de 2016 sobre Las plataformas en línea y el mercado único digital, Retos y oportunidades para Europa. COM (2016) 288 final, págs. 2-3.

13   Dictamen 5/2009 sobre las redes sociales en línea del Grupo de Trabajo sobre Protección de Datos del Artículo 29, de fecha 12 de junio de 2009. (01189/09/ES - WP 163).

14   IAB SPAIN. Estudio Anual de Redes Sociales, décima edición, 2019. Recuperado de https://iabspain.es/estudio/estudio-anual-de-redes-sociales-2019-version-reducida/

15   Ob. cit., pág. 51.

En esta línea, resulta necesario mencionar que las redes sociales constituyen también, por un lado, una fuente para el proceso de producción de información, a través del seguimiento de tendencias y la búsqueda de hechos susceptibles de ser noticia, y, por otro, una vía para la distribución estratégica de contenidos, cobertura en tiempo real e interacción con las audiencias. Todo lo cual, se deriva principalmente del quiebre del esquema comunicativo tradicional (emisor – mensaje – receptor) y la aparición de un sistema más participativo, creativo, global y atemporal (la auto comunicación de masas)[16].

Por su parte, las redes sociales reúnen las siguientes características técnicas:

a. Facilitan la elaboración de un perfil. Para tal efecto, los usuarios deben proporcionar una serie de datos personales para identificarse con la comunidad virtual. El operador de la plataforma almacena dichos datos y permite su visibilidad a los miembros de la red y a terceros;

b. Proveen herramientas para generar y compartir cualquier tipo de contenido en línea (fotografías, comentarios, videos, entre otros);

c. Permiten la creación de una lista de contactos (amigos, seguidores, entre otros) y la coordinación de actividades sociales (respuestas, comentarios, seguimientos, etc.);

d. Mantiene un sistema de constante actualización. Es dinámico y permite *"la inclusión de multitud de aplicaciones y funcionalidades lo que, a efectos prácticos, supone una plena personalización y servicio 'a medida'"*[17]; e,

---

16   PÉREZ-SOLER, S. *Periodismo y Redes Sociales. Claves para la gestión de contenidos digitales.* Editorial UOC, Barcelona, 2017, págs. 34-37 y 83-35.

17   DAVARA FERNÁNDEZ, L. *Régimen jurídico de las redes sociales,* Derecho Digital

e. Incluyen opciones de personalización para que los usuarios ajusten las herramientas de las plataformas de acuerdo con sus intereses y configuren las medidas de privacidad sobre su perfil y publicaciones (aun considerando que están pueden ser fácilmente vulneradas)[18].

III. LA RESPONSABILIDAD DE LAS PLATAFORMAS

1. ¿Es suficiente el régimen de responsabilidad contenido en la LSSICE?

La LSSICE se limita a cumplir con la voluntad del legislador comunitario, en el afán de armonizar las normativas relativas a los servicios de la sociedad de la información. Sin embargo, la mencionada Ley no contempla todos los casos de regulación para las nuevas tecnologías, aunque debe reconocerse como un esfuerzo para garantizar la seguridad jurídica y la confianza en el entorno digital. Este cuerpo normativo es el resultado de un profundo debate sobre unas temáticas que, aunque actuales y modernas, parecerían ser un tanto agitadas[19].

La primera crítica al sistema de regulación actual, viene dado de la falta de comprensión de las categorías en la que se desenvuelvan los prestadores de la sociedad de la información. La LSSICE parecería limitarse a un número cerrado de posibilidades en la que sitúa tan solo a intermediarios y proveedores de productos y servicios, sin tener en con-

---

Perspectiva interdisciplinar, Bosch Editor, España, 2017, págs.203-242.

18   PUYOL MONTERO, J. El concepto jurídico de las redes sociales. En Una aproximación a los aspectos legales de las nuevas tecnologías, Editorial Jurídica Sepín, S.L., Madrid, 2017, págs. 233-239.

19   BARCELÓ GARCIA, MIQUEL, & UNIVERSITAT POLITÉCNICA DE CATALUNYA. Sth - Sostenibilitat, Tecnologia I Humanisme. La ley de Internet, s.f., pág. 1.

sideración la volatilidad de la Internet. En ese sentido, la clasificación de la Ley es simple y se limita a identificar a aquellos servicios de acceso, almacenamiento y copia de datos, conjuntamente con los de contratación de productos y servicios. En tal virtud, como propone Rodríguez de las Heras Ballell (2006), los servicios de la sociedad de la información podrían ser entendidos desde una clasificación tripartita: intermediarios técnicos, intermediarios de contenidos e intermediarios de ofrecimiento o provisión de contenidos[20]. Se trata de una clasificación por funciones y no por sujetos.

Para los fines de este trabajo, habiendo quedado claro la clasificación de intermediarios técnicos que hace la propia Ley, nos referiremos tan solo a los intermediarios de contenidos, los cuales representan una clasificación al menos *sui generis*, pues, se sitúan entre la técnica y la provisión de contenidos; y, también, resultan más cercanos al radio de acción de las plataformas. Este tipo de intermediarios no tienen una actitud pasiva, sino que más bien, *"gestionan los datos, los organizan, los presentan sistematizados, canalizan la búsqueda, seleccionan, eligen, dan valor a la información e introducen previsibilidad y confianza"*[21].

Esta categoría de intermediarios de contenidos reviste especial importancia porque se aleja de la clasificación clásica de la Ley y aporta nuevas características y funciones no consideradas por el legislador. En ese sentido, la diferencia radica en la intervención directa y si se quiere, protagónica del intermediario, en la organización y presentación del contenido. Tienen, entonces, un mayor grado de aproximación al contenido y en consecuencia, pueden ejercer un control más efectivo sobre éste, a tal punto de poder ser considerado un garante de la calidad de la intermediación.

20　RODRÍGUEZ DE LAS HERAS BALLELL, T. El régimen jurídico de los mercados electrónicos cerrados:(e-Marketplaces), Marcial Pons, Madrid, 2006, pág. 146.

21　ob. cit, pág. 151

Sin perjuicio de lo dicho, los intermediarios no pueden ejercer un control de supervisión, acudiéndose a la debida diligencia en sus funciones, tan solo ante la comisión de un ilícito. A esto, debe sumarse a la neutralidad que presentan en la Red y la mínima intervención en lo que sucede entre sus usuarios, demostrando total independencia en la difusión del contenido compartido, quedando absolutamente exonerados de responsabilidad, de conformidad con los parámetros aquí citados.

Finalmente, la regulación no logra comprender la naturaleza misma de las plataformas, lo que dificulta que se asimile su sistema de responsabilidad a esta nueva realidad. Las plataformas requieren de una relación dual: gestor y una comunidad de usuarios. Ambos sujetos, en un escenario de sinergia, promueven la existencia de un entorno digital idóneo para las negociaciones, comunicaciones y todo tipo de transacciones. Se avista aquí una relación, igualmente, bipartita: vertical y horizontal. La primera, nace del contrato de adhesión en la que el operador de la plataforma delimita el alcance y las condiciones en que prestara sus servicios; y, la del usuario, que tendrá ciertos deberes y obligaciones como miembro de una comunidad. Por su parte, la relación horizontal se refiere en exclusiva a la interacción y relaciones promovidas por los propios usuarios que, como ha quedado dicho, guían su comportamiento a través de las normas o códigos de conducta determinados por el operador.

Desde este particular entendimiento conceptual de las plataformas, puede decirse que la regulación de la LSSICE no incluye una definición, en cuanto intermediarios, que se adapte a la función operativa y ejecutiva de ellas. Por lo tanto, hasta que no exista una regulación frontal y específica, deberá continuar haciéndose uso de esta Ley que, en definitiva, es la más cercana a la idea de las plataformas. La regla general de exoneración, hace más bien referencia a un intermediario no responsable, pues, es redundante, al menos de entrada, exonerar a alguien sobre el cual no existe posibilidad de responsabilidad. De allí que, es mayormente preciso hablar de la ausencia de responsabilidad por la permanencia o reproducción temporal del contenido y no, por lo ilícito del mismo.

2. El aparente olvido al sistema de responsabilidad civil vigente

La LSSICE es el único cuerpo legal autorizado que sirve de guía para conocer de los criterios de responsabilidad sobre los cuales los intermediarios podrían tener repercusión, quedando así, en segundo plano, el sistema de responsabilidad general, no siendo fuente directa (más bien secundaria) para la identificación de daños cometidos en la Red. En consecuencia, la legislación civil queda como un recurso accesorio, sobre el cual habrá que acudir en escasas ocasiones.

En primer lugar, habrá que decir que los intermediarios no pueden ser responsables por hecho ajeno, sin importar el servicio de intermediación que estos presten. Por tanto, es una regla común para todos sus tipos y clases. A esto, habrá que añadir que tampoco existe un vínculo de subordinación entre intermediario y usuario. Aunque sencillo y nada novedoso, el legislador ha optado por una solución que, sin duda, proviene de la comprensión de la responsabilidad civil general, esto es, donde no hay relación intersubjetiva, no puede existir responsabilidad. Además, debemos acudir por segunda ocasión a los componentes de neutralidad y exclusión de supervisión de los intermediarios, pues, son elementos importantes sobre los que se asienta la exclusión de responsabilidad. Por lo tanto, tampoco podrá acudirse a la responsabilidad por omisión, ya que, para que esto ocurra, deberá existir una obligación ineludible de actuación por parte del agente; situación que, precisamente, está excluida de la normativa.

En lo que respecta al artículo 1903 del Código Civil, tampoco podría alegarse una responsabilidad por hecho ajeno, al no existir un escenario de subordinación o jerarquía entre el operador y el usuario. No haría falta, entonces, que se pruebe la actuación de debida diligencia de buen padre de familia o visto de otra forma, que desacredite la existencia una conducta negligente, debiendo existir un vínculo material entre el autor del hecho y el que se asume como responsable, para presumir que efectivamente existió un daño. Todo esto, claro está que, sin perjuicio de la existencia de una relación contractual entre prestador y usuario; o, en el ámbito propiamente de las plataformas con las cláusulas de adhesión, no se podrá entender por tales supuestos, dependencia alguna. Tampoco, recordando los matices del conocimiento efectivo, deberá comprenderse la existencia de jerarquía o subordinación, por las medidas de control que pueda efectuar el intermediario como mecanismos de prevención para la comisión de ilícitos[22].

Sin embargo, lo dicho permite concluir que no existiendo deberes añadidos para los intermediarios, se ha decidido dejar de lado el régimen de responsabilidad, cuando con autosuficiencia, éste podía resolver tales actuaciones, considerando, como se ha dicho, la nula intervención, falta de subordinación y neutralidad de los operadores, por lo que, el mismo fin de exclusión, pudo haber sido prescrito por las normas generales de responsabilidad civil.

La problemática de la desinformación trae consigo una incertidumbre incesante dentro de la convivencia en el espacio digital. Los contenidos en la Red parecen estar revestidos de una cierta vulnerabilidad, mucho más en un entorno de libre acceso, sin restricciones, controles, en donde impera el anonimato de los usuarios y la seguridad no es confiable. Ya en términos de la responsabilidad civil, ¿cómo podría controlarse la expansión de un daño evidenciado en la Red? Y, aún más importante, ¿cómo se repara el daño causado a un usuario en un supuesto de vulneración de derechos fundamentales? Incluso, desde la perspectiva de la

---

22   Ob. cit. pág. 576.

causalidad, los problemas no son menores, pues, "*el vínculo de causalidad no viene marcado por conexiones físicas o materiales sino por apreciaciones subjetivas e indiciarias que conforma una confianza razonable*"[23].

3. El hipotético escenario de hacer responsables a las plataformas

Mediante la LSSICE los servicios de intermediación tan solo son responsables de sus propios actos, no así de las acciones efectuadas por sus usuarios, siempre y cuando no tuviesen "conocimiento efectivo" de la comisión de alguna ilicitud que pudiera afectar los derechos de terceros. Este modelo, próximo a cumplir veinte años de vigencia, se encuentra en discusión, precisamente, para dirimir si las plataformas deben monitorear o establecer filtros suficientes para impedir los mencionados actos ilícitos. Deberá reconocerse que ha sido la jurisprudencia la que ha logrado matizar el concepto de conocimiento efectivo y en gran medida, ha obviado la necesidad de que exista una orden judicial o administrativa que ordene la desaparición de un contenido que ha sido denunciado.

Dicha normativa ha sido mínimamente modificada por la Directiva 2019/790[24], la misma que reduce la posibilidad de exoneración de responsabilidad, si las plataformas no emplean sus mejores esfuerzos para garantizar que las obras o productos, sujetos a protección de derechos de propiedad intelectual y que sean compartidas por sus usuarios, cuenten con una licencia para ser reproducidos en las mismas. Igual situación sucederá si las plataformas no colocan un medio de verificación

---

23   RODRÍGUEZ DE LAS HERAS BALLELL, T. Intermediación en la Red y responsabilidad civil. Sobre la aplicación de las reglas generales de la responsabilidad a las actividades de intermediación en la Red, Revista Española de Seguros, núm. 142, 2010, pág. 30.

24   Directiva 2019/790 del Parlamento Europeo y del Consejo, de 17 de abril, sobre los derechos de autor y derechos afines en el mercado único digital y por la que se modifican las Directivas 96/9/CE y 2001/29/CE. Diario Oficial de la Unión Europea No. L 130/92 de 17 de mayo de 2019.

de la información o si dejan de actuar frente a la recepción de una notificación de violación de derechos y evitan que el mismo contenido se ponga nuevamente a disposición de todos. Aunque la Directiva trata en exclusiva a derechos de propiedad intelectual, ésta constituye un nuevo esfuerzo de protección de las obras e invenciones y con ello, una revisión al régimen de exoneración de responsabilidad del que venían gozando los intermediarios.

Los hechos aquí comentados, sumados a las tratativas ya existentes entre plataformas, redes sociales y autoridades de la Unión Europea, parecerían intentar crear una suerte de principio de responsabilidad proactiva, que busca replicar las obligaciones establecidas en el Reglamento General de Protección de Datos[25] para el responsable de tratamiento de datos, es decir, la aplicación de todas aquellas medidas técnicas que garanticen que el tratamiento de datos se está manejando de conformidad con la Ley. En ese sentido, podría pedirse a las plataformas no solo que cumplan con la Ley, sino que también, demuestren mediante hechos verificables (medidas de seguridad, análisis de riesgo, etc.), cómo están luchando en contra de la desinformación. Parte de estas obligaciones ya han sido impuestas y se encuentran en evaluación, pero hasta el momento, fungen como simples compromisos y no como una reglamentación que pueda ser exigida a los intermediarios.

Pese a lo dicho, deberá reconocerse que las plataformas y redes sociales, no ejercen un control sobre sus usuarios, ni mantienen capacidad editorial sobre lo que éstos publican o comparten en sus espacios digitales, por lo que incrementar el catálogo de posibilidades y escenarios en los cuales deban responder por otros, podría ser perjudicial para los em-

---

25   Reglamento (UE) 2016/679 del Parlamento Europeo y del Consejo, de 27 de abril de 2016, relativo a la protección de las personas físicas en lo que respecto al tratamiento de datos personales y a la libre circulación de estos datos y por el que se deroga la Directiva 95/46/CE (Reglamento general de protección de datos). Diario Oficial de la Unión Europea L 119/1, de 4 de mayo de 2016.

prendimientos digitales y la libertad en Internet. Si se aboga por la responsabilidad, esto implicaría, además, contrariar la neutralidad de los intermediarios que se verán obligados a ejercer un control y supervisión de todo el contenido que alojan.

VIII. RESPONSABILIDAD CONTRACTUAL

1. EL CRITERIO DE IMPUTACIÓN DE RESPONSABILIDAD POR MORA EN LA LEY 3/2004 DE LUCHA CONTRA LA MOROSIDAD EN OPERACIONES COMERCIALES[1]

Víctor Herrada Bazán

Profesor de la Facultad de Derecho de la Universidad de Piura (Perú)
Investigador predoctoral de la Universidad de Valladolid (España)

SUMARIO: I. INTRODUCCIÓN. II. EL CRITERIO DE IMPUTACIÓN DE LA MORA EN EL CÓDIGO CIVIL. III. EL CRITERIO DE IMPUTACIÓN DE LA MORA EN LA LEY 3/2004. 1. La doctrina objetivista. *1.1. Argumentos normativos: la ausencia de referencia a la "culpa" y lo previsto en los arts. 6 y 8 LLCM. 1.2. Argumento hermenéutico: la interpretación conforme a las modernas tendencias del Derecho de obligaciones y contratos. 2.* Respuestas a la doctrina objetivista. *2.1. Respuesta al argumento normativo: ausencia de datos normativos. 2.2. Respuesta al argumento hermenéutico: prevalencia del "espíritu y finalidad de las normas".* IV. EL CRITERIO ASUMIDO POR EL TRIBUNAL DE JUSTICIA DE LA UNIÓN EUROPEA. V. REFLEXIÓN FINAL.

---

[1]   El presente trabajo se enmarca en el Proyecto de Investigación "La influencia del tiempo en las relaciones jurídicas" (DER2015-69718-R MINECO-FEDER), dirigido por los profesores Andrés Domínguez Luelmo y Jacobo Mateo Sanz.

RESUMEN

Este trabajo analiza la Ley 3/2004 de 29 de diciembre, por la que se establecen medidas de lucha contra la morosidad, con el fin de determinar si, como lo señala un sector de la doctrina, acoge un sistema objetivo de imputación de la mora o si, por el contrario, conserva el sistema subjetivo previsto en el art. 1101 CC. De ese modo, puede definirse si la regulación antimorosidad supone o no, en este aspecto en específico, una novedad en relación al régimen general de la mora previsto en el CC.

PALABRAS CLAVES

Morosidad; retraso; operaciones comerciales; imputación subjetiva; imputación objetiva; deudor.

ABSTRACT

This paper analyzes Spanish Late Payment in Commercial Transactions Act, in order to determine whether, as indicated by some authors, an objective responsibility system is in place or, on the contrary, it preserves the subjective system foreseen in Article 1101 of Spanish Civil code. In this way, it can be defined whether or not Spanish legislation on combating late payment, in this specific aspect, is an innovation to the general regime of the Civil code.

KEYWORDS

Late payment; delay; commercial transactions; responsibility system; debtor.

I. INTRODUCCIÓN

La doctrina estudiosa de la Ley 3/2004, de 29 de diciembre, por la que se establecen medidas de lucha contra la morosidad (en adelante, LLCM) ha determinado varios puntos en los que dicha ley incide sobre el régimen general de mora previsto en el Código Civil (CC) y en el Código de Comercio (CCo). Entre las principales novedades de esta regulación antimorosidad tenemos a la equiparación entre simple retraso y mora, la supresión de la regla de la interpelación y la desvinculación entre las pretensiones de intereses moratorios y de indemnización por daños[2]. Sin embargo, a estos aspectos indiscutibles se ha añadido, por parte de un sector doctrinal, una innovación adicional: la *objetivación* del criterio de imputación de la *mora debitoris*.

Con el fin de determinar si tal innovación es real o solo aparente, me propongo en este trabajo partir de un breve repaso al sistema de imputación acogido en el CC, para luego, examinando el contenido de la LLCM y de las Directivas que transpone (primero la DIR 2000/35[3] y, luego, la DIR 2011/7[4]), determinar qué criterio de imputación es el contemplado por dicha regulación y, en ese sentido, cuál es la real incidencia de este régimen especial en esta materia.

---

2   Cfr. PERALES VISCASILLAS, *La morosidad en las operaciones comerciales entre empresas,* Thomson Civitas, Cizur Menor, 2006, págs. 115 y ss.; 120 y ss.; 125 y ss.; y, MIRANDA SERRANO, *Aplazamientos de pago y morosidad entre empresas,* Marcial Pons, Madrid, 2008, págs. 248 y ss.; 254 y ss.; 280 y ss.

3   Directiva 2000/35/CE del Parlamento Europeo y del Consejo, de 29 de junio de 2000, por la que se establecen medidas de lucha contra la morosidad en las operaciones comerciales.

4   Directiva 2011/7/CE del Parlamento Europeo y del Consejo, de 16 de febrero de 2011, por la que se establecen medidas de lucha contra la morosidad en las operaciones comerciales.

II. EL CRITERIO DE IMPUTACIÓN
DE LA MORA EN EL CÓDIGO CIVIL

En el CC, la *mora debitoris* es una situación jurídica de agravamiento de la responsabilidad del deudor, como consecuencia de un retraso en el cumplimiento que le resulta imputable[5] y que le genera dos principales efectos: el traslado de los riesgos fortuitos sobrevenidos al deudor que se retrasó (arts. 1096-III y 1182 CC) y la obligación de indemnizar al acreedor por los daños ocasionados en virtud del retraso (lo que, en el caso de obligaciones pecuniarias, se traduce en el pago de intereses moratorios *ex* arts. 1101 y 1108 CC)[6].

Es este último efecto (indemnización e intereses) el que ahora interesa, ya que, dada la naturaleza *pecuniaria* de las obligaciones a las que resulta aplicable la LLCM, en ellas no se activa el efecto de *traslado de riesgos fortuitos sobrevenidos* ni, por ende, la *perpetuatio obligationis*. Y es que, dada la naturaleza del dinero, tiene vigencia el brocardo *genus nunquam perit*, razón por la cual no opera la imposibilidad sobrevenida de la prestación. Por ello, se entiende que la LLCM no se refiera a este efecto de la mora, limitando su funcionalidad al pago de intereses (*ex* arts. 5, 6 y 7 LLCM) y a la indemnización de daños (art. 8 LLCM).

Nuevamente en el contexto del CC, son modernas las voces que plantean que no han de admitirse más límites a la responsabilidad del deu-

---

5   Cfr. DÍEZ-PICAZO GIMÉNEZ, *La mora y la responsabilidad contractual*, Civitas, Madrid, 1996, pág. 48.

6   Estos efectos son los mismos generados por la mora mercantil *ex* art. 63 CCo. Ello no solo se explica por el hecho de que la mora, como institución, en realidad constituye *un solo concepto jurídico* (cfr. CANO MARTÍNEZ DE VELASCO, *La mora*, EDERSA, Madrid, 1978, pág. 39), sino también porque el citado art. 63 CCo, aunque señala cuándo comienzan los efectos de la mora, no dice *cuáles son*. Parece necesario, por lo tanto, remitirse a las normas generales del Derecho común, recogidas por el CC, en aplicación de los arts. 2 y 50 CCo (cfr. GARCÍA-PITA Y LASTRES, *Derecho mercantil de obligaciones*, t. 1, Bosch, Barcelona, 2010, pág. 166).

dor moroso que el previsto en el art. 1105 CC, esto es, "aquellos sucesos que no hubieran podido preverse o que, previstos fueran inevitables" (caso fortuito). Bajo esta idea, no bastará que el deudor cumpla con la diligencia debida para liberarse de los efectos de la mora: será necesario que acredite que el retraso se debió a un impedimento fortuito y temporal originado fuera de su esfera de control[7].

Sin embargo, a mi juicio, el tenor de los arts. 1101 y 1108 CC es claro: la mora delimita el instante a partir del cual surge en el deudor la responsabilidad por los daños ocasionados al acreedor. Así lo expresa el art. 1101 CC cuando sujeta la responsabilidad por daños a los que, en el cumplimiento de sus obligaciones, "incurrieren en *dolo, negligencia o morosidad*". Por lo tanto, aquí cabe compartir lo dicho por la doctrina tradicional: el retraso del deudor habrá de serle imputable a título de *dolo o culpa* para quedar sujeto a la indemnización de daños[8].

Se trata de una idea que ha de admitirse, incluso, en las obligaciones pecuniarias (*ex* art. 1108 CC). Frente a las voces que plantean, para estas obligaciones, una *objetivación* de la mora, basado en la locución *genus nunquam perit*[9], pienso que ha de dársele a dicha locución el lugar que le corresponde. Se trata de una máxima según la cual, en el caso de que el deudor no deba una cosa determinada ni susceptible de perecer, sino una cantidad de cosas genéricas, mientras el género no perezca, siempre

---

7   Cfr. DÍEZ-PICAZO, *Fundamentos de Derecho civil patrimonial*, t. 2, Civitas, Cizur Menor, 2008, pág. 727; DÍEZ-PICAZO GIMÉNEZ, *La mora...*, cit., págs. 534 y 535. Con relación a las obligaciones pecuniarias, véase RUIZ-RICO RUIZ, "Comentario al artículo 1.108", en ALBALADEJO (Dir.), *Comentarios al Código Civil y Compilaciones Forales*, t. XV, vol. 1, EDERSA, Madrid, 1989, págs. 764 y ss.

8   Por todos, véase ALBALADEJO, "Comentario al artículo 1.100", en ALBALADEJO (Dir.), *Comentarios al Código Civil y Compilaciones* Forales, t. XV, vol. 1, EDERSA, Madrid, 1989, págs. 358 y 359; CANO, *op. cit.*, págs. 27 y ss.; 71 y ss. En la jurisprudencia, véase las SSTS de 23-04-92 (RJ 1992/2672); 01-06-96 (RJ 1996/4716) y, más recientemente, de 18-02-09 (RJ 2009/3286).

9   Cfr. RUIZ-RICO RUIZ, op. cit., pág. 768; BARAONA GONZÁLEZ, *El retraso en el cumplimiento de las obligaciones*, Madrid, Dykinson, 1998, pág. 295.

habrá posibilidades de que se cumpla la obligación[10]. No obstante, que siempre existan tales posibilidades no significa que la obligación siempre podrá cumplirse *oportunamente*. Y es que ejecutar la prestación debida no solo supone tener la posibilidad objetiva de disponer del objeto en cuestión, sino también contar con la aptitud de cumplir tempestivamente con su entrega, lo cual puede verse impedido por diversas circunstancias, *imputables o no* al deudor[11] (*v.gr.*, la *iliquidez* de la obligación[12]).

Por lo tanto, dado que el art. 1108 CC no se sustrae del sistema de responsabilidad civil previsto en los arts. 1101 CC y ss., debe aceptarse que, en general, se acoge un sistema *subjetivo* de imputación del retraso para los fines de la indemnización por daños, incluyendo, claro está, el pago de intereses moratorios.

---

10   Cfr. PUIG BRUTAU, *Fundamentos de Derecho civil*, t. 1, vol. 2, Bosch, Barcelona, 1995, pág. 43; MARTÍN MELÉNDEZ, *La indemnización del mayor daño. Artículo 1108 del Código Civil*, Universidad de Valladolid, Valladolid, 1999, pág. 52.

11   Cfr. DÍEZ-PICAZO GIMÉNEZ, *La mora...*, cit., págs. 586 y 587; MARTÍN MELÉNDEZ, *op cit.*, pág. 65.

12   Frente a la idea de que la iliquidez es una causa de *inexigibilidad* de la obligación (cfr. DOMÍNGUEZ LUELMO, *El cumplimiento anticipado de las obligaciones*, Civitas, Madrid, 1992, pág. 39; JIMÉNEZ MANCHA, *La compensación de créditos*, EDERSA, Madrid, 1999, pág. 291), pienso que se trata, más bien, de una situación de *inimputabilidad*. En la duda de si los intereses se deben a partir del retardo en el pago o a partir de la liquidación de la deuda, lo que debe establecerse es si tal retraso es *justificado o no*, dependiendo de si el deudor, cuando incumplió, tenía o no forma alguna de saber a cuánto ascendía la cantidad debida. Esto forma parte, en consecuencia, del ámbito propio de la *imputabilidad* del incumplimiento (cfr. LACRUZ BERDEJO ET AL, *Elementos de Derecho civil*, t. 2, vol. 1, Dykinson, Madrid, 2007, pág. 178).

III. EL CRITERIO DE IMPUTACIÓN
DE LA MORA EN LA LEY 3/2004

Frente a lo descrito en el régimen general del CC, la doctrina estudiosa de la LLCM se encuentra dividida al momento de definir si esta ley establece un sistema subjetivo u objetivo de imputación para atribuir al deudor las consecuencias de la morosidad previstas en ella (intereses e indemnización)[13].

---

13   Son partidarios del sistema *objetivo*, RUBIO TORRANO, "La morosidad en operaciones comerciales: nueva directiva comunitaria", en *Revista Doctrinal Aranzadi Civil-Mercantil*, n. 13, 2000, pág. 1 (versión electrónica); DÍEZ-PICAZO GIMÉNEZ, "La Directiva 2000/35/CE, sobre la *mora debendi* en las obligaciones comerciales. Un eficaz intento para luchar contra la morosidad", en *Estudios jurídicos en homenaje al profesor Luis Díez-Picazo*, t. 2, Thomson Civitas, Madrid, 2003, pág. 1744; PERALES VISCASILLAS, *op. cit.*, págs. 209 y ss.; y, MIRANDA SERRANO, op. cit., págs. 265 y ss. Por su parte, defienden el sistema subjetivo VIDAL PORTABALES, "Acciones de la CE contra la morosidad en las operaciones mercantiles: La Directiva 200/35/CE", en *Direito: Revista xurídica da Universidade da Santiago de Compostela*, vol. 11, n. 2, 2002, págs. 199 y 200; VAQUER ALOY, "Incumplimiento del contrato y remedios", en CÁMARA LAPUENTE, Sergio (Coord.), *Derecho privado europeo*, Colex, Madrid, 2003, pág. 537; VICIANO PASTOR, "La morosidad en las obligaciones pecuniarias en las operaciones comerciales entre empresas. La Ley 3/2004, de 29 de diciembre, por la que se establecen medidas de lucha contra la morosidad en las operaciones comerciales", en PALAU RAMÍREZ y VICIANO PASTOR (Dir.), *Tratado sobre la Morosidad*, Thomson Reuters Aranzadi, Cizur Menor, 2012, págs. 403-408; RIVERA FERNÁNDEZ, "Directiva 2000/35/CE del Parlamento Europeo y del Consejo, de 29 de junio de 2000, por la que se establecen medidas de lucha contra la morosidad en las operaciones comerciales", en *Revista de Derecho Patrimonial*, n. 6, 2001, pág. 522; RODRÍGUEZ RUIZ DE VILLA, "Análisis crítico de la lucha contra la morosidad en las operaciones comerciales (Ley 3/2004)", en *CEF Legal - Revista Práctica de Derecho. Comentarios y casos prácticos*, n. 170, 2006, pág. 57; AGUILLAUME GANDASEGUI, "El ámbito de aplicación subjetivo y objetivo de la Ley 3/2004, de medidas de lucha contra la morosidad", en *La Ley*, n. 4, 2005, pág. 6, nota el pie 13.

1. La doctrina objetivista

Para un sector, la LLCM acoge la concepción objetiva de la mora, lo cual se defiende con base en dos argumentos: uno estrictamente normativo y otro hermenéutico.

1.1. Argumento normativo: la ausencia de referencia a la "culpa" y lo previsto en los arts. 6 y 8 LLCM

La doctrina objetivista alega que la LLCM no hace referencia alguna a la *culpa* o a algún elemento subjetivo de imputación (*v.gr.* "falta de diligencia") cuando define a la *morosidad*[14]. No lo hace en el art. 2, c) LLCM[15], ni en el art. 5 LLCM[16]. Por lo tanto, cabría entender que la LLCM recoge un sistema objetivo de responsabilidad moratoria.

Esto se apoya, además, en lo indicado en los arts. 6, b) y 8.2 LLCM: el primero, referido a la obligación de pagar intereses y, el segundo, alusivo a la obligación de indemnizar por los costes de cobro. Estos preceptos liberan al deudor de tales obligaciones cuando *"pueda probar que no es responsable del retraso"* o, sencillamente, *"cuando no sea responsable del retraso"*. De ambos textos, la doctrina objetivista ha concluido que el deudor, para liberarse de su responsabilidad, no debe probar que fue diligente, sino que hubo un *caso fortuito*, es decir, que el retraso fue causado por un evento exterior que estaba fuera de su control y, por ende, no le era imputable[17].

---

14   Cfr. RUBIO TORRANO, *op. cit.*, pág. 1; MIRANDA SERRANO, *op. cit.*, pág. 266.

15   Que define a la *morosidad* únicamente como "el incumplimiento de los plazos contractuales o legales de pago".

16   Que establece que "[e]l obligado […] incurrirá en mora y deberá pagar el interés pectado en el contrato o el fijado por esta Ley automáticamente por el mero incumplimiento del pago en el plazo pactado o legalmente establecido".

17   Cfr. MIRANDA SERRANO, op. cit., pág. 267; PERALES VISCASILLAS, *op. cit.*, págs. 211 y 212; DÍEZ-PICAZO GIMÉNEZ, "La Directiva…", cit., pág.

1.2. Argumento hermenéutico: la interpretación conforme a las modernas tendencias del Derecho de obligaciones y contratos

La doctrina objetivista también afirma que las modernas tendencias del Derecho de obligaciones y contratos configurarían lo que el art. 3.1 CC denomina "la realidad social del tiempo" en que ha de aplicarse una ley, como criterio hermenéutico. Por lo tanto, se concluye que la LLCM debe interpretarse según lo previsto en los más importantes instrumentos internacionales sobre contratación, donde sí queda clara la concepción de un sistema objetivo de responsabilidad por daños (véase los arts. 79.1 CISG y 8:108(1) y 9:501 PECL).

2. Respuestas a la doctrina objetivista

2.1. Respuesta al argumento normativo: ausencia de datos normativos

En mi opinión, la definición de *morosidad* ofrecida por la LLCM nada dice sobre el sistema de imputación acogido en su regulación y, por ende, no sirve por sí sola para adoptar una posición al respecto[18]. Además, lo indicado por los arts. 6, b) y 8.2 LLCM tampoco permite concluir sin más que la ley acoge un sistema objetivo de imputación. Ambos

---

1744.

18 De hecho, pienso que tal y como está redactada la ley, hay una deficiente definición de *morosidad*. Primero se la define omitiéndose cualquier referencia a un criterio de imputación del retraso (*ex* art. 2, c) LLCM) y, luego, en otros apartados de la propia ley, se especifica que el deudor puede ser exonerado si puede probar "que no es responsable del retraso" (arts. 6, b) y 8.2 LLCM). Cuestión ya advertida en la DIR 2000/35 por VIDAL PORTABALES, *op. cit.*, pág. 192. Esta deficiencia, al parecer, ha sido corregida en la DIR 2011/7, cuyo art. 2.4 define a la morosidad como "no efectuar el pago en el plazo contractual o legal establecido, *habiéndose cumplido las condiciones fijadas en el artículo 3, apartado 1, o en el artículo 4, apartado 1*". Tales condiciones están referidas al derecho del acreedor para exigir intereses moratorios y, en particular, a la *exoneración del deudor en caso de no ser imputable del retraso*. No obstante, nada ha sido modificado, a propósito de lo anterior, en la LLCM.

preceptos hacen referencia únicamente a una exoneración del deudor "por no ser responsable del retraso", lo cual, *contrario sensu,* supone que aquel sufrirá las consecuencias de la mora *cuando sea responsable* del retraso. Con base en ello, la doctrina objetivista pretende entender que, con la sola referencia a la "responsabilidad" del deudor (a la que la ley alude en términos negativos para los fines de la exoneración), la LLCM le está atribuyendo todos los cursos causales que pueden producir el retraso en el pago de la obligación. Por ello, la misma doctrina considera –aunque sin base normativa alguna– que el deudor solo puede liberarse de los efectos moratorios cuando acredite un *caso fortuito o fuerza mayor*[19].

No obstante, que la ley diga "responsabilidad del deudor" no puede entenderse, sin más, como *imputación de todos los cursos causales que puedan ser producidos por el deudor*[20]. La "responsabilidad" implica la atribución a un sujeto de resultados potenciales a partir de determinados cursos causales arrogados previamente a él. Y es evidente que la forma de determinar dicha responsabilidad –esto es, la forma en que se atribuirá tales cursos causales– dependerá enteramente de la elección político-legislativa de cada ordenamiento, para lo cual hace falta la dación de *criterios normativos* que definan dicha imputación[21]. Así pues, para determinar la imputación de un resultado dañoso al deudor, es necesario que, previamente, la ley le haya atribuido uno, varios o todos los cursos causales bajo su control[22]. Solo si se trata del último caso (la atribución de *todos* los cursos causales) podría decirse, sin objeción alguna, que la ley ha

---

19   Cfr. MIRANDA SERRANO, *op. cit.,* pág. 267, nota 182; PERALES VISCASI-
      LLAS, *op. cit.,* pág. 213.

20   Que es lo que fundamentaría el sistema objetivo de imputación que, según la
      doctrina aludida, acoge la LLCM.

21   Cfr. PANTALEÓN PRIETO, "Causalidad e imputación objetiva: criterios de
      imputación", en Asociación de Profesores de Derecho civil, *Centenario del Código
      Civil: 1889-1989,* t. 2, Centro de Estudios Ramón Areces, Madrid, 1990, págs.
      1561-1563.

22   Cfr. ZEGARRA MULÁNOVICH, *Las cláusulas de hardship en la contratación mer-
      cantil,* tesis doctoral, Universidad de A Coruña, A Coruña, 2007, pág. 453.

previsto un sistema objetivo de imputación en donde la única causa de exoneración es el caso fortuito o la fuerza mayor, por cuanto se trata de eventos que rompen con todo *nexo de causalidad*[23].

En el caso de la LLCM, es evidente la ausencia de criterios normativos que definan que el deudor será responsable siempre del retraso, salvo que pruebe el caso fortuito. Ningún precepto (ni de las Directivas, ni de la LLCM) hace alguna referencia que permita concluir dicho sistema de imputación[24]. Ni siquiera el reemplazo del término "responsable" por "imputable" por parte de la DIR 2011/7[25] puede considerarse un criterio normativo que delimite un sistema objetivo de responsabilidad, porque tal cambio en la terminología en nada varía lo previsto por la DIR 2000/35. Así, si bien es cierto que la *responsabilidad* es un concepto más amplio que la *imputabilidad*[26], también lo es que, en materia de atribución de un evento dañoso (que es el ámbito que interesa ahora), dará lo mismo decir que un deudor es *responsable* o que le es *imputable* el retraso en el pago de la deuda, si además no se agrega algún dato normativo

---

23   Cfr. DÍEZ-PICAZO, *op. cit.*, pág. 727.

24   De hecho, esto es admitido por PERALES VISCASILLAS, *op. cit.*, pág. 213: "no se especifican los hechos o circunstancias que sirvan para exonerar al deudor, por lo que la normativa general regulará esta cuestión. Por regla general, al momento de transponerse la Directiva, se ha seguido literalmente el tenor del artículo 3.1 c) Directiva 2000/35, por lo que no se han especificado los supuestos por los cuales el deudor podrá exonerarse de responsabilidad".

25   Los arts. 3.1 b) y 4.1 b) DIR 2011/7 prevén el derecho del acreedor a los intereses de demora (entre empresas o entre empresa y poder público), siempre que haya cumplido sus obligaciones y, además, no haya recibido la cantidad adeudada a tiempo, "a menos que el retraso *no sea imputable* al deudor".

26   La *imputabilidad* hace referencia a la atribución al sujeto de una serie de cursos causales que pueden originar un resultado dañoso, sea a través de un criterio subjetivo (culpa o dolo) o de un criterio objetivo (riesgo o hecho propio). Cfr. PANTALEÓN PRIETO, *op. cit.*, pág. 1562, nota 3. *La responsabilidad por daños*, por su parte, es una situación de sujeción de la persona o de sus bienes como necesidad de soportar las consecuencias jurídicas negativas de un resultado dañoso que le resulta *imputable* (con base en la idea de DÍEZ-PICAZO, *op. cit.*, pág. 148).

que permita precisar el criterio de responsabilidad[27]. En todo caso, llama la atención que solo en la versión española de la DIR 2011/7 se verifique dicho reemplazo de términos, cuando en versiones de otros idiomas se ha conservado el vocablo original de la DIR 2000/35[28].

2.2. Respuesta al argumento hermenéutico: prevalencia del "espíritu y finalidad de las normas"

Ante lo sostenido por la doctrina objetivista en materia de interpretación al amparo del art. 3.1 CC, considero que, en efecto, los referidos instrumentos internacionales pueden servir como criterio de "realidad social". Sin embargo, todo ello tiene como límite la *preponderancia* que la propia ley otorga al "espíritu y finalidad de las normas", según se desprende del propio art. 3.1 CC. Esto supone que, en el proceso interpretativo de una norma en particular, será hegemónico tomar en cuenta su *ratio legis*[29].

---

27 Por este mismo motivo, dado que el § 286(4) BGB solo indica que "[e]l deudor no incurrirá en mora si el incumplimiento se produce como resultado de una circunstancia de la que *no es responsable*", existe doctrina que considera como causa de exoneración de esta responsabilidad la prueba de que "no ha actuado negligentemente o deliberadamente" (cfr. SCHULTE-NÖLKE, "The transposition of Directive 2000/35/CE on late payment into German national law", en BADOSA COLL y ARROYO I AMAYUELAS (Coord.), *La armonización del Derecho de obligaciones en Europa*, Tirant lo Blanch, Valencia, 2006, pág. 288) o, sencillamente, sentencia que "[e]l deudor ha de responder por la mora en tanto que sea responsable de la misma. La situación de mora *se debe a su culpa*" (cfr. AL-BIEZ DOHRMANN, "Un nuevo Derecho de obligaciones. La Reforma 2002 del BGB", en *ADC*, n. 55-3, 2002, pág. 1171).

28 Así, por ejemplo, en la versión inglesa de la DIR 2011/7, se ha conservado el término *"responsible"*, originalmente previsto en la versión del mismo idioma de la DIR 2000/35. Lo mismo sucede con la versión francesa, donde se conserva la palabra *"responsable"* en ambas Directivas; y, en la versión italiana, donde el vocablo conservado es *"imputabile"*.

29 Como enseña PÉREZ ÁLVAREZ, "La aplicación de las normas jurídicas", en DE PABLO CONTRERAS (Coord.), *Curso de Derecho Civil (I). Derecho privado y Derechos subjetivos*, vol. 1, reimp. 5ª ed., Edisofer, Madrid, 2016, pág. 131, se otorga *carácter preferencial* en la labor hermenéutica a este criterio, pues "[a] ello es a lo que se refiere el artículo 3.1 CC al establecer que la interpretación ha de

Debe entenderse, por tanto, que los preceptos de la LLCM sobre los cuales versa esta discusión (arts. 6, b) y 8.2 LLCM[30]) no tienen como finalidad la configuración de un criterio de imputación de responsabilidad. La ya mencionada ausencia de parámetros normativos que definan tal criterio es, en mi opinión, evidencia suficiente para aceptar esta idea. Además, para abundar en razones, cabe mencionar que no existe sustento legislativo ni pre legislativo que haga concluir que el legislador europeo quiso unificar en un criterio objetivo el sistema de imputación del retraso moratorio. Que me conste, de ningún trabajo preparatorio de ambas Directivas se advierte la intención de uniformizar el sistema de imputación de la responsabilidad moratoria. Y, de hecho, el considerando 12 DIR 2011/7, que indica la forma en que los Estados miembros han de regular los dos efectos propios de la *morosidad* en este ámbito (intereses e indemnización), no hace referencia alguna a un sistema objetivo de responsabilidad.

Por el contrario, cabe suponer que, si era voluntad del legislador imponer un sistema objetivo de responsabilidad moratoria, lo habría hecho de modo expreso, tal y como se hizo, por ejemplo, en la DIR 85/374/CEE (relativa a la aproximación de las disposiciones legales, reglamentarias y administrativas de los Estados miembros en materia de responsabilidad por los daños causados por productos defectuosos), cuyo segundo considerando indica que "únicamente *el criterio de la responsabilidad objetiva del productor* permite resolver el problema, tan propio de una época de creciente tecnicismo como la nuestra, del justo reparto de los riesgos inherentes a la producción técnica moderna".

Más bien, la real razón de ser de estas normas, en materia de imputación, es únicamente la de servir como *reglas de distribución o de asignación de la carga de la prueba*; lo que en el Derecho español se ha verificado como

---

llevarse a cabo *atendiendo fundamentalmente al espíritu y finalidad* de las normas".

30   Y, con ellos, los arts. arts. 3.1 c) ii) y 3.1 e) DIR 2000/35 y arts. 3.1 b) y 4.1 b) DIR 2011/7.

una inversión de dicha carga, ya que, bajo el régimen de la LLCM, es ahora el deudor quien deberá acreditar que el retraso no le era imputable para liberarse de la responsabilidad[31]. Por el contrario, ni las Directivas ni la LLCM han insertado especialidad alguna sobre los criterios de imputación de responsabilidad previstos en el art. 1101 CC.

Por estos motivos, puede concluirse que, aun bajo la regulación antimorosidad y aplicándose supletoriamente la norma general, se ha conservado el sistema subjetivo de responsabilidad moratoria, el cual exige la imputación del incumplimiento por dolo o culpa[32], lo que se traduce en la carga del deudor de acreditar su *diligencia* en el cumplimiento de su obligación para liberarse de la responsabilidad[33].

IV. EL CRITERIO ASUMIDO POR EL TRIBUNAL DE JUSTICIA DE LA UNIÓN EUROPEA

Para abundar en razones, el criterio subjetivo de responsabilidad ha sido recogido en la, hasta ahora, única sentencia del Tribunal de Justicia de la Unión Europea (en adelante, TJUE) relativa a la imputación del deudor en el marco de la regulación antimorosidad. La sentencia de 3

---

31   Cfr. GARCÍA-PITA, *op. cit.*, págs. 167 y 168. No obstante, pese a que bajo el régimen general de responsabilidad civil (ex art. 1101 CC) habría de entenderse que es el acreedor quien debe probar la imputación del deudor, se ha de entender que en la *práctica* existe una inversión de la carga de la prueba al deudor, de modo tal que es este quien debe acreditar el empleo de la diligencia que presta (cfr. DÍEZ-PICAZO, *op. cit.*, pág. 744).

32   En aplicación del principio de especialidad, a falta de norma especial debe acudirse al *Derecho común*, previsto en el CC.

33   La conservación de un sistema subjetivo de responsabilidad bajo el régimen de la LLCM, se ha consignado, además, en la jurisprudencia. Así, las SSAP León de 02-02-11 (JUR 2011/116627); Madrid de 21-10-13 (JUR 2014/3202); Guadalajara de 16-12-09 (JUR 2010/76192) y de 15-07-13 (JUR 2013/285730), que hablan de un "retraso culpable" del deudor.

abril 2008 (TJCE 2008/70)[34] resuelve una cuestión prejudicial que tiene por objeto la interpretación del art. 3.1 c) ii) DIR 2000/35 (cuyo contenido coincide literalmente con el art. 6 b) LLCM) en el marco de un litigio (en Alemania) relacionado con el pago de intereses de demora reclamados por un retraso en el pago de facturas. La cuestión prejudicial consistía en determinar en qué momento puede considerarse realizado a tiempo un pago mediante transferencia bancaria en el marco de una operación comercial, excluyendo la mora y, por ende, la generación de intereses en el marco de la DIR 2000/35.

A esta cuestión, el TJUE señala que dicho momento es "la fecha en la que se consigna la cantidad adeudada en la cuenta del acreedor" (párr. 28)[35]. Pero, además –y con principal relevancia para lo que aquí se analiza–, la propia STJUE señala que "la citada disposición [art. 3.1 c) ii) DIR 2000/35] prevé precisamente, *in fine* que no debe responsabilizarse al deudor de los retrasos que no puedan serle imputados. En otros términos, la propia DIR 2000/35 excluye el pago de intereses de demora en los casos en los que *el retraso del pago no es consecuencia del comportamiento del deudor, que tuvo en cuenta diligentemente* los plazos normalmente necesarios para la ejecución de una transferencia bancaria" (párr. 30)[36].

Como se aprecia, estamos ante un pronunciamiento claro del TJUE, según el cual el art. 3.1 c) ii) DIR 2000/35 (de tenor idéntico al art. 6 b) LLCM) ordena tomar en consideración no solo "el comportamiento del

---

34   Caso 01051 Telecom GmbH contra Deutsche Telekom AG. Asunto C-306/06.

35   Nótese que, en la versión española de la STJUE referida, pese a lo indicado en el citado párr. 28, se declara que el art. 3.1 c) ii) DIR 2000/35 "debe interpretarse en el sentido de que exige, a fin de que un pago mediante transferencia bancaria evite o cancele el devengo de intereses de demora, que la cantidad adeudada se consigne *en la cuenta del deudor* en la fecha de expiración del plazo convenido", lo que VICIANO PASTOR, *op. cit.*, pág. 408 ha denunciado como un error de traducción.

36   Las cursivas son mías.

deudor", sino, además, "su diligencia" en el cumplimiento de su obligación. A ello hay que añadir la ausencia de toda referencia a "eventos ajenos a la esfera de control" o, en general, a supuestos de caso fortuito o fuerza mayor para exonerar al deudor de una obligación en el marco de la citada Directiva. Todo esto hace concluir que la doctrina jurisprudencial del TJUE, en relación con la regulación antimorosidad, se adhiere a la teoría *subjetiva* de responsabilidad[37], lo que además confirma la ausencia de razones normativas o hermenéuticas que vinculen al juez europeo a pronunciarse a favor del sistema objetivo.

V. BREVE REFLEXIÓN FINAL

Aun con todo lo anterior, es necesario reconocer que un sistema de responsabilidad objetiva en materia de mora sería más adecuado de cara al principio de *favor creditoris* que, según la buena doctrina, inspira la regulación de las Directivas y la LLCM[38]. De hecho, así ha sucedido, por ejemplo, con las transposiciones de las Directivas a los ordenamientos estonio[39] y polaco[40], de evidente corte objetivista, probablemente al

---

37 En ese sentido, VICIANO PASTOR, *op. cit.*, págs. 407 y 408.

38 Cfr. RODRÍGUEZ RUIZ DE VILLA, op. cit., pág. 31; MIRANDA SERRANO, *op. cit.*, pág. 261.

39 El § 103 de la Ley de obligaciones de 26 de septiembre de 2001 *(Võlaõigusseadus)* prevé, por un lado (1), que "[e]l deudor es responsable del incumplimiento de la obligación, a menos que el incumplimiento sea *excusable*"; y, por otro lado (2), que "[e]l incumplimiento de una obligación es excusable si el deudor ha incumplido la obligación *debido a fuerza mayor*. La fuerza mayor es una circunstancia en la que *el deudor no pudo influir y no podía esperarse razonablemente que el deudor la tuviera en cuenta en el momento de la celebración del contrato o la obligación extracontractual, o de eludir o superar tal circunstancia o su consecuencia".*

40 El art. 7.1 de la Ley de 8 de marzo de 2013 de fechas de pago en transacciones comerciales *(Ustawa z dnia 8 marca 2013 r. o terminach zapłaty w transakcjach handlowych)* establece que, en transacciones comerciales, el acreedor tiene derecho a intereses moratorios si se cumplen dos condiciones: (1) que el acreedor haya cumplido con su obligación; y, (2) que el acreedor no haya recibido el pago en

amparo del art. 12.3 DIR 2011/7, que permite a los Estados miembros la adopción de disposiciones "que sean más favorables para el acreedor que las necesarias para cumplir la presente Directiva". Tal sistema, sin embargo, respecto del Derecho español, no pasa de ser, en mi opinión, una cuestión de *lege ferenda* y no de *lege lata*.

---

el plazo especificado en el contrato, sin prever causa alguna de exoneración de la responsabilidad del deudor. Todo lo cual hace indicar que estamos ante un sistema objetivo absoluto.

2. EL PRINCIPIO DE PREVISIBILIDAD Y LA RESPONSABILIDAD CIVIL CONTRACTUAL EN LA JURISPRUDENCIA "SUPREMA" SALVADOREÑA: UNA INTERPRETACIÓN Y APLICACIÓN DESDE EL DERECHO COMPARADO Y UNIFORME

Javier Antonio Tobar Rodríguez[1],

SUMARIO. I. ASPECTOS PRELIMINARES. II. CRITERIO DIFE-RENCIADOR DE LA RESPONSABILIDAD CIVIL CONTRAC-TUAL Y EXTRACONTRACTUAL EN LA JURISPRUDENCIA SALVADOREÑA. 1. Responsabilidad Contractual. 2. Responsabilidad extracontractual. 3. El juzgador está habilitado a calificar el tipo de responsabilidad civil que se reclama. 4. La carga de la prueba como criterio diferenciador de la responsabilidad contractual y extracontractual. 5. La responsabilidad civil leve, por regla general, en el ámbito contractual. III. LA PREVISIBILIDAD DE LOS DAÑOS CONTRACTUALES. 1. El art. 1429 Código Civil de El Salvador: *1.1. El art. 1429 del C.c. salvadoreño y su relación con el derecho comparado del civil law y common law. 1.2. El soft law integrado a la jurisprudencia de responsabilidad civil contractual. 1.3. El hard Law empleado en la interpretación del art. 1429 de C.c. de El Salvador.* 2. Cláusula contractual de previsión del daño. *2.1 Cláusula de previsibilidad de daños en el contrato de arrendamiento.*

---

1   Abogado y notario salvadoreño. Magistrado suplente de la Corte Centroameri-cana de Justicia. Ex Asistente y ExLetrado de la Sala de lo Civil de la Corte Su-prema de Justicia de El Salvador y de la misma Corte. Exbecario IIE y UC3M. Investigador externo extranjero UNIZAR y Profesor UTEC El Salvador. javierantoniotobar@gmail.com

RESUMEN

El propósito de esta comunicación consiste en exponer la novedad relevante en el estado general de la jurisprudencia del alto tribunal en materia civil de El Salvador, América Central. La novedad es la sentencia que la Sala de lo Civil de la Corte Suprema de Justicia emitió en el caso "Las Cascadas", la que contiene pronunciamientos en los siguientes aspectos: la consideración del riesgo como elemento fundamental a considerar en el análisis de un contrato y en la responsabilidad civil derivada del mismo, el principio de previsibilidad del daño, la relación existente entre el contrato y las reglas técnicas, las perspectivas de derecho comparado y derecho uniforme sobre dichos temas, la delimitación conceptual de responsabilidad civil contractual y extracontractual. Mediante la emisión de la sentencia se pretendió emplear estándares jurídicos internacionales de análisis de los aspectos discutidos en el proceso en ocasión a que el caso presentó elementos de internacionalidad.

PALABRAS CLAVES

Riesgo, previsibilidad, responsabilidad contractual, daños contractuales, cláusulas contractuales, distribución del riesgo, sentencia y El Salvador.

ABSTRACT

The purpose of this communication is to expose the relevant novelty in the general state of the jurisprudence of the high court in civil matters of El Salvador, Central America. The novelty is the sentence that the Civil Chamber of the Supreme Court of Justice issued in the case "Las Cascadas", which contains statements in the following aspects: the consideration of risk as a fundamental element to consider in the analysis of a contract and in the civil liability derived from it, the principle of predictability of damage, the relationship between the contract and the technical rules, the perspectives of comparative law and uniform law on these issues, the conceptual delimitation of contractual and non-contractual civil liability. Through the issuance of the judgment, it was intended to use international legal standards to analyze the aspects discussed in the process, on the occasion that the case presented elements of internationality.

KEYWORDS

Risk, predictability, contractual liability, contractual damages, contractual clauses, risk distribution, judgment and El Salvador.

I. ASPECTOS PRELIMINARES

En este apartado se explica, primeramente, el propósito de este trabajo y se esbozan algunos aspectos de la organización de los tribunales de justicia en El Salvador y la importancia que ostentan las sentencias de la Sala de lo Civil de la Corte Suprema de Justicia, como máximo tribunal de justicia. Su exposición tiene el objeto de dar noticia al lector de conceptos que permitan prepararlo para entender de mejor manera el alcance de la sentencia que se comentará y que marca hito en las decisiones judiciales.

Además, se aprovecha la invitación del comité organizador del I Congreso Iberoamericano de Responsabilidad Civil y, en ese sentido, exponer la novedad relevante en el estado del tema de responsabilidad civil en el país de origen del autor, en este caso, El Salvador. Para esto, se seleccionó la más reciente y significativa sentencia que sobre responsabilidad civil contractual se pronunció: el caso "Las Cascadas".

En ese sentido, con el objeto de facilitar el entendimiento del tema, se explican brevemente los conceptos de la estructura de los tribunales, qué se entiende por "precedente" en la jurisprudencia salvadoreña, lo que servirá de base para explicar la relevancia que las sentencias de la Sala de lo Civil ostentan.

Con tales propósitos, si más preámbulos se expresan esos conceptos de la manera siguiente: Los tribunales salvadoreños se estructuran en un orden jerárquico vertical. Los tribunales de primera instancia con la competencia judicial para conocer los procesos que traten de materia civil y mercantil son también los competentes para conocer de los reclamos de responsabilidad civil derivada de un contrato y son dirigidos por un titular, juzgador, aunque existen juzgados pluripersonales, es decir, un juzgado que cuenta con varios jueces que ejercen jurisdicción de forma independiente y por eso emiten una sentencia de igual manera. Un juzgado pluripersonal emitió la sentencia en el caso que se comentará. Si una de las partes procesales impugna la decisión que el juzgador pronuncia en primera instancia, el caso pasa al conocimiento de las cámaras, que conocen en apelación la sentencia recurrida. Estas se conforman por dos magistrados. La parte agraviada por una sentencia que una cámara emite puede impugnarla mediante el empleo de un recurso de casación, este es conocido por la Sala de lo Civil de la Corte Suprema de Justicia, máximo tribunal en la materia.

Con arreglo a la ley, en palabras sencillas, se entiende que tres sentencias emitidas en el mismo sentido, no contradichas por otra constituyen doctrina legal. Sin embargo, tanto la Corte Suprema de Justicia y la Sala de lo Constitucional de la misma Corte reconocen que una sola sentencia puede constituir un precedente, es decir, la interpretación de una disposición jurídica a través de una sola sentencia que resuelve jurídicamente un caso y cuyos argumentos deben ser respetados. El precedente constituye una fuente de derecho. Por extrapolación de esta idea, varios abogados en el ejercicio de la profesión y juzgadores emplean las sentencias que la Sala de lo Civil de la Corte Suprema de Justicia emite para fundamentar sus argumentos jurídicos. Es en este contexto que se enmarca este trabajo y el estudio de la sentencia "Las Cascadas".

El Salvador pertenece al sistema del *civil law*; sin embargo, ha recibido fuerte influencia del *common law,* esto explica la importancia que el precedente ha recibido paulatinamente, aunque la ley no lo establezca expresamente.

En la sentencia "Las Cascadas", se abordan varios temas jurídicos, de vital importancia en temas procesales y de derecho material; sin embargo, se tratará únicamente uno de los aspectos materiales, la responsabilidad civil contractual bajo el enfoque del tema de riesgo, del principio de previsibilidad, que constituyen novedades en la jurisprudencia salvadoreña. En esta sentencia se abordó el estudio de esos temas en relación con lo que la legislación y jurisprudencia de otros países establecen; además, se emplearon instrumentos de Derecho Uniforme del Comercio Internacional, como la Convención de las Naciones Unidas sobre los Contratos de Compraventa Internacional de Mercaderías y los Principios de UNIDROIT sobre los Contratos Comerciales Internacionales, aplicables internacionalmente.

Se aclara, que más adelante, se hará referencia a la Sala de lo Civil de la Corte Suprema de Justicia de El Salvador como "el tribunal de casación". Se analiza la responsabilidad contractual en un arrendamiento de local comercial.

II. CRITERIO DIFERENCIADOR DE LA RESPONSABILIDAD CIVIL CONTRACTUAL Y EXTRACONTRACTUAL EN LA JURISPRUDENCIA SALVADOREÑA

La delimitación conceptual de la responsabilidad civil extracontractual y contractual no ha dejado de constituir un tema difícil de abordar en la jurisprudencia de la Sala de lo Civil de la Corte Suprema de Justicia, lo que fue reconocido en la misma sentencia "Las Cascadas"[2]. El tribunal tuvo la necesidad de referirse a este tema, porque en el proceso se discutió si hubo una u otra responsabilidad civil derivada de un contrato de construcción y arrendamiento de local comercial.

A continuación, se explicará separadamente lo que en la jurisprudencia se definió por responsabilidad contractual y extracontractual. Desde ya adelantamos que se definieron mediante el empleo de expresiones sencillas.

1. Responsabilidad Contractual

Existe responsabilidad civil contractual cuando entre dos sujetos hubo una relación específica coligada con un contrato, que determina la existencia de un antecedente que debe tomarse en cuenta para determinar tal responsabilidad[3].

2. Responsabilidad extracontractual

Existe responsabilidad civil extracontractual cuando entre dos sujetos no hubo ningún nexo previo y la responsabilidad parece más abstracta que concreta, es decir, carente de antecedentes que los coliguen[4].

---

2   Sentencia Sala de lo Civil, Corte Suprema de Justicia, El Salvador, de fecha: cinco de marzo de dos mil dieciocho, marcada bajo referencia 183-CAC-2017, caso "Las Cascadas", párrafo 2.

3   Sentencia Sala de lo Civil, Corte Suprema de Justicia, El Salvador, de fecha: cinco de marzo de dos mil dieciocho, marcada bajo referencia 183-CAC-2017, caso "Las Cascadas", párrafo 2.

4   Sentencia Sala de lo Civil, Corte Suprema de Justicia, El Salvador, de fecha: cinco de marzo de dos mil dieciocho, marcada bajo referencia 183-CAC-2017, caso "Las Cascadas", párrafo 2.

La doctrina española autorizada hace hincapié en que la jurisprudencia tiene relevancia en la configuración del Derecho de Daños[5], doctrina que por cierto se cita en la sentencia comentada[6].

El tribunal de casación, asimismo, entendió de la mano de Diez Picazo[7], que la responsabilidad contractual deviene también por el incumplimiento de los deberes accesorios de conducta integrados en la relación contractual, deberes tales como el de información o de protección, este último referido a evitar riesgos o eventuales daños mediante el cumplimiento de medidas de higiene o seguridad laboral, entre otras, y no solamente proceden del incumplimiento de lo estrictamente pactado[8].

Al final el tribunal de casación civil salvadoreño emite el siguiente corolario:

> *"b) En ese sentido, de lo expuesto por el tribunal español y comentado críticamente por dicha doctrina, consideramos que la calificación de la responsabilidad civil y extracontractual supone discernir qué es el contrato y más específicamente cuáles son los deberes de conducta que a las partes pueden exigírseles, sobre la base de lo estrictamente escrito más la integración de todo*

---

5   Llamas Pombo, Eugenio, "Problemas actuales de responsabilidad civil. Módulo de formación de jueces y magistrados, del Plan de formación de la Rama Judicial del Consejo Superior de la Judicatura", Colombia, extracto del prólogo a la obra Informes de jurisprudencia, La Ley, Madrid, 2006, acápite 1.2. Disponible en: https://www.academia.edu/29782099/PROBLEMAS_ACTUALES_DE_LA_RESPONSABILIDAD_CIVIL.pdf

6   Sentencia Sala de lo Civil, Corte Suprema de Justicia, El Salvador, de fecha: cinco de marzo de dos mil dieciocho, marcada bajo referencia 183-CAC-2017, caso "Las Cascadas", párrafo 2.

7   Diez-Picazo y Ponce de León, Luis, Derecho de Daños, Madrid: Civitas, 1999, págs. 265 y 266.

8   Sentencia Sala de lo Civil, Corte Suprema de Justicia, El Salvador, de fecha: cinco de marzo de dos mil dieciocho, marcada bajo referencia 183-CAC-2017, caso "Las Cascadas", párrafo 2.

aquello que viene siendo aplicable al contrato por los deberes accesorios, como la buena fe y los usos en el sector del comercio."⁹.

Sobre la base de lo anterior, el tribunal de casación señala que ante la dificultad de discernir si hubo responsabilidad civil contractual o extracontractual en virtud de la infracción de disposiciones jurídicas de seguridad ocupacional, de instalaciones eléctricas o de prevención de incendios o de construcción de un local arrendado, deberá observarse si su incumplimiento puede comprenderse como obligaciones propias de una parte contratante en un contrato de arrendamiento y por tanto existirá responsabilidad contractual.

3. El juzgador está habilitado a calificar el tipo de responsabilidad civil que se reclama

El juzgador está habilitado a calificar el tipo de responsabilidad civil que un demandante reclama en su demanda, es decir, identificar la disposición legal que cuadra con los hechos y de existir varias que cuadran, escoger la más pertinente al caso, consecuentemente, debe interpretarla y aplicarla. Es más, constituye su deber calificar los hechos que soportan la pretensión contenida en la demanda.

El juzgador ejerce la calificación de la responsabilidad civil con arreglo al principio *iura novit curia* o el juez conoce el derecho.

En ese sentido, el juzgador debe interpretar y aplicar la disposición correcta a los hechos que en el proceso son discutidos; por eso, puede también calificar jurídicamente los hechos de forma diferente a lo que

---

9   Sentencia Sala de lo Civil, Corte Suprema de Justicia, El Salvador, de fecha: cinco de marzo de dos mil dieciocho, marcada bajo referencia 183-CAC-2017, caso "Las Cascadas", párrafo 2.

las partes del proceso proponen, además, considerar y decidir aplicar una disposición legal al caso[10].

Constituye un aporte en la sentencia "Las Cascadas" el argumento jurídico que el ejercicio de este deber de calificación judicial de la responsabilidad civil debe ejercerse al examinar la admisión de la demanda, es decir, en un primer momento, en el que el juzgador la recibe.

Añade el tribunal de casación en la sentencia "Las Cascadas", que en ese mismo sentido todo juzgador está en posesión de la habilitación de recalificar la demanda que el reclamante ha calificado erróneamente; potestad que debe ejercerla sin perjuicio de lesionar la tutela judicial efectiva y especialmente el derecho de defensa de las partes procesales, pues la recalificación podría derivar en un cambio de las estrategias que las partes han establecido para ganar el litigio y eventualmente debilitar su posición procesal, sin haber tenido la oportunidad para defender sus intereses[11].

4. La carga de la prueba como criterio diferenciador de la responsabilidad contractual y extracontractual

La carga de la prueba difiere si se califica la responsabilidad contractual y extracontractual, según la Sala de lo Civil de la Corte Suprema de Justicia expuso en la sentencia "Las Cascadas", porque en el caso de la primera, el actor le bastará con afirmar que el demandado incumplió su obligación por falta de diligencia o cuidado, debiendo el último demostrar que obró con el cuidado debido; de manera diferente sucederá

---

10   Sentencia Sala de lo Civil, Corte Suprema de Justicia, El Salvador, de fecha: cinco de marzo de dos mil dieciocho, marcada bajo referencia 183-CAC-2017, caso "Las Cascadas", fundamento IV. 1.

11   Sentencia Sala de lo Civil, Corte Suprema de Justicia, El Salvador, de fecha: cinco de marzo de dos mil dieciocho, marcada bajo referencia 183-CAC-2017, caso "Las Cascadas", párrafo 2.

si se tratase de un reclamo por responsabilidad civil extracontractual[12]. El tribunal llegó a esa conclusión sobre la base del art. 1418, inciso tres del Código Civil de El Salvador[13], que en síntesis establece que al sujeto que debe actuar con cuidado le corresponde probar su diligencia.

5. La responsabilidad civil leve, por regla general, en el ámbito contractual

La responsabilidad civil contractual es leve, por regla general, con arreglo a la sentencia "Las Cascadas" y al Código Civil de El Salvador. Por su parte, la responsabilidad civil extracontractual puede recibir diversas calificaciones, grave, leve levísima.

III. LA PREVISIBILIDAD DE LOS DAÑOS CONTRACTUALES

Primeramente, recapitular que en la sentencia se concibió el contrato en sentido abstracto, como un proyecto común, en el que los contratantes deben colaborarse y por eso, es razonable pensar en la distribución de los riesgos entre ellos. En el caso en concreto, las partes enfrentadas en el litigio suscribieron dos contratos, el de construcción y arrendamiento. Se construyó un centro comercial y en este, se arrendó un local en el que sucedió un incendio. Este siniestro fue previsto por las partes contractuales, por dicha razón, el propietario del centro comercial celebró un contrato de seguro contra incendio para proteger las pérdidas en las instalaciones, si sucediera este riesgo.

---

12 Sentencia Sala de lo Civil, Corte Suprema de Justicia, El Salvador, de fecha: cinco de marzo de dos mil dieciocho, marcada bajo referencia 183-CAC-2017, caso "Las Cascadas", fundamento IV. 1.

13 El art. 1418, inciso tres del Código Civil de El Salvador establece: ""La prueba de la diligencia o cuidado incumbe al que ha debido emplearlo;..."

1. El art. 1429 Código Civil de El Salvador

El art. 1429, inciso uno del Código Civil de El Salvador establece: *"Si no se puede imputar dolo al deudor, sólo es responsable de los perjuicios que se previeron o pudieron preverse al tiempo del contrato; pero si hay dolo, es responsable de todos los perjuicios que fueron una consecuencia inmediata o directa de no haberse cumplido la obligación o de haberse demorado su cumplimiento."*

En la sentencia se estudió la previsibilidad de los perjuicios relacionados con el contrato y se concluyó que era un principio, a lo que se llegó sobre la base del estudio de varias legislaciones y jurisprudencia comparada según se indica abajo.

1.1 El art. 1429 del C.c. salvadoreño y su relación con el derecho comparado del civil law y common law

Se reconoce la importancia que la previsibilidad del daño ha tenido en el *common law*, a través de la sentencia inglesa *Hadley V. Baxendale* y se citó doctrina aplicable y que dicha idea también se encuentra recogida en el código francés, que constituye uno de los principales exponentes del *civil law*[14].

1.2. El soft law integrado a la jurisprudencia de responsabilidad civil contractual

Por *soft law* o derecho blando se comprenden los instrumentos que formalmente no son obligatorios, aunque con cierto impacto jurídico[15].

---

14   Sentencia Sala de lo Civil, Corte Suprema de Justicia, El Salvador, de fecha: cinco de marzo de dos mil dieciocho, marcada bajo referencia 183-CAC-2017, caso "Las Cascadas", párrafo 2.

15   Sentencia de la Sala de lo Constitucional, Corte Suprema de Justicia, El Salvador, de fecha: veinticinco de junio de dos mil dieciocho, marcada bajo referencia: 38-2018, III, 4, lit. B.

En esta sentencia comentada, el tribunal de casación empleó *los Principios de UNIDROIT sobre los Contratos Comerciales Internacionales*, que constituye un instrumento del soft law.

> *1.3 El hard Law empleado en la interpretación del art. 1429 de C.c. de El Salvador*

Por *hard law* o derecho duro se comprenden los instrumentos jurídicos autorizados por los mecanismos propios del Derecho Internacional Público, como los tratados internacionales.

En ese sentido, el tribunal de casación empleó el art. 35.1 de la Convención de las Naciones Unidas sobre los Contratos de Compraventa Internacional de Mercaderías y jurisprudencia extranjera que lo interpreta, como instrumentos jurídicos que establecen un estándar a considerar para analizar si una parte contratante, el arrendador, estaba en mejores condiciones de conocer el riesgo que la otra parte, el arrendatario. En síntesis, se puede señalar que dicha disposición permite que las partes contractuales puedan pactar condiciones especiales para la entrega de mercaderías, como el respeto de reglas técnicas, como pudiera ser el cumplimiento de reglas de seguridad contra incendios exigidas en disposiciones administrativas.

El tribunal de casación para emplear dicha convención al caso partió de la idea que este tratado puede extrapolarse a otros contratos, como el arrendamiento, por contener una base dogmática común a los negocios jurídicos y que por eso, el cumplimiento de la obligación del arrendador de permitir el goce del local comercial en condiciones de seguridad dependía del cumplimiento de la normativa de seguridad contra incendios y otros riesgos, aspecto que también constituyó una cláusula contractual.

2. CLÁUSULA CONTRACTUAL DE PREVISIÓN DEL DAÑO

Las partes contractuales pueden prever que suceda algún riesgo que perturbe la obtención de resultados positivos procedentes de la ejecución del negocio. A renglón seguido, señalaremos los riesgos que las partes contractuales pudieron prever y que el tribunal de casación citado tomó en consideración en el precedente comentado.

2.1 Cláusulas de previsibilidad de daños en el contrato de arrendamiento

Las partes contractuales en un contrato de arrendamiento pueden prever que sucedan riesgos, como el incendio, en cuyo caso, el propietario del local a arrendar se haga cargo de contratar un seguro que los cubra y asegure el inmueble, y por otra parte, el arrendatario, contrate otro seguro que proporcione cobertura a los bienes contenidos en el local, por ejemplo, mercadería, mobiliario. De esa manera el contrato de seguro de incendio puede integrarse al contrato principal como riesgo asumido y distribuido por los contratantes. Asimismo, a través del contrato de seguro se trasladan los riesgos a un tercero, la compañía aseguradora, para que se haga cargo de cubrirlos en caso que el siniestro sucediera[16].

En la jurisprudencia comentada se observa que se consideró que el propietario del proyecto de construcción debía cargar con la responsabilidad contractual coligada con la previsibilidad del daño, por ordenar el diseño y porque debía cumplir con reglas técnicas de seguridad contra incendios establecidas en normativas administrativas que no podía obviar[17].

---

16   Sentencia Sala de lo Civil, Corte Suprema de Justicia, El Salvador, de fecha: cinco de marzo de dos mil dieciocho, marcada bajo referencia 183-CAC-2017, caso "Las Cascadas", párrafo 2.

17   Sentencia Sala de lo Civil, Corte Suprema de Justicia, El Salvador, de fecha: cinco de marzo de dos mil dieciocho, marcada bajo referencia 183-CAC-2017, caso "Las Cascadas", párrafo 2.

Como conclusión cabe señalar:

1. La sentencia del máximo tribunal civil salvadoreño establece aspectos fundamentales a considerar en el análisis de la responsabilidad civil contractual.

2. El riesgo y el principio de previsibilidad del daño constituyen aspectos fundamentales del análisis de la responsabilidad civil contractual según la sentencia analizada.

3. La sentencia se apoya sus fundamentos en análisis del derecho comparado y pretende a la vez constituir un referente jurisprudencial a seguir.

3. LEY APLICABLE A LA RESPONSABILIDAD CIVIL DEL ÁRBITRO

Peter A. Barna[1]

SUMARIO. I. DE LA NECESIDAD DE DETERMINAR LA LEY APLICABLE. II. NORMAS DE DERECHO INTERNACIONAL PRIVADO. III. DELIMITACIÓN: HIPÓTESIS PROBLEMÁTICA. IV. LEY APLICABLE. 1. Ley nacional del árbitro. 2. Ley nacional, del lugar de residencia habitual o del domicilio social de los litigantes. 3. Ley del lugar de audiencias, del lugar donde se dicta el laudo o del lugar de depósito del laudo. 4. Ley aplicable al fondo. 5. Ley del lugar de celebración del contrato. 6. Ley de la sede de la institución arbitral. 7. Ley del lugar de residencia habitual del árbitro. 8. Ley del convenio arbitral. 9. Ley de la sede. V. CONCLUSIONES.

RESUMEN

Los árbitros en arbitrajes comerciales internacionales actúan en un ámbito internacional, en el sentido que existe una conexión del asunto con diversas jurisdicciones o, incluso, hasta una desconexión con cualquier jurisdicción estatal. En ese contexto, ¿cuál es la ley que regula la responsabilidad civil del árbitro frente a los litigantes?

---

[1]   Letrado de la Corte de Arbitraje de Madrid, licenciado en Derecho por la Universidad de São Paulo y Máster en Responsabilidad civil por la Universidad Carlos III de Madrid.

Considerando la relación contractual existente entre los litigantes, de un lado, y el árbitro, del otro, que se llamará de *contrato de árbitro*, se analizarán los posibles factores de conexión que pueden ser utilizados para determinar la ley aplicable a dicho contrato.

Tras este análisis, se llega a la conclusión de que la ley de la sede arbitral es la idónea para regular el contrato de árbitro y debe ser el factor de conexión principal, seguido de la residencia habitual del árbitro, que debe ser usado cuando todavía no haya sede determinada. En aras de establecer un consenso internacional uniforme, podría debatirse en sede de la CNUDMI la inclusión de una disposición sobre esta materia en la Ley Modelo de Arbitraje.

PALABRAS CLAVE

Arbitraje, árbitro, ley aplicable; responsabilidad civil, Ley Modelo.

ABSTRACT

The arbitrators in international commercial arbitrations operate in an international environment, in the sense that the matter is connected to several different jurisdictions or is even disconnected to any state jurisdiction. In this context, what is the law that rules the arbitrator's liability regarding the parties?

Considering the contractual relationship existing between the parties and the arbitrator, the arbitrator's contract, the possible connecting factors that can be used to determine the applicable law to said contract will be analyzed.

With this analysis, the conclusion is that the law of the seat is the most suitable to regulate the arbitrator's contract and should be the main factor, followed by the arbitrator's residence, to be applied when the seat was not determined. To bring uniformity to this matter, a new provision should be included in the UNCITRAL Model Law in these terms.

KEYWORDS

Arbitration, arbitrator, conflict law, civil liability, Model Law.

I. DE LA NECESIDAD DE DETERMINAR LA LEY APLICABLE

Es raro que existan contratos de árbitro en un instrumento *ad hoc*[2], de manera que los deberes, obligaciones y el límite de la responsabilidad del árbitro suelen venir regulados en los reglamentos de arbitraje, que determinan el contenido del contrato. Este es el caso específico de las limitaciones de responsabilidad, que vienen recogidas por los reglamentos de las principales instituciones de arbitraje, como el de la CCI y de la LCIA.

En el primero, su art. 41 establece una total inmunidad del árbitro, *excepto en la medida en que dicha limitación de responsabilidad esté prohibida por la ley aplicable*. Ya el segundo optó por una exoneración parcial o cualificada de la responsabilidad del árbitro.

El Reglamento de Arbitraje de la CNUDMI[3], en su artículo 16, también sigue la línea de conferir una exoneración cualificada de la responsabilidad del árbitro "*en la máxima medida permitida por la ley aplicable*".

Este reglamento reconoce que, a pesar de que la extensión y límites de la responsabilidad civil del árbitro sean pactados por las partes, la validez de este pacto depende de la ley aplicable.[4]

---

2   Clay, *L'arbitre*, Dalloz, Paris, 2001, p. 520.

3   Comisión de las Naciones Unidas para el Derecho Mercantil Internacional.

4   Perales Viscasillas, *El seguro de responsabilidad civil en el arbitraje: el seguro de responsa-*

Así como observado en estos tres ejemplos, diversos reglamentos reconocieron la necesidad de observar los límites impuestos por la ley aplicable a la determinación de la responsabilidad del árbitro. Este llamamiento a la realidad de los hechos[5] pone de relieve la necesidad de determinar la ley aplicable al contrato de árbitro para conocer los límites de la responsabilidad del árbitro o determinar la validez de una cláusula de exclusión/limitación de responsabilidad.[6]

II. NORMAS DE DERECHO INTERNACIONAL PRIVADO

A pesar de su larga historia, que remonta al Derecho Romano, el estudio del contrato de árbitro ha sido descuidado por la doctrina, con la consecuente falta de previsión legal, de modo que ninguna norma de derecho internacional privado específica para él.

Ante la ausencia de normas específicas, es preciso seguir las reglas generales de derecho internacional privado aplicables a los contratos. Al reconocer la relación contractual existente entre árbitro y litigantes, recurriríamos, en principio, a la Convención de Roma de 1980 sobre la ley aplicable a las obligaciones contractuales, transformada en el Reglamento Roma I, para los países miembros de la UE (salvo Dinamarca). Sin embargo, el art. 1.2.e) y 1.3 del Reglamento Roma I excluyen de su ámbito de aplicación los convenios arbitrales y los contratos relativos al procedimiento, respectivamente. Por esa doble exclusión, debemos entender que los redactores casi seguramente tenían la intención de ex-

---

bilidad civil de los árbitros y de las instituciones arbitrales, Fundación Mapfre, Madrid, 2013, pág. 57.

5   *Ibidem,* p.58.

6   «Rapport final sur le statut de l'arbitre», *Bulletin de la Cour Internationale d'arbitrage de la CCI,* n° 1, vol. 7 (1996), págs. 5-35.

cluir el arbitraje en su totalidad del ámbito de aplicación[7], estando el contrato de árbitro igualmente excluido.[8]

Excluida la aplicación del Reglamento Roma I, acudiríamos, en el caso español, al Código Civil, que, en su artículo 10.5, determina como factores de conexión la ley nacional común de las partes, la residencia habitual común y la ley del lugar de celebración del contrato.

Teniendo en cuenta que estamos en el ámbito del arbitraje comercial internacional, parece poco probable que los litigantes y el árbitro tengan la misma nacionalidad o residencia habitual común. Asimismo, el lugar de la celebración del contrato tampoco es adecuado en un contexto de celebración de contratos entre distantes y, probablemente, por vía electrónica.

Como pudimos observar, las normas de derecho internacional privado generales no están pensadas y no presentan soluciones satisfactorias para la determinación del marco legal del contrato de árbitro y de la responsabilidad civil del árbitro.

Es por ello que se analizarán distintas posiciones de la doctrina con relación a cuál debería ser, en teoría, el derecho aplicable a dicho contrato, para proponer una solución uniforme que pueda conferir seguridad jurídica y previsibilidad.

III. DELIMITACIÓN: HIPOTÉSIS PROBLEMÁTICA

Antes de adentrar el estudio de los posibles elementos de conexión para determinar la ley aplicable al contrato de árbitro, es preciso excluir dos hipótesis en las que no será necesario utilizar el método de conflicto

---

7   CLAY, ob. cit., pág. 747.
8   CLAY, ob. cit., pág. 748.

para determinarla: 1) cuando hay elección expresa de las partes o 2) cuando existe un falso conflicto.

La primera exclusión se fundamenta en el principio de la autonomía de la voluntad, que conlleva a que las partes son libres para elegir la ley que desean regule sus negocios, cuya aplicación en el arbitraje comercial internacional es pacífica, tanto en la doctrina, como en la jurisprudencia.[9]

Sin embargo, en la práctica, el contrato de árbitro no se suele celebrar por un instrumento *ad hoc*,[10] de manera que no hay elección expresa de las partes.

La segunda hipótesis excluida es en la que se presenta un falso conflicto de leyes, que se da cuando, tras la aplicación hipotética de todos los derechos relevantes del caso (que tienen la mínima conexión con el contrato) se observa que poseen la misma regla material o, aunque no posean la misma regla, sus reglas llevarían a resolver la disputa de la misma manera. En ese caso, es irrelevante determinar el derecho aplicable, toda vez que, independientemente de la aplicación de un derecho u otro, el resultado sería el mismo.

No obstante, muchos ordenamientos jurídicos son silentes con relación a la responsabilidad específica del árbitro y no existe una uniformidad en los sistemas de responsabilidad, siendo que hay países que confieren exoneración total, los que confieren exoneración cualificada y los que no confieren ninguna exoneración. En ese contexto, parece poco probable que exista un falso conflicto de leyes.

---

9   Redfern, Hunter, Blackaby y Partasides, *Law and Practice of International Commercial Arbitration*, Sweet & Maxwell, Londres, 2004, pág. 11; Lew, Mistelis y Kroll, *Comparative International Commercial Arbitration*, Kluwer Law International, la Haya, 2003, pág. 412; CLAY, ob. cit., pág. 748; «Rapport final sur le statut de barbitre», *Bulletin de la Cour Internationale d'arbitrage de la CCI*, n° 1, vol. 7 (1996), pág. 10.

10   CLAY, ob. cit., pág. 520.

IV. LEY APLICABLE

Para seleccionar el factor de conexión que debe ser utilizado para determinar la ley aplicable al contrato de árbitro, en el caso de ausencia de elección expresa de las partes y ausencia de falso conflicto, debemos buscar la voluntad implícita de las partes (criterio subjetivo) o la ley con la que el contrato tenga vínculos más estrechos, es decir la conexión más cercana (*closest connection, liens les plus étroits*).[11] Este último, al ser un criterio objetivo, será el guía de este estudio.

1. Ley nacional del árbitro

La nacionalidad es un factor de conexión ampliamente utilizado en sistemas de derecho internacional privado para determinar la ley personal, como podemos observar en el art. 9 del Código Civil Español y en el art. 3 del Código Civil Francés.

No obstante, la ley personal del árbitro no tiene ninguna proximidad ni relación directa con la función del árbitro, especialmente en el ámbito del arbitraje comercial internacional, en el que se reconoce una cierta desconexión del objeto en litigio con los derechos nacionales y una verdadera conexión con la comunidad internacional de mercadores.[12] En este contexto, el árbitro actúa como un experto en el derecho comercial internacional, de modo que su nacionalidad tiene poca relevancia para el ejercicio de su misión.

---

11   Lew, Mistelis y Kroll, ob. cit., pág. 278. CLAY, ob. cit., págs. 748-750; Bravo, "La ley aplicable a la validez, interpretación y alcance del convenio arbitral: efectos sobre su extensión a los no signatarios", *Spain Arbitration Review*, n° 32 (2018), págs. 64-65.

12   Lalive, "Ordem Pública Transnacional e Arbitragem Internacional: conteúdo e realidade da ordem pública transnacional na prática arbitral" en Casella (trad.) *Revista do Direito do Comércio e das Relações Internacionais, v.* 1, 1989, pág. 61.

Además, en el caso de un tribunal colegiado con árbitros de distintas nacionalidades llevaría a la aplicación de derechos distintos a los contratos de árbitro, lo que podría ser fuente de desequilibrios en el caso de responsabilidad común de los árbitros.[13]

Así, descartamos la ley nacional del árbitro como factor de conexión.

2. Ley nacional, del lugar de residencia habitual o del domicilio social de los litigantes

Ni la ley nacional ni la residencia habitual de los litigantes –domicilio en el caso de personas jurídicas- tienen un vínculo estrecho con el contrato de árbitro a punto de ser utilizados como elementos de conexión, pero el principal argumento en contra su utilización es de origen pragmático: es imposible determinar la ley aplicable en el supuesto de que los litigantes vengan de países distintos.[14]

Por lo tanto, su utilización se demuestra inviable en este contexto internacional y deben ser descartados.

3. Ley del lugar de audiencias, del lugar donde se dicta el laudo o del lugar de depósito del laudo

El lugar donde se celebran las audiencias, donde se dicta o deposita el laudo deben ser descartados sumariamente porque dependen en gran medida de la voluntad del árbitro,[15] no representando la voluntad de las partes, además de no tener ninguna conexión relevante con el contrato de árbitro.

---

13   CLAY, ob. cit., pág. 748.
14   CLAY, ob. cit., pág. 751.
15   *Ibidem.*

4. Ley aplicable al fondo

La ley aplicable al fondo, *lex causae* o *lex contractus*, no tiene ninguna relación con el contrato de árbitro.[16] El contrato de árbitro es autónomo en relación al contrato principal,[17] siendo que ni al menos las partes contratantes coinciden. Así, la utilización de la *lex causae* bajo el argumento de representar la voluntad implícita de las partes no prosperaría, ya que representaría, como mucho, la voluntad de una de las partes, la de los litigantes.

Tampoco es posible defender la ley aplicable al contrato en disputa tenga un vínculo estrecho con el contrato de árbitro, toda vez que no coinciden ni las partes, ni el objeto, ni la causa de estos contratos.

Por lo tanto, descartamos la posibilidad aplicar la *lex causae* al contrato de árbitro.

5. Ley del lugar de celebración del contrato

El lugar de celebración del contrato sería el factor de conexión probablemente aplicable al seguirse las normas generales de derecho internacional privado españolas. Sin embargo, es un factor de conexión conductista[18] que viene siendo abandonado por el derecho internacional privado, ya que es de determinación incierta.[19]

Primeramente, en el contexto fuertemente deslocalizado de los arbitrajes comerciales internacionales, el lugar de celebración no parece tener relevancia como para ser considerado estrechamente vinculado al contrato de árbitro.

---

16   *Ibidem.*
17   CLAY, ob. cit., págs. 522-523.
18   Uzal, *Derecho Internacional Privado,* La Ley, Buenos Aires, 2016, pág. 105.
19   CLAY, ob. cit., pág. 753.

En segundo lugar, existe una limitación práctica para la utilización de dicho factor. En el caso español, como determina el art. 1262 del Código Civil, el contrato celebrado entre distantes se presume celebrado en el lugar en que se hizo la oferta. La oferta se hace por la parte plural del contrato, los litigantes. En el supuesto de que los litigantes no residan en el mismo país, se inviabiliza la utilización del citado factor de conexión, por imposibilidad de su determinación. Así, debemos descartarlo.

6. Ley de la sede de la institución arbitral

En primer lugar, la aplicación de la ley de la sede de la institución arbitral al contrato de árbitro se basaría en una idea que, a mi juicio, es equívoca: que la naturaleza del contrato de árbitro cambia según el tipo de arbitraje (*ad hoc* o institucional)[20].

En segundo lugar, la sede de la institución arbitral es una referencia puramente administrativa y no jurídica, siendo un elemento que no concierne ninguna de las partes,[21] no teniendo conexión estrecha con el contrato de árbitro.[22] Si los litigantes eligen otro lugar como sede del arbitraje, la sede de la institución será irrelevante.[23]

Por estos motivos, descartamos la aplicación de la ley de la sede de la institución arbitral al contrato de árbitro.

---

20 CLAY, ob. cit., pág. 755.

21 *Ibidem.*

22 No se analiza aquí la relevancia que el lugar de la sede de la institución arbitral pudiera tener para el contrato de investidura, es decir el contrato que vincula árbitro e institución arbitral.

23 Lew, Mistelis y Kroll, ob. cit., pág. 279.

7. Ley del lugar de residencia habitual del árbitro

La relevancia de la ley del lugar de residencia habitual del árbitro se debe a que éste es el obligado a la prestación característica del contrato y, por lo tanto, se podría considerar que es la elección implícita de las partes o mismo la ley más estrechamente conectada con el objeto del contrato.[24]

Además, ésta sería la solución dada por el Reglamento Roma I, en el caso de que se considerase aplicable, lo que podría ser entendido como una opción adecuada, por conferir cierta uniformidad de soluciones y previsibilidad, dos aspectos deseables en la resolución de conflictos de leyes.[25]

Tanto es así, que, en la encuesta realizada por la CCI, el factor fue apuntado como tercera posibilidad -con salvedades- para la determinación de la ley aplicable al árbitro, después de la elección expresa de las partes y de la ley de la sede.[26]

El criterio traería una respuesta satisfactoria si la mayoría de los tribunales arbitrales internacionales no estuviese compuesta por árbitros que residen en diferentes países,[27] lo que llevaría a desequilibrios en el supuesto de responsabilidad común de un tribunal colegiado. Por este motivo, se descarta la utilización *a priori* de la residencia habitual del árbitro como factor de conexión.

---

24   Redfern, Hunter, Blackaby y Partasides, *Redfern and Hunter on International Arbitration*, 6ª ed, Oxford University Press, Oxford, 2015, págs. 219-220.

25   CLAY, ob. cit., pág. 753.

26   «Rapport final sur le statut de l'arbitre», *Bulletin de la Cour Internationale d'arbitrage de la CCI*, nº 1, vol. 7 (1996), pág. 10.

27   CLAY, ob. cit., pág. 745.

8. Ley del convenio arbitral

El reconocimiento de que la propia existencia del tribunal se funda en el convenio arbitral puede llevar a la conclusión de que el contrato de árbitro nada más es que una consecuencia o una condición suspensiva para la eficacia de aquel y que, por lo tanto, están sometidos al mismo régimen legislativo.[28]

Esta posibilidad se basa en la idea de que el contrato de árbitro es accesorio al convenio arbitral y que, de esta accesoriedad, se puede extraer la voluntad implícita de partes de ver aplicada la misma ley a ambos.[29]

A pesar de estos argumentos, entiendo que no sea la ley más estrechamente conectada con el contrato de árbitro, como se pasa a explicar.

No se quiere aquí negar que un tribunal arbitral deba su existencia al convenio arbitral[30] o que éste sea un presupuesto lógico del contrato de árbitro. Sin un convenio arbitral previo (válido o no) en que los litigantes establezcan resolver sus disputas por arbitraje, no existiría contrato de árbitro. Sin embargo, tratase de contratos autónomos. El contrato de árbitro no es un contrato accesorio al convenio arbitral.

Si el derecho internacional privado no duda en aplicar leyes distintas a un mismo contrato cuando existen aspectos objetivamente separables (*dépeçage*), no hay ninguna traba a la aplicación de leyes distintas a contratos con objeto tan distinto.[31] Así, por el criterio objetivo, la ley del convenio no sería la que presenta vínculos más estrechos con el contrato de árbitro.[32]

---

28   CLAY, ob. cit., pág. 747.

29   CLAY, ob. cit., pág. 752.

30   Redfern, Hunter, Blackaby y Partasides, *Redfern and Hunter on International Arbitration*, 6ª ed. (Oxford: Oxford University Press, 2015), p. 187.

31   CLAY, ob. cit., pág. 753.

32   *Ibidem.*

El criterio subjetivo utilizado para justificar su aplicación tampoco puede prosperar, toda vez que las partes contractuales no coinciden plenamente. Si las partes del contrato de árbitro no son las mismas del convenio arbitral, no se puede deducir, por el último, la voluntad implícita de las partes del primero.[33]

Por último, es necesario resaltar que la ley del convenio es un factor indirecto de conexión, en el sentido que es necesario, previo a su aplicación, determinar cuál es la ley aplicable al convenio. No habría ningún problema si el criterio utilizado para su determinación fuese unánime en las distintas jurisdicciones, lo que no es el caso.[34]

De ese modo, este factor de conexión debe ser descartado.

9. Ley de la sede

En el mismo apartado, se analizarán a la vez dos factores de conexión apuntados por la doctrina como soluciones válidas, una vez que considero llevarán al mismo resultado.

El primero es la ley del procedimiento arbitral, o *lex arbitri*.[35] Considerando el contrato de árbitro como una cuestión de procedimiento, ya que afecta a la constitución del tribunal arbitral mismo, podría seguir el mismo marco normativo.[36]

---

33   CLAY, ob. cit., pág. 752.

34   En ese sentido, *vid* Bravo Abolafia, "La ley aplicable a la validez, interpretación y alcance del convenio arbitral: efectos sobre su extensión a los no signatarios", *Spain Arbitration Review*, n° 32 (2018): pp. 51-79.

35   Lew, Mistelis y Kroll, ob. cit., pág. 278; David, *L'arbitrage dans le commerce internacional*, Economica, Paris, 1982, pág. 383.

36   Merino y Chillón, *Tratado de Derecho Arbitral*, 4ª ed, Aranzadi, Pamplona, 2014, págs. 1463-1464.

En una aproximación subjetivista, se podría defender que los litigantes, al elegir una ley aplicable al procedimiento, indirectamente eligen la misma ley aplicable al contrato de árbitro. Sería, por lo tanto, la voluntad implícita de los litigantes.[37]

En el caso de que los litigantes hayan elegido expresamente la ley aplicable al procedimiento, esta elección sería conocida por el árbitro desde el inicio, confiriendo previsibilidad. En ausencia de elección expresa, el árbitro, por delegación contractual de los litigantes, decidiría en su nombre. Por lo tanto, o el árbitro adhiere a posteriori la elección de los litigantes o los litigantes aceptan a priori la elección que hará el árbitro.[38]

La utilización de la *lex arbitri* presenta la ventaja de que hay una única ley aplicable a todos los contratos de árbitro del arbitraje, es decir a todos los árbitros del tribunal.[39]

Cabe resaltar que la idea de que el procedimiento arbitral está sometido a las reglas de la sede es casi pacífica en la doctrina y en la práctica[40], de forma que podemos defender que, en términos pragmáticos, la *lex arbitri* equivaldría a la ley de la sede. Por lo tanto, trasladamos los argumentos en favor de la aplicación de la *lex arbitri* al defender la aplicación de la ley de la sede, pero con una ventaja: trátase de un elemento de conexión directo.[41]

---

37   CLAY, ob. cit., pág. 749.

38   *Ibidem.*

39   *Ibidem.*

40   Redfern, Hunter, Blackaby y Partasides, ob. cit., págs. 171-172; Born, *International Commercial Arbitration*, 2ª ed, Kluwer Law International, la Haya, 2014, págs. 1530-1531.

41   Defienden la aplicación subsidiaria de la ley de la sede, en los casos en que se aplique norma no estatal al procedimiento: Merino y Chillón, ob. cit., págs. 1458-1460.

Asimismo, la doctrina mayoritaria defiende que la ley de la sede es el factor de conexión más convincente[42], el que está más estrechamente vinculado, el que está de acuerdo con las expectativas comerciales y con la doctrina[43] o incluso que parece ser el único factor de conexión posible[44] para la determinación de la ley aplicable al contrato de árbitro.

Además, considerando estas dos premisas: 1) que la ley aplicable al procedimiento es la ley de la sede y 2) que la ley del contrato de árbitro es también la ley de la sede; y la conclusión de que coinciden la ley del procedimiento y la ley del contrato de árbitro, parece ser que este factor de conexión es el adecuado para regular la responsabilidad civil del árbitro. Eso se debe a la conveniencia y congruencia de que la misma ley regule las obligaciones y la responsabilidad del árbitro.

Siguiendo un criterio objetivista, al tratarse de la ley del lugar de ejecución principal del contrato de árbitro, la ley de la sede presenta los vínculos más estrechos con él. Es, por lo tanto, fácilmente perceptible y previsible para las partes.[45]

La ley de la sede es la opción más frecuentemente utilizada, ante la ausencia de elección por las partes, como se comprobó en la encuesta realizada por la CCI,[46] siendo incluso el factor de conexión elegido por el Instituto de Derecho Internacional.[47] Diferentemente de otros crite-

---

42 Lew, Mistelis y Kroll, ob. cit., pág. 278.

43 Born, ob. cit., pág. 2047.

44 Hortoglu, "The law governing the liability of arbitrators". Comunicación presentada en el Pre-Vis Moot Conference: Conflict of Laws in Arbitration, Viena, 23 de marzo de 2018.

45 CLAY, ob. cit., pág. 755.

46 «Rapport final sur le statut de l'arbitre», *Bulletin de la Cour Internationale d'arbitrage de la CCI*, n° 1, vol. 7 (1996), pág. 10.

47 *«Les rapports contractuels entre les parties et les arbitres sont régis par la loi du lieu où siège le tribunal arbitral.»* - artículo 8 de la Resolución del Instituto de Derecho Internacional, sesión de Ámsterdam (disponible en: http://www.idi-iil.org/app/

rios, permite que siempre se aplique la misma ley a todos los contratos de árbitro existentes en un arbitraje.

Además, aunque se acogiese la argumentación utilizada por quienes defienden la aplicación de la ley del convenio, dicha aplicación, en la mayoría de los casos conduciría a la ley de la sede. Un reciente estudio de derecho comparado concluyó que, de los veintinueve países analizados, se observó que cinco de ellos son favorables a adoptar la ley del fondo, dieciocho la ley de la sede del arbitraje, y seis adoptan una opción ambigua.[48]

Sin embargo, se plantea el problema de la determinación de la ley aplicable en un momento embrionario del arbitraje, cuando todavía no se Para solucionar el impase, es necesario establecer un factor de conexión subsidiario[49] para esos casos. De las posibilidades analizadas, entiendo que deba ser utilizada subsidiariamente la residencia habitual del árbitro. A pesar de que pueda generar desequilibrios en el supuesto de responsabilidad común de un tribunal colegiado, es una solución que coincide con la que sería dada por el Reglamento Roma I -si resultase aplicable- y que es razonablemente aceptada en diversos países.[50] Estas características confieren a la ley de la residencia habitual del árbitro cierta uniformidad y previsibilidad,[51] siendo adecuada como solución subsidiaria.[52]

---

uploads/2017/06/1957_amst_03_fr.pdf).

48   Bravo, ob. cit., págs. 73-75.

49   Uzal, *ob. cit.*, pág. 105.

50   «Rapport final sur le statut de l'arbitre», *Bulletin de la Cour Internationale d'arbitrage de la CCI,* n° 1, vol. 7 (1996).

51   CLAY, ob. cit., pág. 753.

52   «Rapport final sur le statut de l'arbitre», *Bulletin de la Cour Internationale d'arbitrage de la CCI,* n° 1, vol. 7 (1996), pág. 10.

Ante lo expuesto, de conformidad con los argumentos utilizados por quienes defienden la aplicación de la ley del convenio,[53] por quienes defienden la aplicación de la ley del procedimiento[54] y por quienes defienden la aplicación de la ley de la sede,[55] entiendo que, para determinar la ley aplicable al contrato de árbitro y su responsabilidad civil, es idóneo utilizar la ley de la sede como factor de conexión principal y, subsidiariamente, la ley del domicilio habitual del árbitro.

V. CONCLUSIONES

Teniendo en cuenta que existen diferentes sistemas de responsabilidad del árbitro, basados en premisas antagónicas y que varían desde la total inmunidad del árbitro, como la que se llega a conferir a los jueces estatales en algunas jurisdicciones, hasta la responsabilidad equivalente a la de cualquier prestador de servicios. Las posiciones y sus defensores parecen ser inconciliables, siendo que la unificación de las normas directas sobre responsabilidad del árbitro en el plano internacional es una tarea altamente compleja.[56]

Ante la dificultad de unificar las normas directas (de fondo) y en búsqueda de la previsibilidad, tan necesaria en el comercio internacional y el arbitraje comercial internacional, un primer paso a seguir es la unificación de las normas indirectas (de conflicto). Una vez que no existen, en las legislaciones nacionales, normas de conflicto específicas para la

---

53   David, ob. cit., pág. 384.

54   Merino y Chillón, ob. cit., págs. 1458-1460.

55   CLAY, ob. cit., pág. 755; Born, ob. cit., pág. 2047; Lew, Mistelis y Kroll, pág. 278.

56   Perales Viscasillas, "La responsabilidad civil de los árbitros: ¿Es posible una solución uniforme a nivel internacional en la CNUDMI?", *Anuario de Justicia Alternativa*, n° 13 (2014), pág. 101.

determinación de la ley aplicable al contrato de árbitro –a pesar de que se apunte su necesidad desde los años ochenta,[57] el consenso de los distintos países parece una tarea más factible.

Para unificar las reglas de conflicto de todos los países y alcanzar la deseada previsibilidad vislumbro dos posibles vías.

La primera vía es la de las normas internacionales. La manera tradicional de uniformizar legislaciones es a través de instrumentos internacionales firmados entre los Estados. Sin embargo, la única forma de que exista una real uniformización en la regulación es que todos -absolutamente todos- los países del mundo sean signatarios del convenio o tratado internacional, lo que es sumamente difícil de conseguir, sino imposible. Además, el trámite necesario para la aprobación de instrumentos de derecho internacional público es algo complejo y lento. Con lo cual, esta vía debe ser descartada.

La segunda vía, por la que me decanto, es la de incluir una disposición en la Ley Modelo de la CNUDMI sobre arbitraje comercial internacional. El Derecho posee instrumentos suficientemente flexibles y autónomos para regular las relaciones en este ámbito transnacional. Considerando que la Ley Modelo contribuye de manera importante al establecimiento de un marco jurídico unificado para el arbitraje comercial internacional,[58] sirve como una línea maestra para cualquier Estado que quiera actualizar su ley de arbitraje[59] y, por lo tanto, es la mejor salida para catalizar una gradual uniformización de las reglas de conflicto nacionales.

---

57   David, ob. cit., pág. 385.

58   Resolución 40/72 aprobada por la Asamblea General de las Naciones Unidas, aprobada en la 112ª sesión, el 11 de diciembre de 1985.

59   Redfern, Hunter, Blackaby y Partasides, ob. cit., pág. 168.

Ya con relación al contenido de la regulación, la propuesta de este trabajo es que se incluya, en la próxima revisión de la Ley Modelo, una regla de conflicto para la determinación de la ley aplicable al contrato de árbitro y, por ende, a la responsabilidad civil del árbitro frente a los litigantes, con dos factores de conexión: como factor de conexión principal, la ley de la sede arbitral y, como factor subsidiario, para los casos en que todavía no haya sede determinada, la ley de la residencia habitual del árbitro.